STÉPHANE MALLARMÉ
1842–1898

Lithographie von Edvard Munch

MALLARMÉ

MALLARMÉ

DICHTUNG · WEISHEIT · HALTUNG

VON

KURT WAIS

Mit drei Abbildungen

C. H. BECK'SCHE VERLAGSBUCHHANDLUNG
MÜNCHEN 1952

Zweite, neubearbeitete und erweiterte Auflage von
„Mallarmé. Ein Dichter des Jahrhundert-Endes"

961735

INHALT

DICHTUNG DER ZWEITEN LEBENSHÄLFTE

ANHANG

ABBILDUNGEN

Da schirmten held und sänger das geheimnis:
Villiers sich hoch genug für einen thron
Verlaine in fall und busse fromm und kindlich
Und für sein denkbild blutend: Mallarmé.

Stefan George, Franken (Der Siebente Ring)

Die europäische Dichtung des 19. Jahrhunderts beginnt über-
schaubar zu werden. Den Verkannten geschieht ihr Recht, Überschätzte müssen sich mit einer bescheidenen Beachtung abfinden.
Im gleichen Maß läßt sich ahnen, daß dieses Jahrhundert — ebenso wie die früheren — eigene weltliterarische Aufgaben erfüllte.
Um diese Eigenart zu erkennen, gilt es im Verschiedenartigen das
Gemeinsame zu sehen. Zu wenig besagt die Unterscheidung, der
man am häufigsten begegnet: die Dichtung des neunzehnten Jahrhunderts sei „realistischer" als die des achtzehnten.

Wohl aber läßt sich, als ein roter Faden, der dieses Schrifttum
durchzieht, etwas wie eine neue Auffassung des Dichtertums feststellen. Um den Standort Stéphane Mallarmés zu begreifen, wird
es erwünscht sein, einige Zusammenhänge der damaligen Kunstauffassung aufzudecken. Knappe Umrisse müssen genügen.

Bekannt ist, wie aus dem Tugendglauben der Renaissance sich
das Vertrauen der englischen Philanthropen und Rousseaus auf
die gute und enthusiastische Menschenseele herausbildete. Auf
der nämlichen Grundlage erhob sich der sittliche Optimismus der
deutschen idealistischen Denker. Die literarischen Auswirkungen
beherrschen durchaus die Erzählkunst und das Drama des
19. Jahrhunderts, und sie werden sich auch im 20. schwerlich
verlieren. Sowenig wie irgendeine andere Bewegung war indessen
auch diese vor dem Verflachen gefeit. Oft verfiel sie ins Uto-
pisch-Rührselige. Die Fortschrittshoffnungen und die liberale
Theologie wirkten verarmend auf das alteuropäische Erbe des
psychologischen Scharfsinns, auf das tragische Durchgrübeln des
Daseins. So mußte allenthalben Einseitiges richtiggestellt werden.

1 Wais 2.A.

Nur von den frühesten Wellen des Einspruchs sei hier die Rede,
denen in Deutschland und Frankreich. Als erster zeigte Goethes
Werther das Urbild des genialen, dämonisch naturgelenkten Menschen in seinem Leiden auf; Chateaubriand, Byron und ungezählte andere faßten dadurch den Mut zu einer tragischen Welt-
schau. Schiller seinerseits erfaßte tragisch-dramatisch den „ungeheuren Spalt" des harmonisch echten Menschen gegenüber der
durch Standesklüfte dem Selbst entfremdeten geschichtlichen
Mitwelt; damals entstand die Tragödiendichtung der humanistischen Moderne.

Novalis wiederum begründete auf den mystischen Grundlagen
Jakob Böhmes eine Art Religion der Poesie: die Dichtung wurde
durch ihn zum höchsten Pfade aller um Erkenntnis Ringenden
erhoben, zu einer so hohen göttlichen Würde, daß als ihr Erz-
feind eben Rousseau und die unreinen überschwenglichen Selbst-
bekenner und Ich-Tendenzler erscheinen mußten. Darum kommt
der berühmte Dialog mit Klingsohr über das Wesen der Dichtung, das siebente Kapitel von Novalis' Roman *Heinrich von Ofterdingen*, immer wieder auf diesen einen Punkt zurück: „Nichts
ist dem Dichter unentbehrlicher als Einsicht in die Natur jedes
Geschäfts.. Begeisterung ohne Verstand ist unnütz und gefährlich,
und der Dichter wird wenig Wunder tun können, wenn er selbst
über Wunder erstaunt.. So ist auch die kühle, belebende Wärme
eines dichterischen Gemüts gerade das Widerspiel von jener wilden Hitze eines kränklichen Herzens.. Der junge Dichter kann
nicht kühl, nicht besonnen genug sein.. Es wird ein verworrenes
Geschwätz, wenn ein reißender Sturm in der Brust tobt.. Die
Poesie will vorzüglich als strenge Kunst getrieben werden."
Klingsohr nennt auch die Natur, „diese Feindin der Poesie,.. ein
entgegengesetztes Wesen, die dumpfe Begierde und die stumpfe
Gefühllosigkeit und Trägheit, die einen rastlosen Streit mit der
Poesie führen". Deutet man Klingsohrs allegorisches Märchen in
der Art von Heinrich Simon (*Der magische Idealismus*), so wird
die Aufspaltung in den irdischen Alltag und die Idealwelt Sophies erst dann durch die *Poesie*, das Mädchen Fabel, überwunden, wenn die *Mutter*, das „Herz", auf dem Scheiterhaufen ver-
brannt ist. So gelangte hier der seit Jahrhunderten vorwiegend reli-

giös bestimmte deutsche Schönheitsbegriff zu einer auffallend ähnlichen Haltung wie der vorherrschend formbezogene französische. Neuere englische Ästhetiker haben diese Einsicht vom Psychologischen her vertieft durch den Hinweis auf das innere Abstandnehmen in der Seele des Dichters, das einem persönlichen Gestalten vorangehen muß.[1]

Auf diesen Pfeilern ruht, wie mir scheint, die Kunstauffassung der Moderne. In Frankreich, wo man den Anti-Rousseauismus höchst mißverständlich als *anti-romantisme* bezeichnet (allerdings umgreift gerade der französische Romantismus eine besonders große Zahl überschwenglicher Nachtöner Rousseaus), blieb der Rückschlag auf Rousseau zunächst schwach, solange er sich nur auf das eigene bodenständige Erbteil stützte, und er fand erst seit Nietzsche im Ausland Anklang. Jenes Erbteil, das war die große Reihe der skeptischen Psychologen seit Montaigne, zu der auch Saint-Simon gehört. Durch dessen kaltblütigen Aristokratenton befreite sich als erster Stendhal langsam wieder von Rousseau. Einer der ganz wenigen, die zunächst für Stendhal Verständnis hatten, Mérimée, brach noch entschiedener mit dem philanthropisch-puritanischen Optimismus der Angelsachsen, indem er die gute heilende Menschenseele ausschied und ihre Tugenden ethnologisch relativierte, oft nahe bei einem Zynismus voltairescher Prägung. Ein südfranzösischer Maler und Lebenskünstler, Théophile Gautier, an welchem später Mallarmé mit Recht die theoretischen Schriften den Dichtungen vorzog, rechnete im Vorwort seiner *Mademoiselle de Maupin* und anderswo mörderisch bissig mit der „burlesken Wiedereinsetzung der Tugend" in der idealistisch-zimperlichen Kunst Nordeuropas ab, desgleichen mit der pöbelhaften Sentimentalität.[2] Dagegen pries er die moralfreie Sinnlichkeit des Schönen antiker oder modernmediterraner Prägung. Bei aller sonstigen Verschiedenheit zu Novalis und Poe wurde auch bei Gautier — Baudelaire zog diesen Vergleich zu Poe — die Dichtung zu einer „fixen Idee".

Das Hochgefühl, das sie angesichts der sittlichen Würde des Menschentums erfüllte, hatte manche Dichter seit langem dazu gebracht, moralistisch und plump vertraulich von den Geheimnissen der Seele zu reden. Es hatte sich aber oftmals noch auf andere

1 *

Weise unleidlich gemacht. Alle Kunstgriffe und Topoi der spätantiken Rhetorik waren aufgeboten worden, um die Worte ins
pathetische Tönen, in das rollend Klangvolle zu heben und zu
schwellen. So pflegten die Schriftsteller unter Ludwig XIV. den
Stil der „Eloquenz". Noch Rousseau, Chateaubriand, Schiller, Byron, Shelley, Lamartine, Vigny, Victor Hugo vermochten in ihrer
Verssprache nicht, sich davon zu lösen. Unmerklich erst begann
den prunkenden Humanismus ein schlichter und inniger abzu-
lösen: Matthias Claudius und die bewußt kargen Schriftsteller des
nordeuropäischen Protestantismus, Goethe, die englischen *Lake
Poets* und deren Schüler,[1] unter ihnen der Lyriker Sainte-Beuve;
bisweilen auch die Dichterin Marceline Desbordes-Valmore. In
Italien wollte es lange gar nicht gelingen, „der Eloquenz den Kragen umzudrehen" (mit einem Ausdruck aus Verlaines *Art poétique*). Und auch in Frankreich vollzog es sich nur sehr zögernd,
zunächst eigentlich bloß da, wo an die Stelle der Versform poetische Prosa trat. Die Anregungen zu Prosagedichten kamen von
überallher: vom *Hohen Lied*, das in den Liebeshymnen von Chateaubriands *Atala* nachklingt; von den ossianischen Gesängen, wenigstens in der Übertragung durch Letourneur (während Baour-
Lormian wieder Eloquenzverse gebrauchte); von den Prosa-Idyl-
len Geßners und von der poetischen Prosa[2] bei der Dichtergruppe,
die ich als französischen „Sturm und Drang" zu bezeichnen vorschlug; von kunstlos wörtlichen Prosa-Wiedergaben wie denen
von Scotts Nachbildungen altschottischer Balladen durch Loève-
Veimars (Loeb, aus Weimar), oder von des Thüringer Geistlichen
Friedrich Adolf Krummacher *Parabeln*, durch L. Bautain und
Xavier Marmier. Beziehungen zu dieser Prosalyrik knüpften
die ersten Meister des französischen Prosagedichts, Charles
Nodier und Aloysius Bertrand. Wobei Bertrand, auch da, wo
er wörtlich etwa an die einleitenden Prosastrophen von Nodiers
Smarra anknüpfte, als erster das Prosagedicht zum rein monologischen, lyrischen Selbstgespräch hinführte. Bertrand wurde zur
künstlerischen Bestätigung für Charles Baudelaire, als dieser,
erstmals klar bewußt, sich gegen die Eloquenz-Sturzbäche Rousseaus wandte und ebenso gegen den „Witz" der Aufklärer, für
die es kein geheimnisvolles Ungefähr, keinen dunklen Zufall mehr

gegeben hatte und bei denen das Licht des Verstandes an die
Stelle jeder anderen Erleuchtung hatte treten sollen. „Je hais la
passion, et l'esprit me fait mal."

Frankreichs Lyrik der zweiten Jahrhunderthälfte wird eingeleitet durch das wichtigste Manifest Charles Baudelaires, seine
Schrift „Théophile Gautier" (1859), in der er erklärte, daß zwischen Corneille auf der einen und Alfred de Vigny, Victor Hugo
und Sainte-Beuve auf der andern Seite die französische Versdichtung tot gewesen sei (auch Rimbaud: „après Racine le jeu moisit",
15. 5. 71). Literargeschichtlich liegt Baudelaires große Bedeutung darin, daß sein schöpferisch entdeckungsbereiter Widerspruchsgeist alle bisherigen Ansätze zusammenfaßte. Nicht nur
zu Gautier bekannte er sich. Das wertherisch-dämonische Element steigerte er zum satanischen, so daß Victor Hugo hier halb
bedenklich eine Abweichung feststellen mußte: „Sie versehen den
Himmel der Kunst mit etwas wie einem leichenhaften Strahl..
Sie schaffen einen neuen Schauder".[1] Wesentliche Züge von Novalis' Kunstlehre gelangten über Coleridge und Poe zu Baudelaire,
Dionysisch-Mythisches aus der deutschen Romantik über Nerval,
über Richard Wagner, über die englische Erzählerin Catherine
Crowe. Dem lyrischen Erbe der englischen „Seeschule" begegnete Baudelaire in den Versen Sainte-Beuves, die er selbst als die
Grundlage seiner *Fleurs du mal* bezeichnete. Zugleich lernte er
aber auch die Verwegenheit synästhetischer Bilder und Analogien
durch Hugo, als das primitivistisch-seherische Geschenk der Romantik; schon Tieck schrieb „das Licht blüht". Einige stoisch-
heroische antiromantische Züge endlich steuerte auch Vigny bei;
sie dienten damals übrigens auch zur Grundlage der (bald exoti-
stischen, bald geschichtsphilosophischen) Lyrik Leconte de Lisles.
Besonders entscheidend für Spätere wie Mallarmé und noch
für George, Rilke und Valéry war bei alledem, daß Baudelaire
ein Treuegelöbnis gegenüber dem strengen Verskult Gautiers aussprach und einhielt. Denn kurz danach begann der durch den
jungen Goethe begründete gesunde Sturm freierer Rhythmen an
den Regeln des herkömmlichen Verses, besonders am regelmäßigen Alternieren von Hebung und Senkung, zu rütteln. Unabhängig
voneinander durchbrachen besonders Walt Whitman, Rimbaud,

Nietzsche (der Lyriker) und Hopkins die rhythmische Trägheit
und Verarmung von Jahrhunderten; und zwar Rimbaud – bei all
seiner Verehrung für den „ersten Seher, den Dichterkönig, *wahren Gott*" Baudelaire — nicht ohne den Vorwurf, daß dieser
„noch in einer zu artistischen Umwelt gelebt habe" (15. 5. 71
an P. Demeny). Aber das waren vereinzelte, verfrühte Vorläufer
eines zu erhoffenden unbefangenen Umgangs mit den Vers-
gesetzen, und gleichwohl selber noch unfrei mit dem Bann der
Sprache ringend. Zuweilen glichen sie jenen pathologischen Dichtern, die erst nachdem der Irrsinn sie überkam, über ihre lang-
weiligen Reimereien hinwegfinden zur Eigengewalt wenn nicht der
Worte, so doch der Wörter (so der biedere geistliche Lieder-
dichter Christopher Smart im achtzehnten Jahrhundert). Dahinter
stand bei jedem der vier Genannten eine mit nichts vergleichbare
Krise des Ich. Bei Whitman eine Entgeistigung ins wuchernd
Wachstümliche, ins vegetabilisch Problembefreite. Bei Nietzsche
der Versuch, sein dynamitgeladenes, seherisch einer gottentleer-
ten Gegenwart sich entsträubendes Ich („Ich lechze nach mir")
zur Göttlichkeit zu erheben. Bei Rimbaud der Unwille, bloß
etwas so Verhaßtes wie ein Mensch zu sein: „Ich ist ein anderer."
Bei Hopkins ein lichterlohes Verbrennen der sündigen Triebe
und Wörter in der Gottesminne. Diese Lyriker vermochten eine
Tradition nur zu durchbrechen, nicht sie erneut zu beleben. Mallarmé dagegen gehörte zu denen, die ein Erbteil weiterzubilden
suchten. Dabei liegt jedoch das Neue, das er brachte,[1] auf mehreren und untereinander recht verschiedenen Ebenen.

Es gibt keine Anweisung, auf welche Weise man sich am besten
mit Mallarmé einläßt. Der natürliche Weg ist es schwerlich, sogleich den ganzen Umkreis seines Geistes abschreiten zu wollen.
Man wird zunächst, wie er selber es wollte, seiner *Sprache* zuhören. Hier wirkte er übrigens am spürbarsten auf die neuere
Dichtungslehre ein. Sein Schüler Paul Valéry hat eine ganze
Ästhetik auf der einst von J. E. Schlegel und Goethe ausgeführten[2] und dann in Vergessenheit geratenen Erkenntnis aufgebaut,
ein Gedicht sei nicht zum wenigsten ein sprachliches Gebilde, ein
Kunstwerk aus Wörtern. Gegenüber einer Auffassung, die das

Wesentliche des Kunstschaffens allein im intuitiven Akt sieht (B. Croce), weiß man neuerdings die faszinierende Leibhaftigkeit des sprachlichen Rohstoffs (Edward Bullough) und die sprachliche Träumerei als Schutz vor dem rationalistischen Bewußtsein (Thorburn, *Art and the Unconscious*) wieder zu schätzen.

Mallarmés Werkstoff war die französische Sprache. Man wird erwägen, wie wohlgeregelt und unwiderruflich fast alles an ihr in langen Jahrhunderten geworden war und im Grunde auch heute scheint. Es läßt sich dann ahnen, wie sonderbar Mallarmé von den älteren Trägern des französischen Schrifttums absticht. Durch ihn wurde für eine Weile scheinbar aufgehoben, was durch die Sprachgeschichte Frankreichs besiegelt war, nämlich die Entfernung der romanischen Sprachen — und teilweise schon des Lateinischen, wie Mallarmé selbst festgestellt hat — von den etymologischen Sinngehalten der uralten Stammwurzeln. Die germanischen, die slawischen und andere Sprachen empfinden sie noch eher und ziehen ein gut Teil ihrer lyrischen Poesie daraus, daß die Verwandtschaft der Wortstämme erkennbar blieb. Darüber hinaus gibt es, von solchen verschiedenen Voraussetzungen unabhängig, ein allgemein menschliches Sehnen nach einer Ursprache, nach dem, was Gérard de Nerval den „verlorenen Ton" nannte, le son perdu. In den Schriften Mallarmés, wie in den paar Prosastücken seines Vorgängers Maurice de Guérin und den paar Reimstrophen des späten Nerval, spinnen sich geheimnisvolle lautliche Sinnbeziehungen zwischen den Wörtern, und das Französische klingt fast wieder, als sei es eine Ursprache oder, mit Mallarmés Worten, eine „Mutter-Sprache", langue mère. Das grenzt ans Wunder und ist ein Wunder, bedenkt man die Abgeschliffenheit des französischen Sprachklangs, und es soll in der Tat, nach Mallarmés Definition des sprachlichen Kunstwerks, ein Wunder, mystère, sein. „Es gelang Mallarmé", schrieb vor kurzem André Gide,[1] „unseren klassischen Vers zu einem Grad tönender Vollkommenheit, plastischer, inwendiger Schönheit, zauberspruchartiger Gewalt hinzuführen, welchen dieser noch niemals erreicht hatte und, wie ich denke, nie wieder erreichen wird."

Eine altertümelnde Verssprache? Oder eine dadaistisch lallende? Keines von beiden, denn der Stolz jeder Sprache, nämlich ihre Bewußtheit und ihre Intellektualität, hat bei Mallarmé keine entscheidende Einbuße erlitten. Die Vereinbarung des einen mit dem andern ist ein weiterer Anlaß zur Verwunderung. Als die deutschen Romantiker sich zu einer Ursprache zurücksehnten, taten sie es ja ebensowenig aus infantiler Dumpfheit, sondern weil allein eine durchaus echte Sprache den Dichter würdig macht, vor dem Antlitz der Idee, die ihn erhebt, zu bestehen. So klingt auch der Wortlaut dieser Verse neu und alt zugleich. Er macht wieder bewußt, daß die Sprache nicht ausschließlich zur Vermittlung von Gedanken dient, sondern auch ein Werkzeug der Ausdrucksfreude ist. Und auch daß das Künstlerische nicht so sehr eine Seinsform als eine Wirkform ist. Davor erbangen diejenigen, die sich gewöhnt haben, die dichterische Gestalt als etwas letztgültig bei den Klassikern Erreichtes anzusehen: dieses müsse nach „Schulen" und nach einer vor Gefährdungen zu behütenden nationalliterarischen Repräsentation beurteilt werden, im Sinne der Akademien und der neueren Sehnsüchte nach kollektivem Schutz. Dichten aber geschieht zugleich auch immer als etwas Neues; so wieder in Mallarmés Sprache. Was er schon seinem menschlichen Wesen nach mied, war die „Eloquenz", das Deklamatorische von Jahrhunderten französischer Poesie. Mit wenigen anderen seiner Zeitgenossen erkannte er als vornehmliche und dringende Aufgabe, die Worte wieder neu spürbar, neu hörbar zu machen. „Die *Absoluten Dichter*, das hätte man als Überschrift setzen müssen", schrieb Paul Verlaine im Vorwort zu drei Aufsätzen über Corbière, Rimbaud und Mallarmé, und er fügte hinzu, er nenne sie nur darum die Ausgestoßenen, die maudits, weil die modischen Zeitgenossen für das „Ruhige" einer Überschrift kein Verständnis hätten und weil diese Dichter sich in der Tat durch die maßgeblichen Sprecher der Leserschaft verfemt fühlen müßten (*Les Poètes Maudits*, 1883).

Die besondere Kraft der Verssprache Mallarmés führt für den Leser eine ganz bestimmte Versuchung herauf. Wie der Dichter lieber eine Szene seiner *Hérodiade*, seines *Igitur* und seines *Faun* vierfach neu schrieb als erst einmal das Ganze abzuschließen, wie er den Sinn eines größeren Werks immer schon vorwegnehmend in dessen erste Seiten hineinzuverdichten suchte, und wie

er seine Jugendgedichte sprachlich immer wieder neu durch-
säuerte, mit immer neuen bereichernden, wenn auch nicht immer
geglückten Zusätzen — so verhält es sich auch mit seiner Sprache.
Sie scheint es bewußt darauf anzulegen, als Einzelfragment, ja
als Einzelvers genossen zu werden. Der Leser soll sozusagen, gemäß den alten preziösen Vorbildern, durch die blendende Einzelheit abgelenkt werden von dem weiterführenden Sinn und Gesamt-
plan, gleichsam als verzweifle die schwermütige Einsamkeit des
Dichters von vornherein daran, von irgendeinem Leser als ein
Ganzes verstanden werden zu können.

Wahrscheinlich hatte Mallarmé in der Tat solche Leser vor
Augen, die sein Werk bald da, bald dort aufschlügen, hier eine
Satzformel zärtlich heraushöben, dort einen Vers in allen Fein-
heiten des Klangs und der Wortprägung auskosteten. In diesem
Sinne war wohl keiner von allen, die über Mallarmé geschrieben
haben, ein idealerer Leser des Dichters als Albert Thibaudet, der
Verfasser des Buches *La Poésie de St. Mallarmé* (1912; erheblich
erweitert 1918). Diesem Kritiker aus dem Kreis von Royères
Phalange ging es weniger um Leben und lebensgeschichtliche
Stufungen, Leidenschaft oder sittlich-menschliche Sphäre Mallarmés. Er sah in ihm geradezu den Inbegriff des reinen körper-
losen Literaturschemens und meinte, es lohne sich nicht, diesen
„Dichter für die Kritiker", um seiner selbst willen zu lesen.[1] Zugleich hat niemand mit so viel künstlerischem, versvertrautem
Feingefühl die Schönheiten gerade der berühmtesten Verse Mallarmés schwelgerisch heraustreten lassen, Lautklang, Silbenmaß,
Reimgeschick, Wortwahl, Versmusik. Über das „Museum isolierter Verse" hinaus kommt Thibaudet zu einigen allgemeinen
Formeln. Sie sind in ihrer Geltung noch kaum erschüttert. Dazu
gehört die Voraussetzung,[2] es seien bei diesem Nur-Buch-Dichter
schwerlich andere Dichtungsinhalte zu erwarten und zu suchen
als Fragen der Dichtungstheorie, der Schaffenspsychologie, der
Poetik. Das Ideal einer Dichtung der Stille, der Pausen und des
Verschwiegenen, das Thibaudet später an Valérys Versen williger
bejahte, wurde ihm bei Mallarmé oft zu einem Widerspruch in
sich selbst, zu etwas Unheimlichem, Nicht-Geheurem, ja zum
Beweis für Schaffensunfähigkeit. Das Erlebnis der *Abwesenheit*

eines Dings, etwa die Schätzung der Symbolfarbe Weiß und die
Verflüchtigung des Körperhaften, die ohne Zweifel bei Mallarmé
eine Rolle spielen, erscheint so als dessen wesenhaftestes Kenn-
zeichen. Paul Claudel wurde durch dieses — wie er sagte — „für
mich fast tragische" Buch Thibaudets[1] stark erschüttert.

Zwei Wahrnehmungen besonders konnte Thibaudet für diese
Auffassung anführen. Einmal läßt in Mallarmés Stil das herme-
tische Versteckspiel, die unklare Verstrickung fragmentarischer
Andeutungen, sich auf den ersten Blick auffassen als Angst vor
dem natürlichen Ausdruck, als Scheu vor der Sprache. Daran ist
ein Kern richtig; durch Ausscheidung alles nicht unbedingt „rein"
Poetischen geriet der Dichter an den äußersten Rand eines Abgrunds. Wenn die Schüler seine Sätze nach Gehalt und Sinn wohl
nicht immer verstanden, schlossen sie daraus keineswegs, die
künstliche Form verdecke gedankliche Leere; als einer, Ch. Morice, von einem Freunde diese Vermutung geäußert hörte, erwiderte er ihm: Mein Herr, wir haben uns nichts mehr zu sagen.[2]
Schuld an dem „hochmütigen Schweigen" um Mallarmé trugen
andererseits einige seiner geistigen Verweser. „Immer dachte
ich", schrieb Camille Mauclair, „daß, die ihn am aufrichtigsten
liebten, ihn schlecht liebten, da sie ihn für sich behielten, eine
Sphinx aus ihm machen wollten, die Mauer noch verdichteten,
die ihn von der Welt trennte, behaupten wollten, hier sei ein Genie, welches sie allein verstehen und ehren konnten. Dieweil sie
ihre Schilde um ihn schlossen, ihn zu schützen, schlossen sie ihn
ohne Luft ein und ließen nur tropfenweise den großen Strom
seiner Ideen durchsickern, der schließlich die ganze neuere Literatur beeinflußte, ohne daß er die Freude gehabt hätte, es zu
wissen."[3] Umgekehrt feiern einige Jüngere jetzt an ihm gerade
seine Entferntheit vom Greifbaren. Es zeige sich, meinte Maurice
Blanchot, daß erst Mallarmé, der Zerstörer des französischen *ba-
roquisme*, mit dem Wesen der Dichtung wirklich Ernst gemacht
habe (gemeint ist eine Dichtung, die im Angesicht einer entgötterten Realität alle Hoffnung verloren hat), denn dieses Wesen
bestehe darin, die Dinge in eine „Abwesenheit" zu verwandeln,
in ein Nicht-Sein, in eine „Bewegung zu etwas anderem hin". Mallarmé habe es bis zu dem Punkt weitergetrieben, wo das ganze

All entschwinde, ,,eine seltsame, zwischen Nichts und Sein in Gleichgewicht befindliche Gewalt" (La Part du Feu, 1949). Das trifft allenfalls für einige bestimmte Jahre von Mallarmés Leben zu. Richtiger wäre es zu sagen, daß Mallarmé die ,,Abwesenheit" im Sinn einer äußersten transzendenten Reinheit gleichsam als den Untergrund seiner Gemälde zu schaffen versteht, auf dem dann die Bilder und Vergleiche erst recht sinndurchdringend leuchten. In einer wirklichkeitsgesättigten Welt verlieren sie ja an mystischer Sinnkraft und werden zu Verzierungen; ein Beispiel dafür sind die meisten der sogenannten realistischen Erzähler. Wenigen großen Dichtern gelingt es, das eine und das andere zu vereinen. Bei den meisten der Dichter, die man unter dem Schlagwort ,,Symbolisten" zusammenfaßt, verdanken die Bilder, von der impressionistischen Assoziation bis zur mühevollen Allegorie, ihre Nachdrücklichkeit dem schwerelosen, unwirklichen Untergrund. Um wieder gelöst zu sein für das Schöne, war es wohl nötig, die Welt der ruhelosen, ohnmächtig eigenmächtigen Betriebsamkeit zu verlassen, die Welt der ewig ,,Profanen" — der junge Barrès nannte sie die ,,Barbaren" —, die nur tun und nicht lassen, nicht sich loslassen können, und daher weder leben noch sterben können und alles nur nach der verfügbaren Zeit taxieren.[1] Durch scheinbare Abwesenheit der Dinge schafft Mallarmé einen Umkreis der Ruhe, des Sich-Loslassens, der wissenden Gelöstheit, in welchem die feinen Schwingungen erst wieder hörbar werden.

Auch die andere These Thibaudets gilt es ein wenig genauer zu erwägen: die Selbstbezichtigung der *Unfruchtbarkeit* (stérilité, impuissance), die der junge Mallarmé immer wieder gegen sich aussprach. Auf diese Tatsache hatten vor Thibaudet schon A. Retté, Georges Bonnamour (Revue indépendante, Nov. 1892) und J. M. Bernard (in einem Aufsatz *Mallarmé et l'idée d'impuissance*) oder neuerdings Guy Michaud[2] ein abschätziges Urteil gestützt. Soweit etwa auf den räumlichen Umfang dieser Lyrik angespielt wird (welcher übrigens demjenigen vieler anderer großer Dichter nicht nachsteht), ist der Vorwurf absurd, mochte damals auch die Existenz beispielsweise der philosophischen Erzählung *Igitur* noch gar nicht bekannt gewesen sein, dieses ,,schönsten

und erregendsten Dramas des 19. Jahrhunderts" (Paul Claudel).
Jenen Vorwurf erhoben ja, worüber schon Paul Valéry sich em-
pörte, nicht etwa die Liebhaber Mallarmés, „von denen man begriffe, daß sie sich beklagen, daß ihrem Vergnügen Grenzen gesetzt sind; im Gegenteil, die andern sind es, dieselben, die sich
gegen die Existenz dieses Werks empören und sich nun noch beklagen, man gebe ihnen zu wenig".[1] — Unrichtig wäre die Vorstellung, als habe Mallarmé von Natur keinen leichten Sinn für das
Verseschaffen gehabt. Er beherrschte eher allzu viele Töne. Nichts
war ihm, dem Allzubelesenen, leichter, als etwa den Vers eines
Freundes aus dem Stegreif so umzudichten, wie Béranger, Pierre
Dupont, Musset, Hugo, Banville, Leconte de Lisle ihn geschrieben haben würden.[2] Gewiß, er hatte harte Kämpfe mit seinem
Stoff auszufechten. Aber „das Märlein von seiner sprachlichen
Mühsal", schrieb Theophil Spoerri, „wird durch das geringste
seiner zahlreichen Gelegenheitsgedichte widerlegt. Und vor der
Pracht seiner ersten Gedichte vergeht auch dem trockensten Li-
teraturbanausen der Atem. Wo gibt es Gedichte von solchem
Flügelschlag wie die *Brise marine*?".[3]

Man vergesse nicht, daß die Herabsetzungen des eigenen Ich
im wesentlichen auf eine hypochondrische Jugendphase beschränkt sind und daß sich in ihnen gerade einer der wesentlichen
Züge Mallarmés ankündigt, seine überanstrengende Tiefenarbeit
in der Erforschung der eigenen Seele und die Bereitschaft zu
rücksichtsloser Ehrlichkeit bei einem solchen Unternehmen. Jenes
Inferno war wohl die eigentliche Grundlage für die Klarsicht,
mit welcher der Dichter im *Igitur* wiederum über sich Gerichtstag hielt, über einen neuen Irrweg seines Ich; wie auch später für
die demütige Festigkeit, die alle an Mallarmés Aussagen mit
Recht bestaunen.

Noch weniger auffällig ist, daß bei ihm Zeiten riesenhafter
Planungen und zuversichtlichen, arbeitsfreudigen Hochgefühls
mit Zeiten der Ablenkung wechselten. Die letzte große Ernte allerdings, darin hat Thibaudet recht, brachte Mallarmé nicht mehr
ein. Was jahraus, jahrein auf Blättchen gekritzelt worden, im
Segelboot, im Schulunterricht, im Konzert, bei Tisch, auf der
Straße, sollte endlich, im Sommer 1898, ein Entschluß zum

längst geplanten Ganzen zusammenschweißen. „Ja, ich habe eine
der großen Schlachten des Geistes geschlagen", gestand er dem
Freund beim Aufbruch nach seiner Sommerwohnung in Valvins.
Und mit heiterem Händedruck: „Nach dem Siege werden wir
meine Toten zu bestatten haben. Sie müssen nach Valvins kommen, wir werden auf freiem Feld ein großes Loch graben und das
ganze schmerzhafte Vergangene darein versenken. Wir wollen
diesem Papier, das von meinem Leben so viel umschließt, ein
Grab bereiten."[1] Wenige Wochen später hat ihn der Tod abge-
rufen.

Bewundert man Mallarmé, so geschieht es nicht zum wenigsten auf der *lebensgeschichtlichen* Ebene. Sein Leben allein
schon wäre etwas wie ein Kunstwerk. Man wird im folgenden
der Versuchung zu widerstehen haben, es als ein „Symbol" oder
als eine Lehre zurechtzurücken. Die Lehre entnimmt jedermann
ein wenig anders; das ist recht so. Beispiele dafür lassen sich
leicht häufen. Ich beschränke mich auf vier von ihnen, aus den
entferntesten Geistesfamilien. In dem ergreifendsten und schönsten Dankesbrief an Mallarmé, der mir bekannt ist, sagte einer
aus dem Kreise Emile Zolas, Octave *Mirbeau*, der Freund Clemenceaus, der gefürchtete Linksradikale, der barbarisch wilde
Polemiker und Naturalist: wenn an seinem eigenen Leben etwas
Tröstliches gewesen sei, so sei es die Freundschaft Mallarmés,
„denn sie lehrt mich eines der schönsten Dinge des Lebens, die
Entsagung".[2] — Ein Beweis dafür, daß der Idealismus und das
Vertrauen auf den edeln Menschen zu Recht bestehe, war die Gestalt Mallarmés sodann für Houston Stewart *Chamberlain*.[3] „Ein
kurzer Besuch bei dem alten Dichter Stéphane Mallarmé gewährte
mir einen hohen Genuß. Er hat wenig geschrieben, aber es weht
etwas so Tiefes, so Ur-poetisches durch seine Gedichte, vergleichbar gewissen alten griechischen Lyrikern, daß ich schon lange
mich sehnte, diesen einen Mann zu sehen .. ich empfand lebhaft
das seltene Gefühl, vor dem wirklich *Bedeutenden* zu stehen. Das
Auge, die Stimme, die Bewegungen — bei absoluter Einfachheit
und Herzlichkeit etwas Königliches; auf einem anderen Planet,
unter der geringsten Verschiebung unserer sublunären Verhält-

nisse, hätte dieser Mann zu den ganz Großen gehören können; so aber liegt auf seinem Antlitz ein Ehrfurcht gebietender Stolz der Entsagung" (an Cosima Wagner). — André *Gide* wiederum brachte dies Leben auf den Nenner des „Priesterlichen", im Unterschied zum „päpstlich" Bevormundenden: „Man trat mit Mallarmé in eine überwirkliche Gegend ein, in welcher Geld, Ehren, Beifall nicht mehr zählten; und nichts war verhaltener, verborgener als das Ausstrahlen seines Ruhmes.. Indessen war bei Mallarmé noch etwas mehr, und es strahlte von seiner Person aus, eine Art Heiligkeit.. er lehrte uns die Tugend.. eine Verbundenheit mit einer überwirklichen Wahrheit, vor der alles abglitt, erlosch, unwesentlich wurde."[1] — Sogar ein Schriftsteller, der so ungern neben Kunst und Erkennen das Leben gelten ließ wie Paul *Valéry*, fand, Mallarmés Nachwirkung sei ausschließlich „sittlicher Art.. sogar durch diejenigen verspürt, die ihn nicht begriffen. Etlichen diente er und dient er noch immer als Gewissen".[2]

Solche Lobreden verlieren freilich einiges an Farbe, wenn diejenigen allmählich wegsterben, die dem Dichter noch persönlich begegneten. Für die Nachlebenden wird man das bleibend Bedeutsame an Mallarmés Lebensgeschichte besser etwas bescheidener fassen. Nämlich einfach, daß es wirklich das Leben eines Dichters war. Das soll heißen, nicht irgendein Leben (mutet eines recht spannend an, leiht ihm die Menge immer ihr Ohr, es sei wie es wolle), vielmehr ein Leben, wie nicht einmal jeder Dichter eines führte, nämlich ein solches, in dem das dichterische Ethos selber zu einer gelebten Wirklichkeit wird. So wie in dem Erdenwandel der großen Glaubensstifter das religiöse Ethos; der Vergleich ist schwerlich zu anspruchsvoll. Mallarmé war eine Art Heiliger der Kunst, wie Dante einer gewesen ist (obwohl dieser zugleich Anspruch erhob, ein wirklicher visionärer Jenseitskünder zu sein) oder wie Hölderlin und Mörike es waren. Als Dichterleben ist Mallarmés Dasein geradezu unwiderstehlich. Den einen ergreift eine bestimmte Anekdote, eine Gebärde an ihm übermächtig, den andern ein beiläufiger Ausspruch. Keiner befaßte sich mit ihm, den er nicht gewonnen hätte, durch seine Anmut, durch seinen Edelsinn oder wodurch sonst. Es ist etwa das, was Gide im Oktober 1898 (*L'Ermitage*) im Menschentum Mallarmés entdeckte und wovor er Verlaine flüchten sah, wovor Heredia ins bloße Plaudern abgeglitten, Sully Prudhomme in Holzwege eingebogen und wovor Moréas Selbstsicherheit zergangen sei: „Bei ihm zum erstenmal spürte, berührte man das Wirklichsein des Denkens; was wir im Leben suchten, wollten, anbeteten, es war da; hier hatte dem ein Mann alles geopfert."

Geopfert, aber anders als die Künstler, die ihr Leben bewußt verkümmern lassen um des Werkes willen. Gewiß stand Mallarmé aufs äußerste wehrlos dem Leben gegenüber, so daß es, wie bei Hölderlin oder bei Rilke, erstaunlich genug ist, daß er nicht ganz verstummte. Und doch umhegte er sein Leben mit Schönheit, hielt er sein Selbst frei von Härte gegen irgendwen, und widersetzte sich nicht durch irgendein äußeres Gehaben, sondern allein dadurch, daß er in einigen Entscheidungen nicht noch einmal war, was andere bereits gewesen waren. Die Reinheit seines künstlerischen Ziels lebte er unbefangen angesichts der Niedrigkeit und der Armut. Nachsichtig und nie zu feierlich, wohlwollend ohne unwahrhaftig zu sein, selbst in seinen alltäglichsten Briefen: „Nicht eine Zeile stört oder enttäuscht", schrieb Henri Mondor, der Sammler der Briefe.[1] Wenn die Schriften Mallarmés eine Formel nahelegen, welche seine Spannung zur Welt hervorhebt, so müßte diese Formel ergänzt werden: durch den Hinweis auf sein Dichterleben der Güte und sogar des Humors.

Psychologisch gesehen, ist Mallarmé ein einzigartiges Phänomen, so einmalig, daß, näher betrachtet, etwas wie eine „Mallarmé-Schule" oder überhaupt die Übernahme seines psychologischen Wesenskerns unvorstellbar ist. Ein einziger Dichter vor ihm hat zwei ähnliche äußerste Gegensätze in sich zu vereinen gesucht: Edgar Allan Poe, der Amerikaner.

Der eine Bestandteil ist eine fast krankhafte Hellsichtigkeit gegenüber den Mächten des Unterbewußten und Irrealen. Poe und nach ihm Mallarmé standen damit als Einzelwesen in überindividuellen Zusammenhängen, die manche noch immer mit den sehr mangelhaften Kategorien des Romantischen und des Klas-

sischen abzugrenzen hoffen. Man wird gut daran tun, die beiden
Ausdrücke im Sinn des Goethe der Reifezeit [1] und also nicht als
unvereinbare Gegensätze aufzufassen. Romantik wäre dann das
Streben nach den Ur-Geheimnissen, Klassik eingegrenzter das
Streben nach einer urewigen Ausgewogenheit der Haltung und
der Proportionen.

So trat Poe das Erbe namentlich deutscher Romantiker an,
welches Novalis, Tieck und E. T. A. Hoffmann ebenso wie Coleridge, Mörike und die Droste umschließt, ein Eröffnen bald des
Religiösen, bald dessen, was man allgemein als die ,,Betrachtung
der Tiefen'' (Maritain) bezeichnen kann, die Betrachtung dessen,
was ,,die Blassen im Heideland'' erfassen, ,,die Seher der Nacht,
das gequälte Geschlecht'' (Droste). In einzelnen Lauten, in
Farben wie Weiß, Blau oder Rot, in Gegenständen wie Rose,
Schwan, Spinnweb, Mandoline, geknickter Flügel, Feder und
vielen andern werden durch Mallarmé intuitiv Beziehungen angenommen zu schicksalhaften Urbedeutungen und zu einer Ur-
weisheit, aus welcher derjenige das Schicksal alles Künftigen
abzulesen vermöchte, der etwas wie ein ,,zweites Gesicht'' besäße.
Dies ist die eigentliche und echte Romantik, wie sie im
Norden, nach den alten Dichtungen der Kelten und Germanen,
wieder namentlich seit der neueren Balladendichtung aufzubrechen begann.[2] Generationenlang wurde sie sentimental verwässert, die echten seelischen Bedrängnisse immer wieder optimistisch oder melodramatisch verdeckt. Aber schon Aloysius Bertrand verband das, was er ,,absolute Kunst'' nannte, mit dem Lauschen auf unheimliche Ahnungen; sein Bruder Frédéric hat 1886
diesen ,,kindischen Aberglauben'' bezeugt, das Horchen auf nächtliche Stimmen, auf den klagenden Wind in den Bäumen, auf
Vogelschrei und Hundewinseln. Auch andere Franzosen öffneten
dieses Tor, Nerval und Baudelaire besonders. Um das Gegenteil
der Sentimentalität zu bezeichnen, die sie überwanden, wußten
sie sich kein deutlicheres Wort als ,,l'art'' (Mallarmé folgte ihnen
darin; schon 1864 indessen äußerte Banville über Mallarmés
Dichtung ahnungsvoll: ,,eine tiefe Kunst, aber es ist da etwas
mehr als die *Kunst*''). Am 23. April 1871 stellte Mallarmé ein
Programm auf, mit welchem die Psychologie des vollromantisch

Unterbewußten in Frankreich recht eigentlich anhob, wenn die Worte auch noch zu dunkel waren, als daß sie damals hätten ermessen werden können. Es sei nötig, schrieb er, daß seine schriftstellerische Arbeit „mûrie, immuable, devienne instinctive; presque antérieure, et non d'hier" (an Cazalis; *Propos*, ed. Mondor, p. 95). Dem schon durch Baudelaire gebrauchten Wort *antérieur* wird man noch öfters begegnen, es ist der Ersatz für das durch Victor Hugo sentimental verwischte Wort *romantique*. Und es zeigt eindeutiger an, daß weniger eine Zeitströmung zur Frage steht als ein ewig menschliches Bestreben. Zu allen Zeiten sehen sich die Menschen in die Notwendigkeit versetzt, gegenüber einer betäubenden und aufreibenden Gegenwart sich zu behaupten, ihre Freiheit zu wahren gegenüber dem Getriebe. Einen Helfer hatte man dabei jahrhundertelang vernachlässigt, jenes „Urvordenkliche". Mallarmés Werk zieht einen Teil seiner Kraft daraus, daß hier das Wort *antérieur* nicht im Sinn des Greisenhaften, sondern des Kindhaften[1] dichterisch erfüllt wird.

Soweit spricht das Unbewußte bei diesen Neueren als eine Sehnsucht. Es tritt aber zugleich als etwas dauernd Wirkliches auf, nämlich indem es sich seiner Bindung an das Leibliche, an Nerven und Herzschlag wieder erinnert. Die neue Literatur beginnt recht eigentlich in Goethes Gespräch zwischen Faust und dem Famulus Wagner. Der Famulus ist im ganzen der Typus des Schriftstellers vom 16. bis 18. Jahrhundert, der nur des einen Triebes sich bewußt ist, des geistigen (obwohl es seit Montaigne nicht an psychologischen Realisten fehlte). Zwei Seelen wohnen aber in der Brust von Goethes Helden, nicht die geistige bloß, auch die leiblich bestimmte, die mit klammernden Organen dem Weben der Sinne angehört. Jeder auf seine Art vereinbarten damals Rousseau und Goethe den paradiesisch guten Menschen ihrer Vorgänger mit der Wahrheit der physischen Bindungen; Rousseau vorwiegend sentimental, Goethe mehr ergriffen von der Gesetzlichkeit alles Natürlichen. Von diesem Vorgang aus wurde nun vieles vergröbert. Von Galle und Milz — englisch *spleen* —, vom Blut, von „névrose, ennui" (Mallarmé, *Igitur*) erhoffte man sich, wahrer zu werden und nicht länger einer billig schwärmerischen Spekulation zu verfallen. So hat Poe jeden Zufallskitzel

2 Wais 2. A.

der Nerven festgehalten. Mallarmé folgt ihm darin, programmatisch in einem Brief über sein Sonett *Renouveau*. Oder in dem Wegschmelzen der jungfräulichen Reinheit unter der pulsenden Physis: Hérodiade, Jane oder das Mädchen der *Negerin*, oder sein *Ecclésiastique*. Ebenso in seinem Lauschen auf jedes unregelmäßige Pochen des Herzens, an dem die Exerzitien des abstrahierenden Denkvorgangs Schiffbruch erleiden. Wenn eine Gestalt Mallarmés den Fakiren der absoluten Vergeistigung entgegenruft „Ihr habt unrecht", so bekundet er damit die allgemeine Tatsache, daß jetzt nach Jahrhunderten in Europa nicht mehr aus dem Geistes-Optimismus der Renaissance-Humanisten heraus gedichtet wurde, sondern wieder mit der Bedenklichkeit eines François Villon: „Ich kenne alles, nur nicht mich selbst."

Es wäre indessen unrichtig, Mallarmé als den Vorläufer jener Neueren aufzufassen, die das Heil der Dichtung aus dem lallenden Schrei, aus dem „automatischen" Seismogramm der Gehirnreizungen erwarten. Die Aufgabe der neueren Dichtung scheint es weniger, hinter Schiller und Racine zurückzugehen (und sei es auf Shakespeares Hamlet), als vielmehr durch sie hindurch. Daß Mallarmé sich grundsätzlich von den „automatischen" Schreibern unterscheide, betonte vor kurzem wünschenswert deutlich Jean-Pierre Jouve, ein Lyriker, dem anfangs seine Schuljahre alles Vergnügen am Poetischen ausgetrieben hatten und der es um 1905 ausschließlich und allein durch Mallarmé wieder fand.[1] Es ist da also noch etwas anderes. Nicht von ungefähr hat Mallarmé mehrmals in seinen Versen das ideale Bild eines Steuermanns heraufbeschworen, eines Steuermanns, der nicht einmal im Fall eines Schiffbruchs sich würde zu schämen haben. Bereits an Mallarmés Sprache konnten wir die Schärfe seines geistigen Bewußtseins ablesen. Eben diese bestätigt sich auch in seinem allgemeinen Seelenbild. Auch was bei Mallarmés Glauben an ein „Eden" des einstigen Menschen schwärmerisch wirken mag, wird durch seine Gefaßtheit auf Schiffbruch, Untergang und auf das Nichts intellektualisiert. Ähnlich wird die Dumpfheit des Eingehens ins Nichts aufgehoben durch die heroisch würdevolle Einsicht des einzelnen, der sich selbst sein Schicksal verhängt.

Auch was nun diese Gehirnlichkeit betrifft, heißen Mallarmés
unmittelbare Vorläufer Poe und Baudelaire, und es ist angebracht, in Kürze einige Unterschiede abzugrenzen. Die Bewußtheit bei Edgar Allan Poe erscheint in einer schrullig pragmatischen Form. Aus wissenschaftlichem Ehrgeiz und weil alles
durch Methode erzielt werden könne, solle der Wanderer im Dunkel des Unbewußten jeden Schritt intellektuell tun. In die Mahnung des Klingsohr bei Novalis führte Poe sachte das Psycho-
physische, ja das Psychiatrische ein. Wollte man seinen analytischen Schriften glauben, so hätte er sein Gedicht *The Raven* so
gut wie völlig bewußt konstruiert; Poes treuester Schüler Paul
Valéry hat sich zu dieser Überzeugung bekannt.[1] Ganz frei vom
Verdacht des Bluffs ist Poe nicht, und mehr als eine seiner Erzählungen erhebt sich nicht über ein halbkünstlerisches Zwitter-
dasein. Gleichwohl wurde Poe nach seinem wesenhaften Kern
richtig verstanden, ja er vertrat für die französische Dichterjugend noch am Jahrhundertende, fast ganz allein, wesentliche
Ergebnisse der deutschen Romantik. Wie sagte doch beispielsweise Georges Rodenbach in einer Rückschau auf das Werk des
Pathetikers Victor Hugo: ,,Es ist zunächst Baudelaire, der für die
gegenwärtigen Seelen mehr ein Erzieher war als Hugo.. Allenthalben ist es Poe, dann Mallarmé, Verlaine und die englischen
Poeten Shelley, Swinburne, Rossetti."[2]

Die Vorrede, welche Baudelaire zu Poes *Außergewöhnlichen
Geschichten* schrieb, gewann für die Jüngeren das Gewicht eines
Manifestes. Hier rühmte Baudelaire ,,Wissenschaft, Arbeit und
Zergliederung... Methode" in Poes Inspirationsbegriff und die
beliebige Macht eines Dichters, jederzeit die seltenen, begnadeten,
visionären ,,appétitions spirituelles" ins Werk zu setzen, für ein
Gefühl überlegen einen passenden Rhythmus auszulesen, Erinnerungen und Worte zu kommandieren, Gefühle aus sich herauszuholen wie aus einer Registratur. Dieses Vertrauen auf die helle
Bewußtheit ist für Baudelaire im übrigen nicht das allein Wichtige,[3] sowenig wie für Poe. Ebenso wesentlich ist ihm das Dunkel der Seelengründe. Hier gerade hob er Poe von der ,,antipoeti-
schen Rasse" der Franzosen ab, welche angeblich an Victor Hugo
sich das Poetische nur darum gefallen lassen, weil dieser der *Erz-*

2*

ketzerei (nach Poe) neuerer Dichtung, dem Lehrhaften, verfallen sei. Was ist in diesem Zusammenhang nun das Besondere an Mallarmé? Die beinah widernatürliche Doppelheit des ganz Unbewußten und des ganz Bewußten hatte Baudelaire noch im wesentlichen theoretisch dargelegt, nicht aber eigentlich in seinen Versen versöhnt. Bei Mallarmé dagegen scheint sie in der Grundanlage seines Wesens vorbereitet gewesen zu sein. Dieser psychologische Urgrund wurde gleichmäßig stark angesprochen einerseits durch das Irreale – in Wagners Musik für ihn so sehr verwirklicht, daß ihm Literatur bisweilen nur noch Kritzelei, *grimoire*, schien. Zum andern durch den aufs äußerste bewußten Intellekt; selbst Erregung wirkt in Mallarmés Sprache noch gespielt, gleichsam rekonstruiert. Kreuz und quer wird die Frontlinie zumal jedes einzelnen seiner Prosasätze durchzuckt durch ein Sperrfeuer von Zwischenerwägungen, Einfällen, Assoziationen. Gleichwohl sind anders als bei den surrealistischen Triebdichtern all diese Sätze auf eine Idee hingerichtet und bauen durch sie hindurch mit an der Ganzheit des Ich. Kaum denkbar ist es, daß ein ähnliches Menschentum ein zweites Mal zustande kommen werde; und es ist nicht allzu wahrscheinlich, daß eine größere Anzahl von Lesern jemals den Reiz dieser dunklen Botschaften aus der Tiefe gleichzeitig mit demjenigen der eisernsten, bis ins Grammatikalische logisch-fortschreitenden, freilich nur von rückwärts aufzuschließenden Gehirnlichkeit werde ausschöpfen können. Dieser zweite Reiz, durch welchen Mallarmé einerseits die Interpretation erleichtert, scheint bisher doch in der Paarung mit dem ersten als am meisten fremdartig empfunden zu werden. Schwerlich wäre sonst der Triumph seiner Intellektualität, die Ironie, an so vielen Stellen unbeachtet geblieben. Denn man ist nicht daran gewöhnt, Ironie mit Poesie verbunden zu finden. So ironisch beispielsweise Anatole France war, an der Gleichung des Poetischen mit dem Sentimentalen zu rütteln kam ihm nicht in den Sinn; in der Dichtung, meinte France 1891, wolle er nicht verstehen, sondern sich im bloßen Fühlen behaglich wiegen. Aber eben am einseitigen Fühlen war die Poesie erschlafft. Das Wunderhorn der Volkslieder beispielsweise, nachdem es in seiner alten Urpoesie durch den sentimentalen Ersatz des 19. Jahrhunderts verderbt

worden war, schmeckte jetzt nur noch schal.[1] Freunde Mallarmés
wie Verlaine, Maeterlinck (*12 Chansons*, 1896) und Paul Fort suchten dem Volkslied seither sein schicksalhaftes Dunkel zurückzu-
gewinnen. Aber während sie vornehmlich bemüht scheinen, etwas
zu *vermeiden*, nämlich die seichte Rührseligkeit, trug Mallarmé
etwas ganz Neues in seine Verse hinein, zunächst nur die fast tödlich schneidende Bewußtheit seines eigenen Ich, darüber hinaus
die Idealität des Schönen, die ihn vor der Formlosigkeit des „Zufälligen" schützte. Oder um es mit seinen eigenen Worten zu sagen: Das Gedicht müsse „das — Wort für Wort — besiegte Zufällige" sein:[2] „alles Zufällige muß aus dem modernen Werk
ausgeschlossen werden und darf nur erdichtet dort sein; der
ewige Flügelschlag schließt nicht aus, daß ein klarsichtiger Blick
den im Flug überwundenen Raum durchspähe" (*Kommentar* zu
Poe). Das Bild ist treffend, denn es schließt das Mißverständnis
aus, mit welchem Poe bisweilen spielte, als könne jener bewußte
Blick den poetischen Flügelschlag etwa ersetzen. Die Doppelheit
von Mallarmés Psychologie ist die Grundlage seiner klugen Kunstlehre. Durchdachte Idee, aber sinnenhaft gelindert: „Idée même
et suave". Triebhafte Gebärdenschönheit, aber ideell geläutert:
darum war ihm die Tänzerin die „inconsciente révélatrice" (Ballets). Abwechselnd betonte er, daß der „Zufall" nicht ohne das
„Absolute" und dieses nicht ohne jenen sein könne. Soweit Poe
(und ganz sicher P. Valéry) zu einem Extrem neigte, bot die
ästhetische Lehre Mallarmés die notwendige Ergänzung. Bei ihm
schuldet das Kunstwerk, wie es ein Kritiker richtig ausdrückte,
„letztlich sein Gelingen, seinen echten Sieg weit weniger den geduldigen Kalküls seines Verfassers als dem Dazwischentreten des
Zufalls, das heißt, unbekannten, unvorhergesehenen, und nicht
vorherzusehenden Ursachen".[3] Erweitern wir den Zufalls-
begriff auf alles nicht Sinngebundene und namentlich auf das
sinnenhaft Schöne im Sinne Gautiers, so werden wir nicht weit
von Mallarmés Meinung entfernt sein.

Im ganzen war die Wirkung, die das psychologische Janus-
gesicht Mallarmés auf die nächsten Generationen hinterließ,
gleichwohl vorherrschend intellektualistisch. Gern hätten alle seinen Versen nachgeeifert, aber vor deren Grundlage, vor dem

Rätsel seiner Natur, erschraken sie. „Wie macht er es, zu sein, was er unaufhörlich ist?" Darauf wußten sie keine Antwort. Er selber hatte viel zu sehr an seiner eigenen Sonderart gelitten, als daß er nicht den Rückweg abgeschnitten gespürt hätte. „Was die Natur betrifft, so ist sie in mir allzusehr verfälscht und monströs, als daß ich mich ihren Pfaden überließe" (1868). Vielleicht läßt sich der seltsame Doppelreichtum von Sensibilität und Intelligenz eher den Dichtern des elisabethanischen Zeitalters ablernen, ein Weg, welchen T. S. Eliot einschlug. Diejenigen Jünger Mallarmés, deren Anlagen dem Dichter am verwandtesten gewesen sind, wurden durch sein doppeltes Wesen immerhin auch doppelt geprägt.

Für die *seelische* Seite läßt es sich am Beispiel der Musik Richard Wagners deutlich machen, deren Tiefe Mallarmé als mustergültig rühmte. Was war die Wirkung? Entweder man verlor den Mut zu weiterem Dichten, so Paul Valéry, nachdem ihm Pierre Féline aus *Lohengrin* und anderen Opern vorspielte:[1] „Diese Musik wird mich, das bereitet sich vor, dahin führen, nicht mehr zu schreiben.. Welche Schriftseite erreicht an Höhe die paar Noten, die das Gralsmotiv sind. *Hérodiade* allein in der französischen Poesie läßt sich ohne allzuviel Widerwille und Beengtheit lesen" (an A. Gide, Karfreitag 1891). Wieder andere retteten sich als Dichter, — sei es, indem der eine lieber die Musik als Ganzes in Acht und Bann tat (Stefan George), sei es, indem sich ein anderer, Paul Claudel, gegen Wagner durch ein Gegenbild, durch einen katholischen Anti-*Tristan*, verwahrte. Vorläufig also Waffenstreckung oder Flucht (und sei es selbst schöpferische Flucht), und nicht eigentlich eine Erfüllung des von Mallarmé Begonnenen.

Einseitig wirkte sich auch oft die andere Seite von Mallarmés psychologischem Reichtum aus, die *intellektuelle*. Aber sie hat die führenden Schriftsteller Frankreichs in den letzten fünfzig Jahren entscheidend geprägt. Sofern sie Kritiker und *écrivains* statt *poètes* sind, so liegt einer der Gründe dafür bei Mallarmé, der seinerseits noch ein Poet gewesen ist. Er glaubte noch an Dichtung; sein Schüler Valéry, den nicht das Werk, sondern die Bewußtseinsvorgänge beim Entstehen des Werkes anzogen (wie er behauptete), scheint nicht mehr an sie geglaubt zu haben.[2]

Vielleicht erinnert man sich auch an die berühmte Antwort André Gides auf die Frage nach dem größten Dichter des neueren Frankreich: „Victor Hugo, hélas!" Gide selbst sagte in seinem Roman von der *Engen Pforte,* nun gelte es nicht mehr, ein großer Dichter zu sein, sondern ein reiner. Diese Reinheit aber hieß seit Poe, Baudelaire und Mallarmé (in Deutschland ähnlich seit der Wiederentdeckung von Hölderlin, Novalis und Kleist), daß jedes Opfer an Intellektualität und Klarsicht in der Poesie unwürdig sei. Da nun offenbar manche zu fürchten hatten, darob unpoetisch zu werden (anders liegt der Fall bei ohnehin vorwiegend kritischen Schriftstellern wie Maurras, Péguy oder Sartre), so wollten sie lieber gar nicht Dichter sein als noch länger in einem unreinen Dichtungsbegriff verharren. Ein Werk von der Breite Rilkes war bei der oft allzu bewußten Enge dieser Forderungen schwerlich zu erwarten. Dafür aber hob sich Frankreichs allgemeiner kunstästhetischer Standard zwischen 1895 und 1935 zu einer denkwürdigen Höhe.[1]

Wie Mallarmés junge Bewunderer sich mit dem zerebralen Reiz ihres Meisters auseinandersetzten, könnte an mehreren berühmten Namen dargestellt werden. Wie lang sie zu ringen hatten, bis sie durchschauten, wie hier nicht einfach eine nachahmungsmögliche Technik, sondern vieles von rätselvoller Psychologie und unerklärbarem Schicksal an Mallarmés Dichtung und an seiner Persönlichkeit mitgeformt hatten, dafür sei das Beispiel Paul *Valérys* angeführt. In dem Achtzehnjährigen hatte zuallererst die Lektüre von Poes theoretischen Schriften die Grundlagen entwickelt und ein lebenslanges, fast hypochondrisch strenges Vertrauen auf die Methode befestigt. In allem meinte Valéry Methode zu sehen, selbst Leonardo war Leonardo dank einer Methode. Valérys erster Brief an Mallarmé enthielt denn auch sogleich die Bitte um Ratschläge. Die Antwort sagte alles: „seule en donne la solitude", allein das Alleinsein erteilt sie.[2] Hätte er geschrieben, was ebenso richtig gewesen wäre: Ratschläge erteilt allein ein Leben, das so verlief und so gelebt worden ist wie das meine — so hätte er vielleicht schneller das Mißverständnis des jungen Valéry beseitigt, der nun vermutete, das poetische Wunder beruhe im Geheimnis irgendeiner Technik des frucht-

baren Alleinseins (an Louys, 1. 11. 90). Aus der so verstandenen
Deutung von Mallarmés zerebraler Wesenshälfte erwuchs eine gewagte Rekonstruktion, das Buch „Herr Teste"; im gleichen Jahr
1892 sah sich Valéry vor der Unmöglichkeit, weiterhin Gedichte
zu schaffen (was er fünfundzwanzig Jahre später dichtete, seien
nur „Übungen": „meine letzten Verse — sehr minderwertiges
Mallarmé-Gewächs — gehören dieser Gymnastik zu").[1] Im Jahre
1912 war er bei der Einsicht angelangt, daß er zu Unrecht allein
das Gehirnliche in Mallarmés Psychologie gesehen habe, statt die
andere dunkle Wesenshälfte zu erwägen. Auch der Glaube an Poes
Theorie wankte zeitweilig in ihm, und das Buch *Herr Teste*, das
er freilich immer nur als Gelegenheitsarbeit eingeschätzt wissen
wollte, nannte er jetzt „dieses falsche Bildnis von Niemandem,
die Karikatur, wenn Sie so wollen, eines Wesens, das — wiederum! — Poe hätte zum Leben rufen müssen". Wo saß sein Irrtum? „Ich verschob mit ganzer triebhafter Kraft die Frage und
schränkte alles — Dichtung, Zergliederung, Sprachen, Gebräuche
des Wirklichen und des Möglichen — auf den einzigen groben Begriff der geistigen Macht ein. Halb wissentlich beging ich den
Irrtum, an die Stelle des Seins das Machen zu setzen, als hätte
einer sich selbst fabrizieren können, durch das Mittel von was?
[*Valérys Wahn damals:*] Dichter sein, nein. Es sein können! Das
ist es, was meine Schau fehlerhaft machte. Und daran liegt es,
worin *Monsieur Teste*, diese unförmige Skizze (aus Abfällen und
für eine Gelegenheit gemacht), zu Mallarmé schlecht in Beziehung
tritt."[2]

Das psychologische Phänomen Mallarmé war also noch viel
umfassender gewesen, als einer seiner klügsten Bewunderer lange
geahnt hatte. Eben dies wird man denjenigen entgegenhalten
können, welche den Schluß ziehen sollten, wenn Mallarmés Persönlichkeit ein solcher psychologischer Seltenheitsfall, ja eine
monströse Verbindung des Widerstreitendsten sei, so verliere sie
dadurch eine allgemeinere Bedeutsamkeit. Ich dächte nicht, daß
es so ist. Daß es möglich ist, so Widerstrebendes mit so viel Einklang zu vereinen, legt zumindest ein großartiges Zeugnis dafür
ab, welcher versöhnenden Möglichkeiten die Seele der Dichter
und im weiteren Sinn Natur und Schicksal fähig sind. —

Mallarmé selbst hat etwas von seinem *gedanklichen* Anliegen preisgegeben, als er es über seine Person hinaus in den Zusammenhang des ausgehenden Jahrhunderts eingliederte. Hamlet, der einsame Grübler, schrieb er einmal, „dieser Zeitgenosse .. mit der morgen vielleicht nicht verstandenen Haltung", um den die Zukunft „sich wahrscheinlich nicht kümmern wird", Hamlet „existiert durch Erbgang in den Geistern des Jahrhundert-Endes. Ein anderes Thema gibt es nicht, seien Sie sich darüber klar: den Widerstreit des Idealtraums (rêve) im Menschen mit den Schicksalsbestimmtheiten, durch welche das Unglück (malheur) dessen Dasein bedacht hat" (*Hamlet*). „Nicht werden können", nicht sich in den Augen der Geliebten (*Le Pitre*) oder im Kuß der Muse (*L'Après-midi*) erfüllen, nicht dem „horreur du sol", nicht der „race" sich entsträuben können — in all dem ist Verwandtes mit Hamlets vergeblicher Sehnsucht nach der „Ophelia in seiner Seele". Gleichzeitig wurde ja die Szene Hamlets mit dem Totenschädel von Laforgue an für die Gruppe der Décadents, über Apollinaire bis zu T. S. Eliot und Eugenio Montale, maßgeblich. Das Desolate, Gottverlassene wurde bei diesen Dichtern zum stärksten Erlebnis, zum eigentlichen Vermächtnis des 19. an das 20. Jahrhundert — zu einer neuen Voraussetzung zugleich (bei Eliot), um zu Gott zu gelangen. Mallarmé scheint hier manches vorausgesehen zu haben. Gleichwohl wird man Bedenken tragen, ihn als „einen der größten Denker .. dieser Zeit" zu bezeichnen (Maeterlinck zu Mirbeau). Nicht aus der vorgefaßten Meinung heraus, die mühevolle Lektüre seiner zahlreichen Prosaschriften werde durch ihren Gehalt nicht belohnt (Ch. Chassé). Vielleicht auch nicht wegen des physiognomischen Eindrucks, dieses Antlitz sei nicht das eines Denkers.[1] Eher schon, weil es gefährlich ist, den Denker vom Künstler[2] zu trennen. Dennoch wird ein Ergebnis der nachstehenden Untersuchung sein, daß Mallarmé ganz offenkundig ein gedankliches System entworfen hatte, in welchem alles, von Gott bis zur Tänzerin, vom absoluten Geist bis zum Gedicht, einen festen Platz haben sollte. Ein Fall, der unter französischen Poeten unendlich seltener ist als etwa im deutschen Schrifttum. Mallarmé war augenscheinlich zu klug, um eine solche Systematik zu überschätzen, und zu lässig, um jemals aus den unzähligen Skizzen, die seine Tochter später fast sämtlich vernichtet hat, etwas Zusammenhängendes zu formulieren. „Goethe lehrte, Mallarmé hat Auskunft gegeben" (Fontainas 1930). Die zwei einzigen philosophisch Geschulten unter seinen Freunden, ein Pole und ein Däne, Wyzewa und C. Faust-Mauclair, bekamen dieses System zwar auch nicht zu Gehör, aber was sie daraus erfuhren, genügte, um ihnen die höchste Achtung abzunötigen. Von einem „Werk universaler metaphysischer Enthüllung" berichtete Wyzewa, und Camille Mauclair versicherte, es sei eine „systematische Anwendung der Lehre Hegels auf das schöne Schrifttum" (1935) gewesen. Fast alle übrigen Freunde Mallarmés standen und stehen einem solchen Beginnen gleichgültig gegenüber, und auch ich möchte im folgenden den Verdacht vermeiden, als wolle ich an die paar zufällig erhaltenen Äußerungen eine Gedanklichkeit oder Systematik herantragen, die nicht in ihnen selbst enthalten wäre. Gewiß ist jedenfalls, daß neben der bezaubernden Musik von Mallarmés Dichtungen bisher wenig auf deren gedanklichen Gehalt geachtet wird. Es wurde kürzlich ein Brief aufgefunden, in welchem Mallarmé über sein *Faungedicht* schreibt: „Diese Dichtung umschließt eine sehr hohe und schöne Idee." Von denjenigen, die sich mit diesem allerseits bewunderten Poem befaßten, ist meines Wissens und wenn ich mein Kapitel über den Faun (1938) beiseite lasse, nirgendwo darin eine Idee festgestellt worden, woraus man denn den Schluß ziehen kann, daß in einem solchen Fall die Mehrheit der Leser im Recht sei und nicht der Dichter. Nicht viel anders steht es mit den meisten andern Werken. Es ist bemerkenswert, daß dieser Sachverhalt erst neuestens sich zu wandeln scheint, seitdem ein winziges Stichwort, „Gott", in einem 1940 veröffentlichten Brief Mallarmés beiläufig, aber absprechend heftig, auftauchte. Alsbald setzten sich theologisch interessierte Federn in Bewegung, A. Rousseaux, A. Béguin und andere, um den einstigen Aphorismus Claudels von der „Katastrophe Igiturs" neu hervorzuholen.

Hier hätte es nützlich sein können, die 1938 in der ersten Auflage des vorliegenden Buches vorgetragenen Hinweise zu überdenken, daß *Igitur* und *Würfelwurf* den Rückschlag Mallarmés auf seinen eigenen Entwurf eines übermenschlich reinen „Werkes" des absoluten Geistes darstellten, daß er nun den Zufall und das Nichts dankbar als den Zustand begrüßte, über welchen das Absolute keine Macht habe, sodann, daß der *Würfelwurf* und im Grund auch *Igitur* mit einer stolzen Selbstbestätigung enden. Das Triumphmotiv der beiden Helden wurde, im Widerspruch zum Text, nicht beachtet, beide waren etwa für den streng katholischen Rousseaux die Sprecher eines lästerlichen „Willens zur Ent-Inkarnierung" und damit einer Art von „Satanismus";[1] für andere: einer Art von „Engelhaftigkeit".[2]

Im Gegensatz zu solchen Meinungen wird zwar im folgenden, nun auch unter Beiziehung der zahlreichen Dokumente aus jüngster Zeit gezeigt werden müssen, wie in Mallarmés denkerischer Leistung die Gewichte verteilt waren. Und doch sei hier gleichzeitig davor gewarnt, Mallarmé als Denker über Gebühr von seinem Dichten abzusondern. Zwar wird man Francis Jammes recht geben dürfen, der über Mallarmé schrieb: „er hat die Ideen eines Jahrhunderts bewegt".[3] Man wird aber auch ein zweites Ergebnis gewinnen: dieser Dichter hat mit Erfolg, ungeachtet seines Gedankenreichtums, zu verhindern verstanden, daß man ihn mit einem Philosophen verwechsle. Und zwar klar bewußt, wie er es in einem Brief an Morice niederlegte: „Nicht eine Spur einer Philosophie, der Ethik oder der Metaphysik wird durchscheinen; einbegriffen und latent ist sie vonnöten." Moréas hat diese Mahnung in sein Manifest des Symbolismus übernommen.

Endlich wirft Mallarmés Dichtung in einer neuen Art das Problem *erlebter Dichtung* auf. Der Begriff „Erlebnisdichtung" wurde oft mißbraucht. Manche wollen ihn nur noch für das Jugendstadium eines Schrifttums zulassen; als wäre nicht Rilke in seinen späten Elegien wieder zu dem Wort Ich zurückgekehrt! Was ist hier gemeint und was nicht? Zuallererst versteht sich, daß man von Fall zu Fall prüfen wird, ob es einem Dichter etwa um ein erlebnisfremdes, bloß fiktives Formspiel, um einen literarischen Vorwand zu tun sei; nach Meinung von E. Noulet träfe dies bei Mallarmés Liebesgedichten an Méry zu. Sodann wird man gut daran tun, obwohl Mallarmé die *Pipe* und *Don du poème*

schrieb, den Begriff Erlebnisdichtung nicht so eng zu fassen,
daß nur ein ich-besessenes, trunkenes Gestammel darunter zu
verstehen wäre oder der Sturz in ein Handeln um des Handelns
willen wie bei Barrès, Montherlant oder Malraux. Zum Teil richtig, wenn auch nach seiner Gewohnheit schroff klassizistisch
pointierend, sagte T. S. Eliot: „Dichtung ist kein Gefühlsaus-
bruch, sondern eine Flucht vor dem Gefühl, sie ist nicht Ausdruck der Persönlichkeit, sondern Flucht aus der Persönlichkeit.
Aber natürlich wissen nur diejenigen, die überhaupt eine Persönlichkeit und Gefühl besitzen, was es heißt, ihnen entrinnen zu
wollen."

Gefühle zu besitzen bleibt demnach so oder so Voraussetzung,[1] und eben in ihrem Neuartigen und ihrer Lauterkeit,
glaube ich, sollte man eine der großen Schönheiten von Mallarmés Werk anerkennen. Schon seine Zeitgenossen teilten sich in
solche, die hier einen echten Ton der Seele spürten, und solche,
die ihn nicht spürten. Wohl folgte Mallarmé dem Stilbemühen
der *Parnasse*-Gruppe, beispielsweise die sentimentalen Eigen-
schaftswörter in unpersönlichere, rein bildhafte umzuwandeln.[2]
Aber wie für die Schöpfer des Ausdrucks „reine Poesie", für Novalis und Poe,[3] so war auch für ihn dieser Begriff nicht gleichbedeutend mit einer Auslöschung des Erlebten. Nicht von ungefähr schätzte er die am Rand des Sentimentalen stehenden Verse
von Marceline Desbordes-Valmore.[4] Nachdem so oft darauf hingewiesen wurde, wie Mallarmé durch seine strengen Formgebote
und durch seinen überpersönlichen Begriff des „Buches" alle
Ausschweifungen des Subjektiven eindämmte, besteht eine gewisse Gefahr, daß man seine Dichtung in ihren Erlebniskräften
unterschätze. Man kann in ihr durchaus mit Valéry die „Präzi-
sionsarbeit" bestaunen als eine Art des Übergangs von der Arith-
metik zur Algebra. Aber unzweifelhaft einseitig ist der bewun-
dernde Schluß, den Valéry daraus zieht: daß hier der Gehalt (fond)
nur noch einer der Effekte der „Form" sei und nicht mehr Ursprung (cause) der „Form".[5] Weniger willkürlich ist, was T. S.
Eliot in einem Aufsatz über *Mallarmé und Poe* feststellte: in
einem echten Glauben wurzle beider Dichtung zwar nicht, wohl
aber hätten beide ihre Empfindungskräfte verfeinert und ent-

faltet. Mallarmés Werke seien „fast eine Welt voller Stilleben,
aber eine Welt, die das Sich-Entfalten der ernstlichsten, mensch-
lichsten Leidenschaft miteinbegreift".

Das ist es. Keineswegs meine ich, daß eine Dichtung, je auffäl-
liger sie das Erlebte erkennen lasse, künstlerisch um so besser
sei. So wenig der Kritiker die äußeren Umstände der Entstehung
eines Textes vernachlässigen wird — sie bilden oft eine Probe auf
dessen Notwendigkeit oder Aufrichtigkeit —, so wenig wird er auch
die Gefahren dabei verkennen dürfen. Leicht kann ja die Selbständigkeit des dichterischen Textes überhört werden, insofern
das Lebensgeschichtliche die billige Lust an Sensationen kitzelt
und über das Werk als Werk nichts Entscheidendes aussagt. Darf
man aber darum die Wurzeln des Werkes im Dichterleben unterschlagen? Am ehesten allenfalls für Dichtungen ganz verallge-
meinernder Aussage, für Corneille etwa, für Hölderlin. In den
Werken Walthers von der Vogelweide jedoch, Villons oder
Goethes wird sich schwer abstreiten lassen, daß die Lebensalter,
die Zu- und Abneigungen, fixen Ideen und Launen höchst unmittelbar ins Dichterische einmünden. Wenn eine allzu psycholo-
gisch-wachstümliche Betrachtung dazu führen kann, daß man
das Kunstwerk als geschichtliches und schicksalbedingtes Gebilde
und als dauernden Ausdruck von Sein und Wesen unterschätzt,
so wird man dennoch die Psychologie und meinetwegen auch die
Psychiatrie nicht abweisen, wo sie die Grundlagen des Erlebens
deutlicher macht; beispielsweise scheint mir das, was ich 1938
über eine Spannung zwischen Vater und Sohn in mehreren Werken Mallarmés vorzubringen hatte, für einige jetzt aufgefundene Jugendverse von Belang. Aber die Beziehungen bestimmter
äußerer Erlebnisse zu ihrer dichterischen Verarbeitung lassen
sich nie mit Zirkel und Lineal nachmessen. Wieviel besagen beispielsweise unsere Hinweise auf die zeitgeschichtliche Situation,
um Mallarmés hartnäckige Sehnsucht zum außerzeitlich Geistigen der Kunst zu erklären? Fast nichts. Oder wieviel die psychoanalytischen Erklärungen für seinen Durst nach dem Nichts,
nach grausamer Zerstörung (Beausire), für seine erotischen Depressionen (Mauron), für seine Flucht vor sich selbst? Fast nichts,
fast gar nichts.

Soviel aber scheint mir erkennbar, daß Mallarmés Meisterschaft nicht zum wenigsten in der durchlebten Gestalt seiner Gedichte beruht. Schon dem Zweiundzwanzigjährigen schrieb der
scharfsinnigste unter seinen Freunden, Lefébure: ,,Was mir in
Ihren leuchtenden und düsteren Versen besonders auffällt, ist
eine einzigartige Gewalt der Zusammendrängung. Wahrscheinlich führen die Gründe dafür sehr weit in Ihr Leben zurück und
haben als Folge davon zu der Schwermut geführt, die Ihre Kraft
als Dichter und Ihr Leid als Mensch ausmacht'' (15. 4. 64). Das
Knappe dieser Verssprache ist nicht allein ein gewolltes Ausscheiden des Überschwenglichen, sondern auch ein Müssen aus dem
Menschentum heraus, vielleicht aus einer Bedrängnis durch das
Schicksal. Im Schatten dieser Schwermut vollzog sich der Zusammenstoß eines ungezähmten, lebhaften und lebensdurstigen Temperaments mit einem verwegen hohen Ziel, welches er sich einst
selber setzte und seiner widerstrebenden Natur aufzwang, solange
es irgend ging, sogar allzu lange. Dieser Zusammenstoß ist vorbereitet in vielen Krisen einer flügellahmen Müdigkeit, den
Fluchtversuchen zum brausenden, gefahrvollen Leben hin (*Brise
marine*); in der Sehnsucht nach kindhafter Naturverbundenheit
(*Le Sonneur*) oder auch nur nach der kindlich schlichten Schön-
heitsfreude eines Porzellanmalers (*Las de l'amer*). Auch in den
Auflehnungen des Dichters, der sich schlecht macht, Hohn und
Verachtung sogar gegen das Höchste und Schönste wirft (*L'Azur*),
um sich selber aufzuwiegeln gegen das, was er werden soll; und
der doch erkennt, eine höchste Zuversicht nicht leben zu
können: dies ist einer der vielfach verschlungenen Schicksals-
fäden, welche seine Jugendzeit durchziehen. Man gelangt zum
Purgatorio der *Hérodiade*, wo das Unmenschliche eines allzu
hohen Ideals langsam über dem verborgenen Feuer der Leidenschaft für seine Versündigung am Leben zu büßen hat. Und zum
Igitur, wo tragisch verspätet, aber heldenhaft entschlossen der
Irrweg eingesehen und korrigiert wird. Und schließlich zum
,,Meister'' des *Coup de Dés*, der begriff, warum es wohlgetan
war, daß er, nahe am verzweifelt angestrebten Idealziel, die letzten Schritte dazu nicht getan und eine ideologische Erlösung versäumte.

Für das Erlebnisgedicht Mallarmés im engeren Sinn ist nun bezeichnend, daß er die reine Lyrik durch ein erzählendes Element abdämmt. Die meisten seiner Dichtungen, einschließlich des *Igitur* und des *Würfelwurf*, erleiden etwa in der Mitte einen Stimmungsumschwung dadurch, daß eine Gegenstrebung anbricht und schicksalhaft gegen den bisherigen Zustand eindringt. Am liebsten im Zwist zweier ringender Mächte pflegt Mallarmé die Erfahrungen seines Innern auszudrücken. Die in der zweiten Hälfte des Gedichts überwiegende Macht war während Mallarmés Jugendzeit, unter dem Eindruck des *Raben* und anderer balladesker Gedichte Poes, zumeist diejenige des Schicksals. Seit *Igitur* hat häufiger das Heldentum des Menschen[1] das letzte Wort. Dichten heißt hier also: das bangende Ich in die Schwebe versetzen zwischen der Möglichkeit seines Niedergeschmettertwerdens und den Kräften, die zum Überdauern hinlenken könnten. Deutlicher als Poe empfand Mallarmé, daß eine solche Dramatik ein Gedicht ästhetisch sprengen müßte, wofern sie nicht von versöhnlicher Schönheit überwölbt sei. Hier genügte nur das höchste Können. Über sein erstes mustergültiges Erlebnisgedicht, *L'Azur*, schrieb Mallarmé: „Es gibt da ein wirkliches Drama. Und es ist eine furchtbare Schwierigkeit gewesen, in richtigem Einklang den dramatischen Bestandteil, welcher zum Gedanken einer reinen subjektiven Poesie in Feindschaft steht, zu vereinigen mit der Heiterkeit und Ruhe von Zeilen, wie sie für die Schönheit unumgänglich sind" (an Cazalis, 1864).

Gerade jetzt, wo mancher in Mallarmés Briefen auf das „Drama" aufmerksam wird und bereits auszusprechen geneigt ist, diese seien wichtiger als die Gedichte,[2] gilt es zu erkennen, daß dieses Drama sich entscheidender als irgendwo sonst in Mallarmés Dichtungen abspielte.

ZUM VERSTÄNDNIS MALLARMÉS
IN DEN JAHREN 1938–1950

Während im Frühjahr 1940 ein gründlicher Verteidiger des Seine-Überganges das Museumsstück, die lecke Jolle des Dichters in Valvins, als mögliches strategisches Objekt versenkte, ungeachtet aller Beschwörungen der Nachlaßhüterin Frau Bon-

niot — während vier Jahre später bei einer dreitägigen Beschie-
ßung das (seither wieder neubedachte) Sommerhäuslein seine japanische Klause für immer einbüßte,[1] und während der Friede
es weiterhin nicht eilig hatte, werden in beiden Heerhaufen die
Freunde Mallarmés und der ihm verwandten Dichter etwas Ähnliches gedacht haben wie die Sätze, die er einstmals schrieb, als
die Fensterfront des Restaurants Foyot durch einen Bomben-
anschlag in Trümmer ging.

In Zeiten, in denen man die Freiheit gefährdet fühlt, pflegt bei
einigen die Bereitschaft zur Dichtung zu erstarken und sich zu
läutern. Sie überwindet wohl sogar Hindernisse wie diejenigen im
Werke Mallarmés, welche in ruhigeren Zeiten von Valéry und
anderen Gliedern des engeren Kreises für unübersteiglich gehalten wurden. Solche Gründe wohl, mehr als die beiden Jubiläums-
feiern von 1942 und 1948, haben die Beschäftigung mit Mallarmé in den vergangenen zwölf Jahren, die zwischen den beiden
Ausgaben des vorliegenden Buches liegen, ungewöhnlich belebt.
Die literarischen Früchte dieser Beschäftigung durfte ich, ohne
an der bisherigen Anlage des Buches etwas ändern zu müssen,
dankbar zur Kenntnis nehmen.

Wenn während dieser Jahre in Deutschland wenig an kritischen Beiträgen entstand, so doch zahlreiche Übersetzungen; es
sind vier Bände darunter, deren jeder mehr als die Hälfte der
von Mallarmé selbst getroffenen Versauswahl verdeutscht enthält. Soviel ich sehe, wurde nirgendwo bisher ein Versuch unternommen, in die gesammelten Schriften Mallarmés nach ihren wesentlichen Gedankengängen einzuführen und daraus ein zusammenhängendes Bild der Individualität des Meisters in Verbindung mit seinem Leben zu erschließen. In der Tat ist ja jedes einzelne Werk eines Dichters zuallererst ein aller Zusammenhänge
lediges, selig abgelöstes Gebilde für sich. Wichtiger als alles andere war daher und wird bleiben, das eine oder andere Gedicht
als etwas Ins-Werk-Gesetztes (Heidegger) lesen und damit auch
sprachlich überdenken zu lernen; ungeachtet der Ausflüchte, mit
welchen bisweilen einer über die Tatsache hinwegzureden sucht,
daß ihm, wahrscheinlich mehr als alles andere, die Geduld zu dieser Poesie fehlt. Ausflüchte waren und sind ebensowohl die halb-

wahren gezuckerten Beteuerungen einer vagen Bewunderung wie
auch die Anklagen gegen den Tod, der den Dichter vorzeitig ab-
berufen habe, oder gegen die Nebenbeschäftigungen, die ihn abgelenkt hätten, oder die üblich gewordenen Hinweise auf sein angeblich allzu englisches Sprachdenken, das ihn entfranzösisiert
hätte, auf seine (völlig unbewiesene) Lektüre der Kabbala, die
man einem normalen Leser nicht auch noch zumuten könne, oder
auf seine neurotischen Anlagen, die den Dichter narzissisch, ste-
ril, periodisch-depressiv gemacht hätten.[1] In Wirklichkeit geht
es nur um eines, nämlich Mallarmé immer eindringlicher zu lesen. Das gilt jetzt zumal für die zwischen 1941 und 1948 entdeckten Bruchstücke zu den drei großen Torsi *Hérodiade, Faun*
und *Igitur,* um die bisher wenig oder gar nicht gerungen wird.
Daß eine winzige Unachtsamkeit des Lesers den Sinn solcher Gedichte zu verändern vermag, wurde mir beim Vergleich meiner
eigenen Stellungnahme zu Vers 11 in *Ses purs ongles* mit dem
seit 1942 zugänglichen Schluß des Sonetts in seiner ersten Fassung deutlich.

Im französischen Schrifttum über Mallarmé ist die Spannung
zwischen der lebensgeschichtlichen und der hermeneutischen Richtung besonders spürbar. Der Nicht-Wissenschaftler ist im allgemeinen bereit, den wissenschaftlichen Wert der ersten gelten
zu lassen, selten den der zweiten. Der kulturhistorisch interessierte Arzt und Sammler Henri Mondor, der sich aller Kommen-
tare zu den Gedichten Mallarmés enthält, spricht meist grundsätzlich ungläubig von den ,,Scholiasten" und ,,Glossatoren", vielleicht weil er nicht ohne Grund befürchtet, die *terribles simpli-*
ficateurs könnten das zu einer Gewißheit vergröbern, was Mallarmé nur hypothetisch ausgesagt wissen wollte, – und das Wesen
der Wissenschaft liege allzusehr darin, alles zu banalisieren. Wer
nur entschlüsseln will, möge sich an Funkdepeschen oder Keil-
schrifttexte halten. Auch Edmond Jaloux amüsierte sich darüber,
daß E. Noulet aus einem Vers die Liebe herauslesen wolle, in dem
Ch. Mauron einen Kutscher erkenne.[2] Wiederum eröffnet Emilie
Noulet ihre Arbeit mit Ausführungen über die Belanglosigkeit
biographischer Dokumente. Die Wahrheit liegt in der Mitte. Immer ist die Dichtung mehr als der Dichter, aber es besteht zwi-

3 Wais 2. A.

schen beiden nicht nur ein Spannungsverhältnis. Alles dient dem
Erfassen der Texte; darin haben sogar noch die Mißgriffe etwas
Rühmliches. Nicht darin liegt nämlich das Heil, daß man im
Kommentar des genauesten Lesers nachschlagen könne, wie eine
bestimmte Dichtung zu lesen sei; sondern darin, ein so sicheres
Gesamtbild Mallarmés aufzurichten, daß mallarmé-fremde Assoziationen — so eine Reihe von absurden obszönen[1] — durch ihre
eigene Unwahrscheinlichkeit hinfällig werden. Immer genauer lesen — das heißt also nicht zum wenigsten: immer mehr vom Ganzen her lesen. Daran fehlt es noch erheblich.

Mit der sechsten Doktorarbeit über Mallarmé — fünf weitere
folgten seit 1942[2] — wurden die Versuche, durch genauen Vergleich aller Varianten sowie durch Listen des symbolischen Wort-
gebrauchs dem dichterischen Sinn dunkler Stellen näherzukom-
men, nunmehr auch ins französische Schrifttum eingeführt. Die
Verfasserin E. Noulet hätte Gelegenheit gehabt, an einigen Män-
geln des ersteren Vorgehens bei Fr. Nobiling und denen des zweiten bei W. Naumann zu lernen. Vertraut man deterministisch auf
solche Mittel, so verkennt man allzu leicht, daß beispielsweise
die Fassung C des *Faun*, mit Fassung A verglichen, einen neuen
Gehalt verkörpert; oder daß Mallarmé bestimmte Ausdrücke doch
nicht mit der mechanisch-gleichbleibenden Bedeutung eines Vo-
kabelregisters gebrauchte.[3] Thibaudets Hinweise auf Feinheiten
der Lautmalerei wurden durch Noulet und P. Beausire erfreulich
gefördert; vielleicht gelingt etwa einmal die Erklärung, ob Mallarmés Definitionen eines Erlebnisgehalts für bestimmte Konsonanten, vom Indogermanischen bis zum Neuenglischen,[4] nicht
bloß theoretisch blieben, sondern in seinem eigenen französischen Sprachgebrauch Spuren hinterließen.

Förderung erfuhren auch meine Versuche, einerseits von etlichen Begriffen her, die Martin Heidegger gebrauchte (Sorge,
Angst), einige Züge bei Mallarmé besser begreifen zu lernen, andererseits den Grabesschmerz des Jünglings als die erste entscheidende Wende seines Lebens darzustellen. Die seins-philo-
sophischen Begriffe sind in einer Dissertation von P. Beausire
eingehend an Mallarmé herangetragen worden; die Krise von
Besançon und Avignon, die ich auf die Briefe dieser Zeit und

auf den *Igitur* eingegrenzt habe, möchte Beausire auf Mallarmés ganzes späteres Leben ausgedehnt wissen (*Mall.*, 1949, p. 59). Die von mir wiederholt aufgewiesene Parallele zu dem Schmerz Poes über den Tod seiner Braut bildet jetzt, von Marie Bonapartes Buch *E. Poe, étude psychanalytique* (1933) aus, die Grundlage mehrerer Schriften von Ch. Mauron. Es ist hier nicht der Ort zu einer prinzipiellen Auseinandersetzung, ob die Ausdehnung psychiatrischer Traumdeutung auf die Dichtungswissenschaft, die Versuche von Rank und seiner französischen Schüler wie Charles Baudouin (Psychanalyse de V. Hugo; Psychanalyse de l'Art) oder J. Fretet (über Nerval, Proust u. a.) ernstzunehmen sind. Auch durch jene Gruppe dürfte anerkannt werden, daß es wenig Sinn hat, nach den unbewußten Strebungen eines Dichters zu schürfen, solange nicht erst einmal die bewußten am Text abgelesen und verstanden werden. Stünde es nicht an, erst einmal in den Wohnräumen eines Dichters heimisch zu werden, bevor man in die Kellergänge hinabhastet (um von den Kloaken zu schweigen)? Maurons Inzesttheorie hängt noch in der Luft: der Würfelwurf und das Ertrinken, auch die Styx-, die Grabes- und die Meerfahrt seien sexuell zu deuten, der „Ptyx", die Giftflasche und das hohle Schiff des Meisters, wie auch die Blumenvase, seien unbewußt der weiblichen natura nachgebildet, überall tauche hinter der toten Schwester, der „pénultième", die tote „Letzte", die Mutter auf, und dergleichen mehr. Mauron wirft der Forschung vor, sie habe keine „große Einheit" in Mallarmés Werk erfaßt (*Psychanalyse de Mallarmé*, 1950, p. 44).

Insofern zeigt sich ein Fortschritt in den neuen Studien, als niemandem mehr mit einem unbeteiligten, nichts als anmutig plätschernden Geplauder über herausgegriffene Sätze und Verse Mallarmés gedient ist. Wobei es nach wie vor unbenommen bleibt, über die bloße (scheinbare) Unverständlichkeit ästhetische Freudenschauer zu empfinden. Mallarmés Dichtung ist allein dann mehr als eine zeitgebundene Leistung, wenn es immer wieder Leser geben wird, welche seine Werke als irgendwie verbindlich für ihr eigenes Leben erkennen. Dazu sollte man mit ihm bis ans Ende gegangen sein. Dies wiederum legt nahe, die Gesamtheit seines Werkes aufzunehmen.

Mallarmé selbst hat von seinem eigenen Aufriß der *Erechtheus*-dichtung des Swinburne befürchtet, er könne „das Interesse de-florieren" (*an Swinburne*). Jedoch ein Werk von bleibendem Wert hat sich vor zusammenfassenden Analysen nicht zu fürch-ten. Es wird durch sie vielleicht nicht viel gewinnen, aber jeden-falls nichts verlieren. Philologisch lautet die Aufgabe von jeher, den Gehalt eines Gedichts — ungetrennt von dessen Gestalt — am Ausgangspunkt, am Erlebnis möglichst eindeutig zu er-fassen. Beispielsweise die Schlußverse des Schwanensonetts so zu erschließen, wie sie zur Zeit ihrer Entstehung im Denken und Empfinden des Dichters verankert waren. Dahinter beginnt die prickelnde Vielfalt des Vieldeutigen, an welcher der Dichter sel-ber nur noch halb beteiligt scheint.

Von seiner Lebensgeschichte aus gesehen, ist Mallarmé inzwi-schen übrigens populär geworden. Die Kinderzeichnungen an den Wänden des Schulhauses von Vulaines feiern ihn als den Se-gelbootfahrer, und sein Name ist unvermeidlich geworden als journalistisches Stichwort für das Martyrium der Klassenlehrer, die ihr Beruf langweilt. Teile des Nachlasses, die seit 1941 na-mentlich durch den unermüdlichen H. Mondor, einen entzücken-den Erzähler, zugänglich gemacht werden, brachten als kost-bare Gaben weitere Briefe als die durch mich erstmals ausgewer-teten an Cazalis, die Briefe an Méry sowie Briefe Lefébures an Mallarmé. Auf die Briefwechsel mit Claudel und Viélé-Griffin ist in Bälde zu hoffen, wie auch auf einen frühen Gedichtband Mallarmés von 1859. — Für die Neuauflage des vorliegenden Buches ist nichts vernachlässigt, was für das bessere Verständnis der Werke einen Beitrag liefern konnte. Die Interpretationen habe ich mehrfach überprüft, diejenigen aller neuaufgefundenen Schriften und Frühfassungen nachgetragen, vieles ergänzt und berichtigt. Für mancherlei speziell literargeschichtliche Materia-lien, die ich zu streichen hatte, um den Umfang in Grenzen zu halten, sei auf die Auflage von 1938 verwiesen.

AN DER SCHWELLE DES LEBENS

I

VERLORENES PARADIES

An einem Sommerabend des Jahres 1842 begegneten einander im Luxemburgpark zu Paris der neunzehnjährige Théodore de Banville, eben bestrahlt vom großen Erfolg seines ersten Versbüchleins, und der wenig ältere Charles Baudelaire, ein damals noch nicht hervorgetretener Dichter. „Nie war ein Ruck lebhafter, ausschließlicher, unmittelbarer", erzählte Banville später; „von diesem Augenblick, dieser Sekunde, noch bevor ein Wort gewechselt war, waren wir Freunde."[1] Stéphane Mallarmé, am achtzehnten März dieses Jahres geboren, hätte seine literarische Herkunft gleichsam aus dem Bund der beiden Dichter ableiten können; des hellen Versakrobaten und Rhythmikers Banville, in welchem die ganze anmutige und formsichere Tradition französischer Poesie seit Charles d'Orléans, Voiture und La Fontaine wieder frei von Didaktik und Philosophie zum Klingen kam; und des dämonisch getriebenen, prometheisch zerrissenen Nachtwanderers Baudelaire. Dessen seelische Herkunft hat Mallarmé später eindringlich begriffen. Durch Baudelaires feierlich-elegische Lyrismen hindurch (die erst G. Apollinaire abwarf) erkannte er, daß dieser ein „Seher" zu nennen sei wie François Villon, der Entwurzelte, der erste Großstadtdichter (an Swinburne, 10. 5. 76).

Baudelaire und Banville bildeten in den sechziger Jahren eine Art „Vierfürstentum", zusammen mit dem zehn Jahre älteren Théophile Gautier und mit dem drei Jahre älteren Leconte de Lisle, der mit Baudelaire eine herablassende Kameradschaft pflegte. Damals zuerst begann der Name des Meistgefeierten, Victor Hugos, sacht zu verblassen. Weniger weil Hugo in seiner politischen und prophetischen Rolle sich zu verlieren begann, in den Antithesen seines vereinfachenden Manichäismus. Eher weil er seit seinen Anfängen sich immer wieder in Rollen geflüchtet hatte und einer echten Rechenschaft mit sich selbst ausgewichen war unter immer neuen Ausflüchten („Der Träumer muß stärker sein als der Traum" usw.). Keiner der vier Tetrarchen wagte den Abfall von Hugo. Am ehesten noch entfernte sich Baudelaire;

„er ist aus dem Gefolge des *René*. Er deklamiert weniger laut. Die Ästhetik der *Blumen des Bösen* stammt geschlossen aus Edgar Poe" (Barrès, *Taches d'encre*, 1884/85). Der Kampf der Vier galt noch den Nachzüglern der volksliedhaften Mode und Alfred de Mussets, dem billigen, banalen Reimgeklingel. Vor allem Baudelaire ging „so weit, sich die Eloquenz und die Leidenschaft zu untersagen, weil er sie zu menschlich findet, zu natürlich, nicht vergeistigt genug, und allzu kurz befiedert, um den klaren Luftraum der Kunst zu durchschweben" (Gautier über ihn). Er „verfluchte bis zum Ekel die Romanze, die Cascatellen, das Verschwommene der Seele, die empfindsame Liebe und den ganzen lyrischen Trödelkram" (Banville, *Mes souvenirs*). Es war damals noch schwerer als heute, die echten Töne einer glostenden Schwermut und bitterer Idealität in Baudelaires Werken herauszuhören, den Schauder vor dem Abgrund des Nicht-Seins, Sündenqualen, Eifersucht, Haß und verzückte Schwärmerei; Rachsucht uralter gequälter Völker; mönchische Lust daran, am üppig Lebendigen grell und kraß das Häßliche aufzuzeigen; und Sehnsucht nach einem Paradies der Jugend, „où tous les vins coulaient". Was die meisten ihm zunächst absahen, war das Manierierte, die überlegene Gebärde vor dem Spiegel, seine Vorschrift, wenn schon schmerzvoll unterzugehen, dann als Dandy, nämlich „zu lächeln wie der Spartaner unter dem Biß des Fuchses", erhaben wie die Abendsonne, „ohne Wärme und voller Schwermut".

Bei Baudelaire war man in alledem weit entfernt von dem gezierten Herkommen Voitures und des älteren Balzac, als deren Fortführer man Mallarmé hat einseitig sehen wollen.[1] Die brutale Richtung fand aber ihre Ergänzung durch die aristokratische, überlegen spielerische, banvilleske. Wenn Baudelaire etwa den starken Geruch dunkler Frauenhaare besang, so überboten die Preziösen sich in gehirnlichen Gleichnissen für den Glanz blonder Haare. Wenn Dichter wie Mallarmé oder Verlaine durch die schreckliche Offenheit der erstgenannten Richtung angezogen wurden, so trennten sie sich doch ungern von der galanten Höflichkeit des alten Versailler Erbes, von jenem Abstand zum „Ungeordneten und Anstößigen", den Mallarmé (*Le Jury*) an

dem Maler Manet so liebte. Wie lebendig das Erbe auch der
Schmeichelei und der doppelzüngigen Diplomatie im französischen Schrifttum nachwirkte, davon wird man sich leicht überzeugen, wenn man beispielsweise Mallarmés Londoner Ausstel-
lungsberichte durchblättert, mit ihren geblümten byzantinischen
gentillesses, ihren Verbeugungen ins Leere,[1] ihren rhetorischen
Fragen, die gar nichts fragen, ihren Beteuerungen wie j'avoue,
die nichts gestehen, oder je ne l'ose pas, die alles wagen.

In dem geistesgeschichtlichen Resonanzraum nun, der durch
die Gegenpole Baudelaire und Banville bestimmt war, wuchsen
Mallarmé und seine Altersgenossen heran: Léon Dierx (1838),
Eugène Lefébure, Auguste Villiers de l'Isle-Adam, Sully Prudhomme, d'Hervilly, Glatigny, Des Essarts (1839), Henri Cazalis,
Albert Mérat, Alphonse Daudet (1840), Anatole France und Paul
Verlaine (1844), vor allem aber die „grande promotion",[2] Catulle Mendès (1841), Mallarmé, José Maria de Heredia, François Coppée, Xavier de Ricard (1842).

Die Lebenslegende Mallarmés ist von ähnlichen Spannungen
und Widersprüchen durchwoben wie die literarische Lage, in die
er sich später gestellt fand. Bewußt wurden sie ihm wohl erst
vom zehnten Lebensjahr an, in der grausamen Einsamkeit dreier
Internate. Was vorher war, vergoldete sich später zu einem Paradies des Geborgenseins.[3] Etwas vom Zauber dieser Zeit spricht
noch zu dem Wanderer, der heute die Straße in Passy besucht,
wo der Knabe seine ersten zehn Jahre verbrachte — spricht aus
den wenigen Häusern, die übriggeblieben sind (Mallarmés elter-
liches Haus ist den Neubauten gewichen). Damals war Passy noch
nicht ein Teil von Paris, sondern ein Dörfchen vor den Toren. An
der gekurvten Villenstraße, die damals als Weiler Boulainvilliers
bezeichnet wurde, standen etwa zwanzig bescheidene einstöckige
Häuschen, ein jedes mit Vorgarten und Hoftor. Unter den Be-
wohnern war der Dramatiker Scribe und ein Mitglied der Comédie Française namens Got. Wurde es Abend, so sperrte man die
Straße an beiden Enden mit einem Gatter ab; wer noch ausgehen
wollte, mochte einen hinteren Ausgang benutzen, auf die rue de
l'Assomption hinaus oder auf die rue du Ranelagh, an deren Ecke
das Haus des Herrn Numa Mallarmé stand.

Dort hatte Numa Joseph Mallarmé (1809–63) gewohnt, als
er, ein Angestellter (sous-chef) der Steuerverwaltung wie sein
Vater, im Jahre 1841 die Tochter seines Vorgesetzten, Félicie Desmolins (1818–2. 8. 47) heiratete. Durch diese Frau kam in die
Familie der Mallarmé, eines betriebsamen Geschlechtes ohne viel
Furcht vor dem Leben — drei von den acht Brüdern Numas waren
höhere Offiziere —, ein fremder, feiner Zug herein. Der Dichter
selbst sagte über seine Herkunft nichts weiter als: „Die Ursprünge sind burgundisch, auch lothringisch und sogar hollän-
disch" (an Verlaine, 16. 11. 85). Unter den Mallarmés war eine
Baronin († Sept. 1849), Witwe eines Herrn du Saussay, den
die Revolution verjagt hatte und der im Ausland, in London, gestorben war. Der Mann, dessen Frau sie dann geworden war,
François-Auguste Mallarmé, wurde geboren als Sohn eines Anwalts in Nancy 1755 und starb 1834 in einem belgischen Irrenhaus. Durch die Revolution ließ er sich emportragen, wurde
Prokurator für das Gebiet von Pont-à-Mousson, Mitglied des
Finanzausschusses, Beauftragter für die Rekrutierung; nach
Robespierres Sturz übernahm er es, in Südfrankreich die Jako-
biner zu Paaren zu treiben; nach einer Haftzeit, Juni bis Oktober
1795, diente er unter Napoleon als Verwaltungsbeamter in Nancy.
Züge brutalen Ehrgeizes und unentschlossener Lässigkeit schienen
in seinem Wesen zu wechseln. Als Präsident der Convention am
30. Mai 1793 versagte er, als es galt, die Abgeordneten in Schutz
zu nehmen. Die Seinen scheint er tyrannisiert zu haben; Herminie
du Saussay und seine andere Stieftochter soll er mit der Peitsche
traktiert haben. Als Unterpräfekt von Avesnes während der hundert Tage geriet er in Gefangenschaft, konnte aber als einer von
denen, die für Ludwigs XVI. Hinrichtung gestimmt hatten, nicht
mehr nach Frankreich zurückzukehren wagen. Durch einstige
Kollegen unterstützt, verbrachte er seine letzten Jahre in Belgien. Der Name Mallarmé hatte keinen guten Klang. Unter den
„Jungfrauen von Verdun", über welche François-Auguste am
9. Februar 1793 im Auftrag des Sicherheitsausschusses das
Todesurteil fällte, war die Braut des Großvaters von Edgar
Degas; der Maler soll es dem Dichter zeitlebens nachgetragen
haben.

Dieser Familie gebar die junge Frau Numa Mallarmés am Morgen des 18. März 1842 in einer Pariser Wohnung (rue Laferrière 12) den kleinen Etienne — von seinem ersten Tage an Stéphane genannt. Félicie war eine Frau von nervöser Anfälligkeit, und sie wie ihr Töchterchen Marie (1845 bis 31. 8. 57) und ihr Enkel Anatole scheinen am gleichen Leiden gestorben zu sein. Die Großmutter des Dichters wünschte später ihrer Urenkelin die Qualitäten Félicies, „nicht aber etwas von der lebhaften Phantasie, die ihren Organismus so verbraucht hat".[1] Als Sohn dieser Frau fühlte sich der Dichter. Etwas davon kehrt, wie mir scheint, als ein Leitmotiv in seinen Werken wieder, in Mallarmés grausamem Jugendsonett von der Brutalität, mit welcher so mancher Dichter im Ehebett gezeugt wurde (Parce que de la viande), in der Vorliebe für Hamlet, der von seiner Mutter Rechenschaft fordert wegen ihrer Gattenwahl, im Gedicht von „meiner Mutter und ihrem Geliebten" und in dem Plan einer Dichtung, in welcher der Sohn vom Vater Rechenschaft für die Entjungferung der Mutter fordere.

Daß die Brüder Mallarmé, die Oheime, die Söhne des Peitschenschwingers, über ihn verfügen könnten, schwebte lange wie ein Alpdruck über dem schmächtigen, kränklichen, schwankenden Knaben und Jüngling, der von ihnen nichts geerbt zu haben schien als ihre Unbeugsamkeit. Geschmückt mit dem Band der Ehrenlegion, hatte Numas zwei Jahre älterer Bruder Jules-Charles, Oberleutnant der Stadtwache, die Geburtsanzeige mit unterzeichnet. Später, als der einundzwanzigjährige Mallarmé sich den Weg zu einem eigenen Hausstand erkämpfen wollte, lag das Hindernis nicht allein in Versailles bei den Großeltern Desmolins. „Versailles", schrieb ihm damals sein Freund,[2] „wird schwer zu gewinnen sein: warum warst du überhaupt dort? Unter diesem caudinischen Joch? Deine Oheime werden schön lachen: deine dicken Oheime mit ihrem dicken Gelächter. Und wie ihre dicke Verachtung jetzt Pfui über dich rufen wird. Schreite stolz unter ihrer Verachtung hinweg, Stéphane." Mit keiner dieser Familien scheint Mallarmé später Umgang gepflogen zu haben, die Tochter von seines Vaters ältestem Bruder[3] und deren Söhne machten eine Ausnahme. Nur diejenigen seiner Vorfahren, die irgendwie mit der Bücherwelt in Berührung gekommen waren, hielt er selbst für hergehörig, als man ihn um biographische Angaben ersuchte.[1]

Stéphane wuchs schweigsam, verträumt und zurückhaltend auf, schlank, reserviert und kränklich, wie später sein eigener Sohn Anatole, bis zur Manier höflich und gepflegt. Für das Überlegene gegenüber allem Leidenschaftlichen, das später oft an ihm bestaunt wurde, kam ihm zustatten, daß ihm von jeher schwerfiel, in Freude oder Schmerz ganz aufzugehen. Ebenso „vag" wie später die Geburt seines ersten Kindes nahm er schon als Fünfjähriger die Nachricht entgegen, daß seine Mutter nach der Rückkehr von einer Italienreise jäh gestorben war. Seine Jugendeindrücke begannen mit der Erinnerung, wie ihm die Anpassung an die Beileidsbezeigungen im Salon der Großmutter schwerfiel.

Der beiden Halbwaisen nahm sich vor allem die fromme und autoritäre Großmutter Desmolins an. Aber schon damals hatte sie zu klagen, daß der Knabe sich vor ihr verschließe. Die Stelle der vermißten Mutter nahmen die Feen der Märchen ein, die mit „strahlendem Hut" bedeckt durch seine Träume zogen. Früh bestimmte ihn sein Wesen zum künftigen Umgang mit der Welt der Bücher.

Die Kinder kehrten ins Haus ihres Vaters zurück, als dieser ein Jahr nach Félicies Tod die zwanzigjährige Anna Mathieu heiratete. Die Mißbilligung der Großmutter Desmolins war ebenso lebhaft wie die Freude der Großmutter Mallarmé. Anna bemühte sich redlich um die Erziehung der Kinder. Ihre Verbindung mit dem um zweiundzwanzig Jahre älteren Gatten scheint doch ein echtes Familienleben begründet zu haben: „Ich bin entzückt", schrieb die Großmutter Mallarmé an Herminie du Saussay, „über das, was du mir von deiner Fahrt nach Boulainvilliers sagst, und daß du deinen Bruder und Anna zufrieden und glücklich fandest. Ach ja, die beiden lieben Kinder sind reizend. Es scheint, daß Anna sie sehr lieb hat. Sie ist eine treffliche junge Frau; sie schreibt ihren Eltern Briefe, aus denen man das Glück spürt" (20. 8. 49). Ähnlich die Mutter Annas über die Neigung ihrer Tochter zu Numa: „Es gibt für sie nichts Reizenderes. Und da ich nun von ihr getrennt sein muß, wie zufrieden bin ich, daß ich

sie von so zärtlicher Zuneigung umgeben sehe" (an Herminie).
Gleichwohl blieb in Stéphane und seinem Schwesterchen Maria
die Erinnerung an die tote Mutter unerloschen; die drei Jahre
jüngere Maria wurde die engste und einzige Vertraute und Freundin des Knaben. Die vier Stiefgeschwister, die sich einstellten,
spielten in Mallarmés Leben eine geringe Rolle, Jeanne, im Oktober 1850 geboren, dann Marguerite und nach 1853 Pierre
und Marthe.

Bei all ihrer Bürgerlichkeit besaß Anna Mallarmé einen winzigen Ausblick in das Reich der Kunst. Sie hatte einige Fertigkeit
in der Bildnismalerei erworben und kopierte noch in späteren
Jahren Bilder alter Meister. Verständnis dafür fand sie bei ihren
Nachbarn im Weiler Boulainvilliers, den Töchtern eines Regis-
seurs an der Comédie Française, Dubois-Davesnes. Malsy, die
ältere, bemalte Fächer, und die damals etwa fünfundzwanzigjährige Fanny versuchte sich an Bildnisbüsten von Napoleon III.
und Kaiserin Eugenie oder einem Reliefbildnis von Frau Scribe.
Die Freundinnen der Stiefmutter wurden auch die des Knaben. Die
ersten Verse, die von ihm bekannt wurden, lauten: „Ma chère
Fanny / ma bonne amie / je te promets d'être sage / à tout âge /
et de toujours t'aimer. / Stéphane Mallarmé." Mit dem Lernen
wollte es nicht recht vorangehen. „Mag er auch nicht sehr fleißig
sein, wenigstens ist er gut", schrieb die Großmutter (6. 5. 52 an
Eugénie Laurent).

Sehr schweren Herzens trat im September 1852 der Zehn-
jährige in ein katholisches Internat in Passy ein. Nur mit Mühe
verbarg die mitleidige Großmutter ihre Bewegung. Die schöne
Zeit von Boulainvilliers war zu Ende. Wenige Monate später
wurde der Vater in die Provinzstadt Sens versetzt; um so mehr
fühlte nun Frau Desmolins sich für ihren Enkel verantwortlich.
Während seiner zwei Jahre in Passy bereitete er ihr eine Enttäuschung über die andere; in einem Brief an den Großvater
etwa muß der Elfjährige für „meine schlechte Arbeit" Abbitte
tun. „Er ist auch nicht sehr lieb im Charakter" (Frau Desmolins an Frau Laurent, 1. 1. 54). Er war unterdessen zu Besuch in
Sens, erkundete in den Dörfern ringsum, wo man zum Milch-
trinken einkehren könne, und ermahnte sein Schwesterchen, dar-

auf zu sparen. Noch träumte er davon, ein Kriegsschiff für acht
Franken zu kaufen und es im Bassin bei der Tante schwimmen
zu lassen. Jm Jahre 1854 zeigte er die ersten Neigungen zu scher-
zenden Wortspielen, etwa wenn er mit Maria, der „petite ga-
mine" in Sens, ein Wiedersehen in Passy verabredet: munter
ausmalend schließt er aus dem Ausbleiben ihrer Briefe, sie
könnte unterdessen bei den „petites sœurs", den Nonnen, eingetreten sein.

Einer von seines Vaters adligen Stiefschwestern, die bei einem
Herrn de la Roche-Aymon Hausdame war, gelang es, im Mai
1854 die Aufnahme des Knaben in ein Internat für adlige Schüler zu erreichen. Dort in Auteuil, wenige Schritte von Passy entfernt, verbrachte er die nächsten beiden Jahre. Der Name Mallarmé,
an den Girondistentöter gemahnend und als einziger bürgerlich,
entfesselte gegen den Knaben einen Sturm von Faustschlägen und
Fußtritten. Bis er die Kameraden erfinderisch durch die rettende
Erinnerung an Boulainvilliers beruhigte: er sei der junge Graf
von Boulainvilliers und besitze bestimmte Gründe für sein In-
kognito. Freilich durfte nun die Tante nichts davon wissen, die
ihn mit Vorliebe zu sprechen begehrte, um dabei etwaigen Adels-
bekanntschaften im Empfangsraum zu begegnen. Wenn dann der
Pedell mit einem Sprachrohr den Namen Boulainvilliers in den
Park hinausrief, so ließ der Knabe, um bei der Besucherin keinen
Verdacht zu erregen, den Namen lang verklingen, bevor er sich
aufmachte. Dieser große Park, der einst dem napoleonischen
Schlachtenmaler Gros gehört hatte, und die Umgebung von Passy,
durch deren Schilderung ihm Zolas Roman *Une page d'amour*
liebenswert wurde, vertraten ihm die schmerzlich vermißte „Ge-
burtserde", die er später in Valvins wie ein ersehntes Geschenk
begrüßte.

Schon dort mochte in ihm jene prinzliche, erlauchte Hoheit
sich regen, welche später die Schriftsteller Margueritte, die Söhne
von Eudoxie-Victorine Mallarmé, so an ihm bestaunten.[1] „Sein
ganzes Wesen war von einer Art Majestät geprägt: es ist wahrhaftig das einzige Wort, das ich finde", bemerkt Mauclair. „Immer besaß er jene höchste Vornehmheit, die aus dem Seelenadel
stammt, eine unfaßbare Fähigkeit, trotz der ehrlichsten Herzens-

güte die Leute in ehrfürchtigem Abstand zu halten, und ein völliges Fehlen von Affektiertheit. Mallarmé im Schloßhof von Fontainebleau wirkte, als sei er zu Hause."

Doch birgt sich neben diesem Eindruck, als „verkörpere er Jahrhunderte alter französischer Bildung und sei stets gewohnt, mit Königen zu reden",[1] ein ánderer, wohl gar entgegengesetzter Wesenskeim, ein Drang zum Unheimlichen, Zigeunerhaften, zum „Unzuhause",[2] ein Fernweh, das sich damals stammelnd ankündigte in jener ersten Begegnung mit dem grausam-komisch Rätselvollen, die er später selbst unter der Überschrift *Réminiscence* erzählt hat. Es ist übrigens das früheste seiner Prosagedichte, in dem an der Stelle der sentimentalen Lyrik eine preziös-sachliche, zerebrale und bisweilen — etwa in der Beschreibung des Käsebrots — parodistisch-sarkastische Haltung bemerkbar wird. „Orphelin, déjà, enfant avec tristesse pressentant le Poëte, j'errais vêtu de noir, les yeux baissés du ciel et cherchant ma famille sur la terre" (Fassung A). Der Knabe suchte nach einer Verwandtschaft. Jahrmarktszelte im Gehölz trieben ihn von seinen (A: häßlichen) Kameraden fort, so stark erfaßte ihn der Duft der Landstreicher, wie eine Gewißheit, daß er künftig einer der Ihren werden würde (A). Und da an den lockenden Zeltspalten noch nicht die abendlichen Theaterfunseln aufflammten, näherte er sich einem Jungen mit einer seltsamen Mütze im Dante-Schnitt, der abseits ein Brot mit Weichkäse verschlang. Dies Käsebrot schien dem Kinde Etienne wie ein Inbegriff seines Traumfittichs ... gletscherweiß, lilienweiß.[3] Und es drängte ihn, den Älteren, der da ruhmumwittert an der Zeltwand lehnte, anzureden, an seiner Mahlzeit teilzunehmen, die eigene mit ihm zu teilen. Ein älterer geschmeidiger Zirkusbursche kam hinzu, biß in das Käsebrot des Kleineren, ließ im angestaunten Trikot mit der Leichtigkeit eines Welteroberers das Bein spielen und fragte das Kind nach seinen Eltern. Er habe keine, erwiderte der kleine Schwarzgekleidete mit dem verwaisten Blick. Eltern, versicherte der andere, Eltern seien etwas recht Komisches, etwas zum Lachen, und berichtete vom herrlichen Grimassenspiel seines Vaters neulich, als der Direktor mit Prügeln drohte, und von seiner Mutter, die mit großem Publikumserfolg rohes Fleisch verzehre. — Mit

dem jähen Bewußtsein des Kleinen, elternlos zu sein, begann jene
Störung im inneren Wachstum, ohne die es den dichterischen
Funken nicht gäbe. Eine poetische Schularbeit des Siebzehnjährigen richtet ein Gebet an seine „immortelle mère / pour celle
qui donna sur terre / nos cœurs à son fils éternel" und endet:
„Wir wollen für den verwaisten Knaben beten! Möge ein Engel
durch seine Träume ziehen und mit dem Flügel eine Träne im
Auge trocknen!" (*La prière d'une mère.*) Schon der Zwölfjährige
erzählte den Stoff von Schillers *Taucher* mit einer bezeichnenden
Umgestaltung nach (*La Coupe d'or*). Wenn der Taucher sich in
den Strudel stürzt, um den Becher des Königs von Sizilien zu gewinnen, so ist es, weil er seine Mutter in ihrer Armut am Ufer
stehen sieht. Im himmlischen Jerusalem harrt der Sohn als Be-
schützer auf seine Mutter; und auf seinem Holzkreuz steht geschrieben: Gestorben für seine Mutter. Im Rührseligen kündigt
sich ein bestimmender Zug an, das Sanfte.

Paradox genug, daß der erste Dichter, vor den er trat, das
äußerste Gegenteil all dessen bedeutete, was ihm während seiner
Schuljahre „aus lamartinescher Seele" (an Verlaine) heilig war.
Dem Zwölfjährigen zeigte man in befreundetem Hause den alten
rundlichen Straßendichter Béranger, den damals ungeheuer über-
schätzten Pamphletisten und Meister des Gassenhauers.[1] Damals
schwankte der Knabe zwischen zwei Entschlüssen: den Ruhm
dieses Dichters zu erreichen, oder ein Bischof zu werden.

Durch die katholische Schule wurden zunächst, wie später beim
jungen Stefan George, ausgesprochen religiöse Neigungen rege.
In einem Aufsatz *L'ange gardien*, so kindlich er ist und so steif-
leinen in seiner gehobenen Kanzel-Eloquenz, knospt doch in etlichen verhaltenen, wehen Sätzen eine demütige eigene Innigkeit.
Der Schutzengel, heißt es da, bewahre das Kind in der Wiege
vor der Viper auf der Wiese, gibt ihm „Mut, wenn es niedergeschlagen ist ... Oh, warum, guter Engel", fragt er ihn unvermittelt, „birgst du dein Haupt unter deinem weißen Flügel und warum
weinst du so", wenn der Jüngling eine „glänzende Zukunft"
erträumt? Weil du weißt, daß es anders und kummervoller kommen wird. Doch du verläßt den Einsamen nimmer, „du ersetzest
eine Mutter, die er vielleicht verloren hat". Nach außen hielt er

den Glauben an die glänzende Laufbahn offenbar so betont aufrecht, daß bei der Großmutter ernstliche Klagen eines Lehrers
einliefen wegen „seines ungehorsamen eitlen Charakters, der ihn
dazu aufreizt, immer Widerstand zu bieten, nie sich fehlerhaft
zu bekennen.. Ich finde dies Herz gegenwärtig so trocken, daß
ich fast nicht auf ihn zu rechnen wage; während die Phantasie
allmächtig ist, ihm seine Vorzüge vor Augen zu rücken" (Frau
Desmolins an ihre Base, Frau Laurent). Damals bildeten sich
bestimmende Neigungen des Knaben aus. Eine Ferienbeschäfti-
gung bleibt fortan das Angeln, bis in seine letzten Jahre, in denen
es ihm als ein „Anzeichen von Greisenhaftigkeit" vorkam (an
Méry), worauf er es einstellte. Sein Schwesterchen kannte nichts
Höheres, als ihm Gesellschaft zu leisten, wiewohl die Großmutter
scherzend bezweifelte, ob die Redselige es fertigbringe, ihm die
Fische nicht zu verscheuchen.

Während die Schwester im Haus der Großeltern aufwuchs,
wurde der Vierzehnjährige für seine letzten vier Schuljahre (15. 4.
56 bis 10. 8. 60) nach Sens geholt, aber nicht ins Elternhaus.
Wieder ein Internat, jetzt dasjenige des städtischen Gymnasiums mit seinem Kapellenraum, dem einzigen, was Stéphane hier
schön finden konnte. Karg war alles. Zum Beten kniete man auf
den nackten Boden. Ein Hocker, der zugleich als Tisch diente,
stand neben jedem Bett im Schlafsaal; alle dreißig Insassen wu-
schen sich an einem einzigen Wasserrohr in der Mitte des Saales.
Jeder Schüler besaß eine Werktags- und eine Sonntagsuniform.
Anna Mallarmé suchte ihren Stiefsohn anfangs zu trösten, nahm
ihn am Wochenende wie einstmals zu ihren Malersitzungen mit,
kaufte ihm Leckereien, ging mit ihm in den Wanderzirkus. Pro-
vinzielle Genüsse. Dann und wann Pistolenschießen nach Katzen;
winterliches Spiel im Heuschober. Viele Gedanken kreisten um die
christliche Botschaft. Als der Vater im Mai 1857 nach Paris zur
Kommunion Marias gefahren war, kniete Stéphane neben der Stiefmutter im Gebet, und er wollte bis ins einzelne von dem Kinde wissen, was es am Altar empfand.[1] Die Spur der beiden Jahre in
Auteuil wollte sich auch sonst nicht verwischen. „Er sieht wie ein
Mylord aus mit seinem Raglan", meldet mit gemischten Gefühlen
der Vater den Großeltern. Der Sechzehnjährige machte ihm Sor-

gen; die Desmolins sollten mithelfen, so meinte er, Stéphane für
die Laufbahn eines Verwaltungsbeamten zu überreden. Der Knabe
errang unterdessen im Gymnasium einen Preis für Dichtung. Da
aber Corneille, Racine und Molière für die Examensnote entscheidend waren, erlaubte Numa seinem Sohn die Lektüre der romantischen Dichter nur noch als Zerstreuung: ,,Ihr werdet entdecken,
daß euer Kind von Poesie träumt und nur Victor Hugo bewundert,
der weit entfernt ist, klassisch zu sein. Diese ärgerliche Neigung
ist seiner Ausbildung wenig förderlich" (an die Desmolins, 1858).
Die Gedichte Goethes und Heines stellten sich in der kleinen Bücherei ein, ein englischer Shakespeare, de Lanneaus Reimlexikon.
Für die Schule schrieb er damals zum Fest der Ersten Kommunion
eine fromme *Cantate,* in der körperlos hochtrabenden Sprache der
Hymnen Lamartines. Bemerkenswert die viermal vorzutragende
Chorstrophe, mit welcher drei feierlich apostrophische, kunstvoll
gesteigerte Sechszeiler eingerahmt werden. Sie zeigt einen sehr zarten, sehr lichten Schwung; nie wieder hat Mallarmé ein so ausge-
sprochenes Cantabile angestrebt. Irgendwie befremdlich wirkt freilich der altkluge Abstand des Sechzehnjährigen, welcher die ,,ge-
heimnisvolle Vermählung der Kraft und der Schwäche", Gottes
und des Kindes, wie ein ihm selbst bereits verschlossenes Reich zu
empfinden scheint.

Ein halbes Jahr später, und die dichterische Saat geht mächtig
auf. In dem einen Jahr 1859 entstanden ,,mehr Verse, als er während seines ganzen übrigen Lebens schrieb".[1] Die Handschrift, in
der sie aufgezeichnet sind, betitelte er *Entre quatre murs;* Mondor
entdeckte sie vor kurzem im Besitz der Töchter von Mallarmés
Nichten. Aus einigen Proben, die wir kennen, läßt sich vermuten,
daß sie einige Beachtung verlohnen. Nicht alle Empfindungen, die
sich hier aussprechen, scheinen von älteren Vorbildern ausgeliehen,
und auch eine wesentliche Grundlage für Mallarmés späteren Versstil ist bereits vorhanden, sogar in einer erstaunlich frühreifen Entfaltung, nämlich der Wagemut, fast jeden Vers mit einer Vielzahl
von verblüffenden Effekten, Einfällen, verwegenen lakonischen
Einschüben, seltenen Worten und trivialen Realitäten, oft auch,
echt gymnasiastenhaft, von literarischen Bezügen zu überladen. Es
sind meist schlechte, unruhige Verse. Denn gerade das spätere, ein-

malige Geschick Mallarmés, aus einem solchen maniert sprung-
haften Sammelsurium einen geschlossenen, schönen Vers zu schmieden, fehlt noch durchaus; trotz allen nachträglichen Feilens mißlang ihm die Zusammenschweißung später sogar noch bei *Guignon*
und *Aumône.* Eine beginnende eigene Note verrät sich darin, die
Gedichte aus einer Art Geplauder mit einem anderen befreundeten
Menschen zu entwickeln. Die Leser werden gleichsam nur als Zaun-
gäste dabei zugelassen, ein Einvernehmen mit ihnen wird nicht gesucht, sie müssen sich in eine Welt von Anspielungen hineinfinden.
Endlich fällt auf, daß die Gedichte vom Frühjahr 1859 weniger
sentimental sind als diejenigen vor- und nachher; die Neigung,
zu unterscheiden und abzusondern, weist auf analytische Bemühungen hin.

Das früheste bisher gedruckte Sonett, vom März 1859, war keineswegs das erste, denn es gibt sich als *Réponse* auf Verse eines
Freundes Germain, in denen Stéphane als ein Meister der Sonette
gepriesen worden war. Der Gefeierte zeigt in der Antwort sich dessen bewußt, was ihm dichterisch gemäß sei. Der Weg des „Meisters", das ist Victor Hugo, werde nicht der seine sein. Germains
Verse seien so ehern wie diejenigen Hugos, sie seien ein heiteres
Lachen, koboldhaft, und könnten im Gefolge Hugos „den Funken
von den Sternen herabholen" im blitzgesäumten Aufschwung. Anders die trunkene Flöte Mallarmés, „ma flûte en délire / qui chante
aux soirs d'orgie un vin pourpre et Margot. / J'adore la catin et son
baiser m'inspire". Ihn ziehe es zu einer Fandango-Tänzerin. Sei
sein Durst gelöscht, so werde er eines Abends, wie ein alter Hidalgo,
das Glas leeren und es zerschmettern. Er schließt: „Je vais, de folle
en folle, agitant ma crécelle. / Bohême est ma patrie! A toi le ciel
et l'air."

Mit solchen Versen befreite er sich bereits von einer eigenen
modisch düsteren Schicksalsdichtung, in welcher er einen solchen
Hidalgo hatte auftreten lassen, den Seeräuber Fosco, der souverän
über seine Kurtisanen verfügte; seine Gegenspieler waren zwei Hoff-
nungslose gewesen, ein reicher alter Jude Ismael, der mit einem
Fluch auf das Schicksal unter Foscos Hieb sterben mußte, und
die bleiche, blonde, tränenreiche Dirne Pepita, die den Nonnen-
schleier nahm.

4*

Die damalige Sonettmode hatte den Vorzug, einem jungen Dichter die Entfernung von der Trivialromantik und von Victor Hugo zu erleichtern. Mit sechs und neun Vierzeilern begnügten sich zwei Gedichte Stéphanes an einen Schüler in Paris, A. Espinas. Beide haben den nämlichen Gegenstand, nämlich dem Freund seine Schwermut auszureden. Geradezu schulmäßig streng, aber im einen so virtuos wie im andern, hält der junge Dichter sich an die beiden lyrischen Modestile: das eine Mal an den teils von Victor Hugo, teils von Sainte-Beuve entfalteten gravitätischen, das andere Mal an den leichtfüßig ironischen, ursprünglich volksliedhaften von Béranger bis Banville und Hugos *Chansons des rues et des bois.* Das eine Gedicht mahnt in Alexandrinern feierlich, Espinas möge doch nicht die Kraft der Hoffnung unterschätzen *(Pépita).* Das andere, in Achtsilbnern, verspottet Espinas' düstere Laune, der nicht einmal mehr über Shakespeares Falstaff lachen zu können behaupte und die Heiterkeit von Rabelais, Scarron, von Racines Prozeßkomödie und Horazens Trinkliedern anstößig finde. Mit dem Kehrvers ,,Nur immer weinerlich!'' wünscht er ihm alle erdenklichen Gelegenheiten zu Tränenströmen *(Mélancolie).*

Hinter dem spürbar Gewollten dieser betonten Munterkeit bemerkt man die Sehnsucht, sich ein Fundament im Leben zu schaffen, und sei es die Rolle eines zigeunerischen Lebemannes. Sehnsucht auch nach Gegenwart. Denn gleichzeitig trieb es den jungen Dichter zu idyllisch schwermütigen Stimmungen, etwa wenn er in dem breiten Gedicht *Lœda* den Sonnenuntergang schilderte, als Lœda sich lange noch im Wasser spiegelt, während ihre Schwestern sie längst für schlafend halten. Dreimal, wenn auch immer kürzer, lenken sodann die vier Vierzeiler des Gedichts *Eingeständnis* (Aveu) in die Vergangenheit zurück. ,,Pour moi l'âge d'or s'est enfui'', beginnen diese Verse und erweisen das Erlebnis des Verlorenen Paradieses als den Grundton des jungen Poeten. Wie das Leuchten einer Morgenröte erscheint ihm die Zeit, als er ,,Lachen, Liebe, Tränen'' noch in Versen ausdrückte, ,,als ich an die Engel / mit dem gestirnten Flügel glaubte, als die Blumen / seltsame Worte sprachen / zu meinem Herzen! Ach, seither / ist alles anders! Reines / Mädchen, leb wohl! Lebt wohl, goldene Träume!'' Es ist eine Absage an die Kunst, ein Bekenntnis zum Genuß, ein halb

schmerzliches, halb geringschätziges Lebewohl an seine Leier, die
er bis dahin „auf meiner Brust" getragen habe. Unsere Deutung
von Mallarmés berühmtem *Faun*-Gedicht (B: M'éveillerai-je donc
de ma langueur première ... c: Alors m'éveillerai-je ...) hat seit
dem Auftauchen des *Aveu* (1948) durch ein Meutern des jungen
Dichters gegen seine Berufung eine überraschende Bestätigung
gefunden. Er selber war in jenem Februar 1859 der Lästernde
gewesen, der seine fromme Laute beiseite schob, um zu genießen.
Das *Eingeständnis* endet: „Mais quand le vin pétille / quand la
Grisette pâme, alors / je me réveille: au verre / je vais demandant
mes transports! / Mon luth ne sert que la prière!"

In Wirklichkeit wandte sich der Siebzehnjährige immer wieder
auf ein Lebewohl an das „reine Mädchen" zurück. Bisher unbekannte Dokumente der damaligen Zeit stützen unsere 1938 erst
schwach zu belegende Vermutung, daß der Tod der mädchenhaften Reinheit den einsamen Träumer zuinnerst verwundet und verstört habe.[1] Über die Jahre hinweg blieb ihm vor Augen, wie man,
von Kerzen geleitet, den Sarg der Schwester Maria an den Pappeln
entlangtrug. Diese Allee. Er mag sie von nun an nie anders als im
herbstlichen Gelb vor sich sehen. „O die Drehorgel, am Vorabend
des Herbstes, um fünf Uhr, unter den gelb gewordenen Pappeln,
Maria!" klingt eines seiner späteren Jugendgedichte aus (*Plainte
d'automne*, A). Der Tod Marias und ein Sündenbewußtsein, das
sich an der Lektüre von Baudelaires Versen entfachte, waren die
beiden Erlebnisse des Jünglings, die ihm das Paradies der Kindheit
raubten. Sie waren es, die ihn zum Dichter machten. Sollte das
Paradiesblau von Marias Augen in Vergessenheit sinken, ihre kleine
Trommel, der erste Maitanz, das erste Almosen, das Lächeln, mit
dem sie alle beglückte und mit dem alle ihr erwiderten? Sollte vergessen sein, wie sie sagte „Sie beten mich an", als ein alter Priester
sie am Kinn faßte und ihr Huldigungen sagte und als ein junger
Mann in ihren Anblick versunken blieb? In den sechs Stanzen seines Gedichtes *Des Lys!* erwog der junge Dichter alles Glück, von
dem die zum Engel Gewordene jetzt zu sprechen wüßte. Gewiß,
der alte Pfarrer, „s'il écartait mes chastes tresses / blondes comme
n'est pas le miel", er würde ihr den Hals mit einem Sternenhimmel
von Küssen übersäen; und aus den Tränen des schüchternen Ka-

valiers könnte eine Fee ein Perlenband erschaffen. Aber nicht in
einer faden Liebe liege das Glück ihrer roten Lippen. Glück — das
sind Marias dichte Haare, mit Ähren bestreut, im Sonnenglanz.
Übermächtig bewegt den Schulknaben der Traum von einer
Wiederkehr der Schwester. So die sechs Kapitel seiner Traum-
erzählung *Ce que disaient les trois cigognes*, eine Märchenphanta-
sie, frühreif in der Handhabung der Prosa, seinen damaligen Versen überlegen, ungeachtet der Überfülle an schwächlichen Eigenschaftswörtern. „Ach, das war die gute Zeit, als wir in der Sonne
liefen.. Warum hat es nicht gedauert? Gottvater, sagt man, ist
recht alt! Er hat sich wohl getäuscht, und mit dem Hieb, der mir
bestimmt war, hat er sie gefällt.‟ Es gibt „zwei Berufe, wo man
nur noch Gott gehört‟, den Bohémien und den Holzfäller; und
einen greisen Holzfäller, Nick Parrit, der im Frühjahr seine geliebte sechzehnjährige Deborah verlor, findet man in der Drei-
königsnacht traurig am Kaminfeuer in seiner verschneiten Hütte,
neben dem Kater Puß, dem „großen Denker‟ mit seinem Schwanz,
der an den Degen eines tollen Musketiers erinnert. Aus den „Klage-
seufzern des Winters‟ steigt die „rote Glorie‟ der phantastischen
Figuren, die der Rauch von Nicks Pfeife bildet. Tränenvoll schaut
er zu der auf dem Kaminsims überwinternden Rose, die Heiterkeit
auf ihn ausströmt „wie die Sonne auf eine Brut Rotkehlchen‟. Er
denkt daran, wie heute vor einem Jahr das bleiche Kind einen Kiesel hereinbrachte, den man in den Dreikönigskuchen einbuk, und
wie es, auf dem alten Teppich kauernd, den man ihr dann in den
Sarg mitgab, seine Lieder sang. Es ertönt eine langsame traurige
Weise mit den Worten eines lustigen Tanzliedes. Der „ekstatische
Seraph‟ stimmt es an, der am Kirchenportal gemeißelt steht und
nun in blauem Kleid und beschneitem Schleier niedersteigt. Zur
selben Zeit lassen sich die Glücksbringer, die drei Störche, auf dem
Dach der Hütte nieder, und einer von ihnen fliegt dem Engel vor-
auf zum mondbeschienenen Friedhof, wo der Schnee all den Grä-
berschmuck der Armen und Reichen zu einem einzigen feierlichen
Leichenstein umgeschaffen hat. Wie müssen sie frieren, die Toten,
durch deren Sargspalten der sickernde Schnee langsam tropft;
schlimmer als dies sind Jüngstes Gericht und Verdammnis nicht.
Ein Käuzchen weist den Storch zum Grab der von weißen Rosen

umkränzten seraphisch lächelnden Schläferin. Von der goldenen
Posaune des Engels erweckt, entfliegt die Weiße, und alle Toten in
ihren Leichentüchern erheben sich grüßend hinter ihr. Nun wird
alles wie einst. Das Lied des Mädchens nähert sich zwitschernd der
Hütte, leicht und schweigend entrollt sich der alte Teppich, ein
Schatten, *ombre suave et diaphane,* schwebt tanzend zu dem Verlassenen und wird „wieder das blonde Kind, das sie war, idealer
noch und linder, mit glorienhaftem Leib". Nur noch ihr wehmüti-
ges weißes Rosenkränzlein mahnt daran, daß es nur eine kurze,
letzte Wiederkunft ist. Da ist ihr Kleid mit dem Glanz der in dun-
stiger Morgenröte verglimmenden Gestirne, da ihr rosenduftendes
Haar, in zwei Hügeln über den Rücken gebreitet, ihr strahlendes
Lachen, ihr Tanz, ihr Spiel mit den Blumenblättern, die entzückt
in der Luft weiterschweben, ihr „blauer Blick"; und ihre Hände
in denen des Einsamen. Bunt, so bittet sie, möge ihr Grab geschmückt werden: noch die Orangenblüten, die ihr die heimkeh-
renden Schwalben bringen, sind ihr zu weiß. Aus ihrer Träne über
den Einsamen wird eine Perle, und der Engel kauft dafür einen
Dreikönigskuchen, den sie zerteilt. Wie einstens. Rosa mystica,
mit der Perle als Stirndiadem, kein Sterblicher wird sie entblät-
tern. Im lichtverklärten Raum zerstäuben die letzten weißen Rosen
auf ihrem Haupt in einem Regen von Sternen.

Deborah heißt sie hier, Pulcheria heißt sie in den Strophen der
Prose. Zwei vom Juni 1859 datierte Elegien nennen noch einen
anderen Namen, Harriet. Wäre es nur eine literarische Einkleidung
für Marias Tod? Der Dichter selbst bringt in den beiden Totenklagen auf Harriet auffällig viele biographische Einzelheiten an.
Im Juni, kurz nach der Schwester, habe Gott ihm auch die blonde
Gefährtin entrissen, mit der zusammen er in ihrem Elternhaus so
manchen Blumenkranz geflochten habe. Krankheit habe sie den
Eltern und Geschwistern entrissen, als sie eben ihre Geburtsheimat
Amerika zu besuchen gedachte. Seinerzeit trug ich die Ansicht vor,
daß die zweite der beiden Elegien aus stilistischen Gründen auf
einen späteren Zeitpunkt zu datieren sein dürfte. Ein Brief an Cazalis vom 1. 7. 62, den seither H. Mondor (*Vie,* 1941, p. 55)
veröffentlichte, erlaubt es, diese Vermutung deutlicher aufzugrei-
fen. Cazalis liebte damals eine Miß Harriet (Ettie) Yapp. Mal-

larmé fühlte sich tief angesprochen, als er eine Photographie von
„unserer Schwester" (wie ihm Cazalis schrieb) erhielt. Und versprach, die ideale Geliebte des Freundes in sein Herz zu schließen
„neben dem armen jungen Gespenst, das dreizehn Jahre lang
meine Schwester und der einzige Mensch war, den ich anbetete,
bevor ich euch alle kennenlernte: sie (Henriette Yapp) wird mein
Ideal im Leben sein wie meine Schwester es im Tode ist". Vielleicht wird der Versband von 1859 erweisen können, ob hier nicht
ältere Verse auf den Tod Marias mit der neuen Fiktion überarbei-
tet wurden.

Die beiden Teile, *Sa fosse est creusée* und *Sa fosse est fermée*,
wahren den elegischen Ton nicht einheitlich. Mit einem schrillen
Mißton, der aber eben am meisten aufhorchen läßt, endet hier alles,
was an Ansätzen zu einem christlichen Dichter in dem Jüngling
geschlummert haben mag. Mehr und mehr meidet er den Namen
Gottes oder verdrängt ihn. „Mon Dieu qui voyez l'amertume" in
Les Fenêtres ersetzt er bald durch O Moi usw.[1] Keinen vorteilhaften
Eindruck von Mallarmés Ausdrucksstärke in der breitfließenden
Deklamation bietet im übrigen der erste Teil. Um seinen späteren
Ekel vor der unechten Gewähltheit der hohl und dürr gewordenen
Verssprache zu würdigen, mag man sie hier in ihrer bildkraftlos
umschreibenden Schönrednerei betrachten,[2] mit den schalen Bei-
worten und schwerfälligen Füllversen, mit den seit Jahrhunderten abgegriffenen flachen Epitaph-Schablonen und den toll
durcheinanderzeternden rhetorischen Apostrophen und papiere-
nen Anfragen. Requisiten wie das feuchte Mutteraug und die
zephyrumgaukelte Blüte fehlen sowenig wie Mussets Trauer-
weide und Arnaults welkes Herbstlaub, und die Antithesenstaf-
fage wird belebt durch reichliche *Hélas!* und *Non!* und Heere von
Ausrufungszeichen.

Gleichwohl glaubt man da und dort etwas vom späteren Dichter des *Faun* zu spüren. Plump noch in der Neigung zur Geist-
reichelei, zur verdichteten Komprimierung und zur Verknüpfung ungleichförmiger Begriffe. Daneben kündet sich die Gabe
an, die ihn heraushebt aus seinen Vorgängern, kleine feine Schönheiten der Dinge in bildhafter Andacht aufzufangen; zunächst
aber noch ohne daß er darob die Dinge selbst vergißt. So erklü-

gelt die Analogie der Toten mit einer *eisigen Lilie*, so zart ist jene andere vom Schmetterling, der sich „lachend im Schaum des blauen Himmelsmeeres spiegelt". Und schon weiß er an der Familienbibel den goldenen Beschlag, schon sieht er den Schaum am alten Felsen, und wo der blaue Schatten der Toten durch das nächtliche Haus geglitten, grüßen ihn des Morgens die Blumen mit reinerem Blau. Das Gedicht weist bereits das anspruchslose Reimschema auf, in dem alle größeren Dichtungen Mallarmés aus den sechziger und siebziger Jahren verfaßt sind: den regelmäßigen Wechsel männlicher und weiblicher Reimpaare, mit beliebiger Strophenabgrenzung. Dagegen umrahmen im zweiten Gedicht ein Auf- und Abgesang in Alexandrinerquartinen einen abwechslungsreicheren Mittelteil, welcher das Lieblingsversmaß der achtziger Jahre aufweist, die Achtsilbnerstrophe.

Der Gehalt der beiden Fassungen ist nicht weniger wesensverschieden. Die erste Totenklage, kurz nach dem Verlust entstanden, war gedacht als ein Gedicht der Tröstung, mochten auch manchmal dem Tröstenden schon Tränen aufsteigen. Die Stimmung frommer Ergebung, gedämpfter Ergriffenheit, milder Wehmut (Ce tableau déchirant, mais qui brille si doux) war verstärkt durch intime, sentimentale angelsächsische Bildchen: wie die Teure ihre kleinen Brüder die Bilderbibel lesen lehrte, wie sie am letzten Weihnachtsabend den Lieben ein Lied sang und auf dem Sterbebett die Knienden segnete.

Doch nur die ersten siebzig Verse bilden eine Einheit mit erkennbarem Aufbau: Der Dichter bestreitet, daß der gute Geist des Hauses nun auf immer vergessen, vergraben, zerschwiegen, zerstäubt werden solle.[1] So schwer für Eltern und Brüder der Verlust war – dem Schmerz der fernen Schwester gilt ein besonderer Anhang –, die Entschlafene ist doch nicht ganz gestorben: in wolkenloser Erinnerung und bei nächtlichen Besuchen in den Träumen der Geschwister lebt sie weiter. Die Mahnung, sie zu beweinen, aber sie wie ein Heiligenbild zu verehren, bildet den friedlichen Abschluß der Trösterbotschaft. Jäh wird sie zerrissen durch einen qualvollen Aufschrei des Dichters, der plötzlich dies Fortleben Harriets nicht mehr glauben kann. In trostloser Verlassenheit rechtet er mit Gott, der ihm dies letzte Opfer auf-

erlegte, mit dem Gott, der dies herrliche Mädchen nur auf die
Erde sandte, sie den Ihren zu rauben.[1] Daß rund um ihn die
sommerlichen Auen leuchteten, daß die Natur lacht und in ihr
Gott lacht, und daß er weint, der in Gott und in der Natur zu
leben glaubte — daran bricht sein Glück auseinander, die Kindschaft — Pulcheria.

Bitter, brüsk, verbissen klingt, bis in den Titel hinein, der Ton
des zweiten Gedichts. Dumpfe Qual reckt sich jetzt zu Empörung
und Fluch, klagende Frage zur Anklage gegen den Gott, der ihm
auch die Schwester nahm. Die Menschen werden sagen, du habest
dieses Mädchen im Heiligenschein der Jugend, der so bald glanzlos wird, an einem Spätnachmittag sterben lassen, als draußen
die Goldähren unter der Sense fielen. Daß du, eifersüchtig auf
ihre Schönheit, deinen Erzengel mit dem schwarzen Flügel auf
ihr Dach sandtest. Daß du ihren Becher zerbrachst, ehe sie daraus trank; daß sie statt ihres siebzehnjährigen Knospens nun
nichts hat als die Ewigkeit. Wehe, es wird gesagt werden, daß du
ihr zwischen der Wiege voll zarter Hoffnungen — die hattest du
ja selber durch Treibhaustrug zur Entfaltung gebracht! — und
dem Sarge nicht das Brautbett gegönnt hast, aus dem im Dunkel
der Name des Geliebten leise erklungen wäre. Daß du also in der
Wiege schon den vernichtenden Blitzstrahl bargst.

Die Rose, die sie beim Ball noch im blonden Haar getragen,
sollte sie wirklich auf ihrem Grabe welken, von Tränen gefeuch-
tet statt vom Tau eines verträumten Himmels? Und der Dichter
verzehrt sich nach ihrem Lächeln, ihrem Erröten und Atemholen,
wenn der Abendwind vogelgleiche Lieder von Liebe, Hoffen und
anderen verhüllten Worten zu ihrem Herzen wehte; nach ihrem
Blick, welcher wie ein Abendstern funkelte in der blauen Wölbung ihres reinen Auges, das, vom Flügel der Müdigkeit gestreift,
sich bis zum nächsten Morgen schloß. Wie könnte er die weinende
Mutter über den Untergang von so viel lockender Schönheit trösten mit der poetischen Ausrede, bevor Gott seine Lilie pflücke,
überstrahle er sie mit Himmelsgold, und es öffne sich ja das
Tor zur Unsterblichkeit. Wie der Alpdruck eines täglichen Ab-
sterbens bedrängt ihn die *Zeit*, jeder Glockenschlag wie ein Abschied vom Leben: stündlich schleicht im Dunkel ein Schritt, der

Tod. Unter vergeblichen Tränen hat die Sterbende, als sie stok-
kenden Herzens die himmlische Goldsonne traumhaft hinter einem
Schneeberg aufsteigen sah, von Gott das gestrige Morgenrot zu-
rückerfleht. . . .

Ihren Schrei pflanzt ein Echo in frei schwingenden Achtsilbner-
wellen weiter. Das Gestern, nie kehrt es wieder, die Zeit war der Wind,
der es verschlug. Dem höhnenden Heute bleibt es kurz noch verbunden durch den Fall eines sonst so hoffnungshellen Sterns, der in
der Weltennacht erinnerungsumdüstert lischt. Was bleibt? Düster
ragend ein unterspültes Riff; eine tote Sonne; Glorie im Dunkel.
„Und was vordem mein Leben war, nun nichts als ein Name."

Die Stimme der Klage bricht. Rebellischer Hader richtet sich
wider Gott, der so wenig vom Schmerz seiner Geschöpfe weiß,
daß er noch Dankbarkeit fordert für seine Fügung, Harriet zur
Himmelsbraut zu erheben. Auf der Schwäche Gottes wird sich
ein manichäisch-baudelairischer Satan ansiedeln; und auch der
erbarmungslose *Guignon* von 1862, der die Menschlein zu narren
und zu foppen liebt, eh er sie zermalmt. „Trügerische, grausame
Qual": das Mädchen wandelt sich zum Engel, unsere Augen zu
blenden, vor ihrem Gang zu Gott. Wir wollen sie bestaunen, sie
lieben — da küssen unsere Lippen unversehens etwas Weißes,
einen seltsamen Flügel . . . sie schwingt sich als Engel auf, und
abschiedsträchtig neigt sich ein Tag. Grausam ist diese Entrük-
kung für die Mutter, die ihrem Kinde ins Grab folgen möchte.
Ihre Mutter? ertönt es wie eine ferne Stimme. Wie könnte die
Tochter des Himmels eine Mutter haben! Und doch hat diese
Frau sie gesäugt, an langen Abenden in Schlaf gesungen, in der
Christnacht gesegnet. Und die drei Schwestern, die Harriets Haupt
beim Gebet überragte wie die Goldähre ein Erntefeld? „Die Engel
allein sind ihre Schwestern!"[1] Selbst den tröstlichen Kuß, den
die verklärt Wiederkehrende ihren lächelnd träumenden Brüdern
auf die Stirne drückt, läßt Mallarmé im zweiten Gedicht nicht
mehr gelten: vergebens suchen die Kleinen im dunkeln Schlaf-
zimmer nach der leuchtenden Gestalt, der verdüsterte Vater weiß
ihnen keine Antwort. Ihnen allen klingt ein *Dies irae* aus den
blumenzausenden Winterstürmen . . . nur dem Schöpfer nicht,
der tränenlos die Herzen zu brechen liebt, welcher das Meer, das

ihn widerspiegeln könnte, mit Stürmen zerpeitscht. Ein Lächeln Gottes, wie vieler unserer Tränen bedürfte es dazu!

Et moi, je maudirai! Nie wieder hat Mallarmé sich so exponiert, und mit darum hat er dies weitgehende Bekenntnisgedicht, eine „Erlebnisdichtung" im künstlerisch zweifelhaften Sinn, auch nie dem Druck übergeben. Gleichwohl steht ihm bis in seine letzten Jahre Gott immer wieder als ein „böser" Vogel, als ein „Ungeheuer" vor Augen. Eine erste schwere Krise überfiel den jungen Menschen; wir wissen fast nichts darüber. Rheumatische Beinschmerzen und Fieber mit unerträglichem Kopfweh warfen ihn nieder; die Stiefmutter pflegte ihn aufopfernd. Ein anmutiges Versgeschenk zu Neujahr 1860 „An M.", *On donne ce qu'on a*, preziöse Achtsilbner, zeigt ihn gefaßter. Es ist ein Kränzchen von aneinandergehäkelten Bildchen, die bezeugen sollen, daß Unbelebtes und Belebtes in dieser Welt einander wechselseitig beschenke, und seien es nur Geschenke wie der Tau der Morgenröte oder die Feder, die der Vogel ins Meer fallen lasse. So schenke auch der Dichter das wenige, das er besitze, nämlich „einen Widerhall seines Herzens". Was Mallarmé hier ein Geschenk nennt, hatte er kurz zuvor, in einer umfänglichen Dichtung *Pan*, als ein großes liebendes Gebet geschildert, das durch die ganze Natur hindurchziehe. See und Gezweig, Rose und Heidekraut murmeln zum Abendwind hin, auch der Tautropfen, den die Morgenröte einer Blume spendet, ist ein Gebet, dem Gott Gewährung gibt. Noch in den Versen von *Pénitence*, *Les Fleurs* und *Las de l'amer* gewahrt man die nämliche fromme Dankbarkeit gegenüber der Natur.

Ausschließlich über das eigene Ich gebeugt, ganz ohne ein angesprochenes Du, dafür sogleich mit einem düsteren abstrakten Gegenüber, mit der „Lüge", trifft man den späteren Dichter des Mißgeschicks, der Impotenz und des Bösen im März 1860 wieder. Die Schulzeit sah er damals zu Ende gehen, und das Sonett *Pénitence* bekräftigt die Ablösung von denen, die bis dahin seine Seelsorger waren. Die betont heidnischen Blumenhymnen Gautiers mochten dazu beitragen, daß die Gegenwelt wenigstens an einer Stelle brüskiert wird, in der Gestalt eines „häßlichen Priesters". Ihm, so heißt es mit einer gewissen abgedämpften Laszi-

vität, habe ich früher Beichte abgelegt: wenn wie ein Leichentuch, wie eine Mondbewölkung über meiner Seele die Lüge
schwebte, „wenn ich beim Beten den Kuß, welchen das Kreuz
beanspruchte, auf eine braune Schulter drückte, / wenn ich verträumt mein unerbetenes Gebet an einer Halskette Lisas abzählte
statt an einem Rosenkranz". Die Schlußhälfte des Sonetts, der
Sechszeiler, bringt die bei den französischen Sonettisten gewöhnlich sehr schroffe Antithese; nur daß dieser Abschluß hier versöhnlich bleibt. „Or maintenant, si j'ai, les lèvres d'horreur
closes, / jusqu'à la lie, hélas! vidé le crime obscur", dann ziehe
es ihn nicht mehr zum Priester, denn seine Beichtiger seien die
Rosen geworden; und ebenso, wenn er Blumen zertrete, die Nachtigall störe oder den Samt des Schmetterlings verletze.

Noch war in diesen Versen nichts, auch nicht die Erwähnung der
dunkeln Knabensünde, wodurch der Dichter sich selbst geschmäht
und herabgesetzt hätte. Als er damit begann, trieb ihn wohl auch,
aber nicht allein, ein literarischer Anstoß, der unzweifelhafte Einfluß Baudelaires. Stéphane trat in drei der schlimmsten Jahre seines Lebens ein. Numa Mallarmé sah sich in seinem Argwohn gegen die „romantischen" Neigungen des Sohnes gerechtfertigt, als
dieser bei der Abschlußprüfung, dem Baccalaureat, scheiterte
(24. 8. 60). „Er ist sehr gedemütigt dadurch", berichteten die
Großeltern, die seit dem Mai nach Versailles übergesiedelt waren.
Bei ihnen kehrte Stéphane ein, um einen zweiten Versuch, jetzt
an einer Pariser Schule, vorzubereiten; dort bestand er dann die
Prüfung (8. 11. 60). „Es gefällt ihm hier gar nicht, bei seinen von
den unsern so verschiedenen Neigungen", meinte die Großmutter,
und sie betete für ihn. Übrigens fehlte es ihm nicht an Zuneigung
zum Schloßpark von Versailles, „der einzigen Stätte der Natur,
wo es vergönnt ist, im Umhergehen zu denken".[1] In einem Nachbarn der Großeltern, einem vormals vielgenannten Dichter der Romantik, dem siebzigjährigen Emile Deschamps, fand er einen ehr-
lichen Freund und Bewunderer, der ihm sagen konnte: „Hat man
Sie einmal gesehen, so liebt man Sie; liebt man Sie, so ist es für
immer" (Juni 1864).

Im Jahre 1862 sagte Mallarmé, sein Meister Edgar Allan Poe
habe ihn zu Baudelaire geführt. Und abermals zwei Jahre später

huldigte er in seiner *Symphonie littéraire*, fast als nähme er von ihnen Abschied (Charpentier), den drei Dichtern Gautier, Baudelaire und Banville. Der Umgang mit ihnen begann spätestens 1859, als er (bis 1861) drei Hefte mit Abschriften von Gedichten füllte, die sich nicht in seiner Bibliothek befanden: aus Sainte-Beuve und aus Hugos *Châtiments*, aus Poe, sechsundzwanzig aus den Gedichten Baudelaires und ziemlich viele aus der Lyrik des 16. Jahrhunderts.[1] Seinen Freund Lefébure nannte er als denjenigen, der ihn „einführte". Aber der erste erhaltene Brief des Postangestellten in Auxerre vom 9. April 1862 zeigt nur, daß Mallarmé wegen einer bereits vorhandenen Neigung, Gedichte Poes zu übersetzen, mit ihm in Verbindung getreten war.

Von den drei bestimmenden literarischen Erlebnissen Mallarmés waren die Werke Poes das dauerhafte und anstachelnde; Banvilles Strophen das selbstverständliche und stets gleich vertraute. Baudelaires Verse waren die fast vergiftende Notnahrung in einer verzweifelten Seelenlage und zugleich der Damm gegen den allzu leichten Fluß lamartinischer Verse. Nach wenigen und fruchtbaren Monaten der restlosen Auslieferung an diese Töne überwand Mallarmé sie ebenso rasch wieder, in der Londoner Zeit bereits. Angesichts der Versklavung der Verse von Léon Dierx durch diejenigen von de Lisle konnte er später fragen: „Wird er sich davon trennen, wie ich mich von Baudelaire?" (14. 5. 67).

Auf dem Umweg über den Amerikaner irisch-normannischer Herkunft, Edgar Allan Poe (1809–49), ist zu Mallarmés Lebzeiten manches Gut der deutschen Romantik nach Frankreich übermittelt worden. Was bei der modernen Vorliebe für Schulprogramme und Ismen später als „Symbolismus" propagiert wurde, ist im wesentlichen jenes Ablesen der vorherkündenden Analogien und des geheimnisvollen Echos der Dinge, wie man es aus den Balladen und aus Goethes Lyrik kennt. Poe war der „Abenteurer in Gewölben und Kellern und schauerlichen unterirdischen Gängen der menschlichen Seele" (D. H. Lawrence), der heimlich puritanische Dichter des „Teufels der Verderbtheit" und der Mordlust, der Menschenscheu, der nervösen Ticks, der Wahnvorstellungen in der Menschenseele, der Kenner des Bodenlosen und des kosmisch Verwobenen im All. Er war Mallarmé „von sei-

ner Kindheit an" bekannt,[1] und schon die religiös aufsässige
Harriet-Elegie liegt in der Linie Poes, welcher den „Tod einer schönen Frau als unstreitbar poetischsten Gegenstand der Welt" ansprach. Zahlreiche von Poes Dichtungen, deren einige der junge
Mallarmé übersetzte, schildern sehr ähnlich die Erinnerung an eine
entschlafene Jugendgeliebte, an die kindliche Gespielin, die ihm
der Neid der Engel nahm.[2] Poes Verse, wie sonst nur die von
Baudelaire und Cazalis (an diesen, Juli 1864), „umfassen, wie
manche Blicke von Frauen, Wellen an Gedanken und Empfindungen". Als Mallarmé sich 1861 für den Beruf eines Lehrers der
englischen Sprache entschied, geschah es mit darum, „Poe besser
zu lesen" (an Verlaine, 16. 11. 85). In der Tat treten bezeichnende
Züge Poes bei Mallarmé erst nach dem Abflauen seiner Baude-
laire-Nachbildungen hervor: Poe als Meister und Theoretiker des
nordeuropäischen und auch bei Aloysius Bertrand wirksamen bal-
ladesken Kehrverses (*Frisson d'hiver*), als Prophet der knappsten
dichterischen Aussage und der Lehre vom bewußt zu wählenden
Seeleneindruck, und als Dichter der fixen Ideen und Offenbarungen durch sinnbildhafte Nachtgeschehnisse (*L'Azur, Igitur* usw.).
„Je weiter ich gehen werde, um so treuer werde ich diesen strengen
Ideen sein, die mir mein großer Meister Edgar Poe vererbt hat"
(an Cazalis 12. 1. 64). Indessen folgte Mallarmé nicht dem Wahnwitz Coleridges und Poes, nicht ihren Giften und übrigens auch
nicht ihrer Humorlosigkeit.

Die Verse Banvilles (1823–91) kannte Mallarmé spätestens
im Jahre 1860. Niemand, auch Coppée und Gabriel Vicaire nicht,
hat so diesen Lyriker überschätzt, wie Mallarmé es noch 1893 in
der Banville-Festrede tat — mag sein im Gedenken an das einstige
Entzücken bei der ersten Entdeckung seiner Dichtungen. Oder
auch in halb bewußtem Gegensatz zu Leconte de Lisle — dem galt
Banville als ein Krug, der sich für eine Amphora hält — und zu den
vielen anderen, welche alle den gütigen, immer heiteren Dichter,
den ausdauerndsten Verehrer Victor Hugos, nicht mehr ernst zu
nehmen schienen. Der Banville des jungen Mallarmé war denn
auch weniger der flatterhafte Seiltänzer-Dichter trällernder Spott-
quartinen mit halsbrecherischen Reimen; nicht der parodistische
Über-Heine, welchen Glatigny, Ponchon und, am sklavischsten,

Armand Silvestre nachahmten. Es war der tragische Sänger der eben damals in Zeitschriften auftauchenden Gedichte vom Seufzen der Kreatur und der Künstlerqual — Gedichte, welche 1866 in seinem reifsten Band *Les Exilés* erschienen. Banville sandte sie Anfang 1867 seinem „lieben Dichter und Freund", und sie sind auf Mallarmé nicht ohne Wirkung geblieben.

Diesem feierlicheren, dionysischen Théodore de Banville — wie unkörperlich doch dessen Sinnlichkeit war, konnte erst beim Vergleich mit dem heftiger lebendigen Baudelaire hervortreten! — gilt denn auch jene Apotheose, die Mallarmé zu seinen frühesten Schülerarbeiten rechnete[1] und die er Banville 1864 zusandte: Fassung A in *Symphonie littéraire*, B 1893. Wenn ein rhythmisches Drängen seiner Seele Verse wolle und Gesang, dann schlage er Banville auf (*den Göttlichen*, hatte er 1864 geschrieben), „der nicht ein Mensch (B: ein Beliebiger), sondern der Klang der Leier selber ist". Hier sei die wahre Poesie, ein Nektartrunk im Olymp der Lyrik. Nicht nur beschnitt er 1893 solches mythologische Rankenwerk, er beseitigte nun auch kühl die Hälfte jener Sätze, in denen er einst sein Delirium nach der Lektüre des Lieblingsdichters geschildert hatte. Betäubend, blendend wirke der ruhmestrunkene Schrei in Banvilles Sang, der Glückszauber seiner strahlenden Paradieseswelt voller Schwäne, Tauben, roter Rosen — in B fiel diese Makart-Staffage weg — und voll blendendweißer Lilien. Das Orpheusmotiv bei Banville[2] wird übertrumpft durch das mythische Bild des ersten Sängers Apollo-Banville, der in Purpur und Lorbeer über der dankbaren Menschheit thront, welchen Ronsard besingt, welchem Venus Ambrosia kredenzt: oder wie es 1893 weniger banal lautet: die den Dichter begnadende Muse ist wie eingehüllt in das Lächeln, das ausgeht vom Torso eines jungen Griechenbildwerkes.

So sehr dieser schülerhafte Erguß im seichten Grund einer geschwollenen Festspielallegorie versickert — Lefébure und auch Banville selbst empfanden ihn 1864 als übersteigert —, er enthält doch eine erste Selbstentdeckung des werdenden Lyrikers. Was Banville, dem Dichter des heiteren Tags, weithin verschlossen blieb, ihm entgeht es nicht: die unheimlich romantischen Abgründe, die aufscheuchenden Stimmen der Nachtwinde, die Stimme der Tiefe.

Die Welt ohne eine Nachtseite wäre für Mallarmé, mochte er darunter leiden, undenkbar.

Andrerseits erkennt man, wie voll und rein der Glaube an ein arkadisches Reich der Schönheit den jungen Menschen damals erfüllte. Und noch als er diesen Glauben später, nach einer schweren Krise, vertiefte, blieb er ihm verbunden mit der Erinnerung an die leuchtenden Verse Banvilles.[1] Nachdem er im Dezember 1859 Gautiers soeben erschienene *Poésies complètes* gekauft hatte, fand er hier einen anderen jener „unerreichbaren Meister, deren Schönheit mich verzweifeln macht"; erst später, nach dem „reinen Meisterwerk" (zu Louys, 16. 10. 90) der *Emaux et Camées*, hat er die Prosa des ihm nun auch persönlich bekannten Meisters kennengelernt; „es gibt wenig schönere Bücher als den *Capitaine Fracasse*" (ebd.). In seinem jugendlichen Triptychon *Symphonie littéraire* erzählte er, wie er manchmal frühmorgens in einem Zustand überirdischer Hochstimmung erwache. Und um diesen wunschlos verklärten Zustand, als hätte es nie das Exil des Alltags gegeben, und diesen Einklang mit dem Reinen und Göttlichen unter wolkenlos blauem Äther möglichst lang zu erhalten, gebe es keinen besseren Weg, als Gautiers Verse „zu Füßen der ewigen Venus" zu lesen. Neben so viel Vollendung und Durchsichtigkeit, die aus einem wunderbaren Gefühl für das Richtige stamme, konnte die Schwärmerei von Mallarmés Banville-Aufsatz schwerlich bestehen, hier, wo das Leben in Schönheit so beglückend selbstverständlich erscheine. So spiegle der See in stummer Bewunderung den Himmel wider, dessen Blau nichts Bewegtes, auch die Mondsichel nicht, zeigt. Auch Gemurmel des Entzückens wäre da nichts als grobe banale Störung. Doch einer ergriffenen Träne schämt sich der junge Leser nicht, die in ihrem diamantenen Adel, ihrer kristallenen Traumklarheit zeugt für die Kraft ursprünglichen Dichtertums, höchste, heiterste Schönheit zu verschwenden.

Die beiden ersten Prosagedichte, die Mallarmé veröffentlichte, tragen eine Widmung an Baudelaire. Ihm, Poe und A. Bertrand verdanken diese und die anderen Prosagedichte der Jugendjahre am meisten. „Haben Verlaine und Rimbaud auf der Ebene des Gefühls und Empfindens Baudelaire fortgesetzt, so hat ihn Mallarmé im Gebiet der möglichen Vollendung und Reinheit weitergeführt."

An dem Satz Valérys[1] wäre zu ergänzen, daß Mallarmé zunächst doch auch, wie übrigens jeder Leser Baudelaires, vom Häßlichen und Furchtbaren erschüttert war.[2] Obwohl ihm das Morbid-Perverse, ebenso wie an Poe dessen Rache- und Grausamkeitsträume, wesensfremd war, und obgleich er später es immer mehr durchgeistigte; erst seine Nachfolger, Régnier, George, Valéry, konnten es endlich ganz abschütteln. Immerhin ist vielleicht bezeichnend, daß der Neunzehnjährige, der sich 1861 die im Februar erschienene Neuauflage der *Fleurs du Mal* gekauft hatte — dreimal, denn zweimal sollen Vater und Stiefmutter das skandalöse Buch beschlagnahmt haben —, mit seiner säuberlichen Schülerhandschrift gerade diejenigen sechs Gedichte der ersten Auflage als Nachtrag seinem Exemplar einverleibte, die durch gerichtliche Verfügung verboten worden waren. Und nach seinem Sonett auf Baudelaire zu schließen, sah er auch 1893 noch in ihm nicht zum wenigsten den Sänger der verworfenen Nachtseite der Großstadt, weniger den stillen einsamen Pilger .. Encensoir oublié qui fume/En secret à travers la nuit (Hymne) .. Je ne vois qu'infini par toutes les fenêtres. —

Baudelaire war damals der Lyriker, der sich gegen die Megalomanie Victor Hugos am heftigsten aufbäumte und der sich auch von „Heinrich Heine und seinem von materialistischer Sentimentalität verfaulten Literatentum"[3] abwandte. Dennoch ließ der junge Mallarmé Banvilles ausgeglichenere Welt nicht aus den Augen; auch mußte dessen gütige menschliche Nachsicht auf einen Anfänger stärkere Werbekraft ausüben. Berührungen mit Banvilles Versen sind beim jungen Mallarmé fast unmerklich eingeschmolzen, während seine Anleihen bei Baudelaire meist als sichtbare Fremdkörper wirken. Eine Begegnung mit Baudelaire ist ihm nie gelungen. Ein einziges Mal nur, so erzählte er Raynaud, habe er ihn in der Amsterdamer Straße zu Paris mit geziert gespitzten Fingern einen Brief zur Post tragen sehen. Aber da er, ihm entgegentretend, nur ein stammelndes *Guten Tag, wie geht's?* hervorbrachte, schritt Baudelaire mit einem mechanischen *Danke, und Ihnen?* vorbei. Hätte Mallarmé ihn besucht, wäre es ihm schwerlich anders ergangen als dem jungen Heredia, dessen aufgeregte Begeisterung der menschenscheue Dichter frostig zer-

schnitt: „Mein Herr, ich liebe junge Leute nicht."[1] Als Des Essarts
bei einem Abendessen den *Azur* und die *Fenêtres* vorlas, sagte
Baudelaire wie gewöhnlich nichts dazu; über das *Phénomène futur*
sprach er sich in *Pauvre Belgique* kritisch aus. —

Daß sein Leben anders geworden war, als Maria auf einen fernen Stern entrückt wurde, hat Mallarmé später in seiner *Herbst-
klage* ausgesprochen: „Seit das weiße Geschöpf nicht mehr ist,
habe ich eine seltsame, eigenartige Liebe zu allem gefaßt, was in
dem Worte Fall liegt." Anfangs aber versuchte er den Schmerz,
der seine fast krankhaft empfindsame Verwundbarkeit traf, vielleicht aus Selbstbehauptung zu betäuben und dem auszehrenden
Umgang mit dem Seraphischen, ähnlich wie einst der junge Wieland, auszuweichen. Zum späteren Virtuosen der *Dernière Mode*
gehört seine unreife Lehrzeit als galanter und etwas anmaßlicher
Salondichter.

II
TÄNDELEI

Was sollte aus dem jungen Mann werden, der mit einem mittelmäßigen Abgangszeugnis in der Tasche von Versailles nach Sens
zurückkehrte! Was sonst als ein Steuerbeamter, so wie der Vater
und wie Großvater Desmolins! Würde ein Mensch wie er freilich
dieser Verantwortung gewachsen sein? Die Familie hatte ihre Bedenken. „Das arme Kind hat viel zu tun, um gesellig zu werden
und etwas Liebenswürdigkeit zu erwerben", seufzte die Großmutter, „ich bin wenig in Versuchung, ihn vorzuzeigen" (18. 11. 60).
Ein Jahr verging und scheint zu Stéphanes dichterischen Anfängen
nichts Neues hinzugefügt zu haben. Was konnte die Kleinstadt
Sens dem Steuerverwaltungsvolontär sein, der nun Tag um Tag
sich über Aktenbündel beugte? Jemand mußte verdienen, denn der
Vater, durch einen Unfall dienstuntauglich geworden, schied mit
einem winzigen Ruhegehalt aus dem Amt. Er erwarb für die Familie das Landgütchen Les Gaillons vor den Toren von Sens, und
im Mai 1861 zog man ein. Gedächtnis und Willen von Numa Mal-

larmé trübten sich zusehends. Vier Jahre lang lag er krank, bis ihn im April 1863 der Tod erlöste, „ein großer Schmerz .. Welch ein Unterschied zwischen einem Toten und einem Sterbenden".[1] Die Verantwortung für die siebenköpfige Familie ruhte allein auf den Schultern der jungen Anna Mallarmé. Sie bangte um die Zukunft ihrer Kinder, Sparen wurde ihr einziges fürchterliches Wort, und manchmal bekam der älteste Sohn auch zu hören, daß er ja noch nicht einmal für sich selbst aufkommen könne. Der verschloß sich feindselig und verbittert gegen die Frau, „die nie begriffen hat, was ein junger Mann ist .. Sich sagen zu müssen, daß das Glück manchmal in dem Leuchten, welches zwei Goldstücke ausstrahlen, enthalten ist! Und daß es böse sei, Raubmörder auf der Landstraße zu werden! Meine Stiefmutter scheint ein Engel in den Augen der Welt und wenn ein Besuch da ist: jawohl, ein pfennigzusammen-kratzender Engel und mit einem Zehnpfennigstück als Stirn-diadem. Alles endet mit der Geldfrage. Ich bin sicher, spräche ich ihr vom Alcazar in Toledo oder von der Alhambra in Sevilla [*sic*], so gäbe sie zur Antwort: ja, aber das Bauen muß viel gekostet haben" (an Cazalis, Juni 1862).

Vielleicht ahnte er nicht, daß er in seiner Stiefmutter gleich-wohl eine treue Fürsprecherin besaß. Ihr war der Gedanke schrecklich, Stéphane könne dereinst den Vorwurf erheben, man habe ihm verwehrt, der Neigung seines Wesens zu folgen. Seit einem Jahr „vegetiere" er, schrieb sie an Frau Desmolins (21. 1. 62); statt ihn ohne Lust und Wissenstrieb im Steuerdienst zu wis-sen, wäre es besser, seinen Wunsch zum Lehrberuf zu unter-stützen. Stéphane seinerseits hatte an seinen Großvater einen flehentlichen Brief gerichtet: er stelle sich „den Lehrstuhl an einer Fakultät glanzvoller vor als einen Schreibtisch in der Ver-waltung: glanzvoller für mich, meine ich". Der alte Desmolins weigerte sich wiederholt, seine Zustimmung zu der Laufbahn eines Fremdsprachenlehrers zu geben, für die im französischen Schulsystem nur zweitrangige Stellen vorgesehen seien. Mit dem Scharfblick des Mißtrauens argwöhnte er, sein Enkel sei nur ein-fach nach Freiheit lüstern. Was die Verachtung des Berufs seiner ganzen Sippe anlange, „so wirst du mir erlauben, dir zu sagen, daß du davon erst das ABC kennst". Als der Enkel den Plan einer

Englandreise entwarf, indem er betonte, er wolle Stunden in französischer Sprache erteilen, antwortete der Alte: „Um Französisch
zu lehren, wäre es nötig, in dieser Sprache erneut zu arbeiten und
nicht mehr in die Fehler zu verfallen, die dir noch so oft unter-
laufen";[1] besser wäre es, er würde seine aus Originalitätssucht
unleserlich werdende Schrift überwachen (28. 1. 62). Schließlich einigte man sich darauf, daß Stéphane bis zur ersten Steuer-
dienstprüfung im Juni aushalten und unterdessen auf eigene Kosten Stunden in Englisch nehmen solle. Die Großmutter stellte
die Bedingung, daß er in England als Vollpensionär in ein katholisches Internat eintreten müsse. Auch hier griff Anna Mallarmé
verständnisvoll ein: religiöse Exerzitien „sind, das muß man
wohl sagen, nicht mehr nach seinem Geschmack, nach seinen Gedanken, trotz der Grundsätze, die er empfangen hat" (11. 2. 62).
Und rundweg schrieb es einen Tag zuvor Stéphane selbst: nachdem er zwei Jahre lang das Leben gekostet habe, werde er sich in
keinen Kerker mehr zurückbegeben. Allenfalls könne er in eine
englische Kleinstadt gehen, wo für seine Tugend weniger zu
fürchten sei, oder bloß auf die Insel Jersey.

Daß dieser Plan sich verdichtete — „zum Teil um diesem kleinlichen, erstickenden Zusammenleben zu entgehen" (an Cazalis,
Juni 1862) —, war vielleicht das Werk der sehr ungleichen damaligen älteren Freunde, Des Essarts und Lefébure.

Dem drei Jahre älteren Emmanuel des Essarts (1839–1909)
verdankte der junge Provinzler den entscheidenden Anschluß an
die damalige Pariser Dichterjugend. Des Essarts war ein genüg-
samer Bewunderer Victor Hugos, der ihn „ein wenig einen meiner
Söhne" nennen durfte (4. 8. 66), Hugos, in dem er den bedeutendsten Dichter vor de Lisle, Banville und Laprade zu sehen meinte. Des
Essarts war bereits mit diesen Dichtern, wie auch mit dem Hugo-
Schüler Vacquerie, mit Baudelaire und anderen, in der Gesellschaft
seines Vaters persönlich umgegangen. Sein Vater schrieb Gedichte,
und so trug er als Sohn eines Dichters bereits einen verpflichtenden Namen — woran ihn der alte Sainte-Beuve, sein einstiger
Lehrer, 1865 in einer freundlichen Buchbesprechung auch erinnerte. Mit allen Wassern literarischer Bildung gewaschen, hatte
Des Essarts unter den Teilnehmern der *Conférence La Bruyère*

die etwa gleichaltrigen Studenten-Dichter Heredia und Sully Prudhomme kennengelernt. Unmittelbar nach Bestehen seiner Prüfung
in der Ecole Normale wurde der zweiundzwanzigjährige Philologe
im Oktober 1861 an das Provinzgymnasium von Sens gesandt. Der
kleine, gepflegte Ästhet, der *tiefe Affe*, wie Mallarmé ihn später
einmal nannte, vielleicht im Gedanken an seinen possenhaft mimi-
schen Gedichtvortrag,[1] besaß den Nimbus des Dichtertums — obwohl er, im Grund, der Reihe nach ein Nachahmer seiner Meister
wie auch von Musset, Gautier, Mendès, Verlaine und besonders
Coppée blieb. Die Revue Contemporaine hatte seine *Sœur d'amour*
veröffentlicht und ein Versband *Poésies parisiennes* sollte 1862
erscheinen, in welchem er humanistisch gelahrt und neckisch flott
seine seiltänzerische Sicherheit in komplizierten Versformen des
15. Jahrhunderts — noch vor Banville — und in ausgefallenen Reimen vorführen konnte, getreu dem Spitznamen *Polichinelle.*

Die ersten gedruckten Zeilen Mallarmés waren eine Besprechung
dieses Versbändchens, über das sich auch Gautier lobend aussprach.
Sie erschien im Januar 1862 in einem mondänen Pariser Blättchen, dem *Papillon*, voll Lobes für den weltmännischen, galanten
Ton dieser Gedichte und den „zivilisierten Reiz“ der umrahmen-
den Natur, für das mehr Gedachte als Geträumte; aber auch mit
der Bemerkung, daß Banville hier das Vorbild sei, daß die Breite
„an eine gewisse Liebe zum schönen Vers, dem Schlimmsten, was
es gibt“, denken lasse. Auch daß nur braune Frauen besungen
werden, will ihm nicht gefallen: „die Frau, eine der Flächen des
geschliffenen Schönheitsdiamanten, ist dem Idealbild nach nicht
braun. Eva war blond, Venus blond. Blondsein — das ist Licht,
Gold, Reichtum, Traum, Strahlenschein.“[2] Zwei Monate später
nimmt er in einer zweiten Besprechung einiges zurück: es sei der
originalste Versband „seit den letzten Meisterwerken des Jahrhunderts, den *Blumen des Bösen* und den *Seiltänzerischen Oden* [Ban-
villes]“. Berührungen mit diesen beiden Neueren seien nichts Ta-
delnswertes, sondern das Natürliche.

In diesem Winter hatte Des Essarts seinen Freund einem rüh-
rigen, leichtlebigen, etwas verbummelten Sonett-Dichter zugeführt,
Charles Coligny, dem „Saadi der Seine“, wie Arsène Houssaye ihn
nannte. In dem Kränzchen von talentierten Schülern und Studen-

ten, welches Coligny als Herausgeber zweier Literaturblätter, der *Abeille Impériale* und des *Artiste*, damals um sich scharte, herrschte freilich der pikante Kitzel eines ironisch girrenden Rokoko, eine entfernt banvilleske Bohême — so daß der junge Mann aus Sens mit seinen beiden großen Entdeckungen, Poe und Baudelaire, nur ein respektvolles Mißtrauen erntete. Coligny nennt ihn, in einer nachträglichen Schilderung dieses Dichterkreises, bezeichnend „einen rasenden Versdichter; immer wird er ein Über-Lyriker bleiben. Shakespeare und Edgar Poe sind seine Götter, und er sagt, diese Götter führten ihn zu Charles Baudelaire. Ich bekenne, es tut mir leid, einen jungen Philologen um diesen tanzenden Derwisch kreisen zu sehen." O. Audouard, die Herausgeberin des *Schmetterlings*, an welche er den Schützling weiterempfahl und welche alsbald ein galantes Sonett annahm — seine ersten gedruckten Verse —, würde dieser ungefälligen Muse schon den Kopf zurechtrücken! Tatsächlich entsprach der Treibhausluft in diesem Kreis durchaus eine Faser in Mallarmés Wesen, die ihn, ohne seinen Drang in Weiten und in Tiefen, zu dem denkbar zierlichsten Hofdichter, einem Meister der »pointe assassine« (Verlaine, *Art poétique*), vorbestimmt hätte. Jenes Sonett jedenfalls ist, zumal in der übersteigerten späteren Fassung, ein unüberbietbares Monstrum an überzüchteter Artistik — weniger peinlich durch eine absichtlich übertreibende, parodistische Neigung, die in dem humoristisch kläglichen Fagottklang *bêlant* besonders deutlich wird, wo der schmachtende Troubadour äußerlich zum läppischen Beckmesser abgleitet und gleichzeitig das gedankenlose Gelächter der Angebeteten heimlich bloßstellt. Dies flüchtige *Placet* — der Titel erinnert mehr an die Vers-Bittschriften der Barockzeit,[1] die formelhafte Anrede *Princesse* mehr an das 15. Jahrhundert[2] als an das fingierte Datum „1762" — ist in keiner der beiden Fassungen (A 1862, B 1887) als ein Ausdruck persönlichen Erlebens gemeint. Es sollte vielmehr der durch die Brüder Goncourt soeben entdeckte Gesamtbegriff *Rokoko* verkörpert werden, und diese historisierende Absicht tritt zumal in der weniger ichbetonten Fassung B eindeutig hervor.[3]

Zur Zeit der großen Rokoko-Mode 1860—1900 begnügten sich viele durchaus mit Schlagworten wie Abbé, Marquise, Sèvres-Por-

zellan, Toilettenkosmetik; Mallarmé empfand solche Registrie-
rung rechtzeitig als dick aufgetragene Plumpheit, somit als Anti-
Rokoko, und beseitigte aus der zweiten Fassung den Namen Bou-
chers[1] wie auch die banalen Näschereien und das Rosa des Fächers. In ein paar unmerklichen Änderungen hat er dafür mehr
Rokoko-Geist suggeriert als die ganze (von Graf Montesquiou bevorzugte) erste Fassung. Welche vieldeutige Ferne liegt in dem
verhüllten Äugeln, *regard clos*, welches den Abbé streift, wie vielsagend verplappert er sich in dem plötzlichen *toi*, und wieviel
Zeitpatina liegt in den blümeranten flauen Phrasen *feux* und
vœux! Abgefeimt die Selbstverständlichkeit, mit welcher der
Abbé, Faktotum und Affe seiner Dame, es als Weltordnung hin-
nimmt, daß der Friseur ein Gott ist, Schminke, Schoßhündchen
und Fächer vitale Notwendigkeiten, Almosenier und Hauspoet
Luxuszubehör. Plump wäre dem Dichter eine andere als eine vergebliche (futile) Liebeswerbung des Abbé um seine Brotgeberin
erschienen: der durfte nur wagen, die auf einer Tasse gemalte
nackte Rokokogöttin schmachtend zu beneiden, weil sie von den
trinkenden Lippen der Herrin berührt wird; für ihn selbst gibt
es ja keine Chancen, einem der modischen Aktmaler Modell
stehen zu dürfen. Und nicht im Empfinden allein, auch im Denken galt es, die Geziertheit des Rokoko übertrumpfend auszudrücken. Die letzte Terzine der Fassung B ermöglicht solcherlei
Einblicke in einen Irrgarten von Gehirnwindungen, daß man geradewegs von einem *Rocaille* auf psychologischem Gebiet sprechen möchte. Es beginnt damit, daß vom Lächeln der gepuderten
und geschminkten Lippen nur die Vorstellung von etwas Gepu-
dertem, Erdbeerfarbenem und Durcheinanderwimmelndem übernommen wird,[2] an die sich dann ein echtes Rokokomotiv, die Sa-
lonlämmchen der damaligen Pastoralmode, assoziativ anknüpfen
lassen.[3] Der lächerliche Vergleich wird nun rollwerkähnlich wei-
tergeschnörkelt: Wenn das Lächeln der Dame einer Schafherde
gleicht, was wird dann wohl abgeweidet und angeblökt werden?
Die Begierden der scharwenzelnden Galane. Und wer wird die
Herde wohl mit Flötenklängen einschläfern (Symbolsinn: wer
vermag das aufreizende Treiben des Lächelns im Zaum zu halten)? Die Flötenmelodien eines Schäfers, welcher — und damit

wird der Symbolsinn schwindelerregend mit hereingewirbelt —
auf einem (das verführerische Lächeln ja verdeckenden) Fächer
gemalt wäre. Und plötzlich bemerkt man, daß im letzten Vers der
Sprecher gar nicht mehr der Abbé ist, sondern daß dieser sich
unmerklich in den bemalten Fächer verwandelt hat, .. denjenigen der Dame, der wohl das ganze Dienstgedicht als Widmungs-
aufschrift tragen soll; der Fächer ist berufen, ihr Lächeln zu
bergen! So früh schon findet sich die schillernde Umbiegung bei
Mallarmé, die eines seiner beliebtesten Verblüffungsmittel ist,
sonst allerdings nicht mehr geistreichelnd wie hier, sondern sin-
nenhafter, *impressionistisch* gefaßt.

Durch Coligny traten Des Essarts und sein Freund auch in Beziehung zu dem Seebad Dieppe, wo ein gewisser Th.-Etienne-
Séraphin Pellican, beamtet in der Bürgermeisterei, gebürtig aus
Angerville, unter dem Pseudonym Eliacim Jourdain mit seinen
shakespearisierenden Dramen — 179 Akte allein in sieben Jahren
— die französische Provinz überschwemmte. Ihm, dem vorma-
ligen Privatsekretär eines verstorbenen kaiserlichen Inspektors
Duberney, ihm, dessen „Spiralverse und achteckige Prosa" Des
Essarts in belustigter Bewunderung besang, darf man es wohl zuschreiben, daß sich das Poetenkränzchen des *Papillon* für die
Sommersaison 1862, wie ein arbeitsloses Kurorchester, zur Mitarbeit an der *Zeitung für Badegäste, Chronik der Bäder und
Thermalquellen von Dieppe* verdingte. Zwei dort erschienene Gedichte Mallarmés, Eliacim Jourdain und Des Essarts zugeeignet,
beweisen, wie derselbe Dichter, der vordem in seinen Versen mit
Gott gerechnet hatte, nun dem bescheideneren Ehrgeiz huldigte,
geistreiche Gäste im Kasino zu belustigen. Und doch steht hinter
dieser gutgelaunten Strandlektüre eine enttäuschte Sehnsucht nach
den Hohen und Großen.

Wie Banville äußert Mallarmé in dem Sonett *Contre un poète
parisien* seinen Spott über den zum Salonliteratentum entarteten
Poetenschlag der glanzlosen Papiergeld-Ära. Aber während Banvilles *Méditation* (1856; Odes funambulesques) bei einer nur
verneinenden Verachtung stehenblieb, offenbart Mallarmé auch
seine Vorstellung vom echten DICHTER, für die er später im
Poe-Sonett die gewaltigste, schneidendste Form fand. Er denkt

ihn als fahlgepanzerten Engel mit dem Schwert,.. oder als den
reinen Träumer in weißem Mantel, Mitra und geschnitztem Stab.
Oder auch wie Dante mit der Dornenkrone des Lorbeers, in ein
Leichentuch aus Nacht und Ungetrübtheit gehüllt,.. oder lachend, eine Traube küssend wie Anakreon, der es verschmäht,
seine Nacktheit mit Weinlaub zu decken. Oder schließlich wie die
sternübersäten, azurtrunkenen Landstreichergenies, die in phan-
tastischem Rosmarinschmuck vorüberziehen mit rotblitzenden lustigen Schellentrommeln.. So duldsam und weitherzig ist sein
Begriff vom Dichter damals schon gewesen. Einzig der moderne
Dichter habe es verlernt, vor der Muse mit ihren monstranzgleich
lichtumflossenen Haaren würdig zu bestehen: im schwarzen Ge-
sellschaftsrock kann man ihn beim Polkatanz hüpfen sehen! Dieser Schluß scheint im besonderen eine burleske Kritik an dem
vergnügungslustigen Des Essarts zu sein, an welchem Mallarmé
nach einem Jahr Bekanntschaft zwar noch das Kindliche herzlich
liebte („wie einen Sohn") — und dem er seine Unterschätzung aller
andern Dichter nachsah —, dem er aber als Dichter zwei andere
Freunde, Lefébure und Cazalis, bei weitem vorzog.[1] Diese Unterscheidung mußte dem leicht gekränkten Des Essarts doch allmählich spürbar werden. Noch 1864 nahm er die Patenschaft bei
Mallarmés Tochter an und noch 1866 war er stolz darauf, dem
Freund den Eingang in die Pariser Dichterkreise geebnet zu haben. Aber nachdem Gautier in einer literarkritischen Überschau
von 1868 für Des Essarts zwei Seiten und für Mallarmé eine
Zeile übrig gehabt hatte, wurde in einem von Des Essarts 1871
veröffentlichten ähnlichen Buch Mallarmé überhaupt übergangen.

Lange bevor Mallarmé sich bewußt wurde, daß Des Essarts, der
gesellige, nie einsame, „meinen lebendigen Gegenpol" darstelle (an
Albert Collignon 11. 4. 64), schloß er Freundschaft mit einem
jungen Niederburgunder, der in den ersten anderthalb Schul-
jahren Mallarmés in Sens die gleiche Schule besucht hatte. Die
ganze Persönlichkeit von Eugène Lefébure (Prunoy, Dép. Yonne,
11. 11. 1838—1908) war ein sprechendes Zeugnis dafür, wie
wenig Mallarmé auf die Dauer in dem tändelnden Dichterbegriff
Des Essarts' Genüge finden konnte. Dieser wollte genießen, Le-

fébure wollte erkennen; dieser wollte gefallen, jener verharrte bescheiden und fast scheu in einem stets beobachtenden Abstand. Dieser hielt ängstlich auf seine Respektabilität. Jener, gestählt durch einen Schicksalsschlag, den Tod seiner neunzehnjährigen Frau (Juli 65), ging unbewegt durch Zeiten des Geldüberflusses — er stammte aus einer sehr reichen Familie — und der äußersten Verarmung und Krankheit, und dann wieder der Ehrenstellung als Universitätsprofessor der Ägyptologie. Lange gedachte er das Schicksal eines Hoffnungslosen dichterisch zu gestalten, der allzu groß für eine Frau gewesen wäre (an Mall., 2. 3. 65). Und unbewegt ergriff er die Partei seiner „letzten Liebe", einer zweifelhaften Dame, die bei einem formlosen gemeinsamen Besuch im Dezember 1871 den Unwillen des Ehepaars Mallarmé erregte; damals wurde diese tiefste Freundschaft Mallarmés abgebrochen, aus der Lefébure, wie er sagte, „ein neues Leben geschöpft hatte".[1] Der Angestellte der Post und der Steuerverwaltung schrieb über Leibniz und altägyptische Hymnen, nachdem er der erste gewesen war, der, treffender und objektiver als irgend jemand, das Wesen von Mallarmés Werk und Wesen in Worte gefaßt hatte. Seine Gedichte in den ersten beiden *Parnasse*bänden zeigen ihn unfrei dem Vorbild Poes nachstrebend; aber die kritische Schärfe seiner Briefe grenzt ans Geniale — mitleidlos gegenüber den Reimen von Des Essarts und Sully Prudhomme, und auch gegenüber denen von Cazalis, die ihm neben den Versen Mallarmés nur wie ein „Reimgezwitscher" vorkamen (20. 5. 66). Lefébure, so führte Mallarmé ihn bei Aubanel ein, „birgt Schätze unter seiner bescheidenen Schüchternheit. Ich werde Dir aus seinen Versen vorlesen und Du wirst sehen, wieviel ich ihm verdanke. Das Unglück ist, daß seine Gesundheit ihm nicht die zähe Arbeit erlaubt, ohne die es in unserer Dichtung eine tiefe Originalität nicht gibt" (31. 12. 65).

Kehren wir in die ersten Monate von Mallarmés Kameradschaft mit Des Essarts zurück. Erinnerte hier schon die brüske Schlußwendung des Polka-Sonetts an Heine, so noch mehr die groteske Bildvorstellung in einem andern damaligen Gedicht, *Soleil d'hiver*. Die Art, zumal mythologische Gestalten mit dem Lumpenzeug von Wegelagerern zu jämmerlichen Vogelscheuchen auszustaffieren, um ihnen dann einen Tritt versetzen zu dürfen, ist eines der untrüglichen Zeichen der Heine-Mode. Eigentlich wollte Mallarmé in seinen vier Vierzeilern nur den jämmerlichen Anblick der winterlichen Sonne anthropomorph ironisieren im Gegensatz zur sommerlichen, aber diese erscheint ebenfalls etwas grotesk als der *Phoebus mit der fuchsroten Perücke,* der mit roten Wellen die trunkenen Faune auf dem Moos in ihren tiefen Schlaf senkt. Wenn er sommers als gewandter Fechter die Purpurtrauben ritzte, daß der Blutsaft rann, so riegelt er sich winters im kalten Himmel ein; sein Kahlkopf kommt zum Vorschein und der Degen an seiner Hose klappert rostig, ein brandiger Strahl. An den reifbedeckten Tannen hängen seine quastenlosen Schnürsenkel, und die Schneeflocken sind wie herabflatternde Fetzen seiner Karten, die vordem der stolze Raufbold herausfordernd überreicht hatte.

Stärker als im *Placet* tritt hier die parodistische Absicht zutage, und nicht allein in dem saftigen, zwischen Gautier und dem *Guignon* schwankenden Wortschatz. Wie die hinkende Analogie zwischen zwei völlig verschiedenen Bildern, einer *Capitaine-Fracasse*-Gestalt und einer Winterlandschaft, in bravoureusem Grotesk-Galopp zu Tode geritten wird, erscheint geradewegs als eine Parodie des jungen Dichters auf die eigene Neigung zur selbstherrlichen Bildverknüpfung. Daß Mallarmé aber, ungleich Banville, der ungemischten Ironie nicht fähig war, verrät die lyrisch vollgültige Klangeinheit, die dem kleinen Vers-Capriccio doch etwas wie eine wehmütige Gesamtstimmung verleiht.

Nichts als ein ausgelassenes Reimgeschäker dagegen war die erste einer geplanten und nicht durchgeführten Serie von Bänkelsängerdichtungen (Scies), *Le Carrefour des Demoiselles,* mit dem Untertitel „gemacht in Zusammenarbeit mit den Vögeln, Pasteten und Bäumen", zu singen auf die Melodie *Il était un petit navire,* und datiert aus Sens, den 18. Mai 1862. Das erste und einzige bekannte Exemplar dieser Broschüre trat erst 1935 im Nachlaß Cazalis' zutage. Man wird dem jungen Mallarmé, der mit Des Essarts zusammen als Verfasser zeichnet, einen guten Teil der Mitarbeit zuschreiben dürfen, auf Grund etwa der eigenartigen Bildumkehrung im ersten Vierzeiler oder in der Strophe:

Ettie, en patois Henriette,
Plus agile que feu Guignol,
Voltigeait comme une ariette
Dans le gosier d'un rossignol.

Der Anlaß zu der auch mit literarischen Spitzen[1] besetzten „scie"
war eines der Treffen, welches Des Essarts mit einigen Pariser
Freunden, alle „nicht apathisch, alle intelligent und geimpft", abhielt. Mallarmé, bei andern Gelegenheiten durch seine Armut am
Mitgehen verhindert, hatte mit ihm zusammen dieses Bänkel-
liedchen vorbereitet, zur Würzung der Begegnung im Wald von
Fontainebleau. Dort lernte er außer dem jungen Maler Henri
Regnault (,Piccolino', 1843–71) erstmals einen Schulkameraden
von Des Essarts persönlich kennen, Henri *Cazalis*, der ihm bereits
brieflich von seiner schwärmerischen Liebe zu Harriet Yapp berichtet hatte. Diese selbst war mit Mutter und Schwestern erschienen. Das Wort führte die Tochter eines Lyoner Anwalts, von
einer gefügigen Mutter begleitet, die exzentrische Anne-Marie
Claudine Gaillard, genannt Nina (1843–84), die, 1864–67 mit
dem trunksüchtigen Kritiker Hector de Callias verheiratet, zum
zweiten *Parnasse* zwei hochtrabende Sonette beisteuerte, später als
die stadtbekannte Literatenhetäre von Paris galt und im Irrenhaus
endete. Den damaligen Rechtsstudenten und späteren Mediziner Cazalis bestimmte die schwermütige Note in seinem sonst lebenslusti-
gen Wesen zum geduldigen, treuen Seelenfreund seines Altersgenossen in Sens. Obwohl Mallarmé sich ihm bis zur Antipathie wesensfremd bekannte, erwiderte er das Vertrauen. Die Prosagedichte in
dem Band *Vita tristis*, mit welchem Cazalis 1865 erstmals hervor-
trat, zog Mallarmé den Versen vor. Cazalis wurde nachmals unter
dem Decknamen Jean Lahor einer der bekanntesten Schüler des
Byron-Nachfolgers Leconte de Lisle. Die geringschätzige Ablehnung seiner Dichtungen durch Mendès tat ihm bei der Dichtergruppe des Parnasse wie im Urteil der Nachwelt einigen Eintrag.

„Wie enttäuscht Sie sein werden", hatte Mallarmé an Cazalis
geschrieben, „wenn Sie mich verdrießlichen Kerl zu Gesicht bekommen, mich, der ich tagelang mit dem Kopf am Marmor des
Kamins lehne, ohne zu denken. Ich führe hier ein recht seltsames
Leben, von allen als ein verlorener Sohn betrachtet und geehrt,

als hätte ich drei Mätressen, ich, der ich nie einen Groschen in der Tasche habe und der ich nicht einmal mit dem Dienstmädchen schlafe." Mochte der spätere Mallarmé von der trostlos tröstenden, mit Buddha und Schopenhauer unterbauten, übermäßig abstrakten Nirwana-Ästhetik des Freundes vielleicht nur den Grundklang einer mit Rosen und Azaleen umkränzten Leier[1] schätzen, so ist doch damals, aus jener Begegnung in Fontainebleau, eine feste Freundschaft geworden.

Skeptisch überlegen von der Liebe redend, so gibt sich Mallarmé in seinen Briefen an Cazalis vom Mai bis Juli 1862. Daß sein Freund echte Liebe empfinde, will er erst glauben, wenn sie der Zeit standhalte. Aber auch Liebeleien gehören zum Glück, theoretisiert er. Er pflege in solchen Fällen einem Freunde zu raten, alles auszuschöpfen: „glücklich ist man nur, wenn man närrisch, also beschwipst ist". Der Mann, zum Forschen geboren, lebe nur, wenn er sich keine Gelegenheit entgehen lasse. „Lernen und Genießen, darin liegt alles. Für die einen geistig Genießen (moralement), und für diejenigen, die das nicht können, physisch." Eine Unterscheidung, die etwas vom späteren Mallarmé ankündet. In Fontainebleau bemühte er sich um Ausgelassenheit, aber die Verse des *Carrefour* schildern ihn, schwerlich zu Unrecht, als den Ängstlichen; um so lustiger die Anspielung, er sei wegen seiner Sympathie für Garibaldi bereits der kaiserlichen Polizei unliebsam aufgefallen.

Die Erfolge von Fontainebleau zu vertiefen, hinderte ihn der Mangel an Reisegeld. Er könne es leider nicht aufsuchen, „dies gute kleine Herz, Miss Mary, denn es ist das einzige und wird das einzige sein, auf welches ich den leisesten Eindruck gemacht habe und zweifellos machen werde. Wenn sie wüßte, was ich bin, das arme Kind".[2] Was er war? Der zwanzigjährige Dichter der beiden selbstmordsüchtigen Gedichte *Le Sonneur* und *Le Guignon*, die am 15. 3. 62 im Druck erschienen und denen sich andere gleichgestimmte anschließen sollten, *Les Fleurs, Brise marine, Les Fenêtres*. Aber es gab noch andere Mädchen als das Kind Mary Yapp. Im selben Brief berichtet er, daß er eine Lerchenfalle aufgestellt habe, „und das Vöglein begnügt sich, von fern unsichtbar zu zwitschern. Das zerstreut mich". Dieser Ton war schwerlich frei

von Pose, und ebensowenig die gleichzeitigen Entwürfe für Briefe
an das „Vöglein", die er vielleicht nicht absandte, die aber treulich
in seinem Nachlaß aufbewahrt blieben. Wie tief der erste Eindruck
der blonden Unbekannten war, gestand er sich erst später ein. „Sie
hat einen ganz eigenen Blick, der mir einmal in die Seele ein-
drang und den man nicht daraus entfernen könnte, ohne mir
eine tödliche Wunde beizubringen." Er stellt sich in diesem Juni
1862 am Lyzeum und an der Kathedrale auf, um die vermeint-
liche Engländerin vorübergehen zu sehen, er kommt später auf
den Gedanken, ihr im Auftrag einer angeblichen deutschen Dame
einen Brief in die Hand zu drücken, während sie mit dem kleinen
Mädchen, das sie betreut, des Weges kommt. Damals scheint ihm
ein anderer Gedanke als der an eine Liebschaft ferngelegen zu
haben; mehr als daß er „ein Mann von Ehre und Herz" sei und
sie „ein göttlicher Blick und ein himmlisches Lächeln" sei, legte
er schriftlich nicht fest. Allzugut hatte auch Des Essarts, sein
Mentor in eroticis, vorgearbeitet, ein erbitterter Gegner der späteren Heiratspläne Mallarmés.

In seinen Briefentwürfen geht der zwanzigjährige Steuerschrei-
ber keck ins Zeug: „Leb wohl, Engel" heißt es gleich im ersten
und „o meine Königin." Virtuos setzt er Scherze und Tränen,
Drohungen, Quälereien und Zudringlichkeiten ins Werk, um das
Schweigen, mit dem sie sich ihm entzog, zu durchbrechen. Ob es
ihr sehr Freude mache, ihn zu quälen? „Sagen Sie ja oder nein,
aber sprechen Sie. Antworten Sie.. Ich leide und bete Sie an.
Nur — darüber werden Sie lachen, denn es ist wirklich höchst
drollig — ich leide jetzt ohne Hoffnung. Ich bin verzweifelt.
Zwar entmutigt bin ich nicht. Nein, denn noch hab' ich in meiner
tiefen Niedergeschlagenheit den Mut, Sie zu fragen: ‚Was habe
ich Ihnen getan, daß Sie mich so foltern?' Ich habe Sie geliebt.
Aber es ist ein großes Verbrechen, Sie zu verstehen.. Sie ver-
abscheuen mich, daß ich Sie mit Liebe anschaue; und doch, haben
diese Seufzer Ihnen jemals eine Träne entlockt? Wenn *ich* Sie
haßte, daß Sie mich seit acht Tagen zum Weinen bringen, wäre
das nicht mein Recht? ... Schreiben Sie mir weshalb, ich will es:
es ist ungerecht, jemanden zu martern, ohne ihm seine Schuld
nachzuweisen." Was hier seinem Ich angetan werde, ist der

Hauptinhalt dieser Entwürfe. Da und dort klingen sie echt: ,,Wenn Sie ablehnen, werde ich noch glücklich darüber sein, für Sie und durch Sie zu leiden .. so traurig eine Absage wäre, ich ziehe sogar sie meiner alten Hoffnung vor, welche, unendlich sich fortpflanzend, der Verzweiflung recht nahe ist.‟

Wenig achtungsvoll freilich denkt er an das alles, wenn er in der nämlichen Woche auf die echten Liebesschmerzen des Freundespaares, Cazalis und Ettie Yapp, blickt. ,,O menschliche Komödie! Wenn ich daran denke, daß ich, derweil ihr verzweifelt weintet, aus meinem Napf Wasser nahm, ich blöder Clown, um meine Liebesbriefchen zu besprengen und darin Tränen zu heucheln! Ich spreche dir von dieser hübschen Deutschen, die zu haben ich mir in den Kopf gesetzt habe. Es wird dich wahrlich recht interessieren, dich, den erhabenen Hoffnungslosen, den Dulder, daß man sich heute morgen weigerte, einen Brief von mir anzunehmen, und daß man heut abend mit mir sprechen will! Wenn ich dennoch in meiner Falle gefangen werde und, da sie mich lieben wird, eine Liebelei mit ihr haben könnte! Das wäre ein Sonnenstrahl und ein Lächeln‟ (7. 7. 62).

III

WINDSTILLE

Wir kehren froh von junger Flur zurück,
Ein Vogel krächzt; was krächzt er? Mißgeschick.
Faust II, 5

Ohne Zweifel mußte er damals weitgehend als ein Wiedertöner Baudelaires wirken. Anleihen im Wortschatz und in der Bildersprache liegen allenthalben zutage. Der krasse Naturalismus bei beiden wurzelt nicht in kunsttheoretischen Erwägungen, sondern ist — gleich unmittelbar bei beiden — der quälende Ausdruck dauernden Sich-Stoßens an einer aufreizenden, nicht bewältigten Wirklichkeit. *Impuissance* habe Baudelaires hohen Genius erwürgt, sagte er später einmal zu J. H. Rosny. Doch während Baudelaire immer wieder im Reich der Phantasie Trost und Stär-

kung suchte und fand, blieb der Jüngere lange noch in einem Zustand qualvoller Trostlosigkeit. Nur, wie seine *Symphonie littéraire I* bekennt, in der „angenehmen Marter" seiner bis zur Gefahr der Vertierung passiven Seele, die großen Dichter der Schönheit zu lesen, erhole er sich mitunter von dem, was sie ihm oft
eingebe: „Haß gegen die Schöpfung und unfruchtbare Liebe
zum Nichts"; ohne diese Erleichterung hielte ihn seine Feindin,
die „moderne Muse der Unproduktivität", schon bald im unent-
rinnbar erstickenden Netz des *Ennui* gefangen. So steht es in diesen Randbemerkungen über Baudelaire,[1] „die nach dem Schwefel
und dem Abgrund riechen" (Rodenbach an Mallarmé, 28. 1. 97).
Neben und nach dem Wetterleuchten eines satanischen Unheil-
dämons erfährt er bei Baudelaire eine mystische Verklärung mit.
Das symbolische Stimmungsbild einer wie im Opiumrausch erlebten Endzeitlandschaft spiegelt diese schmerzhafte Doppelheit
schon zu Anfang in den Fetzen blauen Himmels ab, die als „Gebet" zwischen dem bleifarbenen Gewölk des *Ennui* sich zeigen.
Durch das Wachsen etlicher spärlicher Bäume, deren Rinde der
qualvollen Verstrickung bloßgelegter Nerven gleicht, läuft ein
klagender Geigenton aufwärts bis hinaus ins Beben der äußersten Zweige. Und in ihrem Schatten beginnen die trüben Granit-
bassins, nebeneinanderliegend wie Gartenbeete und umgeben von
einigen verstreuten Schwungfedern, den Symbolen zerfetzter Men-
schenseelen, diamantengleich zu funkeln, als nun die untergehende
Sonne herbstlich rote Strahlen aus dem düsteren Himmel gießt
wie einen Wasserfall. Der Duft ist berauschend wie wallende
Haare, sündig wie Lawinen von schlimmen Rosen. Ist nicht selbst
diese Schönheit, purpurn wie Schminke oder Blut, abermals das
Werk Satans, des verdeckten Feuerwerkers, der den Wasserfall
der menschlichen Tränen bengalisch beleuchtet? Als dann wie ein
Alpdruck die lautlose Nacht, durchflattert von Sünde, Reue und
Tod, den schluchzenden Dichter seine ganze Heimatlosigkeit empfinden läßt, da trägt ihn endlich die Tränenhymne Baudelaires
hinüber in die mystische Heimat der Dichter, wo hostienweiße
Engel jauchzend aus der Fensterrose eines alten Doms musizieren,
hinter sich das Blau des Himmels zu großen anbetenden Se-
raphsaugen verklärt.

Taedium vitae

Damals blieb dies alles wie ein bittersüßer Traum von unerreichbarer Zukunft. *Galanterie macabre* und *Le Sonneur*, zwei Gedichte des Neunzehnjährigen, kennen und nennen nur einen Herrn: Satan. Im ersten wird *das Laster* fortgewiesen aus des Dichters dunkler Herzenskammer, in der noch immer die Erinnerung an das einst geliebte Mädchen aufgebahrt liegt. Es gibt keine Aussichten, diese Bahre zu beseitigen, ruft er mit bitterer Freude — und ahnt dabei, daß statt seiner Stimme ein Dämon lacht. Denn Satans Wille war es, daß das *Rächerauge meines Hasses* (gegen Gott, der ihm den liebsten Menschen stahl?) wie ein Kerkermeister diese Erinnerung auf ewig umkralle. Mit der Gleichgültigkeit der Lumpensammler, die in einem hin prügeln, kosen oder geile Katzen scheuchen, sieht er alle Wege in die Zukunft für sich verstellt, und ganz wie vor Tagesanbruch die Lampen dieser Straßengänger schreckhaft an den winterlich trüben Mauern hin schwanken, so irrt seine Seele am glanzlosen Himmel hin, den ertrunkenen *Träumen* nachhängend. Aber quälender, trostloser als dies alles ist die Schilderung einer Vorstadtszene — ungezwungen, ganz im Sinne Baudelaires[1] —, die zur Verbildlichung des raffgierigen Lasters dienen soll. In diabolischem Hohn auf die Sinnlosigkeit, die ihm überall zu herrschen scheint, schildert der gottverlassene Dichter die Grablegung einer jungen schwangeren Bettlerin, die ohne geistlichen oder menschlichen Zuspruch *wie ein Hund* dahinging. Mit einem Regenschirm kam der Chorknabe an und „erledigte im Galopp" die klägliche Leichenfeier, mit ranzigem Weihrauch und verbrauchtem Kerzenstumpf. Das Messing, das am versilberten Leuchter hervorlugte, klang wie ein Spottgelächter darein, und erst recht die Erinnerung an den bürgerlichen Leichenpomp mit seiner (in Frankreich noch heute üblichen) Trauerbespannung voller „larmes d'argent": an Stelle dieser *Silbertränen* schimmert hier am durchlöcherten schwarzen Wandbehang die kalkweiße Mauer durch! Immerhin, das alles ist „erlaubt". *Voilà*. Doch als grausame *Totengroteske* empfindet es der Betrachter, als nun der Leichenträger, dem die Treppe zu eng schien, auf einer Leiter sich zum

Dachfenster phantastisch emporschwingt, am Sims die Pfeife
ablegt, par galanterie, und als ein „Romeo" auf demselben Weg
die Tote entführt. Diese vielleicht tatsächlich erlebte Szene —
Gleichnis des Todes, der „*courtoisement* im alten Frack und Zylinder" uns alle verschwinden läßt — mußte dem überreizten jungen Menschen ein weiterer Beweis sein, daß hinter der Welt ein
verdeckter Dämon am Werk sei, dem das Unheil der Menschheit
nicht genüge, der auch die würdelose Jämmerlichkeit noch be-
gehre!

Das gleiche Gefühl beherrscht den *Glöckner*, ein Sonett, das,
ebenso wie das vorhergehende Gedicht und *Les Fenêtres*, durch
seine klare Scheidung in eine bildsymbolische und eine ausdeu-
tende Hälfte noch die schulmäßige Herkunft von Baudelaire verrät. In sehnendem, anfangs scheuem Begehren hatte sich Mallarmé
danach abgerackert, sein „Ideal" zu volltönendem Erklingen zu
bringen: Satan und *das Böse* verdarben ihm auch diesmal die
Hoffnung auf eine lichte Erfüllung. So daß er sich einem keu-
chenden Glöckner vergleicht, der beim Läuten am jahrhundertealten Strang sein Geläut immer nur als ein hohles, fernes, abge-
rissenes Summen in den dunkeln Turm herabdringen hört: und
der Dichter erwägt zuletzt den Gedanken, sich selber am Glok-
kenseil aufzuhängen, an Stelle des Steingewichts — auf welchem
rittlings kauernd der Glöckner dem gebärdensuchenden Blick
Mallarmés zuerst begegnete. Statt der platten Verbildlichung des
Bösen auf einem Thron im „Lilienherzen" des Dichters entwik-
kelte Mallarmé im Jahr 1866 ein bildgerechteres Symbol aus der
Sphäre des Turmes und der Nacht: wie den Glöckner ein nicht
zu scheuchender Nachtvogel umflatterte, so leuchtet der Dichter
seine *Sünden* an, seine lustlose Auslieferung an Satan. Jenseits dieser dunkeln Welt des *Latein*gemurmels oder, wie er später sagt,
des *Anastasius* leuchtet das morgenfrische von Lavendel und
Thymian duftende Reich des Kindes; in der ersten Fassung ist es
das Reich der Schnitterin. Dort allein kann der volle ungebor-
stene Klang der Glocke noch unmittelbar weiterschwingen im
fromm abgestimmten *Angelus* einer naturhaften Seele. Doch freilich werden die drei tiefen, großen Atemzüge des herrlich schlichten zweiten Verses[1] bald abgeschnürt von den drei dumpfen Na-

6*

salen des sechsten, in denen schon Thibaudet die Öde der eintönigen Dunkelheit eingefangen empfand.[1] Gerade in der unheimlichen Steigerung des Drucks, vergleichbar einem Netz, das immer enger gezogen wird bis zu dem Aufschrei zu Satan, liegt die
künstlerische Stärke des Sonetts.

Noch in Briefen an Cazalis um die Jahreswende 1864/65 ist
die Verzweiflung über die *kalten Sünden*, über das Laster, das
,,an meinem angeborenen Adel frißt" (*Angoisse*), über die ,,dés-
accords / avec le corps" übermächtig. Sein Gehirn denke nichts
Folgerichtiges mehr, grausame Strafe für den ,,priapisme de ma
jeunesse". Er sei eine Ruine, eine Leiche, ein Greis mit dreiund-
zwanzig Jahren: ,,ich habe Ekel vor mir: ich weiche vor den
Spiegeln aus beim Anblick meines erniedrigten, erloschenen Ant-
litzes.. Und nicht einmal den Rückhalt eines Todes haben dürfen, der euch alle hätte glauben machen können, daß ich etwas
war.. Es hat ja auch alles an meiner Nichtigkeit zusammen-
gewirkt. Mit meinem schwachen Kopf brauchte ich alle Über-
reizungen, diejenige von Freunden, deren Stimme entflammend
wirkt, die von Gemälden, von Musik, von Lärm, von Leben. Galt
es ein Ding hienieden zu fliehen, so war das die Einsamkeit, die
nur die Starken erfrischt" (*Propos* 47). Diese Geringschätzung
seines Selbst spiegelt sich in des späteren Faun-Dichters erstem
Gedicht über das Schicksal der Poeten, Le Guignon, *Das Mißgeschick*. Baudelaire, der sich dieses Titels bereits bedient hatte,
lieferte hier mit seiner — auch bei Leconte de Lisle beliebten —
sturmschwangeren *Spleenkuppel des Himmels* (Chacun sa chimère) für die mächtigen Eingangsstrophen[2] einen monumentalen
Landschaftsrahmen. Daß diese Einheit des Ortes nur im ersten
Viertel des Gedichts bewahrt blieb, ist eine wesentliche Ursache
für die unstät flackernde Bildunsicherheit im weiteren Verlauf,
die durch den jähen Wechsel des Erzählerstandpunkts (wir, ihr,
sie) noch erhöht wird. Bei den späteren Umarbeitungen lassen
sich auch Berührungen mit Banville feststellen, besonders mit
demselben Gedicht *L'Exil des Dieux*,[3] in dem, nicht als einzigem,[4]
Banville selber sich überraschend als Nachahmer der ersten fünf
*Guignon*strophen verrät, die Colignys *Artiste* im März 1862 veröffentlicht hatte.

Schon der erste Vers des Gedichts hebt den Leser in einen außerwirklichen Raum über den Niederungen des Alltags. Eine Rotte von Gestalten, scheinbar übermenschengroß („den Fuß auf unseren Wegen"), peitscht der eisige Sturmwind vor sich her,.. phantastisch wie der Zigeunerzug auf Callots Stich,[1] blind trunken und mit flatternden Mähnen wie die Pferdehorde in Mendès' *Pantéleïa*, sich herausbäumend aus der großen Herde der Menschheit. Es sind die Sucher nach Heimat und Himmel, nach Ideal und Größe, die hier, in enger Anlehnung an Gesichte Banvilles[2] und Baudelaires,[3] als verwahrloste Märtyrer, als gebückte Besessene einer fixen Idee vorüberhasten. Und wie Alfred de Vigny in seiner Massenvision *Paris* einzelne Richtungen der bleich über die Arbeit gebeugten, hoffenden und verzweifelnden Ritter des Geistes unterschied, so stellt auch Mallarmé zwei Gruppen von Dichterschicksalen einander entgegen. Die größere, das sind die Dichter, welche dem Dämon, dem Verhängnis entgehen, weil sie in das eigene Ich vergafft sind. Weil sie sich gleichsam betrinken an der Wollust, das eigene Blut fließen zu sehen, und es mit dankbarer Eitelkeit an ihrer Brust zeigen in apokalyptischer Röte,.. in die sie ihren Untergang zu tauchen wissen, als feierliche Hierophanten das Leid wie einen Kuß hinnehmend. Das „Lutschen an der Qual" gilt in Gautiers Terzinengedicht *Ténèbres* und in Mallarmés *Guignon*, im Unterschied zu Baudelaires Cygne, nicht als trostreich,[4] sondern als eigensüchtig; die andern, die Verkümmerten, haben nur Galle oder Asche zu essen. Bei Gautier eilt eine allegorische Frauengestalt, das „Hirngespinst", goldspendend herbei; bei Mallarmé himmelt die Menge beifällig die Verse an, zu welchen die Selbstgenießer die eigenen Träume und Tränen verarbeitet haben. Auch bei ihm erscheint eine Frauengestalt, aber sie wendet sich in schweigendem Ekel ab: es ist das LEID, die ausgesaugte Spenderin.

So leicht wie jene selbstsicheren Dichter ist Mallarmé nie über die quälenden Vorstellungen seiner Jugend hinweggekommen. Eben weil er zur Vertiefung und Verfeinerung strebte, mußte es ihm schon damals als Inbegriff der Feigheit, als Versündigung am Schicksalhaften erscheinen, das eigene Weh auszusaugen[5] wie jene andern, oder selbstgefällig dem Schicksalsengel die Stirne

zu bieten und sich von den Dichtergefährten mit Lobsprüchen
überhäufen zu lassen. Noch Banville, der Hugo-Verehrer, hatte diesen *dunkeln Genies*, denen die großen tönenden Gesänge gelingen,
als den wirklich Großen gehuldigt. Wenn wir anderen, „fous,
ivres, éperdus", ewigen Ruhm beanspruchten, sei es nur *lächerliche Verblendung* (Ceux qui meurent et ceux qui combattent.
IV. 1842).

Mallarmé sah und wertete den Gegensatz anders. Entscheidender als Schaffenwollen war ihm das Schaffendürfen, eine Ge-
wissensfrage. Ein Kernpunkt dessen, was über die Größe und die
Schwäche Mallarmés auszusagen ist: die Leistung stand ihm nie
so hoch wie die Haltung. Die nahm er als sein Gesetz; er tat sich
nichts darauf zugut. Victor Hugos Reaktion auf den Tod seiner
Tochter war ein Band Elegien; Mallarmés Verse verraten nichts
davon, wie ihn 1879 der Verlust des einzigen Sohnes traf. „Hugo
hat das Glück, daß er sprechen konnte, mir ist es unmöglich",
sprach er damals demütig zu den Seinen.[1] So schiene es nur
folgerichtig, wenn er den Dichtern, deren Weh sich nicht so
leicht in Verse fügte, ein Denkmal der Ermunterung oder der
Idealisierung gesetzt hätte. Gewiß, einmal nennt er sie *Helden*
(C, V. 63), und einmal bezieht er sich in ihre Demütigung mit
ein (BC, V. 55). Dennoch hält er sich abseits, zunächst wohl, weil
er nicht ein Bekenntnisgedicht gegen die Bekenntnisdichtung
schreiben will. Hochfahrend, gefühllos, außerhalb des Menschlichen, als kenne er diese Männer nicht.

Die Larve der Unmenschlichkeit

Comme les exilés, ridicule et sublime, sagte Baudelaire im
Schwanengedicht. Banville bestätigt, in seinem Sang auf Baudelaire, daß auf den Stirnen von dessen Gestalten auch in qualvoller
Demütigung und Züchtigung das Zeichen des Göttlichen, des Erhabenen nie erloschen sei; selbst der verkommene Mensch, den
„die wütende Kralle eines Engels zerreißt", schleppe sich mit
seiner Häßlichkeit noch vor Gottes Antlitz. Im *Guignon* Mallarmés aber bleibt für die *poètes maudits* nur das Lächerliche und
Niedrige; es ist nicht ein Kunstwerk der Tröstung für die im

Zeichen des Saturn Geborenen. Ihr „Lebensplan ist Linie für Linie durch die Logik einer böswilligen Einwirkung vorgezeichnet", wie später Verlaine schrieb (Vorwort zu *Poèmes Saturniens*, Nov. 1866). Und es ist ihnen nicht, wie den Dichtern des Selbstgefühls und der Sicherheit, ein tragischer Erzengel gegönnt, biblisch repräsentativ „in der Blöße seines Schwerts". Ihr Besieger ist nicht das Geschick, sondern das Mißgeschick, ein zwergenhafter Clown, ein zahnlos grinsendes Gerippe mit Gewürm in der Achselhöhle gleich einer Schreckensvision von Félicien Rops, aufgeputzt wie in Baudelaires *Danse macabre*. Die verhängte Bitternis, das perverse Pech, das „Guignon", welches die Geduckten in die brunnenlose Todeswüste hineinprügelt.

Hatte Mallarmé im *Sonneur* unverhüllt die eigene Qual ausgesprochen, so trifft man ihn hier auch als Beobachter fremden Leids. Ohne jeden Zweifel schwebt ihm das Schicksal Edgar Allan Poes vor, so wie es Baudelaire in seiner Poe-Biographie von 1856 tragisiert hatte. Dort war von jenen in Blick und Geste zum Untergang bestimmten *Verdammten* die Rede, Außenseitern der Gesellschaft wie Hoffmann und Balzac, „Menschen, die das Wort *guignon* in Geheimschrift auf den wirren Falten ihrer Stirn tragen. Der blinde Engel der Sühne hat sich ihrer bemächtigt und geißelt sie aus Leibeskräften. Gibt es ein diabolisches Verhängnis, das seit der Wiege das Unheil vorbereitet,[1] das vorsätzlich die engelhaften Geister in eine feindliche Umwelt wirft wie Märtyrer in Arenen?.. Wird der Alpdruck der *Ténèbres* ewig diese Erwählten bedrängen?" Poes ganzes Werk bejaht diese Fragen. In einer von Baudelaire übersetzten Novelle, *Der Engel des Bizarren*, hat Poe erzählt, wie ein skurriler Dämon, der ihn mit unaufhörlichem Mißgeschick narrte, sich ihm vorstellte, „er habe die Quergeschicke im Menschendasein unter sich und sei bestellt, diese *bizarren Zufälle* herbeizuführen".

Man kennt diese Macht aus der *Galanterie macabre*. Auch den *Pech*-Dichtern des *Guignon*-Gedichtes legt sie ihre Fallen. Es braucht einer von ihnen nur eine Hornfanfare neuer Erfindung zu blasen, und schon wird sie in den gemeinsten Spottgebärden ausgeäfft.. von Bierfiedlern[2] und all der Plebejerbrut, die sich für einen Schluck Schnaps willig entwürdigt. Auch das Rosenbukett, mit dem einer eine Frau verführen möchte, ist verhext: als sie es an ihren welken Busen steckt, sich bräutlich zu verjüngen, schimmert Gewürm und Geifer auf den Rosen. Lieben sich zwei, so läßt der *Guignon* sie einen Fluß durchqueren, um sie dann, entsteigen sie in reiner Nacktheit dem Wasser, in eine jämmerliche Schmutzlache zu treiben,.. auf ihre Schultern gekrallt, gleich einem Wagenlenker sein Gewicht verteilend, wie das „gräßliche Tier" in Baudelaires *Chacun sa chimère.*[1] Ziehen die Verhöhnten endlich das Rapier gegen den Quälgeist, so knirscht es leer durch sein Gerippe, das auch das weiße Mondlicht durchfluten läßt — vergleichbar der Höllengestalt in Chateaubriands *Martyrs.*

Es ist diesen Sieglosen nicht zu helfen. Da sie nicht einmal Rachegesänge wider die Weltordnung anstimmen, gelten sie den *klugen Dichtern* als beschränkt, verdrießlich, dekadent: „sie haben ja nicht einmal den grellroten Marktschreierlappen übergezogen — wie sollen da die Massen vor ihrer Bude stehenbleiben!" Indes auch Mallarmé billigt ihnen keine Größe im Leid, keine *austère infortune* zu. Nicht den imponierenden Prometheus-Geier, der in Banvilles *Ame de Célio* an den Dichterseelen nagt, nicht den heldischen Tod von Vignys *Wolf.* Nur ein jämmerliches Verrecken an einer vergessenen Straßenlaterne .. aus Ekel vor einer aufsehenerregenden Qual.[2] Désolés sans l'orgueil qui sacre l'infortune.

Warum die beklagen, die zu leiden verdienen? Gegen diesen Satz hatte freilich Baudelaire im Poe-Essay die Forderung des Mitleids erhoben, um so mehr als er für das Schicksal Poes, für den Selbstmord Nervals am Laternenpfahl der rue de la Vieille-Lanterne, die *Gesellschaft* verantwortlich machte, den Prügelknaben fast aller Dichter dieses Jahrhunderts. Auch als Banville die „grands exilés des cieux" besang, nannte er fast nur jene Dichter, denen ihre Zeit die äußeren Güter verweigert hatte.[3] Dagegen verlegt Mallarmé ihre Qualen von vornherein auf eine Ebene des Verhängnisses, auf welcher Menschen und Mitmenschen jenseits der Verantwortung und jenseits der Beurteilung gestellt sind. So gewinnt er jene un-menschliche Haltung über den Dingen, die schrecklicher ist als die Trostlosigkeit in den Elegien seines Freundes Cazalis.[4] Sie verleiht übrigens, verbunden

mit einer gewissen jugendlichen absprechenden Herbheit, dem
Gedicht seine faszinierende unheimliche Gewalt. Stilgerecht, noch
bei der späteren Umarbeitung, unterstrich der Dichter die Grausamkeit geflissentlich durch Entfesselung eines Hexensabbats
gepfefferter Häßlichkeit (das Röcheln der Leidenden, Verspot-
tung und Geißelung, die eklen Schnecken) und krasser Gebärden
(Marktgelärm, Bettlertanz, Auspfeifen, Anspeien).

Wenn jemand von Mallarmé sagte, er habe Baudelaire und
Banville *entromantisiert*,[1] so wäre nachzutragen, daß er damals
eigentlich nur die Konsequenzen einer Haltung zog, die jene und
andere Zeitgenossen unaufhörlich theoretisch vertraten: der Dichter sei unvermeidlich der Mensch außerhalb der Gemeinschaft,
der Ausgestoßene, der satanische Bürgerschreck, der tränenlos
aristokratische *Herrenmensch* und Volksfeind, wohnhaft im El-
fenbeinturm der *impassibilité*. So ist der Aufsatz *L'Art pour tous*
gestimmt, den Mallarmé am 15. 9. 62 in Colignys Zeitschrift
veröffentlichte. Selbst ein herzensguter Republikaner wie der altadlige Banville (der beiläufig auch dem dritten Bonaparte nicht
übel zu huldigen verstand) hielt sich im Sattel des Pegasus geradezu für verpflichtet zum Hochmutsdünkel des Halbolympiers
Byron[2]

> *Poète, voile-toi pour le vulgaire vain!*
> *Qu'il ne puisse à ta muse enlever sa ceinture ...*

Und mit den Lästerworten *le vulgaire* und *la foule* wurden
denn auch ganze Dichtergenerationen zu ehrfurchtsloser Abkehr
nicht nur vom platten Modegeschmack, sondern bald auch von
ihrem Volk gedrängt. Um den späteren Mallarmé zu würdigen,
muß man sich bewußt sein, daß ihm eine angeborene Neigung,
sich schwermütig, überlegen und kühl vor den Aufregungen der
andern zurückzuziehen, in seiner Jugend Sätze nahelegte wie die
folgenden: „Die Arbeiter liebe ich nicht. Sie sind zu eingebildet.
Weshalb denn macht man eine Republik? Für die Bürger? Schau
sie als Menge an in den Anlagen, in den Straßen: sie sind häßlich, und es liegt auf der Hand, daß sie keine Seele haben .. Ist
der Mensch, der die Venus von Melos macht, nicht größer als
der, der ein Volk rettet?" (an Cazalis). Dies war der Geist, den
man aus dem Schluß von Vignys *Stello* und aus dem Vorwort

von Gautiers *Mlle de Maupin* ablas, und in diesem Geist trat die Dichtergruppe des *Parnasse* an das Leben heran. Wenn sie heute überraschend veraltet anmutet, so ist es nicht zum wenigsten darum. Francis de Miomandre[1] geht so weit zu schreiben: „Heute bleibt von dieser so oberflächlichen, so künstlichen Bewegung nichts als etliche Zeilen in den literarhistorischen Handbüchern. Wem käme in den Sinn, diese eisigen Dichter noch zu lesen? Wer hätte den Einfall, hier Tröstung, Stärkung oder begeisternden Aufschwung zu suchen? Diese ungeheure Ansammlung von Schrifttum ist etwas endgültig Totes, und keine Anstrengung, keine Geduld eines Gelehrten wird sie galvanisieren können." Den *Parnassiens*, die sich anfangs die *Impassibles* nannten, galt, bei der Rückkehr zur strengeren handwerklichen Pflege des Alexandrinerverses, die Gefühlskälte als eine Art vornehmer Scham. „Keine menschlichen Seufzer im Sang des Dichters!" Trotz dieser Forderung seines Gedichts *Pudor* (Philoméla, 1864) ließ Catulle Mendès seinem schwülen Pathos freie Bahn, und trotz seiner *Montreurs* begann und endete Leconte de Lisle als Tendenzdichter. Und wenn schon diese beiden, die berechnendsten Zyniker und Egoisten der Gruppe, dem Ideal aristokratischer *impassibilité* nicht treu blieben, wie sollten andere dies unmenschliche und in Wahrheit undichterische Ideal ohne Selbsttäuschung durchführen? In einer Nietzsche-Anwandlung konnte Baudelaire sagen, er sehe „unter den Menschen nichts Großes als den Dichter, den Priester, den Soldaten.. der Rest ist für die Peitsche", und dennoch bäumt sich in seiner Dichtung der Schmerz aller leidenden Kreatur. Nicht anders Verlaine, der sich anfangs zu jenen zählte „qui ciselons les mots comme les coupes / Et qui faisons des vers émus très froidement".

Eine seltsame Fügung wollte, daß eben Mallarmé, der Dichter, dessen größtes Erlebnis und eigentliche Entdeckung die Morschheit des *unmenschlichen* Ideals wurde, zuvor das Gedicht *Aumône* schrieb, das jenes kalte Beobachtertum in nackter Einseitigkeit, bis zu mörderischer Verrohung, aussagte. Nicht alles daran ist baudelairisierendes Literatentum. Der Einblick in die Briefe an Cazalis, aber auch Gedichte wie *Tristesse d'été* bestärken uns in der Meinung, daß die gütige Weichheit und sympa-

thische Anmut des reifen Meisters Mallarmé schwer erkämpft
worden ist. Über den Zweiundzwanzigjährigen schrieb Aubanel
an Legré: „Er ist ein Ausnahmegeist, etwas wunderlich, und er
hat ein goldenes Herz." Zwei Jahre zuvor aber stand neben dieser
angeborenen Herzenswärme noch ziemlich unverbunden eine rasch
verstimmte Ichbesessenheit, eine durch die Elternlosigkeit gesteigerte Furcht vor Bindungen, eine Unfähigkeit zur Hingabe und
ein herbes, rauhes Mißtrauen, die oft als Grausamkeit wirken
mußten. Doch dies würde nicht zur Erklärung des *Almosen-
gedichts* genügen. Dies gefühllose Auftreten ist in Wirklichkeit
nicht weniger Mantel und Maske als die gleichzeitige Tändelei
und noch mehr Selbstvergewaltigung. Verbissen zerrte sich der
jugendliche Selbstquäler vor die jämmerlichsten Elendsbilder der
Gosse, um sich die eigene Unnahbarkeit zu bestätigen und das
Zucken des krankhaft empfindsamen Herzens so lange zu dros-
seln, bis es fürder, wähnte er wohl, vor dem Schmerz gefeit sei.

In *Haine du pauvre* lobt er an einem alten Bettler, der da, ein
Nachtgespenst, in zerlumpter Sackleinwand für Geld weint und
lacht, daß er seine Armut wenigstens nicht zum Gedicht drapiere,
wie die Bekenntnisdichter im *Guignon*. Der wisse, daß er soviel
wert sei wie ein Hund, und hündisch beuge er die niedrige Stirn,
vor seinen Schmähern auf dem Bauch zu kriechen. Eh er ihm
lässig ein Silberstück zuwirft (die Situation aus Molières *Don
Juan*), zwingt er den Alten, kniefällig darum zu betteln — grausam im Hohn auf Menschenwürde. In den Neubearbeitungen verweist Mallarmé — an Stelle der gemeingefährlichen Anregung von
1862, für das Geld ein Messer zu kaufen — den Beschenkten
auf poetischere Laster.[1] Durch Tabakringe etwa, die am Gitter
seines Lebenskerkers sich hochranken, lasse sich dieses in ein
lichtes sommerliches Rebenspalier verzaubern, oder ein Gemäuer
in weihrauchumnebelnde Dome. Oder möge er die stärkste Arz-
nei, das Opium, genießen oder samtweiche Frauenhaut und -klei-
der knisternd betasten und sich im Speichel der Küsse abstump-
fen. Oder vielleicht eine Nacht im Luxuscafé verbummeln, um
dabei dem Kellner und den Zaungästen zu imponieren; auf dem
morgendlich kalten, feuchtfröhlichen Heimweg, im zerlumpten
Sackleinen, die Morgenröte dann als See aus Goldwein bestaunen

und so tun, als habe er die Kehle voller Sterne.[1] Wisse er nichts
Besseres damit anzufangen, so könne er das Geld auch für närrischen Putz verschleudern, oder einem Heiligen fromm bei der
abendlichen Complet eine Kerze „servieren". Nur will der Geber
keinesfalls Dankbarkeit ernten, Hunger stillen, Nützlichkeit stiften! Er gibt seinem Klienten den eiskalten Rat: und lebe vorher
so, daß der Teufel seine Freude an dir haben kann! Oder gemil-
derter in Fassung D: ein lang hingefristetes Leben ist doch nur
ein altes, schales Sterben!

　　Gerade die späteren Bearbeitungen erlauben fesselnde Einblicke in Mallarmés Entwicklung. Fassung C, welche sich, von
der unmittelbaren gegenwärtigeren Anfangsgebärde an, als künstlerisch vollkommener erweist, vermied im allgemeinen[2] die Kraß-
heit von B. Hatte B das Rauschgift um des lebenssteigernden Rau-
sches willen empfohlen, so C wegen des auslöschenden Giftes:
B wollte ein bißchen schmetterndes Rot in den grauen Tag des
Proletariers bringen, C verheißt ihm die betäubende *inertie*. In D
dagegen klingen die Vorschläge anteilnehmender, munterer, duld-
samer, weniger wegwerfend.[3] Dem greisen Bettler bot die Mutter-
brust des Schicksals ja nur karge Zehrung. In BC hatte ihm der
Dichter lasterhaften Geiz unterstellt und ihn davor gewarnt, das
Geld als Spargroschen für sein Begräbnisgeläut zu vergraben. In
D heißt es humorvoller: an dem Beutel streicheltest du so gierig
ja gewiß nicht in der Absicht herum, aus ihm einen Beitrag für
dein Leichenfest herauszubetteln.[4] Mehr durfte Mallarmé freilich nicht abschwächen, wollte er nicht seiner Dichtung Mark und
Einheit rauben. Nicht mitleidvolles Erbarmen, aber mindestens
Leutseligkeit gab ihm jetzt, statt *drôle* (BC), die Anrede *frère*
ein: ein wertvoller erster Beleg für die Bemühung des reifen
Mallarmé, vom Pack zum Volk hinzufinden.

　　Daß er aber schon damals seine misanthropische Empfin-
dungskühle nicht ohne innere Krisen trug, verrät am besten die
„Kohlezeichnung" *La Tête*, später empfindsamer überschrieben
Pauvre enfant pâle. Hier liegt das Reizvolle gerade im unvermit-
telten Wechsel von Mitleidsanwandlungen und andererseits den
Stufen belustigter, sarkastischer, grausamer und angeekelter Distanz, von Wärme und Kälte. Gerührt beobachtet er einen früh-

reif aufgeschossenen Straßensänger, barhäuptig und in verschos-
senen, allzu weiten Kleidern, dem niemand ein Geldstück in seinen Weidenkorb wirft. Voller Hohn aber hört er die schrille,
freche Katzenmusik des bleichen Knaben. Doch bedenkt er wieder
mitleidig, wie wenig der Kleine vom Lebensluxus der hartherzi-
gen Reichen ahnt, und wie er, vielleicht elternlos, allein auf sich
gestellt ist. Wieder illusionslos: wie böse, unkindlich diese Augen
funkeln. Und wieder die bewegte Beobachtung, wie das Lied zur
Klage wird und der Kopf des Sängers sich immer höher aus den
Schultern reckt. Dazwischen aber der sarkastische Einfall: dies
irgendwie drohende Haupt sei für den Hieb eines künftigen Henkers zurechtgerichtet, – wenn der rasch verdorbene Junge einmal
Raubmörder sein werde: dazu braucht es nichts als Mut (B: und
der sei ihm zuzutrauen).[1] Der Schluß in einer nicht wiederzu-
gebenden Mischung von Achselzucken, Selbstmißachtung und Demut: so mußte es wohl sein, daß du jetzt singst und hungerst, auf
daß uns dereinst die Zeitungen dein Konterfei zeigen mögen und
du dann bezahlen mußt für uns, die wir nicht besser sind als du.

Aus der *Almosen*dichtung allein wäre schwerlich zu ersehen,
ob in ihr der Weg der Grausamkeit aus dem Gefühl der Stärke
oder der Schwäche zu Ende gegangen wurde. Und doch wird,
durch die zynische Barschheit und die Ansätze zu lästerndem Gelächter hindurch, bisweilen das unwillkürliche Zittern einer noch
sehr jungen Stimme hörbar. War die Selbstsicherheit der literarischen Weltbetrachtung wirklich den Problemen der Frau, der
Liebe, gewachsen, mit denen sich der Baccalaureus von Sens viel
zu früh und sogleich für sein ganzes Leben nun auseinander-
setzte?

IV

CE MAL D'ÊTRE DEUX

Es waren Entscheidungen über seine Kraft, die der Zwanzigjährige sich aufbürdete. Daß er heil davonkam, dürfte er eher einer
gütigen Fügung als eigenen Entschlüssen verdankt haben. Wenig
fehlte, und er wäre zugrunde gegangen.

Er suchte bei der Frau zunächst nichts als Rettung vor sich selber. Drei Gedichte aus dieser Zeit geben die drei Stationen einer tragischen Liebesauffassung: *L'enfant prodigue*, dessen Neufassung *Angoisse*, und *Tristesse d'été*. In allen dreien kehrt die Klage über das Taedium des Lebens noch einmal wieder. Der *Verlorene Sohn*, den der stolze Traum des Unendlichen sanft hatte wiegen sollen, hat sich in den dornigen *Abgrund* (gouffre) Baudelaires verirrt. Der *spleen*-Träger des zweiten Gedichts kommt nicht über die bleiche peinigende Reue hinweg und entflieht als ein übernächtiges Gespenst seinem einsamen Bett,[1] dessen Laken ihm ein Leichentuch scheint;[2] vergebens wünscht er sich den Schlaf, über den die Frau, nicht der Mann gebietet, und Gewissenlosigkeit: die moralischen Begriffe *Laster* und *Sünde* kann er nicht abschütteln. Dem Gebresten (mal) des ersten Gedichts, dem *ennui* des zweiten entspricht im dritten das lästige, schwächende Besessensein von der Seele.

Jedes der Gedichte ist Anrede an eine andere Frau. Im Dom schaut er in verzweifelter Liebe hinauf zu der „mystischen, blutenden, liebenden" Beterin; im Bordell angeekelt und verstört hinab zu „Jener, die schweigt";[3] und im Sand (A: Moos) zu der Schlafenden neben sich. In sinnlich-selbstischem Drängen sucht er bei ihnen die gleiche Betäubung seines Leidens und doch nicht die gleiche. Zu den sanften Füßen der frommen Jungfrau, an ihren Knien, den vom verträumten Beten harten, erfleht er den verklärenden Einklang, die Überwindung der Häßlichkeit der Welt samt allem Gestank von Schminke und Wein, allem alten Duft saftloser eingetrockneter Leidenschaft – Gegensätze, wie sie in Coppées *Rédemption* und ungezählten anderen Pubertätsversen wiederkehren.

Die hundertfach nachgeahmten Apostrophen Baudelaires an die Buhlerin wirkten auf Mallarmé ähnlich wie auf Banville oder Cazalis. Doch naht er nicht, um gleich diesen dreien[4] ein Stück Du, den Widerhall seiner schalen Leidenschaft, die sich ausrasen will, zu empfangen. Über deren seelenlose Schwermut belog er sich nie. Stille und Umnachtung sucht er bei der Schweigerin Lethe. „Je veux dormir! dormir plutôt que vivre!" Ist es nichts als ein Nachhall Baudelaires?[5] Sie, die Buhlerin, die Tochter des Großen Nichts, weiß nichts von des Dichters Angst, allein zu sein mit der reuevollen Unruhe über den Untergang seines einstigen adligen Ich, ähnlich wie einst Baudelaire, *comblé d'angoisse*, die Hexe um den unser Herz zerfressenden „alten langen Gewissensbiß" befragte.[1] Ihr marmornes Herz hält dem Reuezahn jeder Sünde stand,[2] toter als die Toten, ein bloßer Körper, die Bewußtlosigkeit, zu der ihn seine Sehnsucht nach dem Nicht-Sein hinzieht.

Ähnlich diesen wenig eigenen Versen, die im Gefolge zahlloser dekadenter Baudelaire-Centonen entstanden, begehrt auch das Sonett *Tristesse d'été* „die Unempfindlichkeit des Himmels und der Steine", . . nachdem schon Baudelaire (*Gouffre*) „du néant l'insensibilité" ersehnt hatte. Doch Mallarmé sucht sie nun nicht mehr im dumpfen Schlaf, sondern als wache Panzerung, die ihn vor dem Trug der Liebe feien möge.

Noch immer fand er die Frau nicht. Um sich ihrer zu erwehren und neuem Unheil auszuweichen, verdächtigt er sie, brutal aus Schwäche. Als die Erste zwischen Weihrauch und Kerzen schmerzhaft ein Herz-Jesu-Bild küßte — „leckte", lästert er —, vermutet er darin schon den Dämon des Allzuweiblichen. Am Lügendasein der Zweiten, der er allein in der Verdammung zur Unfruchtbarkeit sich verbunden fühlte, hatte er noch weniger teil; mit einer Verachtung, deren Baudelaire nur selten fähig war,[3] galt sie ihm als ein gefühlloses Elementarwesen, ein williges Tier. Eine Dritte ist die gefährliche Gegnerin (*lutteuse, ennemie*, A: *parfums dangereux*). Denn die erste hatte in ihrem Gebet verharrt, die Zweite gefühllos in den leeren Spiegel des Nichts gestarrt. Die Dritte aber „traf sein Herz". Zu unterscheiden sind hier die beiden Fassungen. Die ältere ist an eine dunkelhaarige Frau gerichtet und weicht in der ersten Hälfte durchaus vom späteren Text ab. Die böse Sonne des Sommers unter einem Himmel „ohne Vögel und ohne widersacherischen Windhauch . . läßt mich das Leben hassen und unsere fiebernde Liebe; und all mein Wesen ruft nach einem mumiengleichen Schlaf, ausdruckslos wie Sand (Wüste) und staubbedeckte Palmen". Es ist noch der nämliche Wunsch wie in dem Sonett an die Buhlerin, aber jetzt zieht es ihn zu ihr hin, zu dem Wegschmelzen ihrer Schminke,[4] zu den erhitzten Wellen ihrer Haare, in denen sich das Denken und die „lästige Seele" überhaupt ertränken lassen.[5]

In der Fassung aber, die 1866 erscheint, hat er einiges geändert. Von Tränen ist die Rede, dem *breuvage amoureux*, von seinen scheuen Küssen und von Worten, die sie traurig an ihn richtet. Das maskenhafte Antlitz verwandelt sich in ein menschliches, und der Haß gegen das Leben in die Schwermut einer durch die Sommerglut entmutigten, unerfüllbaren Liebe, „meurtrie / de la langueur goûtée à ce mal d'être deux" (*L'Après-midi*). Die Bilder von der Mumie und dem glanzlosen Staub erfahren eine Umkehrung. Klagend rief die Geliebte: „So werden wir denn nie zusammen eine einzige Mumie werden können, unter der urvordenklichen (antique) Einöde und den seligen Palmen!" Hier zum erstenmal taucht der Traum von einem zweisamen Grab in einer paradiesischen, vergangenheitsträchtigen Einsamkeit auf, ce sépulcre à deux qui fera notre orgueil (*Prose*). Der Dichter begegnet einem Du. Er „ringt" mit ihm, statt beim feigen, selbstgefälligen Selbstgespräch zu verharren. Er hört auf die Stimme eines anderen Menschen, er „entbaudelairisiert". Er ist hinweg über den ewig vergeblichen Versuch Baudelaires, durch Verallgemeinerungen über „die" Frau das zu ersetzen, was nur das Ja zu einer einzigen Geliebten zu offenbaren vermag. „Das" Weib wird letztlich immer zu einer mythischen „Feindin" werden, die in Gegensatz zum Schaffen des Dichters tritt. Erst eine zweisam erlebte und ertragene Liebe vermählt sich künstlerisch zu Gedichten wie *Apparition, Soupir, Frisson* oder *Quelle soie* A.

Diese Liebe war weder von Banville noch von Baudelaire her zu bewältigen, alles daran ging über die Kraft des Zwanzigjährigen. „Sie ist mehr wert als wir", sagte ihm Cazalis, als er die blonde Freundin seines Freundes kennenlernte. Christine-Marie Gerhard war sieben Jahre älter als Mallarmé und in dem hessisch-nassauischen Städtchen Camberg, nördlich von Wiesbaden, zu Hause.[1] Dort hatte der Volksschullehrer von Niederwalluff, Franz Gerhard, sein Amt als Knabenschullehrer an der Stadtschule und zugleich als Kantor an der katholischen Pfarrkirche übernommen,[2] bis er am 14. 4. 70 in den Ruhestand trat. Am 5. 12. 57 verlor er seine Frau. Die Sterbende legte ihrer ältesten Tochter ans Herz, für die Erziehung der jüngeren Geschwister Sorge zu tragen. Diese traf indessen eine andere Entscheidung und nahm das Angebot einer Stelle als Kindererzieherin bei der reichen Adelsfamilie Libert des Presles in Sens an. Stéphane fand sie „hübsch, distinguiert, traurig .. Sie zog mich an, ich weiß nicht wie, ich begann ihr erbittert den Hof zu machen. Absagen, Flucht, Entsetzensanfälle, Erröten ihrerseits, Zähigkeit meinerseits. Seit einigen Tagen wird sie sanfter, und ich beginne in ihr Leben einzutreten. Wie alle Kindermädchen und Lehrerinnen, die stets deklassiert sind, hat sie einen schwermütigen Reiz, der auf mich wirkte, so daß ich um etliches verliebt wurde. Als ich das sah, versuchte ich es zu bekämpfen, da ich tausend Ärgerlichkeiten vorausahne: ihre Stelle, die sie durch mich verlieren könnte, denn diese hängt ganz davon ab, wie sie sich benimmt, das kleinstädtische Spionieren, die verlorene Zeit. Das Ringen wirkt nur anspornend. Sie ist hier traurig und fühlt sich nicht zu Hause. Ich bin traurig und fühle mich nicht zu Hause. Aus unserer zwiefachen Schwermut könnten wir vielleicht ein Glück machen. Es wäre nicht überraschend, wenn sie mich ein wenig zu lieben begänne; ganz gewiß bin ich schon in ihr Leben eingedrungen. Vielleicht ist es eine Torheit, was ich hier tue. Nein. In den Ferien werde ich weniger allein sein".[1] Mitte August durfte er ihr einen Strauß Vergißmeinnicht zum Namenstag bringen, er erhielt ihr Bild. Wenn er durch die Grande Rue streifte, erschien sie am Fenster. Er lernte ihre Frömmigkeit, ihre *candeur*, ihr untadeliges Pflichtbewußtsein kennen und später, als er selbst im Ausland war, ihr Leiden am Fremdsein. „Ich koste jetzt meine Trunkenheit aus", erfuhren Cazalis und Des Essarts in Paris. „Ich bin gewiß, daß meine süße Marie mich anbetet und nur für mich lebt. Daher keine Unrast mehr. Diese Woche war unglücklich. Zwei oder drei Küsse mit den Lippen — aber viele aus dem Herzen" (23.8.62). Ihre Lauterkeit half der seinen, sich mählich vom modischen Empfinden zu lösen.

Die beiden Armen hatten viel zu weinen. Im September hatte das Mädchen zwei Wochen lang aufs Land zu verreisen. Er war „wie ein Körper ohne Seele", bis der Abend der Wiederbegegnung da war. Minutenlang schwiegen sie, der Engel in Tränen unter seinen Küssen; er, nur in ihrem Leid lebend, empfand es wie eine Lästerung, andern Tags wieder an die Schreibarbeiten gehen zu müssen. Nichts genoß er so wie den Fahrplan der Eisenbahn, „die gött-

7 Wais 2. A.

lichen Namen, die mein blauer Horizont sind: Köln, Mainz, Wiesbaden. Dorthin möchte ich entfliegen mit meiner süßen Schwester, Marie! Preußen, Deutschland, Österreich, all das verschmilzt in meiner Sehnsucht, und sogar die Bahnhöfe haben für mich einen unsagbaren Wohlgeruch" (25. 9. 62). Sie begnügten sich mit einem ersten, einzigen Ausflug zu zweien in den nahen Wald von Fontainebleau (29. 9.), und hier, in der Herbstsonne, sprach er auch einmal davon, zusammen nach London zu fahren und dort zu heiraten. Sie sagte nichts, so als hätte sie nichts gehört.

All das beschleunigte Mallarmés Entschluß, sich auf die Staatsprüfung, auf das certificat d'aptitude, vorzubereiten, das zum Unterricht des Englischen in den öffentlichen Schulen berechtigte. Daß auch Maries Vater Lehrer war, schien dem Liebenden, dem einstigen „Grafen von Boulainvilliers" und Garibaldianer, ein Grund mehr, sich zu ihr zu bekennen. „Warum ist sie nicht reich? Weil ihr Vater nicht stahl. Was heißt im Grunde reich sein? Dasjenige in der Tasche zu haben, womit der Nachbar, wäre er nicht so dumm gewesen, sich berauben zu lassen, einen Mantel hätte erstehen können. Ich bin auf etwas stolz, sehr stolz. Nämlich daß meine Kinder, wenn Gott mir welche schenkt, kein Krämerblut in den Adern haben werden. Ihr Großvater hat nicht des Morgens eine Oblate unter die Waage gelegt, damit sie ein hundertstel Gramm mehr wiege und ein hundertstel Gramm Sirup weniger ausliefere; welches Zentigramm bei zwanzigfacher Wiederholung am Tag ein Fünftelsgramm ausmacht und nach fünf Tagen ein Gramm, so daß, nachdem man einen Monat lang sechshundertmal des Einsperrens würdig war, ein Sou verdient ist, da sechs Gramm Sirup einen Sou kosten: das heißt Kaufmann sein!.. Ich habe als Wahlspruch: *Nichts Unsauberes,* und jeder Handel ist unsauber."[1]

Ein Studienaufenthalt in England war unumgänglich. So kam Mallarmé am 8. November über Boulogne nach London, „in erster Linie um zu fliehen, aber auch um die Sprache zu sprechen und sie in ruhigem Klassenunterricht zu lehren, ohne zu anderem Brotverdienst gezwungen zu sein: ich hatte mich verheiratet und es drängte". Dies die biographischen Anhaltspunkte, wie er sie zwei

Jahrzehnte später auf Verlaines Ersuchen niederschrieb. In Wirklichkeit war er nicht verheiratet, aber Marie Gerhard fuhr an seiner Seite über Boulogne mit nach London. Mit Tränen im Auge hatte er von den beiden Vertrauten, Des Essarts und Cazalis, eiligen Abschied genommen; Marie hatte nicht mehr Zeit gefunden, Cazalis die Hand zu reichen.

Der erste Monat in der fremden Weltstadt packte den Sohn der ländlichen Einsamkeit rauh an. Das lange Suchen zuerst nach einer Wohnung, die man an dem fast kleinstädtischen, heute verschwundenen Panton Square fand. Dann, noch in der ersten Woche, der Verlust einer größeren Summe an einen geriebenen Gauner; da es kein wirklicher Diebstahl war, erhielt Mallarmé auf seine sofortige Anklage vom Gericht den Bescheid, er sei dumm genug, sich anführen zu lassen. Starke Erkältung kam hinzu: lange noch verband er mit London die Erinnerung an die Nebel, die durch das geschlossene Fenster eindrangen und ihm das Gehirn einmummten; unvergeßlich auch, wie Licht und Wind den Nebel aus den schweren Materialschichten nur darum bis über die Dächer aufzuwirbeln schienen, um ihn geschlossen, endlos, herrlich wieder zu senken, zur Themse herab, die gleichfalls verflüchtigtem Nebel glich.[1]

„Ich lese, schreibe, sie stickt, strickt." Es war auch ein Monat des Glücks. Auf dem Platz vor ihren Fenstern, der ihm später mit seinen verkümmerten Bäumen so öd erschien, orgelte ein dauerndes Volksfest mit rotbemützten Äffchen, gitarrenklimpernden Negern, Lancashire-Musikanten und dem unsterblichen Kasperl. „Ich schütte Pence und Farthings aus, aber welche Freude ist das doch, und wie ich es liebe! Ich schelte Marie, daß sie als braves großes Mädchen den Pulcinella nicht bewundert" (an Cazalis, 14. 11. 62). Er besichtigte auch die *Kloaken* der Stadt, und die grotesken Gestalten der Whitechapel-Kneipen in Banvilles *Laterna magica* mögen auf Berichte Mallarmés zurückgehen.[2] Schließlich warb er auch für den noch ganz unbekannten Poe; durch Mallarmé lernte damals der Chevalier de Châtelain, wie er in einem Brief an Baudelaire mitteilte, dessen Poe-Übersetzung kennen.[3]

„Ich muß abreisen", sagte ihm Marie in der Frühe des dritten Dezember, krank und fiebernd. „Mir ist, als sei mein ganzes Leben dahin", klagt der Dichter den beiden Freunden. „Denkt sie an ihr Leben, das ich täglich zerbreche, an ihre Ehre, die ich Stunde für Stunde auslösche, sie, die Keusche, Anständige, und die vorher niemals den Zustand geahnt hätte, in den die Liebe sie geführt hat?" Nein, an ihn dachte sie, an die Familie Mallarmé, an die Oheime. „Sie hat erraten, daß meine Mutter jetzt von allem unterrichtet war, und hat gefürchtet, zwischen mir und meiner Familie Unfrieden zu stiften. Da hat sie sich gesagt: Ich bin hier überzählig, ich will ihm, nachdem ich ihm alles geopfert habe, auch noch das Glück opfern, das darin liegt, bei ihm, meinem Leben, zu sein! Und nichts kann sie davon abbringen. Sie hat mehr Mut als ich. Ich weine, ich schluchze ohne Aufhören.. Die Pflicht befiehlt mir, sie abreisen zu lassen, bevor es zu spät ist. Grauenvoll, ich muß mein eigener Henker sein!.. Sie ist groß, heilig, ich dürfte vor ihr nur kniefällig das Wort ergreifen.. Sie hat mich geliebt, wie niemand liebt. Was hab' ich aus diesem heiteren, guten Engel gemacht?.. O ich verachte mich, ich bin ein Ungeheuer.. Auch wenn ich sie nicht mehr geliebt hätte, müßte ich mich opfern und sie heiraten. Und ich habe den Rückzug angetreten und ich habe gezögert, weil es dabei zu kämpfen galt und weil es schwierig würde."

Lautlos frühstücken sie und vermeiden, einander anzublicken, um nicht in Tränen auszubrechen. Ein letzter Gang durch den regnerischen St. James' Park. „Bevor ich reise und damit ich den Mut dazu habe, Stéphane, versprich mir, daß du mich nicht vergißt." Und ein andermal: „Für mich gibt es kein Glück mehr." Er ahnt, daß er mit ihr „die Hälfte meines Lebens, die bessere" verliere, und ihm ist so, als ob er sie töte. „Ich schwöre dir heute, wenn sie für mich stirbt, so werde ich tags darauf für sie sterben" (an Cazalis, 4. 12.). Trostlos, daß „unser süßes Leben zu zweien" zu Ende sein soll, geleitet er sie über den Kanal, in Nebel und Sturm, die ihm fortan für immer jede Seereise verleiden. Begegnen sich, fröstelnd im feinen kalten Winterregen, auf dem rauchgeschwärzten Deck ihre Augen, so kommen ihm schon die Tränen, und er möchte sich einreden, „daß wir auf ewig zusammen seien und bloß eine kleine Reise machen" (an Cazalis,

10. 1. 63). Dem Mann, der später aus einer angeborenen Pariser
Sehnsucht nach dem Eleganten die *Dernière Mode* schrieb, blieb
in demütigend wehmütigem Gedächtnis die arme Reisekleidung
der unstät umhereilenden Vielgeliebten: das glanzlos straßenstaub-
farbene lange Kleid, der Mantel feucht auf den kalten Schultern
klebend; der schmucklose Strohhut, vom Meerwind so zerfetzt,
daß die reichen Damen ihn nach der Landung weggeworfen hätten .. aber „die armen Vielgeliebten putzen ihn noch für viele
Sommer neu auf" (*La pipe*).

Im düstern Rieselregen, um ein Uhr früh, bringt er sie in Boulogne zur Bahn. Halbtot löst sie sich aus seinen Armen. „Es ist
entsetzlich, einander fürs Leben zu lassen, wenn man einander
liebt." Und die einsame Rückfahrt, „heulend wie ein Wolf. Ich
blieb auf Deck, das schwarze Wasser zu sehen, in dem ich zu sterben wünschte .. O da habe ich zum erstenmal gefühlt, vor dem ungeheuren Schatten des Himmels und dem Tintenmeer, ich armes,
überall verlassenes Kind, was mein Leben war und mein Ideal und
wie viel in dem Wort Allein liegt .. Wäre sie tot, ich würde jam-
mern und mich beugen, weil Gott die Schuld träfe. Sie wäre das
Vergangene .. Doch sie ist nicht tot .. Ich habe Gewissensbisse"
(an Cazalis, 14. 1.).

Ohne die Post hätte er die nächste Zeit nicht ertragen. Cazalis
schrieb ihm von Maries Ankunft in Paris. Sie hat ihn flehentlich
gebeten, sofort dem Freunde tröstlich zu schreiben und ihm den
Gedanken an ihre Rückkehr nach London auszureden; „der
Schmerz ist für uns beide jetzt sehr groß, aber mit der Zeit wird
es vorübergehen .. Er muß doch sehen, wie ich mich ihm schon
geopfert habe, und muß auch sehen, daß ich mehr für ihn nicht
tun kann, es sei denn, ich verlöre mich vollends ganz." Und es
kommt ein Brief von ihr: „Alles ist für mich aus, aber ich kann
nicht weinen, ich fühle, daß ich nur noch sanft zu leiden haben
werde – wird Gott mir die Kraft dazu geben?" Das feierliche zwei-
malige Anklopfen des Briefträgers, welches ihn des Morgens aus
dem Schlaf schreckte, das Poltern der Kohlen aus dem Blecheimer
in das Eisenbecken seines Kaminofens klingt ihm noch jahrelang
in den Ohren; so sehr war er, zusammen mit seiner mageren
schwarzen Katze und seiner „treuen Freundin", der Tabakspfeife,

der Einsamkeit des düsteren Zimmers ausgeliefert, auf dessen
Ledermöbeln der Kohlenstaub lag (*La pipe*). Er suchte nach Klarheit. Die Empfehlungsschreiben, von großelterlichen Bekannten
an Londoner Freunde gerichtet, ließ er achtlos liegen, nur bei Mrs.
Yapp war er gelegentlich erschienen. In der Ferne klagte die Großmutter, daß er alles versäume. Stéphane hielt sich unterdessen vor
Augen, was er im Wald von Fontainebleau gesprochen hatte. Zum
erstenmal redete er in seinen Briefen an die Freunde von dem Plan,
zu heiraten. Das Schreckliche sei, daß in der Tat er vielleicht über
alles hinwegkäme, aber niemals sie. „Sie wegwerfen, zusammen
mit alten Sträußen .. Es wäre ehrlos, verbrecherisch, sie nicht zu
heiraten .. Mehr noch, selbst wenn ich sie nicht liebte, müßte ich
es tun .. Ich weiß, ich tue etwas Edles .. Wenn du wüßtest, wie
ich mein Gewissen von Freude wie von einer Morgenröte über-
strahlt fühle: ja, das Gute existiert .. Freund, die Liebe kann hienieden nur einen ihrer würdigen Abschluß finden, den Tod. Die
anderen Abschlüsse sind die Entzauberung oder die Gleichgültigkeit. Entsetzlich .." (3o. i.). Als Marie ablehnt, tobt der Zwanzigjährige weinend, lachend, wütend, schlaflos umher, sucht in
einem Schwanktheater vergebliche Betäubung, aus jeder Richtung geworfen. „Ich kann nicht glauben, daß ihre Absage uneigennützig ist ... Nein, die edelste Frau ist nicht so viel wert wie
ein Mann.[1] Vielleicht auch ist sie zu hochgesinnt. Aber wie einfäl-
tig, hochgesinnt zu sein", lästerte er Cazalis gegenüber (3. 2.). Der
bat ihn immer wieder um ruhige Überlegung. Marie „ist großartig, und du wirst sie töten, wenn du weitermachst. Ja, sie würde
zurückkehren, für dich und nicht für sich. Sie hat mir's gesagt,
mit einer bewundernswerten Leidenschaft; und du hast an ihr gezweifelt! Wenn sie dir die Heirat ausschlug, so war es um deinet-
willen: es ist darum, damit nicht eines Tages du, der so Junge, zu
bedauern hättest, deine Pflicht so nobel getan zu haben .. Marie
hat mir immer wieder gesagt: sie will dich retten, findet dich zu
jung, hat Angst, mein Stéphane, dir dein Leben wegzunehmen, und
wäre es auch, es mit Liebe zu umgeben .. Tu die Augen auf und
bewundere sie; und sei nicht wie ein Narr, der nur stöhnen kann".
Besonnener klang Mallarmés Brief vom 6. Februar. Im Namen
der bedingungslosen Leidenschaft hatte er sie unterdessen in einem

neuen Brief zu kommen angefleht; die Heiratspläne hatte er diesmal listig verborgen. Von der Haßanwandlung gegen sie war ein
Rest geblieben: er grollte, eine ideale Liebe dürfe überhaupt nicht
bedenken, ob sie sich zugrunde richte. „Sag ihr eben, daß ich sie
liebe, daß ich sie anbete, daß ich an nichts denke als an sie, Nacht
und Tag, denn ich kann sogar nachts nicht mehr schlafen, ich,
der es jetzt so nötig hätte, nicht zu existieren .. Mir wäre lieber,
sie sagte nein, als so bleiben zu müssen, ohne Ahnung, was tun
und was denken. Du kannst dir denken (aber das verbiete ich dir,
ihr zu sagen), daß, wenn sie einwilligte, ohne Versprechung meinerseits zurückzukehren, ich sie heiraten würde .. Nur wäre ich
glücklich und stolz für sie gewesen, wenn sie vor acht Tagen ja
gesagt hätte" (6. 2.). Und in dieser letzten Not, als vier Tage später der Morgen graute, betrat todmüde und krank von der Reise
Marie Gerhard das Zimmer an der Coventry Street. „Noch haben
wir über nichts gesprochen .. Ich bin außer mir, sie zu sehen: das
ist alles, was ich weiß" (10. 2.).

Noch war nicht alles durchgekämpft, aber der junge Mann
faßte neuen Mut, und er hoffte, mit Cazalis' Hilfe auch Des Essarts, den gemeinsamen Freund, für seinen Plan zu gewinnen. Er
wollte die Heirat durchsetzen. Seine finanzielle Lage war, zumal
durch die in einem Monat erfolgende Mündigkeitserklärung, keineswegs schlecht; gelegentlicher Geldmangel erklärte sich daraus,
daß das Paar zu Monatsanfang „wie leichtsinnige Spatzen tausend
kleine Narrheiten ausführte".[1]

War er zu schwach oder waren andere Dinge zu stark? Am
vierten März siedelte das Mädchen plötzlich nach Brüssel über.
„Alles ist aus", klagte er dem selber untröstlichen Cazalis, den
sein Medizinstudium nach Straßburg abrief. „So liegt zwischen
heut und gestern der Abgrund von zwanzig Jahren. Ja, in zwanzig
Jahren sind wir ganz wie gestern getrennt. Und doch saß sie gestern noch auf diesem Sessel, und eben finde ich eines ihrer Haare
an meiner Schulter .. Sag nicht, alles sei noch nicht verloren. Ich
sehe die Zukunft. Lang werd' ich sie lieben und dann .. Voller
Leben und Liebe, in dem Augenblick, wo wir einiger sind als je,
da wir wie ein Fleisch, wie eine Seele sind, uns zu trennen und einander gewalttätig der Vergessenheit zu weihen! Wem bringen wir

dies Opfer? Meiner Familie, die von Marie verleumderisch sprechen würde .. Ich glaube, der Kummer wird sie töten. In diesem
Fall werde ich ihr folgen, und das wäre das glücklichste für uns
beide .. Nie war ich so unglücklich wie jetzt."

Doch als ihm bei seinem einundzwanzigsten Geburtstag im März
eine nicht ganz unbeträchtliche Erbschaft zufiel, machte er dem
qualvollen Hinundher ein Ende. Als er im April persönlich, nach
kurzer Rückkehr zum Begräbnis seines Vaters, in Sens und Versailles seine baldige Verheiratung angekündigt hatte – als wahre
und taktvolle Freundin erwies sich zu allgemeiner Überraschung
dabei seine Stiefmutter –, holte er Marie in Brüssel ab. Als abgöt-
tischer Verehrer blonden Frauenhaars schuldete er auch dem großen Rubens längst eine Antwerpen-Fahrt; zugleich ein Zeichen,
daß ihm die bleiche Schwermut des englischen Präraffaelismus
nicht genügte und daß Befürchtungen seiner Freunde ungerecht-
fertigt waren, er könnte ein Mädchen mit „weißen Blumen" statt
eines mit „schönen Hüften" lieben, .. wie sein Freund Glatigny
in dem Gedicht *L'Amoureuse de Mallarmé* erfreut feststellte.[1] Von
Antwerpen erreichten die Liebenden Ende April 1863 das Londoner Heim. Stéphane begann für das Examen zu arbeiten. Am
10. August verbanden sich, laut Trauschein, in der Sakristei von
Kensington, Middlesex, der Künstler Etienne, genannt Stéphane,
Mallarmé, 21 Jahre alt, und Christine-Marie Gerhard, 25 [sic]
Jahre alt.

Das Inferno dieses Winters hat Mallarmé um Jahre älter gemacht und hatte zugleich eine überraschend kämpferische Ent-
schlossenheit in ihm entwickelt, die sich in einem harten, männlichen Rechenschaftsbericht für Cazalis ausspricht: „Würde ich
um meines Glücks willen Marie heiraten, wäre ich wahnsinnig.
Gibt es übrigens das Glück hienieden? Und soll man es ernstlich
anderswo suchen als im Traum? Dieses ist das falsche Lebensziel;
das wahre ist die PFLICHT. Die Pflicht, ob sie sich nun Kunst,
Kampf oder anderswie nenne. Ich verhehle mir nicht, ich werde
mitunter furchtbar zu kämpfen haben – und mit großen Enttäu-
schungen, die später marternd werden. Ich verberge mir nichts.
Nur: ich will alles mit einem festen Blick sehen und ein wenig
jenen Willen aufrufen, den ich seither nur dem Namen nach

kannte .. Ich heirate Marie .. ich handle nicht um meiner, nur um ihrer willen" (27. 4. 63).

Sowenig die bisherigen Anfechtungen ihrer Liebe rein in äußeren Umständen lagen, sowenig durfte der Dichter nun ihr plötzliches Aufhören erwarten. Bevor er im September endlich die Prüfung ablegte, gab es wehmütige schlaffe Wochen in Sens, in denen er von den Stätten seiner ersten Liebe und von seiner ganzen Jugendzeit einsamen Abschied nahm. Damals vielleicht hat er das Prosagedicht *Plainte d'automne* geschrieben. Seine Liebe zu allem Schönen, das zur Neige geht, wählte sich aus dem ganzen Jahreslauf eben diese letzten Sommertage vor dem Herbstbeginn, und ebenso aus dem Tageslauf das kupferfarbene Sinken der Sonne, die erlöschen will. So wie ihn in der Literatur — ,,da die Seele die Sklavin der Empfindungen ist" (Fassung A_1) — die hinter ihrer Schminke verfallende Spätantike erschütterte; und in der ganzen Musik, mehr als die sänftigende Geige oder das glitzernde Piano, eine rührselige Drehorgel .. wie jene, die er verträumt, trüb und weinend in der Abenddämmerung vor seinem Fenster einen vorgestrigen Gassenhauer spielen hörte.

Neben einer gewissen stillen und lauschenden Knabenhaftigkeit, deren entschlußlähmende Krisen er immer wieder beklagte, widerstrebte auch anderes der verfrühten Eheschließung. Der alte feindselige Zynismus mochte nun für immer überwunden sein, .. es blieb ein ungestillter Drang nach Unabhängigkeit, vor allem aber die Besorgnis um das Schicksal seiner künstlerischen Berufung. Er fühlte sich seiner Frau verbunden, weil sie gleichfalls die *Anmut der verwelkten Dinge* liebte — diesen Ausdruck schlug sie ihm für ein Prosagedicht vor (Symph. litt. II), wie er rühmend berichtete; so beängstigt sei sie vom Schreiend-Aufdringlichen neuer Dinge, daß sie diese allein darum und trotz ihrer eigenen Schwerblütigkeit abzunutzen wünschte (*Frisson d'hiver*). Auch war seine Wahl die reifste und schönste, die er hätte tun können, wie ein Bekannter später versicherte: ,,Ich glaube nicht, daß die Frau irgendeines anderen *Parnaß*dichters mehr und berechtigtere Verehrung verdiente. Sie schlug alle Einladungen ab, um sie nicht zurückgeben zu müssen; und um Kleiderausgaben zu vermeiden, vermied sie aufzutreten. Ihr Gatte schleppte sie mit ihrer Tochter zwei- oder dreimal zu Leconte de Lisle mit; es gelang ihm nicht, sie an diesen Ausgängen Geschmack finden zu lassen";[1] dafür begleitete sie ihn übrigens später in zahlreiche befreundete Familien.[2] „Sie ist so intelligent, wie es eine Frau sein kann, ohne ein Monstrum zu sein. Ich werde sie zur Künstlerin machen .. Ja, wir sind verheiratet .. Wir lieben uns .. Wenn ich je einen kleinen Faun zur Welt bringe, so wird er ehelich sein."

„Meine kleine Deutsche Marie ist für einen Augenblick ausgegangen, indem sie ihre ausgebesserten Strümpfe auf meinem Baudelaire zurückließ. Das ergötzt mich so sehr, daß ich sie nicht wegnehmen kann" (an Cazalis, Dez. 63). Die Ehe bedeutete Gesundung für den allzu Einsamen, ein erfrischendes Bad, in welchem er sich wie der muntere gute Schwimmer bei Baudelaire[3] mit neugeborenen Stößen tummeln konnte. Und doch entstanden vielleicht erst in dieser Zeit die Verse, in denen sein Gewissen reuig von Undankbarkeit und Verrat gegen seine MUSE raunte, von Ungehorsam gegen ihren warnenden Ruf.

Wie Baudelaire im *Vieux Saltimbanque*, wirft sich Mallarmé in dem Sonett *Le Pitre châtié* das buntscheckige Gewand eines Clowns um oder in der zweiten Fassung (B 1887) das eines schlechten Schmieren-Schauspielers.[4] So entwürdigend scheint ihm die Lage des Dichters vor seinem Publikum; Schminke (metaphorisch: „ranzige Nacht der Haut") und dumpfer Rampenruß von Talgfunseln, eintönige nächtliche starre Szenerie ist ihm die Kunst. Liebe und Leben dagegen pulsen in dynamischem[5] Aufleuchten: den Mimen locken sie zur Flucht aus der Schaubude, durch duftendes Gras treibt es ihn zu zwei verbotenen lockenden Seen – mit dem landläufigen Bild pflegte man die blauen Augen der Geliebten zu meinen.[6] Er wirft sein Gauklergewand für immer ab, um als ein anderer sich zu häuten, und taucht ins Wasser. Bald lösen sich die Schminkereste der tausend einst verkörperten Rollen los, eine unter der andern, und als sie alle ranzig dunkel an die Oberfläche steigen – grausend nennt er sie nachher Gräber, wie ja jegliche Kunstschöpfung ein Grab ihres Schöpfers ist –, da schwimmt er jungfräulich unter ihnen durch, und golden-heiter wie Zymbelwirbel begrüßt die eben aufleuchtende Morgensonne seinen perlweiß auftauchenden nackten Körper.

Zugleich aber empfindet der Überläufer, wie arm, wie durch-
schnittlich er plötzlich geworden ist und wie er nun für die Liebe
sein Bestes ausgegeben, verschleudert hat, sein Genie. Seine *Sal-
bung*, sagt Mallarmé dafür in Fassung B, nicht allein das Bild des
Schminkfetts weiterführend, sondern zugleich Fassung A um ein
Geringeres abschwächend; auch durch die Beseitigung der Muse[1]
wird B aus einer Selbstanklage zur bloßen Klage. Gleichzeitig aber,
als ein letztes Auswringen der Anfangsmetapher *Auge* und *Seen*,
nennt B die Seen nicht mehr nur gletscherweiß, sondern gletscher-
kalt. Konnte ihm die Liebe das Opfer seiner Sendung nicht auf-
wiegen? Oder schlägt er hier 1887 noch einmal das *Faun*-Motiv
vom „Perfiden" der gletscherhaften Schönheit an? Es bleibt die
Reue, den Tempel verlassen zu haben; man kennt sie aus *Andenken*, dem Gedicht des jungen George.

Mallarmé hat den Vorwurf, welcher die Frau mittreffen könnte,
nicht wiederholt. In allen anderen Gedichten stellte er sie anders
und tiefer, dankbarer seiner Dichtung gegenüber. Aber das Reue-
bekenntnis des *Pitre châtié* leitet über zu einer Reihe von Dichtungen, in welchen der lähmende Alpdruck sich erhebt, er habe
sich übernommen, .. und die Angst, der Last seines Vorhabens nicht
mehr gewachsen zu sein.

V

KRAFTPROBE

Im Antlitz der Natur

In diesen Jahren entstanden die Verse Mallarmés, welche für
die meisten mit seinem Namen am unlöslichsten verknüpft sind. Es
sind nicht mehr Gesänge der Ratlosigkeit, sondern Gesänge eines
Ringens, in dem es um Sein oder Nichtsein geht. Dieses hatte er
bisher nicht gewußt, daß es das Leben darauf angelegt habe, ihm
den Traum zu rauben, die Seele zu verhärten, ihm als einziges
Glück die satte Befriedigung materieller Begierden zu verheißen.
Im Augenblick dieser Erkenntnis rafft er sich auf zur entscheidenden Kraftprobe: entweder mitten im kümmerlichen „ici-bas", das

„nach Küche riecht" (an Cazalis, 3. 6. 63),[1] für seine Dichterwelt
eine Lebensmöglichkeit zu erkämpfen oder sein verspieltes Leben
zu enden. Wir haben keine Veranlassung, den Ernst dieser an sein
Selbst gerichteten Forderung anzuzweifeln. Hier unterscheidet sich
der junge Mallarmé von Baudelaire, der zu einem Entweder-Oder
allzu genießerisch blieb und der froh war, dem Hundeleben in
kurzen Rauschzuständen ein Stück Schönheit abzulisten. Mallarmé
widerstrebte stets dem Rausch. Sodann hielt sich Baudelaire die
Flucht in das Christentum offen. Was er in seinen Versen auf
Rembrandt erschaute, war im Grunde sein eigenes Welterleben:
ein großes Kruzifix über einer verseuchten, stinkenden Kranken-
stube.

In der Dichtung *Die Fenster* übernimmt Mallarmé dieses Bild.
Aber das Kruzifix, zu dem als Weihrauch der Bettgeruch des
Sterbesaals aufsteigt, hängt bei ihm öd und tot an kahler Wand ..
gleichsam ein Symbol für die Matratzengrüfte und für das Grauen,
das dort einen faulenden Todkranken beschleicht vor dem Sakra-
ment der Letzten Ölung. Nicht von diesem Dasein im Dunkel erhofft der abgemagerte Greis die Erlösung, durch welche Befleck-
tes wieder keusch würde, ein Engel, und wo Sterben ein Wieder-
aufstehen bedeutet – als ein Traumkönig im Blumenparadies der
gewesenen Schönheit .. in jenem Kindheitsland, in das noch der
dreiundvierzigjährige Mallarmé der *Prose* sich zurücktastet. Erst
wo man der Welt des Ekels die Schulter (A: le dos) kehrt, blaut
geläutert der Ewige Morgen: an den *Fenstern*. Man möge bei diesem Symbol, stellt Mallarmé frei, an die Kunst denken oder an die
Mystik.

Die Fensterscheibe,[2] das ist die Scheidewand zwischen dem
Diesseits und Drüben, zwischen dem Siechtum und einem Horizont
weit hinter den Ziegeln, auf denen das Abendglühen blutet. Wie
die Höhlenwand der irdischen Gefangenen in Platons *Staat*, so ist
die Scheibe, betaut von Unendlichkeit, der Widerschein des fernen
Sonnengolds, des heidnischen Lichtfestes, aus dem in wundervollen
Versen eine abendliche Hafenvision im Baudelairestil[3] sich formt.
Vergangenheitsträchtige Fata Morgana eines verträumten Purpur-
stroms, auf welchem sich schöngeschweifte Prunkgaleeren wiegen
als *Aufforderung zur Fahrt* ins Land der Schönheit.

In krassem Gegensatz – an ihm hat sich später Georges Rodenbach, ein Mallarmé-Verehrer, in seiner eigenen Dichtung geradezu
festgefahren – nun der krätzige Todkranke, fiebernd nach
Himmelsblau! Inbrünstig pressen seine klebrigen weißen Haare
sich an die lauwarme Scheibe .. bei einem lechzenden Kuß, der
ihn noch einmal erinnert an das langvergangene Eratmen jungfräulicher Haut .. Doch als sogar dabei, im Angesicht des Azur-
himmels, der Pesthauch als herrisches Diesseits wieder andrängt,
und als er auch die Fensterscheiben des Ideals schließlich von der
Ausschleimung des Ungeheuers *Stumpfsinn* befleckt sehen muß,
da möchte er am liebsten die Scheibe zwischen den beiden Welten
durchstoßen und mit seinen federlosen Schwingen hinüberflüch-
ten, risse es ihn dabei auch in den Abgrund der Verdammnis hinab.[1] In dem Brief aus London, dem Mallarmé das Gedicht bei-
legte, beschwor er Cazalis: „O mon Henri, abreuve-toi d'Idéal.
Le bonheur d'ici bas est ignoble" (3. 6. 63). Ästhetik oder Mystik? Aus solchen Stellen ergibt sich die Berechtigung, die Dichtung in ihrer Bindung an das Erlebte zu fassen. Sie zeigen sodann,
daß diese Idealität um so hartnäckiger wird, als sie auf den Versuch verzichtet, durch Dichtungen hindurch zu agitieren. Des Essarts, so heißt es im gleichen Londoner Brief, „vermengt zu sehr
Ideales mit Realem. Die Torheit eines modernen Dichters ging so
weit, zu bejammern, daß *das Handeln nicht die Schwester des
Traumes sei.* Emmanuel gehört zu denen, die darüber trauern.
Mein Gott, wenn es anders wäre, wenn der Traum so entjungfert
und erniedrigt würde, wohin sollten wir Unglücklichen, welche die
Erde anekelt, uns retten, wir, die wir nur den Traum als Zuflucht
haben?" (*Propos* 32 f.). Der Rückschlag auf den Optimismus des
18. Jahrhunderts ist hier auf seinem Höhepunkt. Selbst als der
Dichter später behaglich einen Spaziergang schildert, auch daß er
sich wohl befinde und daß Marie ihre Blässe und Magerkeit verliere, selbst da scheint ihm zu bangen, er könnte die Wahrheit über
das große Leid vergessen, und er fügt hinzu: „Man muß feige sein,
um glücklich zu sein" (an Cazalis, 30. 12. 63).

Daß die Schönheit bedroht sei, daß es nicht mehr Zeit sei, in
ihr mit vollen Händen zu schwelgen, nur noch zu retten, was von
den schwarzen Klauen des eisernen Zeitalters noch nicht umkrallt

sei, aus dieser pessimistischen und kämpferischen Erkenntnis wächst die dichterische Haltung Mallarmés. Vor seinem Geist steht schreckhaft die Vision einer künftigen von Seuche und Sünde zermürbten Menschheit am Vorabend des Weltuntergangs, welchen die jämmerlichen Kinder abstoßender kahlköpfiger Weiber erleben werden. Unter einen verblichenen Himmel, an dem die Sonnenuntergänge mit ihrem abgenützten Purpur wie Verzweiflungsschreie stehen,[1] führt er prophetisch den Leser, im Prosagedicht *Le Phénomène futur*. Als diesem überlebten Menschengeschlecht in einer Jahrmarktsbude die Vergangenheitsrarität eines edlen nackten Frauenkörpers ausgerufen wird, da bleiben viele in kraftloser Gleichgültigkeit verständnislos, so artfremd sind sie der Schönheit, von der schon kein Maler mehr einen Abglanz zu geben vermag. Andere begreifen feuchten Blickes den Verlust, und für einen Augenblick fühlen die Dichter ihre erloschenen Augen schöpferisch und zeitfern aufblitzen vor dem ekstatischen Goldrausch urweltlich echten Frauenhaars.

Das sind spürbar Schauer der Großstadt, aus London oder Paris, vermutlich vor Mallarmés dreijährigem Aufenthalt in der Rhônestadt Tournon. Am ersten November 1863 begann er dort seine Dienstzeit als Lehrer des Englischen in dem Lyzeum von 1536. Zum erstenmal erlebte er den südfranzösischen Frühling, in der Freizeit unter den Kastanienbäumen des Parks wandelnd und nach dem Mittagsunterricht den Rhônedamm entlangschlendernd. Am 6. Oktober 1865 siedelte er aus einer allzu engen und heißen Wohnung der Stadtmitte in das Häuschen Schloßallee 2 über, das auf der Stelle eines alten Stadtturms mitten zwischen der Festungsmauer errichtet worden war. Unter dem Fenster dieses Hauses, an dem man später eine Gedenktafel angebracht hat, floß die Rhône, dahinter hob sich beglückend der ungewohnt blaue Himmel, die Sonne in Auf- und Untergang, die weichen Herbstnebel. Um so mehr erschauerte er im Winter unter dem eisigen Nordwind. „Tournon liegt auf der Bahn aller Winde Europas, es ist ihre Haltestelle und ihr Treffpunkt.. Manchmal ist der Himmel sommerlich und die Sonne lau und belebend durch die Scheiben. Man geht aus, auf dem Land umherzustreifen, aber der bübische Wind macht Anstalten, einen einige Meilen weit wegzutragen."[2]

Das Reich der Schönheit und des Glücks hatte er, in den *Fenê-tres,* dreifach als Naturschauspiel erlebt: als Sonnenuntergang, als blauenden Himmel (l'Azur), als Fluß mit den Booten. Und lernt nun langsam, ungläubig zuerst, daß noch nicht alles verloren sei, daß es nicht nötig sei, aus dem Leben zu fliehen, daß es die Schönheit noch gebe, greifbar vor den Augen. Rückschläge standen bevor. Die nächste Krise trieb ihn von der Sonne weg wieder zur Nacht hin.

Als verzückte Gipfelung dessen, was den Sterblichen an himmlischer Schönheit vergönnt sei, bestätigte sich für ihn, wie ehedem für Hölderlin, das Licht des Sonnenuntergangs. Ob auch buchmäßiger Anteil dies Erlebnis mitbestimmte? Théodore Aubanel, der 1864 gewonnene Freund, der neuprovenzalische Lyriker, war eben damals aus der verzweifelten Umdüsterung seines ersten Versbandes *La Mioùgrano entreduberto* genesen; manche seiner noch unveröffentlichten Jubelhymnen an Licht und Leben, *Li Fiho d'Avignoun,* hatte er Mallarmé gesandt. Da starb, ihr rotes Naß austropfend auf den gellenden Wald, die Sonne gleich einem König, den des Mörders Dolchstoß entleibte, rotfarben sein Leichentuch von brandglühendem Blut.[1] Oder in *Li Fabre:* „blendend entflutet das Gold, hinter sich als Schleppe einen langen sturmgepeitschten Vorhang. Feuers Brunst lodert auf im Occidens. Ist's nicht wie Sturmesprall einer Dämonenschlacht oder als hämmerten phantastische Marschalke in den Wolkenfetzen die rotglühende Sonne, als schmiedeten wilde Riesen für das Diadem der nächsten Morgenröte Gold- und Diamantenstrahlen? Sprühfunken, Blitze, Brandgarben, Blutregen hüllen Erd und Himmel in Lohe und furchtbaren Feuerknall."

Entsprach auch solche Ekstase südfranzösischer Prägung nicht ganz dem Schüler Poes und dem Meister einer sinnbildlichen Durchtränkung des Naturhaften, das Licht des Südens hat ihm doch Trost geschenkt. Religiös bedeutsam erklang das Motiv in der gelehrten *Traduction comparée des Hymnes au Soleil,* welche sein Freund Lefébure im Dezember 1868 veröffentlichte. Fünf Naturgedichte aus der Zeit um 1863, in der vom Dichter bestimmten Reihenfolge an die *Fenster* anschließend, sind die ehrlich erkämpften Stationen seiner Stärkung durch die Natur.

Noch der an des Lebens Häßlichkeit hinsiechende müde Dichter, den wir kennen, spricht in dem Gedicht *Les Fleurs*, keinem
seiner besten, von seiner Liebe zu den Blumen. Den *fioles de poison*, der *Laudanumfiole* Baudelaires,[1] meint er zwar dereinst nicht
entrinnen zu können. Aber er ist dankbar, daß dem Dichter die
Neige dieser Welt wie eine balsamische Narde in so herrlichen
Duftkelchen kredenzt werde,[2] daß die Schöpfung überhaupt etwas
bedeutet, daß jemand einen Sinn in sie legte, nämlich die Schönheit. Darum stammelt er ,,aus der Niederung unserer Unzulänglichkeit" (A) sein sakrales Hosianna, das fern zwischen den glitzernden Heiligenscheinen des Sonnenuntergangs verhallt. ,,Gerecht
und stark" hat die Mutter Erde am Ersten Tag, da die Welt
nach der Erschaffung noch frei von Qualen war und unbehelligt
vom Tragischen (vgl. *Prose*), aus dem Ur-Blau des goldbeglänzten
Gewölks und aus dem Ur-Weiß des Ewigen Schnees am Firmament[3] die Blumen gelöst. In ihnen empfindet Mallarmé endlich die
Gegenwart der Schönheit, und zwar so sinnbildlich vergeistigt,
wie er es von einer läuternden Schönheit verlangte. An Dante und
die göttlichen Einsamen mahnt ihn der *Lorbeer* mit seinem unfaßbaren, keuschesten Leuchten, das, als müßte es so sein (ein Binnen-
reim unterstreicht es), von der schamerglühenden Morgenröte auf
die Zehe[4] eines darüberschreitenden Seraphs strahlt (und wie der,
di sotto in su gesehen, ins dunkel Gigantische wächst!). Die *Rose*,
die glühendste, betäubenden Blutes, ist ihm die grausam stolze
Herodias unter den Blumen; – die Farben dafür mußte er sich in
Banvilles sinnlicherer Dichtung entlehnen,[5] aber das Herauf-
beschwören des Verzehrenden, durch Alliteration, ist sein eigenes
Verdienst. Und in den weißen *Lilien* der englischen Lyrik, die aus
bläulichem Abenddunst zum weinenden Monde träumen, fühlt er
das Seufzen der schmerzensreichen Menschheit mit. Daß Mallarmés Verhältnis zu den Blumen damals noch allzu ästhetizistisch
war, noch nicht schlicht und unmittelbar genug, als daß man davon eine innere Aufrichtung hätte erwarten können, verrät die Vorliebe für allerlei Zierblumen, während ein John Keats (*Fancy*)
über den Lilien und Hyazinthen die Gänse- und Schlüsselblumen
nicht vergessen hatte, und auch Hugo in einem Gedicht auf die
ersten Blumen im Paradies neben der Rose mit ihren sinnlichen

DER EINUNDZWANZIGJÄHRIGE MALLARMÉ
(1863)

Lippen, neben Nelke, Lotus und Lilie, auch an das Vergißmeinnicht denkt.[1] Der Mallarmé von Valvins wird auch hierin der Natur sich nähern — so daß später Rodin sich verwunderte: „dieser Künstler mit einer so gezierten Sprache verachtete dennoch die seltenen Blumen. Ihm genügten die gewöhnlichen."[2]

Warum er nicht wagte, Brust an Brust der vollen, der ganzen Natur zu nahen? Von ihrer Schönheit erhoffte er Läuterung, ihre triebhafte Dumpfheit entmutigte ihn. Die Sonne „trocknet das Herz aus" (an Aubanel). Die Sinnlichkeit, die Erdschwere, mußte durchquert, beherrscht, der *hasard* durchgeistigt werden, bevor der gestaltlose *rêve vague et beau* sinnenhafte Dichtung würde. Was ihm zuvor bei frostkühlem, schneeklarem Schaffen munter geraten war, hält dem Hauch des *Neuen Frühlings,* der ihm Genesung bringen sollte, nicht stand. Das winterliche Weiß verdämmert, wird lau, taut, schmilzt. In Anklage gegen den morbiden Lenz beginnt feierlich das Sonett *Renouveau* (Vere Novo), sinkt langsam zur Verzweiflung nieder, um sich zuletzt wunderbar in einen Sprühregen von Tönen und Farben aufzulösen. Ziellosigkeit, Schwächung, träge Schaffensunlust des dumpfen Blutes[3] räkelt sich gähnend, wie ein Grabesgitter umpreßt es ihm den Schädel. *La chair est triste, hélas ..* sagt er in Umkehrung des Worts vom schwachen Fleisch. Mit schlaffer Gebärde sinkt er hin im schwülen Duften der Bäume, wühlt das Haupt in die heiße, mit ihren Säften prahlende Erde .. und es entsteht etwas wie ein Grab — eine kühne Assoziation raunt ihm zu: das Grab seiner hohen Hoffnung. Doch wie er nun gekauert der Wiederkehr des *Ennui,* des alten Peinigers, harrt, mitten im Gefild, wo all das Sprießen so aufdringlich sich spreizt, da schiebt sich lachend die hehre Himmelsbläue über die Hecke, die Vögel erwachen, knospen auf, zwitschern zur Sonne hin. *Avril et ses bouquets rit au milieu des fosses* jubelte es ja auch in einem Sonett des gesundeten Freundes Aubanel;[4] selbst ein Toter, unter seinem grünprangenden Rasen heiter gewärmt von der freundlichen Sonne, lauscht da herauf ..

Noch hebt Mallarmé nicht die Augen. Wohl ahnt er das sieghaft Seiende und Erneuende (renouveau) des lenzlichen Äthers, aber zugleich sieht er seinen eigenen Leib beim Harren auf den *Ennui* liegen. Der weite Äther, gewiß, er bietet nicht bloße Tröstung wie die

8 Wais 2. A.

Blumen. Er ist mehr, er ist Inbegriff der Schönheitsgewißheit, ohne die seine Seele nicht atmen kann. Noch zweimal sucht ihn der *Ennui* – Beklemmung, Trübe, Entmutigung – am Boden zu halten. Durch Selbstanklage und Reue zuerst (*Las de l'amer repos*). Danach durch die zermürbende Angst, diese Schönheit gleiche dem grausam unerreichbaren Absoluten (*L'Azur*).

Mallarmés Wunde, vom *Sonneur* bis zur *Prose*, bricht im ersten Gedicht wieder auf. Einst lebte er in der Morgenröte der Kindschaft, wo ein Rosengebüsch unter der Himmelsbläue, der urnaturhaften (*Enjambement!*), alle Seligkeit umspannte. Und er verlor sie, verspielte sie durch den Sündenfall, den einzigen: Dünkel, literarische Distanz, blasierten Ruhm. Den Weg zurück versperrt ihm die Qual, bald alle Bücher gelesen zu haben, und die Reue, sowohl über sein Nicht-Arbeiten, als, noch siebenfach mehr, über sein Arbeiten. Welche Fron, in durchwachten Nächten einen Graben um den anderen im frostigen Ackerfeld seines Gehirns auszuheben .. und wofür? Totengräberarbeit, mühseliges Ausheben leerer Löcher, die dereinst doch nur in einem weiten Friedhof ausgeebnet sein werden. Denn die fahlen, kurzlebigen Rosen, die dort gewachsen sind, wie dürften sie neben jenen anderen, verlorenen, zu bestehen hoffen, an deren Leuchten ihn die nächste rosenfingrige Morgenröte schmerzvoll gemahnt. Fort also von der unersättlichen Dichtung, und mag auch alles ihn zurückhalten, die Freunde, die literarische Vergangenheit, die Dichterberufung und die bittersüße Erinnerung an das nächtliche Ackern, an den todesharten Agon um die Form. Abermals also ein Wille zum Sterben wie in *Les Fleurs*.

Doch ähnlich wie dort wünscht er sich den Tod heiter, eins geworden mit dem, was Weise als Höchstes wünschen. Nach der Flucht aus dem „grausamen Land" möchte er, auf mondschneeweißes jungfräuliches Porzellan, noch eine junge klare Landschaft malen. In derselben lauteren Verzückung, mit welcher der feinempfindende Chinese mit einem weiten verhauchenden Strich – fast verliert man sein Ende auch im Vers aus den Augen – eine eigentümliche Blume malt .. dieselbe, die in seiner Kindheit einst „am blauen Filigran der Seele" sich emporrankte und sein ganzes duftiges Leben durchhauchte! Und Mallarmé malt diese chinesische

Porzellanlandschaft „Halbmond, im See gespiegelt", malt sie halb abwesend in den fünf Schlußversen nach, in denen plötzlich alles Leid um den Verlust pflanzlichen Natur-Seins verstummt, und welche seine ersten wahrhaft unsterblichen und nur durch ihn erreichbaren sind, die abgetöntesten deskriptiven Verse der französischen Dichtung; zum Blau tritt Smaragdgrün, als ein Gegensatz zur fahlen Farblosigkeit in der Seele des Dichters. — In seiner Freude am Ostasiatischen traf sich ja Mallarmé, der seinen Gästen den Tabak in altchinesischem Porzellan zu bieten pflegte, auch mit Baudelaire, der schon 1861 „japonneries" (Farbholzschnitte) an seine Freunde verteilte, mit Manet, Ph. Burty und Whistler.[1] Gleichwohl kam er sich dabei demütig als „personne peu clair de lune" vor (Dédicaces, 37; P[5] [= œuvres compl. 1945], 159).

Das Gedicht *Las de l'amer repos* betonte des Dichters Ungenügen mit den ihm gegebenen Ausdrucksmitteln, eine Krise, die noch zwanzig Jahre später im Wagner-Sonett wiederkehrt und mit der jeder wahre Künstler zu ringen hat .. so auch Baudelaire, als es ihm nicht gelang, den Herbsthimmel künstlerisch zu bewältigen: „und nun bestürzt mich des Himmels Tiefe, erbittert mich seine Durchsichtigkeit. Die Unempfindlichkeit des Meers, die Unwandelbarkeit des Schauspiels wiegeln mich auf .. Ach, gilt es ewig zu leiden oder ewig das Schöne zu fliehen?"[2] Diese Krise wird weit über das ästhetische Problem der Ausdrucksmühe hinaus vertieft in Mallarmés dramatischstem Gedicht *L'azur*. Hier beginnt für Mallarmé die geheime ethische Kraftprobe: Kann sein einsamer Glaube an das Schöne und Edle es trotz der Bedrohung durch die „kalten Sünden" (*Sonneur*) umgehen, sich in die allmächtige Welt der Dumpfheit, des Ennui, der Materie zu flüchten? Bleibt er bestehen vor der Erkenntnis, daß die ideale hochthronende Vollendung, *des Cieux spirituels l'inaccessible azur,*[3] nimmermehr auf diese Erde niedersteigen wird?

Dreißig Jahre zuvor hatten die großen Lyriker des Abendlandes in dieser Frage ein begeistertes Ja der Zuversicht gesprochen. Ein John Keats (*Sleep and Poetry*) schwor sich damals zu, gegen allen Kleinmut unerschütterlich das Gedenken an den einmal im Himmel erschauten leuchtenden Götterwagen zu hegen, der wieder entschwunden war

8*

Into the light of heaven, and in their stead
A sense of real things comes doubly strong,
And, like a muddy stream, would bear along
My soul to nothingness . . .

Seither schien der Materialismus erstarkt. Der junge Mallarmé schleppte sich im Widerstand gegen Häßlichkeit und *Bêtise* der siechen Welt, wenn ihn die eigene Kraft verließ, zu den *Fenstern:* sie zeigten das Schönheitsreich der Kindheit, der Blumen, oder die beglückende Himmelsbläue[1] eines begnadeten Kunstwerks.

Doch da er nun die Natur in ihrer unmittelbarsten sinnlichen und ewigen Schönheit aufsucht, dem *Azur* (gleichzeitig Sinnbild des höchsten Kunstziels und Seelenideals), da verläßt ihn aller Mut . . vor der lässigen, *grausam heiteren Verachtung und Ironie;* mit einem Fluch auf seinen Genius, seine Berufung, mit bissigen, immer greller und wahnwitziger sich überspitzenden Schmähreden, aus Kleinmut, aus Scham, flieht er den Himmelsblick – und flieht dabei mehr als nur die Kunst, wie jener andere Verräter, der *Pitre châtié,* getan hatte. Doch ob er auch die Augen schließt, die Gegenwart der BLÄUE verfolgt ihn mit einem niederschlagenden Gefühl der Selbstanklage. So will er den Azur denn durch ein „lästernd-verwegenes" Attentat aus seinem Herzen reißen, ihn durch das „häßliche Leichentuch" ‑(A) des Nächtigen verdecken. Was Aubanel ungefähr gleichzeitig als rhetorische Apostrophe faßte,[2] erscheint bei Mallarmé als ein nihilistischer Zerstörungsruf: Der Nebel, gleich einem Aschenregen, bleifarbener als Herbstmorast, solle durch eine „große lautlose Decke" das lichte Unendliche verhängen! Als dennoch große blaue Lücken klaffen bleiben,[3] vermutet der Rasende in blindem Despotismus sogar bei den ihm nicht minder ärgerlichen Vögeln böswillige Absicht. Seinen bisherigen Peiniger und Feind, den Spleen (*cher Ennui*), beschwört er herauf, die Lücken mit unterwegs zusammengerafftem Schlamm aus den Lethe-Teichen zu verstopfen! Als noch ein Rest an verblaßter Sonne bleibt, ruft er das „fliegende Gefängnis", den scheußlichen Großstadtqualm der Fabrikschlote zu Hilfe. Zu Vers 21 heißt es in der ausführlichen Paraphrase des Gedichts, die Mallarmé selbst gab (an Cazalis, März 64): „Mit dieser herrlichen

Gewißheit bewehrt, flehe ich die *Materie* an. Da hat man so recht die Freude des Ohnmächtigen." Die Materie möge ihn sowohl das Ewige, Poetische, Erhabene vergessen machen wie die kalte Sünde, durch die er es verriet. Da der Dichter immerhin an dem „schluchzenden Ideal" hing, das er herabzerrte und in sich tötete, nennt er sich zunächst einen *Märtyrer* .. Aber am besten wäre freilich, alles zu vergessen, dem Nichts entgegenzugähnen, in die Materie einzugehen. Prometheus, der seinen Geier tötete, ist nicht mehr Prometheus. Sein leeres Gehirn ist dem Dichter nichts weiter als ein Schminktopf auf dem Kehricht.

Doch wie er eben, ein zweiter *Peer Gynt*, in den Morast der Trolle abgleitet, singt plötzlich, wie ein *Gewitter* (A), aus lebendigen Glocken das *blaue Angelusläuten* .. dasselbe, das schon im *Sonneur* segnend über der Morgenlandschaft lag. „Vergebens! Die Bläue bleibt siegreich!" knirscht er furchtsam gegen den *bösen Sieg*. In paradiesischer Urkraft, nicht mehr mit der verdorrenden Unnahbarkeit des Absoluten, durchstößt sie jetzt den Nebel und bohrt sich ein wie ein ehernes Schwert in die kleinmütige Furcht.[1] Und da gibt er endlich die sinnlose Auflehnung gegen die unentrinnbare Berufung auf. Poes Glockengedicht[2] verhilft dem Dichter zu seinem Abschluß: starktönend wie Glockengesang ist das allumspannende Blau, inbrünstig sieht er sich auf allen Seiten umstellt vom Großen Äther! Oder, wie Mallarmé selbst über diesen Schluß in seinem Kommentar schreibt: „Müde des Üblen, das an mir frißt, will ich vom gemeinen Glück der Menge kosten und einen obskuren Tod erharren .. Ich sage ‚ich will'. Aber der Gegner ist ein Gespenst, der tote Himmel *kehrt zurück* und ich höre ihn in den blauen Glocken singen. Träg und siegreich zieht er einher, ohne sich an diesem Nebel zu beschmutzen, und er durchstößt mich einfach. Worauf ich voller Stolz und ohne hier die gerechte Strafe meiner Feigheit zu sehen, aufschreie, daß ich ein *unendliches Todesringen* in mir habe. Noch immer will ich fliehen, aber ich fühle mein Unrecht und gestehe ein, daß *ich besessen bin*. Es bedurfte dieser ganzen bohrenden Offenbarung, um den aufrichtigen, seltsamen Schrei am Ende, ‚das Blau', zu begründen."

In dieser gehaltvollen idealistischen Dichtung ist das lang gehemmte Finden der dichterischen und denkerischen Gewißheit

noch einmal durchlebt, und zwar unlöslich symbolverknüpft mit
einem einfachen und, bei aller literarischen Herkunft, unmittelbaren Naturerlebnis. Die erste Kraftprobe, was aus dem Gedicht
noch nicht durchaus abzulesen ist, endete glückhaft, wohl auch
durch Mallarmés Entdeckung der südfranzösischen Landschaft
und Sonne. ,,Sie hatten recht", schreibt er wenige Wochen vor der
Veröffentlichung des *Azur* an Mistral (31. 12. 65), ,,der *Spleen*
hat mich fast verlassen, und auf seinen Trümmern hat sich meine
Dichtung erhoben, durch seine grausamen, einsamen Lichter be-
reichert, aber sonnenhaft. Die *Arbeitsunfähigkeit* ist besiegt, und
meine Seele bewegt sich in Freiheit. Dank für Ihre freundschaftliche Verheißung; aus ihr stammt sicherlich diese *Auferstehung*".
Anderthalb Jahre vorher hatte nämlich Frédéric Mistral, dieser
größte und erdhafteste Dichter der Provence, dem jungen bleichen
Nordfranzosen, der mit dem Mal des *Guignon* auf der Stirne zu
ihm kam, die gesundende Kraft des Rhônestroms empfohlen. Mallarmé verschrieb sich seit dieser Zeit dem Bootssport. ,,Wahrlich,
ich schaffe kein Gedicht mehr, ohne daß nicht eine Wasser-
träumerei darin mitfließt" (ebd.). Das dritte Naturerlebnis der
Fenêtres, die Schiffe, die sich im Wasser wiegen, steht auch im
Mittelpunkt seines am leichtesten verständlichen und am häufigsten, dutzendfach übersetzten Gedichtes *Brise marine*, dessen erster
und letzter Vers geradezu sprichwörtlich geworden sind.

Wie alle anderen Jugendgedichte ist auch dieses ein Gedicht der
Flucht. Einer nicht ohne Grausamkeit befreienden, beschwingen-
den Flucht aufs Geratewohl, hinaus aus der Stickluft der Bücher,
aus der lähmenden Windstille, aus der Leere des Gehirns,[1] auch
aus den Bindungen des ,,glücklichen Viehs" (*Azur*) in die Gefährdungen des Nichts, die er auch später oft im Bild des Meeres vor
sich sah. Ein Aufbruch blindlings ins Elementare, in das Leben
mit seinen Stürmen, mit den sausenden Möven und mit den Wun-
dern fremder Sonnen. Von einem solchen Fliehen sprechen vor
ihm zum Teil mit wörtlichen Anklängen[2] schon Rousseaus *Nouvelle Héloïse* und Pierre Lebruns *Port de mer*, Vigny, Hugo, Baudelaire, mitunter anknüpfend an den abschiedsträchtig sich wiegen-
den Mastenwald und den Matrosenchor. Als neu hob Mallarmé
selber hier hervor das Ritardando des Gedenkens an das, was er

aufzugeben fähig wäre: „die unerklärte Sehnsucht, die einen manchmal erfaßt, die zu verlassen, die uns teuer sind, und *aufzu-brechen*" (an Frau Le Josne, 8. 2. 66). Es „feuchtet sich sein Herz in Meer", gesund pfeift der neue Wind (hörbar zumal durch den zweiten Vers), es strafft sich das *Je partirai*, mit dem er das Hemmende abschüttelt, das immer um ihn ist.

Dennoch ist Mallarmé nicht „aufgebrochen" im Sinne Rimbauds, der alles hinter sich ließ, selbst Lampe, Papier und Feder, und nicht einmal im Sinne Baudelaires. Die Rückschau zu allem ihm Teuren,[1] die aus *Las de l'amer repos* wiederholt wird, verrät seinen mehr als nur bürgerlich-konservativen, innersten Drang, nie etwas Schönes abzutun, und sei es das Bescheidenste. Sein Herz hörte den Sang der Matrosen. Mehr nicht, aber dieses. So hat er noch manche Seefahrt unternommen — vom Herdfeuer aus: nach Paphos und zur Kindheitsinsel der *Prose* und schließlich (*Salut*) auf dem Hinterdeck des Schiffs seiner Schüler in die Zukunft.

O calme sœur

Mit zweiundzwanzig Jahren einen Hausstand zu begründen, wird für einen Dichter fast immer zu früh sein. Doch ein guter Geist, sich ansagend schon in Gestalt der Trauzeugin, einer „Fee mit dem Blütenstab und dem feinen Duft geschnittenen Heus auf grüner Wiese",[2] waltete über der jungen Ehe, in welche sich der Mann, sehr vorsichtig, sehr langsam, einfand.

Neben der Natur ist es die sanfte Gattin gewesen, die ihm beistand gegen den gespenstischen Druck des *Guignon* wie auch gegen die erstickende Weltentfremdung bei einem ausweglosen Sichverbohren in Abstraktionen. Noch in ihren späteren Jahren „gütig und geistreich" aussehend,[3] gerne scherzend, mit „maliziösen Augen", erkämpfte sie ihm den Fußbreit Raum zum Leben und die Stille, deren er, obwohl nicht eigentlich menschenscheu, bedurfte. Auch über die primitiven Lebensverhältnisse half sie ihm hinweg; in der ersten Wohnung etwa soll man des Nachts den Skorpionen ausgeliefert gewesen sein, wenn man nicht die Füße der Betten in Wasserschüsseln stellte. In seinen Briefen an sie, auch den späteren, schrieb er nie etwa in simplifiziertem

Stil; vielleicht hat sie ein wenig übertrieben, falls ihre Worte zu
Frau von Banville (nach Poizat) authentisch sind: „Sie haben es
gut, Französin zu sein. Sie können die Verse Ihres Gatten beurteilen. Ich verstehe nichts von denen des meinen." Sah er sie ruhig
in ihrem deutschen Almanach aus dem achtzehnten Jahrhundert
lesen — im Prosagedicht *Frisson d'hiver* ist diese Szene eingefangen —, so konnte er sie zu sich rufen, das Haupt an ihre milden
Knie, an das fahlfarbene Kleid lehnend, und ihr stundenlang von
den gemeinsamen alten Möbeln erzählen, von der Meißner Uhr mit
den Porzellangöttern und -blumen, die außerzeitlich ihre dreizehn
Schläge schlug, von der morschen Truhe, den gebleichten Vorhängen, den entfärbten Überzügen der Louis-XIII-Sessel in Cor-
dobaleder, den alten Stichen; nur wenn er in den Venezianer Da-
menspiegel mit dem entgoldeten Schlangenrahmen sündhaft nackte
Schönheiten hineinträumte, hörte er sie schelmisch sagen: „Böser,
wie schlimm du oft redest!" Die Kanarienvögel, die er ihr mitbrachte, zwitscherten, und *Neige*, die Katze, schnurrte.

Doch er wäre nicht derjenige, der er immer war, bliebe nicht
auch am Himmel dieses Glücks eine Wolke. Auch bei diesem Idyll
beharrt ein unbewußtes Grundmotiv wie in dumpfen Bässen und
wird viermal hörbar: die unheimliche, rätselhaft beängstigende
Wahrnehmung von *Spinngeweben an den Fenstern*. Verschmähte
Mallarmé sonst durchaus Poes genialste Ausdrucksformen, den
akzentuierten Rhythmus und die balladeske Wiederholung, so
scheint er an dieser Stelle der *Ulalume* Poes zu gedenken,[1] welchen,
in seinem Gegenwartsglück neben einer Geliebten, die düstere Mahnung an einen dämmerigen Bergsee und einen gespenstischen Wald
verfolgt, wo er dann auch tatsächlich auf das Grab der vor einem
Jahr gestorbenen Jugendgeliebten stößt. Ähnlich darf man auch
das unheimlich drohende vormaeterlincksche Stimmungsmotiv bei
Mallarmé auffassen.

„O calme enfant", redet er Marie in seiner Dichtung an, oder
„Meine Schwester mit dem Vergangenheitsblick". Noch ver-
schwommener als die unkörperlichen Frauengestalten der englischen Präraffaeliten erschien zum erstenmal das herbstliche Antlitz eines Mädchens in *Soupir*, einem Gedicht, dessen hauchzarte
Musikalität[2] der Sonettform widerstrebt hätte. Hier gelingt es

Mallarmés Meisterschaft in der Bildverschmelzung, jede scharfe
Trennung aufzulösen zwischen ihrer Stirn und einem verträumten
Herbst, mit rotgeflecktem Laub bestreut (einer Bildentsprechung
für ihre Sommersprossen, wie ein Übersetzer, Ernst Fuhrmann,
annahm). Schon hat er Baudelaire darin weit überholt; vergleicht
man dessen Gedicht *Causerie*, so zeigt sich, wie verschieden beider
Wesensart ist und wie Mallarmé endlich sich gefunden hat. Bei
Baudelaire „steigt wie das Meer die Trauer" in ihm zum schönen
roten Herbsthimmel weiblicher Feueraugen. Indes verläßt er das
Bild fortgesetzt, mischt Beschimpfung und Fluch auf das Weib
ein aus einer Seele, die er einem vom Pöbel verwüsteten Schloß
vergleicht, wo man sich besäuft, sich rauft und tötet. Ruhevoll
dagegen verschmilzt bei Mallarmé die milde, bleiche Oktoberbläue
des Himmels und des engelhaften Mädchenauges, zu der seine Seele
aufsteigt wie, in immer gleicher Höhe, ein silberner Springbrunnen[1] aus einem Garten der Wehmut. Des Äthers Schwermut
schweift im Spiegel der toten Teichbecken, den der Wind mit
kraftlos fahlen Herbstblättern kräuselt. Unmerklich hat sich die
zweite der genau gleichen (durch das neu aufsteigende *vers l'Azur*
verbundenen) Gedichthälften der äußeren Beziehung auf die Geliebte keusch entzogen und durchstößt nun mit dem feierlich vor-
überstreifenden, zögernden Schlußvers die Melancholie,.. nicht
störend, sondern wie ein Siegel der Schönheit: Ein langer goldner
Sonnenstrahl blinkt vom Himmel in die Herbstwelt.[2] Es bleibt in
wundervoller Schwebe, ob es der letzte Gruß vor einer im Frösteln
der Wasserfurchen nahenden Verzweiflungsnacht ist — so haben
es Übersetzer wie Bruns, Symons und Ellis aufgefaßt —, oder ob
nicht das sonnige Aufleuchten im herbstlichen Auge der Geliebten
Trost und Stärkung verheißt.

Es kehrt auch am Schluß eines Abendgedichts wieder, das ebensowenig nur ein impressionistisches Stimmungsgemälde sein soll
wie das eben besprochene .. und in welchem jene Hoffnung sich
schon zu erlösender Kraft verstärkt. *Apparition* beginnt mit einem
leisen Präludium, welches durch synästhetisch verschränkte Vergleiche ganz in der Traumsphäre gehalten wird: weißes Hinseufzen
von Engelsgeigen über blaue Blütenkelche .. An sich ein Thema
aus einem Gemälde von Rossetti oder Burne-Jones, aber zur Schaf-

O calme sœur

fung einer wehmütigen Stimmung längst von Poe in seinen Versen gepflegt.[1] Doch beeinträchtigt diese Wehmut nicht die schöne Harmonie der verträumt ruhenden hauchzarten Blumen.

Dem Sprecher ist das gedankenlose Genießen eines Glückes verwehrt, auch am „gesegneten Tag Deines ersten Kusses". Das schweifende Grübeln, das ihn so gerne quält, das bewußte Wachsein des Intellekts (etwa im Gegensatz *s'enivrait savamment!*), kostet nun trunken jenes bittersüße Gran Trauer aus, welche das Herz beschleicht – selbst wenn kein Verdruß, kein Nachgeschmack sich darein mischt –, nachdem es sich einen Traum, ein Ideal verwirklicht hat; ein halbes Jahrhundert früher hatte man diese Wehmut in jedem Genuß, jeder Freude noch als Gift beurteilt (Keats, *Ode on Melancholy*). – Doch als der Liebende seines Weges zieht, auf das plötzlich so alt erscheinende Pflaster starrend, „da – mit Sonne im Haar,[2] bist Du auf der Gasse und im Abend mir lachend erschienen!" Schon die elementare Reihenfolge dieser Wahrnehmungen und das fortan gültige Passé composé (statt des weniger naiven *erschienst du* usw.) vergegenwärtigen, wie die bloße Gegenwart der Geliebten mit einem Schlag alles Komplizierte einfältiger macht und wie das leidige In-sich-Hineinhören weicht. Was die Natur durch die erlösende Einfalt der chinesischen Blume begann (*Las de l'amer*), vollendet die Frau. Auch sie verschmilzt kosmisch mit dem Anblick eines Gartens und der Natur überhaupt, und zugleich mit dem Kindheitstraum von der Fee – ein letztes Gedenken an die verlorene Mutter? Eine solche Resonanz fehlt den späteren Gedichten an Méry. Nicht ganz ist ihm das Paradies verloren. Sehr schlicht erzählt der Dichter davon (zu vergleichen mit dem Schwulst der Übersetzer); das einzige Künstliche daran, die letzten Reimworte, ist Hugos Gewächs (*Chants du crépuscule*, X). Ein Gefühl für weibliche Reinheit in so starkem Maße findet man bei Mallarmés Vorbildern nicht.

Andere Höhepunkte der Liebe, sinnliche Leidenschaft, mit ähnlich feingliedriger Poesie wiederzugeben, dazu war der Dichter damals zu unreif; und sie spontan und stürmisch wiederzugeben, war nicht seine Art. Die vier Quartinen, banvillesk in Achtsilbnern, in welchen er dergleichen versuchte, sind denn auch nicht sein letztes Wort. Sein Herzschlag solle nicht mehr – mit Baudelaire (*Le

Guignon) ausgedrückt – das Klopfen eines Trauermarsches sein. Nein, das weißblonde Haar der Geliebten wallt ihm als ein sonnenbeglänztes, weißes Banner im Duft ihrer Haut voran wie einem Krieger, der im Sturm[1] die Fahne auf einer düsteren, kupfergedeckten Burg aufschlagen will. Le Château de l'Espérance heißt das Gedicht. Es ist die „Hoffnung", die sein Gedicht *Pépita* einst verherrlicht hatte.[2] Hier aber ist die Hoffnung nicht wie dort mit einem Stern geschmückt. Sie, die Burgherrin, wurde „durch Trägheit weinerlich" (larmoyant de nonchaloir) und ist damit beschäftigt, einen nachtschwarzen Kater zu strählen. Das entsprach der weltmüden Stimmung der Londoner Wochen, in denen das Gedicht entstand. Mallarmé selbst deutete die Schlußverse aus: „Nach diesem kurzen Augenblick der Narrheit gewahrt indessen der Unsinnige die Hoffnung, die nichts ist als eine Art von verschleiertem, unfruchtbarem Gespenst"[3] (an Cazalis, 3. 6. 63). Noch befürchtete er ängstlich, wie der gleiche Brief aus London erkennen ließ, durch erfülltes Glück das große Dunkel auf dieser Welt etwa zu vergessen: „Ich bin glücklich! heißt Ich bin feig und noch öfter Ich bin ein Dummkopf. Denn man darf sich nicht oberhalb dieser Zimmerdecke des Glücks den Himmel des Ideals vorstellen oder eigens die Augen verschließen" (*Propos*, 33).

Immerhin, das Schicksal meinte es besser mit ihm. Zwei Monate danach war Marie seine Gattin geworden, und niemand stand ihm seither näher. Maries eigenes Leben entzieht sich im Schleier ihrer Zurückhaltung. In Tournon fand sie eine treue Freundin, ihre Nachbarin Frau Seignobos, eine Protestantin, die Mutter des späteren Historikers Charles Seignobos, die einzige Besucherin des Ehepaars in der Rue de Lille. Auf ihrem Landgut in Lamastre bei Tournon verbrachte Marie die Zeit vor der Geburt ihres ersten Kindes;[4] daß die Freundin die Patenschaft für die kleine Geneviève (19. 11. 1864–16. 3. 1919) übernahm, soll, wie Mallarmé schreibt, eine „intolérance catholique" verhindert haben. Er selbst, der Dichter, liebte das Kind zunächst nicht eigentlich als seine Tochter und Schöpfung, sondern mehr aus ästhetischer Freude (an Aubanel, 27. 11. 64). Was später die Rhonelandschaft erreichte, die „Neubelebung", das hat ihm dies Ereignis noch nicht geschenkt. „Ich bin in einer grausamen Lage", schreibt er damals

dem Mentor Mistral (3o. 12.): „die Dinge des Lebens begegnen
mir zu vag, als daß ich sie liebte, und doch fühle ich mich nur
lebendig, wenn ich Verse mache."

Auch in diesem Leerlauf — die Welt ist öde ohne Dichten, aber
wozu dichten, da die Welt öde ist! — war ihm der Gedanke an die
stille Frau wie eine Zuflucht, zu der man, ohne viel Hoffnung,
aber doch als Schutzflehender kommen dürfe. Er unterbrach um
die Jahreswende 1864/65, „pour me remettre", die Arbeit an der
Herodiade durch ein „kleines Gedicht von der Länge eines Sonetts".[1] Ich sehe darin das Widmungsgedicht, *Don du Poème*, das
Marie Mallarmé, der stillenden Mutter, zugeeignet ist. Es ist eines
der vollendetsten Werke des Dichters, schlechterdings genial in der
schlichten und tiefen Sinnbildlichkeit. Eines seiner meisterlichen
Erlebnisgedichte, denn gefühllose Selbstherabsetzung und baude-
lairescher Spleen sind hier ersetzt durch etwas durchaus Eigenes,
durch ein besonderes Leid im Ganzen einer überindividuellen Tragik, die wiederum durch Liebe, Schönheit und Menschlichkeit versöhnt ist.

> *C'est un petit enfant tout nouveau-né, Madame . . .*
> *Votre approbation peut lui servir de mère*

. . . so wird schon bei Molière die Schutzherrschaft über eine Dichtung angetragen. Bei Mallarmé aber wird aus dem galanten Motiv
ein existentieller Sinn. Es gehört zum Elementarsten, was er jemals schuf. Den Urgegensatz von Vater- und Mutterwelt, hier erlebt als männliches Schaffen und weibliches Nähren, als Nacht und
Morgenröte, Schuld und Unschuld, Dissonanz und Harmonie, ver-
schärfte er später in *Herodiade IC* feindselig: jene Herodiade ist
wie der *Würfelwurf-Meister* ein Mischwesen, halb ein Werkzeug
des „infini vorace", halb ein Geschöpf der „bösartigen Milch" der
Amme. In Don du Poème bleibt es bei der tragischen Gegenüber-
stellung männlichen und weiblichen Schöpfertums, durch die Liebe
überbrückt. Des Mannes Dasein ist nichts, wenn es nicht einer
mühseligen Arbeit an seinem Ich verdankt wird; gerade dies war
später faszinierend für Valéry, als er den *Monsieur Teste* schrieb.
Den ganzen menschlichen Wert Maries darf man nicht in demjenigen wiederzufinden erwarten, was Mallarmé hier über die

Frau sagt. Dem Dichter geht es mehr um die Frau als Mutter, in
einem allgemeineren Sinn. In der für den Mann am wenigsten
nachzuerlebenden Mutterschaft wird die schicksalhafte Absonde-
rung Adams und Evas voneinander am schmerzhaftesten fühlbar.

Es ist das einzige Gedicht Mallarmés, in dem er vermutlich
an einen klassisch-lateinischen Dichtervers anknüpfte. Auch Horaz
überreichte ja einmal seine Dichterernte dem Heimatboden, ruhm-
reich mit palästinensischen Dichterpalmen gekrönt heimkehrend:
Primus Idumaeas referam tibi, Mantua, palmas[1] (Georg. 3, 12).
Palmen — das war auch für Mallarmé der rechte Ausdruck „pour
évoquer l'idée de gloire".[2] Aber er legte in Horazens Vers eine Dissonanz hinein, weniger weil das Wort edomitisch ihn an die Herkunft der Herodesdynastie oder allgemein an die palästinensische
Umgebung Herodiades erinnern mochte (H. Charpentier, P. Gan,
Mauron), sondern weil ihm der alttestamentliche Sinn von idu-
maeus aufgestiegen sein mag. Der ist, nach einer ansprechenden
Feststellung E. R. Curtius', an einer einzigen Stelle definiert, und
zwar als abgöttisch, abstoßend lasterhaft,[3] nämlich als von Salomo
die Rede ist, der neben andern götzendienerischen Konkubinen
auch mit Idumäerinnen einen widernatürlichen Bund einging. In
einem solchen bösen Bett, will Mallarmé sagen, wurde auch das
Gedicht erzeugt, dessen Überreichung er mit seinen Widmungs-
versen versieht.

Fächerartig gespreizt wie Palmen des Ruhmes reckt die winterliche Morgenröte, mit bleichen, blutend ausgerupften Schwingen
düster aufsteigend, ihre Rosenfinger durch die tabakgebräunten
und eisbeschlagenen (A: *battus*), noch übernächtigen Fensterscheiben auf das Manuskript unter der Dichterlampe (der „Totensonne", nach Mauclair), das in dieser dunkeln Nacht geboren ward.
Doch der es schuf und den feindselig aufsteigenden Widerwillen
durch ein gezwungenes Lächeln zu verbergen sucht, spürt das Er-
schaudern (A: Ächzen) der unfruchtbar reinen blauen Einsamkeit.
Da zieht er den Vergleich mit einer anderen Geburt. Seine Verse
wenden sich an das Weib mit der milden Stimme, die an Klavier
und Bratsche denken läßt: an die Mutter bei der Wiege eines
Töchterleins (er nennt es das ihre, er selber fühlt sich Vater des
Gedichts allein). Bei ihr bittet er um den stillenden Wärmeseim

der mütterlichen Liebe, er, rückkehrend aus dem luftigen, unberührbar jungfräulichen Äther, wo er verhungerte. Wird den Lippen des Gedichts, so fragt er, dein Busen, durchflutet in geheimnisvoller Milchweiße vom Weibsein, die Nahrung geben können?
Vermag das Weibliche die Mängel des Männlichen aufzuheben, vermag das Menschliche das Leiden am Übermenschlichen zu lindern?

Das Verdursten im abstrakten Glanz des höchsten Äthers, und
die Auflehnung des naturhaften, warmen Empfindens dagegen,
ist der Gegenstand seiner beiden umfassendsten Dichtungen geworden: des Symbolwesens *Hérodiade*, das in jungfräuliche Unfruchtbarkeit sich so hineinsteigert, daß es schon in trübe Verwirrung gerät beim Gedanken daran, einst, animalisch genug, die
Milch eines Weibes gesogen zu haben. Und des *Igitur*. Die symbolische Gebärde des gütig mütterlichen Ammendienstes in *Don du
Poème* aber zeigt, wem der Dichter jenes Etwas an wärmender Erdnähe dankte, ohne welche sein reifendes Dichtertum in der zermalmenden Kraftprobe zwischen Ideal und Leben unterlegen wäre.

Zwischen Paris und Avignon

Mallarmés Stellung zum Literaturleben seiner Zeit ist Sinnbild
ähnlicher Spannungen. Man sah den Neunzehnjährigen in der
Maske unnatürlicher Gefühllosigkeit den neuen Idealen *l'art pour
l'art* und *impassibilité* folgen, die bei den wenigen Großen, bei
Vigny und Flaubert, tatsächlich in einem verschwiegenen Adel der
Seele, der über sein Heiligstes schweigen wollte, oder in der Disziplinierung eines zügellosen Gefühlslebens wurzelte. Die anderen
aber hatten in erster Linie ihre Laster zu verbergen, waren *impassibles* aus Verachtung ihres Volkes und aus Zynismus, prahlten
damit, daß sie zwar keine Tugend, aber „Scham" besäßen. Man
findet dies ausgesagt in dem schon früher angeführten Gedicht
Pudor, welches in Catulle Mendès' Versband *Philoméla* (1864)
steht, neben früh-gautier'schen Gruselstücken und schwülen Geschichten aus Harem und Boudoir. Mendès ist einer der wagehalsigsten Vertreter der schillernden Formspielerei gewesen, der bezeichnend die *Fêtes galantes* Verlaines dessen späteren Bekenntnisgedichten durchaus vorzog. Auf seine Art mag er dazu beigetragen

haben, daß Mallarmé aus dem Banne Baudelaires entkam: „Vier
oder fünf Ticks haben Baudelaire und Sie gemein, das verschwinden zu lassen, ist eine Kleinigkeit. Lassen Sie uns, ohne Konzessionen zu machen, nicht verschmähen, uns der großen Menge an-
genehm zu machen. Sind bei Ihnen nicht zärtliche, elegante Saiten vorhanden?" Es gelte, „weniger düstere Gedanken" auszusprechen, „ein wenig in der Freude zu singen".[1]

In seiner *Histoire du Parnasse* (Paris 1929) hat Maurice Souriau die eitle Rolle beträchtlich eingeschränkt, die Mendès (Bordeaux 1843 – Saint-Germain 1909) sich bezüglich der Bildung
und Führung der sogenannten *Parnasse*-Dichtergruppe nachträglich zugeschrieben hat. Daß in Wahrheit Leconte de Lisle der
führende Dichter des Kreises war, ist unbestreitbar; nicht weniger
aber die glatte Geschäftigkeit des schmeichlerisch beredten und
vielbelesenen Mendès und sein Organisationstalent. Schon 1861,
als sein Französisch noch sehr portugiesisch klang, ging er für
seine erste Zeitschrift – *Revue Fantaisiste* – Baudelaire, Banville,
A. Daudet, Glatigny, Sully-Prudhomme, auch Wagner[2] um Beiträge an und hob eine Schar von dichtenden Schülern, Studenten,
Landstreichern aus, die ihm bald sämtlich für ihre literarische
Reputation und ihre verlegerischen Aussichten verpflichtet waren.
Ein geschmeidiger Gesellschafter und ein etwas kitschiger Adonis,
das aschblonde Haar bis über die Schultern tragend, „das dünne
Gesicht erhellt vom Idealismus einer verderbten Frau. Er faßt
einen am Arm, an der Hand, er lehnt sich an einen, seine Worte
sind Kosen, seine Glut bezaubernd, und ihn anzuhören ist so süß,
wie einen süffigen parfümierten gelben Wein zu trinken. Alles,
was er sagt, ist falsch – das Buch, das er eben las, das Stück, das
er schreibt, die Frau, die ihn liebt .. er kauft auf der Straße ein
Päckchen Bonbons, ißt sie, und sie sind falsch".[3] Der alte Gautier
– wie auch Leconte de Lisle, Mirbeau und viele andere – verachtete ihn, nannte ihn *Crapulle Membête* und hielt sich fern, als
seine Tochter Judith, die Dichterin des Kreises, zu seinem großen
Kummer im April 1866 die unglückliche Ehe mit Mendès einging (1866–73). Mendès war ein Mensch ohne Rückgrat und
Ernst. Es soll ihm unmöglich gewesen sein, sich auch nur ein paar
Stunden zu beherrschen; hatte er mit Mühe durchgesetzt, am Sarg

Victor Hugos unter dem Arc de Triomphe die spektakuläre Toten-
wache halten zu dürfen, so verschwand er bald, sich zu betrinken.
Er endete später – im Rausch, sagte man – unter den Rädern eines
Vorortzuges. George Moore meinte: „nie in seinem Leben schrieb er
eine häßliche Zeile, aber auch nie eine Zeile, die nicht irgendeiner
seiner glänzenden Zeitgenossen hätte schreiben können"; André
Gide setzte ihn in einem vernichtenden Nachruf auf das platte Niveau von Edmond Rostand.[1] Kein Dichter ist jedenfalls ein so aus-
gesprochener Gegentyp zu Mallarmé als dieser allerorts übersetzte
Artist, der mit *Schweinereien,* nach Albert Samains scharfem
Wort,[2] den zeitgebundenen Geschmack beherrschte, .. ein Viel-
schreiber, der 23 Theaterstücke, ein Dutzend Versbände, 16 Romane, 23 Bände Novellen, 20 Bände Vermischtes und Legionen
von Feuilletons und Kritiken zum Druck brachte. Er war fest entschlossen, in ihnen sein eigentliches Wesen mehr zu verhüllen
als auszusprechen. Und dieses Wesen scheint durch etwas beherrscht gewesen zu sein, was Leo Stein den Paria-Komplex
nannte. „Ich leide hier sehr", heißt es in einem Pariser Schreiben
von Mendès an Mallarmé. „Zehn Jahre kämpfe ich nun, und wenn
mein Mut äußerlich unverändert ist, fühle ich ihn doch in mir
recht geschwächt. Blinde und Taube sind um uns, mein lieber
Bruder!.. Ein Ungeheuer gibt es auf der Welt, dessen Anblick
ich nicht ertragen kann, die Ungerechtigkeit.. Werden Sie mir
glauben, wenn ich Ihnen sage, daß ich, dessen vielbeanspruchtes,
bewegtes, tausendfach ausgeschwärmtes Leben so voll erscheinen
mag, in mir eine fast unausdrückbare Leere empfinde?"[3]

Mit einem Empfehlungsbrief von Des Essarts hatte Mallarmé
den gleichaltrigen Literaturmakler aufgesucht, nach einer Rund-
reise über Aubanels Avignon, vielleicht über Vichy, wo er Glatigny
besucht haben mag, und über Boisramart (Yonne), wo Lefébures
Großvater hauste. Mendès wohnte damals in der südlichen Bannmeile von Paris, in Choisy-le-Roi, wohin sein Vater Tibulle, ein
Bankier, 1859 aus Bordeaux übergesiedelt war. Während des Sep-
tembers 1864 war dort der drei Jahre ältere Freund Catulles, Villiers, zu Gast. Nach dem gemeinsamen Mittagessen ging Mendès
mit Mallarmé am Seine-Ufer spazieren, der ihm, nach kurzen Andeutungen, in einem kleinen, „in Lederpappe gebundenen Heft

mit Kupferschnalle" den *Guignon,* die *Fenêtres,* die *Fleurs* und
andere Gedichte zu lesen gab. Es war bekannt, daß Mendès sehr
leicht vor Begeisterung überzuschäumen pflegte, die mitunter ehrlich sein konnte wie im Falle Wagners. Auch jetzt geriet er alsbald in eine „Ekstase der Überraschung". Eilends führte er den
neuentdeckten Dichter nach Haus und las Villiers, der sich zur
Arbeit an seinem (Gautier gewidmeten) Drama *Elën* zurückgezogen
hatte, zu dessen großer Begeisterung die Verse vor. Wenn Mendès
es nicht lassen konnte, sich gleichzeitig bei Mallarmé Geld zu
leihen, so scheint seine Begeisterung doch echt gewesen zu sein;
seine *Figurine de poète* (La Vogue Parisienne, 29. 1. 69) wurde
ein fast sehnsüchtiger, bewundernder Gruß an Mallarmé. Neben
Mendès und Villiers, die in regem Briefverkehr mit ihm blieben,
wirkte Mallarmé fast ruhig, gelassen und reif, so sehr unterschieden
sich sein gediegener Ernst und seine bescheidene Verhaltenheit von
der inneren Unausgeglichenheit, den närrischen und extravaganten
Launen, dem lauten Gehaben der beiden anderen − die sich doch
wieder so unterschieden, daß gegenseitiger drastischer Haß klar
vorauszusehen war.

Es überrascht nicht, daß Villiers, der Anlagen zu einem großen Dichter hatte, auch menschlich für Mallarmé eine größere
Offenbarung bedeutete. Der Graf Auguste Villiers de l'Isle-Adam
(St-Brieux 1838–89), in dem Mendès den Geistesbruder von Jean
Paul erblickte und Mallarmé den „letzten Chateaubriand",[1] aufgewachsen in einem düsteren bretonischen Schloß, Gymnasiast in
Rennes und Laval, war 1858 mit seiner Familie nach Paris gekommen, um sich als Dichter eine Stellung zu schaffen. 1859,
zwei Jahre nach den *Fleurs du mal* von Baudelaire, den er gleichzeitig mit Wagner persönlich kennenlernte, hatte er einen schwachen Versband *Premières Poésies* veröffentlicht. Nach unselb-
ständiger Nachahmung Hugos und später Leconte de Lisles erfaßte
ihn durch Baudelaire und Poe geradezu abergläubisch der Gedanke von der Magie des Wortklangs. In jenen Jahren, als er in
der *Brasserie des Martyrs* saß, zusammen mit Dierx, den er bei
Leconte de Lisle kennengelernt hatte, war er noch sehr redselig,
lachte zu laut und zu oft. Als er bemerkte, daß andere ihm seine
Einfälle stahlen, brach ein Mißtrauen bei ihm aus, das sich immer

häufiger mit schweren Depressionen, schließlich mit epileptischen
Anfällen verband. Widerwillig ließ er sich von Mendès in den ausgelassenen Kreis der *Revue fantaisiste* hereinziehen, meist betrunken und nicht ausgeschlafen. So auch an dem Abend, als er zum
erstenmal den vergötterten Baudelaire zu Gesicht bekommt; ein
beschämter Entschuldigungsbrief am nächsten Morgen[1] bekennt
die geringe Achtung vor den Dichterkumpanen. Nach Baudelaire,
dessen letzte Lebensjahre und fürchterliches Sterben er freundschaftlich behütete, war Mallarmé fast der einzige Freund, zu dem
der ewig Gehetzte ruhig und ernsthaft sprechen lernte. „Sie sind
einer von denen – Sie sind sogar der, den ich am aufrichtigsten
unter vielen Freunden liebe" (11. 9. 66); auch 1883 widmete er
die Contes cruels „meinem besten, meinem einzigen Freund", Mallarmé; dieser arbeitete im September 1869 auf Einladung Villiers'
an der neugegründeten *Revue des Lettres et des Arts* mit.[2]

Aber nichts reifte bei Villiers aus, er blieb ein Draufgänger ohne
Ziel, sozusagen ein Springer im Schachspiel der Literatur. Vergebens das Lob, das eine Besprechung Banvilles im Sommer 1862
dem eben erschienenen Roman *Isis* spendete. Den Dichterkamera-
den allein imponierte die Don-Quijote-Gestalt mit den weißen,
unruhigen Händen, den hervortretenden Augen, dem bizarren
Musketierbart und der kühnen Locke .. diese Gestalt, die stets
unerwartet, stets zu spät, und immer prinzlich mit ironischen
Gesten auftauchte. So berichtet Coppée in seinen Erinnerungen,
so Mallarmé im zweiten der vier Teile seiner Totenrede auf
Villiers.

Ein Freundeskreis habe sich damals zusammengefunden, heißt
es da, mit der Absicht, „mindestens einen Abglanz des heiligen
Leuchtens wachzuhalten", und in der Hoffnung, einer unter ihnen
möchte sich dereinst als der große Erwählte enthüllen. Und jeder
habe bescheiden und schlagartig empfunden, der Erharrte, der
Krondiamant, sei da, als der Jüngling Villiers erstaunlich unter sie
trat, unvermittelt aus einer einsamen Kindheit am Meer und auf
der Heide, mit seiner offenen Geste des *Hier bin ich*, die erfüllt war
von jugendlicher Traumkraft und göttlichem Sturm und Drang.
Wie toll fühlte sich Mallarmé damals mit den anderen, und sie
sahen wahrhaftig die glostende Flamme neu lodern, die Villiers,

Künder des Mittelalters und der Zukunft, aus den Waffentrophäen alter Burgpfeiler zu locken verstand.

Daß Villiers damals für den leerstehenden griechischen Königsthron kandidiert habe (was nach der Behauptung von Emile Bergerat eine hämische Erfindung von Mendès was), hat Mallarmé ebenso geglaubt wie Stefan George; er nahm es als Symbol für den Herrschaftsgedanken in diesem Dichterwollen. Und andächtig wie alle anderen, und wie Villiers selbst im stolzen Zurückwerfen seines Lockenhauptes, glaubte er an die Echtbürtigkeit aus einem uralten Adelsgeschlecht (das man heute als neueren Verwaltungsadel festgestellt haben will). Ebenso unbekannt wie die Namen seiner Ahnen waren den lauschenden Freunden die Denker, welche Villiers bei einsamen Klosteraufenthalten gelesen hatte – ein für allemal und für sein ganzes Leben in vorsichtiger Stützung auf zwei Ziele, entweder die Aussicht auf eine historisch oder innerlich zu findende Größe des *Menschen* oder auf die religiöse Verheißung der Kirche. Es waren „Sankt Bernhard, Kant, der Thomas der Summa, und besonders einer, auf den er hinwies, der Titan des Menschengeistes, Hegel", den er durch seinen okkultistischen Vetter Pontavice de Heussey kennengelernt hatte[1] und wie einen empfehlenden Einführungsbrief vorzuweisen pflegte. Das Wort „Infini" sagte er in einer Art, daß Mallarmé es zum erstenmal zu hören glaubte.

Den anderen dagegen, Mallarmé bezieht sich ein, sei es auf ein bescheideneres Gelingen angekommen: ein einziges schönes Mal den alten Vers Frankreichs kraftvoll, widerstandsfähig, nach Wunsch und in gültiger Harmonie zu bewältigen. Das bald rostige Aushängeschild *Parnasse Contemporain* war ja damals Auftakt zu der späteren freirhythmischen Krise in der französischen Metrik, ein vorsichtiges Zwischenspiel „zwischen der ganz kühnen romantischen Umschmelzung und der Freiheit". Gewiß, diese Fragen wogen gering für Villiers' hochfliegenden und nach Äußerung drängenden Gedankenreichtum; eine Sammlung eigener Verse verbarg er sorgsam, und für einen Anfänger rühmlich, vor den Kameraden und hielt sich auch in seinen lyrischen Beiträgen an eine kunstlose liedartige Form. Und doch war er ihnen eng verbunden, denn der Vers ist für Mallarmé das vollendete, umfassende Ur-Wort, Anbetung der Wortkraft, .. und die war Villiers, dem Priester des leuchtenden *Worts* und der *Vokabel,* nicht fremd. Seinen Besuch in Tournon, Ende August 1866, erwartete Mallarmé wie einen erfrischenden Tau, einen perlenden Springbrunnen (an Aubanel, 23. 8.); aber schon damals begann bei Villiers der weltanschauliche Idealismus zur Krankheit auszuarten und Menschen und Dinge allmählich der Reichweite seines Ichs zu entziehen.

Im Frühjahr 1862, durch Des Essarts nach Paris eingeladen, hatte Mallarmé einen Schauspieler namens Albert Glatigny (1839–73) kennengelernt; am 10. 9. durfte sich dieser, als Mallarmé nach Versailles gekommen war, unmittelbar nach E. Deschamps als zweiter in das Dichteralbum eintragen, das Mallarmé seinen Freunden vorlegte. Glatigny, ein verbummelter Humorist und einer der wenigen echten Bohême-Dichter, war mit Banville, Gautier, E. des Essarts als Mitarbeiter des von Alfred des Essarts herausgegebenen „Kinderbuchs" *Guignol* hervorgetreten; seine zwei banvillesken Gedichtbände wurden von Leconte de Lisle und besonders von Mendès hochgepriesen. Im Mai/Juni 1864 befand sich Mallarmé mit Marie im Kurort Vichy. Der hagere Glatigny war dort für vier Monate von der Badeverwaltung angestellt als Hauptschriftleiter einer kleinen Programmzeitschrift *Vichy-Saison, La Semaine de Cusset et de Vichy,* in welcher er im Jahr darauf Mallarmés *Pipe* und *Fusain* abdruckte, die beiden ersten Prosagedichte, die man von diesem kennenlernte. Als am 25. Juni Glatignys schwache Verskomödie *Vers les Saules* im Kasino stürmisch ausgepfiffen wurde, war dieser plötzlich ohne Abschied verschwunden. Bis kurz darauf aus der Luisenstraße 33 von Bad Homburg ein Brief eintraf von dem schon wieder Getrösteten, schon wieder in eine schöne Bühnenpartnerin Verliebten, begeistert für Frankfurt und den Taunus, den er der Normandie zum Verwechseln ähnlich fand. Lebensschicksal eines Gauklers! Versuche, dies Leben noch in ein rechtes Geleise zu bringen, wurden mit resigniertem Dank abgelehnt. Was sollen all die Aussichten in Vichy (schreibt der Ausreißer in einer Spielpause zwischen zwei Akten), wenn er es keine zwei Tage mehr ausgehalten hätte, ohne den Direktor, der ihn wie einen Bedienten behandelt habe, durch-

zuwalken? Da springe er lieber hier als geprügelter Pierrot in der
selbstverfaßten Pantomime neun Fuß hoch ab zu Füßen der Part-
nerin, für die er sich besondere Umarmungseinlagen hereingedich-
tet habe. Unstät auch der, hastig, ohne Geduld für das langsame
Ausreifen eines tiefen und würdigen Werkes; „und der junge
Mallarmé", schrieb er aus Homburg einem Freund, „hat er endlich seine Existenz enthüllt und große Dinge vollbracht, dieser
Herr?" Doch immer blieb ihm der Hausstand Mallarmés wie ein
Rettungshafen gegenwärtig, vielleicht auch – wie Mendès in seinem legendenhaften Drama *Glatigny* (1906, Odéon) es andeu-
tete – wie eine Versuchung, dort träg zu werden. Jedenfalls lud
er in einem tragikomischen Brief an das soeben geborene Töchterlein Mallarmés[1] die schwere Depression ab, welche ihm während
der Winterspielzeit in Lille der schnöde Treubruch seiner neuen
Geliebten, wieder einer Bühnenkollegin, bereitete. Im März 1865
wies Mallarmé in einem kritischen Aufsatz auf Glatignys Dichtungen hin. Um Weihnachten 1869 erbat und erhielt der arme Teufel, verbraucht durch ein Unglücksjahr in Korsika, mittellos,
brustkrank und vermutlich syphilitisch, ein Krankenbett in Mallarmés Heim, ohne weitere Aussichten als die auf ein Variété-
Engagement.

Einen Aufsatz, den Mallarmé Ende 1863 über Leconte de Lisle
(1818–94) geschrieben hatte, unterdrückte er wieder, sobald
er diesen Dichter der stoischen Haltung kennenlernte. Mit dem
schneidend sarkastischen Mandarin war nicht zu spaßen. Menschlich konnte ihm niemand näherkommen, außer allenfalls sein Liebling Louis Ménard, durch welchen Mendès, Villiers und Coppée
bei ihm eingeführt wurden. Noch 1868 bedauerte Cazalis nicht,
ihn nicht zu kennen: „er beißt gern, ohne daß er mir Angst machen
könnte .. Dierx .. ist sein Hund, sein Vacquerie" (an Mallarmé).
Kreole wie Dierx, Heredia, Lautréamont, Jammes, hatte dieser Sohn
eines Sklavenhändlers Mitte 1863 durch die Gründung der *Lectures poétiques*, bei welchen Mendès das Geschäftliche übernahm,
ein Forum für die jungen Pariser, aber auch für Gautier und
Baudelaire geschaffen, ihre Verse vorzutragen. Die Dichter dieses
Kreises waren teilweise die gleichen, die Mendès für seine *Revue
fantaisiste* (seit 12. 2. 61) gewonnen hatte. Als Mendès wegen

eines allzu unanständigen Einakters, den er dort veröffentlichte, eine Gefängnisstrafe erhielt und sein Vater die weitere finanzielle Unterstützung zurückzog, stellte die Zeitschrift ihr Erscheinen ein. Mendès fand zunächst einen Leidensgefährten, den Sohn des Marquis de Ricard, Xavier. Diesem war wegen eines antikirchlichen Mitarbeiters seine *Revue de progrès* (März 1863–64) verboten und eine dreimonatige Gefängnisstrafe zudiktiert worden. Als sich wagemutig der neugebackene Besitzer eines Erbauungsbücher-Ladens hinzufand, der junge Alphonse Lemerre, entstand der Plan, gemeinsam ein Jahresbändchen neuer Lyrik unter dem Titel *Le Parnasse contemporain* herauszubringen. Ricard brachte mit sich die Mitarbeiter seiner neuen Zeitschrift *L'Art* (2. 11. 65–4. 1. 66; zehn Hefte), die sich als Cénacle oder als *Les Impassibles* zu bezeichnen liebten, seinen bissigen Tageskritiker Paul Verlaine und dessen Schulkameraden Lepelletier; Emile Blémont, A. France, A. Silvestre und andere Besucher aus dem Salon der Generalin de Ricard.[1] Mendès seinerseits gewann neben Baudelaire (von dem er einige „zu lebhafte Stücke" ausschied) und Banville vor allem Leconte de Lisle, dem nur der Titel des Bandes zu anmaßlich klang.

Von dem Plan sprach Leconte de Lisle zu Mallarmé, als dieser im September 1865, nachdem er Lefébure und Villiers miteinander bekannt gemacht hatte, ihn zum erstenmal aufsuchte; durch Mallarmés Vermittlung wurde der greise Bannerherr der Romantik, Emile Deschamps in Versailles, für die Mitarbeit gewonnen.[2] Als Mallarmé im Dezember zum Begräbnis seines Großvaters wieder nach Paris kam, wurde „fast ihm zu Ehren" der weihnachtliche Réveillon in Leconte de Lisles Wohnung festlich begangen. Dort, im fünften Stock eines Neubaus Boulevard des Invalides 8, trafen an Sonnabenden Heredia, Sully, Valade und Silvestre zusammen, dort las unter schallendem Gelächter Villiers seine Geschichte vom Spießer *Tribulat Bonhommet* vor. „Man atmet unter ihnen eine Luft, die man geatmet haben muß, um Dichter zu sein", schrieb Mallarmé an Cazalis. Mochte ihn unter dem erbarmungslosen Monokel des Gastgebers etwas von dessen gewollt gefühlloser, unerlöster Weltverzweiflung anfunkeln — ganz fremd war dieser Geist dem jungen Dichter nicht, der das *Aumône*-Gedicht geschrieben hatte.

Die Pariser Dezembertage gaben ihm ein neues Hochgefühl;
man ließ ihn eine Rolle spielen, und ein Brief an die Gattin in
Tournon (23. 12. 65) drückt aus, daß er sich in einer Hauptrolle
fühle. Seine Verse habe Mendès allen gezeigt und zugleich vermittelt, daß zehn Gedichte zusammen in einer einzigen Lieferung
des *Parnasse* (am 12. 5.) veröffentlicht werden, dazu noch in
Sonderabzügen als Büchlein, auf Verlagskosten. „Welche Freude!
Bist du zufrieden? Du wirst einen kleinen Band deines Stephan
bekommen!" Weder aus der Sonderausgabe noch aus den von
Mendès versprochenen hundert Francs wurde etwas: alle 37 Mitarbeiter dieses ersten *Parnasse contemporain* (seit März 1866),
außer Leconte de Lisle und Baudelaire, mußten auf ein Honorar
verzichten. Den Verleger Lemerre traf ein Defizit von 2000
Francs trotz der unfreiwilligen Propaganda, die ihm der ent-
rüstete Barbey d'Aurevilly durch eine sackgrobe, groteske Kari-
katurengalerie sämtlicher Mitarbeiter besorgte.[1] Mendès, der über
ihre Aufnahme zu entscheiden hatte, war dafür besorgt gewesen,
daß möglichst all jene Dichter vertreten waren, die in seiner
Erdgeschoßwohnung der Rue de Douai ihre Mittwochabende verbrachten bei Zigaretten, grünem Tee und bei Gesprächen über
Baudelaires Entdeckung R. Wagner, über Balzac, Hugo, A. Bertrand.

Dort war auch Mallarmé erschienen, „der komplizierte, der
erlesene; klein, mit ruhiger, priesterlicher Gebärde; die samte-
nen Augenlider auf seinen Blick senkend, welcher dem einer
liebevollen Ziege gleicht; von Dichtung träumend, die Musik
wäre, von Versen, welche die Empfindung einer Symphonie gä-
ben". So skizziert ihn nach einer ersten Begegnung bei Mendès
sein Altersgenosse François Coppée in sein Tagebuch. Coppée
(1842—1908), welchen der (Mallarmé besonders liebe) unga-
rische Dichter Emmanuel Glaser bei Mendès eingeführt hatte,
war der Liebling Banvilles, ein leichtlebiger, duldsam skepti-
scher Pariser, ein Glückskind, stets voll lustiger Einfälle und
jedermanns guter Freund. Er war damals, neben den unbestreitbar erfolgreichsten *Stances et Poèmes* von Sully Prudhomme, die
größte Hoffnung der Gruppe, als er im Oktober 1866 die poetische Ausbeute der beiden letzten Jahre als „Reliquaire" (dem
großen Heiden Leconte de Lisle gewidmet) bei Lemerre erschei-

nen ließ. Mallarmé fühlte sich bei diesen Versen an geschnittene
Steine erinnert, so wie ihn der Name des Verfassers gleich einer
federnden Schwertklinge ansprang. „Meinem ganzen Wesen gemäß"[1] empfand er den Band, den der Freund ihm sandte. Mit
seiner Mahnung, Coppées Stärke liege im Lyrismus der kleinen
feinen Kurzgedichte, nicht in der breiten Verserzählung der Hugo-
Schule, konnte Mallarmé Coppées Wendung zum rührselig Po-
pulären höchstens verzögern, nicht abbiegen. Trotz seiner Hoch-
achtung vor Coppées flüssiger Reimtechnik stellte er fest, der
schönste Vers werde schließlich unerträglich, wenn er, wie in
Coppées Drama *Pour la couronne* (1895), zu oft wiederkehre
(13. 2. 95, zu Fontainas). Daß er auch den Gehalt bei Coppée oft
seicht fand, läßt sich aus einem seiner Aufsätze für das *Athenaeum* erkennen, wo er in ein Lob von Sully Prudhommes „apar-
ter" Sprache die Bemerkung einflocht: „Warum gibt er nicht ein
wenig von seiner zarten und oft poetischen Seele an Coppée ab,
für ein wenig Sicherheit der Hand, die dieser besitzt?"

Den „Höhlenmenschen" nannte Mendès später seinen Lieb-
lingsschützling Léon Dierx (1838–1912), weil der Spröde sich
nicht um die Aufnahme in die *Académie* bewerbe. Dieser neben
dem optimistischen Heredia strengste Schüler Leconte de Lisles
hat es nie verstanden, von sich reden zu machen, und wurde schon
damals übersehen. Schwerblütiger und ernster als Coppée, doch
ein ebenso aufrechter Charakter wie er, verband ihn seit 1873
eine innige, wortkarge Freundschaft mit Mallarmé,[2] dessen *Galanterie macabre* in seiner *Mort coquette* nachklingt; niemals kam
er vom Satanismus richtig los (Satan! cette nuit change en palais ma cellule! *Cabale* etc.). Und wie dem Anastasius der *Prose
pour des Esseintes* schwebte diesem blonden bleichen Verzweif-
lungs- und Nirvana-Sänger, an dessen Wolken- und Indienschwär-
merei Mallarmé Gefallen fand, zeitlebens die Erinnerung an die
exotische Heimatinsel vor, die Ile Bourbon, und die Wunder-
augen der dort verlorenen Jugendgeliebten.

Dann war da ein munterer brauner Cubaner, José Maria de
Heredia (1842–1905), ein Goldschmied ziselierter Sonette, wel-
cher dem Gedanken an die kühnen Conquistadoren unter seinen
Ahnen nachhing; Schüler und bisweilen Geldgeber von Leconte

de Lisle, ein reicher Archivist. Und da waren Cladel, d'Hervilly,
Des Essarts, Cazalis, Soulary, der politisch radikale Jean Marras, Gabriel Marc; und Villiers am Klavier, auf improvisierte
Melodien Baudelaire-Verse singend. Da war auch Léon Valade,
der ängstliche, leicht eifersüchtige, der dem breiten Publikum
lyrische Bildlein pinselte, und sein sprichwörtlich unzertrennlicher Freund, Albert Mérat, der etliche Male mit Mallarmé zu-
sammengetroffen war und ihm seine Gedichte *Les Chimères*
sandte. Mallarmé fand sie zu langatmig und wenig durchgearbei-
tet, aber doch erfüllt von einem echten Frühlingshauch, der sie
erscheinen ließ wie „ein feingliedriges Spalier deutlich vor einem
lieben vertrauten Himmel, womit nicht gesagt ist, daß nicht auch
lange Einzelblumen anmutig sich aus der Verflechtung reckten
und diesen Umrissen wie auch dem Himmel etwas Arabesken-
haftes verleihen."[1]

Mérat und Valade, beide am Pariser Rathaus beamtet, hatten
einen dichtenden Kollegen, einen kleinen Expedienten des Bür-
germeisteramts, in das Haus de Ricards mitgebracht, den Sohn
eines Belgiers, Paul Verlaine (1844—96). Dort lernte er Coppée
kennen und durch diesen Banville, dem er, wie er später sagte
(L'Eclair, 11. 1. 96), das Sanghafte und Wortspielerische verdanke. Durch Baudelaire sei er von der Tiefe her Dichter geworden, Leconte de Lisle habe ihn den strengen Vers gelehrt. Aus
Goethe, Sainte-Beuve und der Desbordes-Valmore griff er weiche,
zarte Töne auf, so daß Barbey ihn voreilig als „puritanischen
Baudelaire" verspottete. Aber auch illusionszerstörende Schriften
von Ludwig Feuerbach, Moleschott und Ludwig Büchner hatte er
nicht unbeschadet gelesen. Er griff die heftige Kritik Baudelaires
(Brief an A. Fraisse) auf, die dieser an dem flauen Sich-Gehen-
lassen in Mussets Liebesgedichten, an dessen Anrufungen von
Himmel und Hölle übte. Verlaine übersteigerte schon 1865 die
gröbliche Geringschätzung des „Inspiriertseins" und der „Muse"
eines Dichters. Es ist ihm nie gelungen, auch durch spätere
fromme Anwandlungen nicht, die Gegensätze seines Wesens zu
einem Einklang zu bringen. Seine eklektischen Knaben- und Jüng-
lingsverse vom saturnischen Unglückslos, *Poèmes saturniens*, wurden nirgendwo beachtet, trotz freundlichen Zuspruchs von Sainte-

Beuve, Banville, A. France und von Leconte de Lisle, dessen Forderung der „Ungerührtheit" er im *Prolog* und *Epilog* des Bandes
lärmend wiederholte. Auch dem Parnaß-Gefährten Mallarmé, dessen *Guignon* ihn offenbar beeinflußt hatte, sandte Verlaine das im
November 1866 bei Lemerre erschienene Buch (21. 11.), das immerhin schon die berühmten *Sanglots longs* enthielt. Der zwei Jahre
Ältere begrüßte es als ein geglücktes Wagnis, mit alten Mitteln „ein
neues jungfräuliches Metall zu schmieden, eigene schöne Schneiden,
.. statt weiterhin verwischten Ziselierungen nachzuspüren und die
Dinge herkömmlich und unscharf anzusehen".[1] Gewiß stand Verlaine der Dichtung des späteren Mallarmé fern; gleichwohl gibt
es wenig Beispiele einer so ehrfürchtigen Bescheidenheit, mit
der zwei Dichter in ihren Werken einander wechselseitig widerspiegeln. Rührend der Eifer Verlaines, mit dem er sich bei Gautier beschwert, daß dieser in seinem staatlich beauftragten Litera-
tur-Rapport von 1868 das Lob von Mallarmés Originalität durch
den Nachsatz einschränkte: „deren etwas gewollte Extravaganz
von blendenden Blitzen durchzuckt wird."[2] Mallarmé brauchte
lange Jahre, bis er erkannte, daß Verlaine sein Eigenstes nicht in
den *Fêtes galantes* (1869), sondern in *Sagesse* (1873–81) ausgesprochen habe, wie dieser denn eigentlich erst durch das vernichtende und erweckende Zusammenleben mit Arthur Rimbaud
seine rückhaltlosen Töne fand. „Ich war tatsächlich in aller Aufrichtigkeit des Geistes die Verpflichtung eingegangen, ihn seinem
Urzustand als Sohn der Sonne wiederzugeben", schrieb Rimbaud
später, in *Vagabonds*, und schilderte dort Verlaine, verachtend,
aber auch mit einem winzigen Stück Mitleid, als den wehleidigen
„gelahrten Sataniker", der in seiner „idiotischen Kümmernis"
den Freund nachts heulend vom Strohsack gerüttelt und ihm vorgeworfen habe, nicht mit vollem Herzen die landstreicherische
Flucht aus der „Sklaverei" mitzumachen.[3] Der Achtzehnjährige
wußte, daß er für den weibischen Verlaine ein wilder Dämon des
Zürnens und der Quälung war, ein schöner, athletisch hochge-
wachsener Dämon der hellbraunen Locken und der „Sommer-
nachtsaugen", der „Vergißmeinnichtaugen", die Verlaine an ihm
bewunderte; „eine Art Sanftmut", schrieb Verlaine, „leuchtete und
lächelte in diesen grausamen hellblauen Augen und auf diesem

starken roten Mund mit der bitteren Falte: Mystik und Sinnlichkeit, und was für welche!" Dieser ihm wesensverwandten Doppelheit verfiel Verlaine seinerseits haltlos schwankend, bald mür-
risch schwermütig, bald lustig und kinderhell lachend, heute
dumpf und kriecherisch geduckt, morgen unbekümmert und verwegen, — Verlaine, der Häßliche mit dem plebejisch-genialen,
wasserkopfähnlichen Schädel, der eingedrückten Nase, den breiten
Backen, dem begehrlichen Mund, dem naiv-verschlagenen Blick.
Ein wenig geheurer Weggenosse. Dichterisch wurden große, lang
verleugnete Kräfte des Mitleids in dem andern „Höllengefähr-
ten", im Rimbaud der *Effarés*, wieder frei durch den Umgang
mit Verlaine; und in einem denkwürdigen Prosagedicht ließ er
Verlaine, die „Törichte Jungfrau", anklagend zu dem himmlischen
Bräutigam sprechen, gegen den kalten „höllischen Gemahl":
„ich höre ihm zu, wie er aus der Niedertracht einen Ruhm, aus
der Grausamkeit einen Reiz macht", wie er nach blutbefleckten
Schmucksachen giert, gegen die Weiber wütet, über Leidende und
Erniedrigte in Rührung gerät, „schauerlich, lange" die Menschen
als „Spielzeuge grotesker Delirien" verlacht, „stundenlang mich
dazu bringt, mich all dessen zu schämen, was mich auf der Welt
hat ergreifen können, und sich darüber empört, wenn ich weine".
Es sollte Verlaines Schicksal sein, vor dem ihn niemand, auch
Mallarmé nicht, retten konnte, dereinst nächtelang neben dem
schlafenden Gefährten wachen zu müssen, um an ihm zu ergrün-
den, „warum er so sehr der Wirklichkeit entfliehen wollte" (Rimbaud, *Délires I*).

Was ihm und den andern entging, war Mallarmé vergönnt: das
Erlebnis einer Dichterschar, die fern von den neurasthenischen
Krisen der Pariser Großstadtpoesie aus Volkstum und Natur heraus ihr Dichtertum zu leben wußte. Es war die Bruderschaft pro-
venzalischer Mundartdichter, der sogenannten *Félibres*, zu Avignon — von Tournon nur etwa 140 Kilometer südlich. Freilich
waren für einen Nordfranzosen provenzalische Laute eine Fremd-
sprache, und Mallarmé liebte seine eigene Muttersprache zu sehr,
als daß er etwa Provenzalisch erlernt hätte, um ein echtes Mitglied der Gruppe zu werden, so wie es seit 1859 ein Enkel von
Napoleons Bruder Lucien tat, William **Bonaparte-Wyse**, müt-

terlicherseits Ire, zeitweilig Kandidat der Félibres für den Thron von Griechenland. Aber Mallarmés gleichzeitiges Freundschaftsverhältnis zu *Parnasse* und *Félibrige* mußte ihn zum Vermittler vorherbestimmen. Wenn Bonaparte-Wyse seinen Gedichtband *Li parpaioun blu* 1868 an Banville und Coppée sandte und Gedichte dieser beiden übersetzte, so war es Mallarmé, der, zumindest für Banville,[1] diese Verbindung knüpfte. Seinen Glückwünschen zur Geburt eines Sohnes von Wyse fügte er hinzu: ,,Wagt man es, ihm die Poesie zu wünschen? Möge wenigstens, da Sie den bitteren Becher für ihn getrunken haben, Ihr Sohn Ihre Verse begreifen und lieben – was soviel heißt als die Verse zu lieben."[2] Wo Mallarmé durch Wohlmeinende vor Wyses vulgärem Wesen gewarnt wurde, sah er, schärfer, das Gesunde, ,,eine durch ihren Traum belebte und nicht verzehrte Dichterseele", und zugleich fast die einzige, für ,,welche die Poesie eine Wirklichkeit" sei.

Derselbe Mann, der ihm den Pariser Kreis so früh erschlossen hatte, hatte ihm auch den von Avignon geöffnet: Des Essarts. Im Februar 1864 war er als Lehrer nach Avignon versetzt worden und bei der Abreise dorthin hatte ihm der alte Gautier einen Gruß für Aubanel aufgetragen; denn Gautier war rasch auf die Félibres aufmerksam geworden durch den Erfolg von Mistrals *Mirèio* und Aubanels *Mioùgrano*. Die beiden Jahre bis zu seiner Versetzung nach Moulins war Des Essarts täglich in Gesellschaft von Aubanel, auf Spaziergängen oder bei lärmenden Trinksprüchen am Stammtisch des Félibrige;[3] er schrieb auch dem Freund nach Tournon von Aubanels Bauerntragödie *Das Brot der Sünde*, die er im Manuskript gelesen hatte, und er brachte Mallarmé endlich im Juli und wiederum im August 1864 in Avignon mit einigen der sieben Mundartdichter von Fontségugne zusammen. Da war der fromme Biedermeierpoet Joseph Roumanille (1818–91), der hausbackene Senior des Félibrige, der einst als Lehrer den Knaben Mistral entdeckt und gefördert hatte und 1863 die Dialektdichterin Rose-Anaïs Gras geheiratet hatte. Und neben ihm und Jean Brunet (1822–94) vor allem der feurige Théodore Aubanel (1829–86), der sich aber schon damals von Roumanilles Ideal einer nur für das provenzalische Volk bestimmten erhebenden oder erheiternden Heimatkunst entfernte; Ende 1868 führte es zu einem völligen Bruch, bei dem auch Ränke Roumanilles und Geschäftskonkurrenz — jeder von beiden besaß eine Buchhandlung — ihre Rolle gespielt haben. Mallarmé verband sich diesem Sänger der südfranzösischen Weibesschönheit und Naturstimmung sehr rasch in einer engen Freundschaft, die sich später auch auf die beiderseitigen Frauen und Kinder ausdehnte. Der Bauernsohn Mistral bot ihm erst nach fünfjährigem Briefwechsel das Du an, der Bürgersohn Aubanel, eine sanfte, untersetzte Sokrates-Gestalt, schon nach dem ersten Brief. Aubanel brauchte einen Freund wie Mallarmé um so mehr, als man in der ganz persönlichen Erlebnislyrik seines ersten Bandes, *La Mioùgrano entreduberto*, die Félibre-Themen Gott, Tugend und Arbeit vermißt hatte (Roumanille sprach geringschätzig von „vers d'artiste"). Auch ahnte er nicht mit Unrecht schwere Zusammenstöße mit der Kirche, mit dem Erzbischof und mit Roumanille voraus für seine soeben entstehenden Gedichte *Li Fiho d'Avignoun*, Hymnen auf die sinnenhafte strotzende Lebenskraft Südfrankreichs. Er brauchte jemand, der ihm zu bestätigen vermochte, sein (1862 entstandenes) Lieblingsgedicht, die herrliche, hellenisch glühende *Venus von Arles*, dessen handschriftliche Verbreitung 1879 einen Stadtskandal erregte, sei wirklich *admirable;* und Mallarmé sagte es ihm. Vieles an seinem Freund blieb für Aubanel unverständlich. „Es ist ein wackeres Herz", schreibt er an Legré (16. 8. 66), „und eine wunderbare dichterische Veranlagung, aber verirrt in unerhörte Abstraktionen und Wunderlichkeiten".

Das war ohne Zweifel auch Mistrals Meinung. Frédéric Mistral (1830—1914), dessen *Mirèio* die Académie française 1861 gekrönt hatte, war schon damals Ritter der Ehrenlegion und als einer der urwüchsigsten Dichter Frankreichs bekannt; sein Haus im Dörfchen Maillane bei Avignon begann bereits das Ziel literarischer Pilgerfahrten zu werden. Auf der Durchreise zur Grande-Chartreuse im August 1864 war Mallarmé ihm durch Aubanel vorgestellt worden, und der wohlwollende Meister — *l'âme épanouie en poèmes*, wie Mallarmé ihn nannte — hatte ihm von einem neuen Epos über den *Arbeiter* erzählt, zweifellos dem Fischer-

epos *Calendau*, das, 1867 gedruckt, Mistrals erster Mißerfolg
wurde. Mallarmé hat den Hinweis Mistrals auf die gesundende
Kraft der Natur nicht überhört. Er beklagte nur, daß er nun schon
über ein Jahr ihn nicht mehr aufsuchen konnte: „da ich weiß, daß
Sie einen der Demantsteine der Milchstraße bewohnen, möchte
ich phantastische Schwingen ersinnen, Sie dort zu treffen."

Es wurde nichts daraus. Im Februar 1865 fuhr er kurz zu
Des Essarts nach Avignon, im August 1866 wieder, doch nur um
sich dort einer Brustkrankheit wegen untersuchen zu lassen.
„Das Gymnasium tötet mich", klagte er Aubanel, als „Verbann-
ter in diesem schwarzen Dorf." Seine Schüler bekamen die Lieferung des *Parnasse Contemporain* mit seinen Gedichten in die
Hand, und als er die Klasse betrat, stand an der Tafel: *Je suis
hanté! L'Azur! L'Azur! L'Azur! L'Azur!* Die ominösen Blätter
machten die Runde in den Familien der Kleinstadt Tournon und
sie gelangten hinauf bis zum Sous-préfet des Departements, dem
einstigen Seeoffizier Tristan-Louis-Anne, Marquis de L'Angle-
Beaumanoir, dem der dritte Napoleon 1858 die Ehrenlegion verliehen hatte und dem eine große Zukunft im Senat als konser-
vativster Vorkämpfer der Monarchie bevorstand. Auf seinen Befehl schob Deynez, der Provisor des Gymnasiums, den jungen
Lehrer ab. Es scheint, als habe Mallarmé zunächst wirklich geglaubt, daß sein Posten eingespart werden müsse, gleichzeitig
mit dem seines einzigen Freundes unter den Kollegen, des
Deutschlehrers Fournel, eines einstigen Hauslehrers der preußi-
schen Prinzen und Meisters im altfranzösischen Verseschreiben.
Er hat bald erfahren, daß Fournel blieb und daß ein neuer Eng-
lischlehrer angestellt wurde; um 1879 hat ihm der Sohn des
Präfekten, Raoul, der bei Lemerre zwei literarische Werke veröffentlichte, das Vorgehen seines Vaters abgebeten und ihm durch
häufige Besuche Genugtuung geleistet.[1]

Da die Stelle eines Englischlehrers zu Avignon schon in festen
Händen war, hatte Mallarmé als gewünschten Wirkungskreis Sens
angegeben. Man sandte ihn aber in die „alte Kriegs- und Reli-
gionsstadt, das düstere, eingekerkerte" Besançon.[2] Die Stadt gab
ihm nichts, sowenig wie sie „Schiller und Delacroix" etwas gegeben haben würde (Lefébure 24. 4. 67 an M.). In dem Jahr der

Marter dort war an dichterische Arbeit nicht zu denken; kaum
daß es nach langem Schweigen zu Neujahrsbriefen an engere
Freunde, Villiers, Coppée und Verlaine reichte. Da war die Kälte
des Umzugs im Oktober 1866, das Leben im Korridor der rue
de Poithune 36, zwischen Staub und Spinngewebe, umgedrehten
Bilderrahmen und zerbrochenen Möbeln, da waren „die zahllosen *Besuche*, die ich Narren machen mußte, um mir nicht am
ersten Tag die Häuptlinge zu entfremden, die mich als einen
zweifelhaften Menschen überwachen (ich werde Ihnen nächstens
berichten, wie ich Tournon verlassen mußte). Mein Gott, welche
Qualen, seinen Lebensunterhalt zu sichern! Und wenn man ihn
wenigstens sicherte!" (an Coppée). Dann die erhöhten Arbeits-
anforderungen und der Ärger des Alltags, der nichts mit der erhabenen dichterischen Beängstigung, *l'Angoisse*, gemein habe.
„Mir ist, als kreuze ich die Klingen mit einem Feind, derart leide
ich darunter, so wie jetzt zu erscheinen" (an Verlaine, 20. 12.
66). Furchtbare Kopfschmerzen und „kataleptische Abwesenheit"[1] fesselten ihn oft in den nächsten Monaten ans Bett, völlige
geistige Ruhe wurde ihm geboten. – Wieder aber bedeutete ihm
Mistral, der in seiner Ausgeglichenheit „der Süden ist", Stärkung und Sehnsucht. In den seltenen Pausen seines Leidens und
unter den Tannen seines Ferienmonats auf einem Bauernhof bei
Besançon las er *Calendau*, die eben erschienene Dichtung, die
„sich auf das Menschenleben öffnet wie ihre Szenerie auf das
weite provenzalische Meer", und heftiger fror es ihn nach der
Sonne, nach den Freunden und nach dem Abschied aus dem
„schwarzen, feuchten Klima, das mir den Rest geben wird" (an
Mistral, August 1867).

Endlich erfüllte sich sein Herzenswunsch. Am 6. Oktober erhielt er die neubelebende Nachricht seiner Versetzung nach Avignon. Dort hoffte er jetzt, den Rest seines Lebens zu verbringen
.. mit den Freunden und mit der warmen Sonne, die „aus dem
Nichts göttliche Werke retten kann, welche an ihrem halben
Verhaftetsein im Zukünftigen qualvoll leiden", wie er Aubanel
vertraute (7. 10. 67), der seinerseits an Legré schrieb: „der herrliche Junge ist auf dem Gipfel des Glücks". Sogleich suchte er
sich ein kleines hellrotes Häuschen hinter den Bäumen, Place

Portail Mathéron 8; im Blumengärtchen konnte er an Lorbeer-
bäumen die Hängematte aufknüpfen, die er sich 1868 kaufte.
Und im Juli 1868 wurde es mit dem Leiden, das ihn quälte, besser, besonders seit einer Badekur in dem sonnenheißen Dorf
Bandol. Rasch erwarb er sich das volle Vertrauen des vorsichtigen Mistral. Aus Gautiers offiziellem Rapport von 1868 etwa
schrieb Mallarmé das Lob der Félibres ab, sandte es an eine von
Gravant herausgegebene Zeitung in Avignon — und da er die
empfindsame Eifersucht des von Gautier nicht erwähnten Roumanille kannte, erklärte er in einer Einleitung dessen Fehlen aus
der Tatsache, daß Roumanille als einziger seinen Mundartgedich-
ten keine französische Übersetzung beizugeben pflegte. Er mußte
dabei erleben, daß die stellvertretende Redaktrice nicht nur aus
Abneigung gegen Roumanille die Einleitung strich, sondern auch
das Lob Mistrals nur widerwillig abdruckte. Worauf er dem ge-
ruhsamen Dichter von Maillane empfahl, sich künftig in seiner
,,Hauptstadt'' ein wohlgesinntes Blatt zu sichern. Als der Vierte
im Bunde saß er auch mit Roumanille, Mistral und Aubanel zusammen, wenn es galt, die Botschaften von Bonaparte-Wyse zu
entziffern.

Die Provence begreife man erst mit Mistrals Augen: ,,um
Arles zu sehen, bedarf es Mistrals belebender Einführung'' — so rief
er dem Herzbruder Cazalis (2. 8. 68), der mit Mallarmé und Familie, zu dessen unendlicher Freude, einen Ferienmonat am Meer,
in Bandol, verbringen wollte. Und es sollte von Mitte August bis
Mitte September sein, fügt er hinzu, denn vorher sei Mistral nicht
aus Uriage zurückgekehrt, und den mußte der ,,schöne Aus-
reißervogel'' Cazalis kennenlernen, der ankam ,,mit der Vorstellung, der Papstpalast gehöre den Felibern und daß sie auf
der Straße lange Seidenkleider und Leiern trügen''. Sie fuhren
denn auch, da Cazalis fast zwei Wochen in Avignon blieb, vor der
Abreise zum Meer schon nach Maillane.

Der erste Abtrünnige vom Kreis Leconte de Lisles, François
Coppée, besuchte im September 1869 den Freund in Avignon.
Am 14. Januar, abends 9 Uhr, war Coppée noch ein kleiner Angestellter im Kriegsministerium gewesen, der mit seinem Gehalt
nie auskam. Um 1/2 10 Uhr, nachdem seine Dialogidylle *Le Pas-*

sant über die Bretter gegangen war, eine Pariser Stadtgröße, stürmisch umjubelt, eingeladen bei der Fürstin Mathilde. Der Dichter der *kleinen Saynete* — so nannte Mallarmé den *Passant,* als er ihn an Mistral weitergab — hatte unmittelbar nach seinem Triumph einen Krankheitsurlaub in Amélie-les-Bains antreten müssen, und auf der Rückkehr kam er über Avignon. Im Gegensatz zur Eifersucht Leconte de Lisles und zum Widerspruchsgeist Villiers', der jetzt plötzlich bei Coppée kein einziges Mal einen schönen Vers gelesen haben wollte, versuchte Mallarmé, der mit dem Freund heiter plaudernd zur Rhône-Insel wanderte und ihn auch später wieder einlud, an dessen Wendung zu einer volkstümlichen Versdichtung das Gute zu würdigen. Daß die Menge eine wehleidig rührselige Kunst wolle — Coppées breite Erfolge und seine Wahl in die Académie, Februar 1884, schienen dem nicht zu widersprechen —, konnte auf Mallarmé keinen Eindruck machen. Aber an den *Poèmes modernes,* die er im Oktober von Coppée erhielt, wußte er voll zu schätzen, wie dieser aus nichts etwas zu machen verstehe, da ihm das *Tageslicht,* dosiert mit genau der zugehörigen Banalität, ganz einzigartig gelinge.

In ganz anderer Weise als Coppée hat Mallarmé sich in diesen Jahren von dem Pariser Kreis dichterisch gelöst. Dennoch, oder eben deswegen, sehnte er sich nach der Hauptstadt. Die Geldnot wurde in dieser Zeit bedrückend, denn vom 20. Januar bis Anfang September 1870 befand er sich wegen seines *malaise nerveux* abermals in Krankheitsurlaub; anfänglich optimistisch, sah er bald, daß die Beurlaubungs-Bezüge nicht ausreichten. Im Juli betonte er in einem Antrag, er sei noch nicht gesund genug, seine Tätigkeit wieder aufzunehmen; und er besitze eine Familie und keine Zuschüsse.

Mistrals Vermittlung, ihn durch die Protektion des Professors der Universität Montpellier und Mitarbeiters der *Revue des Deux Mondes,* Saint-René Taillandier, eines alten Félibre-Freundes, nach Paris zu bringen, scheiterte. Mallarmé war nicht unglücklich darüber; Mendès hatte ihn kurz zuvor durch eine Schilderung der Pariser Verhältnisse abgeschreckt. Mit der Ausrufung der Republik schien ihm für immer jede Hoffnung einer Versetzung nach Paris genommen, da nach den neuen Schulgesetzen das unter Napoleon III. erlaubte kleine Examen, das Mallarmé abgelegt hatte, nicht mehr genügte und auch seine Bemühungen um eine Stelle als Bibliothekar, gegen Ende Mai 1871, scheiterten. Als er damals einige Tage lang bei Mendès in Paris zu Gast war, war er nahe daran, seinen Lehrerberuf für irgendeine beliebige andere Tätigkeit aufzugeben; für eine Stellung als englischer Übersetzer beim Verlag Hachette, die Mendès vorschlug, fand er allerdings seine Kenntnisse unzureichend. Indessen hatte ihm sein alter Nachbar aus Tournon, Seignobos, jetzt Abgeordneter der Nationalversammlung, die Versetzung nach Paris versprochen. Er erreichte sie, unterstützt von der Braut des gefallenen Malers Henri Regnault, Geneviève Breton, der Tochter des Verlagsdirektors von Hachette. Der Reorganisator des neusprachlichen Unterrichts, Jules Simon, der seit dem 5. 9. 70 Erziehungsminister war, genehmigte die Versetzung Mallarmés an eine Pariser Schule zum Oktober 1871, eine Übertretung des Paragraphen, welche dem Dichter kleinliche Kollegen niemals verziehen. — „Frau Mallarmé verspricht mir für diesen Sommer einen Jungen", konnte der Dichter am 12. 3. 71 dem alten Freund E. Deschamps berichten; „nicht unmöglich, daß Genovevas kleiner Bruder uns in Paris geboren wird, denn gute Freunde sind dabei, mir dort eine Stellung zu schaffen."

Als er in Maillane, am Vormittag des Pfingstsonntags 1871, zum letztenmal in seinem Leben die Hand Mistrals faßte — auch Des Essarts war von Nîmes herübergekommen —, wußte er, daß er auch der Gestalt dieses Mannes, so verschieden ihr Bestreben gewesen war, einen Teil des neuen Muts zur Wirklichkeit verdankte; Mistral seinerseits zögerte nicht, ihn zu jenen nichtprovenzalischen Dichtern zu zählen, „die der Feliber-Wiedererstehung beiwohnten und an ihr teilnahmen... Das Félibrige schuldet dem leuchtenden (estreluca) Dichter St. Mallarmé bewegten Gruß".[1] Am Pfingstmontag, auf der Scheitelmitte seines Lebens, trug ihn die Bahn nach Norden, nach Paris, wo eines Tages die Dichterjugend Frankreichs ihn den Meister zu nennen begann und in Scharen herbeiströmte, seiner ruhigen leisen Rede zu lauschen. Der Reisende konnte es nicht ahnen. Kaum daß er wohl sicher wußte, daß er mit seinen neunundzwanzig Jahren bereits ein anderer geworden war als der junge Weltscheue, der vor dem „Glück" der andern nur Geringschätzung empfunden hatte. Auch das konnte er nicht ahnen, daß in jenem Augenblick, als man ihm die erste Fassung des *Faun*-Gedichts betreten zurückgegeben hatte, das Zeitalter der *Parnaß*gruppe und darüber hinaus dasjenige der Eloquenz-Lyrik seinen Gipfel überschritten hatte, daß nun die Lyrik der Moderne begann, die bald da, bald dort den hohlen Stuck der alten Fassade herabfegte. 1868 folgte der geisteszerrüttete Aufschrei des zwanzigjährigen schwindsüchtigen Lautréamont, *Les Chants de Maldoror*. Kurz darauf begann Rimbaud zu singen. Das Jahr 1873 brachte den *Coffret de santal* von Charles Cros (Georges Kramm), die *Amours jaunes* des Bretonen Tristan Corbière; und die erste nachparnassische Zeitschrift, Emile Blémonts *Renaissance* (seit 18. 4. 72), wagte sich mit dem Neuesten von Villiers (*Axël*), Mallarmé, Rimbaud und Verlaine,[1] mit Wagner und den Präraffaeliten heraus. Whitman, Nietzsche, Gerard Manley Hopkins, ein jeder eingemauert in seine eigene Einsamkeit, öffneten mit Versen, die zu ihren Lebzeiten kaum einer zu lesen fähig war, Luken und Fenster auf eine fremde, nie geschaute und zunächst nur für ihr eigenes Leben erlösende Landschaft.

Noch Baudelaire war zeitlebens über die ewig unruhige Schwermut nicht hinausgekommen, die er in einem seiner Tagebücher[2] mit den Worten definierte: „Von Kind auf habe ich in meinem Herzen zwei einander widersprechende Gefühle empfunden, das Grauen vor dem Leben und die Ekstase über das Leben." Mallarmé dagegen wurde durch Liebe und Schönheit, die beiden Seiten des Eros, über jene „Angst vor dem Guten" (Kierkegaard), die Baudelaire und Lautréamont empfanden, hinausgeführt. Wie jene führte auch ihn die Schwermut, die große Aufschließerin, an die unheimlichen Tiefen unseres Daseins heran. Aber wie man mit dem Dichter Camões eine „gemeine Traurigkeit" von einer höheren unterscheiden kann, so blieb er nicht dabei, „die Menschen zu hassen und Gott zu fluchen". Er erbot sich zu der andern Möglichkeit, „in schwermütiger Liebe zu den Menschen ihnen behilflich zu sein".[3] Wie der von Krisen gehetzte, lebensscheu verpuppte, vom Literatentum gefährdete Dichter, der dem Vitalen so

ferne scheint und ihm doch zumindest durch das Dämonische
mächtig verbunden ist, dem heiter-ernsten und ewigen Hügel näher
kam, von dem herab er sprechen wollte, darüber befragen wir
die drei zwischen 1864 und 1876 entwickelten großen sinnbildlichen Themen, drei Monologtragödien, die aus dem dichterischen Gesamtwerk schon ihr breiterer Umfang heraushebt.

VOM SCHATTEN ZUM KÖRPER

I

DIE LÜGE
DER LEUGNUNG DES GEFÜHLS

(HÉRODIADE)

Einmal ein Drama zu schaffen — im vergangenen Jahrhundert war es der Traum fast jedes Dichters. Mallarmé hatte sich im Herbst 1864 zum ersten- und einzigenmal darangemacht, eine *tragédie* in drei Akten zu schreiben, mit der Überschrift *Hérodiade*. Er hatte das Gefühl, daß er mit dieser Arbeit eine neue Art der Kunst eröffne. „Ich habe endlich meine Hérodiade begonnen. Mit Grauen, denn ich erfinde eine Sprache, die unumgänglich aus einer sehr neuen Dichtungslehre strömen muß, die ich in den zwei Worten umschreiben könnte: nicht die Sache darstellen, sondern die durch sie erzeugte Wirkung. Der Vers darf sich hier also nicht aus Vokabeln zusammensetzen, sondern aus Strebungen (intentions). Und alle Worte müssen vor den Empfindungseindrücken (sensations) zurücktreten. Zum erstenmal will ich ins Schwarze treffen. Nie wieder werde ich eine Feder anrühren, falls ich zu Boden geworfen würde" (an Cazalis, Oktober 1864, *Propos* 43 f.).

Es wäre wertvoll zu wissen, ob er bei diesem ersten Entwurf auch in der Handlung, im dramatischen Geschehen, die „Sache" zurückdrängte hinter dem, was er die „durch sie erzeugte Wirkung" nennt. Die „Sache", die er wählte, ist der Tod Johannis des Täufers durch Salome. Was gedachte er davon szenisch festzuhalten? Was er in jenem ersten Winter in Angriff nahm, war aller Wahrscheinlichkeit nach der jetzt als „Scène" (= II) bezeichnete zweite Teil des Ganzen, das Zwiegespräch zwischen der Heldin Hérodiade und ihrer Amme. Dieser Auftritt mündet in der Tat weniger in eine Sache als in eine „Wirkung", und zwar genau in dem Sinn, wie E. A. Poe dieses Wort gebrauchte: ein inneres Geschehen ist abzulesen an einem jählings beobachteten winzigen äußeren Geschehen. Im Gedicht: das Schmelzen einer Kerze.

Wohl möglich also, daß Mallarmé niemals an die Szene vom Tanz um das Haupt des Johannes gedacht hat. Auf eine gewisse Entferntheit von Salome weist ja die Tatsache, daß er ihren Namen nicht verwendet. Und der Entwurf für eine Vorrede aus Mallarmés letzter Lebenszeit bestätigt, daß er das Geschehen nur in den mittelbaren seelischen Wirkungen schildern wollte: „Ich blieb bei dem Namen Hérodiade,[1] um sie zu unterscheiden von der — man darf sagen — modernen Salome, von welcher man ihre Bilderbogenanekdote, den Tanz usw., ausgräbt; um sie, wie es einzelne Gemälde taten [Henri Regnault, Gustave Moreau, 1876], in dem gräßlichen, geheimnisreichen Tatbestand abzusondern, und um dasjenige wie im Spiegel aufleuchten zu lassen, was vermutlich — möchte das Mädchen auch ein Ungeheuer sein — spukhaft auftauchte oder erschien, nämlich das Haupt des Heiligen."[2]

Mit einer Erscheinung des abgehauenen Hauptes endet in der Tat die Fassung von 1898. Bis zum Ende Februar 1865 aber, wo er dann den Beginn einer neuen Szene ankündete (an Cazalis), war der Dichter immer nur mit dem einzigen Gesprächsauftritt beschäftigt. Und in diesem hielt ihn einzig die Gestalt des „Mädchens" gebannt; man kann es aus einem Brief acht Tage nach der Geburt der kleinen Geneviève entnehmen: „das böse Baby hat mit seinem Geschrei die Hérodiade mit ihren goldkalten Haaren, ihren schweren Gewändern in die Flucht geschlagen, die Unfruchtbare" (an Aubanel, 27. 11. 64).

Als der Frühling anbrach, verschob er die Weiterarbeit auf den nächsten Winter;[3] der Sommer gehörte dem *Faun*. Im November 1865 war er wieder an der Arbeit, und zwar an einem Monolog, dem Monolog der Amme (= IA), der die Dialogszene präludieren oder vielleicht sogar ersetzen sollte; im Grunde nämlich enthält er ungefähr die gleichen Enthüllungen über den Zustand des Mädchens. Nur sind jetzt nicht mehr zugleich ihre Worte die Verräter, sondern viel schwieriger, nur noch ihre Umwelt, die Dinge, die scheinbar leblosen Sachen. Zu gewinnen hoffte der Dichter dadurch jetzt „die Haltung, die Gewänder, den Dekor und die Möbel, um vom Geheimnisvollen zu schweigen" (Nov. 1865). Sie sind hier die Boten des Schicksals, diese Möbel, der Spiegel,

kurz die Stube, „diese liebe Ausbrüterin Ihrer Dichtung" (Lefébure an Mallarmé, 23. 2. 67). Die Schwierigkeit des Geplanten
machte ihm diesen zweiten Winter quälend. Trotz aller Nacht-
arbeit fand er nur wenig Zeit. Neuralgische Schläfen- und Zahn-
schmerzen lähmten ihn (an Aubanel, 7. 12. 65), und die Weih-
nachtstage in Paris rissen ihn derart aus seinem Traum heraus,
daß er sogar eine Reise nach Avignon lieber hinausschob. Nur
mühsam nahm der Heimgekehrte, vor der „*Dichtung* in ihrer
Nacktheit",[1] die Arbeit wieder auf. „Mich vom Leben abzusondern, um die außerirdischen und notwendig harmonischen Eindrücke, die ich geben will, ohne Anstrengung zu empfinden, ist
für mich so schwer, daß ich mich mit einer geradezu manischen
Vorsicht studiere" (an Aubanel, 3. 3. 66). Damals dürften die
beiden Szenen *Ouverture* (IA) und *Scène* vollendet gewesen sein;
beide sind mit derselben blauen Tinte auf dasselbe Papier geschrieben, die Mallarmé in Tournon benutzte. Beider Eigenart
und die Ernsthaftigkeit dessen, was zunächst nur gekünstelt erscheint, könnte man nicht besser schildern, als Mallarmé es selber tat in seinen Sätzen: „Ich, der Unfruchtbare, Dämmerungs-
süchtige (crépusculaire), habe einen entsetzlichen Gegenstand
aufgegriffen, dessen Empfindungen, wenn sie lebhaft sind, bis
zum Gräßlichen geführt werden und die, falls verschwebend, die
sonderbare Haltung des Mysteriums besitzen. Und mein Vers, er
tut manchmal weh und schlägt Wunden wie ein Eisen! Ich habe
übrigens eine verschwiegene, eigenartige Weise gefunden, sehr
flüchtige Eindrücke festzuhalten. Denke dir hinzu, um es noch
schauerlicher werden zu lassen, daß diese *Eindrücke* wie in einer
Symphonie aufeinanderfolgen und daß ich oft ganze Tage damit
verbringe, mich zu fragen, ob der eine oder der andere zusam-
mengehen können, wie sie verwandt sind und wie sie wirken..
Ich habe die musikalische Ouvertüre geschrieben, noch skizzen-
haft, aber ich kann ohne Überhebung sagen, daß sie unerhört
wirken wird und daß die dramatische Szene, die du kennst, neben
diesen Versen nur ist, was ein vulgärer Bilderbogen verglichen
mit einem Gemälde Leonardo da Vincis ist. Ich werde noch drei
oder vier Winter brauchen, um dies Werk zu Ende zu führen,
aber dann werde ich das gemacht haben, was ich als ein Werk,

das Poes würdig wäre, erträume und was durch die seinen nicht
übertroffen werden wird" (an Cazalis, März 1866; *Propos* 58 f.).

Unmittelbar an den Abschluß des Ammenmonologs IA, Ende
März 1866, schloß sich ein neuer Entwurf für das gleiche Selbstgespräch, IB (*Si . . génuflexion*). Denn auf dieses paßt genau eine
Briefstelle aus dieser Zeit:[1] „Ich bin noch immer an der *Ouverture* zur Hérodiade. Ich erträume sie so vollkommen, daß ich
nicht einmal weiß, ob es sie geben wird. Ich war bei einem Satz
aus zweiundzwanzig Versen, der sich um ein einziges und bei seiner einmaligen Nennung sogar noch sehr abgedämpftes Zeitwort
dreht. Und doch wird sie heraustreten, die Königin, aus all diesen
Traurigkeiten, aber wann?"

Über diesen Anfangsmonolog der Amme kam er nicht hinaus.
Eine dritte Fassung der Ouvertüre, IC, kurz vor Mallarmés Tod
verfaßt, ist weder mehr ein Selbstgespräch, noch hat sie mit dem
älteren Hérodiade-Plan Wesentliches gemein. Ich stelle IC zu den
Alterswerken. Wenden wir uns vorläufig den bisher erwähnten
drei Teilstücken IA, IB und II zu.

Wo liegen ihre Wurzeln? Letztlich in dem Gerichtstag Mallarmés über seine einstige schmerzliche Sehnsucht, schicksallos zu
sein[1] „wie der schlafende Säugling" (Hölderlin) in „Unempfindlichkeit des Azurs und der Steine" (*Tristesse*). Schon die Wendung von der Lyrik zum Drama weist darauf, daß er jetzt Abstand nimmt, daß er objektiviert, auch wenn ihn nicht das echte
Wesen des Dramas anzurühren scheint, nämlich das Handeln
eines Menschen und sein Sich-Entscheiden aufzudecken. Fatal
war an dem Ruf nach *impassibilité* auch, daß er der damaligen
literarischen Mode entsprach, vermutlich also aus den Schriften
anderer angelesen war. Diese andern, das waren Baudelaire, der
Flaubert der *Salammbô*, der Villiers des frühen Romans *Isis*
(Juli 1862) und die Altersgenossen, die ebenso wie er gebannt
waren von einer und derselben starren, übermenschlich schönen
exotisch-grausamen Frauengestalt. Schicksallos, also nicht mit
dem nachmals durch Oscar Wilde sehr verbreiteten Motiv, nämlich daß „Herodias", Mutter oder Tochter, den Heiligen heimlich
liebte. So schon in Heines Atta Troll . .

Denn sie liebte einst Johannen —
In der Bibel steht es nicht.
Doch im Volke lebt die Sage
Von Herodias' blutger Liebe.

Vielleicht erst durch Mallarmé angeregt, entstand das Sonett *Salomé* in den *Chants de l'amour et de la mort* von Cazalis. Da schreitet die wilde Liebesschlange, *la Bête* und *l'Esprit*, in der Morgenröte mit dem ertanzten Haupt kalt aus dem Schloß, plötzlich gebannt von den Augen des Toten. Das unersättliche (jamais assouvie) Fleisch der Sünderin erfaßt plötzlich Ekel vor ihrem orgiastischen Leben. Unbekannte Träume ersticken ihre Seele, und nie vergißt sie den Blick dieser Augen, „der einst die Blumen ihrer nackten Brüste verschmähte". Das könnte eine Anregung für Wilde gewesen sein. Schwerlich für Mallarmé.

Für den Epiker Flaubert war es eine grausame Wollust gewesen, die überirdisch jungfräuliche Reinheit seiner orientalischen Mondpriesterin *Salammbô* (1862), umgeben von ihren zahmen Löwen, im krassen Gegensatz zu einer vertierten, begehrlichen, schamlosen Weltgeschichte aufzuzeigen. Lyrisch hatte Baudelaire, nicht der zum echten Mythos unfähige Leconte de Lisle, zahllosen Nachahmern die Monumentalgestalt der gewissenlosen kalten Dirne vorgezeichnet, *ô Bête implacable et cruelle*. Aus seinem Schmerz über eine Welt, in welcher alles befleckt und herabgerissen wird, in welcher Freude und Schmerz feig und würdelos getragen werden, erträumte er sich die erhabene Schönheit als eine weiße Frauengestalt mit dem Schneeherzen, die niemals weint und lacht, die bewegungslos wie ein steinernes Standbild, wie eine unerforschliche Sphinx thront, an deren schweigsamer Brust die liebenden Dichter sich zerquälen, hingerissen durch ihre Augen (pour fasciner ces dociles amants).

Das Durchlittene und Erlebte in diesen Gesichten wurde bei den Parnassiens wohl wenig ernst genommen. Was sie reizte, war, das Sündlose und Selbstverständliche der Gestalt zum Laster zu steigern: man verwandelte sie ins Urbild der Grausamkeit, des Hochmuts, des grandiosen Egoismus, des Menschenhasses, der Gewissenlosigkeit. Man setzte mitunter, ein gräßlicher Anblick für Baudelaire, sogar die Dirne auf den Thron der höchsten Schön-

heit. „Blonde, voluptueuse, insensible et funeste", so erträumte
schon Heredia eine *Lucrezia Borgia*. „Terrible et belle" erschien
bei Cazalis (*Reine d'Orient*) eine düstere Schöne, *le soir, quand
elle marche en ses lourds vêtements*. Jäh abwechselnd zärtlich,
dann verbrecherisch wild, lebt sie zwischen eingekerkerten Löwen
und Schlangen als einzigen Vertrauten, ihre Liebhaber läßt sie
grausam hinrichten. So starrt sie schweigend in den „schaudernden Graus des Nachthimmels"..

> *Tantôt alors farouche elle donne à ses yeux*
> *L'impassibilité des astres et des cieux;*
> *Tantôt, comme une bête accroupie et tranquille,*
> *Lasse et morne elle songe . . .*

Um die letzten Verbindungen zum Menschlichen abzubrechen,
erhob Mendès dies grausam kühle Schemen zur Liebesgöttin und
nannte es *Pantéléïa*. „Je ne descendrai pas de ma sérénité / hau-
taine .. J'ignore les plaisirs comme les désespoirs." Vergeblich
starben Krieger für sie, sangen Dichter dem Volke von ihr: „mein
Durst nach Ambrosia will nicht an gemeiner Tränke sich stillen".
Alle Männer würden ihr hörig, „doch eure Liebe ist meiner
Schönheit nicht würdig". Vergebens lockt die liebesgirrende
Nacht, vergebens das Altarfeuer der Anbeter: „süßer ist der
Duft, der meinen Haaren entströmt", balsamischer als der Wald
„meine göttlichen Glieder". Vergeblich fleht der Löwe[1] und andere Tiere, vergeblich bittet der Wind: laß mir „le soin de dé-
nouer vos cheveux!" *Immobile*, gelangweilt, versagt sich ihr einsamer jungfräulicher Busen, härter als der Fels,.. und im stolzen Sich-Dehnen ihres glorreichen Fleisches betrachtet sie sich
freudig und heiter. „Keine Liebe beugte meinen sehnigen Willen." Meine ewig strahlenden Augen allein „werden meinen Leib
besitzen, den nur mein Leib besitzt". So bleibt sie „in unsäg-
lichem Entzücken, Verschmelzung alles Begehrens und aller
Schönheit zu sein im einzigartigen Glanz meiner Gestalt", dem
Himmel gegenübergekauert, „bewegungslos, Schnee, gemeißelter
Marmor". So mußte das Idealwesen aussehen, das allein würdig
war, die diamantenen Wunder-Tropfsteingrotten des *Parnasse*-
Schrifttums zu beleben, deren Funkeln, nach dem richtigen Bild

in Banvilles *Stalactites,* nicht der echten Sonne Gottes entstammte,
oder das in dem vegetations- und sonnenlosen Paris, das Baudelaire sich träumend konstruierte (*Rêve parisien*), hätte leben
können.

An Mallarmés Hérodiade pflegen die Berichterstatter etwa dasselbe zu bewundern, was ein Mendès an seiner *Pantelëia* bestaunte.
Aber in nächster Nähe Hérodiades befindet man sich erst, wenn
man in dem phantastischen Roman *Isis* (1862) des dreiundzwan-
zigjährigen Villiers den Monolog der jungfräulichen Heldin aufschlägt. Dieses Buch, das Mallarmé im Herbst 1862 hingerissen
las, ist ungeachtet eines haarsträubenden Hintertreppen-Wirr-
warrs das lyrisch Kühnste und Kompromißloseste, was Villiers
geschrieben hat. Die Heldin, eine Nachfahrin von Balzacs über-
natürlich erleuchteter *Séraphita,* verkündet, daß nun auch der
letzte Schleier des Verschleierten Bildes von Sais, der sie noch
vom Tode trennt, zu Staub zerfällt: ,,,ich werde die heilige Schwelle
überschreiten und ich werde versuchen, die Grundfrage fest ins
Auge zu fassen.' Die junge Frau ertappte sich in dem Augenblick,
in dem sie das Reich der einsamen Betrachtung betrat, dabei, daß
sie das Haupt wendete und zum erstenmal auf den Traum des Lebens sanfte Blicke warf. Ja, zum erstenmal hätte sie glauben, lieben, vergessen mögen!.. – Geringschätzig und ernst widerstand
sie alsbald und streckte alle Mächte ihres Geistes zu den schwindelerregenden Gipfeln des IDEALS aus" (c. 8). Villiers entwirft
das schwärmerische Bild seiner blonden jungfräulich schönen
Marchesa Tullia Fabriana, ,,femme glorieuse", indem er sie ,,in
einer egoistischen Konzentrierung" zeigt, abgeschirmt gegen die
Außenwelt, nur von einer Dienerin umgeben, aber zugleich verzehrt von *ennui* und *impuissance* und der ,,großen Schwermut
des Werdens" (c. 12), eines der wenigen Wesen jenseits ,,gewalt-
tätiger Wünsche,.. aber welch tiefe Wunden verbergen die Strahlen ihres Ruhmes! Läßt Sisyphus sich ohne seinen Felsen denken? Sokrates ohne den Gifttrank? Prometheus ohne den Geier?"
Da der Roman nur den ersten Band eines niemals weitererschie-
nenen Zyklus darstellt, erfahren wir nicht, ob diese Sätze auch
für Tullias ferneres Schicksal gelten. Villiers erzählt nur ihre
Begegnung mit dem deutsch-italienischen Grafen Wilhelm. Wäh-

rend sie jenseits von „Bewunderung, Furcht, Hoffnung" in ihrem
Zimmer mönchisch lebt, spielen draußen in der Sonne die Kinder; der „Lenz ihrer Jugend" ruft ihr zu: „Du vergissest zu leben." Bisweilen hilft sie unerkannt den Armen und Kranken, nicht
aus warmem Herzen — denn sie ist aus dem Geschlechte Kains —,
sondern „um nicht zu vergessen, daß sie existiere. Manchmal
erlebte sie ein großes Schwindelgefühl sich selbst gegenüber; sie
spürte durchaus: was ihr an Menschlichem blieb, konnte in jedem Augenblick sie verlassen; sie hing fast nicht mehr an der
Erde, und sie existierte in Wahrheit nicht" (c. 11). In einer
Nacht ist es aber, als wolle „die äußere Natur ihr die Aufmerksamkeit, die von irgendwoher auf sie gerichtet ist, ankünden".
Stundenlang durch einen Blitz betäubt, der durch ihr offenes
Fenster einfiel, erfährt sie in dieser Zeit durch die „Geister", daß
von außen her das „Empfinden" sich nahe, welches sie selbst
nicht heraufzubeschwören geruht hatte, „étant sûre, qu'il vien-
drait tôt ou tard, selon les pressentiments anciens" (c. 13). „Ich
werde warten", verspricht sie. Am Vorabend vor dem Ablauf der
Frist, an dem sie durch Gift ins „anéantissement divin" einzugehen beschloß („j'allais devancer l'Heure", c. 14), wird ihr Wilhelm vorgestellt. Er erkennt ihre Stimme wieder, die ihm aus
urvordenklichen Zeiten im Gehör ist. Sie, die das Leben Kleopa-
tras in der Erinnerung nachlebt, findet in ihm den knabenhaften,
jungfräulich unbefangenen Mann, den sie längst ersehnte. In
einem großen Monolog (c. 13 f.), „indolemment" hingelagert,
„verloren inmitten ihrer Schönheit", weiß sie sich „oberhalb des
meisten Leides.. Durch Ringen bin ich zur Identität meiner selbst
gelangt.. mein Herz ist eine große eisige Schwermut: mir scheint,
ich wandle mich nicht mehr". Mit einem „genauen, absoluten
Ziel" vor Augen — man erfährt nichts Näheres über die „weiten
Pläne", le rêve, l'idéal — „bin ich gemäß den Gesetzen der Notwendigkeit zu deren vollständiger Verwirklichung hingeschrit-
ten". Niemand könne ihr vorwerfen, etwas versäumt zu haben;
wie Christus, der sich ihrer freilich nicht erbarmt habe, sei sie
versucht worden und könne nun sagen: es ist vollbracht. Der Roman endet mit ihrem Entschluß, sich zunächst dem Ideal anzupassen, als welches sie in des Geliebten Seele lebe; dann aber ihn

langsam in die Wirklichkeit ihres Weltwissens und der „Sendung, die ich mir bestimmt habe", und äußerlich vielleicht zur Weltherrschaft zu führen.

Eben das Bruchstückhafte und gegen Ende geradezu surrealistisch Dithyrambische dieses Romans läßt den Leser weiterträumen. Wieweit Villiers einen tragischen Ausgang im Auge hatte, ist unklar. Sicher aber plante ihn Mallarmé, als er das Geschehen auf Salome und den Täufer umwälzte. Aus dem mit Trivialem durchsetzten Rohstoff Villiers' läuterte er erschreckend körperhaft, fast physiologisch, den Einbruch in eine übermenschlich schroffe Jungfräulichkeit, so sehr magisch, daß die groben Mittel einer Vorankündigung durch Donner, Blitz und Ohnmacht wesenlos wurden, und so sehr lyrisch, daß ein erzählerisches oder dramatisches Weiterschreiten sich erübrigte. Den hohen Traum durchkreuzen die Nerven, ein dunkler Drang, der zum Nichts hindrängt. Traurig findet der Geist auf seinem Weg zum Sichbewußtwerden die Sinnlichkeit. Als Verkörperung des schlimmen Wissens vom Künftigen bricht die Amme aus den „Sibyllenhöhlen" in die reine Gegenwart ihrer Herrin ein; das *Weib* — ô femme — in die Welt der Jungfrau.

Nicht eine hieratisch triumphale Gefühllosigkeit zu feiern, ist der Sinn des Selbstgesprächs der Amme. Schon Mallarmés christliche Sündenerfahrung kennzeichnet ein anderes Wollen. Seinem Über-Weib Hérodiade richtet Luzifer das Zifferblatt; „kein Engel begleitet ihren Schritt". Und daß Fluch und Tragik über dem Geschehen schwebt, wird aus den schreckhaften Ahnungen der abergläubischen Amme deutlich, die jedes Ding und Bild als Prophezeiung eines baldigen gräßlichen Ausgangs empfindet. Sie selber ist wie das Fatum des Aberglaubens, dem eine ausweg- und lautlose Gottverlassenheit ausgeliefert ist. Die Todesboten haben alles überwuchert, wie ein starkduftendes, würgendes Unkraut. Weit über den bevorstehenden Tod des Mädchens hinaus lastet ein Alptraum von Klängen und Silben fast unerträglich düster und unausweichlich auf dem Hörer. Das Menschentum überhaupt meint man in ein unheimliches Netz dämonischer Beziehungen verstrickt zu sehen, rettungslos und dem eigenen ideellen Untergang gegenüber so stumm, wie es hier das schöne Opfer ist. Schneidend beginnt die *Ouverture* mit symphonisch wuchtigen Dissonanzen: Crime! bûcher! aurore ancienne! supplice! Mit den aus Aubanels Sonnenuntergängen nachklingenden Evokationen des *drame solaire* (wie er es später nannte) zieht furchterregend, wie eine symbolische Selbst-Einäscherung, hier die Morgendämmerung herauf, das sehr frühe, unheimliche Zwielicht, wo die Welt noch im Dunkel liegt und erst ferne nackte Goldstreifen den geröteten Himmel geißeln. Ganz wie in *Don du Poème* wird ein solcher Morgenhimmel als ein schwarzgefiederter Unglücksvogel aufgefaßt, der einen zerrupften, wie von einem Tränenbad triefenden Flügel nachschleppt. Dieser Morgenrot-*Rabe* wählt sich einsiedlerisch zum Sitz einen alten Turm, welchen Askese und Entsagen zu einem lastenden Grab gemacht haben. Den Park davor kennt man aus *Symphonie litt. II* und aus *Soupir*, nur ist die Stätte hier noch zerfallener. Während die Verlassenheit des Herbstes ihr Feuergelb in das träge bewegungslose Wasser der tränenvollen Bassins wirft, als wolle sie es darin erlöschen, bricht *die Amme* in jähen Jammer aus. Nimmer wird hier das unbefleckteste Wesen, „ein schöner Schwan", seine Schwingen baden, .. seitdem er das Haupt verhüllte im Gefieder; das soll heißen: in dem Mausoleum, im Turm, oder poetischer erklärt in den fünf Schlußversen, wo dieselbe Beschreibung wiederholt wird: in ihrem köstlichen Herzen lebt das Mädchen, die junge Herrin, ausgestoßen. Denn rettungslos versunken ist sie in das Diamantenfunkeln eines reinen, erlesenen, uridealen Sternenseins, das niemals auf dieser Welt leuchtete (ahnungsschwer abweichend in Vers 96: das verscheidet und nicht mehr leuchtet).

Man bekommt Herodiade nicht zu sehen, und es ist das Kühnste und Unheimlichste am Monolog der Amme, daß sie kaum etwas von ihrem Wissen ausplaudert, sondern das Seelengemälde der Heldin zunächst nur an mittelbaren Anzeichen entwickelt. Aus Herodiades Garten und ihrem Zimmer, aus Kleid, Geruch, Blumen, Stimme, selbst aus dem Sakristei-Symbol werden die geheimen Spannungen und Kämpfe ihres Wesens deutlicher, als wenn man ihr schon in das starre Rätselantlitz blicken dürfte. *Ombre magicienne!* wird sie beschwörend angeredet.. *Vous errez, ombre seule*.. Und es wird nicht bloß von der *ombre d'une princesse* gesprochen, es wird lebendig suggeriert, wie sehr SCHATTEN das Mädchen geworden ist, das sich selber im Spiegel *comme une ombre lointaine* vorkam.

Vom Rahmen des offenen Fensters sieht man herein in ihr dunkles Zimmer. So gestaltlos ist dort alles, daß man sie nicht herausfinden könnte aus den Bildern unvordenklicher Sibyllen auf den perlmutterblassen Teppichen, die zwischen entgoldetem Waffenschmuck schlaff herabhängen von den vergangenheitsbleichen Wänden. Ein Duft nur lenkt die Aufmerksamkeit auf eine gespenstische Gestalt.. abseits vom leeren Bett, das im Dunkel liegt, da sie das Licht ausgeblasen hat. Von ihr ist allein das in der Truhe gebleichte Gewand erkennbar,[1] dessen Vorzeitornamente auf schwarzem Silber lauter himmelwärts sich schwingende Vögel darstellen. Der Duft aber ist seltsam zwitterhaft: Schwaden aus leichenhaftem Gebein über Wohlgerüchen. Oder: in derselben wehmütig leuchtenden Vase findet man beisammen den schmachtenden *Mond* und gleichzeitig die schönen Stengel von *Blumen;* wie ja die Fürstin eine *Blume* ist und doch des *Mondes* bedarf, wenn sie bei erloschener Kerze die Hüllen abwirft.

Nicht weniger vorzeiterfüllt — die greise Amme fühlt sich an die eigene Stimme erinnert — erheben sich jetzt singende Beschwörungsrufe; daß sie von der schattenhaften Zauberin stammen, abgebrochen, zusammenhanglos, *signe lamentable*, bleibt so lange unausgesprochen, bis erneutes Schweigen und das Düster alles wieder erschlaffend zurückzwingt ins eintönige Vergangene. Statt jung, sinnenhaft, menschlich klingt die Stimme intellektuell, abstrahiert, „noch in des Denkens vergilbten Falten sich hinschleppend". Einen Vergleich für die Art dieses Klangs[2] böte eine zur Rumpelkammer entartete Sakristei, wo ausgekühlt Hostiengefäße zusammengepfercht stehen; es ist wie das weihrauchduftende löcherige rote Schweißtuch mit den steifgewordenen Falten, das, über die Gefäße gebreitet, im Lauf der Jahre an den Kanten durchbohrt ward und zwischen Litzen und Spitzen den alten verhüllten Glanz gleichsam verzweifelt hervorlugen läßt. Und nun, ein Musterbeispiel für Mallarmés Symbolglauben, wird das Sinnbild, in kühnster Verknüpfung der beiden Bildsphären, um das kommende Schicksal des Versinnbildlichten befragt: wird

11 Wais 2. A.

der verhüllte Glanz der Gefäße noch ein letztes Mal sein einstiges, überdecktes (voilé, celé) Goldleuchten hinausstrahlen? Oder in des Dichters eigener Deutung: wird diese gebrochene Stimme wenigstens im Todeskampf dereinst wahren geheiligten Sang anstimmen? – Die Erfüllung dieser Frage ist das Sicherste, was wir über den fehlenden Schluß der *Hérodiade*-Dichtung wissen.

So entkörpert, zerrissen, unmenschlich ward alles an dem Mädchen, daß auch ihr Bettlaken nicht aus Linnen sein kann: es gleicht den weißen Seiten eines Buches, in deren Faltung das menschliche (und daher *liebe*) Gekritzel der Träume nicht mehr enthalten ist. Stieg zu dem grabesöden Bettbaldachin überhaupt je der Haarduft der Schlafenden empor? Denn die Eiskalte – erst von nun ab spricht die Amme offen von ihrer Herrin – wählt für ihre Ausgänge den taufröstelnden Morgen und die Zeit nach Sonnenuntergang. Auch die Mondsichel sucht sie nicht auf; deren äußerer Form gedenkt sie nur in Assoziation zum krummen Zeiger ihrer Uhr, deren Uhrgewicht der Satan ist. Und der Zeiger zersäbelt Stunde um Stunde trüben tränentropfenden Tickens, die sie einsam, von den guten Geistern verlassen, umherirrt.

Ihr Vater, der König – es ist gewiß nicht der historische Stiefvater Herodes Antipas – hat von diesem Geschehen aus dem Mund der von ihm gedungenen Amme nichts zu hören bekommen. Ist er doch über die Alpen gezogen, wo auf Gletschern seine stählernen Waffen blitzen und seine Silberposaunen über Feindesleichen die alten harzduftenden Tannen grüßen. An eine rechtzeitige Heimkunft glaubt die Amme vorahnenden Gefühls nicht länger. Sie gewahrt, wie an der Fensterscheibe der Finger der fürstlichen Sibylle sich hebt, und wie an dessen Spitze der glühende Morgenhimmel alsbald ein Kerzenflämmlein ansteckt, das sich in das Wachs des Körpers immer weiter einfrißt. Nach diesem Vorzeichen klingt der Prolog aus – dieweil die prophetische Röte, die nicht Dämmerung bringt, sondern den glühenden Anbruch des letzten, alles endenden Tages, sich ausgießt über die in ihr Ideal vergaffte Jungfrau.

Schon die nur äußerlich umgeformte Wiederholung der Verse 13–16 in Vers 92–96 zeigt ein Ungeschick in der dichterischen Ökonomie[1] und Komposition, das schon im *Guignon* auffiel und

das Mallarmés Bemühung um eine neue Fassung der *Ouverture*
erklären würde. Die Erzählweise rückt fast nur von Assoziationen
gelenkt voran, stagnierend genug, und anfänglich bei sehr geringer Mannigfaltigkeit der Bildsphären.[1] In manchen Dingen war
auch die nächstfolgende *Scène* schon vorweggenommen: das Waf-
fengerät kriegerischer Vorzeit im Saale, das Ausweichen der Heldin vor dem Duften ihrer Haare und vor dem Tageshimmel, oder
der Vergleich mit dem Buch.

Meinte Mallarmé den Schmerz der Überspannung noch nicht
quälend genug ausgedrückt zu haben? Oder fand er, daß aus diesen wehen Ahnungen noch allzu wenig über das bevorstehende
Schicksal herauszulesen sei? Das neue Fragment jedenfalls, IB
vom März 1866, ist in einen einzigen riesenhaft gewundenen
Satz von rund 22 Versen gepreßt; und man erfährt nun auch ein
weniges von Johannes. Aus neugewählten Bildern ist die gleiche
Erkenntnis der Amme gestaltet: daß ihrer Herrin das Glück der
Hochzeit nicht werde beschieden sein.

Ahnend sinkt hier die Amme wie eine verzückt schauende Drui-
din auf ihre Knie vor der brandglühenden Sonnenglorie, die sich
rundet „selon quelque figure invisible raidie“. Zugleich auch ist
in ihr das Gefühl einer Aussichtslosigkeit und eines Unumstöß-
lichseins hinsichtlich des künftigen Geschehens; aussichtslos —
mit der einzigen Ausnahme einer (auf den christlichen Hintergrund zu deutenden?) prophetischen Vorahnung. Diese Vorahnung läßt sich ablesen aus der Flucht von erstarrten Drachen-
ornamenten auf einem Wasserkrug und einer Armleuchte — nur
der metallene Anrichtetisch, auf dem sie stehen, aber nicht das
geringste in ihnen selbst weist darauf, daß sie beim abendlichen
Fest zur Verwendung kommen könnten — nämlich sie fließen
zusammen zu einer zwiedeutigen Vision, in der sich sowohl „eine
nicht klar erkennbare, demütige und wilde Maske“ ausspricht
wie das göttliche Erbarmen (miséricorde). Aber darüber hinaus
ist die Zukunft ohne Hoffnung und Ausweichen. Denn augenscheinlich ist die Prunkschüssel, auf deren Grund das Bild eines
idealen Fabeltieres[2] eben noch erkennbar ist, nicht dazu bestimmt,
die Speise aufzunehmen, welche bei der Hochzeit der jungen Fürstin mit ihrem Tischgesellen Freude verheißen würde und das

11*

Glück des dauerhaften Liebesgeschmacks noch jenseits der Gier der Hochzeitsnacht.

Diesen Versen zufolge befindet sich Hérodiade also am frühen Morgen ihres Hochzeitsfestes; es wird nicht vollzogen werden, weil ein anderer Mann, der Täufer, tragisch dazwischentreten wird. Als Mallarmé hier im April 1866 die Arbeit abbrach, geschah es in der Überzeugung, jetzt erst sei ihm die wahre Erleuchtung über den Sinn dieser Dichtung geschenkt worden (an Cazalis, Juli 1866). Hatte er etwas davon noch in die Druckfassung der *Scène* hereinverarbeitet, die er im März 1869 für den zweiten Band des *Parnasse contemporain* (1871) an Lemèrre einschickte? War ihm damals aufgegangen, was er dann zehn Jahre später erwiderte, als Montesquiou[1] ihn nach dem Sinn der Gesamtdichtung befragte: dieser Sinn sei „kein anderer als die künftige Verletzung von Hérodiades geheimnisvollem Sein durch einen Blick des Johannes, der es[2] bemerkt und allein wegen dieser Entweihung sein Leben einbüßt; denn die wilde Jungfrau wird sich erst dann wieder unberührt und völlig unversehrt fühlen, wenn sie in ihren Händen das abgeschlagene Haupt hält, in welchem die Erinnerung, die Jungfrau flüchtig überrascht (entrevue) zu haben, fortzudauern wagte." Diese mündliche Äußerung hat offensichtlich ihre Lücken: der Tragödiencharakter der Dichtung bleibt unbegreiflich; desgleichen die unheimlichen Ahnungen der Amme, der Vater werde zu spät kommen, um seiner Tochter helfen zu können; auch der Sterbegesang und das *Vous mentez*. Im ganzen aber stimmt die Erklärung gut zu den älteren Fragmenten, namentlich zu Teil II, dem Gespräch. Obwohl später entstanden, hatte das Selbstgespräch der Amme (IAB) absichtlich manches unerwähnt gelassen, das erst durch II verständlich wird. Warum dies Bangen der Heldin bei so viel Hingabe an das Ideale? Warum diese Umdüsterung bei so viel stolzer, triumphaler Schönheit? Dies Rätsel wird zu Beginn des Monologs, der unmittelbar an die Dialogszene anschließt, gelöst. Wir nehmen ihn vorweg. „Ihr lügt, o meine nacktblühenden Lippen" — so ergänzt das Mädchen, mit sich allein gelassen, ihr unmenschlich ideales, abstraktes Bekenntnis zur Schönheit als dem Nichts (V. 8), fernab von den menschlichen Schmerzen. In Wahrheit harrt sie nicht,

wie sie zuvor noch behauptete, nur *auf sich* allein (pour moi).
Sondern auf ein *Unbekanntes.* Vielleicht auch, meint sie, habe
sie anfangs gelogen, ohne es zu wissen, falls ihr Mund damals
tatsächlich sein Aufschreien und die verheimlichte Wahrheit
noch nicht begriffen habe. Nun aber weiß sie: es war das letzte
todwunde Schluchzen ihrer Vogelflüge zum Absoluten gewesen,
ihres zermürbten Jungfrauentums, dessen kühler Karfunkelpan-
zer in heißen Träumereien sich lockert, schmilzt, abgleitet.

Dies also ist das *Geheimnis* Herodiades. Weltanschaulich vergröbert: der Untergang eines unhaltbaren, widernatürlich abstrakten Schattendaseins aus rein ästhetischem Idealismus, wie
Mallarmé selber ihn erfahren hatte. Literarisch: Entlarvung des
angeblich körperlosen, jede Gefühlsbindung ableugnenden Schön-
heitsideals der Parnassiens, dessen letzte Spuren noch in Whistlers *Ten-o'clock*-Rede erschienen. Daß nun aber diese Sinnbilder
sich an der ganzen *Scène* ablesen lassen und nicht erst an dem
oben angeführten Geständnis am Ende der Szene, das eben bildet
einen Gipfel psychologischen Raffinements in der ganzen Dichtung Mallarmés. Er zeigt nicht jäh die Erkenntnis-Wendung des
Ihr lüget! Das wäre grob gewesen. Er zeigt den unsichtbaren Sprung,
wie Sully-Prudhomme im *Vase brisé;* zeigt die vibrierende Unruhe der sich verschiebenden Versfugen (Zäsuren), des Zeilen-
sprungs, der Anakoluthe, der zerstreuten Abschweifung und der
aufblitzenden Einschubgedanken; zeigt unterirdisch die süße und
herbe Tragik im unmerklichen Reißen der überspannten Fäden des
idealen Absurdum; die vergeblich verborgene, einsam getragene
zuckende Reptilqual des dämonisch stolzen Mädchens unter einer
vitalen, biologischen Glut, die sie ausgelöscht glaubte, die sich
aber einschleicht und sich rächt. Verglichen damit wirkt Dianas
Verleugnung ihrer geheimen Liebe zu Eros, in Banvilles *Diane
aux bois*,[1] wie ein harmlos mädchenhafter Keuschheitstrotz; auch
Flauberts Orientprinzessin *Salammbô*, die abgeschlossene Mondpriesterin, erhebt sich nicht zu solcher Sinnbildlichkeit. Herodiade ist ein mythisch tragisches weibliches Gegenstück zum
Hippolytos des Euripides. Auch über ihr schwebt der euripi-
deische Dämonenfluch, den Racine — Schlegel hat es ihm einst
vorgeworfen — in seiner *Phèdre* stehen ließ: *O haine de Vénus!*

Doch wenn in der berühmtesten Szene Phaedra, ebenso schlaflos und gequält von sinnlichem Begehren, ihr Geheimnis schließlich der Amme verrät,[1] geschieht es in wohlgesetzten Worten. Der Sohn des 19. Jahrhunderts aber empfindet einen Hauptreiz darin, das durch Zeilenlücken vielsagend Angedeutete mitschwingen zu lassen; unwesentlich bleibt dabei, wieviel die Amme, die sich zeitweilig als zynische Vettel erweist, von dem Verheimlichten und Durchsickernden etwa zu ahnen fähig ist.

Die *Scène* schließt unmittelbar an die *Ouverture* an. Es ist noch immer Tagesanbruch (V. 60/1), und die Amme betritt die Kammer. Dort ruht das Mädchen, zerzausten Haars, herrisch-apathisch von der Sklavin abgewandt gleich der baudelairesken *Olympia* auf Manets berühmtem Gemälde; doch ohne deren frühreife Neugier und schamlose Nüchternheit. Der stürmische Kuß auf den Finger, welcher die scheinbar ins Reich des Unbetretenen[2] Entrückte wieder ins Leben zurückrufen soll, wird von ihr mit majestätischer Schärfe abgewiesen. Sogar wenn nur meine blonde Haarflut, so fährt sie auf, dies mein einsames Fleisch betastet, graust es ihm! Und doch sind ja diese lichtdurchwobenen Haare nicht befleckt und sterblich, wie du es bist und alles Häßliche. Jenes Morgens möge sich die Amme erinnern, an welchem traurige Röte ersterbend den Horizont erfüllte: damals betrat die Jungfrau — ihr ist dies alles ganz Gegenwart, denn noch fühlt sie sich ganz im Zauberbann dieses unbegriffenen Gangs — den dumpfen Löwenzwinger der Burg und schritt unversehrt im Wüstengeruch dieses unsäglich alten Tierkönigtums. Und sahst du da, fragt sie, daß ich mich etwa gefürchtet hätte? Dort entblätterte sie ihre samtene Lilienschönheit, als stünde sie vor einem Springbrunnen, der zum Bade lüde. Die gebannten Augen der Urkönige folgten dem herbstblätterzarten Fallen des fahlen Gewandes, und als es träg zu der Jungfrau Füßen lag, nehmen sie es weg, *et regardent mes pieds qui calmeraient la mer*[3] — ein schöner Vers, gleich schicksalhaft und legendär wie der Vorgang selbst, bei dem die Löwen das Ungeheuerliche des Entkleidens spürbar werden lassen.

Die winterlich weißhaarige Amme, während sie noch durch die wilde Mähne des Mädchens sich zitternd an Raubtiere erinnert

fühlt, wird scherzhaft-verächtlich aufgefordert, zum Kämmen der
Haare den Spiegel zu halten. Doch schon als die Alte Haar-Essen-
zen anbietet — die heitere Myrrhe fromme der Herrin weniger
als „de l'essence fait avec la mort des roses" (A_1) —, fährt Herodiade so heftig dagegen auf, daß sich dabei unerwartet etwas wie
Unsicherheit und Gefährdung offenbart. Sie hat Angst, dieser
Duft könne „mit seiner Schwüle mein schmachtendes Haupt ertränken!" Denn nicht blütenduftende Tröstung menschlichen
Mitleidens sollen ihre Haare spenden; ob ihr Glanz — es ist ein in-
trovertierter, nicht ausstrahlender Eigenglanz! — grausam flak-
kernd oder stumpf leuchte, „auf immer" sollen sie duftlos bleiben .. wie das Metall des blanken Wandschmucks im väterlichen
Waffensaal, welches bisher allein im Haar der aufwachsenden
Prinzessin sich gespiegelt hatte.

Doch bald vergißt sie im Angesicht ihres Spiegelbildes die Gegenwart der Amme. Klagende Geständnisse entschlüpfen ihr;
schon die häufigen Apostrophen mit *ô* .. klingen fremd, ja wie
ein weher Abschied. Der Spiegel ist ohne Wärme und Leben,
gleich einer Eisfläche — das Französische vereinigt beides in dem
Wort *glace* —; das eingefrorene Herbstlaub darunter, ist es nicht
Sinnbild für die Erinnerungen an vergessene Blütenzeit, welche
das ennui ihr entriß! Was sie an Traumidealen besitzt, offenbart
sich als schattenhafte Öde. Im Spiegel, „horreur, j'ai contemplé
ma grande nudité" (A_1), oder, wie der Dichter später änderte, die
grauenhafte Nacktheit ihres Ideals. Statt jedoch diese Wahrheit,
den Kern ihres Geheimnisses, auszusprechen, stellt Herodiade „er-
wachend" (A) nun zum erstenmal und an die verachtete Sklavin
eine weibliche Frage .. und eine, die fast mehr als bloße Unsicherheit erahnen ließe: *Amme, bin ich schön?* Doch als die ver-
liebte Alte die Gelegenheit dieser anscheinenden Schwäche nutzt
(wie auch zuvor vielleicht ihre Vergeßlichkeit ein Vorwand gewesen war), nach einer Locke des herrlichen Hauptes zu greifen,
da wird die Prinzessin durch solchen Frevel — tempelschände-
rische Anstiftung eines Dämons, Dämons sicherlich! nennt sie es
in überreiztem Schreck — zunächst in einen Zustand abergläubischer Angst versetzt .. Nach den Verstößen mit dem Kuß und den

Essenzen ist dies nun das dritte Unheilzeichen, daß dieser Tag
ihre jungfräuliche Unnahbarkeit bedrohe!

Seltsam, dennoch bäumt sich ihr herrischer Stolz nur mehr
durch ein ungehaltenes *O schweige!* auf, als das alte Weib auf
ihre Art den Zustand der Herrin deutet und andächtig-lüstern auf
den Hochzeiter, auf die Wonnen von Hérodiades künftigem Gatten anzuspielen wagt, denen des „Gottes"; wie ja der Mann, der
sich einer Frau bemächtigt, mythologisch vertieft „der Gott" ist.
Wie könnte man, lockt die Amme, anders als erschauernd sich
den Unerbittlichen vorstellen! Die zynisch zwinkernde Reiz-
Frage: wird Er dich auch mitunter heimsuchen? (oder auch: du
wirst ihm schon gelegentlich Zutritt gewähren müssen!), entringt
der Fürstin das klagende Flehen einer Versehrten: *Reine Sterne,
höret nicht!* Unbeirrt kann die hämische Vettel weitersticheln:
Es gehört schon eine perverse Scheu dazu, sich einzubilden, dieser
Beneidenswerte, der dann über deine Reize zu verfügen hat,
werde dich an unerschütterlicher Gefühlskälte so weit übertreffen, daß er deine Nachgiebigkeit erst noch geduldig erharren
werde. Für wen, Angstbeklemmte, willst du den unnütz verborgenen Reiz deines Seins aufsparen? – Hier hat die Amme am Trotz
ihrer Herrin eine Schwäche erkannt und versucht es statt mit
Ironie nun mit der sentimental mitleidigen Klage um die traurige Blume am farblosen Wasserspiegel, die nur in ihren Schatten vergafft sei. *Naïve enfant*, kläglicher Spielball deines Geschicks, ruft sie – ohne Zurückhaltung: wenn dereinst deine sie-
gesgewisse Überlegenheit zusammenbricht..

Wie in betretener Scham unterbricht das Mädchen: Doch wer
sollte mich berühren, vor der sich Löwen neigten? Und als ob ihr
diese Begründung selbst nicht voll überzeugend schiene (*Du
reste..*), wiederholt sie den Entschluß, als ein sehnsuchtsloses,
von Körper und Kosmos unabhängiges Kunstwerk zu verharren.
Sei sie dabei ertappt worden, wie sie süchtigen Auges zum Garten der Wollust hinüberstarrte, so trügen die animalischen
Schlacken frühester Säuglingsnahrung die Schuld. Jetzt aber –
ein großes, ausgeatmetes Ja, als wolle sie sich gegen das unbewußte Gegenteil versichern –, jetzt blühe sie für sich allein, als
duftlose, versteinerte Blume; aber der starke Atemzug wider-

legt ihre hochfahrende Ableugnung jedes Atmens und Fühlens. Keusch-melodisch seien ihre Augen, wie das noch unerweckte, unterirdische Amethystgestein, von welchem nur die von seinem Glanz geblendeten Bergspalten wissen! Und nornenkühl, metallisch leuchte ihr Mädchenhaar, wie die Goldminen, die noch das Urleuchten des Weltschöpfungstags besitzen, weil Menschenhand sie noch nicht betastete! Die urverderbte, zur Hexe vorbestimmte Amme aber, die von einem Sterblichen prophezeit habe, auf dessen Wink[1] ihre wild duftende, schauernd weiße Nacktheit den blütenkelch-gleichen Gewändern entsteigen werde, möge auch gleich hinzufügen: Hérodiade wird sterben, wenn es auch nur geschähe, daß der buhlerisch lauwarme Sommer-Äther, welcher ja manchmal (A₂: en lequel, A₃: pour lequel par instants) und naturhaft das Weib zum Entkleiden verlockt, sie in ihrem Schamfrösteln zu Gesicht bekäme.

Ein großes Schweigen folgt diesem Schwur, der schon an ein insgeheim sehnsüchtiges Spielen mit dem Tod denken läßt. Der Schwur bedeutet eine Höhe der Hybris und war, wie der Schluß von Mallarmés Dichtung bewiese, ernst gemeint. Doch im unerbittlichen Stringendo dieses Abschnitts hat sich der letzte Trotz des Mädchens erschöpft. Die Stimme wird jetzt leiser, wehrloser, und endlich ehrlicher, menschlicher, weiblicher. Unmerklich wird der ideale Schatten zum leidenden Körper. Das innere Drama taucht an die Oberfläche der Bewußtheit.

Grauenhaft nennt sie plötzlich das Jungfrausein, an das sie sich klammert, und Schauder ist es, was ihrem Haar entströmt. Voll Selbstverachtung, als „reptile inviolé" fühlt sie sich des Abends auf dem Lager, wenn im brachen Fleisch das farblose Glitzern der schlaflosen Eisnacht rieselt, deren ideale Schneeweiße sie als eine Grausamkeit, und deren „brennende" Keuschheit sie als ein Sterben und Sich-Verzehren empfindet. Gleiches begegnet *Igitur*, im glück- und schmerzlosen Limbus des *Absoluten*. Im Gegensatz zu Igitur will Hérodiade zwar dieser kühlen Ewigkeit verschwistert bleiben in dem einsamen Glauben, den ihr einzigartiges kristallenes Herz ersann. Doch nimmer stolz, sondern weh klingt ihre Kunde vom absoluten Einsamsein, in dem nichts ein Leben besitze als die stummen Spiegelbilder ihres De-

mant-Auges. Die Öde dieses subjektiven Idealismus, zu dem sie
sich bekennt, gilt ihr zugleich als Götzendienst; sie durchschaut
das Idol im Ideal. „O letzter Reiz, ja, ich fühl's, ich bin einsam",
so sagt sie zwar; diese folgenden völlig weiblichen, bebenden
Verse mit ihren Pausen gehören übrigens, symphonisch gedacht,
zum Musikalischsten aus Mallarmés Feder. Aber der Ton, in dem
sie es spricht — man ahnt ihn aus der erschüttert ehrfürchtigen
Frage der Amme: Herrin, wollt Ihr denn sterben? —, ist kraftlos,
weich, schon überschattet von der Gewißheit des Kommenden.
„Nein, arme Ahne, sei ruhig", erwidert sie mit erstaunlichster
Milde und menschlicher Demut. „Verzeih diesem harten Herzen."
Sie heißt sie gehen, doch nicht im Befehl, nicht einmal im Imperativ; und heißt sie ihren Feind, das „seraphische Lächeln..
des *schönen* Äthers", durch Schließen der Läden aussperren,..
aber mit einem wehrlos ergebenen *wenn du willst.*

Immer zager klingt ihre singende Stimme, immer furchtbarer
treiben die inneren Widersprüche sie in die letzte Enge. Wo ist
die Meeresbrise für eine Flucht? Aussichtslos, auch nur zu fragen (sais-tu pas..?). Ein schönes Dasein schwebt ihr vor, jenseits des Meeres, unter dem Sternenhimmel, dort würde ihr auch
der Stern der Liebesgöttin, als deren Hasserin sie gesprochen
hat, leuchten dürfen, abends, zur Stunde des Lagers, durch das
Gezweig des Baumes — so erstickend nahe schon![1] So schwach, so
menschlich ist sie geworden, daß sie zum erstenmal in eines anderen Menschen Gedanken sich hineindenkt: „kindisch, wirst du
sagen", entschuldigt sie sich, als sie die Leuchter gegen jene
Nacht zu Hilfe ruft. Aber da alle Bilder sich in Sinnbilder verwandeln, um sie magisch zu überführen, verstrickt sie sich in
dieses Letzte, den *Leuchter,* dermaßen, daß sie jäh verstummt
in einer furchtbaren Pause, in die nur das Ritenuto *Adieu* klingt,
mit welchem die Amme entlassen ist.

Dies vorbedeutende Schlußsymbol ist unmittelbare Weiterführung desjenigen der *Ouverture...* Zunder! Eine Kerze verzehrt sich im harten Goldpanzer des Leuchters, welcher, von der
fremdartigen Wärme der schmelzenden Wachstropfen getroffen,
zur schattenhaften Nichtigkeit eines Schemens (vain) herabsinkt.
Die Jungfrau versteht blitzartig, was der Leuchter andeutet, und

was das warme Wachs besagt. Nun ist die Stunde des großen Eingestehens gekommen, vorbereitet durch die Selbstverachtung und den Fluchtplan. Und in der wehrlosen Entspannung eines wohligen Zusammenbruchs fühlt sie, die zermürbte Amazone des Absoluten, jetzt *se séparer enfin ses froides pierreries.*

Wer die Stolze in dieser weiblichsten, schamvollsten Lage (vielleicht aus Scheu vor ihrer Enthüllung verstummt hier der Dichter) überraschte.. und nun gar ein Mann, selbst wenn es ein Heiliger war, war des Todes. Mallarmé bedurfte nicht, wie Cazalis oder Wilde, des Allerweltsmotivs der verschmähten Liebe. Johannes stirbt, da er durchschaut, daß die strenge Jungfrau Hérodiade wankte. Und auch für sie gibt es dann keinen anderen Weg mehr.

Für die Gestalt des Täufers, dessen Haupt auf dem Gemälde Gustave Moreaus als anklagende Vision vor Salome schwebt, bot sich bei einem solchen Geschehen kein dramaturgisch notwendiger Ort, wie ja Mallarmé auch theoretisch, von Shakespeares *Hamlet* ausgehend, dem monologischen Drama die größten Aussichten versprach. Auch konnte sein Erleben mit vollendeter Vollständigkeit in der Gestalt der Hérodiade Ausdruck finden. So ist es wohl auch lange geblieben. Wann entstand der III. Teil, der posthum veröffentlichte *Psalm Johannis des Täufers?* Er dürfte das „Finale" gewesen sein, das Mallarmé 1887 neben einem rund sechzig Verse umfassenden *Praeludium* als fertig erwähnte (zu Ghil). Später allerdings hatte er den Psalm wohl vergessen, als er in den neunziger Jahren von *Hérodiade* sagte: „Es ist ein Diptychon. Ich möchte ein Triptychon daraus machen." Gewiß ist zwar, daß er vom 11. Mai bis in den Juni 1898 an *Hérodiade* arbeitete, aber hier dürfte es sich um *IC* gehandelt haben. Jedenfalls stimmt der *Psalm* noch zu den anfänglichen Teilen. Diese unvermittelte ariose Einlage in das sonstige Rezitativ verwendet den Tod des Täufers gleichsam spielerisch und zugleich versöhnlich schön als ein echtes Finale. Villiers hatte seine Sprecherin des absoluten Geistes, die Heldin der *Isis,* vor einen ähnlichen Partner führen wollen. Der Roman sollte, so heißt es in einem Brief in Jean-Aubrys Villiers-Buch, „wie Sie wissen, mit einem weltanschaulichen Zweikampf zwischen Fabriana, der Hegelianerin, und einem christlichen Weisen abschließen. Villiers ist im Grunde Christ, betrachtet Hegels Werk als eine unvollständige Deutung des Evangeliums". Den Mann, der zu rein für eine Frau ist, hatte Villiers im Samuel seiner Dichtung *Elën*[1] verzweifelt enden lassen. Dagegen konnte das heitere Hinsinken des sterbenden Heiligen, der sich seine Herrschaft über den Körper nicht erträumte und erlog, sondern erkämpft hatte, wirkungsvoll als Gegensatz zum verkrampften Ende der nach dem Absoluten lechzenden Herodiade erscheinen, die sich durch Menschenhaß kasteite. Auch knüpfte sich an den Täufer ein mystisch symbolischer Ausgangspunkt. Vom Sankt Johannistag an redet man von einem sinkenden Fall der Sonne; und im Gegensatz zu Hérodiade, die sich fanatisch zum eiskühlen Absoluten aufzuschwingen bemühte, ist das Schicksal des Johannes demütiger *Fall*, dankbar glühende Neigung in abendlich-ewigem *pur éclat*, zugleich die versöhnende Erfüllung seiner Mission ohne Beiziehung eines Paradieses, insofern hier Natur (= der Sonnenlauf) und Schicksal einträchtig einander entsprechen.

Mallarmé schildert gleichsam nur die Kuppel des Tempels, ohne die Wände, und so schwebt sein „Psalm Johannis" rätselhaft im sonnigen Raum. Ein kühnes Orgelfinale — die Orgel galt ihm, nach Verlaines Zeugnis, als höchstes Instrument —, welches nicht innehält und unaufhaltsam, kunstvoll satzzeichenlos, die sieben Strophen durchflutet. Die Strophenform, bisher für lockeres Geschäker beliebt,[2] war wohl nur ein einziges Mal für ein Thema religiöser Verzückung gewählt worden: in der im Ersten Parnasse erschienenen endlosen *Hymne à Kamadéva* von Mendès: Ton étendard circule / Parmi le crépuscule / Et dans un blanc frisson / Porte un poisson. Aber diese Strophe, die etwas an Mallarmés *Cantique* erinnert, und die andern erweisen in ihrer oft grotesken Überladung mit buddhistischen Requisiten klar den Abstand zum verklärten *Choral des Täufers*, welcher sich entfernt den Faust-Chören des alten Goethe vergleichen ließe, die ja gleichfalls aus Kurzversen und wunderlichen Reimen seraphische Harmonien zaubern. Auch beginnt Mallarmé mit der kosmisch-mystischen Vorstellung des „Solstitium" zu Sankt Johannis,[3] wo die Sonne auf höchster Bahnhöhe einen ver-

zückten Augenblick lang zu zögern scheint, ein schöner Gedanke,
der in Fassung A übrigens noch fehlte: dort hatte ihm genügt,
das pompöse Leuchten der schon tief stehenden Abendsonne als
trügerisch, unheilvoll und kalt zu kennzeichnen. L'astre bas
(*épars*) qui prolonge / mal un pompeux (*riche*) mensonge / certes aujourd'hui (*à l'instant*) choit / funeste (*sinistre*) et froid.

Zu dieser Stunde des Unheiltages enthaupten sie den Täufer,
und mitten im Henkerstreich ist der Sterbesang gesungen. Dem
Enthaupteten ist, als sänke unverzüglich die Sonne vom Zenith
weißglühend ab, als schlügen, gleichsam[1] körperlich am zer-
spellenden Rückgrat, in einem bebenden Hauch die Nachtfinster-
nisse alle mit einem Ruck über ihm zusammen, als rage nur sein
Haupt noch, gleich einer Wache auf einsamem Riff, mitten in
diesem befreienden Schwertsausen.[2] Enthauptung, eindeutigste[3]
Zerspaltung des Körpers, bedeutet für diesen Heiligen eher eine
Einkehr ins Körperliche (da er jetzt die bisher störenden Zwiste
und Spannungen mit seinem Körper verscheucht und beseitigt
sieht), als daß sein Haupt – wie man es bei hungerberauschten[4]
Asketen gewohnt ist – unbändig sich emporwürfe hinter dem
Blick[5] seiner reinen Augen her, hinauf „bis dorthin, wo ihr
reiner, weitgebreiteter Fittich [derjenige seiner Blicke] es euch
unmöglich macht, ihr Gletscher, daß ihr ihn überbietet" (A;
oder in B: hinauf in jene Ewigkeitskälte, die den Ehrgeiz hat,
von allen Gletschern der Erde sich an Reinheit nicht übertreffen
zu lassen). Der Täufer vielmehr, erleuchtet durch[6] die Tat seiner
Taufe des Erlösers, läßt in demütiger Gewißheit das Haupt sich
neigen zum Gruß vor der göttlichen Macht, die ihn erkor. – So
läßt sich als Sinn dieses Lieds angeben: der wahre Heilige erreicht im Sterben gleichzeitig den bejahendsten Einklang. Oder
losgelöst von der Antithese zur Gestalt Hérodiades: nicht die
gletscherkalte Höhengöttlichkeit krönt den Sterbenden mit einem
Heiligenschein, sondern *Mysterium* und heilendes *Entzücken* jener väterlichen Liebesmacht, die ihn zur Taufe des Gottessohnes
berufen hat.

Vom Gedicht *Hérodiade* – das heißt von der bis 1913 allein
bekannten *Scène* – ging nicht zum wenigsten, durch Huysmans
übermittelt, die Geltung Mallarmés bei der nächsten Generation

aus. In diesem, wie A. R. Chisholm meint, „größten und schönsten von Mallarmés Werken" (Towards Herodiade, a Literary Genealogy, Melbourne 1934, p. 151) verkörpert sich sein Grundmotiv, das Ringen des Unbewußten gegen die Bewußtheit. Vielleicht schwebte es Villiers vor für seine *Eve future*, wo er sich das überirdisch schöne Ideal eines Weibes künstlich verwirklicht dachte;[1] sie wurde weltläufig banalisiert in einer Novelle des zweisprachigen Schriftstellers Conte Luigi Gualdo (Milano 1847 – Paris 1898), den Coppée im Juli 1872 bei Mallarmé einführte. Seine „Narcisa" ist eine Frau von furchtbarer Schönheit, die vor ihrem Spiegel sich in einen solchen Kult ihrer nackten Reize hineinsteigert, daß sie an der eigenen Schönheit stirbt.[2] Huysmans (*A Rebours*, 1884) mischt in seine Schilderung von Gustave Moreaus *Salome*, des Gemäldes und des Aquarells, unbewußt so viel Erinnerungen an Mallarmé ein, daß er die lüstern lauernde, mondän wollüstige Buhlerin Moreaus ins Sehnige, Harte, Übermenschliche umbiegt. Ohne Herodiade gäbe es vielleicht nicht Verhaerens dramatische Heldin *Hélène de Sparte*, deren zerstörend dämonische Schönheit unter einem Fluch steht, auch nicht Viélé-Griffins *Galathea*. Wohl auch nicht Paul Valérys *Air de Sémiramis*, wo der fürstliche Stolz des Weibes und der Herrscherin (enchanteresse et roi) sich aufreckt. Und nicht seine von der weichen Zärtlichkeit des Frühlings bedrängte *Jeune Parque*, deren in absoluter Reinheit verbrachtes Priesterdasein freilich nichts Düsteres hatte; nun entbrennt ihr Busen, das Herz pulst, die Knie zittern ihr . . dem Feuer der Sonne entgegen, dem die keusche Parze sich verlobt. Valéry selbst sagte scherzend bei Gelegenheit dieses Gedichts, es sei eine „Vorlesung über die Physiologie des Gedankens". All diese Werke führen in ihrer Art das Bruchstück *Hérodiade* zu Ende, das in verhaltener Hintergründigkeit die langsame Zermürbung der Heldin durch den Fluch überspannter Entkörperlichung zeigte. Die volle Wucht dieses Fluchs aber traf den „Übermenschen wider Willen", wie man ihn nennen könnte: *Igitur*.

II

UMKEHR ZUR MENSCHENWELT

(IGITUR)

Das „Werk"

> . . . „*Das faß ich nicht. Wenn von der Wahrheit*
> *Nur diese dünne Scheidewand mich trennte"* —
> „*Und ein Gesetz", fällt ihm sein Führer ein.*
>
> S c h i l l e r, *Das verschleierte Bild zu Sais*

Ein bekannter Dichter der Gegenwart, Paul Claudel, hat die
Phantasmagorie *Igitur* ein *Drama* genannt, „ein Drama, das
schönste, erregendste, welches das 19. Jahrhundert hervorgebracht hat, und, was auch der Verfasser darüber gedacht haben
mag, *es ist erschaffen*, mit diesem fünfmal wiederholten Monolog und der knappen Schlußlösung, die einem plötzlich strau-
chelnden Fuß gleicht".[1]

Man wird nach dem Bisherigen ohne weiteres annehmen dürfen, daß auch dieses Werk auf inneren Erfahrungen des Dichters
beruht. Ihnen nachzuspüren ist eine erste Aufgabe der nachfolgenden Abschnitte. Es sind mehrere Vorstufen anzunehmen. Die
älteste sind die furchtbaren Selbstherabsetzungen in der Jugendzeit, das bangende Gefühl, das geringe und unreine Talent durch
den Umgang mit der reinen Liebesfreude vollends ganz einzubüßen *(Pitre)*, und doch nach irdischer Nahrung schmachtend
mit „Lippen, ausgehungert durch die Luft des jungfräulichen
Azurs" *(Don; Hérodiade)*. Auch das durchbohrende Gefühl des
eigenen Nichts und eine nur halb eingestandene Empfindung des
Bedrücktseins durch die strahlende Außenwelt, durch das Sein,
durch das Anschauen des azurnen Himmels. Schon damals also
befand sich der Dichter, um mit Karl Jaspers zu reden, in „Grenz-
situationen", wie sie die Voraussetzung für die Frage nach dem
Sinn des Seins bilden.

Nach und nach wurde das, was manche (seit Heidegger) ein
„Hineingehaltensein in das Nichts" zu nennen pflegen, weniger

schmerzend. Die Angst des Dichters über den Verlust seiner Got-
tesgewißheit und über das Trostlose der Materie nahm ab. In der
nächsten Zeit, vom Herbst 1864 bis zum Frühjahr 1866, beobachtete er, aus kühlem Abstand, das Ringen des Unbewußten und
der Bewußtheit in den Gestalten seiner Hérodiade und seiner
Jane. Es sind Frauenseelen, deren sinnliches Gefühl ihnen die
Lehre erteilt, daß sie Körper seien, und die gleichwohl erhaben
bleiben durch die Lüge ihres jungfräulichen Stolzes und den
schattenhaften Traum göttlicher Reinheit. Die Zeitspanne, die ich
unter das Stichwort von Mallarmés Einsicht in die Lüge des Über-
sinnlichen stellte, wird durch einen jetzt aufgetauchten Brief vom
März 1866 erhärtet. Soeben war er mit sich darüber einig geworden, daß er den „zermalmenden Gedanken des Nichts" als
wahr anerkennen müsse. Dahin „bin ich gelangt, ohne den Buddhismus zu kennen". Die lähmende Einsicht nahm ihm sogar den
Glauben an seine Dichtung. Nicht lange; dann hebt er zu seinem
ersten Versuch an, der Idealität gegenüber dem Seelenlosen einen
Raum zu schaffen. Und sei es nur ein Spielraum des Als ob. In
dem genannten Brief beschloß Mallarmé, auch all seine künftigen Gedichte unter das Zeichen der schwermütig-schönen Fiktion zu stellen: „Ja, ich weiß, wir sind nur nichtige Formen der
Materie — aber doch recht erhaben, da wir Gott und unsere Seele
erfanden. So erhaben, Freund, daß ich mir das Schauspiel vorführen will: wie die Materie, trotz des Bewußtseins ihres Seins,
dennoch — mit einem wahnwitzigen Sprung in die, wie sie ja
weiß, gar nicht existierende Traumerfüllung — das Lied der
Seele und aller anderen in uns seit Urzeiten angestauten gotthaften Eindrücke anstimmt; und wie sie sich mitten im Angesicht
des Nichts, das der Wahrheit entspricht, doch zu jenen ruhm-
beglänzten Lügen bekennt! Das ist der Plan meines lyrischen
Bandes,[1] und so wird er vielleicht überschrieben werden: Der
Ruhmespreis der Lüge oder Die ruhmbeglänzte Lüge. Ich werde
ihn als ein Verzweifelter singen!"[2]

Diese verzweifelte Mindestforderung, daß wir die übermenschlich reine Schönheit nicht preisgeben, daß wir sie wenigstens im
Bewußtsein der bloßen Fiktion aufnehmen müssen (wenn auch
bereits umspielt von der für Mallarmé stets bezeichnenden Sehn-

sucht nach Ruhm), war einen Monat später bereits überholt. Sein Schaffen, das so sehr auf das ganze und ungeteilte Sein angelegt war, mußte durch eine geteilte Lösung unbefriedigt bleiben. Alles Folgende läßt sich erst aus einem Grundbedürfnis des Dichters begreifen: von jeher strebte er auf das Umfassende und Universale hin, dessen Nachhall bis in seine spätesten Verse wirksam ist. Vom April 1866, von den Osterferien mit dem Freunde Lefébure, datierte er selbst die große Wende. Die neue Erkenntnis war, daß der Schönheit gegenüber gar kein Grund zur Verzweiflung vorliege. Gott verlassen zu haben bedeutete bisher für ihn, dem Nichts der Materie ausgeliefert zu sein. Nun aber verlieh er dem Schönen Halt in der „Betrachtung der Ewigkeit", *éternité;* wohl auch in der idealistischen Kraft des Begriffs „absoluter Geist" oder, wie er sagte, in der „des Absoluten". Vermutlich glaubte er, ein Sein, das von Gott und dem Nichts unabhängig war, gefunden zu haben. Es mag eine ähnliche Erkenntnis gewesen sein, wie sie im gleichen Jahr Sully Prudhomme in seiner Sonettsammlung *Les Épreuves* vorlegte. Da greift beispielsweise das Sonett „Der Große Bär" (La Grande Ourse) das schönste aller Sternbilder heraus, das Siebengestirn, das schon geglitzert habe (scintillait), bevor es Menschen gab, und das sie auch überleben werde. Diese Schönheit hat also Ewigkeit, und eben dadurch enthebt sie den Dichter seiner christlichen Denkweise: von dieser schicksalhaften Figur aus, „pareille à sept clous d'or plantés dans un drap noir", meint Sully Prudhomme, habe er erstmals an Gott zu zweifeln begonnen. Ähnlich mag auch Mallarmé über die Angstgefühle vor dem Nichts hinweggefunden haben. Es wäre wichtig, all seine etwa 80 Briefe an Lefébure zu haben. Lefébure selbst, ein Leser Plotins und Hegels, scheint die Entwicklung bei Mallarmé mit Verwunderung beobachtet zu haben. Er war gerade auf der Rückkehr von einer Sizilienreise, hatte sich in der Villa Deloup in Cannes eingemietet und den Freund aus Tournon für die Osterwoche zum Kommen bestimmt.

Am wahrscheinlichsten ist, daß die Lektüre eines Buchs der idealistischen Metaphysik oder Ästhetik den Wandel hervorgerufen hat. Von Hegel, dessen Lektüre ihm Villiers ans Herz legte, hat er vielleicht nicht viel gelesen, aber er hat ihn gelesen.[1] Daß

er aus der Schulbücherei von Tournon philosophische Schriften
auslieh, steht gleichfalls fest. Das Wesentliche war wohl gerade,
daß er in der Sonne von Cannes erstmals Hegel ohne die schwermütigen Sehnsuchtsschauer des Bretonen Villiers anzuschauen
fähig war. Wer zum erstenmal, von Hegel geführt, den Gedanken durchdenkt, daß das Werden die Folge der Idee ist, den
wird leicht ein Taumel des Begreifens erfassen. So ist denn also
die Konsequenz, daß durch alles, was geschieht, ein absolutes
Ziel erreichbar würde! Und wenn man darauf warten und es
noch erfahren könnte! Augenscheinlich faßte der nicht an Bescheidung gewöhnte Mallarmé Hegels Identität von Sein und Denken nicht weniger schwarmgeistig oder buddhistisch-meditativ
auf als vor ihm Pontavice und Villiers, die von den deutschen
Philosophen zeitlebens wie aus Zauberbüchern einen okkultistischen Machtzuwachs erhofften. Und eine solche Überspannung
sollte sich nach zwei Jahren an dem jungen Esoteriker rächen.
Nicht umsonst hatte Kierkegaard, da ihm Hegels Lehre den Einzelnen zu einem gleichgültigen Glied der Entwicklung herabzu-
würdigen schien, mit dem Protestgedanken der Existenz (des Ich)
geantwortet. Eine große Gefahr konnte Hegel werden, wenn ein
Mensch wie Mallarmé, der gegen das eigene Selbst so lange Widerwillen empfunden hatte, mit derartigen Voraussetzungen nun an
jene Lehre Hegels herantrat, wonach der Mensch durch Eingehen
in die Idee des Absoluten oder der höchsten Schönheit sich voll
verwirkliche. Der erste Schluß, den er daraus ziehen mußte,
konnte nur sein, daß folglich das Ich überhaupt belanglos sei.
Ein lästerlicher Schluß, den keiner ungestraft zieht. Ist doch wenige Jahre später der junge Rimbaud gescheitert, als er mit einem
ähnlichen sehr französischen Vertrauen auf das Methodische in
sich eine dichterische Genialität dadurch heranzuzüchten suchte,
daß er durch gewollte Ausschweifungen aller Art sein Ich „monströs" zu machen suchte. Rimbaud freilich auf eine andere Art,
nicht durch eine halb buddhistische Selbsthypnose wie Mallarmé,
sondern durch Alkohol, Haschisch und andere Rauschmittel der
Assassinensekte, in naivem Vertrauen auf de Quincey und Hoffmann, auf Gautier (Le Club des Hachichins) und Baudelaire
(Les Paradis artificiels): „nous t'affirmons, méthode .. Voici le

temps des Assassins" — so wäre, nach Rimbauds Prosagedicht *Ma-tinée d'ivresse*, der Fluch des Sündenfall-Baumes zu beseitigen und die erlösende Idealität „unserer sehr reinen Liebe" zu erreichen. Wie Rimbaud zu seiner entsetzten Mutter sagte: „Es muß sein",[1] so wird auch Mallarmé zu Marie gesprochen haben. Es besteht kein Zweifel, daß, wie es Goethe einmal aussprach, der Mensch von Zeit zu Zeit ruiniert werden muß, damit er sich erneuere. Nur waren es damals die Dichter selber, die bewußt die Rolle des Schicksals zu spielen gedachten.

Nach den Tagen von Cannes jedenfalls schrieb sogleich Cazalis komisch entsetzt, das Weltende sei nahe, da „Lefébure als Hegelianer, Mallarmé als Buddhist" aufträten (Mai 1866). Lefébure verhielt sich dabei offenbar in achtungsvollem Abstand zu Mallarmé. Bald nach dessen Abreise klagte er, daß „Sie mir gegenüber stummer bleiben als ein Brahmane, der auf einem Bein stehend in das Prinzip der Dinge versunken ist" (9. 5. 66), und getraute sich zunächst nicht, den Freund jetzt durch einen Besuch in Tournon zu stören.[2] Das Klarste über das Ergebnis von Cannes entnimmt man aus einem stolzen Bericht Mallarmés an Cazalis vom 12. 5. 66: „Ich bin dabei, die Grundlagen eines Buches über das Schöne zu legen. Mein Geist bewegt sich im Ewigen und hat von dort einige Schauder empfangen, wenn man das vom Unbeweglichen sagen kann. Ich ruhe mich mittels dreier kurzer Dichtungen aus, die aber unerhört sein werden, alle drei zum Preis der Schönheit, und denen wiederum eine gleiche Zahl eigenartiger Prosagedichte den Dienst der Entspannung leistet. Das ist mein Sommer." In den Ferien wollte er, nach Abschluß des *Faun*, „meine ästhetischen Studien fortführen, die mich zum größten Buch, das über die Poesie gemacht worden ist, führen sollen" (*Propos* 67 f.). Von den hier erwähnten Aufzeichnungen ist nichts veröffentlicht. Einer Arbeit über „das Wort" war noch im Juli 1868 das Sonett *Ses purs ongles* eingegliedert. Einiges wird eingegangen sein in die „Projekte der Sprachwissenschaft", von welchen er seit Ende 1869 erzählt.

Ganz hingegeben ließ er sich in der Hitze des Juli 1866 durch die Bilderwelt der abstrakten Kälte umfangen. An Cazalis berichtete er, „daß ich seit einem Monat in den reinsten Gletschern

12*

der Ästhetik weile — daß, nachdem ich das NICHTS fand, ich
das SCHÖNE gefunden habe —, und du kannst dir nicht vorstellen, bis zu welchen leuchtenden Höhen ich mich vorwage. Es
wird ein teures Gedicht daraus werden, an dem ich arbeite" (*Propos* 68). Um dieselbe Zeit, am 16. Juli, schrieb er, wie neuerstan-
den nach einem schweren Tod, an Aubanel, zugleich auch an Mendès und Villiers, er habe in diesem wichtigsten Sommer sein Un-
vergängliches, die Ganzheit seines Werks, erkannt. In ihr habe
jede Dichtung, die er fortan schaffen werde, ihren Ort, ihre Bedeutung, und jedes Erlebnis werde nun wachstumsartig zur Reife
gelangen und sich dann organisch ablösen wie eine reife Frucht.
„Ich habe die Grundrisse eines wunderbaren Werks entworfen..
Ich brauche zwanzig Jahre, während welcher ich mich einklo-
stern werde in mich, unter Verzicht auf jede andere Reklame als
Lesestunden für meine Freunde." Der unphilosophische Aubanel
verstand nicht, daß es sich nicht um ein Drama oder ein Epos
handle, sondern um eine intuitive Architektur von schwindelnden Ausmaßen, auch dann wohl nicht, als ihm Mallarmé näher
erklärte (28. 7.): „Ich entwarf den Plan meines Gesamtwerks,
nachdem ich den Schlüssel meiner selbst gefunden habe, Schlußstein oder Zentrum, wenn du so willst, damit wir uns nicht in Metaphern verstricken,.. Zentrum meiner selbst, wo ich, gleich einer
heiligen Spinne, auf den meinem Geist schon entsprungenen
Hauptfäden sitze; an sie anknüpfend werde ich an den Kreu-
zungspunkten wunderbare Spitzen weben, die ich erahne und die
schon im Busen der Schönheit lebendig harren." Bis die fünf
Bücher[1] dieses Gesamtwerks vollendet seien, werde er warten,
„und mir aus Ruhm, als aus einer abgegriffenen Albernheit,,
nichts machen. Was bedeutet eine relative Unsterblichkeit, die oft
genug in Hohlköpfen dahinlebt, neben der Wonne, die Ewigkeit
zu schauen und lebend, im Inneren, ihrer zu genießen".
   Etwas weniger hochgespannt scheint die Wirkung der nächsten
Monate. Lefébure fragte mit vielleicht nicht bloß scherzender
Skepsis: „Jonglieren Sie noch immer mit dem Absoluten, dem
Sein und dem Nichts, die Sie als Schlangen in der Tasche tragen?"[2] Fremde Gelehrsamkeit wird dem Dichter unterdessen allmählich beengend; mutlos blättert er in einem Bücherstoß, „es

sind naturwissenschaftliche und philosophische Werke, und ich will jeden neuen Begriff durch mich genießen (jouir) und nicht ihn lernen".[1] Sehr enttäuschte ihn auch, daß es zu Diskussionen mit Villiers nicht kam; dieser hatte sich, nachdem er „viele Nächte lang Hegel jetzt gründlicher wieder studierte", ebenfalls vergebens gefreut. „Was Hegel betrifft, so bin ich wirklich sehr glücklich darüber, daß Sie diesem wunderbaren Genie, diesem schöpferischen Menschen ohnegleichen, diesem Wiedererbauer des Alls, einige Aufmerksamkeit geweiht haben" (an Mallarmé, 11. 9. 66). Eine Unterbrechung brachte der Umzug nach Besançon im Oktober. Es schein kleinlaut zu klingen, wenn Mallarmé am 20. Dezember schrieb, er sei eitel genug, das Werk erst „vollendet, auf einmal" auszuliefern, „wenn es nur noch bergab mit mir gehen könnte" (an Verlaine).

Monate vergingen. In den Gedanken aus dieser Zeit muß er Hegel überspitzt haben. Der absolute Geist steht für Hegel ganz am Ende des geschichtlichen Prozesses. Mallarmé aber scheint nicht durch dieses *Werden* ergriffen worden zu sein; wohl aber durch die Ungeduld, die letzte Erfüllung des Absoluten recht bald auszukosten. Den letzten Höhepunkt einer glücklosen Hybris stellen zwei umfängliche Briefe dar, die Mallarmé nach langem Schweigen gleichzeitig an Lefébure und an Cazalis richtete. Der bisher allein aufgefundene, an Cazalis (14. 5. 67), zeigt, daß Mallarmé noch nicht über das Vorhaben des Vorjahres hinweggeschritten war. Ein erstes Anzeichen der Krise nur verrät sich in den schmerzhaften Tönen, vielleicht auch in der Feststellung, daß all „das WISSEN, welches ich erwarb oder auf dem Grund des Menschen, der ich war, wiederfand", ihm nicht genügen würde, wenn er ohne das Werk, Le Grand Œuvre, sterben müßte. „Es gibt nur die Schönheit − und sie hat nur einen vollkommenen Ausdruck, die Poesie. Alles übrige ist Lüge." Was das *Werk* anbetrifft, so versteht er darunter noch immer die große, jetzt auf zehn Jahre berechnete synthetische Arbeit; eine ästhetische Abhandlung scheint nicht mehr geplant. Die Aufgliederung umfaßt jetzt die *Hérodiade*, zwei weitere Versdichtungen und „vier Prosagedichte" über den geistigen Begriff des *Nichts*.

Ein Rest vom Hochgefühl des Vorjahres ist immerhin geblieben: das Nichts sei nicht erschreckend, falls man vor dem Tod
das doppelte Glück, das SEIN und die IDEE, erreicht habe.
Langsam nehme er an Kraft zu, wenn er auch in seiner neuen
„grauenhaften Sensibilität“ noch nicht genügend gepanzert sei.
Und was ist sein verwegener Ehrgeiz? Nichts Geringeres als bei
Lebzeiten eine mystische Einswerdung seines Ich mit dem absoluten Geist jenseits von Raum und Zeit. „Ich habe ein schrek-
kensvolles Jahr hinter mir: mein DENKEN hat sich gedacht und
ist zu einem REINEN BEGRIFF gelangt. Alles was, im Austausch damit, mein Sein während dieses langen Hinsterbens er-
duldet hat, ist unaussprechbar; aber ich bin zum Glück vollkommen abgestorben, und der unreinste Raum, in den mein GEIST
sich noch verstiege, ist die EWIGKEIT, — mein GEIST, der einsam an seine eigene Reinheit gewöhnte, welchen nicht einmal
mehr die ZEIT mit ihrem Widerschein verdunkelt.“

Demnach hatte Mallarmé also einen gnostisch-mystischen Weg
eingeschlagen, nämlich auf eine andere Weise als durch die Verbindung von Körper und Seele hindurch das Tor zum Ewigen
aufzutun. Die Exerzitien Poes, die Correspondances-Lehre von
Nerval und Baudelaire waren dabei die Vorläufer.[1] Sind des Denkers Geist und der absolute Geist eins geworden — ein luziferi-
sches Wagnis! —, so muß dadurch auch die Nichtexistenz Gottes
bewiesen sein. Als der Dichter einst gegen das Göttliche im
„Azur“ die Schmutzwolken heraufbeschwor, empfand er selbst
es als „pervers“. Wenn es nun aber gelänge, durch größere Reinheit Gott aus dem Felde zu schlagen? Noch wenige Monate zuvor, so erfährt man aus dem Brief, habe alles an dem einen Ziel
mitwirken müssen: „an meinem Kampf gegen jenen alten, bösen
Fittich, der zum Glück zu Boden geschmettert ist, gegen Gott“.[2]
Der habe sich gegen den Sieger dadurch zu wehren gesucht, daß
er als drohendes Ende vor ihm an die Stelle der absoluten Abstraktion das Nichts aufbaute und daß er noch im Untergang
ihn auf seinem knöchernen Flügel in die Finsternisse hinabriß;
„bis ich mich endlich eines Tages vor meinem venezianer Spiegel wiedersah, so wie ich mich einige Monate zuvor vergessen
hatte. Übrigens gestehe ich ein, aber nur dir, daß ich es noch

nötig habe, mich — so groß waren die Verheerungen in meinem Sieg — in diesem Spiegel anzuschauen, um zu denken; und befände er sich nicht hier vor dem Tisch, auf welchem ich dir diesen Brief schreibe, so würde ich wiederum das NICHTS. Dies soll dir kundtun, daß ich nunmehr unpersönlich bin[1] und nicht mehr Stéphane, den du gekannt hast — sondern eine Fähigkeit, die das GEISTIGE ALL besitzt, sich durch das, was ich war, hindurch zu sehen und zu entfalten. Bei meiner hinfälligen irdischen Erscheinung kann ich nur diejenigen Entfaltungen ertragen, die absolute Notwendigkeit besitzen, damit das All in diesem Ich seine Identität vorfinde" (*Propos* 77 f.). Ist hier noch eine Verbindung zu Baudelaire, der, als ein echter Pariser, die Manie hatte, vor Spiegeln zu leben?

Dieser Brief an Cazalis läßt erkennen, in welchem Ausmaß Mallarmé sich von der Welt seines früheren Dichtens entfernt hat. Vor seinem Spiegel hatte er noch im Dezember 1864 gestanden, um seine fortschreitende Vertierung und Verblödung zu beobachten, l'envahissement de la bêtise (an Cazalis); und ebenso fühlte gleichzeitig Hérodiade sich durch ihr zu einer Eisdecke zusammengeballtes *ennui* im Spiegel wie erdrückt. Jetzt umgekehrt wird der Spiegel zum erwünschten Mittel, sich vor einer allzu hohen Reinheit zu versichern. Von dem abenteuerlichen Stolz in den Sätzen des Briefes bleibt später im *Igitur* wenig mehr zurück. Die Rettung des Ich durch das Wiederkehren des eigenen Gesichts im Spiegel wird in die Igitur-Erzählung zwar übernommen. Aber es wird zur Rettung vor eben dem Zustand, der im Brief doch noch als das höchste Ziel gepriesen wurde: vor der durch kein Zeitgefühl mehr verdunkelten Reinheit. Im Brief erschien das *Nichts* als der niedrige Zustand, in welchen der rachsüchtige Gott den in seiner Selbstherrlichkeit stets exponierten[2] Denker schleudern möchte. Im *Igitur* dagegen wird das Nichts zum Ort des Friedens, durch dessen Wahl die Freiheit des Menschen sich bestätigt; das Gottesproblem wird dort[3] ganz beiseite bleiben.

So viel erfuhr Cazalis. Aber, im Unterschied zu ihm, den Mallarmé seit langen Jahren nicht mehr gesprochen hatte, durfte Mallarmé bei Lefébure ein ungleich besseres Verstehen erhoffen.

Es ist literarhistorisch eine unersetzliche Lücke, daß der gleichzeitige Bericht, den Mallarmé für Lefébure schrieb, verschollen ist. Die Antworten von Cazalis und Lefébure nun sind gleichsam bezeichnend für die beiden Richtungen aller späteren Freunde von Mallarmés Werken: die eine, zahlreichere, ist rührend achtungsvoll; dankbar und von vornherein durch die Lauterkeit des Menschen gewonnen. Die andere ist bemüht, nichts Halbverstandenes durchgehen zu lassen und das Abenteuer dieser Seele als ein Teil des eigenen Abenteuers ernst und genau zu nehmen.

„Beim Lesen Deines Briefes habe ich geweint", hieß es in Cazalis' Antwort, „geweint nicht darüber, daß ich dich gestorben sehe, denn dein Sterben hat dich ja ins Leben aufsteigen lassen, in den ruhigen Himmel, in den einzugehen du dir erträumt hattest, sondern geweint aus Ehrfurcht und Bewunderung. Du bist der größte Dichter deiner Zeit, Stéphane, wisse das, und so hoch du auch sein mögest, es möge diese Huldigung, mein armer Freund, dessen Leben so schmerzvoll, so heilig, so traurig war, sie möge das in dir, was noch an Menschentum übrig ist, trösten. Wir alle sind nichts neben dir. Wir sind Kinder, die kaum stammeln; deren Dichtung noch nicht geboren ist und vielleicht nie wird geboren werden. Keiner hat mehr als du nachgesonnen und gelitten; keiner ist näher als du an den Abgrund herangetreten; du siehst also, du bist der Größte, der einzig Große unter uns. Führe dein Werk zu Ende. Ich erfleh' es vom Schicksal und ich bitte dich darum aus meiner ganzen Seele."[1]

Lefébures Überzeugung von Mallarmés Genialität war eher noch überschwenglicher,[2] und sie war ebenso überraschend bar jener skeptischen Vorbehalte, welche man dem französischen Dichterbegriff des 20. Jahrhunderts nachsagt. Nach Lefébures scherzhaft getönter Antwort vom 27. 5. 67 scheint Mallarmé sich gegenüber dem Verehrer, der schwerkrank in seinem Rollstuhl in Cannes saß, in einer andern Gestalt ausgedrückt zu haben als gegenüber Cazalis. Mallarmés Schreiben dürfte, soweit ich zu rekonstruieren vermag, eine Philosophie und eine Poetik vorgetragen haben. Die Philosophie enthielt das gleiche, was er dem Duzfreund Cazalis als ich-betroffenes Erlebnis berichtet hatte, aber ins Überpersönliche verallgemeinert. Nämlich: der for schende Menschengeist befindet sich beim Ringen um die Wahrheit in einer bedrohten Lage, in derjenigen zwischen dem absoluten Wissen einerseits und der Welt der Täuschung andererseits: dieser letzteren bedient sich das Gottesbewußtsein im Menschen, durch allerlei Trug, um die Erkenntnisfähigkeit im Menschen sogleich wieder zu betäuben, sobald diesem gelang, eines Zipfels der absoluten Wahrheit teilhaftig zu werden (entrevoir). Ich erinnere an den berühmten Dämon, von welchem Descartes sich ausmalt, es könne ihm daran gelegen sein, den Menschen durch Trugbilder am reinen Erkennen zu hindern.

Und eine Poetik: die neuere Dichtung ist jetzt reif zu ihrer höchsten Höhe, zum Mysterium. Die Zeit ist da, daß ein höchster Dichter, gleichsam messianisch, als letzter Ausläufer der ganzen Entwicklung – wie ein Turmhahn, in welchen das ganze Dach sich zuspitzt (ein Vergleich Lefébures?) – jetzt ganz nah an das wahrste Wissen heranreicht und es seinen Menschenbrüdern, Gott zum Trotz, durch Wächterschrei verrät. Die Aufgabe der Dichtung im allgemeinen wäre es, aus den Rätseln des Diesseits (aus welchen bisher Mallarmé zu Unrecht also bösartig dämonische Botschaften gedeutet hätte) die Analogie zum absoluten Wissen abzulesen.

Die erste Hälfte von Lefébures Brief, aus der ich diese Schlüsse ziehe, lautet: ,,Ihre poetische Theorie des Mysteriums habe ich hinlänglich erfaßt. Sie ist sehr wahr und wird durch die Geschichte bestätigt. Bislang hat der Mensch, wenn er das Wahre, das heißt die logische Zusammensetzung des Alls, kurz erblickt hat (entrevu), sich jedesmal wieder entsetzt in die unendliche Selbsttäuschung (illusion infinie) zurückgeworfen und hat, wie Baudelaire sagt, den Himmel und sogar die Hölle vielleicht nur darum erfunden, um sich vor dem *Nevermore* eines Lucretius und Spinoza davonzumachen. Auf diese Weise verstehe ich den Abschluß oder, wie Sie sagen, das Spitzdach der neueren Poesie, der Romantik-Kathedrale, deren Hahn Sie sein werden, da Sie sich so hoch befinden.''

Zwei Befürchtungen glaubt Lefébure dagegen äußern zu müssen. Die eine ist, daß Mallarmé aus dieser äußersten Höhe herab sich niemandem mehr werde verständlich machen können.[1] Die

andere der vielleicht berechtigte Argwohn, der Freund wolle Dichtung über philosophische Inhalte schaffen, welche besser der
Wissenschaft vorbehalten blieben. Möge auch die Auflösung der
kirchlichen Autorität und überhaupt des Glaubens verhängnisvoll sein — Mallarmé erhält acht Tage später durch Lefébure ein
Buch Louis Veuillots zugesandt, dessen antioptimistische Zeit-
kritik mehr als Veuillots Katholizismus dem Freund imponiert
hatte —, die Mehrheit der Menschen sei nun einmal in das kalte
Licht der Wissenschaft aufgestiegen. Den Dichtern sei diese bereits durch Gelehrte aus der Hand genommen[1] und der Augenblick sei verpaßt, der durch Schulmänner wie Victor Duruy ge-
förderten Ausbreitung des Bildungswesens entgegenzutreten. Oder
mit Lefébures Worten: „Ich befürchte, die Menschen sind es
rasch satt, sich mit Rätseln zu befassen, deren Lösung sie kennen; und die Unmöglichkeit einer Religion angesichts des von
den Wissenschaften ausgehenden furchtbaren Lichtes scheint mir
eines der größten Verhängnisse der Menschheit. Wir haben nicht
mehr genug Unwissende, und es ist noch nicht ein hinreichend erhabener Dichter aufgestanden, durch welchen Duruy umgebracht
worden wäre. Vielleicht bleibt uns nichts als den Zaren anzu-
flehen, die Retorten zu zertrümmern; nichts als Hymnen auf die
wachskerzen-kauenden Kosaken anzustimmen, die durch ihr Ver-
drecktsein, nach Veuillots Ausspruch, die besten Aussichten auf
Welteroberung besitzen. Vorläufig aber, und da der pflichtmäßige
Schulbesuch noch nicht ausgerottet ist, halte ich es für weise,
sich bei aller Verehrung für die schönäugige Sphinx doch an ein
bißchen vernünftiges Entsagen zu halten", sich abzufinden mit
dem undichterischen Rationalismus, gepanzert durch eine stoische
Unterwerfung, der freilich weder die unruhige Menschheit noch
er, Lefébure selber, im Ernstfall gewachsen sein werde.

Noch bevor Mallarmé diese Warnung vor dem, was Baudelaire
die „exigence dévastatrice de l'absolu" nannte, erhielt, hatte er bereits eine neue wundersame Ermutigung für sein Wagnis zu mel-
den (an Lefébure, 27. 5 .67). Es ist seine Entdeckung eines Aufsatzes von Emile Montégut, der ihn vermutlich dazu beflügelte,
am Sonntag, dem 26. Mai, den „ersten Entwurf des WERKES, des,
falls ich nicht umkomme, vollkommen abgegrenzten und unaus-

löschlichen", abzuschließen. „Ohne Verzückung und ohne Furcht habe ich es angeschaut, die Augen geschlossen, und *gefunden: es ist*. Die Venus von Milo – die ich gern Phidias zuschreiben möchte, so sehr ist der Name dieses großen Künstlers für mich allgemein-bedeutend geworden – und Lionardos Gioconda sind, wie mir scheint, die beiden großen Funkellichter (scintillations) der schönheit hienieden –, und dieses werk, so wie es erträumt ist, das dritte." Tiefe Bewegung ergriff ihn, als er jene beiden abso-luten Schönheitskünder des Louvre-Museums, „diese beiden ver-einten Ahnherrn meines Werkes", nebeneinander in den ersten Sätzen von Montéguts Abhandlung über den Genfer Romandich-ter V. Cherbuliez genannt fand, die am 15. 5. 67 erschien. Auf den ersten fünf Seiten des Aufsatzes „habe ich mein Buch mit Er-griffenheit gespürt und geschaut". Diesen Aufsatz des lange ver-gessenen, jüngst in seiner Originalität wiederentdeckten Monté-gut nachzuschlagen wird sich, wie mir scheint, lohnen; fast möchte man danach vermuten, die Spur des damals von Mal-larmé niedergeschriebenen Buchentwurfs sei am ehesten aus der späteren *Prose pour des Esseintes* zu erschließen.

Der Hellas- und Deutschlandfahrer Cherbuliez hatte sich Phi-dias zum Schutzheiligen erkoren. Montégut hielt ihm als In-begriff des „antithetischen" Seelenwandels der Neuzeit die Ge-sichter auf den Gemälden Lionardos entgegen, jenen verführe-risch beunruhigten, mysteriösen Ausdruck zwischen Schmerz und Lächeln, zwischen naiver Unschuld und bitter ironischem Wissen der Erfahrung, zwischen gütig leuchtendem Auge und schein-barer zivilisatorischer Verdorbenheit. Diese Doppelheit – Rück-kehr zum Jungborn, aber ohne Vergessenstrunk – sei das Schick-sal der modernen Kunst, meinte Montégut. Die lässige Nacktheit der Antike sei für immer dahin; heute erlange der Dichter die In-spiration „par l'assiduité de son labeur .. à la sueur de son intel-ligence".[1] Hier fand Mallarmé vielleicht erstmals angekündigt, worin wir nachträglich den eigentlichen Ruhmestitel seines Stre-bens zu sehen geneigt sind: für eine Dichtung des Unbewußten einzutreten ohne das geringste Opfer an Intellektualität, dem Adelsschild der denkenden Menschheit. In seinem Brief vom 27. Mai entwickelte er sogleich eine dialektische Dreiheit. Die

Aphrodite von Melos, die er als „Phidias" ansprach, sei die erste
Stufe, „die vollkommene, unbewußte SCHÖNHEIT, ganz und unwandelbar". Dann folgen „die SCHÖNHEIT, die seit dem Christentum durch die Chimaira ins Herz gebissen ward und schmerzvoll
neuersteht mit einem Lächeln voll Mysteriums, aber erzwungenen
Mysteriums, welches sie als die Bedingung für ihr Sein *spürt*.
Schließlich die Schönheit, welche im ganzen All, dank der Wissenschaft des Menschen, ihre *entsprechenden Stufungen* wiedergefunden hat, nachdem sie das Höchste der Wissenskunde er-
langt hatte — als sie nämlich über das geheime Grauen nach-
dachte, welches — in Lionardos Zeitalter — ihr das Lächeln, das
mysteriöse Lächeln, eingab. Und sie lächelt nunmehr mysteriös,
aber aus Glück und mit der wiedergefundenen ewigen Ruhe der
Venus von Milo; nachdem ihr die Idee des Mysteriums zuteil
ward, von dem die Gioconda nur die schicksalsvolle Sinneswahr-
nehmung gekannt hatte".

Mallarmé äußerte sich nicht weniger zustimmend zu einem
zweiten Gedankengang Montéguts. Der hatte gefährlich optimistisch dem modernen Dichter nahegelegt, er solle in dem Bewußtsein schaffen, daß von Generation zu Generation die Anforderung
zunehme und ungewohnter werde; und er möge, als der wissende
Letzte einer langen Ahnenreihe,[1] dem Unwissenden nicht das freilich unbezahlbare Gut einer verwegen-originalen Selbstsicherheit
neiden. Ein Wissender sein heiße der Erprobung nicht ausweichen. Goethe und andere Deutsche sind für Montégut der Beweis, daß es noch immer große Dichter geben könne, wenn auch
vielleicht nicht mehr so viele wie einstmals. Was Lessing erkannt
und was Goethe durch heimliche Brautschaft gefördert habe, sei
die Geburt einer neuen, der modernen Muse, nämlich der *kritischen*, einerlei, ob sie vorläufig noch bei Schulmännern als
Aschenbrödel frone. Ihr verdanke Goethe, daß ihn Deutsches
neben Französischem, Shakespeare neben der Antike, der Orient
neben dem Okzident bereichern konnte. Ihr huldigen Leopardi
und der Hegelschüler Cherbuliez, während Byron und Lamartine
zum Schaden ihrer Dichtung ihr auswichen; und „was steckt im
Kern unseres französischen *romantischen* Schrifttums, wenn nicht
eine Kritik-Frage?"

Was diese Richtung, ins Absolute gesteigert, bedeutet, hat Montégut nicht erwogen; ebensowenig haben es die drei Sprecher der
Vorsehung, des *Zufalls* (hasard) und der *Notwendigkeit* in Cherbuliez' Roman *Le Grand Œuvre*, den Montégut analysiert. Mallarmé aber, obwohl körperlich schon „total erschöpft", ging den
Weg weiter und weiter. Stolz und Müdigkeit scheinen sich die
Waage zu halten, wenn er über Montégut berichtet: „Er spricht
vom modernen Dichter, dem *letzten*, der im Grund vornehmlich
ein *Kritiker* ist. Das ist es, was ich an mir beobachte; ich habe
mein Werk nur durch *Beseitigen* geschaffen, und jede Wahrheit,
die ich erlangte, entstand nur aus dem Verlust eines Eindrucks
(impression), der gefunkelt und alsdann sich verzehrt hatte und,
dank seinem nun losgelösten Dunkel (ténèbres), mir ermöglicht,
tiefer in die Wahrnehmung des Absoluten Dunkels vorzustoßen.
Die VERNICHTUNG war meine Beatrice."

Auf einem beigelegten Zettel fand Lefébure die Erscheinung
des Nur-noch-Idee-Werdens beschrieben. Mallarmé verglich sie
nicht ohne Genugtuung mit einem volltönenden Geigenstrich, bei
dem auch der stoffliche Holzkörper mitschwinge. „Ich glaube,
um wirklich der Mensch, die Natur zu sein, die sich selbst denken, muß man mit seinem ganzen Leib denken." Noch von den
„Ideen" vom Sommer 1866 habe sich ihm keine eingeprägt, und
noch während des Winters waren seine Gedanken, durch Kaffee
aufgereizt, „nur vom Hirn ausgegangen". Dies war nach seiner
Meinung die Ursache für ein starkes Kopfweh am Ostersonntag
1867, an dem er dann den neuen Zustand hervorrief: „Ich versuchte, nicht mehr mit dem Kopf zu denken, und in einer verzweifelten Bemühung ließ ich alle meine Nerven − oder *pectus* − starr
werden, so daß eine Schwingung zustande kam (während ich den
Gedanken festhielt, an dem ich damals arbeitete, welcher der Gegenstand dieser Schwingung oder ein Eindruck wurde) −, und auf
diese Art skizzierte ich ein ganzes längst geträumtes Gedicht.
Seitdem habe ich mir in den Stunden notwendiger Synthese gesagt, ‚ich will mit dem Herzen arbeiten', alsbald fühle ich, wie
mein Herz (gewiß verlegt sich mein ganzes Leben in dasselbe)
und der Rest meines Leibes vergessen ist außer der Hand, die
schreibt, und diesem Herz, das lebt, − meine Skizze entsteht − ent-

steht —. Ich bin wirklich zerlegt; und das muß ausgerechnet daran mitwirken, eine Schau vom ALL zu erlangen! Mit andern Worten, man empfindet keine sonstige Einheit als diejenige seines Lebens.“ So *zerlegt* kommt er sich vor, daß ihm ein Kasten einfällt,
den er in einem Londoner Museum gesehen hatte und in dem alle
aus einem Menschenleib gewonnenen chemischen Bestandteile isoliert nebeneinander aufgestellt waren. Dem Mann allein, nicht der
Frau, sei eine besondere Art der Größe und Schönheit aufgegeben: „statt eines Gehirns ein GEIST“, un Esprit, zu werden.

Etwas wie eine erste unbewußte Auflehnung allerdings scheint
sich anzukünden in der Erzählung, mit der Mallarmé schließt.
Am gestrigen Sonntag sei er durch reifende Kornfelder gegangen
und habe zum erstenmal bewußt das Zirpen der französischen
Grillen gehört, „heilige Stimme der unbefangenen Erde, — bereits
weniger zerlegt als die des Vogels, der in der Sonnennacht Sohn
der Bäume ist und der ein wenig von den Sternen und vom Mond,
ein wenig vom Tod hat. Und um wie viel mehr *eins* zumal als die
Stimme einer vor mir gehenden singenden Frau; ihre Stimme
schien tausend Worte, in denen sie schwang, durchklingen zu lassen — und durchdrungen von Nichts! So viel des Glückes — des
Glückes der Erde darüber, daß sie nicht in Stoff und Geist zerlegt
ist —, war in jenem *eins-seienden* Ton der Grille“!

Soweit die Beilage zu dem Brief, in dem er nun sein Tun als
Vernichtung bezeichnete. Der Brief tat noch einen Schritt weiter,
vom Bericht zur Wertung: dem Schreiber schlägt zum erstenmal
das Gewissen —, wobei sich das rein Künstlerische vom Humanen
und vom Christlichen nicht trennen läßt. Nicht Stolz empfinde er
über das nunmehr entworfene Werk, „ich empfinde weit eher
Trübsal. Denn all das ist nicht durch die normale Entfaltung meiner Fähigkeiten gefunden worden, vielmehr auf dem sündigen
und übereilten, satanischen und leichten Weg der ZERSTÖRUNG
meiner selbst, wodurch nicht Kraft entstand, sondern die Sensibilität, die mich schicksalhaft dahin brachte. Ich habe persönlich
kein Verdienst daran; und wenn ich es liebe, mich in die Unpersönlichkeit zu flüchten — die mir eine Weihung zu sein scheint —,
dann darum, um dem Gewissensbiß — daß ich mich gegen den
langsamen Gang der Naturgesetze verging — auszuweichen“. Viel-

leicht hat der spätere Mallarmé, der Mentor Valérys, aus dieser selben Reue heraus die Vernichtung des visionären Entwurfs angeordnet. Damals freilich hinderte der Gewissensbiß noch nichts Entscheidendes. Auch glaubte der Dichter gewiß sein zu können, daß sein Gehirn bis zum Abschluß des WERKES durchhalten werde, und er hoffte zugleich, irgendeine günstige Wendung der äußeren Umstände, viel Pflege und dauernde afrikanische Sonne werde ihn irgendwann dem rein physischen Zusammenbruch — von der Brust her — rechtzeitig entreißen. Denn ,,nach ein paar Tagen geistiger Anspannung in einem Zimmer gefriere ich und wühle mich bis zu einer Art Agonie in den Diamant dieses Spiegels hinein; wenn ich dann in der Sonne dieser Erde wieder neue Lebenskraft für mich schöpfen will, sie mich auftaut —, zeigt sie mir die tiefe Auflösung meines körperlichen Seins und ich spüre meine völlige Erschöpfung''.

Der Brief verfehlte seinen Eindruck auf Lefébure nicht, ,,nie habe ich mich in so vollendeter geistiger Gemeinschaft mit Ihnen gefühlt''. Ein starkes, schönes Vertrauen auf den Freund ergriff ihn. Die Dichtungsblüte eines jeden andern *Wissenden* müßte, meinte Lefébure, durch das *Beseitigen* dahinwelken, durch jenes Abschneiden der Stengel vom stofflichen Nährboden —, zu welchem Mallarmé, dem es um kein tierisch stillhaltendes *Wohl-Sein*, sondern um ein nie zu sättigendes,[1] gehirnliches *Besser*-Sein gehe, sich aus Sehnsucht nach einer zur Absolutheit und zur Vergottung drängenden Schönheit jenseits der Sinne getrieben fühle. Aber die Dichtung Mallarmés werde durch ein Wunder frisch bleiben — so frisch wie die der ,,erhaben Unwissenden'' vom Jahrhundert-Anfang mit ihrem ,,herrlichen Schwung, dessengleichen man nie wieder sehen wird, denn die Wissenschaft hat die Grenzen des Menschen abgezirkelt''. Indessen das Wesentliche der damaligen und inzwischen ernüchterten Hoffnung, nämlich ,,den TRAUM gänzlich und ewig zu leben'', dies Mysterium des Unerkannten habe ein für allemal in Mallarmés Seele so sehr eine Wirklichkeit gleich derjenigen Gottes bereits angenommen, daß sein Eintritt unter die Wissenden nun davon nichts mehr wegzuwischen vermöge. Daher, wenn die Dichtung bei V. Hugo oder bei Marceline Valmore noch eine Pflanze ,,mit zwei Enden'' sei

und Mallarmé dagegen bei der seinen das „gröblich materielle"
Ende, die Wurzel, vernichtet habe, verwelke die Blüte gleichwohl
nicht. Die Valmore „glaubt und Sie wissen". Wissen aber bedeute
immer die Bereitschaft zum äußersten, allerletzten absoluten Wissen. „Aber, mein lieber Freund", fügt Lefébure hinzu, „– hier
liegt Ihre Glorie – um den großen Schauer des Unerkannten zu
spüren, muß man glauben, man sei berufen, dieses auf absolute
Art (absolument) in Besitz zu nehmen, oder mindestens muß man
es geglaubt haben.. Nach Ihrem WERK wird der VERFALL beginn-
nen, und Sie sind auf dem Scheitelpunkt, nach welchem es nur ein
Herabsteigen gibt. Es ist zu befürchten (und es ist leider zu glauben), daß die Wissenschaft vom Mysterium und die Zersplitterung
des Göttlichen die Dichtung erniedrigen und die Religion umstür-
zen, indem sie durch einen nicht zu überspringenden Schnitt die
Geschichte der Menschheit auf der Erde zerspalten in eine vor und
eine nach der HOFFNUNG, der edlen Hoffnung, welche den
Menschen dazu brachte, seine Stirn zum Himmel zu richten, und
die, indem sie ihn jetzt losläßt, ihn auf alle viere wird zurück-
fallen lassen. Anno 1867 ist er schon nicht mehr so aufrecht"
(2. 6. 67).

Man müßte von dem faszinierenden Pessimisten mehr wissen,
um ganz sicher zu sein, ob er sich wirklich mit dieser düsteren
Vorausschau abzufinden bereit war, oder ob er durch listige
Grausamkeit den Freund zu retten bemüht war. Sicher ist, daß
Mallarmé damals mehr und mehr zum Bewußtsein der tragischen Exponiertheit seines Wollens gelangte. Schöpferisch aber,
und von Lefébure nicht vorauszusehen, war, daß der Dichter damit die Gewißheit eines erhabenen Triumphes zu verbinden vermochte: in den Dichtungen vom Juli 1868 bis zum *Würfelwurf.*

Zunächst aber hatte er den Absturz aus dem Hochgefühl seit
1866 bis zur bitteren Neige auszukosten. Noch erhoffte er sich
eine sichere Zuflucht, wenn auch zu Beginn der Sommerferien
1867 die Müdigkeit zunahm. „Ich bedarf sehr eines Monats auf
dem Land, um zu rasten, nicht nach Art Jehovahs am siebenten
Tag, sondern im Gegenteil durch Erschaffung einer ausgewogenen Synthese von Dingen, einer Synthese, die in mir verschwommen ihr Lied anstimmt und mir in meinen schlimmen Stunden

als Grundlage für ein Anschauen der Schönheit dienen wird."[1]
Lefébure drängte auf Abwechslung, machte das Angebot, ihn als
Bienenzüchter mit nach Afrika zu nehmen. „Wenn Sie eine Zeitlang vergessen und als gutes Tier leben könnten; aber wie das
ABSOLUTE vergessen? Vielleicht auch könnten Sie sich durch
einige literarische Juwelierarbeit zerstreuen, beispielsweise alte
Prosagedichte vollenden, für die Sie nur Ihre bewundernswerte
erlesene Künstlerempfindung brauchten, nicht den großen, er-
drückenden Begriff der UNIVERSUMS" (9. 9. 67). Mallarmés
Umzug aus Besançon nach Avignon am 11. Oktober, Fieber-
anfälle, bei denen ihn Großmutter Desmolins pflegte, brachten
dann die Krise in Bewegung. Noch aus Besançon stammt ein
wichtiger Brief an Villiers: „Wahrlich, ich befürchte sehr, da zu
beginnen,.. wo unser armer geweihter Baudelaire geendet hat."[2]
Und an Aubanel: „Ich habe die traurigsten Jahre meines Lebens
hinter mir, zermürbt durch ein mir unbegreifliches Leiden und
mich verhärtend über Dichtungen, die ich in unfruchtbarer Verzweiflung begonnen hatte" (7. 10. 67). Hier ist der Tiefpunkt
erreicht.

Allmählich raffte er sich zusammen, um trotz aller Rückschläge sich seiner Versponnenheit zu entledigen. Die Rückschläge
waren zahlreich. Der „so geduldig wiedererstellte Bau meiner
moralischen und körperlichen Gesundheit ist eingestürzt.. Ich
werde neu beginnen". All sein Stolz, ins Überpersönliche einzugehen, ist verweht. „Wenn ich mein Ich wiederhergestellt haben
werde, will ich nie mehr von ihm sprechen: das ist eine natürliche
Strafe für den Menschen, der seinem Ich abschwören wollte,
aber davon schwatzt" (an Cazalis, Anfang 1868). Wie beneidet
er nun die kleinen vibrierenden Gedichte Coppées, feinlinig wie
chinesische Tuschzeichnungen! „Ich gäbe das herrliche Weihe-
fest (vêpres) des *Traums* und sein jungfräuliches Gold für eine
einzige Quartine — auf ein Grab, auf eine Schachtel Bonbons —
die *gelungen* wäre.. Ich aber habe seit zwei Jahren die Sünde begangen, den TRAUM in seiner idealen Nacktheit zu betrachten, wo
ich doch zwischen ihn und mich ein geheimnisvolles Zwischen
von Musik und Vergessen hätte bauen sollen. Und jetzt habe
ich bei der entsetzlichen Vision eines Reinen Werks fast

den Verstand und den Sinn für die familiärsten Worte verloren“ (an Coppée, 20. 4. 68). Diese *Sünde* der Reinen Schau, die des Jünglings von Sais, ist das furchtbare, nachhaltigste Erlebnis Mallarmés gewesen. Es ist nichts daran zu ergänzen, so eindeutig hat er selbst es ausgesprochen. Zugleich ergab dies erst die eigentliche Sinndeutung der *Hérodiade*.

Ermunternd beginnen die Verse von Poes Gedicht *For Annie* zu ihm zu sprechen. „Noch leide ich an dem schlimmen, vorübergehenden Zustand, mit dem ich ringe; was mich tröstet, ist der Gedanke, daß irgendeine, vorzuziehende Lösung kommen wird. Was auch eintreffe, ich werde also singen: Is over at last! / Thank Heaven! the crisis“ (an Wyse, 23. 4. 68). Zehn Tage danach verrät ein anderer Brief den ersten Entschluß, seine „Rückkehr“ aus der *Höhe des Absoluten* durch eine große Dichtung zu bekräftigen. „Ich bin in einem Zustand der Krise, der nicht dauern kann; das tröstet mich. Entweder wird es mir schlechter gehen oder ich werde gesunden, ich werde verschwinden oder bleiben, was mir völlig gleichgültig ist, wenn ich nur nicht in dem krankhaften Alpdruck bleibe, der mich bedrückt. Fürwahr, ich kehre aus der Höhe des Absoluten wieder zurück .. aber dieser zweijährige Umgang (Sie erinnern sich? seit unserem Aufenthalt in Cannes) wird eine Kernspur in mir hinterlassen, aus der ich ein Weihemal machen will. Ich steige wieder in mein Ich herab, das ich zwei Jahre lang verlassen hatte; immerhin sind Dichtungen, auch wenn nur leicht berührt vom Absoluten, bereits schön, und es gibt ihrer wenige — ohne davon reden zu wollen, ob nicht dereinst die Begegnung mit ihnen den von mir erträumten Dichter erwecken könnte.“[1] Aus dem 1948 entdeckten Sonett *Quelle soie* A vom 2. 7. 68 läßt sich Weiteres erkennen; es ist, noch schmerzerfüllt, ein öffentliches Denkmal des Dankes für das, was Maries Schönheit ihm in dieser Krise hilfreich bedeutete. In diesen Versen nun ist die Bilder- und Begriffswelt gerade dabei, sich zu klären: noch scheint zwischen *Wandbehänge* und *Zeit* nicht die Sinnbrücke des Zeit„speichernden“ geschlagen; und der Gegensatz zwischen dem *Nichts*, zu welchem der Dichter sich flüchtet, und dem grauenvoll „mes désaveux“ herausfordernden *Sein* fußt noch nicht auf festen Sinn-

bildern. Nichts wahrscheinlicher, als daß etwa von der zweiten
Hälfte 1868 an, als sich gleichzeitig Mallarmés körperliches Lei-
den besserte und als er *Ses purs ongles* A als erstes Zeugnis der
Wendung schrieb, der *Igitur* keimte.

Der Schlaflosigkeit suchte Mallarmé von nun an durch Was-
serkuren und dergleichen Herr zu werden. Vergebens.[1] Aber er
habe seinen Willen zur Hilfe gerufen, schreibt er an Cazalis. ,,In
dieser eigenartigen Phase befinde ich mich. Mein Denken, durch
die Fülle des Universums beschäftigt und übermäßig angespannt,
verlor seine normale Funktion (4. 2. 69).. Ich tat in höchster
Not ein Gelübde, vor Ostern keine Feder mehr anzurühren. Ich
könnte dir sagen,.. daß die bloße Tätigkeit des Schreibens in
meinem Kopf die Hysterie einführt, was ich mit aller Macht um
euretwillen, meine lieben Freunde, vermeiden will, denen ich ein
BUCH und künftige Jahre schuldig bin; und noch habe ich die
Krise nicht hinter mir, denn das Diktieren für meine gute Sekre-
tärin und der Eindruck einer durch meinen Willen — und sei es
dank einer andern Hand — gelenkten Feder führt wieder mein
Fiebern zurück. (Das ist drollig, nicht wahr? Ich kann dies Wort,
das dich beruhigen wird, jetzt wagen, denn ich beginne, keine
Unruhe mehr zu empfinden.) Aber ich weihe dich lieber in meinen innern Zustand ein, von dem ich mir sogar gut Rechnung ab-
lege. Es tat not: Als mein Hirn, in welches der Traum eingedrungen war, sich vor den ihm nicht mehr vernehmlichen äußeren
Funktionen verschloß, war es nah daran, in einer andauernden
Schlaflosigkeit zugrunde zu gehen; ich habe die GROSSE NACHT
angefleht, die mich erhört und ihr Dunkel ausgebreitet hat. Die
erste Phase meines Lebens ist zu Ende. Von Schatten überreizt,
erwacht langsam das Bewußtsein, gestaltet einen neuen Menschen und soll nach dessen Schöpfung meinen *Traum* wieder
aufsuchen. Das wird einige Jahre dauern, während derer ich das
Leben des Menschentums von seiner Knabenzeit an und als es
seiner bewußt wurde, werde nachzuerleben haben." Ganz gewiß
freilich sei er nicht, ob er ,,den Klauen des UNGEHEUERS ganz
und gar entkommen sei" (18. 2. 69). Da Mallarmé im *Igitur* bis
auf die Knabenzeit seines sinnbildhaften Helden zurückgreift,
läßt sich vermuten, daß um diese Zeit die Pläne greifbarer wur-

13*

den. Gleichfalls an den *Igitur* läßt eine andere Briefstelle denken: weniger in die notwendigen Höhen, wie Cazalis meine, habe
er zu steigen, sondern hinab in die Tiefen. Er beginnt das Erlebte
zu durchdenken. „Ich bin immer noch ein wenig im Absoluten,
und ich erfasse gewisse Dinge" (an Wyse, 20. 5. 69).

Einige Monate später erst findet man den Dichter an der Arbeit, und schon dieses Datum sollte endlich verhindern, daß man
weiterhin unentwegt[1] den *Igitur* als die Ausführung des bisher
geplanten „Werks" oder des in den Briefen von 1866/67 ausgesprochenen Vorhabens auffasse. Nach den Augustferien am Mittel-
meer, im Dörfchen Lecques (Dép. Var), schreibt Mallarmé: „Es ist
eine Erzählung, durch welche ich das alte Ungeheuer der *Unfähigkeit*
— das übrigens der Gegenstand der Erzählung ist — niederringen
will, um mich in meine bereits neu studierte große Mühsal einzu-
klostern. Wenn sie fertig ist, bin ich geheilt; Similia Similibus"
(14. 11. 69 an Cazalis). So nah sind sich wiederum Leben
und Dichten; was er hier erzählt, betrifft das, was er durchlebt
hat. Lächelnd unterstreicht er ein Jahr später,[2] als der Freund
trotz der Abfassung nihilistischer Gedichte sich eifrig dem Leben an den Rockschoß hängt, den Gegensatz „deines Lebens, das
vom *negativen Begriff* heimgesucht wird, mit dem Glauben
(croyance), in dem sich jetzt mein Geist nach seiner Umkehr gefällt, dem aber ausgerechnet das Leben sich verweigert" (3. 4.
70, *Propos* 90).

Auch dies seltene Wort *Glaube*, zu welchem in den Spätwerken
die *Hoffnung* zu treten scheint, bestätigt wohl, daß man den „Igitur" zu Unrecht als ein gänzlich lichtloses Werk anspricht.[3]
Wenn Glaube, Liebe, Hoffnung nicht zu Wort kommen, so läßt
sich das aus dem Bedürfnis nach äußerer Sachlichkeit erklären.
Zum Ich wird ein Ja gesprochen, wenn auch „das Leben sich
verweigert". Que la vitre soit l'art, soit la mysticité . . (*Fenêtres*).

Sicher ist, daß Mallarmé neben der Arbeit an *Igitur* her, um
1868/70, philosophische, sprachgeschichtliche und phonetische
Bücher las. In diesen Monaten ist Hegels Name und Werk mehrfach in seinen Notizen bezeugt. Ziemlich viele Züge seiner
seitherigen Weltbetrachtung erinnern an Hegel. Das Ausein-
andertreten von Gott und Natur, aus dem sich der Weltprozeß

(Devenir, bei Villiers und Mallarmé) ergibt, war durch Hegel zum Vater-Sohn-Gegensatz in Beziehung gesetzt worden. Sollte Mallarmé davon gewußt haben, und böte der Konflikt seines Helden und dessen *aïeul* solche Ausblicke? Erhalten ist nur eine recht vage Notiz von Fontainas, wonach Mallarmé in einer Diskussion[1] die Antithese des „Realen" und des „Rationalen" (?) — die es bei Hegel in dieser Form nicht gibt — durch die Synthese der Idee überwölbt wissen wollte.

Mallarmés Krise war nicht zum wenigsten dadurch hervorgerufen worden, daß er in Villiers' *Isis* ein zügellos optimistisches Spiel mit der Möglichkeit, das „Werden" (Hegel) auszuschalten, angetroffen hatte. Verantwortungslos wie Villiers war, hatte sich dieser aber gleichzeitig hinter dem 7. Kapitel seines Buches verschanzt (bevor er sich in den Schoß der Kirche zurückzog) und besonders hinter dem nihilistischen Schlußsatz, daß ja doch alles geistige Bemühen der Menschen vielleicht in den gleichen Abgrund des Nichts eingehen werde wie schon von jeher. Mallarmé konnte nur „gesunden", wenn er diesen fahrlässig aufgerissenen Widerspruch durch einen neu durchgedachten Glauben überwölbte. Gegen den Nihilismus bäumte er sich ebenso naturhaft auf wie Kierkegaard, Nietzsche oder Dostojewskij. Betrachten wir kurz Villiers' widerspruchsvolle Wege.

Einerseits träumte dieser mit seiner Heldin, der Jungfrau Tullia Fabriana, von einer Erfüllung alles Wissens, das hier in „Philosophie und Mathematik" der Druiden, Syrer, Nordgermanen, Ozeanier, Orientalen, Kopten, Sibyllen, Chaldäer, Kirchenväter und modernen Akademiker turbulent entrollt wird (c. 7). „Ein Genie mit schwindelerregenden Begriffen, begabt mit der Kraft eines Prometheus oder Lucifer.. unaufhörlich mit dem Blick auf die Erfüllung der Aufgabe eines packenden, universalen Anliegens; fest entschlossen zu etwas Schrecklichem, Immensem und Unbekanntem." Wie Satan auf der Suche nach dem Eden das Leere durchflattert, so entfliehe Tullias Seele „ihrem Kerker[2] durch das Bewußtsein der Identität;[3] stürzt sich in das Mysterium des SEINS,[4] um in ihm die Ursache und den Grund der künftigen Determinierungen zu finden; verwirklicht diesen Begriff" (c. 8). Als Tullia allerdings im Licht ihrer Lampe ein zu

zwei Dritteln vollgeschriebenes Buch öffnet, ist die Liebe zu
Wilhelm in ihr stärker: „Wenn ich beim Mysterium angelangt
bin, wenn sich die NOTWENDIGKEIT ihr selbst in mir offenbart
hat, so bleibe ich gleichwohl das Opfer und ich muß gegen sie
kämpfen bis zu meinem letzten Seufzer.“ So schließt sie das
Buch der reinen Selbstbewußtheit:[1] „Wozu taugt es? Kann ich
mich vergessen?“ (c. 13).

Abgesehen allenfalls von den Worten, Tullia sei wie „die Göttin der Nächte des Grauens, in denen die Suchenden nicht finden“ (c. 8), stellte Villiers den Wert ihres Wissens nicht in
Frage. Anders dagegen die umfängliche essayistische Fußnote
des 7. Kapitels. Dort will er die Nichtigkeit des menschlichen
Forschens zeigen. Zwar könne sie dazu führen, daß beispielsweise die menschliche Lebensdauer verlängert werde, aber „diese
Zunahme kommt teuer zu stehen“. Der Mensch wollte „sein Ideal
läutern.. Nun hat er die Bescherung: nur noch das Künstliche ist vorhanden“. Da die Alten im Grund ebensoviel wußten
wie die Modernen, bleiben die Dinge stets gleich verborgen: „in
diesem Zeitalter der Aufklärung sieht man in Wahrheit nirgendwo hell“. So daß zwei modernste Physiker nach alledem wieder
zur Anerkennung des rein Zufälligen kamen und einander sagten:
„Vielleicht ist das Absurde selber nicht unmöglich. Das also ist
der höchste Schrei, den bei jeder Gelegenheit die Vernunft, nach
sechstausend Jahren an Bemühung und Träumen, auszustoßen
genötigt ist.“ Nirgendwo ist das Ideal zu finden, „nicht einmal
im Himmel“. Und Villiers endet mit dem Zweifel daran, ob der
Fortschritt „etwas anderes beweisen könne als unsere unendliche Abhängigkeit und unsere endgültige Unwissenheit. Möge
die Welt sechstausend Jahre alt sein oder ebenso viele Milliarden
von Jahrhunderten, das alles bleibt sich gleich, wenn man erwägt: immer muß man auf den Beginn hingeraten, will sagen
auf den Nicht-Sinn, auf das Mysterium, auf das ewig Bisherige
(immémorial), auf das Absurde“. So ist das Firmament „erhaben
unbekannt“ geblieben. Wären wir noch ähnlich andächtig wie
die chaldäischen Hirten, so wüßten wir, daß „alle Wirklichkeit
eine frühere (antérieure) Phantasie voraussetzt, durch die sie gedacht wurde“; und wir würden, wie sie, die „POESIE, welche das

Bewußtsein der Natur ist", spüren. „Sie taten sehr recht daran, durch einen Blick des Glaubens, der die Fortschritte der Zukunft übersprang, ihre belanglosen Schicksale an den leuchtenden Lauf eines Sterns anzuheften und so im ganzen Unendlichen ihres Denkens eine unwiderrufliche Beziehung zwischen ihrer Niedrigkeit und dessen Erhabenheit zu erschaffen."

Mit der Hinwendung zu diesem ganz fernen Schimmer begann jetzt für Mallarmé die Gesundung.

So wird die versöhnliche Festigung in einem „Glauben" um 1869/71 bezeugt durch die damaligen Skizzen (Diptyque) für das geplante Buch *De divinitate*. Mallarmé hat es, mit einer Widmung an Poe und Baudelaire, in Paris für die licence-ès-lettres oder die Doktorprüfung vorzulegen gedacht (Mai 1870).[1] Dann stockte die Arbeit, le labeur: ein Teil der Notizen, Indogermanistisches aus zweiter Hand, ging nachmals in den *Mots anglais* auf.[2] Soweit man aus dem bisher Zugänglichen klug wird, scheinen manche Beziehungen zum gleichzeitigen *Igitur* zu bestehen. Die Gottheit soll von der Ursprache her erschlossen werden. Diese absolute, göttliche Sprache wurde aufgelöst durch die unzähligen Nationalsprachen. Beide gilt es in ihrer sinnvollen Notwendigkeit zu begreifen. Die Aufgabe, die großen praktischen Gebrauchssprachen in Richtung auf die schöpferische Ursprache hin zu durchbrechen, das scheint Mallarmé als den frommen Weg des Dichters zum Göttlichen hin zeigen zu wollen. Als parallel zum Sprachlichen begriff er offenbar die Geschichte der Dichtung. So fand er, die Poesie sei noch echt gewesen in den Tagen von Orpheus; mit Homer habe die große „Entgleisung" begonnen.[3]

Hier gewahrt man das Ergebnis von Mallarmés großer Krise. Er tastete sich wieder zu natürlichen Ordnungen zurück; die Wissenschaft, noch immer dichterisch-schwarmgeistig erlebt, half mit bei der Gesundung. Zu seinem verwegenen Unternehmen von einst gewann er Abstand. Er mußte sich nachträglich vorkommen wie jener Übermensch mit der „intelligence infinie", den Poe in seiner (durch Baudelaire übersetzten) philosophischen Erzählung *Die Macht des Wortes* auftreten ließ. Hoch über den gewöhnlichen, geistbeschränkten „mathématiciens" sollte dieses

eine „Wesen, dem das Absolute der algebraischen Analyse enthüllt wäre", alles irdische Geschehen bis ins Letzte zum Thron
Gottes verfolgen können. So träumte Poe, und es schauderte ihn
vor einem solchen denkbaren Anteil des Menschen an den Vorrechten der Gottheit. Immerhin nahm Poe dabei auch, noch einige
Erkenntnisstufen tiefer, eine Reihe von „engelartigen Intelli-
genzen" an,[1] denen mehr erschlossen wäre als den übrigen.

Igitur ist ein solches Gedankenwesen, dem sein Ich abhanden
kam. Er befindet sich auf der obersten Sprosse jener Leiter zur
absoluten Intelligentia, zum entselbsteten samâdhi der indischen
Philosophie. So unzählige Denker hatten gedacht. Sollte es nicht
den Sinn haben, daß nun ein Letzter handeln möge, die reinste
Kraft dieses Denkens zusammenfasse und die Welt verändere?

Nach solchen stolzen Träumen war es Mallarmé nur eben noch
gelungen, sein Ich zu retten. Zwischen beidem blieb die Spannung bestehen, denn Mallarmé vergaß jene Träume nicht, auch
als er die *Igitur*-Entwürfe wieder beiseite legte. „Ein alter Traum
(un vieux rêve; vgl. *Quand l'ombre*) hatte in mir etwas wie eine
Meeresgrotte eingerichtet, in welcher er sich sonderbare Schau-
stücke gab, wofern ich mich nicht täusche. Das wird nicht verloren sein, und ich bewahre davon den Stoff für drei oder vier
hartnäckige, geizige Bände auf, die mein Leben bedeuten werden." Doch lasse er sich bis zur Ausführung noch einige Zeit
(an Mendès, 22. 5. 70). Einer dieser Bände sollte vielleicht dramatische Form haben, ein anderer mag früh die Vorstufe des späteren *Coup de dés* gewesen sein. Aber die spärlichen Aussagen
Mallarmés erlauben keine sichere Vermutung. Um zu erklären,
warum er aus jüngster Zeit keine Verse vorzuweisen habe „trotz
einer der mächtigsten schriftstellerischen Schwerarbeiten, die unternommen worden sind", schrieb er am 3. 11. 83: solange er so
wenig Muße habe, „befasse ich mich mit der Armatur meines
Werkes, die in Prosa ist. Wir sind alle nach der gedanklichen
Seite hin so im Rückstand geblieben, daß ich nicht weniger als
zehn Jahre damit verbrachte, meinen Gedanken aufzurichten".[2]
Es muß noch immer damit gerechnet werden, daß die ganzen
Aufzeichnungen dieses zweiten, wahrscheinlich nicht minder wichtigen Jahrzehnts vernichtet worden sind.

Der Kampf des Letztgeborenen

Gerade ein Jahrhundert, nachdem Faust vor Pult und Lampe aus dem „geheimnisvollen Buch" den Erdgeist beschworen hatte, ein Jahrhundert nach dem unsterblichen mitternächtlichen Monolog, sitzt abermals ein Übermensch vor Lampe und Pergament, „tous ses objets dont le Rêve s'honore". Doch vom *Urväterhausrat*, in dem er erstickt, vermag er sich nicht mehr so leicht loszureißen, wie vordem Faust es tat. Was scherte Fausten die verstäubte Mottenwelt trüben Mittelalters! — Igitur aber ist der Nachkömmling einer großen blendenden Reihe von Philosophen, etwa derjenigen des Abendlandes.

Schon in den frühesten Notizen zur philosophischen Parabel (conte) *Igitur* ist ein altes Motiv der romantischen Schreckens- und Schicksalsbelletristik[1] aufgegriffen, das außerdem durch die Gestalt seines Freundes Villiers für Mallarmé anschaulich genug war: Igitur ist Erbe, Sproß eines alten Geschlechts, er steht so sehr unter dem Gebot seiner toten Ahnen, daß er ihnen förmlich wie ein Kind seine Schularbeit vorliest (z_1) .. Auch die (am Ende verstummenden) „Geräusche" sind im ersten Entwurf da (z_1) und werden sogar erklärt: es ist der Atem der Ahnen, welche die Kerze in der Hand des Jünglings ausblasen möchten, damit er ja nicht im Schicksalsbuch weiterlese, und denen Igitur sein *Noch nicht!* entgegenruft. Doch was die Kerze bedeuten soll, was das Buch (grimoire) und die Vorhänge, ist noch unklar. Nur daß Igitur den tröstlichen Beweis für „etwas Großes" darin erblickt, daß es in seiner Macht liege, durch Ausblasen des Lichts die Finsternis zu verursachen, ist zunächst verständlich. Daß er es nicht eilig hat, erinnert allenfalls auch an Mallarmés Auffassung des *Hamlet*.[2]

Die Handlung vollzieht sich fern vom warmen Leuchten der Sonne, zur Mitternachtsstunde, welche der Dichter mit allem lastenden Ur-Schauder erfüllt hat. Wenn diese Sternen-Stunde „son vain nombre" schlägt (*Sur les bois*), fällt die Entscheidung für Igitur und für sein Geschlecht. Alles, was vor ihr lag, sollte der Leser erst gegen Ende erfahren, wenn Igitur bei der großen Abrechnung mit seinen Ahnen ihnen sein Schicksal erzählt. Wir entrollen die Legende chronologisch.

Am Anfang stand, wie Igitur vermutet, ein Schiffbruch: an
einem einsamen Schloß am Meer waren vor langen Zeiten die
Ahnherren des Geschlechtes der *Elbehnon* gelandet; der Name
begegnet nur im Untertitel, sonst spricht Mallarmé von der *Sippe*,
la race (*immémoriale*). Aus jener Zeit haben die Schloßherren
ein Fläschchen Gift (die berühmte Phiole aus *Faust* und E. T. A.
Hoffmann) als einziges Gut bewahrt.. unangetastet, denn ihrer
keiner besaß je selbstmörderische Sehnsucht nach dem Nichts.

Das Geschlecht hatte sich, von Ahn zu Enkel, die übermensch-
lichste, unauslöschlichste Aufgabe gestellt, von der Zeit, die auf
der übrigen Menschheit lastet, von *Zufall*, Gegenwart, Individualität sich zu befreien, das *Ewige* auf die Erde zu zwingen,
das Absolute, das nach Hegel nur durch den langsamen Weltprozeß, durch das *Werden*, erreicht werden kann, auf Grund
eines listigen und heroischen Planes herauszuläutern. Das gleiche
wollte *Louis Lambert*, der Held von Balzacs gleichnamigem Roman, nämlich allein mit Wille und Geisteskraft sich über die
Wirklichkeit hinauszusteigern, durch rosenkreuzerische und the-
anthropische Selbstversenkung. Der hauptsächliche Nachahmer von
Balzacs swedenborgianischen Romanen, Villiers, beschritt mit *Isis*
denselben Weg. Bei Mallarmé aber sind es nun „Myriaden" (A) von
solchen priesterlichen Selbsthypnotikern: Igiturs „Sippe war rein;
sie hat dem Absoluten dessen Reinheit weggenommen, um es zu
sein" (IV). Die Grabsteine dieser Ahnen bilden eine Treppe nach
oben,[1] „die Treppenstufen des menschlichen Geistes" (z_2). Indem
die Sippe alles Zeithaltige „übermäßig" der Vergangenheit überließ und „nur von ihrer Zukunft lebte" (IV), mußte ja die Nichtigkeit des *hasard* schließlich bewiesen werden.[2] Ein Doppelwahr-
zeichen trugen all diese vom reinen Wollen der Gegenwartsleug-
nung, von der „Folie d'Elbehnon" Besessenen: „le volume de
leur destinée et la lueur épurée de leur conscience". Das *offene
Buch* des Schicksals „kündete diese Verneinung des Zufalls an"
(IV), und wohl noch mehr; eine Voraussage, die Igitur rezitieren
soll: Erreicht werde das Ziel der Sippenidee dereinst in der MIT-
TERNACHT, in welcher die Zeit ein einziges Mal stillsteht, durch
die Tat des Letzten; le hasard était nié par le grimoire. Der *Kerze*
des Bewußtseins (Symbol der Zukunft) bedurfte es, um „den

Sehnsuchtstraum zu beleuchten, wie weit er schon vorangekommen sei" (IV). Wenn dann den Ahnen Erfüllung ward (apparues pures), konnte sie erlöschen und das Buch geschlossen werden: die Ewigkeit wäre errungen.

Mit jeder Generation kam die Sippe ihrem Ziel, der absoluten, halkyonischen, entkörperten Existenz näher, dem Ideal, welches Victor Hugo in dem Vers ausdrückte: Il ne restait en moi qu'une soif de connaître (*Dieu*). Aus dem geheimnisvollen Vorzeitdunkel des Unendlichen herauf spitzte sich die *Spirale*, die Wendeltreppe, zu einem letzten, höchsten Punkt in immer überirdischerem Licht, in die Ortlosigkeit hinein. An ihn gelangt der Jüngling „Igitur", auf dem die Erfüllung des ganzen Denkergeschlechts beruht; treffend wählte die Sippe als dessen Namen das Wörtchen „somit", das als Schlußglied aus allem Vorhergehenden die Entscheidung zu fällen pflegt.[1] In ihm sollte das Leben überhaupt nicht mehr Selbstzweck sein: „L'infini vorace" (*Hérodiade* IC) hat sich auch hier nur darum des unreinen Umwegs über Säugling und Muttermilch bedient, um sich selbst zu erhöhen. Sorgfältig hatte jeder der Ahnen alles Schattenhafte an sich verheimlicht, kein Aschenstäubchen sollte bei dem Erben den Argwohn (soupçon, in A *kursiv gedruckt*) wachrufen dürfen. Während eines „ansehnlichen Zeitalters hatte so manches Genie Sorge dafür getragen, seinen ganzen irdischen Staub in seinem Grab zu sammeln,.. damit kein Argwohn daraus den Spinnenfaden entlang nach aufwärts gelange; auf daß der letzte Schatten sich in seinem eigenen Selbst betrachte und in der Menge seiner [einstmaligen] Daseinserscheinungen auf diejenige Art sich wiedererkenne", wie er sie durch Kerze und Buch vermittelt erhalte (II). Sie wollen sorgfältig, daß mit der Asche in ihrem Grab alles Unrein-Zeitgebundene weggeräumt sei, um sich recht eigentlich am Anblick ihres eigenen enthobenen Ich weiden zu können. Das Motiv des belogenen letzten Nachfahren, der das einzige ist, was noch „der Reinheit Abtrag tat" (E), verbindet Mallarmé in der Folge raffiniert immer wieder mit dem der Spinnenfäden, dem alten Verhängnismotiv aus *Frisson d'hiver;* der Optimismus vor dem Bild der „heiligen Spinne" (Brief vom 28. 7. 66) ist wieder dem Grauen gewichen.

Der letzte, hellste Auslauf der pyramidengleichen Spirale, das enge Turmgemach, ist Sinnbild dafür, daß diesem Igitur, „höchster Inkarnation seines Geschlechts", kein Raum zu eigener Individuation, eigenem Leben, Frau oder Kindern etwa, zustehe. Sein Herzschlag dient allein der Pflicht, die Welt des *hasard* endgültig zu überwinden, ohne daß er sie je gekannt hätte. Und doch erinnert er sich, als Kind einmal zum Spielen die Wendeltreppe zu den dunklen Gängen und Grüften, auf dem Geländer hockend, herabgerutscht zu sein; er konnte es damals, weil er noch nichts über das Geheimnis wußte. Im Abwärtsgleiten — der Stand seiner untragischen Unwissenheit über das Vergangene senkte sich (*preziös ausgedrückt*: er senkte sie) in gleichem Verhältnis! — durchlebte er, Stockwerk um Stockwerk, vom Ende an rückwärts „den umgekehrten Marsch der Begriffswerdung (notion), deren Aufsteigen er nicht erlebt hat, da er, der Jüngling, beim Absoluten angelangt war: eine Spirale, an deren Spitze er *en Absolu* wohnte, unfähig sich zu rühren". Dann aber, nachdem seine Mutter „ihm gesagt hat, was er zu verrichten habe", verbietet sie ihm das Hinabsteigen streng. Er erinnert sich, wie ihm „jene *Nacht* auf die Seele gebunden wurde; falls er den Tod suche, werde er nicht, herangewachsen, den Akt vollziehen können" (z_3).

Igitur aber, einen Fußbreit von der Unsterblichkeitsgrenze, liebt das bißchen Lebensglück und Gegenwart, das er sich zwischen Vergangenheits- und Zukunftspflicht stiehlt und das in nichts besteht, als im einsamen Turmgemach wenigstens die *Zeit*, Symbol des *hasard*, als Gegenwart festzubannen, und zwar in den *zufalls*bewegten alterserfüllten Tapetengehängen (tentures) seines Zimmers. So erzählt er (III): „Immer lebte ich mit ganzer Seele auf die Uhr gerichtet. Alles tat ich, auf daß die *Zeit*, die sie schlug, in meinem Zimmer gegenwärtig *bliebe* und mir Nahrung und Leben würde. Ich habe dazu die Vorhänge (rideaux) dichter gemacht, und da ich, um nicht an meinem Ich zu zweifeln, vor einem Spiegel sitzen mußte, sammelte ich sorgfältig in unaufhörlich dichter gemachten Stoffen die kleinsten *Zeit*-Atome. Oft hat mir die Uhr sehr wohl getan." Er hing sogar an dem Trübsinn (*ennui*), welchen er als Gefühl der „reinen Zeit" definiert und der bei ihm besonders unruhig (instable) war wegen seiner *ma-

ladie d'idéalité, seiner Konzentrierung auf die große Aufgabe. — Aber als ihm einmal im Spiegel sein Antlitz verschwommen erschien, *verschwimmend,* als wolle die Zeit es bald wegschwemmen, da beschließt er endlich, vor dem weichen Verdämmern zwischen *Zeit* und *ennui* auszuweichen ins Absolute. Und ohne mehr als ,,unbestimmt vorherzuahnen", daß er ,,durch die Qual des Ewigseins bedroht" ist, und ohne eine wirkliche innere Anteilnahme, beginnt der Jüngling das Zeremoniell für den krönenden Abschluß der Sippenidee mit der feierlichen Anrufung seiner Ahnen.

Alsbald erhebt sich aus dem lästigen *ennui,* der zur ,,Qual, ewig zu sein" trieb, die Vollendung der Elbehnons, Igiturs Ewiges Sein, seine ,,vervollständigte Idee" (complété). Mallarmé hat diese Verwandlung zunächst an der völligen Veränderung von Igiturs Zimmer verdeutlicht.. wohl angeregt durch Baudelaires Gesichte von einer *chambre spirituelle,* aus welcher die Zeit entschwunden wäre.[1] Der Druck der Zeit fällt von ihm ab, der ,,Trübsinn gewordene" Spiegel entleert sich und wird ,,grauenhaft nichtig", wie er im Spiegel auch ,,sich selbst von einer Verdünnung, einer Abwesenheit von Stimmung umgeben sieht". Die Ziertiere an den Möbeln bäumen sich ins Leere.. und vergebens reißt Igitur, in plötzlicher Angst um sein bisheriges Ich, die verschlossenen Möbel auf, ,,damit sie ihr Geheimnis, das Unbekannte ihres Gedenkens, ihr Schweigen, menschliche Fähigkeiten und Eindrücke, ausströmen". Er faßt mit ganzer Seele die Uhr ins Auge, deren Zeit durch den Spiegel eingesaugt wird. Er wühlt sich in die bisher so dicht zeitspeichernden schweren Vorhänge. Unerträglich ist ihm diese gläserne Wandlung der Umwelt — eine Entmenschlichung sozusagen ins Kubistisch-*Neusachliche,* jenseits von Zeit und Zufall. Er ist ,,ohnmächtig", noch weiterhin melancholisch sein zu können.

Grausend gewahrt er plötzlich, wie auch das Spiegelglas alles Menschliche, Eigene, Gefühl und Schmerz in sich einsaugt und es verschwinden läßt. Das Zimmer verröchelt in einer ,,grauenhaften Empfindung von Ewigkeit". Verzweifelt nach Luft und Atem ringend, beschwört der Jüngling sein eigenes Spiegelbild, zu bleiben; er erträgt es nicht, mitanzusehen, wie auch seine

eigene Gestalt in diese Ewigkeit eingeschluckt wird.. Als er die
Augen öffnet, steht im Spiegel statt seiner ein gräßliches Schat-
tensein. Nichts an Menschlichem, Zufälligem verschont es im
Raum. Leblos, isoliert, streng heben sich die Möbel mit kantigen
Konturen in stimmungsloser Raumleere ab; ihre geschlängelten
Zierate sind mit letztem krampfhaftem Aufbäumen in Vereisung
abgestorben, und die unruhebewegten Vorhänge sind ,,auf immer
erstarrt". Aus dem *absolut reinen* Spiegel löst sich das Gespenst,
das *Absolute* (III).

An dieser kühnsten Situation — jenem Zustand des *Mein Gedanke hat sich gedacht,* vor welchem der Dichter Heilung sucht
— beginnt in Mallarmés Reihenfolge das erste Kapitel, Le Minuit (1). Die Uhr, noch nicht vom Spiegel aufgesaugt, gemahnt
als einzige durch ihren Laut noch an ein Zimmer mit Möbeln,
und ihr Goldglitzern ,,an irgendeinen unnützen Schmuckgegen-
stand, der noch weiterlebe". Die Beziehung der Uhrzeit zum
,,unendlichen Zufall der Konjunkturen" erinnert an die See mit
ihren Gezeiten[1] und an den gestirnten Himmel. Eine solche einzigartige Konjunktur (unique, unie) wie die jetzt von der *Mitternacht* geschaffene war dort allerdings nie abzulesen. Sogar
Meer und Firmament, bisher Inbegriff des Unendlichen,[2] stoßen ihr materielles Nichts ab, damit in der Stunde der Einmalig-
keit ihr Wesenhaftes als ,,absolutes Geschenk der Dinge" dienen
könne. Kurz wird Igitur erwähnt: ein ungenanntes betrachten-
des Wesen[3] vor dem Spiegel, welches dort in undeutlichen Formen das starr gebannte Idealbild seines langerwarteten reinen
Ichs nahen sieht. Die Haare des einsamen Schloßherrn (l'hôte),
welche sein vom Mysterium leuchtendes Antlitz umrahmen, haben denselben wehmütig matten Glanz, den die Wandbehänge annahmen. Inhaltlos, gleich Spiegeln, seine Augen. Bald wird an
ihm nichts mehr existierend sein als ein Anwesend-Sein.

Zuerst aber wird die MITTERNACHT, die sich nun ,,in sich selber entkörpert", gedeutet. Sinnbild ihrer äußersten Unfruchtbarkeit (stérilité): im Düster gewahrt man nichts als eine *Kerze,* die
ein blasses offenes *Buch* beleuchtet! ,,So erblickte eine uralte,
seit langem abgestorbene Idee sich selbst im Licht des Wahns
(chimère), in welchem ihr Traum verendet ist; sieht sich wieder

in der überzeitlichen, noch ausstehenden (*vacant*) Gebärde. Um nämlich dem Zwist der beiden widerstreitenden Sehnsüchte ein Ende zu machen, will sie mit der blendenden Leuchte und dem geschlossenen Buch herantreten an die Unzuträglichkeit, welche sich ergibt durch die mißgeboren schattenhafte Gestalt und durch das Wort, das die MITTERNACHT loslöse (absolut)." Schon haben die Möbel Ewigkeitsform angenommen (permanente de toujours). Als letztes funkelt noch der diamantene Eigenglanz der Uhr. Die Zeit erschafft aus sich die große Nacht und nimmt von sich selbst Abschied: „Leb wohl, Nacht, die ich war, dein eigenes Grab, das nun aber, da der Schatten weiterlebt, sich in die Ewigkeit verwandeln wird."

Der „vollendete, nichtige (nul) Schatten" (I), der einstmals Igitur hieß, ist es, dessen Erlebnisse nun geschildert werden. Absolut geworden, ist er eins mit der absoluten Nacht. Der Schatten ist ganz „rein, nachdem er seine letzte Gestalt, die er soeben hinter sich zertritt, abgelegt und hingebreitet hat[1] und nun in einem Schacht (puits) das an die reine Nacht zurückerstattete Ausmaß all der vielen schattendunkeln Lagen all seiner gleicherlebten Nächte vor sich hat (vgl. *maint rêve vespéral brûlé par le Phénix*), der Lagen, welche von den Nächten auf immerdar abgestoßen sind, ohne ihnen wahrscheinlich jemals bewußt gewesen zu sein" (II). So ist Igitur jetzt mit dem absoluten Inbegriff aller Nächte eins geworden (s'était apparue) „zwischen den Schatten der vergangenen Nächte und der künftigen Nächte, die gleich und äußerlich geworden waren; sie waren heraufbeschworen, um zu zeigen, daß sie gleichfalls ihr Ende gefunden hätten" (A).

Dafür, daß jetzt aller Widerstreit aufhörte, jeder „Zweifel verschwand" (B), entwarf Mallarmé eine schwindelerregende Konstruktion, das mathematisch-absolut gewordene Turmgemach, den Inbegriff der völlig zufallsfreien Parallelität. Man denke sich einen zweiseitig parallel geordneten, quadratischen Raum, der mit sich selbst übereinstimmt (concordait) und in dem jede der vier Seiten identisch ist mit der gegenüberliegenden, nicht aber mit der benachbarten. Die ersten beiden Seiten enthalten Öffnungen, und in jeder von ihnen stehen, genau gleich, Abertausende von Ahnengestalten, jede ein Buch in der einen Hand, eine

Kerze in der anderen,[1] entsprechend der absoluten *Mitternacht*,
„au point de jonction de son futur et de son passé devenus iden-
tiques". Das andere Paar der sich entsprechenden Seiten des
Saals bildet die negative Entsprechung dazu, die *disparition* zur
apparition, das Schöpfungsentleerte zum Geschaffenen (A). Hier
öffnen und schließen sich aufeinander in ruhender Schwebe zwei
Schächte (puits) eines massiven Dunkels, zwei *Spiegelscheiben*
(panneaux, trouée), und stürzen ihre schwindelerregende Tiefen-
umdrehung ineinander (II), deren Spirale nur durch ein Beklem-
mungsgefühl des Beschauers Einhalt geboten wird. Diese zwiefache „dunkle Dichte" ragt in das Zimmer hinein, identisch, aber
durch das Gegenüberstehen der Spiegel doch in umgekehrter
Entsprechung wiedergegeben — es ist das durch die Grabstein-
reihen der Toten gegliederte abgelebte Dunkel (Mallarmé pro-
jiziert die aus dem Dunkel zum kerzenhellen Gipfelzimmer führende Wendeltreppe in horizontale Lage). „Es war der Ort der
vollkommenen Gewißheit" (AII), in mathematischer Kongruenz.
„Jede Doppeldeutigkeit endete (D) .. Es stand außer Zweifel: die
Bewußtheit des Selbst war da — sie war gelungen, .. das Ende der
vernichteten .. Zeit .. Alles ist ans Ziel gelangt" (II).

In diesem Raum jenseits von Raum und Zeit steht Igiturs ent-
körpertes Schattenbewußtsein der *folie d'Elbehnon* gegenüber. Es
mußte ihm zumute sein wie einem Gestorbenen bei seinem Gang
ins Unbetretene. Kelten, vom alten irischen Ritter Tundalus bis
zu Edgar Allan Poe, haben diese Lage in der Phantasie durchlebt, und in Poes „Gespräch zwischen Monos und Una" finden
wir denn auch (neben allerlei Anregungen für die *Prose pour des
Esseintes*) das mitternächtige Erwachen eines sechsten, außer-
weltlichen Sinnes bei einem Toten geschildert. Diesen Sinn beschrieb Poe vorwiegend akustisch, als „vibration du pendule men-
tal. C'était la personnification morale de l'idée humaine abstraite
du Temps",[2] Die feinsten Taktungenauigkeiten beim Ticken einer
Uhr wirken geradezu marternd auf diesen Sinn, .. der seine le-
thargische Intuitionskraft noch eine Zeitlang, nachdem die *Op-
pression des Ténèbres* der anderen Sinne erloschen ist,[3] behält;
bis auch er abstirbt und der *Schatten* (l'Ombre, übersetzte Baudelaire) ganz körperlos in die Ewigkeit eingehen darf. — Dies Lau-

schen auf das Ticken mit seinen Tempostörungen, auch den Hinweis auf die *pendule* übernahm Mallarmé aus Poes Novelle; es leitet die Rückkehr der Dualität ein.

Igitur (bzw. *die Nacht*) vernimmt in dem mitternächtigen Saal nach dem Verklingen des Uhrtickens (balancier expirant) nichts anderes mehr als den Doppelschlag eines rätselhaften Pendels, und zwar nicht zufallsfrei regelmäßig, sondern mit einer vorbeistreifenden Reibung in der Pause. Woher stammt das Ticken? Als gewiß stellt die Schattengestalt zunächst fest, es müsse aus ihrem eigenen Innern kommen, da außer ihr sich nichts mehr im Saal bewege. Schon als später bei einer Angstbeklemmung der regelmäßige Takt besonders gestört erscheint, begreift man, daß es ein letzter Rest von Igiturs Physis, sein nervöser Herzschlag ist.[1] In Fassung AB hatte Mallarmé, ganz im Sinne Poes, diese sensible Wahrnehmung von Beschleunigung bzw. Markierung des Pendelschlags ausgemalt. In C und II aber, wohl in der berechtigten Furcht, zu breit zu werden, stellte er das Auftreten eines verdoppelten Klopftakts nur als Wirkung eines besonders beängstigenden Geschehens dar, eines dumpfen Schlags voller Grabesleere: als im *Korridor der Zeit* das Tor der Gruft endgültig (unique) zufällt.[2] Das Tor zu dem Spiegelschacht „erinnert" (II) an das Tor der Gruft.

Als mit dem Türenschlag die Schicksalshandlung begann, verstärkte die Kerze ihr Licht so, als wolle sie irgendeinen Gast des nächtlichen Zimmers wegscheuchen. Und tatsächlich folgt dem dumpfen Schlag etwas wie das Davonhuschen eines Vogels: etwas Samtweiches verschwindet in der Spiegel*spirale* (Entsprechung für die Wendeltreppe). Ein Vogel kann es aber nicht gewesen sein, denn wenn an den tadellos gesäuberten Wandspiegeln (A: Wänden) jemals etwas Federähnliches hinstrich, so war es, assoziiert Mallarmé,[3] als dienstbare Geister Staub wischten. Und zwar waren diese „vielleicht gleich" den Ahnen in den Spiegeln, die so sehr auf allen Staub achteten. Die Spiegelscheiben sind blank: das aus Igitur entstandene nächtig absolute Wesen war „gut in sich und dessen sicher, daß alles, was ihm nicht zugehörte, Trug war. Es spiegelte sich in den leuchtenden Scheiben seiner Gewißheit, an denen kein Argwohn sich mit Spinnen-

fingern hätte festsetzen können" (B). Oder wenn doch, so hätten gewiß die dienstbaren Geister den Staub weggeschafft, damit möglichst „jene Schatten .. als reine Schatten in Erscheinung
träten" (A). So scheint denn die „Erinnerung an die Lüge", in deren Folge erst all dies sich ergeben habe, dem Erben Igitur mit
Erfolg vorenthalten (II).

Zwar sein Herz hörte Igitur noch weiterklopfen, in einer stolzen,
mathematischen, nun jeder Zufallsstockung baren Selbstsicherheit; doch es ist ja nicht wirklich sein eigener Herzschlag: die
Sippe hatte ihn wie eine fremde Maske, wie ein „Kostüm" ihm
aufgenötigt und hatte sein Ich in diese zwiespältige, unselbstän-
dige Bahn (ambiguïté) hineingezwungen. Sein Ich hat Heimweh
nach seiner vorgeburtlichen Individualität. „Alles ist zu hell ..
alles zu leuchtend .. ich möchte wieder einkehren in meinen vor
meiner Erschaffung vorhandenen, urvordenklichen Schatten und
durch mein Denken das *travestissement* abschütteln, welches mir
auferlegte, in dem Herzen dieser Sippe, das ich hier schlagen
höre, als einzigem Rest der Doppelnatur zu wohnen." Der absolute Schatten der Elbehnon, „alle meine Erscheinungsformen in
mir vereint", unzertrennt in Vergangenes und Künftiges (II),
sehnt sich also zurück zum Körper, zur Menschenwelt. Er, der
Bewußtheit Gewordene, verspürt „eine Unruhe, diejenige von
allzuviel Gewißheit, von allzu sicherer Feststellung des eigenen
Selbst: er wollte sich seinerseits wieder ins Dunkel zurückstür-
zen, zu seinem alleinigen Grab hin, und wollte der Idee seiner
Form, so wie sie durch seine Erinnerung an die mit der Auf-
sammlung ihrer einstigen Asche beschäftigten hohen Geister sich
ihm vor Augen gestellt hatte, abschwören (B) .., entfliehen, zu
sich, zu seiner Trübnis zurückkehren: aber welchen der beiden
Schächte durchschreiten?" (A). In beiden stehen die Elbehnon-
Geister, diejenigen der Vergangenheit scheinbar ebenso zufallsfrei und rein wie die der Zukunft. Fehlt denn alles Unterschei-
dende zwischen beiden Scheiben?

Und da ergibt sich das Paradox, daß der *Zufall* von ein paar
Stäubchen den jahrtausendalten Plan der Sippe zuschanden
macht. Igitur bemerkt mit Genugtuung, daß zwar der untere Teil
der einen Scheibe ganz blank ist, der obere aber etwas weniger

hell (A; in B: daß hier zufällig mehr Licht entflieht). Mit der Kerze beleuchtet er die Stelle und stellt fest: ihre akustische Entsprechung ist jenes Geräusch, das er für den Flügelschlag eines Vogels hielt; diesem nachzufolgen würde Rückkehr zur Vergänglichkeit bedeuten (B): das „frôlement incertain de sa dualité" bringt ihn dahin zurück. Das bedeutet für Mallarmé, daß die „geschaffene *Zeit*" wiederkehrt und ihr ewiger Gegenpol, das *Nichts;* und mit ihnen auch der „alte Feind" einer Versöhnung des polaren Widerstreits dieser beiden, der *Zufall.* Er trägt nicht mehr die häßlichen Züge wie bei jener Schmutzwolke, die Mallarmé einst „pervers und nutzlos" anflehte, den leuchtenden Azur zu verdunkeln. Jetzt rettet der Zufallsstaub das Menschliche.

An der bestaubten Stelle, wo das unsicher streifende Geräusch verklungen war, hört man es jetzt wiederkehren; es ist (in B) der Tritt der Sippe, mit dem Igitur „seine frühere Person" zurückkehren hört. Oder zugleich der Schlag seines Herzens, der „wieder holpernd wird wie damals, bevor ich mein Selbst schaute: es war das Skandieren meines Rhythmus" (II; ähnlich A). Nicht der haarige (velu) Unterleib eines Vogels war beim Entschwinden vorübergestreift, sondern der samtgekleidete (velours) edle Oberkörper eines Menschen war es gewesen. Als er jetzt wieder im Spiegel auftaucht, wird die jahrtausendalte Arglist der Sippe offenbar: der „einzige Schauder" (A), unter welchem Igiturs Hamlet-Gestalt leidet, ist die spinnwebartige Spitzenkrause, die sein Haupt sinnbildhaft von seinem lebendigen Körper abschnürt.

So erringt der Erbe zum erstenmal sein Ich; Ghil will einmal aus Mallarmés Munde das anti-nihilistische Wort gehört haben „Moi n'étant pas, rien ne serait". Zugleich freilich erringt Igitur damit auch das böse Bewußtsein seines durch die Schuld der Sippe verkümmerten Wachstums, ein Bewußtsein, das ihm nur noch den Weg ins *Nichts* möglich machen wird, nicht mehr denjenigen in das „schreckliche Leben" in der *Zeit* „au fond de cette confusion perverse et inconsciente des choses qui isole son absolu" (z_3). Seine grausame Sehnsucht zum Untergang (*Brise marine* usw.) verleugnet Mallarmé auch hier nicht. Sowenig wie Hamlet, der Leben und Handeln nicht vereinbarte, kann Igitur untragisch enden. Immerhin, von den drei Entwürfen für das

Selbstgespräch des in seinem Gemach sich Wiederfindenden, D, II und E, atmet der erste, 1948 bekanntgewordene, ungemischt die Freude.

Man kann aus ihm schließen, daß der Dichter für die Rückkehr aus dem Absoluten zeitweilig einen wesentlich einfacheren Vorgang geplant hatte: am Nachhall einer Glocke – wohl des Mitternachtsschlags der Uhr – hätte Igitur sich wie an einem Strohhalm wieder in die Welt der Zeit zurückgerettet. Der Monolog des Dankes an die Glocke, zugleich eine Huldigung an alles, wodurch ein sinnenhaftes Zeitgefühl vermittelt wird, bildet eine Art Gegenstück zu der oben mitgeteilten Lobrede auf die Uhr. Nur spielt der Goldklang des „goldenen Kleinods" hier eine entscheidendere Rolle für den Helden, über welchen die Glocke wohltuend „Zeit ausgießt". Um die Glocke habe sich ihr Hall in seinen Träumereien angesammelt, habe für sein Bewußtsein den Begriff Glocke geschaffen; und dank den Beziehungen von einer Glocke zu Firmament und Meer seien ihm schon immer „die äußeren Zufälle (occurrences) des Spieles der Welten" verdeutlicht worden. Aber in all den vielerlei „Spielen" des Denkens der Menschheit (la pensée universelle) ist noch niemals etwas so Hohes vorgefallen wie das, was diesesmal die Glocke vollbrachte ..„Extrakt des Universums, der du bist, Kleinod der Dinge". Denn sie hat einen „wundersamen Zusammenklang" hervorgebracht, und vielleicht wird in allen Welten in aller Zukunft nie wieder ein ähnlich erhabener Augenblick wiederkehren. „So ist denn mein Denken wieder neu erschaffen; aber ich, bin ich es? Jawohl, ich fühle, daß diese in mich ausgegossene Zeit mir dieses Ich wiedergibt." Und er vergleicht dieses sein dank dem Zeitsinn körperhaft wiedergewonnenes Ich damit, daß auf der Oberfläche eines Trankes hin- und rücklaufende Kreise vibrieren und eben durch ihre Bewegung den Mittelpunkt fest und unbewegt erscheinen lassen. – Soweit das neu aufgefundene Fragment.

In der Fassung II spricht Igitur zwei Entschlüsse aus: vor dem wieder geöffneten Tor der Gruft eine Erklärung abzugeben und dann den Gang in das nächtige Nichts anzutreten, das Zimmer zu verlassen. Der Spiegel, rein und ohne mehr die Person Igiturs zu spiegeln, werde doch (durch den Nachthimmel: *Ses purs ongles*) eine Vision von Igiturs Wesen aufnehmen. Wogegen unterdessen die große Traumsehnsucht der Sippe (*folie* d'Elbehnon) hingerafft werde durch das Gift in der *fiole*.[1] „Il boira exprès pour se retrouver."[2]

Dasselbe, nur wesentlich breiter, enthüllt auch das Bruchstück E. Er weiß jetzt, daß er nicht nur sich allein den Tod geben wird, sondern den andern Personen, die an den Wandteppichen fortlebten, weil sie den Zufall leugneten, und er ahnt jetzt, daß auch dieses Ereignis in dem Schicksalsbuch verzeichnet gestanden hatte, an dessen Weiterlesen ihn die Ahnen gehindert hatten. „O Schicksal! Die Reinheit kann nicht Wirklichkeit werden — nun wird das Dunkel sie ersetzen!" Aus den Wandteppichen wird Finsternis werden; das geschlossene *Buch* wird zu den künftigen *Nächten* der Zufallswelt werden und die *Kerze* zu den künftigen *Tagen*. Bevor er aber zur Phiole greift und sich auf der Asche der Sippe zum Sterben legt, stehen ihm noch drei Dinge bevor.

Ein schon im „alten Igitur-Drama" vorhandenes Motiv war, daß die Ahnen von Igitur erwarteten, er werde mit zwei schicksalhaften Würfeln die höchste Zahl (*les 12:* z_2 IV) werfen, ein „Würfelwurf, der eine Voraussage erfüllt, wovon das Leben eines Geschlechts abhing" (IV).[3] Denn sie mißverstanden ja Hegels *Werden* dergestalt, daß sie es als ein Gesetz kausaler Kontinuität, als ein Beendetes (fini) im Unterschied zum Endlosen (infini) auffaßten, demnach als einen kalkulierbaren Fortschritt (so wie in der Kunsttheorie Poe alles vom Kalkül erhoffte). Oder in Mallarmés Ausdrucksweise: als einen nach einer Menge von Würfen endlich erreichbaren über-*zufälligen* Würfelwurf. Die Mathematik dieses Trugschlusses mußte am Menschentum eines Einzelnen zuschanden werden. „Ein Würfelwurf wird nie den Zufall aufheben." An einer Igitur-Stelle, wo vom Austrinken der Phiole die Rede ist, notierte der Dichter „ou les dés — hasard absorbé" (v). Da Igitur weiß, daß die Ahnen ihn nur um dieses Würfelwurfs willen gezeugt haben, so will er sie, zugleich „das (Beschwörungs)wort aussprechend", in die Belanglosigkeit stürzen,[4] indem er ihnen den Würfelwurf als Narrheit (folie) nachweist (z_3). Oder ganz allgemein: er will ihnen erklären, warum

sie nach ihrem vermutlichen einstigen Schiffbruch jetzt zum
zweitenmal gescheitert seien. Das muß die Ahnen aufs höchste
erbittern. Gellendes Pfeifen tönt aus dem Dunkel der Treppe, als
er die Grufttür aufsprengt.

„Pfeifet nicht!" ruft Igitur den Winden und Schatten entgegen. „Eure Herrschaft, ihr vorberechnenden *Geistwesen* — Mallarmé wählt, wie in seinen sprachphilosophischen Studien, das
aus Poe stammende[1] Tadelwort *mathématiciens* —, eure Herrschaft ist zu Ende, nichts wird von euch bleiben. Ihr seid im
Unrecht! Immer habt ihr den *hasard* geleugnet, ohne zu ahnen,
daß gerade aus ihm jenes Grenzenlose, l'infini, sich entfaltet,
um das ihr Schmerzen littet und das euch entgleitet" (z_2). Oder
(z_3) „Pfeifet nicht, weil ich die Nichtigkeit eurer Narrheit gesagt habe! Schweigen! Nicht diese Wut, die ihr ausdrücklich zeigen wollt. So leicht ist es für euch; ihr braucht ja nur auf die
Erde wiederzukehren, um die Zeit zu suchen — und zu *werden* —
sind denn etwa die Tore dorthin nicht zu öffnen? Ich allein, ich
allein, ich werde das Nichts kennenlernen. Ihr, kehret ihr zu
eurem Mischdasein zurück". Seine erste Erklärung ist die Erzählung seiner eigenen Erfahrung. „Höret, meine Ahnen, vor
dem Auslöschen meiner Kerze die Rechenschaft, die ich euch
über mein Leben abzulegen habe." Wir haben diesen Bericht
vorweggenommen: wie die Sippe den Letztgeborenen „aus der
Zeit herausschleuderte" (projeté hors du temps .. moi projeté
absolu) und wie er sein Ich wiedergewann. Die Haupterkenntnis
aber, die Mallarmé später in die Überschrift seines *Coup de dés*
faßte, lautet: der Würfelwurf ist „durch seine eigene Tatsache
zufallsgebunden" (v_3). „In einer Tat, wo der Zufall im Spiel ist,
vollzieht immer der Zufall die ihm eigene Idee .. Vor seinem Dasein versagen Verneinung und Bejahung" (II). So ist es Narrheit, folie, wenn die Ekstatiker und Illuminaten erhoffen, ein
einmaliger Akt, ein Würfelwurf werde vom Weltprozeß, vom
Hegelschen Werden dispensieren können. Das Absurde, das stets
im Zufall wirkt, wird all dies zuschanden machen. Nie würde
durch solchen Magier-Wahnwitz die Welt in absoluten Geist
verwandelt, sondern gerade in das seelenloseste Gegenteil.
Wer das Sein durch das Denken auslöschen will, verewigt am

Ende bloß die Dinge und sich selbst als Ding. „Der den Schöpferakt tat, findet sich wieder als die Materie, die Blöcke, die Würfel."[1]

Igitur kann daher den Würfelwurf nicht „im Ernst tun" (v_3), er fühlt sich als bloßer *Komödiant,* muß im stillen über die Vorhersage seiner Sippe lachen (iv). Seine Ironie und „gaminerie" drückt sich darin aus, daß er wie Hamlet nicht handelt, daß „er nur Wort und Geste" vorbringt (z_2) und nur virtuell die Bewegung macht, „die Würfel nur schüttelt" (iv), als Ausdruck seines Zweifels am Sinn der Tat. An einer Stelle scheint Mallarmé auch noch einen andern Beweggrund einführen zu wollen. Igitur macht die Bewegung (admet l'acte: iv) oder würfelt sogar tatsächlich die Zwölf (z_3) in dem Sinn, wie er die Phiole zu sich steckte, „en allant se faire absoudre du mouvement" (e): „die Nichtausführung würde mir nachgehen und befleckt jetzt als einzige mein Absolutes" (z_3). Es wäre demnach doch ein Stück Elbehnon in Igitur: er ist bereit, dem rein nervenmäßigen Drang den Gefallen zu tun, obwohl er die absurde Belanglosigkeit des Ganzen weiß.

In dieser Richtung ist Mallarmé noch einen Schritt weiter gegangen. Gewiß, *folie* war die Sehnsucht des Elbehnon-Geschlechts, „es liegt gewiß Wahnwitz darin, sie absolut zuzulassen; aber gleichzeitig kann er sagen, daß, da durch die Tatsache dieses Wahnwitzes der Zufall verneint wurde, dieser Wahnwitz notwendig war. Wozu? Keiner weiß es, es ist abgetrennt von der Menschheit" (iv). Wieder die kritisch fromme Ehrfurcht des Dichters vor den Rätseln. Die Sippe hat immerhin „dem Unendlichen Festigkeit verschafft" (iv). Obwohl Igitur „den Akt unnütz" findet (iv), geht Mallarmé sogar so weit, von einem „nützlichen Wahnwitz" zu sprechen. „Dies mußte in den Planungen des Unendlichen gegenüber dem Absoluten seine Stätte haben." Die Familie „hatte recht" (z_2), recht darin, die Narrheit „zu manifestieren.. Es ist meine Pflicht, das auszusprechen: es gibt diesen Wahnwitz"; und Igitur korrigiert darum seine Böswilligkeit, sie völlig ins Nichts zu stürzen (z_3). Durch diese nachträgliche Achtung und verzeihende Nachsicht gegenüber dem wahnwitzigen Tun, die später auch aus dem letzten Satz des *Coup de Dés*

spricht, bestätigt er die Freiheit des Ich, das er sich durch die
Verweigerung des Gehorsams errungen hat.

Wenn er dieses sein Wieder-Selbst-Werden nicht überlebt, so
will der Dichter doch, daß über die Stätte von Igiturs Leiden,
über das seines unsterblichen Bewohners jetzt verlustige Turmgemach, die Glorie des Ewigen ausgegossen werde. In dem Sonett *Ses purs ongles* hatte er diesen schönen Abschluß erstmals
gefunden, den er auch im *Coup de Dés* wiederholte. Ein Gestirn
„qui relie au ciel seul ce logis abandonné du monde" (an Cazalis, Juli 1868) sollte verklärend den leeren Spiegel weihen. Für
Igitur war augenscheinlich das gleiche geplant.[1] Am Schluß (A)
sollten sich „geräuschlos" die Fenster öffnen, oder (z_1): „Dann,
da er (Igitur) nach dem Geheiß des Absoluten gesprochen hat —
für ihn, der die Unsterblichkeit verwarf, wird das Absolute
außerhalb [*des Zimmers und der Erde*] vorhanden sein, — [*und
erhebt sich als der*] Mond, oberhalb der Zeit: und vor diesem
Gegenüber hebt er die Fenstervorhänge auf."

Die Begriffe *das Sein und das Nichts* sind in dieser Erzählung
zentral geworden, lange vor Jean-Paul Sartre. Freilich hat das
ergo sum bei Mallarmé und bei dem Verfasser von *L'Être et
le Néant* doch eine ganz verschiedene Tönung. Wollte man wagen, beide auf knappe Prägungen zu bringen, so ließe sich Mallarmés sanfter Abstrich an allen den Zufall wegschiebenden Denkern etwa so zusammenfassen: Ich kann die Entscheidung für das
Nichts treffen, also bin ich noch frei; noch nicht durch Seins-
Reinheit abgeschnitten von dem oft lästigen, aber dem Menschen
(und Künstler) als Aufgabe gesetzten zufallsgebundenen Sein.
Demgegenüber, nicht minder stolz, ereifert sich Sartre (unter
äußerer Einbeziehung einiger Erkenntnisse Heideggers) mit ätzen-
dem, bis zum Erbrechen angewidertem Ur-Haß, nausée, gegen das
prahlend sich spreizende, stets zeugungsbereite Sein:[2] Ich kann
— diese Aufgabe ist die allein menschenwürdige — die Reinheit des
Nichts denken, also werde ich frei vom fremden, feucht-eklen,
wahllos fruchtbaren Sein. — In das Schlagwort vom *entarteten*
Jahrhundert-Ende rückt Mallarmé nur dann ein, wenn man auf
nichts weiter achtet als auf die Zusammenhänge mit den „romantischen Titanismus", mit einem allgemeinen Sich-Auflehnen. Als

deren Folgen erscheinen dann — so in der *Philosophie des Deka-dentismus* Norberto Bobbio's, des Scheler-Kritikers der Universität Padua — das Isoliertsein von der Natur, die Angst vor dem Ge-meinplatz und eine krankhafte Pflege des Esoterischen. Äußer-liche Ähnlichkeiten solcher Art entheben aber nicht davon, an einem Künstler gegenüber einer bloßen Zeitkrankheit das abzu-heben, was aus der Tiefe einer Menschenseele gestaltet und also überzeitlich denkwürdig ist.

Der Dichter hat das Werk seiner „Gesundung" unvollendet liegenlassen. Vielleicht gesundete er nur darum. Wer die Bruch-stücke liest, wird spüren, wie viel noch vom Grauen des Durch-lebten in ihnen ist. Es ist nur eine halbe Wahrheit, von „Igiturs Katastrophe" zu reden. Es war ein Sieg des Daseins, erkämpft durch eine schriftstellerische Niederlage. Und dieses Dasein be-fruchtete neue Werke, in denen der Zufall des Alltags auftreten mochte, wann immer er wollte: stets war er nun „teinté d'ab-solu", nichts mehr war stofflich, alles durchscheinend vom Geist, und gleichwohl Poesie.

Igitur und Axel

Den Freunden Mendès und Villiers hatte Mallarmé manches von seiner Arbeit berichtet, ohne daß jedenfalls Mendès das alte WERK von der neuen *Igitur*-Dichtung auseinanderhalten konnte. Die teilweise noch unveröffentlichten Briefe an Mendès sind, wie dieser berichtet, „nicht nur zärtlich und schön wie die Sanftmut einer großen, reinen Seele, sie berichten auch in einer farbigen, bildhaften, subtilen und durchaus klaren Sprache von den Stu-dien, Betrachtungen, Werkplänen und den Hoffnungen auf ein demnächst zu verwirklichendes Ideal; gleichzeitig vermeidet Mal-larmé dabei mit einem gewissen diskreten Sich-Zieren, wodurch unser brüderlicher Wunsch nach Bewunderung noch stieg, völlig zu bekennen, was er tun wollte und schon getan hatte; er würde uns das schon zeigen, wenn wir nach Avignon kämen".

Villiers hatte die Zeit vom 2. September 1869 bis zur *Rhein-gold*aufführung am 22., ebenso wie Catulle und Judith Mendès und A. Holmes, in täglichem häuslichem Zusammensein mit dem Ehepaar Wagner zu Triebschen verbracht.[1] Und in den 1949 veröffentlichten umfänglichen Deutschlandbriefen von Villiers an seinen Jugendfreund und Nachahmer, den Dramatiker Jean Marras, spielt die Handlung des *Ring* eine große Rolle: „Das ist ein Genie, wie es alle tausend Jahre einmal auf die Welt kommt.. Du wirst es verstehen, wenn ich dir *Siegfried* erzählen werde, du wirst eine Dichtung, ein Drama vernehmen, wie man niemals Ähnliches entwarf, nicht einmal Shakespeare: das ist das schönste von allen, als Poesie, in jedem Auftritt!"[2] Als Villiers und Mendès im Sommer 1870 als Zeitungskorrespondenten wiederum die deutschen Wagneraufführungen aufsuchten, brach der Krieg aus und versperrte Villiers, wie er in einem unveröffentlichten Brief[3] an Wagner schrieb, die Heimkehr über Köln. Obwohl Wagner Villiers davor warnte, ihre alte Freundschaft der Belastung durch die Kriegsstimmung auszusetzen, stiegen am 19. Juli Villiers und das Ehepaar Mendès, zusammen mit René Joly und den Komponisten Saint-Saëns und Henry Duparc, im Hotel Villiger-Spillmann in Luzern ab. Wagner wollte sie nun doch erst nach einer Woche abreisen lassen (Mendès an Mallarmé); so lange also schob sich die Reise nach Avignon hinaus, wo Villiers auch seine Tante, eine Nonne, besuchen wollte, die Heldin seiner Novelle *La Céleste aventure*. „Endlich werde ich kennenlernen, was Sie Wundersames gemacht haben", schrieb Villiers an Mallarmé (31. 7. 70). Am 2. August trafen sie mit dem Rhônedampfboot aus Lyon ein. Nach stürmischer Begrüßung und einem eiligen Essen wurden die Freunde in das Arbeitszimmer geführt. Auch Aubanel scheint dagewesen zu sein, der damals einem Freund schelmisch berichtete: „Alle drei sind *Parnaß*leute und Ungerührte (impassibles). Ihre Thesen sind nicht im mindesten spaßhaft, und ihr Dichten ist verteufelt in den Wolken" (an L. Legré, 8. 8. 70). Mallarmé begann vorzulesen.

„Von den ersten Linien an", berichtete Mendès dreißig Jahre später, „faßte mich Entsetzen, und Villiers streifte mich bald mit einem fragenden Blick, bald starrte er mit seinen bestürzt aufgerissenen Augen den Lesenden an. Wie! das war die Frucht einer so lange andauernden Gedankenarbeit, dies Werk, dessen Thema sogar sich nie verriet, dieser Stil, dessen Kunst gewiß offensichtlich war, aber wo die Worte, als sei es jedesmal darauf angelegt, nicht ihren eigentlichen Sinn bedeuteten.. Ich fühlte eine unendliche Trauer; Villiers, der sich besser beherrschte, bezeugte ein wenig Bewunderung mit dem nervösen Spottkichern, hinter welchem er seine Verlegenheit zu verbergen pflegte. Ich schützte die Reiseermüdung vor und zog mich auf mein Zimmer zurück. Am nächsten Tag reiste ich nach Paris ab, ohne daß mich Mallarmé wegen *Igitur D'Elbenone* (sic) befragt hätte."[1] Als Mendès dies schrieb und noch Vermutungen über eine Geisteskrankheit Mallarmés nebst unfreundlichen Bemerkungen über dessen junge Verehrer einfließen ließ, wußte er längst, daß seine eigentlichen Todfeinde, junge Dichter, bei Mallarmé verkehrten, vielleicht auch, daß sie dort grausame Kritik an ihm übten. Mallarmé pflegte dabei zu schweigen oder zu besänftigen; er gab seiner Betrübnis Ausdruck, als Mauclair in seinem Schlüsselroman ein vernichtendes Portrait von Mendès zeichnete.[2]

Wie Mendès hier in der Maske eines Freundes Mallarmé als eine gescheiterte Existenz dargestellt hat, so ist er übrigens andernorts auch mit Villiers umgesprungen,[3] und was Villiers anlangt, haben wir Grund, der obigen Schilderung zu mißtrauen. Nicht nur weilte das Ehepaar Mendès noch am 8. August bei Mallarmé, Villiers blieb sogar bis ungefähr zum 1. September, fühlte sich ausgesprochen wohl und duzte sich fortan mit Mallarmé. Und Villiers hat sich – wovon Mendès, der sich sehr darüber ärgerte,[4] nichts berichtet – den *Igitur* noch einmal allein vorlesen lassen; Fabureau vermutet sogar, dieser Tag sei das Vorspiel gewesen zu dem ausgesprochenen Haß zwischen Mendès und Villiers, der sie bald dauernd entfremdete. Ja, es scheint, als habe diese denkwürdige Vorlesung noch weitere Früchte getragen. Der südfranzösische Rahmen einer Villiers-Novelle, *L'Agrément inattendu*,[5] Mallarmé gewidmet, brachte kürzlich den Kritiker Jean-Aubry auf die ansprechende Vermutung, es liege eine „sinnbildliche Umsetzung" in dem vor, was hier von einem Reisenden erzählt wird, welchem sein Gastgeber die Falltür zu einem wundersamen unterirdischen See öffnet, wo er ein Bad nehmen darf. Sodann schien mir von Anfang an das, was Villiers von *Igitur* behalten hat, sich zu einem Teil in seinem *Axel* wiederzufinden.

Im Jahre 1871 nämlich begann Villiers plötzlich in mehreren Cafés Stücke aus einem neuen Drama, dem *Axel*, vorzulesen. Den ersten Akt veröffentlichte er Oktober/Dezember 1872 in der *Renaissance artistique et littéraire* von Jean Aicard und Emile Blémont, dem Rimbaud-Bewunderer und (1876) ersten Whitman-Übersetzer; dort erschienen soeben Mallarmés Poe-Übertragungen. Den Rest erst 1885. Da er jedes Werk brieflich und in Verlagsanzeigen lang anzukündigen pflegte, bevor er es auch nur begonnen hatte, hat man nachweisen können, daß nichts auf Axel-Pläne vor 1870 weist.[1] Eher noch wäre eine Beeinflussung des Igitur durch Villiers' *Tribulat Bonhomet* (1867 geschrieben?) denkbar: aber die wenigen gemeinsamen Motive, die unheimliche *Mitternacht* mit dem sausenden Wind, das Gespenst im Spiegel und vielleicht auch die personifizierte Nacht[2] stammen bei beiden Dichtern, die beide eine große Neigung zum Schreckhaften besaßen, aus Poe; die unheimlich belebten Vorhänge aus Poe und Baudelaire;[3] der alten Pendule aus Meißner Porzellan konnte Villiers in Mallarmés Haus begegnet sein und dem vorbeihuschenden Vogel im *Sonneur*.[4]

In *Axel*, diesem „wahren Zauberstab", nach H. St. Chamberlains Worten, der ihn einmal Cosima Wagner vorlas (an diese, 5. 4. 91), hat man auf Elemente aus *Faust*, aus Hugo, Poe und Wagner hingewiesen. Der Einfluß des *Igitur* blieb ungeahnt, obgleich gerade er die Schuld daran tragen mag, wenn an Villiers' Drama soviel Unklarheiten, Widersprüche, blinde Fenster stören.

Im *Axel*, der gleichfalls auf einem alten Schloß spielt, ist ein jahrhundertalter Plan zur Ausführung reif, in der Vermählung des letztgeborenen Menschenpaares zweier blutsverwandter Adelsgeschlechter (races) alles Menschliche und die Welt zu besiegen, „ses fictions, ses mobilités, son illusoire, — son *caractère*". Diese beiden *Lichtwesen* sollten dann ihr „unzerstörbares Wesen" erreichen, den „substantiellen *Geist* der Dinge", die *incommensurable entité* „im Blick auf das überewige Gesetz", und sollten als „Erlesene des *Geistes*.. übernatürlichen Ruhm" ernten. Mit der *épreuve suprême* sollte die Vereinigung des Paares in der Entscheidungsstunde (wie bei Mallarmé *l'Heure*) erfolgen.

Diese Grundsituation entspricht unzweifelhaft dem *Igitur*, aber es fällt bereits auf, wie das Thema der *Sippe* bei Villiers durchaus unnötig ist. Warum bedurfte es dieser vielen Generationen in beiden Geschlechtern, dieser völlig bedeutungslosen Menschen, da sie, im Gegensatz zum *Igitur*, keinerlei Anteil an der *Election sacrée* ihrer Letztgeborenen haben? Wenn sich Axel einmal herleitet „d'une race que je résume" (IV, 3), so bleibt es eine ganz äußerliche Bemerkung, ebenso seine Anrede an die Toten der Familie. Als äußerlichen Kulissenzauber findet man wieder, was im Igitur der symbolische Gegenspieler des Helden war. Auch der Schlußakt des *Axel* spielt nämlich in einer unterirdischen Ahnengruft;[1] an beiden Wänden des Saals, von dem düstere *Galerien* weiterführen, zieht sich eine Allee von Steinsärgen mit kunstreichen Grabplatten, in Abständen (intervalles des tombes). An der schweren Tür, die sich auf ewig hinter den beiden Letzten ihrer Sippen schließt, beginnt eine Wendeltreppe (la spirale de marches d'un haut escalier de pierre), auf welcher Axel das *bruissement de pas* der herannahenden Gestalt vernimmt. Alles, was Mallarmé aus einem Symbolkern entwickelt hat, steht hier symbolentblößt zusammenhanglos nebeneinander.

Als lenkende Macht hat Villiers, an Stelle der *race*, die Gestalt eines Magiers eingeführt, welcher „in grauer Vergangenheit dies letzte Menschenpaar aus zwei Sippen erwählte, auf daß durch die einfache jungfräuliche Menschheit endlich der zwiefache Trug, Gold und Liebe, besiegt werde; d. h. auf daß mitten in der Welt des Werdens die Kraft eines neuen *Zeichens* gegründet werde"; unverkennbar ist hier Wagners Wotan nachgeahmt worden, der zur läuternden Auslöschung der Goldgier das blutsverwandte Wälsungenpaar zusammenführte. Janus, so heißt Villiers' rosenkreuzerischer Weltenlenker, verlangt von seinem heißblütigen, gewalttätigen Schüler Axel, den er durch Lampe und Buch (auch sie ohne Symbolsinn) beherrscht: in sich alle Leidenschaften, die Natur und alles Begrenzte (limite) zu zerstören, den „Reiz jeder zeitlichen Verschwendung" zu meiden, unabhängig zu werden von Leben und Tod, „d. i. von dem, was noch Du selbst bist". „Vollende Dich in astralem Licht! .. Denke Dich ewig![1] — Vergeistige Deinen Leib: sublimiere Dich! .. Sei Dein eigenes Opfer!" Schon

habe des Jünglings Fleisch auch bereits *des transparences* aufge-
wiesen, da regt sich in ihm, und nur so erleben wir ihn, nach dem
Duell um einen Goldschatz (L'or est le hasard), wieder der „alte
Sterbliche" stärker als diese „allzu reine Gedankenwelt", die sein
Denken in leerem Wahnwitz kreisen lassen könne. „Kalt sind die
Zweige am Baum der Erkenntnis: welche Früchte bringen ihre
eisigen Blüten?" So verwirft er denn diese *Freiheit*. „Das heißt
das Nichts zu teuer erkaufen; ich bin Mensch; ich will nicht ein
steinernes Standbild werden.. Wie, das absolute Opfer, um im
Tod – das Nichts zu finden?"

Diese Auflehnung bedeutet im Gesamtwerk Villiers', des sonst
bis zum Absurden idealistischen Spiritualisten, eine seltene, um
so überraschendere Wendung. Aber sie ist so entschieden und
energisch, und die Verteidigung des Kathederidealisten Janus ist
so papieren, daß hier die Vermutung bestätigt schiene, die mit
katholischen, freimaurerischen, spiritistischen und theosophi-
schen Elementen amalgamierte *idealistische Philosophie* von Villiers sei mehr angelesen und aus Lust am Paradoxen und Unbürgerlichen systematisiert als wirklich echt erlebtes Eigentum.

Villiers hat also die Rebellion Igiturs begriffen; er hätte sich
von tragischen Lügen seines Lebens befreien können, hätte er
selber ihr Folge geleistet. Gewiß, die große Szene zwischen Axel
und Janus klingt wie ein feuriges Bekenntnis zum Igitur-Erleb-
nis, – für die meisten Leser wird es befriedigender sein als Mallarmés scheinbar weniger unmittelbares Original. Aber dann beginnt Villiers wieder zu seinem alten dualistischen Spiritualismus,
der „Wissenschaft der Starken", zurückzukehren,.. worin der
Begriff *hasard* alsbald wieder eng aufgefaßt wird, nämlich bloß
als Geld und Sinnenliebe; als die verächtliche, materielle Scheinwelt,[1] in der das *Werden* den kläglichen *Kerker* der Sterblichen
bedeutet, das Reich der Sinnenversklavung, der Bodenkämpfe,
der *actions inférieures*. Dieser Wandel des weltanschaulichen
Standpunkts geschieht völlig sprunghaft, wie häufig bei Villiers.
Janus schließt seine Szene, die eine fortgesetzte Niederlage für
ihn war, plötzlich mit einer Siegesprophezeiung ab. Der Rebell
Axel, – obwohl „initié coupable", bemüht er sich nicht um eine
Buße –, welcher nach seinen eigenen Worten nun eigentlich sieg-

reich in die Welt hinausreiten müßte, steigt durchaus grundlos
(die Szene von Igiturs Selbstkritik vor dem Spiegelbild scheint
Villiers nicht verstanden zu haben) in die Ahnengruft, um sich zu
töten. Nach der räuberromantischen Begegnung mit der von Janus vorbestimmten idealen Braut widerstehen beide, wie Janus es
prophezeite, siegreich der Versuchung des *hasard*, Gold und Sinnenliebe,[1] indem sie den Giftbecher vorziehen. — Axels große
Auflehnung gegen Janus bleibt vollkommen vergessen, als wäre
sie ein bloßer Fremdkörper.

So stehen *Igitur* und *Axel* sich gegenüber als zwei gewaltige
Torsi des neueren französischen Schrifttums. *Igitur* äußerlich
unvollendet, innerlich die fertige Erlebnisrechenschaft eines Dichters gegenüber dem großen Erbe ungezählter Denker. *Axel*,
äußerlich vollendet, fast der einzige große Bau einer französischen Weltanschauungstragödie im 19. Jahrhundert — darüber
zu reden war hier nicht der Ort —, innerlich eine uneinheitliche
Ruine mit klaffenden Widersprüchen. Und beide Dichtungen Abbild der Stärke und Schwäche ihrer Schöpfer.

Über *Axel*, „dieses Meisterwerk" (an Wyse, 24. 2. 90), fehlt
es an bezeichnenden Äußerungen Mallarmés. Als die Aufführung
des Stücks durch Frau Tola Dorian[2] am 26. Februar 1894 durchgesetzt wurde, konnte er wegen seiner Abreise nach London nur
noch an einer Bühnenprobe teilnehmen. Damals lag *Igitur* seit
langem hinter ihm. Wenige Monate nach jener schweigenden Abreise von Mendès scheint ihm selbst deutlich geworden zu sein,
daß dem Werk noch zuviel von der Zeit der Verwirrungen an-
hafte und daß er seiner Erfahrung eine reinere Form schulde.
„Unser Frühling hat für mich eine wirkliche Feierlichkeit",
schrieb er im Frühjahr 1871. „Die kritischen Zeiten erlauben
mir, blitzähnlich wiederzusehen, was mein so oft unbewältigter
Traum während vier Jahren gewesen ist. Ich habe ihn beinahe
fest. Aber sofort beginnen, nein. Es tut zuerst not, daß ich mir
die benötigte Fähigkeit verleihe und daß meine Sache, gereift
und unumstößlich, triebhaft werde; fast urvordenklich, und nicht
von gestern." — Damals war gerade die Hälfte der zwölf Jahre
um, die es den Dichter kostete, eine andere Dichtung zu vollenden, seinen *Faun*.

DREI GEDICHTE AM FLUSS

Äußerliche Ähnlichkeit erleichtert das Erkennen des innerlich Verschiedenen. Es war nichts als ein Zufall, daß der reife Dichter aus einer und derselben Grundsituation — es war eine ausgesprochen sinnliche, nachdem durch *Hérodiade* und *Igitur* die Versuchung der Abstraktion zurückgedrängt worden war — in jedem seiner drei letzten Jahrzehnte eine Dichtung entwickelt hat: *L'Après-midi d'un faune* (1864–76), *Le Nénuphar blanc* (1885), *Petit air I* (1894). In drei Monologen erzählte der Sprecher, wie in einsamer Flußlandschaft ihm unversehens eine berauschende Begegnung mit weiblicher Schönheit geschah. Das Begegnen blieb in der Distanz, nirgends etwa führte es zu einer Orgie des Geschlechts; zumal der *Faun,* den man nicht als direkten Sprecher Mallarmés mißverstehen darf, ist, in der endgültigen Fassung, sein aus größtem Abstand geschildertes Geschöpf. Es geht um den Gegensatz von Künstlertum und erotischer Liebe. Der Weg führt zu einer sublimer vertieften, keineswegs aber abgeschwächten Sinnlichkeit. Es ist die für Mallarmé bezeichnende Art der Läuterung. Neben seiner baudelairesehen Seite bricht hier die banvilleske blendend hervor. Am Anfang immerhin noch mit starken tragischen Zügen und insgeheim an Baudelaires Ringen der Geschlechter anklingend: nicht umsonst sollte hier das Zwiegespräch zwischen männlichem und weiblichem Wesen, dem Faun und der Nymphe Jane, den Höhepunkt bilden. Aber dann, 1875, ist die rein monologische Auseinandersetzung erreicht, und bei ihr bleibt es. In der ersten der drei Dichtungen wird das Grausame und die schicksalhafte Härte in der Begegnung von Kunst und Liebe nicht verborgen. In der zweiten wirft sich Mallarmé in das ätherische, sinnlich-übersinnliche Ethos. Die dritte bringt dann, ganz anspruchslos, eine sehr schöne Lösung aus dem Blickfeld eines klaren, lauteren Gegenüber.

Thema und Symbol der ersten Dichtung ist die Erkenntnis, daß zwischen der Flöte als dem Inbegriff der Kunst einerseits und der sinnlichen Begegnung zwischen Mann und Frau ein nicht zu überbrückender Gegensatz besteht. Im Sinnbild der *Weißen Seerose* wird, bedeutend weiter gehend, diejenige Liebe als die höchste, minnigste gepriesen, deren sicht- und tastbarem Genießen der Dichter entsagt. Doch opfert er nur diese körperliche Nähe, nicht aber die Sinnlichkeit des Empfindens, die Mallarmé aus den akustischen Wahrnehmungen seines subtilen faunischen Ohrs als eine Art gedanklicher Schwüle zu entwickeln vermag; nur im *Faun*, dem warnenden Gegenbeispiel, gibt er dem Tastsinn Raum. Es bleibt bezeichnend, wie wenig erdhaft und triebgebunden die Körperlichkeit ist, zu der er zurückgefunden hatte. Das Sinnliche entzündet ihn, .. nicht aber das Physische, von dem er die Augen abwendet, weil es die dichterische Sinnlichkeit herabziehen könnte. Seine Blutarmut und sein unheimliches Fingerspitzengefühl erklären sich hier gleichermaßen. Das dritte Gedicht, das überhaupt nicht mehr theoretisiert, beweist, wie auch im Rahmen der durchseelten Sinnlichkeit völliges, tröstliches Gleichgewicht erreicht werden konnte, eine beseligte Dankbarkeit für das Dasein. Hier genießen die Augen des Dichters die nackte, ursprüngliche Schönheit ohne Scheu, ohne ein In-Sich-Hineinlauschen, ausgesöhnt, reif und schauend.

Die andere Versuchung

Nachmittag eines Fauns

Im Frühjahr 1865 hatte der Dichter die weitere Arbeit an seinem Drama *Hérodiade* auf den nächsten Winter hinausgeschoben. Eine „sehr hohe und schöne Idee" habe ihn ergriffen, so berichtet er dann im Juni an Cazalis, und er sei dabei, sie in einem „heroischen Intermezzo", dessen Held ein Faun sein solle, auszudrücken; er plane, das Stück im August der Comédie-Française einzureichen. Cazalis beglückwünschte ihn dazu, einen „acte sur le métier", also über den Beruf des Dichters, unternommen zu haben.

Der Zauber dieser Verse macht es begreiflich, daß im Grunde niemand neugierig ist, um welche Idee es dem Dichter denn zu tun gewesen sei, oder daß allenfalls als das einzige Thema „das in seinem Halbschlaf glückliche Unbewußte" bezeichnet

wird.[1] Literarkritisch scheint mir der Monolog, zumindest in
seiner ersten Fassung, überhaupt erst durchschaubar zu werden,
seitdem im Jahre 1948 eine zweite Szene im Druck erschien. Das
Motiv eines Fauns läßt an die Verbindung mit Banville denken,
der gerne von Faunen sang und in Mallarmé darin früh einen
Nachfolger gefunden hatte. „Bruns ægipans, noirs scaramou-
ches / au parc rêveur l'éventeront / la nommant déesse aux trois
mouches, / marquise ayant un astre au front" (*A un poète im-
moral*). Vor allem muß Mallarmé, wie ich an anderer Stelle
näher ausführte, die im Oktober 1863 am Odéon aufgeführte
heroisch-komische *Diane au Bois* seines Meisters Banville ver-
wertet haben, die er später als das „einzige große Schauspiel"
des gegenwärtigen Frankreichs neben dem *Tragaldabas* seines
Freundes Vacquerie, des Hugo-Schülers, rühmte (Dern. Mode,
26. 12. 74). Auch war auf eingehende andere Anklänge hinzuweisen: Chateaubriands berühmtes Erlebnis mit den zwei In-
dianerinnen (*Mémoires d'outre-tombe*) und das Liebesträumen
von Keats' einsamem *Endymion*. Teissier hat Beziehungen zu dem
Drama *Der Hirte* (Lou Pastre) wahrscheinlich gemacht, in welchem Aubanel genau gleichzeitig eine Vergewaltigung zum Gegenstand wählte,[2] für diesen ein quälendes realistisches Problem, das dagegen Mallarmé, der Kühlere und dem Kreatür-
lichen ferner Gerückte, voll Takt und in überpersönlichem Ton
der Rede unverfänglicher in antiken Mythus umzuwandeln vermochte.

Auf Mallarmés Szene gewahrt man in Fassung A zunächst
einen sitzenden Faun, der „aus seinem einen und seinem andern
Arm zwei Nymphen entfliehen läßt". Dann erhebt er sich und beginnt ein Selbstgespräch: „J'avais des Nymphes!" Noch flammt
die unbewegte Luft vom Rubinrot ihrer Brüste. Er wendet sich
zum belaubten Hintergrund und beschwört ihn beim hochzeit-
lichen Blühen, das der April schenkte, und bei der Nacktheit der
Rosen, ihm das Paar auszuliefern „zur Plünderung". Daß er
geträumt haben sollte, kann er nicht glauben; doch als die Gladiolen und das Schilfrohr, die er zu Zeugen anruft, schweigend
verharren, hält er sich, die Stirn in den Händen, zunächst für
widerlegt. „So bin ich also die Beute meiner brennenden Gier,

und so verwirrt, daß ich die Trunkenheiten der Säfte für glaubhaft halte? Wäre ich rein? *Ich* weiß es nicht! Alles auf der Welt ist dunkel: und dies noch mehr als alles, denn müßtest nicht du, meine Brust, die Beweise für eine Frau anzeigen? Schlügen Küsse Wunden, dann wenigstens wüßte man!" Mit einem Schrei zum Gotte Pan indessen findet der Faun einen Beweis: an seinem Finger ist der Abdruck blühender Zähne zu erkennen, und er preist den Mund, dem sie gehören. So hatte er die Treulosen also wirklich gehalten. Hatten die Lorbeerbüsche, Lilien und Seerosen durch ihr Schweigen diese Flucht verdeckt, so straft er die „gemeinen Verräter" jetzt durch einen grimmigen Steinwurf.

Was in Fassung A dann folgt (Vers 50—106), unterscheidet sich meist nur durch stilistische Abwandlungen von BC, Vers 54 bis 110: der Bericht des Fauns, wie er beide Nymphen besitzen wollte und keine bekam, sein Gedenken an die Liebesgöttin und sein Schläfrigwerden mit dem behaglichen Abschiedsgruß an die Mädchen, welche noch Jungfrauen waren, als er kam, und welche zu Frauen gemacht zu haben er sich anmaßt.

Daß der Prahler damit nicht durchaus unrecht habe, sollte die zweite Szene enthüllen. Zu dem schlafenden Faun tritt jetzt die jungfräuliche Najade Jane (nach Diane?). Es ist die kleine Unerbittliche, von welcher der Faun berichtet hat — rein wie weiße Federn, die nicht errötete (A: candide, B: paisible, C: naïve). Ihre Begleiterin Janthe, die erfahrene, hält sich im Hintergrund.

„Seit dieser Hand des Fauns" ist für Jane jählings die Welt anders geworden. Ihre Brüste sind ihr zur Last, zitternd fühlt sie sich ohne Schleier; jeune de soupirs si confus que je meurs. Den reinen Azur ruft sie zum Zeugen an: nur darum sei sie durchs Gebüsch zurückgeschlichen und habe den Schlimmen belauschen wollen, um zu erraten, ob sie mehr vor Verzückung oder vor Tränen umzukommen meine. Aber vor einer Unruhe sei sie nicht zum Hören gekommen: „war's um einer Kindheit willen, die mit langen Strömen entfloh?" Mallarmé beschwört eines seiner liebsten Themen, von *Hérodiade* bis zur *Négresse*, wieder herauf, den Verlust der heiligen Keuschheit.

Mit einem bangen Ruf zum goldenen Abend gesteht sich Jane auch eine Furcht davor, der Gefährtin wieder in das amethyst-

farbene Auge zu sehen, aus dem sie gestern noch den Trank ihrer
Seele schöpfte. Aber Janthe, die „im gestaltlosen Vergessen einer
Erinnerung sich abseits hielt", tritt nun näher. „Ich träume",
sagt ihr Jane. Gewiß vom weißen Glitzern des Mondes, welches
dem Gefieder und dem Hals der Schwäne gleichkommt? Ja und
nein. Denn Jane fragt sich zweifelnd, ob der Mond, der so hell
auf dem weihrauchwolkigen Weiß der Rosen schläft, nicht auf-
seufze, und ob die Singstimmen der Vögel, eine „verträumte La-
wine", nicht dieses Seufzen wären. Oder ob zugleich der Silber-
glanz des Laubes nicht aus dem Weinen der Nachtigall stamme.
Mallarmé gedachte diese unbewußt seherischen Ahnungen wei-
terzuführen, bis es auch Jane, wie Herodiade, spürbar werden
mußte, daß ihre eigene Reinheit unhaltbar zu werden begann.
„Muß man unerbittlich sein?" sollte sie enden.

Die warnende Antwort Janthes ist nicht allein dichterisch der
Höhepunkt dieser Szene, sondern, wie mir scheint, die Achse
und Idee der ganzen Dramenplanung. „Schau diese Flöte!..
Als grauenvoll das Schweigen herrschte, murmelten einzig die
Stimmen des Schilfrohrs unter dem Windhauch. Der Mann —
im Nu zerbricht dich sein Träumen — zerschnitt sie, um seine
heiligen Gesänge in ihnen auszuströmen. Die Frauen sind die
biegsamen Schwestern der Schilfrohre. Ihre schönen Körper, die
er zerstört, will er einatmen. Kind, die Liebe ist grausamer
(= schmerzhafter) als das Genie!" Den alten Mythus von der
Nymphe Syrinx, die dem vernichtenden Zugriff des Gottes Pan
durch Verwandlung in das klangbergende Schilfrohr entzogen
wurde, hat Mallarmé hier in einer ebenso schönen wie tiefen
Weise umgeschaffen.

Aber die „Närrin" will nicht hören. Wie gebannt greift sie
nach der Flöte des Schlafenden: „Wenn also diese Flöte den geliebten Schmerz innehat, der mich quält, unduldsamer Schmerz,
ihn will ich erfahren lernen." Durch die Reinheit zu ihren Häupten fühlt sie sich nicht länger zurückgehalten: „Und weshalb
blickt der ganze trunkene Azur auf mich!" Sie bläst die Flöte.
Der fliehenden Schwester, deren Vergebung sie erfleht, folgt sie
nicht: ihr Weg geht nicht „in die roten Gladiolen", sondern in
die Einsamkeit des dunkeln Waldgezweigs. Mit dem Erwachen

des „drohenden Feindes", des Fauns, beginnt die dritte Szene
(anhebend mit seinem Ruf *Cyprès*). Ohne die Nymphe zunächst
zu bemerken, erhebt er sich zu einem neuen Selbstgespräch. Der
erhaltene Bestand an Versen ist umfänglicher als für die zweite
Szene.[1] Jetzt scheint im Faun das Lüsterne zur Ruhe gekommen,
und sein Künstlertum regt sich. Die Melodie erinnert ihn an sein
jugendliches Schaffen. „Ma jeunesse coulait par les flûtes; j'of-
frais / à la fleur entr'ouverte un solo que le frais / vent de la nuit
jetait parfois en douce pluie." Wird daneben die andere, die tie-
rische Seite seines Wesens wieder erwachen, wenn er Jane gewahrt? Ihr Schicksal, das Schicksal der Frau gegenüber dem Flötenspieler, dem Künstler, muß sich erfüllen, und offenbar in
einer tragischen Weise. „Die Ideee des Schlußauftritts bringt
mich zum Schluchzen, die Planung ist weitgespannt, und der Vers
arbeitet", schrieb Mallarmé trunken vom ersten Schaffen (an
Cazalis, Juni 1865).[2] Er dürfte sie sowenig ausgeführt haben
wie die tragische Begegnung Herodiades mit dem Täufer. Überdies mochte die Verwandtschaft der Gespräche Herodiades und
Janes, falls er sie bemerkte, lähmend auf ihn wirken. In dem
heroischen Zwischenspiel verschränkte sich immerhin mit dem
Herodiade-Motiv, mit dem Einbruch des Lebens in eine übersteigerte Reinheit, sein zweiter Gedanke: daß Kunst und Liebesgenuß
dauerhaft sich nicht vereinen.

Banville sicherte ihm ein strenges kritisches Urteil zu. Den
September desselben Jahres 1865 verbrachte Mallarmé in Paris,
anfangs in Gesellschaft von Frau und Tochter, „meiner beiden
kleinen Deutschen" (an Cazalis, Ende August). Dann sprach er
Banville und einen seit 1860 an der Comédie Française tätigen
Schauspieler, Constant Coquelin, den älteren der beiden Brüder,
der im Jahr darauf, in Banvilles *Gringoire*, seine Ruhmeslauf-
bahn begann. Die Enttäuschung war herb. „Ach, mein Kind, wie
glücklich bin ich darüber, abzureisen" (an Marie). „Die Verse
meines *Fauns* haben unendlich gefallen, aber de Banville und Coquelin haben nicht die notwendige Handlung (anecdote) darin gefunden und haben mir versichert, das interessiere nur die Dichter. Ich lasse mein Thema ein paar Monate im Schreibtisch liegen,
um es später frei zu erneuern" (an Aubanel, Herbst 1865). Das

Drama rundete sich nicht; vergebens erkundigten sich im Mai die Freunde nach *Yanthe und Zanthé* am Brunnenquell (Lefébure) und empfahlen, Coquelins Rat zu befolgen (Des Essarts). Das Drama blieb für neun Jahre liegen.

Es gilt zu erkennen, daß die neue Fassung (ʙᴄ, 1875/76) in weitestem Maße den alten Entwurf umgestaltet. Den äußeren Anlaß bot die Einladung, zur dritten Folge des *Parnaß*, die 1875 erschien, einen Beitrag einzusenden. Abermals ein Szenenfragment zu schicken wie zum zweiten *Parnaß* mochte dem Dichter widerstreben. Was er dann ausarbeitete, die *Improvisation d'un Faune* (= ʙ), war nur noch in groben Umrissen die erste Szene seines Dramas; denn jenem einstigen bloßen Präludium fehlte ja jeder entscheidende Ausblick auf eine Idee. Vielmehr scheint Mallarmé nun den Gedanken an ein Drama endgültig zu Grabe getragen zu haben (obwohl 1891 die Verlagsanzeige einer geplanten endgültigen Neuausgabe des Faun „für Lektüre und Bühne" erschien). Er unternahm es, den Monolog zu einer selbständigen, aus sich selbst heraus bedeutsamen Dichtung zu vertiefen.

In dieser Gestalt ist der Monolog des Fauns eines der Meisterwerke Mallarmés geworden. Die innere Dramatik des Gegensatzes zwischen dem liegenden bockfüßigen und dem sitzenden flötenspielenden Wesen fehlt ihm nicht; zwischen der dumpfen Gier, ins Kosmische geweitet („aller Schwarm der Begierden"), und der Formung; zwischen dem Geschlechtsnerv und der idealen Berufung. Hier ergab sich dann auch die psychologische Idee, in der bereits die *Nénuphar*-Dichtung sich ankündete und der *Toast*, das Metier-Gedicht, sich fortsetzte. Nur durch ein Verzichtenkönnen, nur im zweifelnd-kritischen Ringen gegen den dumpfen *rêve* gestaltloser Erinnerungen kann es ein Lied geben! Hier zum erstenmal mochte der Dichter sich recht in seinem Element fühlen. Beide Seiten des eigenen Doppelwesens konnten sich hier ungehemmt durchdringen, die geistige Berufung sowohl als der Naturzwang mit jener lasziven Neigung und jener besonderen gezierten Sinnlichkeit, durch welche Mallarmé von der gewalttätigen Baudelaires und Rimbauds oder von der bald sentimentalen, bald obszönen Verlaines sich deutlich abhebt. Wenn ich feststellen glaube, daß die Faunsgestalt nicht die Wortführerin

des Dichters ist und daß an ihr die Mängel des Triebs gegenüber
dem Geist sich offenbaren, so ist damit gewiß nicht gesagt,[1] daß
das Sinnliche hier künstlerisch zu kurz komme.

Die für den dritten Parnasse eingereichte Fassung B wäre wohl
die endgültige geblieben, wäre sie nicht durch den Dreieraus-
schuß zurückgewiesen worden. Sie war nicht die einzige. An dem
Verleger Lemerre schien sich damals zu erweisen, daß er durch
den bloßen Zufall seiner Bekanntschaft mit X. de Ricard zum
Verleger der „*Impassibles*" geworden war. Der neue *Parnaß*-
band füllte sich mit süßlichen Reimen für ein breites Publikum.
Der junge Anatole France, acht Jahre zuvor durch Mendès entdeckt,
1869–80 Verlagslektor Lemerre's, trat neben den beiden nachgie-
bigen Schriftstellern Banville und Coppée in den Ausschuß ein und
begann damit, Verlaine, der ein Gefängnisgedicht gesandt hatte,
als „indigne" auszuschließen. Mallarmés *Faun*, dessen Aufnahme
Leconte de Lisle befürwortete, da er bei seiner „Unverständlichkeit niemandem gefallen und niemandem mißfallen werde",[2] erhielt wenigstens die Stimme Banvilles. Dieser, „welcher unter
allen anerkannten Dichtern durch seine freimütige liebenswerte
Zuneigung (zu Mallarmé) Ärgernis erregte",[3] notierte an den
Rand: „Kann, glaube ich, trotz des Mangels an Klarheit angenommen werden, wegen der seltenen harmonischen und musikalischen Vorzüge." France dagegen: „Nein! Man würde uns aus-
lachen!"[4] – eine Entscheidung, von der Valéry 1942 bezeugte,
daß sie der Anstoß war, warum er 1927 bei seiner Eintrittsrede in
die Académie Française entgegen allem Brauch den Namen seines
Vorgängers France nicht aussprach.[5] Ein Nein muß auch der
dritte Mann der Jury gesprochen haben, Coppée, obwohl sein
Carnet rouge noch im Jahr zuvor von Mallarmé aufs freund-
lichste besprochen worden war; über Coppées Trivialgeschmack
konnte sich seit der Aufführung seiner *Abandonnée* (Oktober
1871) längst niemand mehr täuschen. Gerüchtweise heißt es,
Sully Prudhomme, den der Ehrgeiz, ein französischer Lucretius
zu werden, immer enger werden ließ, habe gedroht, sich zurückzuziehen, falls die Dichtung angenommen werde.[6]

So erschien das Werk denn Ende März des nächsten Jahres
bei Derenne; einem Verleger, bei welchem Mendès seit Dezember

1875 die *République des Lettres* herausgab, nicht übrigens ohne
des *Fauns* in einem lobenden Aufsatz zu gedenken. Nur 38 von
den 110 Versen der Fassung B hatte Mallarmé unverändert gelassen. Die Ausgabe, vielleicht der erste Luxusdruck im modernen
Sinn und in Huysmans' *A rebours* deshalb sehr bewundert,
schmückte Manet mit Holzschnitten, die er in allen 195 Exemplaren eigenhändig kolorierte. Bei dem hohen Preis von fünfzehn Francs für ein Buch, das in der Presse übel verhöhnt
wurde,[1] wurde die Auflage in Jahren nicht verkauft; 1884
bemühte sich d'Orfer vergebens um eine Neuauflage, Dujardin
brachte 1887 einen billigen Druck, dann Vanier die 500 Exemplare seiner Ausgabe. Mallarmés Imprimatur von 1876 lautete:
„Den drei Freunden, Cladel, Dierx und Mendès, welchen sie ge-
fielen, gewidmet: so heben sich diese paar Verse ausgeprägter ab;
Manets Buchschmuck jedoch gebietet, daß mein lieber Verleger
auch das erlesene Publikum der Amateure erfasse." Die Freundschaft mit Dierx datiert erst von diesem Jahr, ebenso diejenige
mit Cladel, der sich bereit fand, den Kritiker des *Figaro* für eine
günstige Besprechung der *Raven*-Übersetzung zu gewinnen.

Es ist die erste Dichtung des reifen, des leisen und verhaltenen
Mallarmé. Nie war er so wenig abstrakter Gedankendichter gewesen, nie so sehr hingegeben den Dingen des *hasard,* den Klängen, den Alliterationen. Zugleich zeigte sich deutlich, wie seine
Wendung zum Körperlichen nicht das Materielle suchte, sondern ein sinnenhaftes Träumen davon. Der Malerblick hat sich
verfeinert zu raffiniert unscharfer, flüchtiger Farben- und
Formenbeherrschung. Und alles wirkt mit bei der Schöpfung
einer so betäubend suggestiven Stimmung, daß gerade musikalische Leser sich angezogen fühlen mußten. Claude Debussy
(1862–1918), der schon 1887 ein Exemplar des *Faun*
bei Paul Dukas zeigte, arbeitete sieben Jahre später an einem
„Vorspiel, Zwischenspielen und Schlußparaphrase für den
Nachmittag eines Fauns"; nur das Vorspiel wurde ausgeführt
(1892 bis Sept. 1894). Als Mallarmé davon vernahm, soll er
gesagt haben: „Ich glaubte, es selbst in Musik gesetzt zu haben." Aber als er es bei Debussy sich anhörte: „Auf etwas derartiges war ich nicht gefaßt! Diese Musik verlängert die Emp-

findung meines Gedichts und setzt den Dekor leidenschaftlicher
hin als die Farbe."[1] Und er schrieb dem Komponisten später,
daß das *Prélude* „zu meinem Text keine Dissonanz darbiete, es
sei denn darin, viel weiter zu gehen, wahrhaftig, in der Schwermut und im Licht, verfeinert, weh und reich".[2] Im übrigen war
Mallarmé, wie Hofmannsthal meinte, „ja schon fast ebensosehr
Musiker wie Dichter: kompositorisch ist zwischen ihm und Debussy kaum ein Unterschied zu erkennen"[3].

    In einen Sommernachmittag auf Sizilien klingt der Entschluß
eines Fauns, aus dem Gedenken an ein geliebtes Nymphenpaar
etwas Wundersames (*B: émerveiller*) und Dauerhaftes zu gestalten. Es ist ein anderer Faun als jener frühere, den kein Gedanke
an ein Ziel oder an etwas Künftiges veredelte. Hier führen schon
die ersten Worte auf den Flötenspieler, den Künstler hin; die
Bemühung des Fauns um jenes Gestalten und, wie im Pitre
châtié, seine Züchtigung ist in der Tat zum Inhalt des Monologs
erhoben. Es beginnt, nach dem traumsicher aufgestellten Vorsatz, gleichsam schlaftrunken, .. sowohl durch die schlummer-
schweren Pausen und das jähe Stocken mitten im Vers als auch
durch die Empfindung des Fauns, es flimmere noch der helle
Farbenschmelz der nackten Nymphen in der schlafbenommenen
Luft. Wie alles hier allgemeiner und weniger grell und dabei
wollüstiger[4] ausgedrückt ist, so wird ein nur rhetorisches Motiv aus
A jetzt sinnbildlich bedeutsam, im Sinn der Voraussetzung künstlerischen Schaffens überhaupt: Aimai-je un rêve? Réfléchissons
.. Der zerebrale Intellekt alterniert mit der sinnlich assoziieren-
den Phantasie: nirgends faßt man Mallarmés dichterische Eigenart und Qualität so beispielhaft wie hier. Der Sprecher (und
mit ihm jetzt auch der Hörer) zweifelt, ob nicht alles ein Traum
war. Von Ästen und Rosenpracht war die Rede (A): in sie ver-
beißt sich jetzt der Zweifel, gestaltlos gestaute Urnacht.[5] Des
Zweifels düstere Verästelungen[6] kommen mit den Ästen der
dunkeln Baumgruppen zur Deckung. Da auf solche Art Kon-
kretes und Abstraktes zusammenstimmt, so sei dies, folgert der
Faun, wohl auch leider ein prophetisches Anzeichen dafür, wie
es mit dem Rosenähnlichen stehe, das er eben noch zu umfangen
wähnte: nur die Rosen hier vor seinen Augen seien es gewesen.

und von lüsternen Übergriffen könne nicht die Rede gewesen sein, es sei denn, er denke an das (ideell gesehen) Sündig-Unkeusche,[1] das Rosen an sich haben. Wirklich, die Nymphen könnten eine Fabelerfindung seiner sinnlichen Wünsche sein.[2] Sieht doch ein Trugwesen so aus, daß es Augen von *quellengleicher* Bläue und Kälte (A: von der Farbe der Wasserblüten) besitzt! Das Sich-Entflammen im Seufzer*hauch* des andern Mädchens (B: au tiède aveu), war es etwas anderes als der bloße (B: vaine) südländisch heiße Windhauch, der das kühle Fell des Fauns streifte? Ein enttäuschtes, etwas umständliches Nein. Denn durch die träge Ermattung, die jede Gegenwehr der Morgenfrühe mit Sonnenglut erstickt, murmelt keine andere *Quelle* als die, mit der seine Schalmei den melodiebetauten (B: durch Gesang erfrischten) Hain besprengt. Und der einzige *Hauch*, bereit, der Doppelflöte zu entströmen, um dann einen Tonregen zu zerstäuben, das ist sichtbar (B: unsichtbar) am Horizont, den kein Wölkchen kräuselt, der heitere kunsterschaffene Atem der Inspiration, himmelwärts rückkehrend.

Das ist der erste große und bedeutsame Einschub im jüngeren Gedicht gegenüber dem älteren Rohstoff; denn dieser hatte im Monolog das Flötenmotiv noch nicht verwendet.[3] Der neue Faun erwähnt gleichsam achtlos, daß er sich beim Flötenspiel befinde. Mallarmé nun verbindet eine gewisse Geringschätzung, mit der sein Faun sich zu äußern scheint, kunstvoll-doppeldeutig (aride, artificiel) mit einem unbewußten Bekenntnis des Fauns zu seiner vom Himmel eingesetzten Berufung. Die beiden nun folgenden Teile seiner Rede, den einen, zu dessen Zeugen er den Uferschauplatz anruft, und den andern, welchen er aus eigener Erinnerung schöpft, werden dadurch gewissermaßen gegeneinander ausgespielt. In der Druckausgabe hat Mallarmé sie äußerlich dadurch gekennzeichnet, daß allein die Worte *Contez* und *Souvenirs* in großen Buchstaben gedruckt und die anschließenden Verse durch Kursivdruck abgehoben sind.

Durch den Einschub über die Flöte wird *Contez* nun zum Inbegriff der künstlerischen Erzählung, zur Verewigung des Abenteuers. Der Faun wendet sich in poetisch-schwungvoller Apostrophe an das blütenhaft sonnenfunkelnde, heilige (C: stille) La-

gunengestade – in seiner Unvernunft (déraison, c: vanité) durch-
stöbere er es mit der sommerlichen Sonne um die Wette. Als er
Schilfrohr zu Flöten schnitt, so beginnt die Erzählung, erspähte
er ein fleischliches, flimmerndes Weiß, das auf goldgrünem Rasen ruhte, auf einem Grün, das mit Weinreben wollüstig sich ins
Wasser gleiten ließ. Und kaum hatte er mit einem langsamen
Flötenvorspiel begonnen, scheuchte er damit etwas Weißes –
einen Schwarm Schwäne, der sich davonmacht, glaubte er zuerst..
nein – Nymphen, die tauchen, – ins Wasser ..

Auch ohne die Kenntnis der älteren Fassungen wäre zu erkennen gewesen, der Gehalt des Gedichts überhaupt beruhe auf dem
Verstehen der nächsten zwanzig Verse, mit welchen der zweite
Teil von jeher anhob. Er enthielt ursprünglich nur die mürrische,
viel zu breite und belanglose Erkenntnis des Fauns, der Biß im
Finger beweise, daß die Gelegenheit zum Genuß ihm in der Tat
entglitten sei. In BC dagegen wird aus der Enttäuschung über die
vielen ihm entgangenen Frauen – „tant d'hymen par mon art effa-
rouché" (B) – eine verhängnisvolle Meuterei des Künstlers gegen
seine Kunst. In C ist das Thema des ganzen Gedichts in dem Vers
zusammengedrängt: Trop d'hymen souhaité de qui cherche le *la*.
Alles kommt darauf an, daß man den grollenden und dann immer
geringschätzigeren Ton des Fauns bemerke und nicht nur den
weisen Widerspruch des Dichters gegenüber dem Aufständi-
schen.[1] Mallarmé hätte ja sonst ein weniger mißgestaltetes Wesen als einen Faun reden lassen können.

So soll ich also, beginnt der Faun von 1875 immer bitterer,
nachdem ich hier allein gelassen wurde – und ebenso aufrecht (er
meint scheltend: unfaunisch steif) wie ihr Lilien,[2] was das Kindhafte (er will verächtlich sagen: Kindische) betrifft, – als ein Träger der antiken Lichtpoesie mich zusammenraffen? Gewiß, mein
Busen ist der eines Ausnahmewesens. Gezeichnet ist er durch
etwas ganz anderes als durch die Spur des Kusses, die als ein
Zeugnis des Ringens mit der Treulosen noch zurückblieb. Nämlich durch einen geheimnisvollen Biß, den irgendein hehrer Zahn
einprägte. Es ist der Kuß der Muse, die Berufung zum Künstler[3],
die hier nun nicht mehr wie im Pitre-Gedicht selbstquälerisch-
verzerrt, sondern in voller Würde auftritt. Dieser Kuß ist ein

innerer Biß, den die Brust nicht sichtbarlich erkennen läßt (vierge de preuve). ,,Aber nein (bast = ach was!)`` leugnet er grob und geringschätzig, ein solcher Zauberkram (arcane) vertraut sich dem Wiesenspielzeug an, dem — auch im Stabreim — doppelgeteilten Rohr der Flöte, welche die Gefühlsbewegung der Wange auf sich ablockt. Und die bildet sich ein (*rêve* doppeldeutig gebraucht!) in einem endlosen Solo, daß wir der Schönheit um uns her etwa Ergötzen bereiteten, wenn wir sie in unserm leichtgläubigen Gesang ausgedrückt wähnten und diesen in ihr: sind doch in Wirklichkeit beide Arten der Vermischung gleichermaßen lügenhaft (fausses)! So hoch hinaus will die Flöte (die Kunst) es treiben, daß die Liebe sich dazu moduliere, aus der gemeiniglichen Genießerträumerei von reinen nackten Rücken und Hüften eine nichtige, eintönige Tonlinie zu entleiblichen.

Nein, der Faun ist es leid, zu diesem zahmen Künstlertum zurückzukehren. Nein, er will zeigen, was ein rechter Faun sei. Die zweite Hälfte des Gedichts, in welcher der Faun der Fassung A heiter gelassen sich in den Schlaf geredet hatte, erhält jetzt das Gewicht einer prahlend frevlerischen Lustschwelgerei. Lärmend sich brüstend (B: joyeux de mon bruit) stellt der Tiermensch die Phantasien in Gegensatz zu seiner Flötenkunst: die ,,böswillige Syrinx`` weist er verächtlich an ihr Ufer; dort möge sie als Schilfrohr wieder anwachsen und seiner harren, wo er sie herholte. Von den Frauen will er so reden, wie er die durchsichtigen Häute der von ihm leergeschlürften Traubenbeere aufbläht und sie aus der sinnlichen Erinnerung gierig nach Rausch[1] durchspäht, bis es Abend wird. Dabei weiß er aber jetzt,[2] daß er damit durch eine Trugerfindung ein geheimes Bedauern beiseite schiebt, über das er sich selber hinwegtäuschen (B: tromper) und das er austreiben will. So *bläst* er jetzt, ohne seine Flöte, nur im Vertrauen auf seine brünstigen Erinnerungen — auf das, was im *Toast* V. 5o soeben verächtlich der feindselige *rêve* hieß —, das Gewesene auf und führt die Erzählung glühender von der Stelle an weiter, an der sie vorher abbrach. Jetzt aber nicht mehr mit allgemeiner Aussage über den Nymphenschwarm aus der Ferne, sondern zwei von ihnen körperlich betastend. Wie mit einem Aufschrei zur Waldgottheit die tauchenden Nymphen ihr Schamerglühen im Wasser kühlten, .. wie er durchs Gestrüpp die göttlichen Nacken stechend anstierte, .. wie die herrlichen flutenden Haare untertauchten im funkelnden (auch syntaktisch und im Versdreischritt) wirbelnden Perlensprühen des Wassers. Zwei Mädchen allein blieben schlafend liegen im Ungefähr der nackten Umschlingung, .. schmachtend in der Pein, nicht zu einem einzigen Wesen vereinigt zu sein.[1] Dies Paar verschleppt der Faun aus der zweideutig lockenden schattigen Kühle der Jungfrauen hinüber in die brennende Sonne, landein, wo ein Rosendickicht mit allem Duft sich der Sonne hingeben muß (A: tisonnant d'impudeur) und wo die Lust gleich diesem Dunst, der die Luft aufzehrte (AB), sich austoben soll. Schwatzhaft vertraut ein wollüstig sich windender Zwischensatz, wie wonnig-zappelnd der jungfräuliche Zorn sich sträubt: ,,wild entzücken / der heilgen nackten bürde die entgleitet / um meiner lippe brennen zu entfliehen" (George), .. der küssenden Lippe, welche im blitzgleichen Hin und Her (A: dans mon éclair / de haine!) die geheime Angst ihres Fleisches trinkt, von den Füßen der Spröderen zum Rücken (AB) der Schüchternen, die — feucht von wilden Zähren oder auch weniger tragischen Schauern[2] — ihre Zurückhaltung verliert. Wenn die Götter zwei Frauen raubten, so wußten sie ihre Küsse mühelos auf beide zu verteilen. Als nun aber der Faun, frohlockend über das verdächtig bebende Nachlassen der Errötenden, in ihren beglückenden Linien ein heißes Lachen bergen und zugleich auch die andere, um sie an ihrer Gefährtin Feuer fangen zu lassen, festhalten will, da hatte er versäumt, vorher die listige Furcht der Mädchen zu ermüden.[3] Nicht als etwas Vergangenes (A: mon crime fut), sondern als untröstlich gegenwärtigen Vorwurf empfindet der Faun von 1875, daß er nicht faunisch genug[4] gewesen war: seine Arme wurden kraftlos,[5] die glatte Beute entbäumte sich ihnen und die Treulosen entkamen, ungerührt von seinem noch trunkenen Stöhnen.

Es fällt dann 1875 auch durch den abschließenden Abschnitt, der stärker abgeändert wurde, ein kritisches und dabei doch auch kosmisch-gerechtes und erhabenes Licht auf den Faun, das man in der ersten Fassung vergebens sucht. Dieser Abschnitt setzt jetzt geringschätzig und bewußt prahlerisch ein.[6] Am Faun sind

behagliche Züge (A: *Je suis content*) geschwunden. Daß er zum
Sprecher faunisch-kosmischer Urtriebe verallgemeinert wird,[1]
erhält seinen eigentlichen Sinn durch den erst jetzt eingefügten
Gegensatz zu jenem Flötenspieler mit dem erhabenen Biß der
Muse, den man eingangs kennenlernte. Namentlich der Schlaf
des Fauns war in der Frühfassung ein bloßes Mittel der drama-
turgischen Überleitung und wurde dadurch begründet, daß die
Ausdehnung seiner erotischen Phantasien auf die Göttin Venus,[2]
Inbegriff aller begehrenswerten Frauen, am besten im Schlaf
geschehe: „Dormons.. Dormons: je puis rêver à mon blasphème /
sans crime.“ Als Mallarmé den Monolog zu einem in sich geschlossenen Gedicht umarbeitete, empfing jener Schlaf die gewichtige Bedeutung des eigentlichen Endes. Es ist die faunische
Art sich zu trösten. Vergnügliche Züge sind ihm genommen (A:
mon corps de plaisir alourdi); beibehalten werden konnte nur der
Anblick des Geräkelten: „und tue den Mund der Sonne auf, die
Trauben reift“.[3] Es ist die blöde, bleischwere Dumpfheit des
gähnenden Tierwesens vor dem „stolzen Schweigen des Mittags“,
in die er versinkt. „Die Seele / leer von Worten“ heißt es nun.
Der Entschluß des Anfangsverses, das Nymphenpaar zur Verwunderung und Verewigung zu erheben, sank über das *parler
longtemps* und das Entkleiden der *ombres* zum gähnenden Lebewohl des Schlusses ab. Der Faun kann nun nur feststellen, daß
die zwei eine einzige Gestaltlosigkeit wurden.[4] Der flötenkundige
Bocksfüßler, das sinnliche Wesen mit der hehren Berufung, das
Balzen zum Liede umzubilden — détournant à soi le trouble de la
joue —, ist schicksalhaft und wehrlos (sans plus) in den Abgrund
des Nur-Körperlichen zurückgeschleudert. Gemäß einer besonderen Neigung Mallarmés, die erstmals in *Hérodiade* auftauchte,
scheint auch der Faun ahnungslos seherisch durch die eigenen
Worte den Stab über seine Haltung zu brechen: die Göttin schreitet mit unbefangenen Fersen über den Flammenrausch hin; im
vulkanischen Reich der Triebe aber „herrscht dumpfer Schlaf
oder verglimmt die Flamme“! Er hatte die Beute der Schönheit
nicht halten können, die sich nie anders als künstlerisch halten läßt.

Das ruhige Verweilen der breiter als je ausgemalten Bilder auf
einem einzigen Schauplatz gefiel den Lesern, ohne daß man sie

als Kontrast zu den Versen geistiger Mahnung begriffen hätte.
Ohne daß nach seinem mythisch tiefen Sinn Bedürfnis bestand,
gab der Versmonolog unerschöpfliche künstlerische Anregungen.
Von Debussy war die Rede; daneben sind schon vor dem Kriege
russische Tänzer mit der berühmten Bühnenausstattung von Leon
Bakst[1] im Châtelettheater, später auch Isadora Duncan,[2] bemüht
gewesen, in pantomimischen Bearbeitungen etwas vom Sinnen-
zauber dieser Verse zu vermitteln. Im Anschluß an Manet sollen
auch die anderen Malerfreunde des Dichters, Morisot, Puvis, Monet, Renoir, Redon, Whistler und Rodin, gemeinsam an Illustrationen für die Dichtung gedacht haben. Unter den Dichtern hat
Mallarmés Freund und Schüler Richard Hovey, welcher vieles
von Mallarmés früher Dichtung übersetzte, in engster Anlehnung
an den *Après-midi* das Erlebnis eines amerikanischen Fauns zum
Gegenstand genommen.[3] Auf Glatignys Gedicht von einem die
Nymphe erspähenden Faun, *Sous-bois*, in seiner erotischen Pri-
vatsammlung *Joyeusetés galantes* . . (1866), dürfte vielleicht neben Hugos *Satyre*, der sich in die „pieds nus" der Venus vergaffte[4] schon Mallarmés erster *Faune* gewirkt haben. Bis in
Einzelheiten der Sinnbilder, Diktion und Schweigepausen hat
dann die im *Faun* begründete Gattung des arkadischen Monologs
eine neuartige Fortführung gefunden in Paul Valérys *Jeune
Parque* und besonders seinem *Narcisse*. Noch heute ertönt, mitunter dicht an der Grenze des Erlaubten,[5] das Echo des unvergänglichen Flötenliedes.

Heimliche Beute

Die Weiße Seerose

„Der Faun würde von Hochzeit und keuschem Ring ohne
Nymphen träumen, wollte er einmal im andächtig gesammelten
Salon mit zuhören, wenn das große Piano vom Ernsten zum Zar-
ten überspringt – so wie dein Geist es tut." So lautete die Wid-
mung, welche Manets Frau, die einst mit ihrem Klavierspiel aus
Tannhäuser in das letzte Lebensjahr des vom Schlaganfall ge-
lähmten Baudelaire Freude gebracht hatte, anno 1876 in ihrem
Exemplar des *Après-midi* aufschlug. Die Verse verraten ein we-

niges von der Wendung zu einer *positiven* Neufassung des bisher
nur tragisch dargestellten Gedankens von der Verewigung sin-
nenhafter Schönheit. Es zeigt sich noch deutlicher als im *Faun*,
daß Mallarmé, der philosophischen Abstraktion entronnen, nicht
unmittelbar die reale Schönheit erlebt, sondern den zartesten
Traum dieser Schönheit. Bliebe sie nicht doch immer ausgesprochen sinnlich,[1] man könnte ihn darin an den Kreis um Novalis anknüpfen.

Mag im übrigen ein gut Teil Furcht vor dem Leben darin liegen, den Genuß zu meiden, wo die Schönheit in künstlerischer
Gestaltung entstehen soll, so ist doch in diesem allgemeineren
Sinn jeder Künstler „lebensflüchtig". Kein idealistischer Dichter erwartete von einem Ausleben seiner Sinne die ersehnte Ewig-
keits-Sättigung. „Könntest du nach Belieben", sang Aubanel in
einem an den *Après-midi* anklingenden Gedicht, „jede purpur
oder weiß entfaltete Blume pflücken; könntest du, nach deinem
Hunger, von der Frucht jeden Zweiges essen, in Waffenstillstand
mit dem trügerischen Geschick; könntest du mit deinen Armen,
Mann, wenn du stark genug wärest, die Hüften aller Jungfrauen
umspannen, du würdest, vom Überdruß erdrückt, stehenbleiben
und nach dem Tod rufen. Denn tränkst du selbst als Wein die
reinen Strahlen der Sterne: Trunkenheit ist nicht in der Wölbung
des Humpens. Kostest du selbst das noch liebevollere Weib, eine
Fee mit mehr als tollen, überheißen Küssen, nie fändest du die
reine, ewige Liebe .. die ewige Sehnsucht quält dich, mein Herz."[2]

Ein vermutlich wirklich erlebtes Abenteuer, äußerlich harmlos wie bei Mallarmé alle tiefen Begegnungen, wählt Mallarmé
als Symbolzeugnis, wie ihm in einem minniglich-ritterlichen
Abenteuer — als ein Gegenstück zum antikischen Nymphenraub —
gelang, eine Schönheitsbeute in heimlicher unversehrter Reinheit
einzubringen. Denn er selbst, nicht eine erdichtete Gestalt wie der
Faun, ist diesmal der *marodeur aquatique,* im eigenen Ich voller
Neugier das faunisch Triebhafte, das einsame prickelnde Hin-
lauschen nach fraulichen Reizen aufzeichnend. Ganz wie der
Après-midi hebt sein Prosagedicht *Die weiße Seerose* mit einem
aufschreckenden Erwachen an. Der ganz in Gedanken versun-
kene einsame Ruderer war sich seines Dahingleitens sowenig be-

wußt gewesen wie Fluß und Sonne ringsum des ihren. Ein träge
streifendes Geräusch.. das Boot verlangsamte sich, hielt an —
er gewahrte es erst, kam erst wieder zu sich beim Starren auf die
glitzernden Ruder; unbewußt hatte er sie eingezogen.

Er war an diesem flammenden Julimorgen auf dem schmalen
Flüßchen, das sich durch schlummerndes Grün hinschlängelte,
losgerudert. Wasserblumen wollte er suchen und zugleich Umschau halten nach dem Gutshof einer Dame, der er auf Anregung
einer gemeinsamen Freundin sich unangemeldet vorzustellen gedachte. Vergebens hatte ihn die Landschaft aufzuhalten gesucht,
hier durch Schlinggras, dort durch ein anmutiges Spiegelbild im
Wasser: sein Ruderschlag zerstörte beides gleich erbarmungslos.
Gleichwohl hatte nun durch das Stranden im grünen Schilf seine
Fahrt ein geheimnisvolles Ziel gefunden in der zum Wasserwald
ausgeweiteten Flußmitte, deren Trägheit einem von stockenden
Quellen gekräuselten See glich. Und als er hinter der Schilfzunge
über dem Fluß verdeckt den einzigen Pfeiler einer Brücke bemerkte, an welche sich beiderseitig Heckenzäune anschlossen,
fand er, es war der Park der Dame, die er begrüßen kam.

Schon freute er sich auf diese Feriennachbarin mit ihrer so
verwandten Einsiedlerneigung zu einer so abgelegenen Fluß-
gegend. Gewiß hatte sie hier schon badend, geschützt vor der
frechen Nachmittagssonne, ihr heimliches Bild gespiegelt, und
ihr Blick, nicht zu unterscheiden von der silbernen, Weiden wi-
derspiegelnden Feuchte, hatte spähend der Gebüsche vertraute
Runde abgestreift. Neugierig vorgebeugt in Gedanken an die
perlend schöne Fremde, gleichsam in der weiten Stille vor ihrem
Nahen, ertappt der Ruderer sich in dieser Haltung und lächelt,
wie rasch das bloße Erträumen weiblicher Nähe — es konnte doch
ebensowohl eine reizlose Frau sein — schon in Banden schlug..
vergleichbar den Fußriemen, die ihn seinem Zaubergerät, dem
Boot, verketteten.

Da nähert sich leises Geräusch. Spukte der eben abgeschüt-
telte Gedanke an die Flußherrin aufs neue? Oder kam sie selber
unverhofft des Weges? Der Schritt stockte.. Wie zart und geheimnisvoll die Vorstellung des Schreitens der erträumten Geliebten: der Ruck der Beine, welcher die Rockfalten wie eine

Schleppe zurückschleudert – von der Zehe bis zur Ferse der Ansatz zum Schritt, welchen der Batist- und Spitzenrock, am Boden wallend, gleichsam umzingeln möchte.

Zu erfahren, weshalb sie stehenblieb, dazu müßte er den Kopf ungebührlich hinausrecken über das Schilf – und auch über den Dämmerzustand seiner geistigen Verträumtheit. In seinem Seeräuberaufzug drängt er sich lieber mit einer niemandem hörbaren Stegreifbegrüßung in ihre verwirrte Vertraulichkeit ein. Nur für die schöne Frauengestalt, die er sich träumend jetzt im Vordergrund der Flußlandschaft denkt, spricht er, und lauscht unterdes mit dem Ohr an der Bootswand nicht so sehr auf ein besuchendes Sich-Nähern ihrer Schritte als vielmehr nur auf deren sich fortsetzendes Wiederertönen. „Wie immer Sie aussehen mögen, Gnädige", so spräche er, „ich fühle, daß Ihre Züge allzu präzis sind, als daß sie nicht etwas zerstören müßten, was durch das Rascheln des Herannahens erzeugt wurde, das triebhafte, wundersame Vom-Unten-her, dessen Erspürung durch keine noch so feste Juwelenschließe eines Gürtels sich hindern läßt. Dieser unbestimmte Reiz ist sich selbst genug; und verbleibt innerhalb der Grenzen des durch Allgemeinheit geprägten Vergnügens, durch welches ein Ausscheiden der Einzelgesichter verstattet und sogar anbefohlen wird."

Darum möge ihr Antlitz, das mit seiner Erregung nichts gemein hat, fernbleiben von der Schwelle seines heimlichen Königreiches. „Getrennt ist man beisammen." Inniger durch diese seine nicht hörbaren Reden als durch so viele andere hörbar gewordenen fühlt er sich dem Du verbunden. Ein letzter Blick auf die unangetastete einsame Jungfräulichkeit, und dann scheiden! Scheiden im Bewußtsein, etwas unendlich Beseligendes – vergleichbar[1] jenen zauberhaften, geschlossenen Seerosen, in deren weißer Blätterhöhlung ein Nichts sich birgt – gepflückt zu haben. Ein Nichts, geworden aus heilen Träumen, aus unmöglichem Glück, aus dem Bangen seines menschenscheu stockenden Atems. Scheiden – leise behutsam wegrudern, ohne daß ein Anprall die Verzauberung durchbräche, und ohne daß Schaumbläschen vom fliehenden Boot etwa der spähenden Frau davon verrieten, daß hier jemand etwas ähnlich Durchsichtiges, eine heimlich gepflückte Idealblume, in Sicherheit bringe (Berthe Morisot hat ihm diese Seerose in einer Radierung aufgezeichnet). So befreit er sein Boot aus dem Schilf, wendet, und schon biegt er in eine Flußkrümmung ein, sorgsam seinen Raub, die Seelenbeute, vor Entdeckung bergend. Nie hat er, er versichert es, bedauert, das sinnende, das hochfahrende, leidenschaftliche oder heitere Antlitz der vielleicht ahnungsvoll aufhorchenden Frau nicht erschaut zu haben. Eingetauscht hat er dafür den köstlichen Zustand, wo das Ich und seine Forderung schweigt — jene Versunkenheit, der sich, meint er, jede Dame gern überläßt, welche in den Alleen ihres sommerlichen Gartens hie und da und lange am Rand eines Baches oder Weihers verweilend stehenbleibt.

Es ist zumal einem Dichter nicht ungefährlich, eine Schönheit auszukosten, ohne ihren Gefahren die Stirn zu bieten — eine alte Sehnsucht, vom Sirenenabenteuer des Odysseus bis zu ihrer verfeinerten, zartesten Gestaltung im *Nénuphar blanc*. Indes besitzt Mallarmés Prosastück keine verallgemeinernde Absicht; ganz und gar nicht im Sinn einer *Poetik*, weit eher noch als zusammenfassende Huldigung an seine seligen Träumereien auf dem Seine-Fluß, in seiner eigenen *Jacht*. „Ich ehre den Fluß; er läßt in seinem Wasser ganze Tage versinken, ohne daß man das Gefühl, sie vergeudet zu haben, oder auch nur einen Schatten von Reue bekäme" (an Verlaine, 16. 11. 85). Dort befand er sich am unbegrenztesten dem Erlebnis gegenüber, das ihm stets als der Gipfel der Schönheit erschien, dem Sonnenuntergang.. in jenen Stunden, wenn die Natur „ihn in Brand setzt mit der jungfräulichen Hoffnung, seinen Sinn dem *Leser der Horizonte* zu entziehen", wie er in *Bucolique* schreibt. „Jedes ahnende Wissen aber, daß dem Menschen das Geheimnisvolle dieses Hinsinkens (suicide) doch nicht ganz verschlossen sei, scheucht die Wallungen der verdrossenen Abseitigkeit (désuétude), das Hinfristen des Lebens, die Straße."

Der nackte Jubel

Kleines Lied I

Nicht immer schien es, als lasse das fahle Gefühl des Stagnierens sich scheuchen. Mallarmé brauchte dazu schwerlich der ihm

wohlbekannten Verse aus Poes *Tamerlan* zu gedenken: „Es war
Sonnenuntergang. Wenn es Abend werden will, dann tritt eine
Verdrossenheit des Herzens den an, der noch die Glorie der Som-
mersonne anschauen möchte.." In seinem auftaktlosen Kleinen
Lied *Quelconque une solitude*[1] geben, vom ersten Gleichgültigkeits-
klang an, alle Anfangsverse einen Abstrich, eine Negation, eine trübe
Leere, bis gleichsam das Urbild dieser Stimmung entsteht. Nicht
einsame Gegend, sondern die Einsamkeit. Auf eine beliebige
Flußlandschaft, nicht in einem Park oder in Stadtnähe – daß es
ein Fluß ist, wird zunächst nicht gesagt, nur suggeriert (cygne,
quai, mire) –, auf eine dämmergraue gestaltlose Öde sinkt der
Blick des Dichters herab von der Abendgloriole[2] des goldbunten
Himmels. Nach einer letzten wehmütigen Aufschau („ici") zu
diesem Glanz. Diese Schönheit hat sich ihm verschlossen. Allzu
unerreichbar hoch loht sie, allzu überweltlich.

Plötzlich rührt sich etwas in der bewegungslosen Landschaft.
Irgendein Weißes streicht dahin [langsam in Labialen und Na-
salierung], ein aufgescheuchter weißer Vogel.. und zugleich
[Gleichzeitigkeit verdeutlicht unnachahmlich der vorausgenom-
mene instinktive Vergleich, diese vorüberfliegende Weiße scheine
wie vom Leibe gleitende Wäsche] taucht daneben wonnig [das
rauschende *Exultatrice* zersprüht die vom blitzschnellen *si* durch-
flitzte Stimmung des *langoureusement*] hinein in die Welle –
schon wirst DU eins mit ihr!.. [dieser unmittelbarste Menschen-
anruf ergänzt die Wahrnehmung, doch nicht etwa jäh, vielmehr
syntaktisch anschmiegsam, harmonisch, wie das Schlußvers-Sub-
jekt:] – deine jauchzende Nacktheit! [Da es um die Erweiterung des Vorgangs geht, heißt es: *ta jubilation nue*].

Nichts einfacher als der Handlungskern dieser *rêverie aquatique*. Das Auftauchen des Flußliebhabers scheucht eine badende
Frau ins Wasser, und dies wiederum scheucht einen weißen Vogel auf. Mallarmé hat eines seiner schönsten lyrischen Gedichte
daraus entwickelt. Das auftaktlose Sonett zerfällt klar in zwei
Hälften (durch ein *mais*.. geschieden), in einen versonnenen und
in einen schwunghaften Satz. Wuchs die *Seerose* ganz aus akustischen Schwingungen, so wird im *Kleinen Lied* die deskriptive
Einheit durch ein Beschränken auf Eindrücke des Auges gewahrt.[3]

Wenn diese Verse nichts als Impressionen wären — es ist ein unerhörter Fall von lyrischem Impressionismus und Simultaneismus, doch ohne futuristische Satz- und Verszerstückelung —, so wäre es ein denkwürdiges, auch reizvolles Bravourstück. Aber es ist zugleich ein Stimmungslied, in welchem jeder Ton auf den leisesten Anschlag rhythmisch vibriert. Und schließlich ist jedes Wort bis in Rhythmus und Klangfarbe hinein, ist das ganze Bildgeschehen so mit sinnbildkräftigem Erlebnisgehalt durchtränkt, daß uns dieser kleine Sang wert ist als das gewichtlos Schönste, was diesem Dichter je gelang. Die Augen, die in schwermütiger Symbolgebärde vom allzu hohen Himmelsglanz niedersanken auf die Wüstenei, finden gleichsam die versöhnte Mitte von Himmel und Erde in der verklärten sinnlichen Schönheit, deren naturhaft dynamisches Aufrauschen den toten stagnierenden Wasserspiegel triumphal zu Verkörperung belebt. Und es sind nicht mehr die Augen des verträumten Minneritters -- *Sir Launcelot* sollte Mallarmé ja nach Gosses Vorschlag heißen. Sie wenden sich nicht mehr scheu um einer Weißen Seerose willen ab. Soviel die Wimper hält, trinken sie wach den nackten Jubel.

Die jungen französischen Dichter am Jahrhundertende suchten in ihrem Vaterlande vergebens einen Goethe. Aber den schönen Vollklang, den unbefangenen Ernst gestillten Schauens fanden sie bei dem Mann von Valvins. So nannten sie ihn den Meister.

ANMUT UND WÜRDE

élégance & dignité

„Er war wirklich, unvergeßlich, mein Meister", schrieb fünfundzwanzig Jahre nach der ersten Begegnung der Kritiker Camille Mauclair . „Ich schulde ihm einen Begriff der Berufsehre
und -pflicht, der unverbrüchlich blieb. Ich empfing von ihm
einen unauslöschlichen sittlichen und geistigen Stempel. Er hat
mich vom ersten Wort und Blick an ganz gewonnen. Bei keinem
der bedeutenden Männer, denen ich in meinem Leben mich nähern
durfte, hat sich mir so magnetisch, sanft und herrisch die Gewißheit des Genius aufgedrängt."[1] Es ist trotz zahlloser Berichte
schwer, sich vorzustellen, worin denn Schönheit und Ernst dieses
friedlichen, spitzbärtigen Professors beruhten, von dem Manet
sagte: „man dächte, der Sohn eines Priesters und einer Tänzerin"
(nach R. Hahn). Eine kleine, schlanke Gestalt, das Antlitz etwas
sonnengerötet, mit spitzen Ohren, gerader Nase, ergrauendem
braunem Haar, großen graublauen Augen und von vielen Fältchen
gerunzelter Augenhöhle . . Sein Auftreten, sagt Mockel, „war
schlicht, freimütig, sogar familiär, feind jeder Pose und jeder dramatischen Geste". Die Gäste empfing er, im übrigen untadelig
gekleidet, in dunkelblauer Flanelljacke und Filzpantoffeln, auch
bei großer Hitze stets eine karierte Flauschdecke über die fröstelnden Schultern gebreitet.

Dann begann die langsame zärtliche, feinfühlig gütige Stimme,
deren verschleierte Milde und ungezwungene, adlig zurückhal-
tende Anmut alle beschrieben . . Ehrfürchtiges und wahrhaft gott-
erfülltes Schweigenkönnen vor allem Edlen und Hohen. Die Haltung des erhobenen Fingers. Gedämpfte Trauer. „Eine leichte
Handbewegung erklärte oder unterstrich seinen schönen Blick,
der sanft war gleich dem eines älteren Bruders, fein lächelnd,
aber tief, und mitunter voll geheimnisvoller Feierlichkeit"
(Mockel). Seiner syntaktischen Bevorzugung konjunktivischer
Wendungen und passiver Wünsche (*möchte doch* . .), seiner Scheu
vor unmittelbarem Drauflosreden (statt *mit* schreibt er *nicht
ohne*) entsprach seine erlesen höfliche, unauffällige Wohlerzo-
genheit, eine vielleicht etwas schauspielerische innere Schüchternheit. Es entsprach ihr auch die stets schwarze Farbe seiner Weste

und des weiten Lavallière-Schlipses; schwarze Kleidung war ihm so gewohnt, „daß ich mir beim Jüngsten Gericht vorstelle, daß wir uns schwarzgekleidet erheben werden" (zu Fontainas, 1. 4. 96). Auch in der Sommerfrische des auvergnatischen Kurorts Royat nicht, wohin Evans und Méry ihn 1888 und 1889 eingeladen hatten, gelang es diesen, ihn davon abzubringen. Und dem entsprach auch die Auslöschung des Ich-Tons, etwa in der Umarbeitung des *Pitre châtié;*[1] und sein unerschütterliches Schweigen bei den zahllosen Beschimpfungen durch die Presse, die ihn damals, nach Versicherung von Régnier und Mauclair, zu einem der meistgenannten Namen machten; einzig die Anpöbelung durch Max Nordau veranlaßte ihn zu einigen kostbaren Zeilen. Gern verbarg er seine Bescheidenheit hinter Selbstironie. Etwa wenn er seine Photographie als „ce fier portrait du plus beau des vestons" der geliebten Méry zueignete, oder wenn er eigene Leistungen mit denen von Freunden verglich.[2] Sehr bezeichnend dafür das Sonett zum 2. Februar 1895, auf eine Sankt-Karls-Feier des Collège Rollin (Vers de Circ.), ein Trinkspruch, an den Direktor der Schule gerichtet, der die Einladung hatte ergehen lassen; des Scholarchen grammatikalische Korrektheit scheint darin launig parodiert (Vous aimâtes que je revinsse..). Bei dem einstigen Prinzipal, dessen gestrenger Blick noch heute seine Lobrede zum Verstummen bringe, bedankt sich der Dichter, daß der Gästekreis des hochansehnlichen Festbanketts so weit gespannt worden sei, daß auch er, der Hinterwäldler, der nüchterne Festgenoß, der wenigstens seine Verse aufsage, daran teilnehmen dürfe. Und seine beschwingte Freude, in Kunst nicht wiederzugeben, gleiche dem Schaum auf dem Wein, den er mit diesen Worten an den Mund setzt.

Das ist der Mallarmé der zweiten Lebenshälfte. Er allein wußte, was ihn diese Gelassenheit des Alters, die nur eine windstille Bucht war, nicht der Hafen, gekostet hatte an Kampf und Verzweiflung. Auch jetzt noch war das Los des *Sonneur* das seine, sich zwischen einer verlorenen Kindheit und einem allzu hohen, unmenschlichen Idealziel zu wissen. Doch er versagte sich jetzt rebellische Fluchtversuche in die „exotische Natur" der *Brise marine* oder zu chinesischer Porzellanmalerei. Er barg seine Lage hinter einem Schweigen. Damals nahm er sein Los hin und trug es, ohne zu klagen, zugleich mit seiner anderen Bürde: ein heimlicher Priester wesenhafter Schönheit zu sein. Im Zigarettenrauch seiner Dienstagabende „erschien dieser Mann unendlich entfernt und jeder Berührung entrückt durch den Bannzauber eines geheimen Geistes, durch die unfaßbare Verhaltenheit, die sein Haupt hinüber neigte und seinem ganzen Sein, trotz der schlichten, herzlichen Liebenswürdigkeit beim Empfang, die Gabe verlieh, stets Zeuge seiner selbst zu sein".[1]

Daß er in den stillen Nächten nach solchen Abenden und nach heiterer Geselligkeit in Versen um Sein oder Nichtsein rang, ahnten die Jünger nur entfernt. „Er lebte klar."[2] Mit Leidenschaft und Leichtigkeit (an Mauclair, Juni 98) trat er am Ende seines Lebens vor dies Bild seines Selbst, das er halb unbewußt in den Seelen seiner Jünger aufgerichtet hatte — einer der sehr wenigen Dichter, welche die Kunst des Alterns verstanden. Steht doch jeder dämonische junge *Hamlet* in der Bedrohung — das Aperçu stammt von Mallarmé —, dereinst ein redseliger, stumpf klügelnder *Polonius* zu werden.

I

BEGLÄNZTE WELT

Un peu de son génie, un peu de sa bonté,
Dans un peu de nos pleurs sur Valvins est resté,
Pour en faire à jamais un nom de poésie.

Léon Dierx, Valvins

Stefan George, weiter ausblickend in Vorahnung der Völkerkatastrophen, bewußt MEISTER und Olympier, verglichen mit Mallarmés halb sich zierender Bescheidung, George tat auf eines Verzicht, woran Mallarmé festhielt: auf den Frieden des Heims, der Lieben, des kleinen Gärtchens, die Unbefangenheit des einfachen Mannes. Sieht Mallarmé das blasse Gesichtlein eines Wickelkindes im Häubchen, warum sollte er nicht ein Sonett schrei-

ben, wie schade es sei, daß der Engelsflügel sich löse und himmelwärts schwinde (zum richtigen Himmel, versteht sich, nicht
zum gemalten Amoretten-Plafond!), wenn das Kind nun bald zu
niesen beginne, von Halsweh plappere oder gar von den Eltern
abgestraft werde.[1] Er hinterließ lieber seine großen Werke als
Bruchstücke, als daß er sich Strophen versagt hätte wie diejenigen, mit denen er das Geschenk eines Marienbüchleins zur
Kommunion einer Nichte geleitete; die Tochter seiner Stiefschwe-
ster Jeanne, Marie Michaud, fand 1886 geschrieben: La vie est
un humble sentier / mais sur les pas de la patronne / tu peux,
gardant ton voile entier / y cueillir aussi la couronne. Oder es
fällt ihm bei, am Schwarzen Brett einer Dorfgemeinde das Vers-
bekenntnis anzuschlagen, als Sommerfrischler wünsche er von
Amtsanschlägen verschont zu bleiben.

Mallarmé war ein Meister des Schelmischen, ein unübersetz-
barer Humorist, und hat fast allzuviel Zeit dabei verschwendet.
Dem Töchterchen Roujons wußte er die Illustrationen von Münch-
hausens Abenteuern unvergeßlich zu erklären[2] und den Kindern
von Valvins die in einer Scheuer vorgeführten Laterna-magica-
Bilder. In einem spaßigen Aufsätzchen[3] spricht er von der unbewußten Schönheit von Gebrauchsgegenständen, eines Schirms,
eines Fracks; obwohl künstlerisches Gestalten darin beruhe, den
Gedanken an Gebrauch zu vergessen. „Ein Fahrrad ist nicht vul-
gär, wenn es aus dem Verschlag herausgeführt wird, alsbald glitzernd in seiner Schnelligkeit. Wer es indessen besteigt, Mann oder
Frau, muß damit rechnen, an Anmut zu verlieren, als mechanisch
gewordene Person mit einem karikaturistischen Spiel der Beine.“
Wenn dies sich schwerlich verhindern lasse, so müßten wenigstens die Erfinder der Kraftfahrzeuge mehr an das Schöne denken. Sie sollten wirklich Erfinder sein, statt bloß durch Weglassung der Deichsel usw. und durch Gerede von Pferdestärken die
Kutsche zu entstellen. Statt den Kutscher im Vorderteil des Fahr-
zeugs phantasielos durch den modernen „Koch am Ofen“ zu ersetzen, sollten sie den Fahrer wie einen Steuermann hinten über
den Wagen herausragen lassen und so für die Insassen durch ein
großes gebogenes Fenster die ganze Aussicht freilegen. Das Häßliche freilich lasse sich im ganzen nicht ausschalten: wodurch

sollten manche Leute sinnvoll sich umrahmen lassen, wenn nicht dadurch!

Für Mallarmé gab es keinen Unterschied zwischen dem heimatlichen Vermandois und dem Zauberland Golkonda, zwischen China und dem Seinedörfchen Héricy: der Glaube an die Schönheit verwandelte Valvins in Eldorado.[1] Schwerlich war ein Ästhetizismus so ohne Pose, kindhaft und wissend zugleich. Bekannte trafen im Wald bei Valvins den Dichter, wie er mit einem Stock, an welchem ein Nagel befestigt war, umherliegende Papierfetzen in einen Korb sammelte. Auf erstaunte Fragen äußerte er friedlich lächelnd: „Morgen kommen Régnier und einige Freunde zu einem Imbiß zu uns. Sie sehen, ich bereite die Stätte."[2]

Ein schlichtes Leben

Auch durch die zweite Hälfte seines Lebens trug er seine Bürde an Ärger und Trübsal, nur geschützt durch die Höflichkeit als einen Zauberkreis „undurchdringbaren Behütetseins" (Valéry). Am Lycée Fontanes, dem elegantesten von Paris, in welchem er vom 1.11.71 bis 1.10.84 unterrichtete, machte ihm sein Vorgesetzter, ein gewisser Fallex, das Leben schwer; Fallex schrieb selber Verse. Der Lehrberuf hatte ohnehin für Mallarmé wenig Anziehendes. „Ich habe nicht den Ehrgeiz", schrieb er schon 1866 an Pavie, „in einer Laufbahn vorwärtszukommen, die in Wahrheit nicht für mich paßt, und ich abstrahiere und isoliere mich in meiner Arbeit, zufrieden mit der Möglichkeit zu träumen." An Beschwerden gegen ihn fehlte es auch in Paris nicht.[3] Einmal las er den Kleinen, in den üblichen Unterhaltungsstunden vor Ferienbeginn, so spannend von Gérard dem Löwentöter vor, daß eine Mutter ihn für die schlaflosen Nächte ihres Sohns verantwortlich machte. In Tournon war er leicht gereizt und ungeduldig gewesen, in Avignon schildert ihn ein Kollege als einen allgemein angesehenen und außerordentlich sorgfältigen Lehrer. In Paris erledigte er seine englischen Stunden pflichtgemäß und mit mäßigem Erfolg, aber ohne Anteilnahme. Als sich ein Schüler fand, der das Englische beherrschte, ließ er diesen unterrichten und schrieb unterdessen. Er verhängte Strafarbeiten und vergaß sie. Nur wenn er Shakespeare, Tennyson oder Poes *Raven* und *Eldorado* mit den Schülern las, war er beteiligt. Englische Sprachkenntnisse für Musterreisende oder Kellner zu vermitteln, weigerte er sich, wie er sich auch gegen die pragmatischen Methoden unmittelbaren Sprechens sträubte.

Feindseligkeiten der Schüler oder die üblichen Klassenquälereien an schwachen Lehrern gab es nur zu Anfang in Tournon. Bei einigen der Pariser Schüler war er ausgesprochen beliebt: sie bekamen Lust an wunderlichen Etymologien und sammelten verzwickte Metaphern aus der I. Satire des Persius und aus Hymnen und Epigrammen des Kallimachos, um sie ihm zeigen zu können; als sie ihn über einer gotischen Grammatik antrafen, trieben sie Gotisch, ihn in der Sprache Wulfilas zu begrüßen. Aber zumal da durch stadträtliche Verfügung Züchtigung oder Klassenverweisung der Schüler verboten war, genügte seine hauptsächliche Ordnungsmaßnahme nicht, ein dreimaliger Ausruf „Genug!" und ein Schlag mit dem Lineal auf den Tisch. Wenn er in seinen letzten acht Dienstjahren um 11 Uhr das Collège Rollin[1] verließ und sich in der nahegelegenen Wohnung seines Freundes Dauphin, Ecke Boulevard Barbès, ausruhte, machte er den Eindruck eines durch sein *Bagno* — so nannte er selber dies Lösegeld an das Leben — zerbrochenen Menschen. Ohne Erfolg schlug ihn sein Freund H. Becque für die durch Leconte de Lisles Tod freigewordene Sinekure der Senatsbibliothek vor.[2] Nach dreißigjähriger Dienstzeit kam er im Juli 1893 um vorzeitige Pensionierung ein, da er fühlte, einer nicht aufzuhaltenden Verabschiedung damit zuvorzukommen. Im Gymnasium beeilte man sich, seine Anträge zu befürworten, und durch Coppées Fürsprache bei seinem *Académie*-Kollegen, dem Schulgewaltigen Octave Gréard, wurden sie bewilligt.

Ein dritter Schatten neben Beamtenpflicht und Krankheit: die finanzielle Unmöglichkeit, seinen Lieben kleine Wünsche zu erfüllen. Dichterische Schöpfungen um des Geldes willen zu beschleunigen, war ihm unmöglich. Eher noch beugte er sich „in Verlegenheitslagen oder um teure Boote zu kaufen", wie er Verlaine schrieb, fachlichem Gewerbe, „dont il sied de ne pas parler". Einmal ging er, erzählt Dauphin, den Boulevard Saint-Michel entlang, im trüben Bewußtsein, seiner Tochter diesmal in den Ferien den geliebten Spazierwagen mit Pony nicht mieten zu können. Da fiel ihm die Aufschrift *Verlag* in die Augen; im Ladenfenster lagen Schulhefte. In einer plötzlichen Eingebung trat er ein, stellte sich dem Inhaber als Lehrer am Lycée Fontanes und Erfinder einer neuen Lernmethode der englischen Sprache vor, welche in Form von zehn Kurzlehrstunden auf den Umschlägen von zehn Schulheften unterzubringen sei. Mit einem Vertrag und dem benötigten Vorschuß verließ er in heiterster Stimmung den Laden, ohne sich über seine angebliche Erfindung vorzeitig den Kopf zu zerbrechen; zwei Monate später waren die zehn Lektionen gedruckt.

In solchen Zwangslagen hat er mancherlei zusammengeschrieben. Das erste Buch, *Les mots anglais,* von 1877, war am wenigsten schulmäßig. Es erwuchs aus einer wenn nicht dichterischen, so doch kuriosen naiv philologischen Klangästhetik und Wortmystik. Er konnte „dies langweilige Buch" dem Freunde Cazalis zueignen. Die als Fortsetzung angekündigte, pädagogisch wirklich brauchbare *Étude des Règles* ist erst 1935 handschriftlich in einem Antiquariat aufgetaucht und 1937 mit einer Vorrede Valérys erschienen. Da man Regeln am besten an Beispielen lernt und die schulüblichen Beispielsätze für Mallarmé einen Gipfel der Stumpfheit bedeuteten, führte er den vernünftigen Gedanken aus, für jede Regel etwa zehn englische Sprichwörter oder volkstümliche Redensarten zusammenzustellen.[1]

Nachdem seit Lamartine, Leconte de Lisle und Ménard besonders im *Parnasse* das Interesse für Mythologie gestiegen war, schuf Mallarmé mit einer stellenweise erweiternden Übersetzung der weitverbreiteten Mythologie von George W. Cox das damals einzige französische Schulbuch der Mythologie: *Les Dieux antiques* (1880), gewidmet dem alten Freund Seignobos. Im Anhang gab er Auszüge aus mythologischen Gedichten von Leconte de Lisle und Banville; seine eigene Dichtung hat sich übrigens von mythologischen Anspielungen fast völlig frei gehalten. 1881 übertrug er für den Verlag Charpentier, welcher gleichzeitig in derselben schön illustrierten Ausstattung auch den englischen Text herausgab, im einfachsten Französisch das völlig kindliche,

unter dem Pseudonym einer Mrs. Hope erschienene Märchen
Der Feenstern. Vier Jahre später schrieb er für die elf Märchen-
und Schwankbearbeitungen von J. Stephens Anmerkungen für
den englischen Anfangsunterricht, die fast ein Drittel des Bandes
umfassen. Die 579 Seiten einer Anleitung zur englischen Han-
delskorrespondenz, in seiner kalligraphischen Handschrift zur
vermutlich anonymen Veröffentlichung fertiggestellt,[1] kamen
wohl deswegen nicht mehr zur Ausgabe, weil er, dem die Regierung am Nationalfeiertag 1883 als Ersatz für die (1884 durch-
gesetzte) Gehaltsaufbesserung auf 5000 fr. die nichtssagende
Ehrenbezeichnung eines *officier d'Académie* verliehen hatte, inzwischen eine staatliche Dichterpension erhielt. Sein im Erzie-
hungsministerium beamteter Freund Henri Roujon steigerte sie
im Lauf der Jahre schließlich auf 1800 fr. Diese kaum bekannte Tatsache beweist, daß er seine letzten Jahre, neben seinem
Ruhegehalt von 2500 fr., nicht in Armut verbrachte; immerhin so, daß, wie er zu Mauclair sagte, „zehn Francs mehr oder
weniger am Monatsschluß zählen".

Den Eindruck des Ärmlichen hatte zunächst auch George
Moore, als er im rußigen Norden von Paris, in der rue de Rome,[2]
die unbeleuchtete Rundtreppe zum vierten Stock emporstieg.
Durch ein dunkles, mit Mänteln überladenes Vorzimmerchen gelangte man in das berühmte braune Eßzimmer der Dienstagabende, welches als einziger größerer Raum, nicht mehr als vierzehn Gäste fassend, zugänglich war.[3] Es wirkte trotz des hohen
Plafonds ausgesprochen behaglich, mehr deutsch als pariserisch,
mit dem weißen Kachelofen in der einen Ecke, der hohen Uhr
mit den schweren Gewichten in der andern; mit dem schweren
runden Tisch, den enggerückten, bäuerlich-schlichten Stühlen;
mit dem unfranzösischen Schaukelstuhl des Dichters, dem brau-
nen gewachsten, normannisch geschnitzten Büfett voll irdenem,
Zinn- und Kupfergeschirr; mit dem rotbefransten Glasschirm
über der breitausladenden ölgespeisten Deckenlampe. Alles war
an seinem Platz. Am Fenster regten sich in einem japanischen
Vogelbauer zwei grüne Papageien, vom Dichter als die „kleinen
Académiciens" bezeichnet, in boshafter Anspielung auf die
grüne Uniform der Académie. Der Hund Saladin strich vorbei

oder seit den achtziger Jahren die Vorgängerin der schwarzen
Angorakatze Béhanzin, die von Banville geschenkte Literaturkatze
Lilith, die Enkelin von dessen Katze Eponine, die wiederum der
von Baudelaire besungenen Katze Gautiers, Séraphita, entstammte;
Liliths Junge überreichte Mallarmé seinen Freunden als Ge-
schenk.

In dem anstoßenden kleinen Schlaf- und Arbeitsgemach des
Dichters entstanden die Nachtgesänge der letzten Zeit. Vor dem
Bett im Frührenaissancestil stand der Schreibtisch, stets gut auf-
geräumt; darauf weißes Papier, eine Vase mit einer Rose, ein
blaues chinesisches Tongefäß mit den zu beantwortenden und stets
beantworteten Briefen. Daneben Schlaf- und Wohnzimmer von
Frau und Tochter, mit dem Klavier aus Rosenholz, einem Geschenk Banvilles für Geneviève, obwohl ihr der Vater, vor seiner
Bekanntschaft mit Wagners Musik, das Klavierspiel versagte.
Ein großes Badezimmer und eine kleine Küche vervollständigten
die Enge, die durch Frau Mallarmés Hausfraulichkeit untadelig
gehalten wurde.

Am 6. Oktober 1879 starb im Alter von acht Jahren der einzige Sohn Anatole an einer durch nervösen Husten verschlim-
merten Herzerweiterung – ,,unser Schatz, unsere Freude hienieden‘‘. Ein sanftes, stets freundliches Kind, ein ,,eigenartiges,
anziehendes Gesicht wie ein kleiner Faun, überraschend vollständig durch die spitzen Ohren‘‘, wie Graf Montesquiou berichtet,
welcher als Hausfreund einen der letzten Herzenswünsche des
Kranken erfüllt hatte, als er ihm den Papagei Semiramis schenkte.
Der Vater füllte ihm zur Zerstreuung ein Heft mit farbigen
Zeichnungen.[1] Die Mutter rieb sich bei der Pflege so auf, daß sie
fortan der Pflege ihrer Tochter bedurfte. In der Seelennot der
herbstlichen Nachtwachen am Lager des sterbenden Sohns verglich Mallarmé sich einem, ,,über dem ein schrecklicher, unauf-
hörlicher Wind pfeift.. Ich ahnte nicht diesen furchtbaren Pfeil,
der aus irgendeiner Ecke undurchdringlichen Dunkels auf mich
gerichtet war‘‘.[2] Er hat seinen ,,Tole‘‘ nie vergessen. Besonders
die erste Wiederkehr des Todestages, schrieb er an seine Stief-
schwester Jeanne, schmerze ihn, ,,nicht weil sie unser Denken
dorthin führt, wo es ohnehin zu jeder Stunde ist, sondern weil sie

einen Kreis von Augenblicken abschließt, in dem wir uns sagen
konnten: vor einem Jahr lebte unser Liebling, tat dies und jenes".[1]
Vier Monate vor dem eigenen Tod berichtete er aus Valvins an
Frau und Tochter: ,,Heute bin ich auf den Friedhof gegangen,
denn wir sind vier gewesen, meine armen Freundinnen" (10.5.98).

Der Arzt hatte damals nur dem Vater, nicht der Mutter gesagt,
daß der Knabe nicht zu retten sei, und der Dichter glaubte der
Prüfung fast zu unterliegen. ,,Ich werde schwach und kann dem
Gedanken nicht ins Auge sehen" (an Roujon). Es scheint, als
hätte damals die erste Spanne der Pariser Jahre geendet, die aufge-
schlossenste und nach außen hin unternehmungslustigste Zeit seines Lebens. Jetzt kehrte er wieder in sich selbst zurück. Als lange
danach ein Zeitungsmann ihn über den vermutlichen Erfolg eines
Dramas[2] in der Comédie Française befragte, konnte er sagen:
,,Ich weiß nicht, was das Publikum ist. Die Comédie Française
kenne ich nicht. Ich wohne nicht in Paris, sondern in einem Zimmer; es könnte in London, in San Francisco, in China sein; Sie
sehen, ein Mensch, für den Paris nicht existiert. Es gab Paris vor
dreißig Jahren; wir gehen in Richtung auf irgend etwas, aber
auf was?"

Dreißig Jahre zuvor war der Landlehrer in das erträumte Paris gekommen, und die aus der *Mitternacht* erwachten Augen erlebten geblendet und entzückt die glitzernde Poesie der Boule-
vards, den Duft noch des Oberflächlichsten, den Reiz noch des
Flüchtigsten. Darum mußte er vor allem anderen seinen Hymnus
auf die ,,verwegen neue, reiche, strahlende Metropole" schreiben, seine *Dernière Mode*. ,,Damals war er in der vollen Schönheit der Jugend. Er hatte große Augen, die gerade Nase zeichnete
sich über dem starken Schnurrbart scharf ab, und darunter wirkten die Lippen als ein heller Strich. Unter den dichten Haaren
sprang die Stirn kräftig hervor. Der Bart war spitz geschnitten
und hob sich von einer dunklen Binde ab, die er um den Hals ge-
schlungen trug."[3] Nur weniger Jahre bedurfte es, bis er sich von
dem Literatentreiben der Cafés und Verlegerstuben zurückzog.
Etwa die Erfahrungen beim dritten *Parnaß* waren eine hinrei-
chende Lehre. Lemerre hatte den Band auf sechs bis acht größere Gedichte (Hugo, Coppée, Mendès, Sully Prudhomme) ein-

schränken und Leconte de Lisle ausschließen wollen. Dies war
wiederum Mendès wegen seiner Verpflichtungen gegen den Dichter der *Poèmes barbares* peinlich; fest davon überzeugt, daß Hugo
hier seinen hauptsächlichen Nebenbuhler beiseite zu drücken
wünschte, schützte er einen Zwist mit Lemerre vor, um Mallarmé zu dem Verleger vorschicken zu können. Der mußte dort
einen Hagel gewalttätiger Schmähungen über sich ergehen lassen — „ich lud wirklich in den Taschen meines Anzugs nichtvor-
handene Revolver" (an Mendès) —, erreichte durch Festigkeit
schließlich die Aufnahme Leconte de Lisles und entdeckte dabei
hinter Lemerres Widerstand als eigentlichen Veranlasser dessen
Lektor Anatole France, „das subtile Ungeschick Frances — um
nicht weiteres zu sagen".[1]

Etliche solcher Erfahrungen veranlaßten Mallarmé auch im gesellschaftlichen Leben allmählich zum Rückzug. Wo der offizielle
Parnaß-Stil hochgehalten wurde, wollte man sich bald nicht mehr
durch seine Verse kompromittieren. Dies galt für das eigentliche
Hauptquartier des *Parnaß*, die Verlagsstube Lemerres, wo jetzt
Anatole France durch seinen „klassischen" Geschmack tyrannisch
herrschte; sodann seit 1881 für das Café Voltaire (beim Odeon),
von wo aus Mendès, Mérat und Valade ihre Jünger Moréas und
Morice ausschickten; und für ihre beiden Hochburgen, die Zeitschriften *L'Art moderne* (1881 gegründet) und *Paris-Moderne*.
Seitdem Verlaine Pressechef der Commune gewesen war[2] und in
der Betrunkenheit Frau und Kind durch Dynamit in die Luft
sprengen wollte, seine Mutter an den Haaren die Treppe herunter-
schleifte und Rimbaud durch Pistolenschüsse verwundete, galten
in dem alten Freundeskreise Außenseiter nichts mehr. Der Maler
Fantin-Latour malte auf einem Gruppenbild einen Blumentopf
an Stelle von Mérat, als dieser sich weigerte, an einem Tisch mit
dem homosexuellen Freundespaar Verlaine und Rimbaud zu fi-
gurieren.[3] Seither bildete sich in Paris eine großstädtisch eigen-
ständige Literatenschicht, ob sie sich nun fantaisistisch, *décadent*, kubistisch, surrealistisch oder existentialistisch nannte, die
entschlossen war, sich im Gehaben sowenig einschüchtern zu
lassen wie in der Dichtung. Von denen, die jenes Erbteil an
Guillaume Apollinaire weitergaben, sei nur Alfred Jarry mit einer

Anekdote erwähnt: Als er in Rachildes Garten Schießübungen veranstaltete und die Nachbarin sich wegen der Gefahr für ihre Kinder beschwerte, gab er den vorbildlich satanistischen Bescheid: „Wenn es nur das ist, Madame, wir werden Ihnen wieder welche machen." Von dieser Dichtergruppe war und ist nichts anderes zu erwarten als nur das eine, immer wieder Nötige, die Aufrichtigkeit.

Im Salon der Nina de Callias, wo Mallarmé einst Verse vorlas, erschien er, gleich Heredia, Marras, Olympe Audouard, Chabrier, Lepelletier, Dierx, J. Gautier, sehr bald seltener. Einmal noch, im Jahre 1874, in dem Manet sein schonungsloses Pastell dieser neuropathischen Geliebten Villiers' malte (Sammlung Rouart), befand er sich unter den prominenten Zuhörern, als sie mit dem Schauspieler Fraisier in ihrer Wohnung den Dialog *La Rencontre* von Dierx aufführte (Dern. Mode, 15. 11. 74). Tag und Nacht war dort den Besuchern zum Essen und Schlafen Gelegenheit gegeben. Vor den verliebten Augen der Mutter, auf deren Schulter ein Affe zu sitzen pflegte — Mendès skizzierte sie beißend in seinem Roman *La Maison de la Vieille* —, musizierte, malte, dichtete, ritt und focht die geistreiche Tochter, wofern sie nicht mit ihrem nie erhörten eifersüchtigen Liebhaber Cros spiritistische Sitzungen abhielt. Die *braune Muse* Des Essarts'[1] verlor in jener Zeit ihren letzten Halt, und neben dem ernsten Dierx ergriff dort die liederliche und die diabolische Bohème das Wort, Verlaine, Rimbaud, Rollinat, Cros, bis das reiche Vermögen vertrunken und Nina 1882 irrsinnig wurde, besessen vom Glauben, eine Tote zu sein. Ihre Nachfolgerin als morbides „Fräulein Baudelaire" und „Königin der Dekadenten", aber mit wohlgezielten Ohrfeigen ihre durchaus bürgerliche Tugend verteidigend, wurde die unverwüstliche todes- und geschlechtsbesessene Verfasserin der *Marquise de Sade*, Rachilde, die als Zwölfjährige 1872 ihren ersten Roman veröffentlichte und soeben unzerrüttet ihren 90. Geburtstag begeht.

Regelmäßiger zunächst kam Mallarmé zu den Dichterabenden bei Mendès oder bei dessen Geliebter Augusta Holmès, der Komponistin, wenn Villiers ihr die Musik diktierte, die er auf Baudelaires Sonette ersonnen hatte und zu deren Beurteilung er

Mallarmé aufrief. Auch bei Leconte de Lisles Samstagen, oder bei Banvilles kulinarisch berühmten Essen für vier oder fünf Gäste. In Goncourts „Dachstube“ erschien er gelegentlich, wo ihn der spätere Royalistenführer Léon Daudet beobachtete: „Wenn zufällig St. Mallarmé kam und sich mit diskreter Handbewegung ins Gespräch einschaltete, war es ein Entzücken. Dieser kleine Zauberer der Worte mit den tiefen, ernsten Blicken sprach in durchsichtigen Anspielungen, die sich zusammenfanden und allmählich in den Raum eine logische Form zeichneten; er sprach mit unvergleichlichem Reiz, wie ein seltener Vogel emporflatternd zum Gipfel der Ideen und Formulierungen, und trieb ein herrliches Spiel mit dem Wort. Er baute seine Rede sichtlich auf, als großer Künstler, und bedeutete im gegebenen Augenblick durch eine beherrschte Bewegung des Hauptes oder der Augen das Unausdrückbare.“[1] Besonders häufig, und mit Familie, weilte er draußen in Bellevue, wo Coppée, damals Bibliothekar des Luxembourg, mit Schwester und Mutter wohnte. Beim Hinscheiden der letzteren hat Mallarmé, tiefer schürfend als banale Kondolenz es verlangte, einen seiner schönsten Briefe geschrieben über ihr Geschick, einem Dichter, und diesem, die Mutter sein zu dürfen. Und nie sandte Coppée in den folgenden Jahrzehnten dem Freund seine Werke, ohne daß er nicht ein paar reizende Zeilen des Dankes erhalten hätte. Daß Coppées rührselige und muntere Verserzählungen „für jedermann geschrieben“ waren, hinderte Mallarmé nicht, einen „geheimen Reiz für die Schätzung der wenigen (er sagte bescheidener: *von einigen*) gewahrt“ zu finden, eine Distanz in allem Schlichten, welche, obgleich mit starken Zugeständnissen, den Abgrund zwischen landläufiger und anspruchsvoller Kunst überbrückte. Von dem *Cahier Rouge*, aus welchem Coppée ihm 1874 an einem Maiabend vorlas, schrieb er in *Dernière Mode:* „Wenn der Vers des jungen volkstümlichen Dichters durch die Echtheit seines Klangs sogleich und dauernd wirkt, so gestattet er auch das Träumen und atmet eine ganze Stimmung erlesener Gefühle für den aus, der sich hineinvertieft und versenkt: doppelte, fast widerstreitende Gabe der wirklich vollkommenen Werke! Ebensowohl sofortiger Beifall als bleibende Bevorzugung“ (15. 11. 74).

Diese weitherzige Dankbarkeit für alles Schöne, dies Meiden
jeder kleinlichen Kritik wurde ihm dadurch gelohnt, daß er kaum
einen seiner alten Freunde und damit keine der lieben Erinnerungen verlor. Nie führte ihn seine Kunst solchermaßen *in die Sackgasse* — man hat seine Worte zu dem Verlaine-Jünger Louis Le Cardonnel häufig falsch aufgefaßt —, daß er nicht fremde Schön-
heitserlebnisse hätte mitempfinden können. Sein Wunsch, 1874
zur Petrarcafeier nach Avignon kommen zu dürfen, ist so echt
wie seine Bewunderung für Mistrals *Poème du Rhône*. „Dein
Dichterschwung allein konnte sich diesem einen der drei, vier
absoluten Themen gewachsen zeigen,.. einem Strom, der im
Bann eines lebendigen singenden überquellenden Buches dahin-
fließt, so menschlich, ernst und jung, ewig" (11. 8. 97). Mistrals urwüchsige Größe war ihm verwandter als die salbungsvolle Bevormundung, mit welcher der alte Victor Hugo bei seinen Abendessen die jüngeren Dichter begrüßte, auch Mallarmé,
den Coppée und im April 1879 Roujon einführte. Der erhöhte
Hochsitz, von dem herab Hugo seine Gäste mit leutseligen Spä-
ßen erheiterte, war bezeichnend. Obwohl noch um 1865 das
Bild Hugos in Mallarmés Stube hing[1] und obwohl er ihn bei der
Besprechung von Hugos *Mes fils* als den „menschgewordenen
Genius des Jahrhunderts" ansprach (D. Mode, 15. 11. 74), war
dort für ihn keine Heimat. „Er hatte alles", sagte er nachher,
„er hat den Ruhm, er hat das Genie, und doch hatte ich eine
kleine Flamme, die ich ihm gern hätte geben mögen." Das Vitale,
Naturhafte an Hugo verehrte er. „Welch ein Dichter wäre er gewesen, hätte er etwas zu sagen gehabt!" Als 1885 „die Gelehrten,
die Politiker" den Toten in die kalte Krypta unter der leeren
Pantheonskuppel einschlossen, beklagte Mallarmé, man habe ihn
gleichsam dauernd in eine Parlaments- oder Akademiesitzung
gebannt, statt in einem Park das Grab auszuheben, inmitten der
Vögel.. mitten im Raum.[2]

Schon in Mallarmés erster Pariser Wohnung fanden sich an
Donnerstagabenden Freunde ein: Maspéro, Dierx, Mendès, A. Holmès, France, Villiers, Manet, der bärtig verwilderte, meist schlecht-
gelaunte Cladel, der ihm den seichten Scheintrost spendete, andere
Große hätten auch bei ihren Zeitgenossen nichts gegolten; auch

Cazalis, sprudelnd von Zitaten aus Epiktet, Ramayana, Shelley, Byron und Keats.[1] Etwas später Roujon, der Musiker Dauphin, der mit Rimbaud befreundete, damals noch jugendfrische Zeichner Forain und Maupassant. Sodann der robuste und fruchtbare Erzähler nervenpeitschender Moritaten, Léon Hennique (Guadeloupe 1861—1935), der Vertraute E. de Goncourts, welchen Goncourts Testament zum Erben und Gründer der (bei Hennique am 7. 4. 1900 eröffneten) Académie Goncourt, zusammen mit A. Daudet, einsetzte. Weiterhin der vielschreibende, kraß naturalistische Romanverfasser Paul Adam (1862—1920), die Belgier Rodenbach und Huysmans, der Ire George Moore.[2] Selbst Leconte de Lisle gehörte zu seinem Umgang, skeptisch, mißmutig, brüsk, aber ehrlich, denn er sprach später auch im Interview mit Huret etwa das aus, was er einst an Heredia geschrieben hatte: „Ankunft von Stéphane Mallarmé, sanfter, höflicher und verrückter als jemals, mit absolut unverständlicher Prosa und Versdichtung, einer Frau und zwei Kindern, *und nicht einem Centime.*"[3] Mallarmés Sachlichkeit lernte er noch des öfteren schätzen, und ihn bat der Vereinsamte später, an seiner Stelle dem Jahresbankett der *Plume* vom 6. 12. 92 zu präsidieren, als dessen Ehrendichter er ausersehen war, dem er aber aus Abneigung gegen Verlaine und Moréas fernblieb. Als der alte Dichter bei anderer Gelegenheit öffentlich erklärte: „Nach Victor Hugo und MIR sehe ich nicht, was sich noch mit den Versen machen ließe", mußte er erleben, daß ihm der Chor der Jungen unter dem Beifall der Zuhörer entgegenrief: „Poesie!"

Zu Anfang der Pariser Zeit war es Mallarmé sogar verlockend erschienen, eine Zeitschrift herauszugeben. In den neun Nummern seiner *Dernière Mode* nahm er Novellen und Versdichtungen von Banville und Coppée auf, von Sully Prudhomme, Mérat und Valade, Cladel, A. Daudet, Ernest d'Hervilly, Des Essarts, Mendès, A. Holmès; von Zola wenigstens ein Bildnis. Und noch vor jenem Rundbrief an die Freunde, in welchem er von seiner Entlassung aus der Redaktion Mitteilung machte und vor weiterer Mitarbeit warnte,[4] sammelte er, mit dem Standquartier im Montmartre-Café *Nouvelle-Athènes*,[5] als Gründer und Herausgeber „les littérateurs de nos bords"[6] zur Mitarbeit an einer

neuen Zeitschrift, *La République des Lettres* (20. 12. 75 bis
3. 6. 77), für die er praktisch einen Lyoner Verleger gewann.
„C. Mendès möge die Leitung einer Zeitschrift übernehmen",
hatte er versprochen, „Kapital werde ich ihm finden". Redakteur wurde der unbedeutende Henri Roujon (1853–1914), der
unter dem Pseudonym Laujol die Wochenüberschau beisteuerte,
politisch ein leerer Opportunist. Dort erschienen Poe-Übersetzungen Mallarmés, Novellen von Villiers, Zolas *Assommoir*, unveröffentlichte Verse von V. Hugo und Germain Nouveau, Prosa von
Flaubert; am 1. 10. 76 die tragikomische Versepistel *A St. Mallarmé*, welche Glatigny kurz vor seinem Tode gesandt hatte, datiert vom Dezember 1872 aus Bayonne, wo er, „der alte ausge-
rupfte Reiher", sein krankes Gebein in der Sonne, und in der
Liebe der endlich gefundenen Lebensgefährtin, wärme. Das erste
Heft hatte den Erstdruck von Mallarmés *Zukunftsphänomen* und
Abgebrochenem Schaustück gebracht, später folgten sein Aufsatz über Swinburnes *Erechtheus* und ein französisches Gedicht Swinburnes, mit dessen Einwilligung von Mallarmé korrigiert. Dafür hat der irische Dichter O'Shaughnessy kleinere Lite-
raturnotizen Mallarmés zur Veröffentlichung im Londoner *Athenaeum* besorgt. Die Beziehungen zu England hat Mallarmé immer
gepflegt. Roujon berichtet von ihm, wie er englische Gäste durch
Paris führte und einmal sogar um 2 Uhr morgens herausgeläu-
tet wurde, um einem Engländer für dessen Geliebte eine Heb-
amme zu besorgen. Und wie er über Shelleys Gedicht *The Sen-
sitive Plant*, das er zu Ostern 1894 seinen Gästen vortrug, aus-
rufen konnte: „C'est plus sublime que tout.."
Diese Beziehungen zum englischen Geistesleben fanden übrigens einen schönen Abschluß in Mallarmés englischer Gastvor-
lesung über „Musik und Dichtung", zwischen seiner belgischen
und einer für den Winter 1896 geplanten, nicht ausgeführten
Kopenhagener Vortragsreise. Daß diese seine letzte Verlockung,
Menschen zu „belehren", mit seiner Pensionierung, also dem Abschluß seiner schicksalsverhängten Lehrervergangenheit zusam-
menfiel, ließ ihn mit einem Lächeln ohne Schatten (wie unter den
Zuhörern E. Gosse bemerkte) von seiner Berufslaufbahn sprechen. Es war für ihn Erfüllung alter Wünsche, so sprechen zu

dürfen, im stillen, adligen Oxford,[1] vor dem neugewonnenen
Freund vom Christ Church College, dem Historiker York Po-
well, der zuerst eine englische Übertragung der Rede vorlas, und
vor andern erlesenen Gästen, auf deren aufmerksame Gesichter
seitwärts durch die hohen Fenster der Hall das Licht der winterlichen Abenddämmerung fiel. Noch wohler fühlte er sich, weil
nur vor zwanzig Hörern, tags darauf durch Charles Whibleys
Vermittlung im Pembroke College zu Cambridge, vor dem riesigen Vorhang des Bogenfensters, am Sessel gelehnt neben den
zwei Silberkandelabern des Rednertisches, und nur mit der winzigen Unsicherheit, ob die „Träumereien zwischen einem und
einigen" sich nicht vielleicht am Geheimnisvollen versündigen
könnten. Oder ob er wirklich Neues sage? Aber das feierliche Zuhören ermutigt ihn. Und ob er nicht etwa die Hörerinnen ent-
täusche, die nach dem Thema vielleicht einen Kommentar über
ihre Klaviermusik und ihre Unterhaltungsromane erwartet hatten?
Aber wie sollte er darüber sie abstrus belehren, da sie doch alle
schriftstellern, Meisterinnen der unveröffentlichten Meisterwerke,
der Briefe, deren er auf der Eisenbahnfahrt gedachte — ein
Schreibzeug genügt, damit ihnen nachdenklich, beredt, gütig die
innere Schönheit des Schrifttums sich auftue. Und beglückt von
all der Schönheit kehrte er wieder heim, in sein Paris und zu
den Erinnerungen, denn „jede Reise vollzieht sich hernach, im
Geiste.."[2]

Wo immer er das Schöne fand, nahm er es in sein Leben
herein,.. mochte es auch so unzeitgemäß und ungefüge sein wie
das Bett, welches er sich einmal aus zwei alten eisernen Fenster-
stützen schmieden ließ, nur weil deren kühne Ornamentik ihn bei
einem Althändler begeisterte.[3] — Es war da vor zweihundertfünf-
zig Jahren, in den Tagen des Hôtel de Rambouillet, üblich gewesen, Briefadressen in gezierten Reimen zu verfassen, etwa

> *Petite Epître, allez vite à Coucy*
> *Trouver la belle et la gente Kercy,*
> *Et n'oubliez à luy faire semonce,*
> *Mais humblement, de nous faire réponse.*[4]

Anders als Banville mit seiner Banalisierung von Pathetischem,
ergriff Mallarmé mit Vergnügen die Gelegenheit, dem Banalsten,

einer Briefanschrift, die drollige Eleganz des Kompliziert-Erlese-
nen zu verleihen. So sind aus der Bekanntschaft mit Méry, aber
wohl erst seit 1883, seine *Loisirs de la Poste* entstanden; die ge-
mächlichen Postboten von damals sollen all diese mit wunderlichen Quartinen beschrifteten Briefe den Adressaten sogar richtig ausgehändigt haben. Wenn einmal die zugehörigen Briefe an
fast hundert befreundete Menschen gesammelt werden, wird Mallarmé beiläufig auch als der größte Meister der französischen
Briefkunst seines Jahrhunderts erkannt werden, und die Schnurr-
pfeifereien seiner *Vers de circonstance* werden klarer werden.
Wer kennt sie heute noch, den mageren Ferienjäger Grosclaude,
bei dessen Plauderkunst keiner gähnt,[1] oder Baronet, der seinen
Freunden Datteln schenkt, und all die anderen Adressaten? Nach
Banvilles Vorbild (etwa „Nadar" in *Odes funambulesques*) knüpft
der Epigraphiker häufig an ihre Namen an, denn „ein schöner
Name ist die Hauptsache, man erkennt sich darin wieder wie in
einem Spiegel" (Albums X). Oder er zieht Verbindungen zwischen dem Adressaten und dessen Wohnung, vom Wortwitz bis
zum seelendeutenden Epigramm. Insonderlich lustig steht ihm
die wesensfremde Grobheit, mit der er durch Drohungen, Fuß-
tritte und Stockhiebe den Briefboten sich sputen heißt, welcher
dafür ein andermal zeremoniell angeredet wird *Facteur qui de
l' État émanes*, je nach der Art des Adressaten.

Besonders in den Sommerferien hat er diese Sträußchen gebunden, und daneben noch viele andere „Kleinrentnerverse" als
Tischkarten, Zueignungen, Trinksprüche, Gratulationen, Reise-
andenken. Ob er der jüngsten Tochter seines Freundes Dauphin
eine Arche mit Holztieren zu Weihnachten schenkte, einer Dame
eine Tüllkrause oder einen Kastanienkuchen, Teekannen, Taschen-
spiegel, Fußwärmer, Calvados-Humpen, ob er sich für eine Kiste
Backpflaumen bedankte oder ein ausgeliehenes Fischnetz oder
Taschentuch zurückgab, immer stand auf der Visitenkarte ein
kleiner Vierzeiler, angeblich durch das rechteckige Format der
Karte oder des Umschlags angeregt. Und immer zwinkerte das
lächelnde Auge des Dichters der *Jubilation nue* die aufgeräumte
Altersweisheit, die er einmal für ein junges Paar zusammenfaßte: „Lachet, und sogar tanzen möge man!"

Als er damals aus Avignon ankam, schienen Pariser Freunde
ihm ein Verhältnis zur Natur nicht zuzutrauen. „Glauben Sie
kein Wort von dem", schrieb Heredia,[1] „was Mallarmé Ihnen vielleicht über Douarnenez gesagt hat; er ist ein zu erlesener Geist, um
das Leben und die Natur genießen zu können." Gewiß, die zer-
klüftete Felsküste der Bretagne, Redons Entzücken, entsprach
nicht seinem klassischen Wesen. Alles Schluchtartige mißfiel
ihm, er suchte die weite Sicht auf friedlich belaubtes Blachfeld.
Besäße er einen Park, sagte er einmal, säße er gewiß auf der
Steinbank der Außenmauer, den Park im Rücken. Die Ferien
verbrachte er anfangs an der See, „wo nicht mehr als eine blasse
verschwommene Linie übrig ist,.. um zu schauen, was es jenseits unsrer gemeiniglichen Bleibe gibt, nämlich das Unendliche
und Nichts". Nicht länger quält das Sehnen nach Aufbruch, denn,
sagt er im Namen der seßhaften Pariser, „wir wissen alle Lügen
der Exotik und das Enttäuschende der Weltreisen" (D. Mode,
20. 9. 74). Aber selbst kleinere Meerbadeorte wie Equilem
(1875)[2] und Portel (1876) bei Boulogne, auch Honfleur waren
ihm noch zu staubig, lärmend und mondän. Da machte ihn 1874
der Kunstschriftsteller Philippe Burty auf ein Häuslein nicht
weit von der Seinebrücke bei Valvins aufmerksam, dessen obe-
res Stockwerk die Besitzerin vermiete.[3] Er mietete. In der Nachbarschaft gab es damals nur eine Villa und später eine Ziegelei;
in einer Viertelstunde Weges erreichte man den Bahnhof Fontainebleau. Vom schönsten Wald Frankreichs — mit seinen Erinnerungen an den Herbst 1862 — nur durch die Seine getrennt,
die hier breit und still war wie ein See, ein Sinnbild des unaufhörlichen *Werdens*, lag die „Einsiedelei" bei der Brücke. So hatte
der Dichter auch die Möglichkeit, ungelegene Gäste auf weite
Entfernung zu sichten und rechtzeitig sich in seinem geliebten
Boot zu entziehen, dem Boot mit dem Segel, „auf dem nichts Ge-
drucktes steht" (an Méry, 24. 8. 94; *Propos* 154). Es war die
„fluide yole à jamais littéraire", von welcher Valéry in seinem
Sonett *Valvins*[4] sagte, ihr Segel werfe, in der betäubenden Mit-
tagsglut der sonnenglitzernden grünen Flußlandschaft, stets
einen Schein auf „irgendein loses Blatt eines Buches", desjenigen
nämlich, welches der Dichter niemals vollendete. Vom Erlös des

Après-midi hatte er sie sich aus festem norweger Holz in Rouen bauen und die Seine heraufschaffen lassen. Auf der ersten Probefahrt mit George Moore wäre er fast gekentert, denn seine naive Voraussetzung, jeder Engländer verstehe sich aufs Segeln, erwies sich als unrichtig. „Des Morgens beschreibe ich einige Blätter, und nachmittags gleite ich im Ruderboot dahin oder spanne mein Segel, wenn das Wetter schlecht ist."[1]

Hier also, den ganzen Vormittag über meist im Zimmer, verbrachte er fortan jahraus jahrein erquickende Ferien, und nach seiner Pensionierung blieb er nur noch winters in Paris. Mit den aufgekrempelten Ärmeln oder im weißen Matrosentrikot, in Baskenmütze oder Strohhut — oder gar, wie er sich scherzhaft photographieren ließ,[2] in Holzschuhen und die Harke geschultert — schien er um Jahre verjüngt,.. ob er nun für sein Gemüsegärtlein Wasser aus dem Ziehbrunnen schöpfte, einen Zaun oder Schemel strich oder die Wände tapezierte: in roter Leinwand das große Zimmer, das mit Bauernmöbeln, Familienbildern und der Meißner Uhr (aus *Frisson d'hiver*) eingerichtet wurde — und, ein Meter auf zwei, mit chinesischen Matten sein enges Arbeitsgelaß;[3] dort ordnete er allabendlich an einem Rokokosekretär die täglichen Notizen in ein Lackkästchen, dort schrieb er auch sein Testament. Als der Radiologe Dr. Bonniot 1902 Mallarmés Tochter heiratete — er hatte seit der ersten Begegnung 1893 um sie geworben —, übernahm er[4] das berühmte Häuschen, das heute ein Bronzemedaillon von Lamourdedieu, Mallarmé im Profil darstellend, schmückt. Bevor im September 1944 fünf amerikanische Granaten einiges zerzausten, stand im angebauten Schuppen neben der *Jolle* Genevièves leichter Spazierwagen, für den, wenn das Geld reichte, ein Pony gemietet wurde. Einmal war es ein kleines Zirkuspferd gewesen, welchem der Dichter an allen Straßenkreuzungen die gewohnten Runden freigab und welches er als *Zirkusdirektor* im Freundeskreis versteckte Uhren und Taschentücher auffinden oder auch scherzhaft den größten Schwindler oder Trunkenbold bezeichnen ließ. Auch ein Käuzchen, *Mondschein* mit Namen, gehörte zum Haushalt,.. es sind winzige Dinge, und doch sprechen sie von der Andacht vor dem scheinbar Unbedeutenden, von den Maßstäben eines schlichten

Lebens, vom wohligen Zauber lauer reiner Sommerabende. Viele Freunde zog dies nach Valvins, früh schon die beiden Schwestern Nelly Marras und Madeleine Roujon mit ihren Ehemännern, Camille de Sainte-Croix und Gabriel Séailles, den sein bitteres Buch über Renan berühmt machte; auch den Dragonerleutnant Victor Margueritte und den schüchternen Malerdichter Germain Nouveau (1852–1920). Dieser bizarre Freund von Verlaine und Rimbaud, auf den Mallarmé viel hielt und der später in religiösem Wahnsinn endete, dichtete damals im Volksliedton das *Guignon*-Thema nach (Les malchanceux).

Eng war dort von Anfang an der Verkehr mit den Nachbarn, mit Familie Odilon Redon in Samois, mit Rodenbachs, für die eines Sommers Nadar ein Häuschen fand; mit Paul Margueritte (1860–1918). In Schloß Fontainebleau war bis 1892 Jean Marras Kunstkonservator; in Montigny wohnte Merrill; im Haut-de-Changis (später im Val-Changis) Dujardin. An Dujardins Tafel traf Mallarmé dessen gleichaltrigen Landsmann Aristide Marie, sowie A. Vallette vom *Scapin* und dessen Verlaine-begeisterte spätere Frau, die Schriftstellerin Marguerite Eymery, genannt *Rachilde*, deren überreizte, krasse Romanthemen berechtigten Anstoß erregten, so daß Mallarmé ihr schrieb: „Die Sachen, die Sie schreiben, Fee Rachilde, sind wie sehr glitzernde Juwelen, die vielleicht durch Umhüllung mit Watte gewinnen würden."[1] Wenn es den Sommerfrischlern zu kalt wurde, so daß sie abreisten, blieb immer noch die Gesellschaft eines gepflegten, verträumten, asketisch bleichen Ästheten, Élémir Bourges. Mallarmé hatte diesem sanften, gelehrten Dichter der Sinnlosigkeit des Alls, der zugleich doch für „Damen, Blumen, Kürbisse" glühte,[2] ein Haus in Samoreau empfohlen. Doch Bourges, der damals mit einem Mosaik von Anekdoten aus Saint-Simon seine Romangerüste aufbaute und später an dem Riesenwerk *La Nef* sich verzehrte in der Unkraft seines allzu hohen Wollens, wählte lieber das alte klösterliche *Priorat* neben der Kirche von Samois... vor welcher mitunter Sisley, von Moret herüberkommend, seine Staffelei aufstellte. Noch näher wohnte der Stecher Alfred Prunaire, in dessen Garten Mallarmé gefeiert wurde von Dierx, von dem Tierpsychologen Toussenel, dem Nivernais-Heimatdichter Gustave Mathieu sowie

von dem Polyhistor Burty, welcher der Runde um Goncourt angehörte und diesem den Vorrang in der Begründung der Japan-
mode streitig machte. Burty, der ihm ein Bild von Guys schenkte
und dafür die Abschrift der Faun-Dichtung erhielt, führte ihn
auch einmal in das Hausmuseum des alten Malers Auguste-Fran-
çois Biard (Lyon 1798 – Plâtreries 1882) im nahen Dorf Les
Plâtreries, wo dessen um 1830 sehr geschätzte Groteskgemälde
und seine späteren Indienbilder zu sehen waren. Dabei lernte
Mallarmé einen Untermieter Biards, den Musiker Léopold Dauphin, kennen, *plutôt un sylphe qu'un kobold*. Mit ihm, der gleichfalls ein Boot besaß, verbrachte er über ein Dutzend Feriensommer unzertrennlich bei Seinefahrten und Waldspaziergängen —
es gibt dort heute eine „Mallarmé-Bank" und einen „Mallarmé-
Blick" — in langen Gesprächen über Musik und Dichtung. Um
Dauphins dichterische Schulung hat er sich unermüdlich bemüht, doch so peinlichst mied er jeden Verdacht, sich einen Schüler zu erziehen, daß die wehmütigen Herbstgedichte Dauphins, zu
welchen Mallarmé 1897 die Vorrede schrieb, eher die Nähe Verlaines verraten.[1]

Der Raum von Valvins ist Dichtererde geworden. Dort gingen
Mallarmé und Valéry in der heißen Stille des festlichen 14. Juli
1898 ein letztes Mal zusammen, Kornblumen und Mohn pflük-
kend. Und als zwei aneinandergepreßte Blätter vom Baum herab-
taumelten, sagte der Ältere leise über die Wiesen hin: Sehen Sie,
der erste Zymbelschlag des Herbstes auf der Erde.[2] Als Valéry am
Abend des 9. September telegraphisch die Mitteilung vom Tod
des Dichters erhielt, fühlte er, es sei ein Teil seines Selbst versunken, und daß es nun Dinge gebe, über die er mit niemand
mehr je zu sprechen vermöge; damals gab er für fünfzehn Jahre
jedes dichterische Tun auf. Ein paar Tage vorher hatte der Meister noch ein paar Vierzeiler liebevoller Huldigung der Gattin zu
ihrem Namensfest gespendet. Abends, nach drückendheißen Tagen, genossen die beiden die Einsamkeit, „ein Luftzug über der
Bank vor der Tür, wo wir noch spät geschwatzt haben, als zwei
Alte" (an seine Tochter, Valvins, 29. 8. 98). Nie war es ihm
„gesundheitlich so gut gegangen wie in diesem Jahr, nie war er
so glücklich gewesen; und die Ausstrahlung an Glück war jeder-

mann aufgefallen".[1] Am 8. September brachten ihn jählings
„schreckliche Nervenkrämpfe, unabhängig von seiner Halskrank-
heit",[2] an den Rand des Erstickungstodes und zur Erwartung
eines weiteren Anfalls. Noch am selben Abend schrieb er eine Anweisung bezüglich seiner Schriften nieder.[3] Nicht ein Blättchen
in den vielen Bündeln von Notizen aus vielen Jahrzehnten könne
nützen. „Ich als einziger könnte allein daraus machen, was darin
ist. Ich hätte es getan, hätten die letzten Jahre, die ausfielen, mich
nicht verraten. Verbrennt es also: es ist da keine ‚schriftstellerische' Erbschaft, meine armen Kinder. Unterbreitet es nicht einmal der Begutachtung von irgendwem: oder verweigert jede neu-
gierige oder freundschaftliche Einmischung. Saget, daß man hier
nichts unterscheiden würde, es ist im übrigen wahr, und ihr,
meine Armen auf euren Knien, ihr einzigen Wesen auf der Welt,
die ihr bis zu diesem Ausmaß eine ganze aufrichtige Künstler-
lebenszeit zu achten fähig seid, glaubet, daß es hätte sehr schön
sein sollen." Am nächsten Morgen, einem Freitag, hoffte er doch,
die fünftägige Bettruhe beenden zu können. Als um 11 Uhr der
Arzt eintrat und der Patient von dem Vorgefallenen berichten
wollte, kehrte der Anfall jählings wieder. Der Erstickende richtete sich im Bett auf und glitt an dem Arzt nieder. Sein letzter
Blick heftete sich auf die Tochter. Ihre Erzählung erschütterte
den als Einzigen herbeigerufenen Valéry bis ins Innerste.. „das
arme Mädchen, das seinem Vater alles geopfert hat und mit ihm
eine so reine und so zarte, sittlich-antikische Gruppe bildete" (an
Gide, 26. 9. 98). Noch aufgeschlagen am Sterbelager, an welchem Valéry einen Kranz von Rosen niederlegte, lag Wyzewas
Übersetzung von Wagners Schrift über *Beethoven*.

Die Tochter gehorchte der Anweisung und verbrannte Tau-
sende von Blättern[4] des „erbitterten Werkmanns", der fünfundzwanzig Jahre lang „mit unnachgiebiger Energie gearbeitet"
hatte.[5] Einmal hatte er für seinen Nachbarn in Valvins, Thadée
Natanson, der mit Léon Blum, Tristan Bernard und Jarry die
Revue blanche herausgab, den mächtigen Notizenschrank geöffnet mit dem Wort: Ingens monumentum stultitiae.[6]

Er starb im selben Alter wie zwei Jahre später Nietzsche, und
im selben Jahre wie Fontane und C. F. Meyer. Im Jahr, in dem

das breite Publikum mit frenetischem Beifall den *Cyrano de Ber-
gerac* von Rostand als die Erfüllung poetischer Sehnsüchte be-
jubelte, eine letzte Orgie des von Mallarmé überwundenen dekla-
matorischen Schwalls. Da die meisten Freunde sich auf Ferien-
reisen befanden, waren es nur ihrer achtzehn, die mit den Bauern
den blumenbedeckten Sarg auf den sonnenheißen Friedhof von
Samoreau geleiteten, Dierx, Bourges, Mendès, Descaves, Clemenceau, Vuillard, Dujardin, Duret, Bonniot, Natanson, Uzanne.
Außer Valéry, der mit Heredia und Régnier erschien, waren
sie in ihrer Sommerfrischlerkleidung gekommen. Dort, wohin
ihm später Frau und Tochter nachfolgten, wurde der Tote neben
seinen Sohn gebettet. Henri Roujon sprach in tiefer Bewegung
und versicherte, für die Hinterbliebenen werde gesorgt sein. Er
trat unter Tränen zurück. Valéry, durch Quillard gedrängt,
sagte im Namen der Jüngeren einige stammelnde Worte. Die
Freunde alle weinten. „Wieviel Zeit wohl wird die Natur brauchen, ein solches Gehirn wieder zu schaffen?"[1] fragte einer
leise auf dem Heimweg. Es war Rodin, der Bildhauer. „Toutes
les lampes s'éteignent", den Vers des im Dezember des gleichen
Jahres verstorbenen Rodenbach, griff Lucien Descaves auf und
fügte mit einem Gedenken an Mallarmé hinzu: „Welche Nacht
um uns!"[2] Und Valéry, in der Nacht nach der Beerdigung: „Seit
drei Nächten schlafe ich nicht mehr, weine ich wie ein Kind und
ringe nach Atem. So habe ich denn den Menschen verloren, den
ich am meisten auf der Welt liebte, und jedenfalls für meine Gefühle und für meine Denkart wird nichts ihn ersetzen. Ich hatte
mich bei ihm an eine völlig sohnesgleiche Vertrautheit gewöhnt
nach seinen eigenen Winken. Er verstand ja jede Art des Denkens,
und meine seltsamsten Sonderlichkeiten fanden in ihm einen Vorgang und wenn nötig eine Stütze — ganz abgesehen von den An-
sichten. All dieses ist nicht wieder herzustellen" (an Gide).

Selten ist eines Dichtertodes so oft in dichterischem Nachruf
gedacht worden. Viélé-Griffin schuf sein schönstes Gedicht, die
Elegie *La Partenza;*[3] Emmanuel Signoret (1899), Henry Charpentier (1910), Fontainas, Christopher Brennan, Albert Saint-
Paul und andere ihre *Tombeau*-Sonette.[4] Wie Valéry und Mauclair hat der alte Léon Dierx, welcher beim *Dritten Dichter-*

treffen, vielleicht im Gedanken an seine gütige, tugendhafte Besitzlosigkeit, zu Mallarmés Nachfolger als *prince des poètes* erwählt worden war,[1] in wehmütigen Versen den Namen Valvins
besungen, der fortan allezeit von Poesie erfüllt bleiben werde.[2]
Geheimer Sinn und Stolz werde um das erkorene Haus in den
leichten Lüften säuseln, da der „sanfte Held" schlummere bei
Fluß und Ufer, Waldwinkeln, Tälern, Weilern ..

> *Que tout cela murmure, et miroite, et sourie,*
> *Chaque été, noblement, tendrement au soleil,*
> *Autour de son tombeau pour charmer son sommeil.*

Lob der Frau

Mallarmés dichterisches Wollen, „le rêve", wird nach Meinung einiger Schüler den Frauen verschlossen bleiben. Mauclairs
Mallarmé-Roman möchte gerade zeigen, wie die Frauen nach der
„kleinen lebendigen Sonne" drängen, nach dem physisch Stär-
keren, nach rauschender Bestätigung des Großen und Ersehnten
durch die breite Masse, und wie sie in der einsamen Liebe zum
Dämmerungstraum, in der „Totensonne" der Lampe, im höheren
RUHM entfliehen oder verkümmern müssen. – Und doch war dieser Sonderling weiblichem Schönheitsempfinden verwandt durch
eine innere Passivität, die nicht aus dumpfem Brüten, sondern
aus dem Lauschen auf ein geheimnisvolles Weben stammte. Schon
in seinem Knabengedicht *Des lys!* wußte er die halb erotisch ver-
zaubernde Wirkung seines Schwesterchens auf einen Jüngling
und auf einen alten Priester herauszuarbeiten. Oder später, wie
bezeichnend der über einige Mädchen ausgesagte Vers: *Pour sourire, danser ou plaire* (Albums. IX)! Das Nichts-als-Schönsein
wird der Tätigkeit ebenbürtig empfunden. Nicht daß er die
Frauen von seinen Dienstagabenden hätte ausgeschlossen wissen
wollen. Bisweilen erschien Augusta Holmès, später Georgette
Leblanc oder Camille Claudel; auch Berthe Morisot mit Tochter lud er 1894 ein. Aber hier bestimmten freilich die Dichter-
freunde den Ton, und einmal drohte er scherzhaft: „Wenn Frau
Ponsot mich *cher maître* anredet, lade ich sie zu den Dienstagen
ein" (23. 7. 91 an Geneviève). Dafür waren die Frauen an an-

18 Wais 2. A.

dern Tagen an seiner Seite. Zuletzt noch, als man seinen Sarg hinaus-
trug, Méry Laurent und die Schauspielerinnen Marguerite Moréno,
die sich von dem Toten die Herodiade-Rolle erhofft hatte, und
Marthe Mellot,[1] Julie Manet, Nelly Marras und die Pragerin Anna
Brauner, die nicht ohne Auflehnungen mit ihrem schriftstellerisch erfolglosen Gatten Elémir Bourges Armut und Zurückgezogenheit teilte. Und von Renoir geleitet Paule Gobillard mit ihrer
Schwester Jeanne, die an diesem Tag zum erstenmal ihren späteren Gatten (seit Mai 1900) Paul Valéry erblickte.

Für die Frau schuf er jene Zeitschrift, die nicht eine Mode-
zeitung, sondern mondänes Unterhaltungsblatt und Zeitdokument
sein wollte, *La Dernière Mode* (6. 9. bis 20. 12. 74). Hier war
eine Brücke gegeben zwischen gerade den Pariser Lesern und
gerade diesem Dichter. In diesen Blättern, die ihn auch später
noch „lange träumen lassen" (an Verlaine), wollte der Heimgekehrte als dankbaren Willkomm an seine Vaterstadt ein paar
Wochen Pariser Duftes festhalten („chimère!"); den Kitzel des
Modernseins und -werdens in seiner Beziehung zu Jahresfesten,
zum Alter und zu den Launen der Damen .. und zugleich in seinen zusammenhangvoll sinnhaften Entwicklungsgesetzen („nichts
Jähes und Unvermitteltes im Geschmack"). So zieht er der Herrscherin Mode nach, „die Jedermann ist", zu den Pferderennen im
Bois, an die Bühnenrampe, in die Schneiderateliers und zum
Museum des Ladenfensterbazars, zu den Maskenredouten der Mode-
königin Frau Ratazzi oder zu einer High-Life-Hochzeit. Wie ver-
anstaltet die Dame der Gesellschaft eine Lerchenjagd? Wird nicht
die schöne alte Allerseelen-Prozession durch die Eisenbahn verstört werden? Mallarmé macht alles, sei es selbst die Anzeige
einer Zigarrenfirma oder ein Fahrplan der Eisenbahn, dem kunst-
gewerblichen Reiz der Zeitschrift dienstbar.

Unnachahmlich die distanzierte Vertraulichkeit, mit der er den
„werten Abonnentinnen" aus bretonischem oder spanischem Adel
seine Ratschläge gibt, im fiktiven „Briefkasten" der Redaktion.
Etwa bei einem Siruprezept gegen Erkältungen: „Möchten Sie,
Gnädige, deren Husten leicht oder sehr stark ist, durch ihn das
Fest übermorgen nicht gestört oder zu Hause Ihren Familien-
kreis nicht beunruhigt wissen, dann nehmen Sie.." Neben ver-

schwiegenem Geflüster auch der Humor (zwei Töchter kleidet eine Dame gleich; hat sie drei, tue sie es nicht: es gliche einem Pensionat) und die reizende professorale Väterlichkeit. „Ja, mein Kind", schreibt er einer erdichteten Lydia in Brüssel, „so werden Sie für Ihren ersten Ball reizend sein. Weiß wird Sie nicht blaß machen, und der hauchähnliche Tüll – übrigens, suchen Sie Auskunft bei den Festkleidern unseres letzten *Modekuriers!* – wird in einer wogenden Wolke Ihre duftige Figur einhüllen. Kein Beben also, die Wahl war vortrefflich; den Gewinn von diesem Briefwechsel hatten nur Wir, da wir Ihre Photographie behalten. – Ach, ein Wort noch: statt Maiblümchen sehe ich eher Clematis."

So entstanden jene „wirklich entzückenden Prosagedichte",[1] Variationen über ein Thema, das im Pariser Schrifttum nicht selten ist, von Gautiers Aufsatz *De la mode* (1858) und Banvilles Dichtung *Le Palais de la mode* bis zu Claudels *Essai sur la mode*. Die „tiefen oder flüchtigen" Anmutsreste noch im Treibhaus der Großstadt aufzufangen, zwischen der Ärmlichkeit eines Schullehrerdaseins und dem ehernen Aufstieg des Maschinenzeitalters. Die Gefahr, das himmelstrebende Dichterideal seines *Azur* zu verraten, hätte der Dichter nicht gelten lassen. In einem Verslein sagt er, er habe das türkisblaue Festgewand, in welchem er jetzt mit einer weißen Pariser Japanerin tändle, „aus dem Himmel geschneidert, von dem ich träumen lasse".

Aus der Voraussetzung, ein „Kleid wolle etwas sagen", erhält alles ein eigenes Leben, „die Wolke des Spitzentaschentuchs", die Spitzen gleich eisblumiger Traumflora, der Hutschleier wie eine gefährliche Spinnwebfalle, der Bernsteinschmuck, die aus der Mode kommende *Tournure*, die Garnitur der Straußen- und Hahnen-, Pfauen- und Fasanenfedern und die abgestimmten Balltapeten, an welche sich die Dame lehnen kann. Auf Schuhe und Handschuhe schaut er zuerst. Denn „kleiner Fuß und feine Hand, hätte auch die Hand früher Trauben gepflückt und der Fuß sie bei der Weinlese zerstampft, sind die sicheren Anzeichen von Rasse". Sodann das Parfüm, auch in übertragenem Sinn; „an dem von ihr angeordneten oder gebilligten Kostüm gibt es, falls der Einklang erlesen ist, den Duft von Feinheit, welchen eine

Frau daraus entfaltet". Er selber will nicht Modeneuheiten anzeigen, sondern meditieren über irgendein „traumblaues Kleid",
bei dem er „nichts als den Wunsch besitzt, einen langen Rock mit
Seidenrips-Schleppe sich vorzustellen, im idealsten Blau, jenem
so bleichen, opalen widerscheinenden Blau, das manchmal die
Silberwolken umkränzt". Die Makart-Kleider von 1874 mit Wes-
pentaille, Cul de Paris und dem geschürzten *Tablier*, mit einem
Knorpelschmuck von Bändern, plissierten Volants, Schleiern,
Gold- und Silberstickereien, Rüschen, Borten, Fransen, orientalischen Schärpen voll künstlicher Sträußchen, überladen fast wie
ein verwickelt geblümtes Symbolistensonett — in all ihrem Funkeln, Schillern, Glitzern, Rascheln, Rauschen ertastete er sie zart
und zärtlich, mit den Maleraugen eines Manet oder des *Ballsouper*-
Meisters Menzel, mit so viel bewußter Verklärung und Durch-
leuchtung der unbewußt damenhaften Nachlässigkeit, daß mancher Leserin so viel Wissen fast beklemmend gewesen sein mag.
Der Dichter erfand ihr ein Jagdkostüm, oder ein Abendkleid aus
dem geliebten Kaschmir („ich sah es rosa, wie Sie es blau sehen
können"), sprach ihr von der zärtlichen Poesie der Täuflings-
und Kinderkleider. Oder was wäre das innere Gesetz der Ballklei-
der, die ja nicht als Hochzeitskleider („schwerer Fehler") oder
Diner-Toiletten wirken dürfen, wenn nicht, „für diese höhere
Form des Schreitens, Tanzen genannt, leicht, duftig, luftig die
Göttin zu machen, die in ihrer Wolke erschien". Und zwar „wenn
uns die klassischen Ballgewebe wie durch aufgestiegenen, mit
jeglichem Weiß durchsetzten Nebel einzuhüllen lieben, so model-
liert im Gegenteil das Kleid an sich, Leibchen und Rock, die Gestalt mehr denn je: entzückender und weislicher Widerstreit des
Gestaltlosen mit dem, was hervortreten soll". Übersteigernd sagte
Rodin später einmal: heutzutage finden wir die Kunst nur noch
in den Toiletten der Frauen![1]

Um „irgendein Fremd- und Neuartiges" zu bringen, gibt er
der Leserin ein kreolisches Kochrezept oder das schwindelerregende selbsterfundene Gericht *Gombofévis*. Oder läßt er, in
zwei Artikeln über eine ungewohnte Innendekoration, den un-
künstlerischen Plafond der Mietwohnung verkleiden durch blaß-
zinnoberfarbene Holzvertäfelung mit schwarzem Lackbeschlag

(„schlicht; verschlossene und einsame Schönheit: ein wenig wie die Luxuskabine eines Schiffes"), oder ersetzt er die Seiden- oder Reispapiertapeten eines Eßzimmers durch Aquarien. „Welcher moderne Fürst des Geschmacks wird diesen köstlichen und einfachen Zierschmuck ausführen?" Huysmans' *Des Esseintes* borgte sich diese Ideen. — Am schönsten das Feuilleton über *Einen Korb Gartenblumen im August*. Meisterlich, wie er einzelne Blumensorten abstimmt auf die hochsommerliche Mittags- und Nachmittagsglut: in Blumen von staubiger sonnengebleichter Glanzlosigkeit einige feuerrote Leuchtblumen gemischt mit anderen, schon herbstlich rebenrötlichen.. Nicht auf das Modernsein kommt es an, aber auf den Stil. Er selber begreift sich als „überholten Chronisten", etwa wenn er beim Einkauf der Weihnachtsgeschenke in den öden Nebelstraßen, wo jetzt die Farbflecken der Orangen leuchten, vergebens nach den alten Spielwarenhändlern Umschau hält. Die Warenhäuser, vor welche die abgefeimten modernen Kinder ihre Eltern ziehen, erschrecken ihn; aufgedonnerte Ladendamen „lorgnieren dort mit sichtlicher Verachtung" den Unbedachten, welcher den Preis von „Puppen" zu erfragen wagt, derweil neben ihm Herrn in geknickten Stehkragen einen regelrechten Dampfschiffmotor oder eine Telegraphen-Garnitur für ihre Kinder ausprobieren. Immerhin, wenn auch jene gediegenen, unvergänglich naiven Spielzeuge fehlen, die man zerbrach, um ihren Inhalt zu erforschen, Kasperl- und Arche-Noä-Figuren, so bleiben doch immerdar Freude und Lachen der Kinder die nämlichen; bei den modernen Kindernachmittagen ebenso wie unter dem (mit dem altburgunder Weihnachtsbrauch verquickten) elsässer Lichterbaum.

Vom Festlichen ihres eigenen Daseins will er den Leserinnen sprechen. Was vermögen ihnen Kunstausstellungen und -auktionen an Freude zu bieten? Was bringen die beliebtesten Bühnen der Woche an Kurzweiligem, Lustigem, Rührsamem? Wo ist die Szene, wo der Zuschauerraum anziehender? Und das Verständnis für Bücher, das bei den Lesern ausstirbt, findet er in dem zerstreuten Lächeln, mit welchem die Leserin für Empfohlenes dankt. „Nur eine Dame in ihrem Fernsein von der Politik und den grämlichen Sorgen besitzt die erforderliche Muße, daraus

nach Endigung des Ankleidens ein Bedürfnis zu lösen, sich auch
die Seele zu schmücken. Möge der eine Band acht Tage lang halb-
geöffnet bleiben wie ein Riechfläschchen auf drachengeschmück-
ten Kissen,.. und ein anderer von dieser Erprobungsstätte auf die
Lackbords eines festen Schranks weiterwandern, nicht fern von
den bis zum nächsten Fest geschlossenen Schreinen: in dieser ganz
einfachen Weise urteilen wir. Manchmal ersetzt ein Lächeln,
schweigend, mit dem ein Freund die Überreichung eines Buches
begleitet, alle Erklärungen seinerseits; und die großen unvergeßlichen Freundschaften des Lebens entstehen gewöhnlich daraus.
Ohne gekannt zu sein, will ich der Freund sein, der Bücher aus-
leiht." Wer begriffe besser als die Frau, daß die Dichtung unserer Zeit sich an stille, enthobene Stunden richtet..

Doch die Kunst ist ja nur Rahmen für den Spiegel, in welchem
die Dame ihren Anspruch überprüft, als Ballkönigin zu wirken.
In ihrem gesellschaftlichen Auftreten, in ihrer Art, den Kopf
oder das Kleid zu tragen, enthüllt sich erst der höchste Reiz. Aus
der Poesie vergessener Tänzer- und Menukarten und Konzertpro-
gramms, aus der Anmut der Frauenlippen.. „Ein Lächeln! Doch
schon, kaum entstanden, durchkreist es die Säle mit den schweren Portieren, erharrt, verwünscht, gesegnet, bedankt, verargt,
die Seelen hinreißend, krampfend oder sänftigend; und vergebens sucht der Fächer, der es anfangs zu verbergen glaubte, jetzt
es bestürzt zurückzuhaschen oder seinen Flug zu zerfächeln." Wie
eine Göttin erschien ihm die Frau; in seinen Versen besang er
Marie als Sainte-Marie, Paule als Sainte-Paule, Marguerite als
reine-Marguerite. Unverrückbar glaubte er an den sieghaften Adel
weiblicher Anmut. Und, anknüpfend an Banvilles Sonette *Les
Princesses*, eine Galerie der hochfahrendsten, anspruchsvollsten
und hingebendsten Fürstinnen aus Sage und Geschichte, konnte
er den stolzen und hochgemuten Satz niederschreiben: „Denn es
gibt kein kleines Mädel auf den Bänken des Pensionats, das nicht
einen Tropfen jenes ewigen und königlichen Blutes in sich trüge,
welches die großen Fürstinnen von einst erschuf" (Dernière Mode,
15. 11. 74).

In den Hunderten von kleinen Strophen, in welchen er Frauen
und Mädchen „Blumen warf" (wie die Spanier sagen), verbirgt

sich darum hinter der Galanterie nicht Gefühlsleere, sondern eine echte achtsame Ehrfurcht — obwohl und weil ihm sogar unmerkliche Gebärden von Frauen nicht entgingen.[1] Eigentlich ist Galanterie nicht das rechte Wort für das schalkhaft launige Schwanken zwischen minnender Huldigung und fast väterlichem Humor. Unentschlossen, wie im Rondel *Prenez dans chaque main,* wiegt er in seinen Händen die Geschenke: soll er der Dame als Junker (damoisel) eine Rosenknospe oder als Majordomus einen Apfel überreichen? Er trifft keine Entscheidung: Sprich, daß es gelten soll, wie es gemeint ist, und nimm beide! Denn — und nun erhalten die Gaben symbolisches Gewicht — die Blume ist jene, die man trunken atmet, und die Frucht jene, die nie gegessen wird: zwischen beiden weiß der Dichter, im Anblick der Schönen, nicht mehr zu unterscheiden.

Schelmisch vertrauliche Anspielungen, zuweilen auch prikkelnde Andeutungen ungreifbarer Anzüglichkeiten, ersetzen für die Leserinnen die Klarheit, welche sie an seinen Vierzeilern vielleicht vermißten. Hie und da fragte er sich selber, ob die Empfängerin wirklich gerne verträumt zuschauen werde, wie in schwindelnder Höhe sein Vers der dichterischen Idealform nachkreise. Es ist ihm genug, von einer Dame sagen zu dürfen: „Sie besitzt die niedliche Verschrobenheit, meine Verse ein wenig zu verstehen." Daß ihm aber jede Minnehuldigung neben so viel lenzlicher Frauenjugend vorkam wie ein grauer krummer Weidenstrunk neben einer Quelle, hat er in Versen für Paule, die Schwester von Jeanne Gobillard, ausgesprochen, Berthe Morisots Nichte, Manets Schülerin und Redons Verehrerin, die den Dichter in seinen letzten vier Jahren entzückte. Auch in jenem *Feuillet d'Album,* um welches Roumanilles Tochter ihn anging, die ihm zwei Jahrzehnte früher als Kind viel Freude gemacht hatte. Fräulein, beginnt das Achtsilbner-Sonett, Sie begehrten unverzüglich in spielerischer Laune ein wenig von meinen Flötenklängen zu hören. Mir aber deucht, in meinem künstlerischen Experimentieren vor einer Landschaft ist (A: war) erst etwas Gutes, als ich es unterbrach, um Ihnen ins Antlitz zu schauen. Ach, auch bei höchster Anstrengung meines nichtigen Blasens und „meiner paar gichtstarren Finger" versagt meine Flöte, will sie das kunstlose helle Lachen wiedergeben, mit dem Sie als Kind naturhaft die Lüfte entzücken. Ähnlich klingt eine Fächerquartine: Verzeih diesem törichten Gedicht und seinem stirnrunzligen Literatentum, wenn es deine Stirn liebkoste, die rein von Korrektur ist.

Immer wieder erquickten sich seine „müden Augen eines alten Nachtwächters" an den Freundinnen seiner Tochter (so der kleinen Marguerite Ponsot von Honfleur, die oft in Paris zu Gast war) und den Töchtern und Frauen von Freunden, etwa an dem malenden und singenden Töchtertrio seines Freundes Dauphin in Béziers, denen die Mama die Anmut bei Tisch austeile wie eine Speise und in deren Lachen aller Wohlklang der Flötenverse des Vaters widertöne: Julie, weiß und rein wie Eis und Schnee, und mit dem diamanten glitzernden Blondhaarknoten Jeannie, die Klavierspielerin, neben deren stillem Lachen er sich dumm vorkomme und die gewiß als erste von den dreien Ja sagen werde, wenn Amor kommt. Da ist auch die gütige Fee Fräulein Marie Seignobos, und Frau Dinah Seignobos, deren beflügelte Schriftzüge man nicht mit einem Briefbeschwerer ersticken kann und deren mitleidvolle Fächerschwingung all unsere kleinen Wehchen scheucht. Und dort beugt er sich lachend über das Baby einer Freundin – eine Spitze öffnet sich, und hervor lugt ein leuchtendes Näslein – und er gibt dem Täufling den Sonettwunsch mit: „Wenn du, feines Töchterlein, einmal den Ehrgeiz haben möchtest, ein Abbild deiner blonden Mutter zu werden, dann bewahre aus dem Taufwasser auf deiner Zunge das Salzgran der Aufgewecktheit, auf daß es dereinst sich wunderbar verflüchtige in Worten urtümlich und klar gleich einer Seebrise."

Bei Frau Tola Dorian (der russischen Fürstin und Anarchistin Mestschersky, die Shelleys *Cenci* und Swinburne ins Französische übersetzte) entzückt ihn das Haar, bei Frau Marthe Duvivier das Weiß der Feder auf dem kastanienbraunen Hut, bei Fräulein Dieterle und Frau Greiner die schöne Stimme, und so bekommen noch hundert andere, jede in einem eigenen Vers,[1] kleine, geflüsterte *piropos*, wozu er oft, als „humble stratagème", die Neujahrsgeschenke benutzte. Dabei galt es denn natürlich, gerade älteren Adressatinnen galant zu versichern, sie hätten all ihre gestrigen Schätze bewahrt, die Zeit sei Trug oder solle den Krebs-

gang gehen; das alte Jahr könne nur beiliegende kandierte
Früchte vereisen, nicht aber Herz und alte Freundschaft; es möge
sich bloß so äußerlich wandeln wie ein rasch gewechseltes Kleid
oder eine umgedrehte Sanduhr, u. a. Seltener hat er seine Bücher
Frauen gewidmet: den *Après-midi* bekamen 1895 die Fürstin
Poniatowska, die er im Bois de Boulogne traf; mit schalkhaft
ernster Zueignung die Gräfin von Grasset, mit einer raffiniert
preziösen Fräulein Isabelle Le Monnier:[1] Mühe genug habe er, die
Leidenschaft zu ihr zu verschweigen, und was für ein Verhängnis
gäbe es erst, spräche er sie aus. Heiße Glut wie die des bösen
Faun sei freilich nicht gemeint: die wäre hier so störend wie der
Dampfpfiff der Lokomotive im Lied einer Rohrflöte. Das Ganze
komplizierte er dadurch, daß er den Gedankengang in umgekehrter Reihenfolge sowie durch den Faun als Sprecher vortrug.
Einfacher wirkt daneben die Widmung des *Faun* für Frau Alfred
Madier-Montjau, deren Schreiten im Neujahrsschnee das Paradies
aufblühen lasse.[2]

> *A qui près de soi peut entendre*
> *Sonner les clairons de l'honneur,*
> *N'offrir qu'un chant de flûte tendre*
> *Me semble d'un pauvre donneur.*

Ein andermal redet er den Fächer derselben Dame an: welche
Wonne ist es, wenn ich beim Tanze deine Herrin lasse oder fest-
halte, Mme Madier, in welche du verzückt bist. Der Fächer,
dieses heute wohl nur noch in Spanien gehandhabte Werkzeug,
und der Ehrgeiz aller Tänzerinnen, den ihren mit Versen
geschmückt zu wissen, hatten Mallarmé, wie auch Cros, zu
vielen solcher Quartinen veranlaßt. Ein kleines Fächerstäbchen,
das doch groß genug ist, um Sorgen- und Tabakwolken zu
scheuchen, gibt ihm, ob er gleich darüber nur lächeln könne,
einen Vers ein, den Rodenbach noch nicht geschrieben habe: so
scherzt er mit dessen Gattin. Hinter einem japanischen Fächer
mit einem türkisblau-goldenen Mondaufgang ahnt er ein verträumtes, schelmisches Lächeln; oder er gedenkt der Seele Made-
leines, die so schlicht, sanft, wiesenzart ist wie das bißchen Wolle,
das von einer vorüberziehenden Lämmerherde an den Büschen
hängenblieb; oder des kleinen Fräulein Hérold, deren Träumerei

durch ein weißes Mondwölkchen, und auf dessen eigenes Ersuchen, zu *cold cream* weitergeleitet wird. Wenn aber Frau Dauphin ihren Fächer schließt, so ist es, als ergriffe sie im Geist mit
festen Händen im zarten Himmelsraum den Flügel der Zeit — und
die Zeit stünde still.

Aus diesem naheliegenden Vergleich des Fächers „présentant
avant tout une valeur idéale" (D. Mode) mit einem gefalteten
Flügel sind zwei von dieses „Frauenlobs" schönsten *Éventails*
entstanden, das auftaktlose (siebensilbige) Sonett für seine Gattin und die Achtsilbnerstrophen für seine Tochter. Im ersten sind
der Fächer und der darauf angebrachte Vers miteinander in tiefere Verbindung gebracht. Ein Vers — und vielleicht im allgemeinen der moderne Versstil — hat ja selbst eine ähnliche Sprache
wie der Fächer; diese Sprache ist ein bloßer sachter Flügelschlag
am Himmel. Solcher Sprache sich bedienend, entfaltet der kommende Vers sich, als wäre es aus köstlichem Futteral heraus, .. mit
verhängtem Zügel,[1] wiederum vergleichbar eines Fächers herab-
hängender Armschleife. Alles kommt darauf an, so sagt der Dichter zu Marie, ob mein Vers sich als etwas deinem Fächer Ver-
gleichbares wird fühlen dürfen .. Deinem Fächer, dessen Aufblitzen im Spiegel hinter dir wiedergespiegelt wird — im Spiegel,
der deine Gestalt zeigt und auf welchen ein winzig-unsichtbares
Aschenstäubchen, mir zu meiner Kümmernis unser Vergänglich-
sein ankündend, sich senkt (das Ergrauen deiner Haare, das du
nicht minder scharfsichtig auszutilgen bemüht bist wie den Staub
auf dem Spiegelglas). Wäre also meinem Dichten vergönnt, wert
zu sein, dein Fächer zu heißen, so laß mich wünschen, es möge
dieser Vers-Fächer, immerdar aufleuchtend, in deinen nie rasten-
den Händen gehalten bleiben.

Mallarmés Meisterschaft, Vielfältiges gleichzeitig zu empfinden
und die Vielfalt der feinsten Gefühle in ihrer Gleichzeitigkeit
durch das Wort auszudrücken, erreicht hier einen Gipfel. Isoliert
heißen die hauptsächlichen Gefühle: Preis der Versschönheit; bescheidener Zweifel, ob sein Vers lauter genug ist für Marie; Besorgt-
heit um ihr nahendes Altern. Im vierten Stab werden die Gefühle
zusammengeführt: dem eigenen Vers wird Dauer versprochen,
wenn er in ihren Händen bleibe, womit wiederum der Wunsch

für ein langes Leben befestigt ist. Die Schlußdominante ist Huldigung vor Maries Lauterkeit und unermüdender Sorgfalt.

Schön ist hier gesagt, was für sein literarisches Ideal die stille Anmut seiner Gattin bedeutete, in Form eines kleinen Zunickens, weil mehr nicht gesagt zu werden brauchte. Einer Blume verglich er die *petite mère*, die *parfaite bonne femme* gerne; etwa anknüpfend an die gemalte Blume auf dem Grund eines alten Rouen-Porzellantellers, überreichte er ihn mit den Versen: ob sie nun Marzipan oder Geflügel daraus esse, stets werde sie zuletzt ihr eigenes Spiegelbild erschauen. Über diesen Dichter hätte man wahrlich nicht die Behauptung aufstellen sollen, er sei nur einer narzissischen, sinnlich-ästhetischen Liebe fähig gewesen.[1] Gern gab er sich dem Ernst von Marie gegenüber als der Leichtfuß. „Gestern hab' ich ihr sogar ein Fischlein an die Angelschnur angehängt, während sie vorn im Boot fischte, und sie ist sehr zufrieden gewesen."[2] Seine Huldigungen für andere Frauen waren Marie gegenüber eine Art von Schabernack. Als er der Operettensängerin Dieterle einen Vers in ihr Album geschrieben hatte, neckte er etwa seine Tochter, die all diese Verse sammelte: „Nun sage, was für ein Scharwenzler, dein Papa; das ist meine letzte Parisiennerie. Ich seh' von hier aus die strenge Miene, die Mütterchen aufsetzt, küsse sie" (Valvins, 28. 4. 98). Méry Laurent zumal mochte mißbilligende Blicke der Tochter des Dichters auffangen. Mit reichlich spitzer Feder vermeldete diese dem Vater nach Oxford, wie Méry sich bei der turbulenten Uraufführung des *Axel* auffallend benommen, an den „philosophisch schwärzesten" Stellen applaudiert habe und „ihre Zeit damit verbrachte, deine Dienerinnen und Eva zu lorgnieren". In ihrem Testament verschrieb Méry dem strengen Mädchen später 20 000 Francs und Silberzeug „zur Erinnerung an die Zuneigung, die ihr Vater ihr entgegengebracht hatte".

Die kleine Familie[1] fühlte, daß sie zusammengehörte. „Wir liebten ihn so, Mama und ich, daß unsere Herzen jedesmal, wenn er heimkam, festlich pochten, das ist kein leeres Wort, wenn wir seine Schritte hörten." Beide waren stolz auf ihn, geradezu schwärmerisch die lebhafte, lebensfrohe, sehr aufgeweckte Geneviève, zu deren Belustigung Mallarmé sogar bei seiner englischen

Vortragsreise nicht eine Menükarte zu „stehlen" vergaß. Die rechte
Tochter eines Dichters, sanft, wie Whistler sie gemalt hat: grau
und rosa und in einem Lehnstuhl. Immer hatte der Vater kleine
Überraschungen für sie. Schrieb er für Bekannte gern scherzhafte Verse mit roter und goldener Tinte auf Ostereier[1] oder Meer-
kiesel, so ersann er der Tochter den kunstreichsten Vierzeiler,
dessen Verse in beliebiger Reihenfolge gelesen werden konnten.
Auf einen Flügel ihres Fächers, „auf daß sein Flug wiederkehre
zu deiner kleinen Hand, die nichts von sich weiß", hatte er ihr
schon in früher Mädchenzeit eine Quartine geschrieben. Daraus
dürften die fünf Stäbe des späteren *Eventail* entstanden sein, der
zu Mallarmés köstlichster Lyrik gehört. Wer möchte sich ge-
trauen, in Worten die Schönheit zu vermitteln, mit der das Ver-
träumtsein eines Mädchens sich in ein verborgenes Lächeln verklärt! O Verträumte, so wendet der weiße Fächer selber mit zärtlicher Einladung sich an das Mädchen Genoveva: damit er sich
in reiner, wegloser Wonne verlieren könne, möge ihre Hand sich
an seinem Flügel festhalten (anstatt umgekehrt. „Subtile mensonge!").[2] Und nun entschwebt er mit ihr auf eine kosmische
Märchenreise, an welcher H. C. Andersen Gefallen gehabt hätte.
Bei jedem Flügelschlag fächelt sie der frische Hauch des däm-
mernden Mädchenzwielichts, weicht die Erde lind zurück. Ein
schwindelndes Accelerando (A: Vaste jeu!) hebt sie in die reine
Weite, und die bebt wie ein niemandem bestimmter, närrisch
stolzer Kuß, der brünstig sich verschenken möchte und der doch
nie wie ein gewöhnlicher Kuß gestillt werden kann durch Ver-
strömen noch durch Verzicht. Und er fragt die Kindhaft-Mäd-
chenhafte: fühlst du die kühne Unschuldswelt verhüllten Lachens, welche von deinem Mundwinkel tief in des Fächers gefaltete Harmonie hinüberfließt? Das Gedicht schließt mit einem
verschwebenden Abendklang, mit dem Schließen des Fächers und
mit der Gebärde, die ihn am Feuer einer Armspange zur Ruhe
legt. Hinter dem Sinnbildlichen gewahrt man verschwiegen die
Liebe eines alternden Vaters zu der einzigen Tochter: ihr szep-
tergleicher[3] weißer Fächer ist der königlichste der rosig leuchtenden Küstenstreifen, die am goldenen Abendhimmel des müden
Dichters noch verweilen.

Méry

Nach seiner Zurückweisung durch die Jury veranstaltete Edouard Manet im Jahr 1876 eine öffentliche Ausstellung seiner Gemälde im eigenen Atelier. Er liebte es, vom Nebenzimmer aus die Urteile der Besucher zu belauschen. Als er sein Lieblingsbild, das jedermann verlachte, von einer Damenstimme gepriesen hörte, geriet er in ein wochenlang andauerndes Entzücken, endlich die verstehende Seele gefunden zu haben. Es war „eine der letzten großen Hetären des zweiten Kaiserreichs", nach Graf Montesquious Worten, Anne-Rose Suzanne Laurent geb. Louviot (1849 bis 1900), Tochter kleiner Leute aus Nancy, damals siebenundzwanzig Jahre alt.[1] Sie war eine Entdeckung des Dr. Thomas William Evans (Philadelphia 1823–97), der seit 1848 in Paris lebte, des berühmten Zahnchirurgen des Kaiserhofs, desselben, welcher den Kaiser mit der schwedischen Prinzessin Victoria hatte verheiraten wollen und der in seinen Memoiren schildert, wie er 1870 der Kaiserin zur Flucht nach England verhalf. Er holte die muntere Statistin des Châtelet-Theaters von ihrem schauspielerischen Debut im *Roi Carotte* (Gaîté) weg, setzte ihr eine Rente von 2000 fr. aus und richtete ihr in der rue de Rome, in der Nähe seiner Praxis, eine Wohnung ein. Doch bald war zwischen der Möbel- und Nippesüberladung und den schweren Teppichen ihres Salons Manets Ölskizze zur „Erschießung Maximilians" aufgetaucht. Als Evans, den sie eines Abends wegen Migräne wegsandte, kurz darauf durch Zufall wiederkehrte, traf er sie eben in Manets Begleitung ausgehend. Der Amerikaner war diskret genug, nur zum Mittagessen bei ihr zu erscheinen. Und sie verzichtete darauf, ihn zu verlassen.

Manet, dessen Skizzen sie andern Verehrern verschenkte und wieder wegnahm und auf dessen Grab sie später alljährlich den ersten Flieder legte, blieb nicht der einzige in ihrem Salon und ihrer Gunst. Er brachte seinen Ateliernachbarn mit, den jungen Maler Dupray, genannt *Vieux Bonhomme* (in Mallarmés Versen kämpferisch aufgereckt wie das Gold einer Trompete). Da waren auch Antonin Proust, Manets wenig verständnisvoller Jugend- und Duzfreund, und Adrien Marx vom *Figaro*, der vergebens Manet mit seinem Gegner Albert Wolff versöhnen wollte, und die stets verliebten Herren Champsaur und Geneste, vor allem aber Dichter: Coppée und sein Freund Henri Becque, der einen kostbaren Briefwechsel mit Méry führte; Régnier, 1888 durch Mallarmé eingeführt; Villiers, Rodenbach, Montesquiou. Auch Damen erschienen bei ihren Tees: Bühnenköniginnen wie Hortense Schneider, bekannt durch ein verzücktes Feuilleton Banvilles (1869), Dieterle und Marie Magnier, die Komponistin Holmès, einige Badebekanntschaften aus Evian oder Angehörige aus Nancy. Blenden zu können, war eine Schwäche „Mérys" neben ihrer Vorliebe für Freuden der Tafel und der Liebe und für die Pflege ihrer Gesundheit. Es gibt eine Photographie ihres Salons mit seinem geschmacklosen Stuckplafond, der Zimmerpalme, dem überladenen Kamin und dem Flügel, an dem Méry im weißen Déshabillé sitzt; daneben rittlings auf einem Sessel der Maler Henri Gervex, der Evans und Méry für den Jahressalon 1892 malte. Und zwischen ihnen, etwas vorgebeugt, Mallarmé.

„Mein großes Kind", heißt sie in seinen Briefen; sie mache ihn die Häßlichkeit der „Armut und Personenzüge" vergessen. Auch das Déshabillé scheinen seine kleinen Verse in zahlreichen dezenten Anspielungen auf ihre Nacktheit nicht übersehen zu wollen. Daß die Sonette an sie nur rhetorische Stilübungen seien — E. Noulet kam durch das Wiederaufgreifen eines *Hérodiade*-Verses zu dieser Unterschätzung —, wird widerlegt durch die vertrauliche und ergriffene Versenkung in das wundervolle Blond ihrer ausgebreiteten Haare, das er in Schloß Fontainebleau auf einem Fresco Primaticcios wiederfand, auch durch ihren untröstlichen Schmerz bei seinem Tod. Als er sie kennenlernte, entsprach sie noch den herrlichen Porträts, die Manet von ihr malte:[1] schlank, mit gesundem Teint, starkem Gesicht, kurzer Nase, genießerischen Lippen und den auffallend hochgeschwungenen Augenbrauen, die den Eindruck dauernden Staunens erweckten. Was Mallarmé an ihr liebte, war nicht zum wenigsten die kapriziöse Halbwelteleganz ihrer Garderobe, .. wie schon ihr neugekaufter rötlichbrauner Pelzmantel mit altgoldenem Futter auch Manets Malerauge zu Begeisterungsstürmen mitriß; oder ihre durchscheinenden Fingernägel, oder das mondscheinfarbene Peri-

Kleid, das sie feenhaft mit den Traumwünschen ihrer Verehrer
ausschmücke; nicht zuletzt die auserlesene Feinschmeckerkost
ihrer Küche. Er liebte ihren gesunden Witz und noch mehr ihren
praktischen, schier bürgerlichen Verstand, ihre „tout juste ba-
lance", ihre ungezwungenen Launen, ihre lustige, einfache Be-
haglichkeit *loin des profanes,* ihren „korrekten Geschmack",
der gegen seine Verse mitunter „polizeiliche Verwahrung" ein-
lege, ihre kameradschaftliche Treue, die so gar nicht dem Chan-
geant ihres Kleids entspreche; „eine der Begabtesten an Anmut
und Güte — Inbegriff der Frau —, die es gibt".[1] „Liebenswürdig
herzlich" wird sie auch von Régnier geschildert, „schlicht und
fröhlich, mitunter lächelnd bei den verzwickten Huldigungen
und zärtlichen Bosheiten, die Mallarmé an sie richtete". Dessen
feine Ironie fing sie schneller auf als ihr amerikanischer Krösus; so als dieser einmal über ein von ihm erbautes Haus sagte,
es sei ihm zu hoch geraten, nun werde er eben ein Stockwerk
wegnehmen lassen, und Mallarmé fragte: Welches?

Als der Dichter seit Manets Tod nicht mehr nach Schulschluß
dessen Atelier aufsuchen konnte, übertrug er diese Gewohnheit[2]
auf Mérys Salon; „la rue de Rome n'a pas besoin de descendre
pour qu'on se sente aller du 89 au 52".[3] Mit schalkhaften Versen
versah er die unmöglichsten Gegenstände ihrer Wohnung. Mit
den Strophen eines *Mirliton* überraschte er Evans und jeden einzelnen der Hausgäste, auch ihre Ärzte, Dr. Portalier, den berühmten Professor Albert Robin (1843–1928) und den jungen Dr.
Fournier, den Sohn eines berühmten Vaters und verträumten
Orchideenzüchter. Mit Versen illustrierte er Mérys Lieblings-
bücher, japanische Tierzeichnungen,.. unter denen er nur Mérys
Wappentier vermißte — da sie nämlich wie ein kleiner *Pfau*
schreie, hatte er ihr den Scherznamen *Paon* gegeben. Beim Bild
der *Eule* ergänzte er, in Mérys Heim habe sie keine Stätte, beim
Kranich spielt er diskret mit der Pariser Bedeutung von *grue,*
und der *Affe* läßt ihn an die ganze „Traube" von dessen Stamm-
baum denken, als deren unterster Ausläufer der Affe träumend
schaukelt. Stets neue Widmungen zieren die neun Hefte voll Gedichte, die er ihr schenkte, oder die Blumen, über die er sie un-
mittelalterlich als antike Göttin schreiten sieht, oder das Hals-

band der ihr überreichten schwarzen Keramikkatze, auf welchem diese sich als Sprößling der Katze Lilith vorstellt, um Méry an den Herrn zu erinnern, der in der Ecke sitze; oder die Feriengrüße für ihre Kuraufenthalte, nach Bad Evian (1891), Bad Plombières und an ihre Römervilla in Royat. Heiter verspottet er ihre heimliche Liebe zu Likören und Brandy, oder ihre Spaziergänge mit ihrem japanischen Hündchen im Bois de Boulogne, wo dieses „in reizender Ermanglung einer eigenen Nase Frau Laurent an der ihren herumzuführen scheint" — und mit demselben Humor berichtet er etwa von seinem eigenen Kopfrheuma. Selbst Mérys stets lächelnde biedere Kammerfrau Elisa, Manets Modell auf seinem unvollendeten letzten Gemälde, deren Verehrung, nach Mallarmés Wort, Méry mit einem Krönungsmantel umgab wie eine alte französische Königin, fand ihr unabänderliches Neujahrsgeschenk, Taschentücher, stets von einer ausgelassenen Strophe begleitet: Flattert ihr Beifall zu,.. blast einen Freudentusch, daß Lisa euch ansetzt; möge ihre Nase ein Prosit Neujahr hineintuten in diese weder für Schoßhündchen noch für Tränen bestimmten Tücher. Oder: Lisas Nase verdient dies reine weiße Tuch, denn nie nahm sie eine andere Prise als die der schlichten Freundschaft.

Am Verjüngungsfest des 1. April, dem Geburtstag Mérys, wenn trotz der Hagelschauer Apfel- und Pfirsichbäume blühen und lächeln, und sie mit, geleitet er die Geliebte mit ihrem wettergefährdeten Teint zum kleinen Sommerhäuschen *Les Talus*, das damals am Boulevard Lannes 9 stand. Die niedrigen Räume, deren geschmackvoll schlichte Möblierung Méry dem Dichter überlassen hatte, blickten auf die Pariser Festungswälle, auf denen man gegen Abend so lange spazieren ging, wie die rasch ermüdete Frau es billigte. Das Haus war von einem Gärtchen umgeben, in welchem ihr Mallarmé oft beim Abendessen tiefsinnige Kunstprobleme und kleine Vorfälle des Orts und der Stunde mit verblüffender und gewagter Feinheit kommentierte. In diesem „coin de verdure ample et solitaire" zwitscherten die Vögel, und der Efeu verbarg das Briefkästchen am Mauertor, an dem man lange zwei Vierzeiler lesen konnte, den einen von Coppée, den andern[2] von Mallarmé..

Ouverte au rire qui l'arrose
Telle sans que rien d'amer y
Séjourne, une embaumante rose
De jardin royal est Méry.

Als das Landhaus im Winter 1890 eingerissen wurde, fühlte er
die schönen Tage unruhig und treu wie Vögel um diese Stätte
flattern und ihren Flügelschlag dem Vergessen trotzen. Zu dem
stattlichen Neubau, den 1894 der Architekt Fossard aufführte
und den Mérys Schützling, der Komponist Reynaldo Hahn, erbte,
war sein poetischer Grundstein der Wunsch, daselbst die nämlichen Freunde wie im alten Bau wiederzusehen, zumal Méry
selbst.[1]

Mallarmé hat diese Rolle des innigen Kavaliers mit Entzücken
gespielt. Aber so wie die Huldigungsgedichte an Méry nicht mehr
die mystische Ausschließlichkeit seiner einstigen Liebesverse aus
Soupir, Apparition oder *Quelle soie* A besitzen, so fehlte dieser
Freundschaft doch etwas von dem innern Recht, sich einer rückhaltlosen Liebe gleichzusetzen. Für Mallarmés eigenes Bewußtsein begannen die Grenzen zu verschwimmen, und vielleicht wußte
er jetzt weniger gut als einstmals, daß „das Fleisch traurig ist,
ach". Von seinen Freunden konnten es sich einige wie George
Moore und Mauclair nicht anders denken, als daß Mallarmé der
Nachfolger von Dorchain und Coppée in Mérys unbeschränkter
Gunst geworden sei. Bei der Vertraulichkeit des Zusammenlebens
mochte sie reichlich sorglos werden. Eine Bereinigung konnte zuletzt nicht ausbleiben.

Sie hatte ihn im Sommer 1889 gedrängt, wieder nach Bad
Royat zu kommen. Eine jener Badereisen, die er selbst im Stil
der Kinderzeichnung in breiten Bilderchroniken lustig karikierte:
„8 Uhr verläßt der Pfau Les Talus" (man sieht einen Pfau, dahinter stets Elisa mit Wagenladungen von Gepäck); „9 Uhr 57,
der Pfau.. bringt sein Gepäck auf dem Bahnhof Melun an den
Schalter; 8 Uhr 57 abends, Herr Mallarmé und der Toiletten-
waggon stehen auf dem Bahnhof Melun bereit" usw.[2] So nahm
er die Einladung ein zweites Mal an, wohl ohne zu ahnen, wie
bedrängend ihm ihre tägliche Nähe werden mußte. Endlich
mochte er sich nicht mehr damit begnügen, nur ihr Haar zu küs-

sen, und er sagte es ihr. Wer weiß, ob nicht eine feinfühlige
Selbstachtung ihr nun bewußt machte, daß der Freund in einer
andern Weise zu lieben gewohnt war und daß sie sich nur mit
einem Teil von ihm zu begnügen haben würde. Oder daß er nicht
so robust war, von seiner Ehe sich ein genießerisches Leben durch
die Wand einer Unwahrhaftigkeit abzuteilen. Als sie sich entzog,
verbrachten sie die nächsten Tage, ohne ein Wort zu wechseln —
Méry gegen ihren eigenen Willen, wie ihm schien. Dann reiste er
ab. Nach Valvins kam ein Brief von ihr, in „behaglichem Ton,
herzlich“, mit einer Erkenntnis, der er nun zustimmte. „Allzu-
vieles trennt unsere Lebenswege, als daß sie einander noch näherkommen könnten, ohne daß wir einander verfehlten. Alles in
allem tatest du gut daran, zu sprechen, als eine brave Freundin,
ein Gezwungensein hätte sich andernfalls sogar für dich ergeben, die du an meiner Seite schließlich nur noch in der Verteidigung und bereit warst, jede Zärtlichkeit zu unterdrücken, welche
doch von dir aufgerufen war. Eine Qual für mich, wozu unsere
so reizende Begegnung sich hinentwickelte“. In seinen Zeilen[1]
versuchte er ähnlich leichthin wie sie darüber zu sprechen und
schrieb zugleich einen der Briefe, die am meisten sein eigentliches Siegel tragen, nämlich das Durchstoßen bis auf den Grund
des Selbst-Seins. Bis auf den Grund seiner Seele sei es ihm gegangen, als sie die Verzauberung abgebrochen habe. Im Bewußtsein ihrer Güte und dessen, daß ihre unbekannten Gründe sicher
gewichtig waren, habe er sich gefügt. Noch am Abschluß des
langen Briefes fragt er sich, ob es ihm wohl gelinge zu schreiben,
ohne daß sie „eine Bitternis entdeckte! Ich vermeide die be-
dauernde Klage, die, wenn man sie ausspricht, nach Vorwurf
aussieht. Nichts als Dankbarkeit, Méry. Danke. Du kannst an
nichts weiter zurückdenken, als daß mein Blick auf dich nicht
vernünftig war, du gabst die Veranlassung dafür: gib mir deine
Stirn, und weißt du, woher ich in diesem Augenblick, bevor ich
sie küsse, etwas wie eine Freude empfinde: darüber, daß ich mit
dir habe die Wahrheit sagen können. Guten Abend, Pfau. Dein
Stéphane“. So endet der Brief, und wahrscheinlich verband er
durch seine Bereitschaft, ohne Groll zu verzichten, von seinem
wahren Ich mehr dem ihrigen als durch alles, wodurch er sonst

sie in ihrer Ganzheit zu gewinnen hätte hoffen dürfen. Des Verderblichsten, des Gefühls des demütigenden Verschmähtseins, erwehrte er sich, an dem der unselige Stendhal, von seinem Jugendwerk *Armance* bis zum Grafen Mosca der *Chartreuse,* sich zerrieb.[1]

Wohl aber vollzog er in diesen Tagen eine der schmerzlichen Begegnungen mit seinem Schicksal. Der Brief spricht davon: „Ich begreife es, Hochgeliebte: das Aberwitzige, daß ich so bin .. Weil das Dasein — ein Bloßgelegtsein meiner Fibern durch einen übermäßigen schriftstellerischen Traum — mir keine andere Wahl gewährt als entweder diese durchdringende Empfindsamkeit oder das Verschwommene, so habe ich mich manchmal auf ein Gleichmütigsein versteift, das, du weißt es, mit dir zusammen nicht frommt." Er glaubt an künftige Gelegenheiten, ihr die gute lebenslängliche Freundschaft allzeit, es sei denn in Ärger und Krankheit, erweisen zu können, um die sie ihn bat. Gewiß, als er auf der Zunge hat zu sagen, ihr jetziges „Zufriedensein" mache ihn glücklich, unterbricht er sich: „Nein, das ist sehr schwer zu sagen — wenigstens ein stummer Glückwunsch, glaube es, geht von mir zu dir. Mehr vermag ein solcher Mann nicht, wenn er sich abstrahiert: Schmerzender noch ist es im täglichen Leben; auch müssen wir Zeiträume dazwischenlegen, Liebe. Sage, was du willst, du bist trotz allem ein-fältig und aus einem Stück (in meinen Augen bewundernswert), und dieses Du, dein Wesen, verehre ich als Ganzes. Das Herz, ich weiß nicht, was das bedeutet. Das Gehirn, ich koste damit meine Kunst aus und liebte einige Freunde. Sieh doch, es besteht fast über nichts eine Beziehung zwischen unsern Gedanken, und allein das Anziehende, das du, soweit du Frau bist, für mich hast, lebt hinreißend jenseits von all dem fort — dieses erlebte Wunder stellt ziemlich allgemein vor, was man Liebe nennt; davon abgesehen, was bleibt? Ja, eine große sichere Ergebenheit, du wirst sie erhalten." Darum schlug er das Opfer vor, einander seltener zu begegnen und „nie mehr in dem so engen Nahesein, welches — sofern es zwischen zwei am Rand ein wenig ausnahmemäßig geprägten Menschen nicht restlos ist — nicht am Ort ist. Eine starke, unabhängige Freundschaft kann das ertragen, es wird ihre Erpro-

bung sein. Zweifle nicht daran, daß ich bei jedem Ruf da sein
werde".

Die Selbstbeherrschung festigte die seltsame Freundschaft des
von Reinheit durchdrungenen Mannes und der käuflichen Frau,
ohne doch seine Ehe zu gefährden.[1] Wenige Monate später unter-
lief es ihm, aus Belgien einen für Méry bestimmten Brief an
Marie zu senden und umgekehrt, und es blieb möglich, darüber
zu schweigen. Geneviève antwortete an Stelle ihrer Mutter mit
einigen spaßigen Bosheiten; ,,ich errate, sie sind von der Dame
diktiert", schrieb der Vater zurück (16. 2. 90). Noch bevor er
sein fünfzigstes Jahr erreicht hatte, wichen ihm so die Frauen in
einen abendlichen Abstand zurück.[2] Mérys Briefe sind alle dahin. Wenn er auf der Brücke von Valvins ein solches Schreiben
nach all seinen ,,süßen Nichtigkeiten" durchforscht hatte, mochte
er es küssen ,,wie ein sehr junger Liebhaber; nur du konntest das
aus einem alten Herrn machen, der sich aufs Land zurückgezogen
hatte, um dort mit Nachdruck zu altern". Und sah dann den in
den Fluß gestreuten Papierschnitzeln nach.

Nach Valvins kam sie zum erstenmal erst vier Monate vor seinem Tod. Mit selbstironischer Breite berichtete er über die Vorbereitungen an Frau und Tochter in Paris, zumal über die Spei-
senfolge, die er für sie im Gasthaus chez Alexis an der Brücke
bestellte. Als sie die Einrichtung des Häuschens besichtigte, habe
sie ausgerufen: ,,Mallarmé ist ein Mann, dem nichts abgeht." Er
habe erwidert: ,,Sie finden es überraschend, daß ich Hosen oder
Schuhe anhabe" (17. 5. 98).

In ,,der Bewußtheit ihres Strebens, jeden Augenblick ihres Lebens auszukosten" (Moore), war ihr der alternde Dichter vielleicht verwandt. Auch eine andere Lehre verdankte er ihr .. durch
ein doch wohl wirklich erlebtes Abenteuer, mit dem sie ihn vielleicht hatte auf die Probe stellen wollen und das er in seiner reizenden Anekdote *Die Marktrede* als launiges ,,Adagio" erzählt.
Denn wer anders ist die Heldin dieser Erzählung als Méry! Das
bittersüße Sinnbild seiner demütigen Erkenntnis, auf die Mitmenschen höchste Schönheit wenigstens von ihr ausstrahlen zu
sehen (,,le désespoir en dernier lieu de mon Idée")! Méry, die er
in die Theaterloge mitnahm (Div. p. 153) und zur Einweihung

der *Revue Indépendante* in das feudale, am Opernhaus gelegene
Redaktionslokal Dujardins; oder auch in Lamartines Park in der
Avenue Henri-Martin, dessen damalige Abholzung ihm die *Götterdämmerung* im Altern Lamartines bewegt ins Gedächtnis rief.
Geschildert wird hier einer der herrisch peinlichen Einfälle der
Freundin, die ein andermal sogar Régnier und seinem Meister je
eine dicke lebende Taube als Geschenk nach Hause mitgab, so daß
die eingeschüchterten Dichter im nahen Bois de Boulogne sich
erst ihrer unbequemen Bürde entledigen mußten. In der *Déclaration foraine* nun feiert er eben den Vorzug ihrer leiblichen, und
sei es auch bekleideten Schönheit gegenüber seinem Dichten: dieser ihrer Schönheit, für die immer und jederzeit ein Weg zum
Publikum offensteht, auch wenn dort selbst ihr etliches Mißverstehen nicht erspart bleibt.[1] Es sei versucht, die hintergründige
Anekdote nachzuerzählen.

Über die Blumenwiesen außerhalb der Großstadt im offenen
Spazierwagen fahrend, ruht neben ihm traumhaft Méry, die die-
sen Nachmittag ihm schenkte.. und auch gleichsam ihr eigenes
Frauentum. Denn sie hatte sich ihm zulieb besonders geputzt;
fast um Fragen herauszufordern – eine Art Angebot ihres Selbst.
Doch er weiß, daß sie ihn jetzt nicht zwingt, Worte zu sprechen
.. Die Umwelt aber gönnt ihm nicht die selige Abendstille, deren
letzte Sonnenstrahlen an der lackierten Kutschenwand erloschen.
Von allen Seiten stürmt das grausame Tosen eines Vorstadtjahr-
marktes auf sie ein, grelles Gelächter und Geschmetter der All-
tagsdinge – ein Mißklang jedem Menschen, der zeitweilig, schwerlich jemals dauernd, ins Geisterreich entrückt ist und sich mit
dem Alltag nicht anbiedern mag. Verhaßte Entfesselung all dessen, wovor er sich zu anmutigen Gefährten zurückgezogen hatte.

Mit einer hellen, gar nicht mißmutigen Aufforderung auszu-
steigen legte Méry unternehmungslustig und ungeniert ihren Arm
in den seinen. Da es mit der Stille nun doch vorbei war, machte
der Dichter sich beherzt auf den Weg, um zumindest seine Lust
an Sinnbildausdeutung zu tummeln und am Erkennen von
Zwangsläufigem im Zufälligen,.. so wie man an verstreut brennenden Lampions Girlanden und andere Formen entdecken
kann. Sie durchwandelten die verwilderte Allee der wie üblich

ineinanderdudelnden Schaustellung, das mittelmäßige Paradies
der Menge – den Blick bisweilen emporlenkend zur Feuerwolke
des Abendhorizonts. Bis sie plötzlich überrascht vor einer offensichtlich leeren Bude stehenblieben. Dienten anderswo Vorhänge
und Tempel zur Darstellung des Geheimen, so verhieß hier als
Freudenwimpel eine aufgetrennte Matratze märchenhafte Überraschungen .. Die einzigen, die der frühere Benützer auf dieser
Matratze erlebt haben mochte, waren wohl seine hungergequälten
Träume gewesen; und da er bei seiner Besitzlosigkeit kein Geld
auszugeben hatte, war er hier als Schausteller aufgetreten, gelockt
vom Zauberwort Jahrmarkt: da ruht das Geld in den Taschen
nicht, bis es verschleudert ist, und die Wiesen erhalten festliche
Weihe, wenn die Menschenmassen über sie hinwegtrampeln. Zu
dieser Stunde aber war der Gauner, der sonst entweder durch
Muskelkünste oder geriebene Schlauheit die Gaffer anlockte, gerade abwesend, vielleicht gezwungen, rückständige Verpflichtungen einzulösen. Nur ein Greis, mit gekreuzten Armen vor einer
Trommel sitzend, winkte den beiden Herannahenden zu, es gebe
keine Vorstellung.

Da herrscht Méry ihn an: „Rühr die Trommel!" und entschwin-
det ins Zelt. Den Fragen ihres Begleiters bleibt ihre Kehle so verschlossen, daß ihr Halsband wie ein Sinnbild des Abschließens
erschien .. und zugleich glitzerte doch diese Diamantenkette an
ihr wie das Rätselhafte einer schönsten Verheißung. In dem
Lärm, den der Greis gern wieder aus seinem vertrauten Rassel-
instrument aufwirbeln hörte, wiederholt der Dichter, entgeistert
wie ein scheuer Clown und ohne zunächst sich selber zu begreifen, vor einem Massenauflauf die Rufe: „Jedermann eintreten!
Nur fünf Pfennige! Bei Nichtgefallen Geld zurück!" Dann leert
er den glitzernden Erlös vor dem Alten aus, dessen Hände sich
dankend falten, winkt von ferne mit der farbigen Matratze[1] das
Zeichen zum Beginn und drängt sich durch die hundertköpfige
Menge, .. in der niemand ahnte, wie Mérys Wagemut mit diesem
phantasielosen Raum umgesprungen war. In Kniehöhe auf einem
Tisch entstieg sie der Menge.

So eindeutig wie der Strahl, welcher sie nun hell beleuchtete,
war des Dichters Erwägung: das Almosen, das die Leute als Ein-

tritt bezahlt haben, sei reichlichst aufgewogen allein durch Mérys
von Modegeschmack oder Götterlaune so begnadete Schönheit
und brauche keine Tanz- oder Gesangszugabe zu beanspruchen.
Zugleich begriff er es bei dieser heiklen Schaustellung als seine
Pflicht, einem Umschlag der Zuschauerstimmung durch das einzig wirksame Mittel vorzubeugen: durch Beiziehung einer höheren Gewalt, etwa der *metaphorischen* Dichterrede. Es galt so zu
sprechen, daß nach erster Verständnislosigkeit die Gesichter sich
überzeugt aufhellen und bis ihr Verdacht schwand, sie könnten
mit ihrem Groschen diesen selbstsicheren überlegenen Auftritt
etwa überzahlt haben.

Noch einen letzten Blick wirft er auf Mérys brennendes Haar,
das wie Rauch und Blumenfunkeln der blaßfarbige Hut überschattet, auf ihr danach abgestimmtes Kleid, das sie hob, um
zur Anbändelung mit dem Publikum ihren, wie alles an ihr, hor-
tensiengleichen Fuß zu zeigen. Und nun deklamierte er das Sonett
auf ihren beunruhigenden Blick und ihr besänftigendes Haar, *La
chevelure vol d'une flamme*.. Danach, vielleicht weil es ihm doch
an Beredsamkeit gefehlt hatte?, war das Modell dieses Sonetts,
Méry, des Wachestehens müde. Den sanften Schwung, mit dem
er ihr vom Tisch herunterhalf — und zugleich die Verblüffung
der Zuschauer bog er ab, jetzt auf gleicher Ebene mit ihnen und
ihrer Sprache, durch die Schlußworte: Man möge bedenken, wie
wenig der natürliche Reiz der soeben zur Beurteilung ausgestellten Dame abhängig sei von irgendwelcher Verkleidung oder Thea-
termache. Vollständig und hinreichend vergegenwärtigt sei diese
eine unter den Urbestimmungen der Frau durch die Kleidung,
die einmütige Zustimmung gebe ihm darin recht.. Tatsächlich
bewegte sich jetzt die Menge in schweigender Zustimmung zum
Ausgang; vereinzelt hörte man schmeichelhafte Ausrufe wie Sehr
richtig! und freigebiges Klatschen. Nur ein blutjunger Gimpel,
ein Musketier, erwartete vergebens, mit seinen steifen behand-
schuhten Fingern das leider hochmütige Strumpfband begutachten zu dürfen.

Da sie unter die nächtlichen Bäume hinaustraten, atmete Méry
tief Sterne und Laubhauch ein.. weniger aus Erleichterung, denn
sie hatte nie am Erfolg gezweifelt, als um die Kühle ihrer Stimme

wiederzugewinnen. „Danke", sagte sie. Der Dichter wehrte ab: „Oh, nichts als Ästhetik in Gemeinplatzform.".. „Aber", sprach sie, nach der Droschke Umschau haltend, „Sie hätten sie vielleicht nie so dargeboten, hätten Sie beschaulich im Wagen oder sonstwo neben mir gesessen. Dazu brauchte es den brutalen Magenhieb der Anwesenheit eines ungeduldigen Publikums, welchem um jeden Preis und auf der Stelle etwas vorgetragen werden mußte, zur Not sogar Dichtung.." „..Die vordem ihrer selbst unbewußt war", stimmte der Dichter zu, „und nun in zitternder Nacktheit vortrat. Auch Sie, Gnädige, ich wette: Sie hätten die veraltete und verschlungene Sonettform meiner Darbietung (er hatte das abschließende Reimpaar gewählt) nie so eindeutig verstanden, hätte Ihr vielseitiger Geist nicht jedes Wort im Kreis von so vielen anderen Zuhörenden aufgenommen." Und sie bestritt es nicht.

II

SONNTAGE DER KUNST

Liebet andächtig die Meister, die vor euch waren.

Auguste Rodin, Testament

Obgleich das 19. Jahrhundert so viel Festgegründetes einriß — und vielleicht gerade deswegen, im ahnenden Vorgefühl der Verarmung —, übertraf es andere Zeitalter im Glauben an die Kunst. Und bei allen verkrampften und jämmerlichen Auswüchsen dieser Begeisterung in der zweiten Hälfte des Jahrhunderts setzte sich auch die Reihe der großen Genies fort: der Mythus Richard Wagners, der Sang Verlaines, der Aufschrei Dostojevskijs, die grimme Dämonie Ibsens. Mallarmés Gänge durch die Kunst seines Jahrhunderts sind gekennzeichnet durch zufällige, meist persönliche Begegnungen, und in seinen Äußerungen erscheint häufiger das menschliche Antlitz der Geschilderten, als daß er versucht hätte, ihre Schöpfungen zu charakterisieren. Gesucht und gebraucht hat er nur einmal eine Kunst: die Musik Wagners. Doch nahm er alle Künste, die ja den unumgänglichen zufallsbejahenden Schleier bilden, durch den hindurch erst das

Absolute geschaut werden kann, dankbar und beglückt an; manches seiner Werke ist erst durch ein fremdes Gedicht oder Bild angeregt worden. An seiner Dichtung ist er durch dieses musische Genießertum niemals irre geworden .. ein einziges Mal ausgenommen, im Sonett an Wagner. Die Musik, wie Viélé-Griffin in einem Dialog seine Mallarmé-Gestalt sagen läßt, wäre die gefährlichste Rivalin, immer täuschend gleich einer Frau, da sie die Illusion des Höchsten erwecke; zehn Jahre sei er ihr Opfer gewesen, denn der Schmerz öffne ihr die Tore. Aber die Dichtung, die von den plastischen Künsten sich zutiefst durch *das Lächeln* unterscheide, sei in Wahrheit die Synthese aller Künste. Allerdings keineswegs deren oberste Richterin; ein Gemälde etwa, Verlängerung eines andernfalls flüchtigen Augenblicks, ruhe völlig unabhängig in sich.[1] In seinen Schriften hat Mallarmé nur immer wieder die Ebenbürtigkeit von Dichtung und Musik betont (P5, p. 389, 507). Daß die Dichtung, als die begrifflichste Kunst,[2] bei Malerei, Musik und Tanz die Verfeinerung der künstlerischen *Andeutung* lernen könne, hat seinerzeit niemand so ernst genommen wie Mallarmé. In der Kunst des Nur-AnklingenLassens, des Weglassens, Verschweigens, wirkt er oft wie die literarische Entsprechung zum alten Manet oder dem jungen Debussy.

Die Maler

Die Malerei befand sich im 19. Jahrhundert in einer ähnlichen Lage wie die Dichtung. Die kollektive Geborgenheit des einstigen Abendlands — soweit sie nicht eine fromme Legende ist — fehlte als natürliche Voraussetzung. Von der für die Seele unentbehrlichen Vergoldung der Außenwelt war vieles abgeblättert, und eine nüchtern gegenständliche Augenkunst begann die Malerei zu beherrschen. Um dem öde Optischen eines Meissonier und der trivialisierten Idealkunst zu entgehen, blieb eine letzte Rettung: die Subjektivität zu entfesseln. Manet und die sogenannten impressionistischen Maler gingen darin noch nicht so weit wie die Maler des 20. Jahrhunderts. Bei diesen scheint entweder Fürcht oder Geringschätzung gegenüber dem ehrfurchtlos angeschauten Gegenstand bis zum Haß und bis zur Zerschlagung

der Wirklichkeit gestiegen zu sein, oder mochte eine Art von
Selbstverliebtheit und Größenwahn ihnen Scheu davor erwecken,
bei sich und ihrer Umwelt noch festes Maß vorauszusetzen. Für
Manet und die Seinen genügte an Subjektivem der einfache nervöse Qualitätsgeschmack eines jeden, gegenüber einer — wie bei
Zola oft — verarmten, quantitativen Rohstofflichkeit. Nie hat Mallarmé (zu Fontainas, 14. 11. 94) dem Verfasser des *Assommoir*
die Bemerkung vergeben, Manet habe ja nur Skizzen gemacht.
Mallarmé, der einst selber Haß gegen die Wirklichkeit in sich
entdeckt und ausgesprochen hatte (oben S. 81), empfand in dieser Entwicklung wohl etwas, das seiner eigenen literarischen Lage
entsprach. Früh schon hatte es ihn zu der kühnen Unbefangenheit chinesischer Malerei gezogen (*Las de l'amer*). Doch wußte
er sich von der Malerei durch seine dichterische Bewußtheit unfaßbar weit entfernt; denn Mauclair betonte mit Recht: „Die
impressionistische Lehre, ganz in strahlender Oberfläche und
flüchtigem Festhalten, ist das Gegenteil der ganz innerlichen zu-
sammenschließenden Strebungen Mallarmés. Das Tiefe, das hieß
ihm Wirklichkeit.“[1] Von der Malerei der Vergangenheit stand
ihm darum in klarer Erkenntnis die am meisten gewundene und
intellektualistisch verschränkte, diejenige des „Manierismus“ am
nächsten, die oft besuchten Frauenbilder Primaticcios in Schloß
Fontainebleau, „deren schlanke Beine und ausdrucksvolle Ver-
kürzungen ihn entzückten“ (A. Proust), und die Nymphen Jean
Goujons (D. Mode, 20. 12. 74). Auch teilte er mit seinen
impressionistischen Malerfreunden nicht deren grundsätzliche
Angst vor jedem ideellen Bildinhalt. Darin war er unfana-
tischer und weniger zeitbedingt als diese, die noch ganz in der
Überzeugung lebten, jeder „literarische“ Zug im Gemälde sei
notwendigerweise der Tod des Malerischen. Der grausame Spott
Whistlers über die präraffaelitischen Gemälde war ihm nicht unbekannt, und eine Parallele dazu wäre sein eigenes Wort aus Anlaß eines schlechtgeschriebenen seelsorgerischen Buchs (*Symbol
der Apostel*): „Ich denke, daß die Welt durch eine bessere Literatur wird gerettet werden.“ Gleichwohl bekannte er sich zu Puvis de Chavannes und Odilon Redon, wenn wir auch nicht wissen,
ob er Puvis so überschätzte, wie Arnold Böcklin durch Stefan

George überschätzt worden zu sein scheint. Jedenfalls erfüllte er eine weise kritische Aufgabe, insofern er sich nicht durch eine dogmatische Verpönung der inhaltlichen Werte im Bild fanatisieren ließ.

Edouard Manet (1833–83), den einst Gautier ablehnte und Baudelaire bewunderte, öffnete ihm das milde Reich des Malerauges, so wie Wagner ihm die Musik erschloß. Neben Manet blieb jede andere Malerei schattenhaft. Als Mallarmé dem in der Schlacht bei Buzenval gefallenen hoffnungsreichen Orientmaler Henri Regnault einen Nachruf schrieb, hatte es wohl mehr dem Freunde von Villiers, Mendès und A. Holmès gegolten, dem Cazalis 1872 eine Monographie widmete. Auch zu Corot war er nur durch einen Aufsatz von Dierx für die *République des Lettres* gekommen. Manet dagegen, in dem die Freitagsgäste des Café Guerbois, Zola, Cladel u. a. bisher nur den kühnen Realisten erkannt hatten, wurde, in Baudelaires Spuren, seit dem April 1873, als sie einander persönlich kennenlernten, von Mallarmé zum zweitenmal entdeckt als der subjektive Maler des hauchzarten Flaums der Materie. Als solcher wurde Manet der entscheidende Wendepunkt namentlich für das Schaffen des irischen Erzählers George Moore, den Mallarmé bei ihm einführte. Mallarmé machte sich zum unmittelbaren Sprachrohr der ihm persönlich fremden Bissigkeit Manets, als der Ausstellungsausschuß vom Frühjahr 1874 aus drei eingereichten Gemälden Manets zwei, die *Schwalben* und den bedeutenderen *Opernball*, zurückwies unter dem Vorwand, sie seien dem dritten nicht ebenbürtig. Mallarmé, dem eine ähnliche Erfahrung mit seinem *Faun* bevorstand, wurde darauf am Beginn und Ende seines Aufsatzes *Le Jury de Peinture et M. Manet* beleidigend heftig. Es sei Mißbrauch einer „zu einem andern Zweck übertragenen Macht", Beschauern die Möglichkeit zu rauben, sich langsam von dieser Kunst überzeugen zu lassen. Und warum diese Gewohnheit des Bevormundens dann nur zu zwei Dritteln einsetzen? Diesen Leuten, die *geschickte Maler* sind, bevor sie Menschen, und *ungeschickte Menschen*, sind, sei nicht so sehr Mangel an technischer Einsicht vorzuwerfen als böser Wille bei der Ausübung ihrer Macht. Dann, um nicht weiter mit ihnen zu rechten, bemüht er sich, das Publikum darüber aufzuklären, wie durch Manets vielfältige Persönlichkeit die „zeitgenössische Welt", und zwar nur „mit den reinen, für diese Kunstart erforderlichen Mitteln" abgespiegelt werde, nämlich unter Weglassung aller „nicht urtümlich menschlichen Haltungen". Statt den *Schwalben* vorzuwerfen, sie seien „nicht genug ausgeführt", solle man doch so manches „belanglose und zugleich bis zur Gräßlichkeit minutiöse" Gemälde tadeln! Der Sinn einer Kunstausstellung sei, daß hier das Verschiedenartigste, soweit talentvoll, durch Künstler ausgesucht werde, die nichts weiter als ihr neutrales, oft unklares Empfinden, was Kunst sei und was nicht, zu Rate ziehen. Alles Weitere – aus welchem Geist heraus es geschaffen sei und was die Triebe der Masse oder der Person anlangt, sollen erst die Ausstellungsbesucher herantragen. Spricht ein Künstler die im Publikum noch erst schlummernden Tendenzen an, so müssen beide einander erst einmal kennenlernen. Manet nun sei der einzige, der es unternahm, sich und der Malerei einen neuen Weg zu öffnen. Ihm gegenüber hätten die Nachzügler unter seinen Kollegen eine so schöne Gelegenheit gehabt, ihm zu beweisen, daß sie, wenn sie das Vergangene lieben, doch nicht dem Gegenwärtigen gegenüber blind seien. „Vor der Menge läßt sich nichts verheimlichen, da alles ihr entstammt." Sie wird ihr Selbst dereinst in Manet erkennen. „Herrn Manet noch einige Jahre abgewinnen wollen: Traurige Politik!" Nur lächerlich kann Mallarmé den Einfall finden, sich als Seelenpolizei des Volkes aufspielen zu wollen.

Als auch 1876 die Gemälde *Le Linge* und *L'artiste* von der Jury zurückgewiesen wurden, konnte ihm Manet schreiben: „Mein lieber Freund, ich danke Ihnen. Hätte ich mehr solcher Verteidiger wie Sie, so würde ich mich den Teufel um die Jury scheren." Mallarmé verband sich ihm, der ihm durch Herkunft, Erziehung und korrektes Ausweichen vor der Bohême auch menschlich so nahe war, in inniger Freundschaft. Im heiteren Kreis des Café Neu-Athen an der Place Pigalle bewarb er sich etwa um das Distichon, welches Manets kolorierte Lithographie *Polichinelle* (nach dem 1874 ausgestellten Gemälde) schmücken sollte. Indes erhielten Banvilles leichte Verse den Vortritt; Mallarmé deutete

allzu metaphysisch die beiden Höcker des Hanswursts als die zwei
Seelen in seiner Brust, die erdschwere und die himmelstrebende,
die den Hanswurst zum ewigen Stehaufmännchen machten. 1876
malte Manet das jetzt dem Louvre gehörige Mallarmé-Bildnis,
ein Meisterwerk seiner physiognomischen Seelenforschung, und
schenkte es dem Dichter. Durch Manet wurde Mallarmé zu einer
neuen Lektüre von Rousseaus *Confessions* veranlaßt; umgekehrt
hatte Manet wohl wenig Sinn für das Phantastische bei Poe — sowenig wie bei Goya. Dennoch schmückte er dem Freund dessen
beide bibliophile Luxusausgaben aus, 1875 die Übertragung von
Poes *Raven*,[1] im Oktober 1876 den *Après-midi*. Die eine der beiden Ausgaben von Mallarmés Poe-Übertragungen wiederum trägt
die Widmung: „Dem Andenken Ed. Manets diese Blätter, die wir
zusammen lasen." Er wohnte dem Entstehen der meisten späteren
Manet-Bilder bei,[2] auch beratend. Im Sommer 1881 entschuldigt
der kranke Maler sich mit einer Reihe von Gründen dafür, daß es
ihm „tatsächlich unmöglich schien, einige Sachen, die Sie von
mir verlangten, zu machen, unter anderem die Frau, die man
durchs Fenster in ihrem Bett sieht. Ihr Dichter seid schrecklich,
und es ist oft unmöglich, eure Phantasien darzustellen".[3] Mallarmé war es, der dem nervengelähmten und verkannten Freund
die drei letzten Jahre vor dem Tod Erheiterung und Trost brachte
und der von Manet, dem Erneuerer des großen Maler-Erbteils, ein
schönes sinnbildliches Nachruf-Porträt hinterließ.

Was ihn bei dem Maler stets bewegt habe, schreibt er in seinem
Aufsatz *Manet*, war, daß in seine Fröhlichkeit und Anmut auch
sein trauriges hartes Los mit einging — wozu man den jedermann
auflauernden Tod nicht rechnen könne, der für Manet ja den
endgültigen Ruhm gebracht habe. Inmitten von Hohn und Ekel
habe Manet sich behauptet als ein frisch-männlicher Satyr im
gelbbraunen Überzieher, bärtig, mit spärlichem, grauwerdendem
blondem Haar. Diesen eleganten geistreichen Spötter aber erfaßt
vor der leeren Leinwand eine wilde Malwut, die man in seiner Jugend als kurzlebige Frühreife angesprochen hatte; was sein Blick
ergriff, war alsbald sein. An ihm lernte Mallarmé bei täglichen
Atelierbesuchen die Selbstbeherrschung, nach Belieben (ohne sich
deswegen von den Mitmenschen abzusondern) ein anderer werden

zu können und sich jedesmal einzusetzen, als habe man noch nie
geschaffen. – „Das Auge, eine Hand..": dies Manet-Wort schien
ihm geradezu ein Motto. Ja, *dies Auge,* aus alter Pariser Familie,
neu und unbeeinflußt auf die Modelle gerichtet, umkrallte sie im
Lächeln einer ersten Begegnung dergestalt (so die „Dame mit den
Kirschen"), daß sie duftig erhalten blieb noch nach zwanzig er-
müdenden Sitzungen. Der feste, rasche Druck der *Hand* aber verriet bereits ihre unerklärliche Fähigkeit, das Gesehene lebendig,
tief, schattiert, schneidend oder mit seinem besonderen dunklen
Ton zum neuen – und Mallarmé betont: zum französischen –
Meisterwerk zu gestalten.

Er hatte Manet kennengelernt durch dessen Schwägerin und
Schülerin: die Malerin Berthe Morisot (1841 – 2. 3. 95), die
Frau des nervösen, zarten Eugène Manet, das Modell für Manets
Balcon (1869), *Repos* (1870) und *Dame mit Veilchenstrauß*
(1872). Allzulang Schülerin des greisen Corot, seit 1865 durch
den farbigeren Manet befreit, seit 1885 zwischen Monet und Renoir schwankend, gab die Urgroßenkelin Fragonards auf ihren
mit kreidigem Grau durchsetzten Akten und Landschaften milde,
herbe Gegenwart voll idyllischer Würze. Als ob er sich selbst cha-
rakterisiere, schreibt Mallarmé in seiner langen Vorrede zum Ka-
talog ihrer posthumen Ausstellung (die erste wirklich umfassende
Gesamtausstellung fand erst 1929 statt), das Publikum habe sich
angelockt und gerührt gefühlt durch das einzigartig Gewichtlose,
überwirklich Schmackhafte dieser bunten Welt, dann befremdet
durch etwas Scharfes, das den Zugang zu ihr verwehrte. Denn der
Kunstreiz, den man gern oberflächlich und anmaßlich ausschlür-
fen möchte, müsse nur auf unbestechlicher Ebene zugänglich
sein; der Vorübereilende werde es wohl gar als böswillige Un-
freundlichkeit empfinden. Jede Meisterschaft hülle sich in Kühle,
so wie gleichsam der duftige Farbenstaub eines Gemäldes nur
durch die mitnichten bedeutungslose Glasscheibe sich selbst bewahre.

Im Anfang dieser Kunst war das Malerische. Die konkretere
Poesie des Plastischen, das Geheimnis der Oberflächen, den
Schein einer Bewegung erzeuge unmittelbar das Licht des Rau-
mes, aber weder eines mystisch traumhaften noch eines banal all-

täglichen Raumes; und Mallarmé zeigt es in seiner Nacherzählung
eines Intérieur-Bildes. Beschränkte sich die Malerin im Akt auf
Kinder und Halbwüchsige, so halten ihre Porträts die weichen,
überfeinerten Umrisse mondän geputzter Salondamen mit der
Kunst eines Kalligraphen oder Romanschriftstellers fest: zwischen Atlasstoff und Haut, aufleuchtenden Perlen und Luft
strömt das Leben. Ja, diese Welt des Weichlich-Hauchartigen
wird mit Antikischem verbunden in Halbaktbildern, wo der Körper, halb entledigt von unnatürlicher Toilette, zu Gärten, Strand,
Gewächshaus, Geländer in Beziehung tritt. Hier erlebte Mallarmé
das Feenland des Alltags, *de vue et non de visions*, ohne Abstand
— so gleitet der Blick durch sonnenflirrende Luft zu Schwänen
hinüber — und ohne ein jenseitiges Traumreich, ohne die Schwingen des Erhabenen, nichts als ein voller Tag mit seinem Jungsein.
— Eines ihrer schönsten Bilder, *Femme au bal*, kam auf Mallarmés Vorstellungen bei Roujon 1894 aus der Sammlung Duret als
erstes Werk der überglücklichen Malerin in das Louvre-Museum.

Die früh ergraute, stets kränkliche Meisterin, durch ihr Leben
und ihre persönliche Anmut eine rassige, pariserische Gestalt, galt
als wortkarg, zurückhaltend, „gefährlich schweigsam" (Valéry,
Tante Berthe. 1932). Nur wenn Mallarmé jedesmal Sonntag-
abends nach dem Konzert im kalten Empiresalon ihrer Erdgeschoßwohnung unter Manets großem Gemälde *Le Linge* Platz
genommen hatte, erhellten sich bisweilen ihre schwermütigen, erbarmungslosen Züge;[1] in ihrem Testament war seiner Tochter
eine Mitgift vermacht. Die anfängliche Betretenheit vor dieser
auch als Gastgeberin nie banalen Weltdame (er befreite sich davon, wie er sagte, durch eine heiter-ergebene Selbstauslieferung)
hörte Mallarmé bestätigt durch einen Dichterkollegen, der sich
mit all seiner raffinierten Plauderkunst dieser Einsamen gegenüber wie ein Flegel oder Tölpel vorkam. Von Kunst sprach sie
nicht, wie sie auch bei Einladungen alle Malwerkzeuge in einem
besonders dafür bestimmten Schrank verbarg (sie wollte ihrem
Ruf als dilettierende reiche Architektentochter keine Nahrung
geben). Die durch Freundschaft und Schönheit verfeinerte, anspruchsvolle Exklusivität ihrer geschlossenen Gesellschaft erfor-
derte, in der biederen Zurückhaltung einer Nebenperson aufzu-

treten. Ob der Empfang herzlich, spöttisch oder gastfrei ausfiel, hing von dem forschenden Medusenblick ab, den die rätselvolle Hausherrin auf die Eintretenden hob.. noch entrückter wirkend durch die hohen Atelierwände. Diesem schweigenden, unbeweglichen Blick der grünlichen Augen, die so düster und tragisch waren, daß Manet sie schwarz malte.

Eine erlesene Gesellschaft fand sich jeden Donnerstag zusammen bei dem Abendessen im Haus der rue de Villejust 40 (seit 1946 rue Paul-Valéry). Berthe Morisot hatte es 1882 in einer unbebauten Gegend nach den Plänen ihres Gatten für sich und die Familie Gobillard errichten lassen; Jeanne Gobillard, Paul Valérys Frau, lebte dort von ihrer Geburt bis heute. Da begegnete man dem Maler Puvis de Chavannes und dem letzten französischen Maler hymnischer, schwellend sinnlicher Lebensfreude, Auguste Renoir (1841–1919). Mit der gefälligen Lässigkeit, die ihn zuweilen zu Fragwürdigem verführte, malte er auch ein unbedeutendes Bildnis Mallarmés und zeichnete ihm einen Mädchenakt als Buchschmuck für die *Pages*. Wenn ihm, der immerhin viel von Verlaine las, die Romane des älteren Dumas lieber waren als Mallarmés Schriften, so erklärte er zugleich, es mache ihm „ein solches Vergnügen, ihn zu sehen" und ihn in seiner „entzückenden Schlichtheit" sprechen zu hören, derselbe Renoir, der sonst, wortkarg und seine Zigarette immer wieder ausgehen lassend, zerstreut den Unterhaltungen beizuwohnen pflegte. Renoir machte die Reisen, die eigentlich Mallarmé hätte machen sollen, nach Bayreuth oder zu Vermeers Gemälde der *Käuflichen Frau* in der Dresdener Galerie. Beiden hatte der scharfe kritische Verstand nicht die Freude am Schönen vergiftet. – Gröblich und unwirsch daneben, auch den Frauen abhold, war ein anderer, sehr streng selbstkritischer Maler, der sich zu jenem Kreise gesellte, Edgar Degas (1834–1917). Einmal hätte er Mallarmé fast verprügelt, als dieser in Roujons Auftrag anfragte, ob er – der Dreyfus-Gegner, der Mann der Militär-Partei! – mit der Aufnahme in die Ehrenlegion der verhaßten Dritten Republik einverstanden wäre. Sodann traf man Régnier, den Mallarmé eingeführt hatte, und einen klugen, belesenen einstigen Schüler Mallarmés vom Condorcet, der durch die Revue Indépendante Lust am Schriftstellern bekommen hatte, Jacques-Emile Blanche,[1] von dem es ein nicht ganz beendetes Bild des Meisters, am Tisch mit Ajalbert und Dujardin, gibt; den Maler Helleu, Lerolle, Duret (1838–1927) u. a. Sie alle waren anwesend in diesem Salon, als Mallarmé nach der Rückkehr von seiner belgischen Vortragsreise seine Villiers-Rede vortrug. „Gesprochen wurden die Sätze den Hörern zugänglich, und es bedurfte zu wirklichem Verstehen nichts als Aufmerksamkeit";[2] nur Degas, der in der Lektüre nie über Brillat-Savarin hinauskam, wurde leicht unruhig.

Was Mallarmé an Berthe Morisot bewunderte, war, daß sie frei blieb von der hastig abkürzenden Arbeit der meisten Künstlerinnen, und sogar von deren Hauptgefahr: unbescheidener Verkennung ihrer Schaffenskraft im Vergleich zum Geplanten, von Sucht zum unweiblich Fernen, Überlebensgroßen, Vierschrötigen. Nie wollte sie es den Männern gleichtun, sondern stets feines weibliches Empfinden geläutert nachschaffen. – Als sie an einer plötzlichen Lungenblutung starb und das Gerücht von Selbstmord umging, widersprach Mallarmé lebhaft durch den Hinweis auf die schöpferstolze Leidenschaft ihrer Mutterliebe: trotz ihrer Seelenstärke wäre ihr der Gedanke unerträglich gewesen, ihre geliebte siebzehnjährige Tochter[3] im vereinsamten Atelier zurückzulassen. Der Dichter schämte sich seines Trauerns, weil es nicht der Wunsch der Toten wäre, käme sie zu ruhiger Musterung ihrer Gemälde noch einmal zurück. Sie würde nicht von ihren Bildern dadurch ablenken wollen, daß sie mit langem Grabesschleier auf einem Haar, das mehr durch körperliche Schönheitsvergeistigung als durch das Alter gebleicht wäre, erschiene. Wie sollte sie, ein ewig heiterer Quell des Schauens, erst aus dem Totenreich zurückzukehren brauchen! Ein Gespenst inmitten soviel festlichen, jubelnden Blühens wäre der erste Schatten, den sie je gemalt hätte, und ihr Pinsel würde sich sträuben.

„Geblendet" ging er im Juni 1888 durch die Ausstellung eines Malers, der ohne Manets Schwarz, freilich auch ohne sein prickelndes Parisertum, in lichten Farben schwelgte, des Claude Monet (1840–1926). „Seit langem stelle ich, was Sie schaffen, über alles", schrieb er ihm, „aber ich meine, jetzt sind Sie in Ihrer

schönsten Stunde." Und wirklich war Monet, der sich immer
mehr zum methodischen Spezialisten des Impressionismus ver-
engte, damals auf seiner Höhe. Erst nachdem der Dichter ein
Jahr später sich der „großen und pietätvollen Tat" Monets an-
schloß, durch eine öffentliche Subskription Manets *Olympia* für
Frankreich und für den Louvre vor einem amerikanischen An-
kauf zu retten,[1] kamen sie in nähere Berührung; allmonatlich am
Malerstammtisch des *Café Riche*, welchem Renoir, Gustave Cail-
lebotte, Pissarro, Mirbeau, der seit April 1888 befreundete Sisley, de Bellio und der geschäftige redselige Impressionistenpro-
phet Théodore Duret angehörten. Das Erlebnis eines Monet-Bil-
des wie *Les Meules* empfand Mallarmé nicht mit Unrecht fast
wie eine Gefahr, als er sich selber „ertappte, wie ich die Felder
durch die Erinnerung an Ihr Bild ansehe; oder besser: so drängen
sie sich mir auf" (an Monet, 9. 7. 90). Als ihm Monet ein paar
Tage darauf bei einem Atelierbesuch in Giverny eine Wiesen-
landschaft schenkte, durch die sich als schöne geschmeidige Ara-
beske ein glitzernder verschwimmender Fluß windet, war Mallarmé so außer sich, daß er zum erstenmal fast unhöflich wurde,
da er auf der Heimfahrt beim Scheuen des Pferdes in einem
Volksfestgedränge sich um das Bild statt um die mitfahrende
Frau Manet besorgt zeigte. In der ersten Nacht litt es ihn nicht
im Bett. „Das ist so ausdrucksstark wie das Lächeln der Gioconda", sagte er in seiner Versunkenheit. „Ich ertrinke in diesem
Glanz und erkläre mir mein seelisches Wohlsein aus der Tatsache, daß ich es hin und wieder, je nach Gelegenheit, betrachte"
(an Monet, 21. 7. 90).

Weit größere Publikumserfolge als all diese Maler, die gewis-
senhaftere Arbeiter waren als er, feierte damals ein Freund Manets, der Amerikaner James McNeill Whistler (1834–1903),
der bei seinen häufigen Aufenthalten in Paris sich stets zu den
Dienstagen einfand. Daß heute sein Hauptwerk, das Bild der
Mutter, im Louvre hängt, verdankt man Whistlers Freundschaft mit Mallarmé, denn durch ihn führte im November 1891
Roujon als Staatsbeauftragter für Bildende Künste die überaus
heiklen Verhandlungen. Während Whistler 1888 die erste englische Auflage seines berühmten Londoner *Ten-o'clock*-Vortrags

vom 20. 2. 85 über den Primat der Kunst vor dem Leben — der
Maler büßte darob die Freundschaft Swinburnes ein — herausgab,
übersetzte Mallarmé, durch Griffin unterstützt, diesen „Leckerbissen
englischer Prosa" (Moore). Seither wurde beider Verkehr
herzlich. Jahrelang sahen sie einander fast täglich. „Ich denke",
schreibt ein gemeinsamer Bekannter, der Maler Sir William Rothenstein,
„Whistler hing an Mallarmé so sehr wie nur an irgendeinem
Lebenden."[1] 1893 entstand jene hingehauchte Porträtlithographie,[2]
welche Mallarmé selbst eine „Biographie" nannte.
Rodin war so bezaubert, daß er, als man eine Büste des toten
Mallarmé von ihm verlangte, vorschlug, das Werk Whistlers in
eine Art flachen Muschelmedaillons umzusetzen: „einen andern
Mallarmé kann man nicht machen. Dieser ist vollendet. Und wer
würde ohne das lebende Modell Besseres versuchen?"; allenfalls
würde „eine klassische Frauengestalt in schlichter und reiner Haltung
die Dichtung Mallarmés gut ausdrücken" (zu Fontainas,
19. 11. 98). Hatte Manet einst den noch ringenden, innerlich zerrissenen
Schüler Baudelaires dargestellt, so zeigte Whistler den
behutsamen, weltenthobenen Träumer Mallarmé, der gleichsam
gewichtlos am Kamin lehnte (und sich übrigens dabei, um den
zeichnenden Freund nicht zu stören, richtige Brandwunden holte).
Whistler war anders, unangenehm bissig, kaustisch, nervös, mit
satanisch schriller Lache und schillerndem Blick durch die Monokelscherbe,
ein spielerischer Marquis mit Manager-Künsten, so
daß ihm der unverfrorene Degas einmal zu sagen hatte: „Sie benehmen
sich, als hätten Sie überhaupt kein Talent." Ähnlich ist
Whistler in der Gestallt des Cyrille Buttelet im Roman *La Peur
de l'amour* von H. de Régnier konterfeit; Régnier hatte ihn durch
Mallarmé kennengelernt. Die Verachtung, mit welcher Whistler
etwa die Kunst von Puvis de Chavannes ignorierte, hätte Mallarmé
nicht geduldet. Doch was ihnen gemeinsam war, die Liebe zur
zartesten Schönheit aus dem stolzen Glauben an eine adlige Kunst,
hat Mallarmé in seine eigene kleine Porträtskizze *Whistler* hereingearbeitet.

Whistlers Werke, Boten geheimnisvollen Schönheitszaubers,
seien ewig, somit von Whistlers Namen unabhängig. Auf seinem
lebensgroßen Selbstporträt stellte sich ein irgendwie vornehmer

Herr, offenbar Künstler, nicht gerade hochgewachsen, aber hochfahrend, mit leidenden, intelligenten Zügen, als Whistler vor und trat wieder in die Leinwand zurück. Gereizte Entrüstung darob bei allen, die seinen bisherigen geheimnisreichen Meisterwerken bezaubert oder wohlwollend gegenüberstanden. Dem Maler war es als Nötigung, Pflicht erschienen, die Stimmung der Verhimmelung zu zerreißen. Und doch hätten die Zeitgenossen aus der bloßen Malweise, aus dem höhnisch grellen Spiegelglanz an Whistlers Rock, die wichtigsten Wesenszüge dieses Ausnahmemenschen erschließen können: eine durch Sanftmut verfeinerte Diskretion, die manchmal, aber ohne an Anmut zu verlieren, von sarkastischer Lebenskraft durchstoßen wird. Sein innerstes Wesen zeigt einen verhüllten und gleichzeitig aufgeschlossenen Menschen, der sein Genie zügelt, wie ein Ritter einen Drachen bewachte. Einen kämpferischen, schönheitsbesessenen, gesuchten und weltmännischen Künstler.

Künstlerisch tiefer verwandt aber scheint die Art des späten Mallarmé nur einem zeitgenössischen Maler: man durchblättere die Albums *Dans le rêve* 1879, *A Edgar Poe* 1882, *Les Origines* 1883 und *La Nuit* 1886 des unscheinbaren armen Odilon Redon (1840–1916), des visionären Träumers von paradiesischen Tieren, schwebenden Wunderblumen, Masken, Alpdruckbildern, metaphorischen Rätselwelten. Durch Huysmans eingeführt, erschien dieser wirkliche „Symbolist" bei Mallarmés Dienstagen, als Familienfreund; sein Sohn wurde 1889 Patenkind von Mallarmés Tochter. Auch in Edmond Baillys Buchhandlung L'Art Indépendant (den ehemaligen Räumen der Revue Indépendante), wo man fast allabendlich Debussy in Begleitung von Erik Satie begegnen konnte, trafen sie einander: Degas, Rops, Lautrec. In einer Zeit, als außer Mirbeau, dem Sizilianer Hennequin, Huysmans und Gourmont niemand Redon zu schätzen wußte, liebte es Mallarmé bereits, seine Zeichnungen zu kommentieren. Und Redon hörte, schüchtern und sanft wie immer, zu. „Sie schütteln in unserm Schweigen den Fittich des TRAUMS und der NACHT."[1] Für sich selbst zwar erwartete Mallarmé, der begrifflich Wache, sowenig wie sein Schüler Valéry das Heil vom gestaltlosen Hindämmern (*Toast* V. 50), vom Einschlafen und von Traumgesichtern.

Auf eine Anfrage über den dichterischen Wert der Träume antwortete er mit einem deutlichen Nein. Vielleicht sei der Traum
die Bestrafung derer, die im Wachen ihre Phantasie unterdrück-
ten. Der Dichter sei ein Wachträumer: „Wäre es aus diesem
Grunde, daß ich schon seit vielen Jahren nicht mehr Schlaf
habe?"[1] Aber Redons Steinzeichnungen versetzten ihn zu sehr
in die Welt der *Elbehnon*, als daß er sich nicht gepackt gefühlt
hätte. Besonders eine dieser Zeichnungen hatte es ihm angetan,
diejenige „mit dem großen *Magier*, der untröstlich und hartnäckig nach einem Mysterium sucht, von dem er weiß, daß es
nicht existiert, und dem er eben deshalb für immer mit der Trauer
seiner klarsichtigen Verzweiflung nachjagen wird, denn *es hätte
die Wahrheit enthalten*".[2]

Neben der Mallarmé-Lithographie, welche der große Norweger
Edvard Munch schuf und deren treffende Wirkung sowohl von
Mallarmé (Brief an Munch) wie von seiner Tochter gerühmt
wurde, ist die Mallarmé-Radierung Paul Gauguins (1848 bis
1903) der einzige Versuch einer symbolhaften Porträtgestaltung.
1886 hatte Fénéon die Bilder Gauguins entdeckt und 1889 hatten
die Kunstmaler in einem bretonischen Dorf[3] ihn, den von Pis-
sarros Stil Abgefallenen, als stärkste Begabung anerkannt; alle
sandten zur Ausstellung Gemälde ins Café Volpini, am Pariser
Marsfeld, unter dem Schlagwort „Groupe impressioniste et syn-
thétiste". Ende 1890 kam der ruhelose, ungenügsam suchende
Künstler, der am Panama-Kanal geschippt, auf Martinique gesie-
delt und gemalt und den Untergang seines Freundes Van Gogh
miterlebt hatte, nach Paris, eine baumstarke Seeräubergestalt mit
riesigen Pranken und dröhnender Stimme. Er erhoffte vom Erlös
seiner Bilder das Fahrgeld für seine erste Tahitireise (4. 4. 91 bis
30. 8. 93). Über die Montagabende des *Café Voltaire* und den
Umgang mit Moréas, Verlaine, A. Aurier, Rodin, Carrière und besonders Morice kam er auch ein paarmal zu Mallarmés Dienstagen. Dieser empfahl ihn am 15. Januar an Mirbeau, der einen
Monat später mit einem Aufsatz im *Écho de Paris* das Eis brach.
Der Verkauf verlief günstig, und Gauguin wurde am 23. März auf
einem Bankett im Café Voltaire durch seine Freunde Redon, das
Ehepaar Vallette, Saint-Pol-Roux u. a. verabschiedet. Mallarmé,

der verhindert war, schrieb ihm: „Ich habe in diesem Winter oft
der Weislichkeit Ihres Entschlusses nachgegangen." Daß aber
Gauguin seine dänische Frau und seine vier Kinder ihrem Schicksal überließ, vergab ihm Mallarmé nicht: „Selbst der Stifter einer
Religion", sagte er, „hat nicht das Recht, seine Kinder zu verlassen." Gauguin hinterließ später als Geschenk eine seiner selbst-
geschnitzten Südseeplastiken aus schwerstem Holz — und die Radierung. Die obere Hälfte des Bildraums gehört dem großen Rät-
selpartner, dem Dunkel, aus welchem der krumme Schnabel eines
Raben sich reckt wie ein Damoklesschwert. Keiner von all den hei-
tern Impressionisten hat so wie Gauguin, dieser dämonische Enkel
einer Peruanerin, den nächtlichen Mallarmé erfaßt. Mit weit offenen Augen, weit lauschenden Ohren und zusammengebissenem
Mund, einsam der Dichter.

Musik der festlichen Gemeinschaft

In seinen Seiten über Malerei und Tanz hat Mallarmé der Anmut sonniger Tage gehuldigt. Die Musik aber, mit der man am
tiefsten in den Strom des *Werdens* eintaucht, die „unkörperliche
Muse, ganz aus Tönen und Schauern" (D. Mode), wurde ihm
zum Inbegriff größerer Höhe und tieferen Ernstes, der Hoheit
und der Würde. Soweit Mallarmé eine Weltanschauung aussprach
— es geschah nur beiläufig und ohne die Absicht, mit dem weltanschaulichen Überangebot des 19. Jahrhunderts in Wettbewerb
zu treten —, hat er sie von seinem Musikerlebnis aus entwickelt.
Man findet sie in den drei Aufsätzen „Dienst am Heiligen" (Offices). Wenn mit der Wintersaison die leuchtende Musik wieder
in ihre Rechte eintrat gleichsam als Fortsetzung des Leuchtens
im sommerlichen Laubwerk, dränge sich der Gedanke auf, das
Publikum, dessen musikästhetische Zuständigkeit gewiß nichts
von der hellen Klarheit der kristallenen Saalbeleuchtung besitze,
müsse aus irgendwelchen religiösen, kultischen Gründen zusam-
mengeströmt sein. Den Dichter, als er mit vielen anderen einmal
ein Konzert betrat — ein Gaffer, der wohl ein wenig vom Einfluß des Musikalischen auf die moderne Plastik und Malerei
ahnte, und im übrigen mit der überlegenen Voreingenommenheit

des Wortdichters —, erfaßte plötzlich das Rätsel: wie kommt's, daß diese gegen Lyrik tauben[1] nüchternen Zuhörer, die werktags im Existenzkampf und seiner Erhöhung, der Politik, aufgehen, sich die wortlose Poesie des Unsagbaren und Reinsten erwählen? Mag auch ein wesenloser Nobody unter ihnen sein, der seine innere Leere in Gestaltlosigkeit ausleert: welche Lust aber bietet all diesen Seelen, die sich in hingerissenen Augen und milden Zügen aussprechen, der orgiastische Ausbruch des Unvordenklichen, Abendlichen, Heldischen?

Die erste Antwort gibt er in *Plaisir sacré.* Er entdeckt die gemeinschaftbildende Kraft der Musik, und in ihr die Gemeinschaft: „Die Menge, die als jungfräuliches Element uns so sehr zu überraschen beginnt, erfüllt ihre höchste Funktion den Tönen gegenüber als Hüterin des Mysteriums! Des ihrigen. Daß sie ihr reiches Stummsein dem Orchester gegenübersetzt, darin liegt die *Gesamtheitsgröße* (la collective grandeur). So wird hier der einzelne für sein Beugen unter das unscheinbare Äußere belohnt, und ohne daß es bewußt wäre." Aber natürlich, ein Franzose lege selbst in eine Symphonie noch nützliche Sozialbegriffe hinein, unterbricht er sich schalkhaft, und schließt mit einem anmutigen Vergleich, wie das Funkeln des Orchesters auch visuelle und taktile Entsprechung finde in Brokat und Samt, Bernstein- und Federschmuck der Hörerinnen.

Catholicisme I, der große Mittelteil des Musik-Triptychons, der am meisten metaphysische Aufsatz des Dichters, beginnt weitausholend beim Glaubensringen um den Sinn der Urrätsel. Es scheine unmodern geworden, niemand rede davon; wenn die Menschen, begleitet von „des Todes absolutem Orgeldonner", an das kommende Nichts denken, stellen sie es sich als etwas Körperlich-Klägliches vor, wie den Hunger. Die Vorsehung habe dem modernen Menschen zwar die Gabe eröffnet, „jenes Bangen körperlich zu erleben, welches die metaphysische entkörperte Ewigkeit (nicht zu verwechseln mit menschlichem Bewußtsein) vor sich selber hat", sowie die Aufgabe, die Auseinandersetzung mit diesem metaphysischen Gefühl zu verewigen. Doch nirgendwo sei das (mit *Igitur* und *Prose* Begonnene) noch unsterblich gestaltet worden; ein Stück davon hätte Mallarmé, der sich hier entfernt

mit Schopenhauers Musikphilosophie berührt, vielleicht im Nor-
nen-Vorspiel aus Wagners Götterdämmerung vorgefunden. Und
die Menschheit scheine so nichtig, träg, ungestalt wie nur je;
das Blütenreich der Kindschaft ist noch nicht wiedergewonnen
worden.

Da der moderne Geist sich also dem uranfänglichen Ruf entzieht, den düsteren Schlußstein zu setzen, verweist ihn Mallarmé
wenigstens auf die alten religiösen Glaubensgrundrisse, die den
öffentlichen Platz der menschlichen Geistesgeschichte gliedern.
Von ihnen aus könne die Seele jedes einzelnen frei zum Göttlichen hinaufbauen, so hoch sie will und mit der verfeinertsten
Ornamentik eines spätgotischen Schwibbogens. Freilich entstehe da viel Stückwerk, das später von den beschämten Bau-
meistern verleugnet wird. Und da ,,die MUTTER, die uns denkt
und zeugt", dies weise voraussah, hatte sie das glaubenseifernde
Mittelalter an den Beginn unserer modernen Welt gestellt. Diese
letztere strebt nun aber eine Freudenwelt irdischer Genügsamkeit
an, aus Mißtrauen an der Heiligkeitskraft, und lehnt überirdische
Inspirationen ab. Meinetwegen (je veux; soit), sagt Mallarmé.
Entfalten wir die laizistische, comtistische Zukunftswelt also aus
unserem Eigenen! Was aber ihm, als Hüter des Schönen, daran
allein wesentlich ist: wird sie, in der nur etwa die *Gerechtigkeit*
als göttlich gälte, das Schönheitssiegel kultisch-ritualer Fest-
symbole tragen,... so wie die Kathedralgotik sie einst besaß? Nie
sind Wagners Gedanken über die Aufgabe der Musik so hoch und
rein weitergeführt worden wie hier von Mallarmé, den auch in
Wagners Musik das Religiöse, Gemeinschaftsbildende ergriff.
Eben darum läßt sich nicht sagen, Mallarmés Kunstauffassung
entspreche derjenigen Debussys, es sei also ,,pikant", daß der
Wagnerismus, dem er sich hingegeben habe, weitgehend ,,ein
Mißverständnis" darstelle.[1] Gewiß ist ihm eine triebhafte Gestalt
wie die *Melisande* von Maeterlinck-Debussy nicht durchaus
fremd; aber ebenso gewiß dürfte die heldische Wendung, vom
Igitur zum *Würfelwurf*, durch Wagner gefördert worden sein.

Um mit Catholicisme I fortzufahren: er habe, schreibt Mallarmé, nicht mit der *Kronbeleuchtung* einer prophetischen Vision aufzuwarten, sondern allein mit Hinweisen, was geschehen

müßte und auf welche Weise. Sein kommendes Gesamtvolk hätte allsonntäglich, in einem Amphitheater mit zwei Flügeln (gleich denen irdischer Unendlichkeit), in die Abgründe des Mensch-Gottes hinabgelauscht. Denn dies sei das Wunder der Musik: Auf dem leeren Raum zwischen den Instrumenten und den Zuhörern weben sich Goldnetze hin und her. Kein bloßes Herumsitzen, kein persönliches Eingreifen, keine Zeugen vor Fremdem: nur ein Dasein aller. Von seinem Stuhl aus ist jeder in Graus und Glanz selber der Held, wehmütig nur, daß er diesen nicht anders als durch Klangorkane und unsichtbare Hingabe begleiten und erreichen kann. Dies ist weit weniger sachlich und abstandsbewußt, als es einst die altgriechische Tragödie war mit ihren Heroenlegenden, von deren wortreicher Tragik viele Zuhörer gewiß einen Schauder mit heimnahmen, aber doch nicht sich selbst zuinnerst bedroht fühlten. Eine weihevolle Tempelzukunft verheißt Mallarmé dem neuen Drama, der *Passion*, die gleich der kirchlichen herauswachsen soll aus dem Sonnenlauf (la tétralogie de l'An), als eine andere Form der höchsten Opferzeremonie, der Messe. Das christliche *Dies ist mein Leib, dies mein Blut* gelte auch, wenn sich zwischen dem unsichtbaren Darsteller und uns bebend Ahnenden die drei Siegesworte vollziehen, die dem Dichter als die leuchtendsten galten: VATERLAND, EHRE, FRIEDE (Divagations p. 306).

Um nun aber von den Reformern, welche *das urzeitliche Himmelblau* modern-elektrisch und pöbelhaft verwässert wünschen, nicht mißverstanden zu werden, huldigt er ausdrücklich der engen liturgischen Erbverwandtschaft des Enkelkults mit dem katholischen der Ahnen. Falls man, was ewig war, vergreisen und im Keller zerfallen lasse, werde man vergeblich jungen Quelltrunks harren. Eröffne sich die neue Wunderwelt, so werde man zugleich das große zum Schatten gewordene Einst erkennen, zumindest es ehren. Und in banger Vorsorge, damit es dereinst nicht versäumt werde, habe er hier „die auf dem Altar sich enthüllende erträumte Zukunft an das wiederentdeckte Grab lehnen wollen, an Asche fromm ihre Füße".

In der Skizze *Catholicisme II* knüpft er an die alte Kirchenmusik von den Niederländern bis Bach an, die soeben hinter dem Pariser

Rathaus, in der durch ihre Chorsänger hochberühmten spätgotischen Kirche Saint-Gervais wieder zu erklingen begann. Abgesehen von einer solchen vereinzelten Bemühung glaube er eine
weitverbreitete latente Sehnsucht zu beobachten, „vage geistliche
Konzerte durch wagnerische Zusammenkünfte zu ersetzen. Als
einziger überlegener Anreger weist der große Deutsche den Geistern ihre Richtung; man spürt — und das genügt —, daß es um
andere Dinge als die alltägliche Belustigung geht, um eine Fest-
feier nach Zeit und Ort. Gewiß, trotz irgend etwas Fremdem,[1]
seinen alten Sagen und den Wallfahrten — aber das Prinzip unserer Bühne ist erschüttert und im Wanken; und es verbreiten
sich auch Bestrebungen nach irgendeinem, das heilig wäre". So
tut der Dichtung die Einsenkung in eine Metropole gut, deren
Verherrlichung sie bedeutet. Ein Zeremoniell schuldet sowohl
„der Staat, auf Grund unerklärter und folglich aus einer Gläubigkeit abgeleiteter Opfer, die er vom einzelnen fordert; als auch
unser unbedeutendes Dasein". Das Draußen, dessen der Dichter
bedarf, damit ihm Dichtung krönende Freude sei, habe ja dem
Ewigkeitssehnen des unscheinbar gekleideten korrekten Staats-
beamten keinen soldatisch strahlenden Königsnimbus mehr zu
bieten, und unsere verkümmerte kirchliche Hingabe lebe nur
mehr im Klerus fort. Dennoch hat die Kirche, in die er „mit der
Kunst" (ᴀ: en dilettante) eintrat, mit dem Leuchten alter Cho-
räle ihm Ungeahntes zu enthüllen. Der Wechselgesang a cappella
der Männer- und Kinderstimmen weckte in der Seele des Dichters
die staunende Empfindung eines vielfachen und doch einzigen
allwissenden, eines nichts als reinen geheimen Genius jenseits von
Raum und Zeit, der aus dem Chor, wie aus einem Instrument, die
Einzelstimmen lockt (wogegen in der Oper die Alleinherrschaft
der himmlisch freien Melodie durch das Menschliche verhindert
werde). Sieben Jahre zuvor hatte er noch Orgelkonzerte als seine
zweite Leidenschaft bezeichnet, neben dem Ballett (an Verlaine,
Nov. 85).

Dreifach habe das künstlerische Theater der Zukunft an der
unübertroffenen Aufmachung der Kirche zu lernen, so wie diese
einst vom Theater lernte. Am *Gemeindegesang*, der auch aus be-
scheidensten Kehlen sich laut wie ein Schrei emporwirft: die un-

mittelbare Hinkehr zum Helden des (hier göttlichen) Dramas.
Am ritualen Entgegenschreiten und Zurückweichen des *Priesters:*
die unsichtbar mystische Gegenwart des Helden (wogegen der
bisherige Schauspieler[1] mit seiner hinderlichen Figur dem Denken den Weiterweg verrammelt). An der *Orgel* über dem Tor,
welche dem nächtigen Draußen so lange das Asyl verwehrt, bis es
sich hingerissen, befriedet, allvertieft über die nun stolze sichere
Gemeinde ausgießt: die Erweiterung des Raums ins Unendliche.
Wenn die alte Religiosität, welche das natürliche Fühlen durch
Ablenkung ins Jenseitige zu düsterer Größe hob, vergangen ist,
werde man doch einen Kult brauchen — die Kirchennachäffung
des Konzertsaals im Trocadéro-Palast ist verfrüht — für alles,
was aus Frömmigkeit stammt. So für die vaterländische Opfer-
bereitschaft, soweit sie nicht auf dem Schlachtfeld ihre Weihe
empfängt. Dem blödsinnig bilderstürmerischen „Laizismus" —
schon der Name entbehre des Sinninhalts — ruft Mallarmé entgegen, nun sei gerade die Zeit des Abstands gekommen, das herrliche Wollen von einst in hellem Licht zu zeigen. „Unmöglich,
daß die Rasse ihr unbekanntes inneres Geheimnis in einer Religion, auch einer seitdem aufgegebenen, nicht aussprach." Allerdings, so lautet der Schluß (den er vier Jahre später beseitigte),
möchte er lieber in den lächerlichen Geruch eines Antiklerikalen
kommen, als mit den Mystikern der jetzigen katholischen Litera-
turmode sich verwechseln zu lassen. Diese letzteren, meint er,
lassen sich betäuben über „den schwarzen Todeskampf des Ungeheuers, das nicht unterzugehen gedenkt, solange Wunderbares
in ihm verbleibt". Und sie wären imstande, diesem aus linkischer
Instinktlosigkeit sich „wiederum ganz und gar auszuliefern".
Dem Künstler indessen stehe es gegenüber dem Kultus des göttlichen Idols an, „wenn nicht es zu bekämpfen (es stirbt), so doch
den Wunderhort für sich zu bergen".
Der Chorgesang in Saint-Gervais gab nur Anregung, nicht Erfüllung. Der Dichter erfreute sich zugleich an den jungen Komponisten, dem menschenscheuen wortkargen Debussy, einem jähen,
wenig umgänglichen, aber dankbaren Gast der Dienstagabende.
Er ermunterte einen weiteren Massenet-Schüler, Reynaldo Hahn
(1874–1947), der so zärtlich Mallarmé-Verse aufklingen ließ.

Aber allein schon aus seinem Vorspruch für ein Konzert des Deutschargentiniers, fast den letzten Zeilen aus Mallarmés Feder, wird die tonmalerisch-literarische Musikauffassung Mallarmés deutlich. Ohne die große Gefahr einer Kunst-Symbiose klar zu erkennen, wo eine Kunstform die andere abspiegelt, statt mit den eigenen verschiedenen Mitteln Ähnliches unmittelbar zu erleben, wirbt Mallarmé geradezu dafür. Zwar sollte sein *Avant-dire* nur den Sinn des dreimaligen Beginn-Klopfens haben, und jedenfalls die Musik, durch deren Anhören erst ein verstehendes PUBLIKUM entstehe, nicht beeinträchtigen; es sollte nur das, was im Saal und überall noch an gestaltloser Rede nachzittere, wie mit einem Rocksaum vollends wegfegen durch ein paar verstummende Rhythmen unzulänglicher Sätze. Dennoch ist ihm der Hinweis wichtig genug: daß R. Hahn nicht Nur-Musik gebe, sondern, gemäß seiner Veranlagung, eine den von ihm angeschauten „Gegenständen ähnliche Empfindung mitschwingen" lasse, als reinen Wesenshauch, gerade „als ob von selber diese Gegenstände auf einem Dreifuß zur Schönheit hin brennten". Als Themen wählte dieser Komponist Gemälde: sie schenken ihm das Intuitive ihrer Linienführung, Beleuchtung, Farbgebung, kurz das Orchestrale jeder Malerei. Und sein Ausweichen von der unmittelbar erlebten Natur zeige sich noch in einer zweiten Bevorzugung künstlerisch bereits verarbeiteten Materials. Auch die Poesie — und nicht etwa bloß die im weiteren Sinn allen Dingen innewohnende —, die Versdichtung suche er zu erobern: herauszuarbeiten ihren heiligen Sang von jeder (wenn auch glorreichen) Wunde, welche dem Zauber des Unbewußten sogar durch das leiseste Ausdrücken in Worten geschlagen ist. In seinen Ekstasen sucht der Komponist neues Strömen aus dem Busen der Poesie zu saugen, „die Seele ganz laut" zum Klingen zu bringen.

Mallarmé war den umgekehrten Weg gegangen, seit er der Musik Wagners begegnete. Von der Musik, oder besser vom Musikalischen, zur Dichtung.[1] Wagners Namen nannte er bereits 1864 als Inbegriff der Musik neben Mozart und Beethoven (*Hérésies*). Er wurde ihm vertrauter durch die hingerissenen Huldigungen Baudelaires und Gautiers, durch Berichte von Mendès und von

Villiers; dieser hatte (nach Pontavice) Wagner schon im Mai 1861 bei Baudelaire persönlich kennengelernt und ihm 1869 als „dem Fürsten der tiefen Musik" sein Prosagedicht *Azraël* gewidmet. Für Mendès gehörte Wagners Schaffen, das gleichzeitig Musik und nicht Musik sei, zu dem wenigen, worüber er reine Freude empfand. Mallarmé in Avignon „in die neue Kunst einzuführen", schrieb er im Mai 1870, werde ihm ein Fest sein. Alles Messianische in sich projizierte Mendès in diesen „Erlöser", *Erfüller*, diesen *Erfinder einer Sonne*, den „Übergöttlichen", auf welchen der Ausdruck Mensch nicht mehr passe. Er fügte sehr nachdrücklich hinzu: „Keiner der Eindrücke, keine der Empfindungen, die irgendeine Kunst durch ihre Schöpfungen vermittelt, lassen sich an Tiefe, an Reiz und sogar an Verzweiflung mit dem Hingerissensein des Eingeweihten vergleichen, der, die Stirn in den Händen, Richard Wagners Orchester denken und sprechen hört; und ich wiederhole Ihnen, Musik ist das nicht, würde ich wegen Musik außer mir geraten, ich, ein Dichter?" Vermittlerinnen waren sodann die beiden eifrigsten Vorkämpferinnen Wagners in Frankreich: Judith Mendès, geborene Gautier (1845–1917), *die teure angebetete Seele* des alternden Wagner, seine „Wärme", sein „schöner Überfluß"; und besonders die frühreife überschwengliche Komponistin irischer Abstammung, Augusta Holmès (1847–1903), blond und schmal, Patenkind Vignys und Schülerin César Francks. Viele Gelegenheitsverse Mallarmés gelten ihr.[1] Mit Cazalis und Villiers in ihrem Salon, hatte er Saint-Saëns vielleicht seine *Dalila* spielen oder seine Einführung in den *Lohengrin* geben hören. Er kam zu der geistreichen Komponistin, um „den ganzen strahlenden Traumgarten zu erspähen, der auf deinem Papier reift". Wenn er sie bei Nina de Callias oder später bei Méry am Piano alle Stimmen ihrer neuesten Oper singen hörte, so war auch das weithin eine Vorbereitung auf das Erlebnis Wagners. Denn diesem Einfluß war sie nur allzusehr verpflichtet. Judith Gautier wiederum, die fünfmal ostwärts reiste, um Wagner zu besuchen, mit dem sie in inniger entsagender Liebe verbunden war, führte zu Hause den von ihr selbst übersetzten *Parsifal* im Puppentheater mit selbstgemalten Bühnenbildern auf.

Dennoch gab es seit dem Tannhäuser-Skandal des Pariser Jockey-Clubs keine Möglichkeit, eine Wagner-Oper zu hören. Seitdem der erste französische Wagnerianer, Nerval, als Freund Liszts in Weimar die *Lohengrin*-Uraufführung anhörte (28. 8. 5o), reisten manche nach Deutschland. Noch als in trüber Stimmung zu Neujahr 1875 der Bau der Großen Oper eingeweiht ward, schlug Mallarmé selber als Festakt ein Konzert aus den bekanntesten neueren Komponisten Frankreichs, nebst Gluck und Rossini, vor. Dagegen *Tannhäuser* zu wählen, ,,ihn durch Entfaltung außergewöhnlicher Glorie zu rächen für die einst im Namen Frankreichs von etlichen hundert Schlechtberatenen angetane Beleidigung'', schien ihm doch nicht angängig ,,seit den Waffen, seit dem Elsaß, seit dem Blut'' (D. Mode, 15. 11. 74). Eineinhalb Jahre nach Wagners Tod lernte er dann den einundzwanzigjährigen Edouard Dujardin kennen, welcher den ,Ring' zwei Jahre zuvor in London[1] und im Sommer 1884 in München hörte und der sich seitdem zusammen mit seinem Freund H. St. Chamberlain unermüdlich um das Textverständnis Wagners annahm. Diese beiden beschlossen die Gründung einer *Revue Wagnérienne* (Anfang 1885—88), der ,,damals einzigen in gewissem Sinn genialen Zeitschrift Frankreichs'',[2] in welcher dann Schopenhauers Musikdeutung, Wagners *Beethoven* und Chamberlains früheste Aufsätze erschienen. Dujardin hat neuerdings geschildert, wie viel in der bunten Schar der verschiedenartigsten Wagnerianer Mallarmés ruhiger Entschluß vom Herbst 1884 bedeutete, sich für diese Sache einzusetzen. Begeistert wollte Dujardin in der Mitarbeiterliste auf dem Prospekt der Zeitschrift (Februar 1885) den Namen Mallarmés in großen Lettern drucken, abseits von allen andern (Chamberlain, Schuré, Champfleury, Mendès, Bergerat, E. Bourges, Rod, Villiers); aber Mendès erreichte verärgert, daß Mallarmés Name wieder ,,in Reih und Glied trat''.[2] Am Karfreitag 85 ging Dujardin mit den beiden Freunden Mallarmé und Huysmans in eines jener Wagner-Konzerte, die Charles Lamoureux seit 1881 in dem jetzt verschwundenen *Sommerzirkus* veranstaltete. Während Huysmans nur über Publikum und Orchester witzelte und am *Tannhäuser* von der Musik am wenigsten gepackt wurde, war es für Mallarmé die große Erleuchtung. „Ich gehe zur Vesper", sagte er fortan fast jeden Sonntagnachmittag, und auch manche seiner jüngeren Freunde nahm er mit. Bald führte er viele von ihnen dem Mitarbeiterstab der *Revue Wagnérienne* zu, der sich im (heute verschwundenen) Café d'Orient in der rue de Clichy mit Barrès und Laforgue traf und mit B. Lazare (1865–1903), dem später durch Gides Feder so malträtierten Gefährten von A. France und Péguy. Es waren Gabriel Mourey, Quillard, Mikhaël, Ajalbert, und vor allem jene, die im Sonderheft des Januar 86 nach dem Beispiel Mallarmés und Dujardins in je einem Sonett dem Komponisten huldigten: Verlaine, Ghil, Merrill, Morice, Vignier und der polnische Wagner-Philosoph Wyzewa.

Noch immer vereitelten Revancheprediger die Aufführungen von Wagners Werken. Die Redaktrice der „Nouvelle Revue", Juliette Adam, geborene Lamber, eine offenbar persönliche Feindin Cosima Wagners, in deren Elternhaus ihre Mutter angestellt gewesen war, erzwang durch die Appelle an die „Frauen der Belagerung von Paris" und durch nationalistische Rundschreiben, daß Carvalhos Opéra Comique 1885 die Einstudierung des *Lohengrin* abbrach. Bitter hat Mallarmé in seiner Skizze *Parenthèse* bereut, sich zu wenig und zu spät um Wagner gekümmert zu haben.[1] Das im übrigen so prosaische Eden-Theater[2] habe er einst aufgesucht, als dort noch das italienische Ballett auftrat, um es dann bald zu verlassen, angeekelt von den schamlos unter den internationalen Zuschauern werbenden Kupplerinnen, und obwohl der Fuß einiger genialer Tänzerinnen sich hoch über alle Käuflichkeit und des sternbemalten Plafonds Banalität emporschwang. Und dann habe dort am 3. 5. 87, nachdem Musik den Saal reinigte, Lamoureux den *Lohengrin* aufgeführt, der ihm weit über alle Erwartungen das bis dahin erreichte Wahre offenbarte. Er begriff es als die „umfassendste Kunst der Gegenwart", als die „Allmacht eines noch urtümlichen totalen Genies" aus dem „Nebenbuhlervolk"; und das polizeiliche Verbot weiterer Aufführungen, wegen der Schlägereien, empfand er als eine Ohrfeige für die geistige Elite, als eine bisher so unerdenkliche Schande, daß ihm fortan die schlimmsten Anpöbelungen gleichgültig schienen. Beschränkte Dummheit habe diese vom Himmel gefallene elementare Gelegenheit vereitelt, „einer feindseligen Nation Courtoisie zu erweisen, die zänkischen Feuilletonisten zu entwaffnen" und zugleich das Genie in seinem blendenden Glanz zu grüßen. Unnötigerweise müsse man wieder auf Jahre hinaus das französische Vaterland verlassen (was den einfachen, heimatverbundenen Künstlerinstinkt betrübe), um an einer Wagner-Aufführung die Seele mit Schönheit sättigen zu können. Dieselbe Klage hörte H. St. Chamberlain noch 1893 aus seinem Munde: „Die Bayreuther Kunst ist für ihn *l'art suprême*. Nach Bayreuth konnte er und kann er nicht gehen; in ein anderes Theater, um die Bayreuther Werke zu sehen, will er nicht; er hört die Musik bei Lamoureux — sie sagt ihm *la région où vivre*, und dann kehrt er in seine Mansarde zurück und träumt sich die Werke in nie erreichbarer Vollkommenheit! — Über die Borniertheit der Franzosen *Tannhäuser* gegenüber und ihre lächerliche Petition meinte er, sehr irritiert, *c'est que les Français ont perdu l'instinct de la perfection*" (an Cosima Wagner, 15. 11. 93).

Wenige Franzosen haben damals über Wagners Musikdrama so ernsthaft nachgedacht und mit so ehrfürchtigem Blick für dessen Ganzheit und Wesenhaftes; keiner auch so bestimmt und bescheiden einen klar schriftstellerischen Standpunkt ausgesagt,[1] wie es Mallarmés *Wagner-*„Träumerei" vom August 1885 tat. Durch seinen Umgang mit dichterischer Schönheit habe er sich, heißt es dort, verlocken lassen, sich eine Zukunft der Dichtung auszudenken, wo sie Feier wäre, ja Kult aus den Tiefen des Volks. Und weil dies neben der gegenwärtigen Herrschaft der Plattheit noch für lange Zeit ausgeschlossen ist, vermochte er um so unbefangener und gelassener davon zu träumen. Er lasse beiseite, schreibt er, daß heute im Tanz (der einzigen Kunstform, in welcher die feinsten und höchsten Regungen sich verkörpern lassen) Herrliches bereits Gestalt gewinne. Doch auch wer über eine glanzvolle Erneuerung des Theaters durch die Musik sich Gedanken mache, werde allenthalben die Frage spüren, ob denn die Erfüllung seiner Wünsche nicht nahe sei: beschämt, ehrfürchtig und zugleich durch die außerliterarische Herkunft seines Werks befremdet finden die Dichter sich Richard Wagner gegenüber! Dessen dichterische Leistung begreiflich zu machen, verweist Mallarmé auf den damaligen Verfall des Dramas. Es suchte durch grob illusionistische Wirklichkeit den phantasie-faulen Zuschauer von vornherein von der Existenz der Personen und Geschehnisse zu überreden, statt daß aus dem Wunder der künstlerischen Bühneneinheit langsam als Letztes sich geglaubte Erlebniswirklichkeit gelöst hätte und der Verstand mit allen, be-sonders musikalischen Mitteln gezwungen worden wäre, vor der Welt der Sinnbilder abzudanken. Musikalische Hilfsmittel aber standen der bisherigen Bühne des reinen Wortanspruchs nicht zur Verfügung, und so leben ihre geistig anspruchsvollen Meister-werke nur noch im Buch, da sie, szenisch veraltet, dem Festspiel-Anspruch des Volkes nicht genügen. Im heutigen Theater ist der Szenenvorgang zur Abstraktion, zur Allegorie geworden und er-hält die leibhaftige, warme, persönliche Lebensfähigkeit erst durch die Musik: setzte diese aus, so müßten die Schauspieler gleichsam als leblose Puppen erscheinen. Es muß dies freilich eine Musik sein, welche nicht, auch nicht als krönendste Verfei-nerung, aus bisherigen Formbedingungen geschaffen wurde. Ge-rade der Kritiker, der sich nicht von der rein musikalischen Lei-stung übertäuben läßt, muß verlangen: gelang dem Musiker wirk-lich die Wandlung, trotz seiner Musikvoreingenommenheit? Die Rückkehr zu den Urquellen, wo Musik noch „Urzeugerin aller Lebenskraft" ist?

Unbeschwert von kühlen und vorsichtigen Ästhetiker-Klassi-fikationen versöhnte Wagner, „dieser Schöpferische um jeden Preis", das altersschwache, aber wohlerhaltene Drama zu einem „harmonischen Kompromiß" mit allem geheimnisvoll Jungfräu-lichen in der Musik; bisher hatte es sich gegenseitig ausgeschlos-sen oder ignoriert. Durch Wagners blendende Zauberkünste ver-mählt sich dem Drama die Musik,[1] sowenig sie nach Ursprung und Schicksal eine Verbindung eingehen kann. Und doch verliert dabei keine der beiden disparaten Kunstformen ihre Grundgesetz-lichkeit.

Das Legendenhafte bringe Wagner schon dadurch auf das Theater, daß durch seine fast ganz regelfreie Musik[2] alles Kon-krete des Bühnenhelden zerfließend verschwimmt zum Märchen-traum eines gestaltlosen Klanggewebes oder mitgerissen wird von übermenschlichen Leidenschaftsstürmen und in Ohnmacht versinkt. Bis der Held schöpferisch zu singen anhebt, wodurch dann alles Ungestalte gebändigt wird. Der halb die Erde, halb den Himmel bewohnende Held verbleibt in einer Entfernung, welche gleichsam ausgefüllt ist durch die vom Orchester aufsteigende seufzende, jauchzende, selige Klangwolke und durch eine Bannmeile schaudernder Anteilnahme, staunender Ur-Pietät. So erlebte einst der hellenische Hörer seine legendären Mythen;[1] und es sind Mythen, welche zu dem, was uns als individuelles Menschenwesen vertraut ist, nicht in Widerspruch stehen und teilweise mit Sinnbildlichem verquickt sind. In einer verwegenen Frische, zum zweitenmal seit Griechenland, wohne ein Publikum, das deutsche, dieser meisterlich orchestrierten Botschaft aus seiner Urvergangenheit bei.

Vom französischen Geist erhofft Mallarmé, er werde sich dagegen seines bewährten erfinderischen und abstrahierenden Dichtertums würdig zeigen. Die Kunst, rein verstanden, will neu erfinden und kann die Sagen verschmähen; als hätte das französische Denken den Einbruch des Anachronistischen auf der Bühne geahnt, hat es aus seiner Vorzeit keine Sage überliefert. Als Fremde in der Moderne empfindet Mallarmé Siegfried und Brunhild; es sei denn,[2] es enthülle sich in der Fabel etwas Überzeitliches, Übervölkisches, Übergeschichtliches, etwas vom Allgemeingültigen jenes Sternenhimmels, dessen schwache Deutung nur, dessen besingende Ode die Geschichte der Menschheit darstellt. Wenn entweder die Gegenwart oder das besonders gegenwartsfreudige Frankreich die Mythen durch das Denken aufgelöst habe, so war es, um Mythen neuer Art zu schaffen; eine — die Kunst. Nicht erlauchte Figuren der Vergangenheit braucht das Theater, sondern den namenlosen Helden, „ihn, irgendeinen", die künstlerisch-nationale Verkörperung von unser aller Träumen. Nicht wie im früheren Theater gilt es unser Sehnen einzuschüchtern oder zu konterfeien, sondern es im Helden zu vollenden. Und wozu eine örtliche Festlegung des szenischen Schauplatzes, wie sie aus dem irrigen realen Schauspielerbegriff sich ergibt (hierin geht Mallarmé den Weg Racines zu Ende)! Fern vom schausüchtigen Gaffertum genüge für seelische Vorgänge ein symbolischer Sammelort, auf welchem die ideale GESTALT auftrete, jedermanns ewiges Wesen, die niemandem körperlich gleiche.

Gleichzeitig aber ergreift den Igitur-Dichter auch ein Bangen vor dem jähen Hochflug des deutschen Meisters,.. vor dem *Gott* und *Genius*, dem trotz mancher Verständnislosigkeit seines Volkes nun Bayreuth auch die Stätte für sein weltumspannendes Weiheerlebnis bereitet hatte. „Ich, der Geringe, den eine ewige Logik knechtet, ich leide darunter, ich werfe mir in Stunden des Müdewerdens vor, nicht zu jenen zu gehören, die, alles andern überdrüssig, geradewegs in den Tempel deiner Kunst, als Endziel ihres Wanderns, schreiten, um das endgültige Heil zu finden." Gewiß, das Tempeltor bietet wahrhaft Zuflucht vor der Mittelmäßigkeit, auch vor der eigenen Unzulänglichkeit. Doch Mallarmé bittet um einen bescheidenen Platz an Wagners gastlichem Brunnen abseits vom lärmenden Strom der raschbegeisterten Pilgerschar – einmal um sich zu sammeln. Dann aber auch, um vom allzu strahlenden Lockungstraum dieser in die Wolken ragenden Domkuppel den Abstand halten zu können. Ihre blendend nackte, schwindelnd einsame Spitze erinnert ihn warnend „menaçante d'absolu" an Igiturs Entmenschlichung im Vollkommenen. Denn sie ist „jenseits, und niemand scheint diese Höhe erreichen zu sollen".

Bühne, Ballett und Mimus

Mit einem Festessen am Allerheiligentag 1886 eröffnete Dujardin, den wegen seines unerschütterlich forschen Auftretens jedermann, bis zur Liquidation Ende 1888, ganz zu Unrecht für einen Krösus hielt, eine höchst luxuriöse Elite-Zeitschrift, der Symbiose aller Künste gewidmet, die zweite und eigentliche *Revue Indépendante* (nach Fénéons erster, vom Mai 1884). Unter der Rechnungsführung des Anwalts Jean Ajalbert zahlungskräftiger als *Scapin* (1885/86), *Lutèce* und *Plume*, wurde sie ein gemeinsames Forum für *Naturalisten* und *Symbolisten*. Zola, Goncourt und Mirbeau traten zu Verlaine und Villiers, der Anarchist Fénéon zu dem Boulanger-Anhänger Barrès. „Zur allgemeinen Überraschung" erklärte sich Mallarmé bereit, die Theaterchronik

zu übernehmen, was er ein Jahr vorher (an Dujardin, 10. 9. 85)
mit Hinweis auf seine Arbeit an einem Drama abgelehnt hatte.
Seine zwanglose Chronik wollte nur *Vorwand* für allgemeinere
Betrachtungen sein, „aérant, de laps, l'actualité" (Div. 351).
Denn zwölf Jahre zuvor hatte er bereits die Erfahrung machen
müssen, daß mehr als drei oder vier *dichterische* Schauspiele
jährlich von den Pariser Bühnen nie zu erwarten seien. Und während sich ein langweiliges Buch rasch zuklappen lasse, sei man
unversehens für einen Abend lang der Gefangene der Theater-
höhle, wenn statt Genialem eine öde Welt der Pappe, Leinwand
und dummen Marionetten sich auftue (*Dern. Mode*). Als Knabe
hatte er die Komödien Mussets studiert, eingehender als dessen
Lyrik. Gleich Glatigny hatte er als Jüngling für die Schauspiele
Auguste Vacqueries (1819—95) geschwärmt, besonders für das
heroisch-komische „Meisterwerk" *Tragaldabas*. Noch 1874 forderte er für dies „Wunder an idealer Heiterkeit" Neuaufführun-
gen, obgleich die leidenschaftliche „erlesene, verträumte, leuchtende" Musik dieser Rhythmen auch vernehmlich werde als Buch
„in seiner stillen, natürlichen, launigen Unsterblichkeit".

Als er in *Dernière Mode* sich versagte, sein Ideal des noch zu
findenden „weiten, erhabenen, fast religiösen" Dramas aufzuzeigen, spielte er selbst mit dem Gedanken, ein dem Volk näheres
Drama zu schaffen. Bald dachte er, wie später Stravinskij, der
junge Jean Cocteau und T. S. Eliot, an eine Erneuerung aus dem
Geist von Kabarett, Varièté und Revue. Er bemühe sich, schrieb
er an O'Shaughnessy, um „etwas, wodurch das souveräne Volk
geblendet werden soll wie niemals noch ein römischer Kaiser
oder asiatischer Fürst." Sogar der Star der Folies-Bergère,
Léona Dara, werde „in diesem weitangelegten Schaustück" mit-
zuwirken haben (28. 12. 77). Dann wieder lockte ihn der Gedanke, bei den Dörflern in einem Wohnwagen umherzufahren
und ihnen eine monologische Aufführung, *Hamlet und der Wind*,
darzubieten (zu G. Moore). Die Gefährlichkeit solcher Vorschläge
hat einen heutigen Meister des poetischen Dramas, T. S. Eliot,
nicht daran gehindert, sie 1920 zu wiederholen (*The Sacred
Wood*) und zu einer richtigen Erkenntnis vorzustoßen. Ihn lehrten die komplexen Dramatiker der Elisabethzeit, daß diese nicht

wie die heutigen sich an ein Publikum wandten, das Poesie wollte;
sondern an eines, das Zerstreuung wollte, aber dabei auch ein
ganz hübsches Stück Poesie vertrug. Hier liegt die Antwort auf
Mallarmés briefliche Frage: „Die dramatische Dichtung bringt
mich zur Verzweiflung, denn wenn ich irgendeinen Grundsatz
in der Kritik habe, so ist es der, daß man vor allem nach sauberer
Trennung der Gattungen streben muß. Theater auf der einen
Seite oder Gedicht auf der andern."[1]

Erhalten hat sich von Mallarmé zufällig ein Notizzettel, den
Bonniot im Vorwort des *Igitur* veröffentlichte und der bisher
unbeachtet blieb. Er enthält in „Gleichungen", équations, den
Versuch einer platonistisch-metaphysischen Systematik der Bühne;
schon Hegel hatte ja dem Drama einen Platz in seinem Welt-
system angewiesen. Am Anfang war das „Mysterium", die Ur-
einheit, die „doppelte Identität.. zu Unrecht in zwei zerspalten".
Die zwei heißen „Idee und Theater", und mit der bühnentechnischen Bezeichnung „Tanz und Mimus", oder, je einem der
beiden Geschlechter entsprechend, Frau und Mann in ihrer Er-
scheinungsform als „die Hymne" und „der Held". Und zwar
ist die erstere länger da: die „mütterliche Hymne.. schafft den
Helden". Es gilt nun die Aufspaltung des „Mysteriums" zu überwinden (pour racheter cette scission). Theater heiße: Entwicklung des Helden, oder: der Held als Ergebnis des Theaters. Seine
Aufgabe ist: er macht, offenbar durch seine Geistigkeit, die mütterliche Hymne frei (dégage) aus dem Vergrabensein im Mystère
und „gibt sich dem Theater zurück" (se restitue au Théâtre).
Denn das *Theater* muß wieder eins werden mit der *Idee*, zum
Mysterium. Durch das Mysterium, daß „der Held durch die
Hymne hindurch" eine Verschmelzung eingeht, wird „das Drama
verursacht". Undeutlich ist hier die Beziehung zum Vaterland
skizziert; dieses beruhe auf der Synthese von „Leben" (nature et
homme) und „Staat" (cité).

Der erste, gleichfalls noch theoretische Vorstoß in Frankreich
auf ein wesentliches Theater hin war fast ungehört verhallt: wenige lebendige Leser scheint die *Lettre à D'Alembert* von Jean-
Jacques Rousseau gefunden zu haben. Statt einer gedankenlosen
Vervielfältigung des zerstreuenden Theaters und seines erotischen

Kitzels, so hatte es bei Rousseau geheißen, gelte es für die Zu-
kunft ein Zwiefaches zu erhoffen: Zusammenkünfte freier Volks-
gemeinschaften unter freiem Himmel, gerundet um „nichts"
(rien), und sei es vorläufig nur um einen Maibaum oder einen
Volkschor. Und als zweites: „Autoren!" Um beides begann
man um jene Zeit auch im Lande Schillers zu ringen. Durch
Wagner drang die Mahnung nach Frankreich hinüber. Das
Werden eines philosophisch unterbauten Nationaldramas in
Deutschland seit dem erlöserischen Menschentum von Goethes
Iphigenie und seit dem Widerspiel des moralischen Menschen
mit der Geschichte, von Schiller bis Hebbel, war die Grundlage für Wagner gewesen. Sie wird es, durch notwendige Ver-
tiefungen des deutschen Nationalbegriffs hindurch, wohl auch
für künftige Dramatiker in und außerhalb Deutschlands sein.
Gläubig hoffte damals die Halb-Italienerin Georgette Leblanc
mit ihren Maeterlinck-Aufführungen in Saint-Wandrille ein zweites Bayreuth begründet zu haben, feierlich bezeichnete Péladan
seine Feierspiele als *Wagnéries*. Bei Gabriele d'Annunzio, den
Nietzsche zur archaischen Dramatik des Aischylos führte, entwickelte sich der Held des Romans *Trionfo della morte* von Huysmans' *A rebours* zu Richard Wagner weiter; und der Held des
Fuoco, Wagners Sargwächter und Erbe, entwirft den Plan einer
gewaltigen Apollobühne auf dem Janiculus. An seinem vergeblichen Traum nach einem edleren, frommeren Schauspiel verzehrte sich tragisch die Duse (wie Rilke gewahrte, als er sie in Ve-
nedig traf). Mallarmé selbst wich vor seinen dramatischen eigenen Entwürfen zurück. Wohl aber stellte er sich als Theoretiker
in den Dienst der Sache. Weniger als je konnte ihm das groß-
städtische Theaterwesen, mochte man sich auch bei oberfläch-
lichem Blick damit zufriedengeben, als der wahre Tempel der Muse
erscheinen. Gähnen — so laut, daß wenn man alle tausend Lich-
terblitze des Kronleuchters als Schreie ansah, sie nur ein Echo
gewesen wären — wurde hier Ausdruck des Protests — wie es in
dem Aufsatz *Crayonné au théâtre* heißt. Dort verwundert sich
seine schöne Logennachbarin darüber, daß talentierte Leute —
wagemutige sogar, wären sie der eiteln Leere ihres Beginnens bewußt — aus ihrer Einschätzung des Publikums heraus Mittel-

mäßigkeiten erfinden und damit das allabendlich hungergähnende Loch der Erwartung stopfen, wo doch draußen unbeachtet der Abendhimmel glüht wie der aufgerissene Rachen des Großen Märchentiers.

Auch der feinfühligste Besucher der heutigen Bühne werde in einen Abgrund von inneren Kompromissen hineingezogen. Weh dem, der seine Seele ins Theater mitnahm! Und doppelt dem, welcher die (angeblich notwendige) Theaterkritik an den entweder klassischen oder aus zweiter Hand stammenden Werken auszuüben hat! Für Mallarmé ist sie eigentlich nur sinnvoll, insofern sie die Linien ins mystische Ganze, ins All verlängert; nur selten läßt er sich ins Theater locken, das all denen, welche das Schönheitsdrama nicht unmittelbar im Manuskript der Natur zu erleben wissen, eine *Vorstellung* davon vormimt. Seine Kritik habe nichts gemein mit der Tagespresse, deren Interesse am Theater sich auf Reportage, meist im Telegrammstil als Stimme einer kompakten Masse von (doppeldeutig gesagt) Stummen, beschränkt, item auf lüsternen Kulissenklatsch und aufgeschnappte Indiskretionen. Da gebe er schon lieber an freien Abenden sich selbst eine Galavorstellung vor dem feurigen Bühnenhaus seines Kamins, das Geheimnis der Gluten zu befragen, das unter seinem unverwandten Blick sich windet wie ein Tier. Und da Mallarmés kritische Prosa sich wenig von seiner künstlerischen unterscheidet, durfte er aussprechen: um auszudrücken, was Kunst sei, müsse man sie schaffen und auf dem Höhepunkt beifügen, dies habe man gemeint. Ihre Evidenz sei ihre Existenz.

Von zwei Formen des Theaters hat er Günstiges auszusagen. Einmal vom *Ballett*, weil es beinahe alles der Phantasie überlasse. Die Tänzerin ist beides, sowohl der Gegenstand wie Hingabe an ihn, sie ist die unpersönliche Verschmelzung von Weib und dargestelltem Thema. Das ist die Urpoesie, aus Musik geboren, — *Fiktion* und *Augenblickskunst,* .. vergleichbar der unwirklich abrollenden Scheinhandlung, dem Drama, und zwar besonders deutlich vergleichbar dem alten französischen *Mélodrame!* Diese volkstümliche Kunstform ist dem Dichter besonders teuer. Dort darf sich jedermann einer rührseligen und doch (sowenig wie im Saal die Kronleuchterkristalle) nicht herabtropfenden

Träne nahe fühlen, mit halbem Lächeln, weil in den Jammer-
szenen ironische Quinten oder eine Flöte heitere Ausblicke eröffnen. Und auch ohne dieses beugt er sich vor der weinerlichen
Tragik .. nicht als ob er an seiner eigenen nicht genug hätte, sondern „um von irgendwoher ins Volk hinabzutauchen", um „durch
eine naive melodische Quelle Befreiung" zu finden. Hier besitze
die Musik, die viele Komponisten so aufs Geratewohl verschwenden, noch ihr volles Gewicht. „Keinem Schöpfertum könnte es
schaden, das unscheinbare tiefe Gesetz zu erkennen, welches bei
dieser genialen französischen Gattung, aus einem Volksinstinkt
heraus, die Beziehung von Orchester und Bühne regelt." Die
wichtigste dieser ungeschriebenen Regeln: Man muß spüren, daß
auch in den schaurigsten Szenen das „heilige Lachen" auf die
Entspannung harrt und daß das Spiel hypothetisch bleibt, so
daß es im endlichen Aufflammen des Lichts im Zuschauerraum
seine Krönung findet.

Auf die Frage, ob sie ins Theater gingen, erwiderten dem Dichter
alle befreundeten Frauen und Männer von Welt, welche „Rasse"
und eine eigene Innerlichkeit besaßen: Beinahe nie. Die des-
interessierte Haltung seiner Kritik bezeugt hinlänglich, daß er
nicht anders empfand; obwohl er dankbar bekannte, wenigstens
zwei geniale Schauspieler erlebt zu haben, Rouvière, den in Banvilles Elegie Verewigten, und Frederick Lemaître. Nur aus dem
perversen Anreiz, am Mittelmäßigen zu leiden, erklärt er sich zu
den unnützen Schein-Beurteilungen der Theaterkritik bereit. Da
seine Scham sich widersetze, sein erlesenes unzeitgemäßes Wollen in so falschem Licht preiszugeben, sehe er sich gezwungen,
um sich diesem trüben, nirgends ewigen Treiben anzupassen, seinen ganzen Sprachstil umzustellen und sich, abgesehen von seiner Liebhaberei zu umständlicher Rede, schweigend abzuwenden:
ein „Narr, geschwätzig, ohne etwas zu sagen". Denn wozu durch
Geschwätz die Weltherrschaft des Geredes anklagen! Nicht daß
das Volk sich neuerdings mündig fühlt und selber urteilt, sei das
Schlimme. Denn gerade „in der Menge, d. i. in der majestäti-
schen Weitung des einzelnen, liegt der *Traum* verborgen"! Sondern daß sich noch nichts dieser neuen Wendung anpaßt, daß
nichts die Menge zu einer großen Bühnengemeinschaft vereint.

Den neuen Hunger dämmte man mit der sog. offiziellen (ebensowohl: vulgären) Kunst ein (die jährlichen Staatlichen Kunstausstellungen miteinbegriffen). Man erstickte dadurch zukunftsträchtige Dichtung und, mit dem Zement der Banalität, sofort jede jubelnde Regung des Volks, wenn dieses zuweilen ein Bild seines gotthaften Seins, auch nur im Rohzustand, zu finden glaubte. Auch den Einklang zwischen einer ganz erlesenen, jungfräulichen Kunst und einer ganz schlichten, volkstümlichen, an dessen Möglichkeit der ältere Mallarmé unerschütterlich glaubte, habe eben diese hohle *offizielle* Kunst verfälscht. Und der Aufsatz *Crayonné* endet mit dem Aufruf an die jetzigen Künstler, „eher als eine klösterliche Einsamkeit beim Fackelschein eurer Unsterblichkeit zu malen oder vor dem Götzen eures Ich zu opfern, lieber heroisch Hand anzulegen an das Monument, — das als Wegweiser ebenso enorm sein wird wie jene unbehauenen Blöcke", die noch als unbewältigtes Erbteil der Vergangenheit unsern Boden belasten. Die schwallerfüllte, sangesbare Bühne, deren Götter das Gähnen und Ponsard sind, wird auf den ersten Seiten von *Solennité* heftig angegriffen. Dort wird auch deutlich, daß Mallarmé weniger über Theaterabende berichtet als über seine häusliche Lektüre. Denn nicht von der jetzigen Bühne her erwartete er die Erneuerung, wie ein Brief an Vittorio Pica zeigt: „Wird das Schrifttum an seiner Quelle, nämlich der Kunst und dem Wissen, aufgesucht, so glaube ich, daß es uns ein Theater bieten wird, dessen Darbietungen der wahre moderne Kultus sein werden; ein BUCH, Deutung des Menschen, Erfüllung unsrer schönsten Träume. All das steht, glaube ich, dergestalt in der Natur geschrieben, daß nur denen, welche am Blindbleiben interessiert sind, die Augen nicht aufgehen. Es gibt dies Werk, unbewußt versuchte sich ein jeder daran; kein Genie, kein Clown sprach je ein Wort, ohne unbewußt einen Zug davon gefunden zu haben. Dieses zu zeigen und einen Zipfel des Schleiers von dem, was eine solche Dichtung sein kann, zu heben, ist in Abseitigkeit meine Freude und meine Qual."

Fürwahr, ein Buch, „wenn es eine erlauchte Idee ausdrückt", kann sich jederzeit in eine Bühne verwandeln, in den reinen Spiegel unseres Wesens, in die niegehörte Musik, den heimlichsten

Wunder*saal*, die SZENE, die es im Leben und außerhalb der Kunst nicht gibt. So viel vermag der schlichte Glaube an die vulgäre und gleichzeitig göttliche Sprache und an die sie läuternde Metrik. So ist für Mallarmé, bei aller Bewunderung Wagners, das Entscheidende doch die Dichtung. Aufführungen mit Musik und Mimik, die sich jedermann als sein einziger Zuhörer (vergleichbar Ludwig II. von Bayern) jederzeit vorspielen kann, falls das Erlebnis der Landschaftsschönheit schon ein parallel symmetrisches Theater in ihm errichtet hat (Div., p. 229f., 218)! Und auch für die Gemeinschaft der Menschen wird das eigentlich festliche Forum nicht mehr das beschränkte, handgreifliche Theater sein,.. auch nicht die Musik, die auf die Dauer „zu fliehend ist, als daß sie das Volk nicht enttäuschte", und die als bloßes Konzert doch eben das Kultische nicht sichtbar befreien kann. Sondern die Synthese des Handgreiflichen und des Vagen: die durch wirksame Verseinschnitte dramatisierte *Ode* bzw. deren heroische Spielart, die *mehrstimmige Ode*.

Einen anderen Weg ist Wagner gegangen, der weder das dramatische Theater der Griechen oder Shakespeares noch die reine Musik eines Bach oder Beethoven gab, sondern eine musikgeborene legendäre Vision. Seine poetische Kunst, herrisch am Schnittpunkt der anderen Künste, denen sie entstammt, bezeichnet Mallarmé als ein wunderbares Ausnahmegeschenk, deren einzigartige Leistung aber nicht wiederholt werden könne.

Das soll nicht heißen, daß an Wagners Klangschönheit, den Gesten, dem reichen Bühnenschmuck nichts zu lernen wäre,.. wie Mallarmé es an einer „gesprochenen Oper", dem dritten Teil von Dujardins Drama *La Légende d'Antonia* (1891) feststellt. Zu der Aufführung am 14. 6. 93 hatte der geschäftstüchtige Verfasser listig die Spitzen der Gesellschaft einschließlich des diplomatischen Korps gelockt. Mallarmés Besprechung, die in fast normalem Französisch geschriebenen *Planches et feuillets*, ist sehr bezeichnend für seinen Kritikerstil, den Zuschauerraum durch Analogien mit dem Bühnengeschehen zu verknüpfen. Ein humorvolles Porträt zeigt den weltmännischen Dujardin, wie er eben den Prolog memoriert, den er persönlich, die beiden ersten Teile seiner Trilogie resümierend, vortrug.[1] Das Betragen der Zu-

schauer, die jedes kleine Versehen auf der Bühne als Anlaß zum
Lachen nahmen, gibt Gelegenheit zu der Bemerkung, es dürfte
allzuviel Publikum zusammengetrommelt worden sein. Ähnlich
knüpft er an das historisch nicht festgelegte Milieu des Stückes
die farblose moderne Herrenkleidung der Zuhörer an; die länd-
liche Schlichtheit des Dramas entspreche der Schlichtheit der
ernsten Gedanken. Den Grund des Mißerfolgs aber konnte auch
Mallarmé nicht entschuldigen. Zumal in der großen Schlußrede
der Holzfäller geriet Dujardin, der in seinem Mysterienspiel die
Mutterschaft als die höchste Heiligkeit der Frau verherrlichte,
in ein scholastisches Philosophieren vom neuen Idealismus: während doch der *hasard* der Bühnengestalten „eben dazu da ist, damit sie der Metaphysik ausweichen", so wie – mit einer aber-
maligen Assoziation! – auch das Spiel ohne Beleuchtung im Zuschauerraum vor sich geht. Und da die Kulisse des Heiligen Bergs
(von M. Denis gemalt) ohnehin den Sinn ausdrückte, warum kann
nicht alles im elementaren dunkeln Schrei der Leidenschaft allein
sich abspielen? Das Anziehendste an der *Fin d'Antonia* war für
Mallarmé, wie seine liebevoll bildhafte Beschreibung zeigt, das lose,
auch bühnenmäßig nicht unwirksame Versgewebe Dujardins, welches ein unerfahrenes Ohr wohl als Prosa angesprochen hätte;
Mallarmé leitete es aus einzelnen Rhythmen älterer französischer
Dichtung her, weniger aus Wagner, mit dem jetzt der Dichter des
bescheidenen weihevollen Wortes den Wettkampf aufnehme.

Mallarmés bewußt buchmäßige Haltung veranlaßte ihn, auch
andere unspielbare, latente Dramen zu ermutigen, so diejenigen
Régniers und Hérolds. Oder als Alfred Jarry (1873–1907) auftrat, der begabte Nachfolger von Rimbauds *Sommer in der Hölle*,
ein haltloser Sproß einer bretonischen Alkoholikerfamilie. Aus
der Schulkarikatur auf seinen tyrannischen Lehrer *Ebé* schuf
Jarry den bitter burlesken *Ubu Roi*,[1] das erste Bühnenexperiment
futuristisch-surrealistischen Schlags, unter Verwandlung alles
Metaphysischen in ein ausgelassenes Alpdruckspiel voller Lebens-
neid und Rachegier: „Sie haben aus seltenem, beim Betasten
dauerhaftem Lehm eine großartige Persönlichkeit und ihre Ge-
folgschaft aufgerichtet. Sie reiht sich ein in den Spielplan des
hohen Geschmacks (haut goût) und geht mir nach."

Sogleich war ihm auch klar, daß die handlungsarme Vergangenheitsschwermut und die nebelhaften Gespenstergestalten in Maurice Maeterlincks (1862–1948) frühem Drama *La Princesse Maleine* gar nichts mehr gemein hatten mit der intensiven Körperlichkeit Shakespearischer Helden, auf welche O. Mirbeau in seiner begeisterten Besprechung vergleichsweise hinwies. Übrigens verdankte Maeterlinck, der spätere Philosoph eines christlich und stoisch unterbauten Spiritualismus, seit 1896 dauernd in Frankreich ansässig, diesen Artikel des *Figaro* vom 24. 8. 90, der ihn endlich mit einem Schlag bekannt machte, der Fürsprache Mallarmés. Der Lyriker der sehr pariserischen *Gewächshäuser* (*Serres chaudes*, 1889) — Maeterlinck war 1886 erstmals in Paris gewesen — hatte durch dramatische Werke sich von allnächtlichen Höllenfeuer- und Überfall-Angstqualen zu befreien gesucht, die ihn heimsuchten.[1] Vorbilder boten die neuartigen *Flaireurs* des Mythendichters Van Lerberghe;[2] auch wirkten, wie Maeterlinck selbst berichtet (*Bulles bleues*, 1948), die Dramen Villiers', den er 1886 zusammen mit Rodenbach und Grégoire le Roy begleitete. Auf Mallarmés Rat hatte Paul Hervieu den sturen Belgierfeind Mirbeau dazu bewogen, sich die *Prinzess Maleen* vorlesen zu lassen. Mallarmé, der auch Maeterlincks Gedichte schätzte, bewunderte an dem Stück die raffinierte Schlichtheit der Sprache: „es sind beiseite gesprochene Worte, alle etwas abgebogen, aus deren Begegnung sich ein Gespenst erhebt", so wie auch in Villiers' *L'Annonciateur* der Engel allein aus dem Nichtausgesprochenen gegenwärtig werde.[3] Erst am Tag vor der Premiere des *Pelléas*, mit welchem Mauclair und Lugné-Poë ihr *Théâtre de l'Œuvre* eröffneten (17. 5. 93),[4] hat Mallarmé sich durch Mauclair den jungen Belgier vorstellen lassen. Mit Recht hat er, in *Planches et Feuillets*, den *Pelléas* als eine neuartige Weiterführung des alten Melodrams angesprochen, gleichzeitig aber vor einem In-Musik-Setzen dieses in sich schon hinreichend musikalischen Textes gewarnt. Maeterlinck hat sich später zornige, aber doch unberechtigte Vorwürfe gemacht, daß er nach jenem einzigen Bühnenabend, zu welchem *Pelléas* es jemals brachte, dem jungen Debussy auf dessen Bitte und auf Grund eines Gutachtens von Mauclair und Louys das Recht zur Vertonung erteilte. Bei der Pelléas-Dich-

tung wußte Mallarmé sodann treffend die echoartigen Satzwieder-
holungen, die Maeterlinck etwas allzu häufig bringt, gleichsam
als eine angstvolle Selbstversicherung, daß die Worte in der großen Stille wirklich gesagt worden seien, hervorzuheben. Wenn die
wenig gewichtigen Spiele Maeterlincks dem breiten Leserpublikum
zum Inbegriff des „Symbolismus" wurden, so ging doch noch ein
eigener Schauer von ihnen aus, der in Maeterlincks späteren Werken unter dem Einfluß der wirkungssüchtigen Sängerin G. Leblanc,
seiner Gefährtin, verlorenging. Auch die ersten Versuche Paul Claudels (1868), über die Sprache der französischen Wagner-Über-
setzungen hinaus Wagner vom Literarischen her einzuholen und zu
überholen, wurden durch niemanden so ermutigt wie durch Mallarmé. Ein Rhythmus „moralisch ebenso wie dem Ohr entsprechend" und eine autoritäre Heldengebärde zwingen hier ein „hart-
näckiges, ernsthaftes, schlichtes Drama" hervor. „In Ihnen ist gewißlich die Bühne" (5. 1. 91; *Propos* p. 145). Mallarmés Lehre,
betonte Claudel später in einer Warnung an Gide (17. 3. 11), sei
gewesen, es müsse „die Passion" an die Stelle der *passions* treten.
Für das versöhnlich-sozialrevolutionäre Versdrama *Les Aubes* von
Verhaeren empfand Mallarmé es gleichfalls nicht als unglücklich, daß er es bloß im Schauhaus seiner Seele aufgeführt sehe;
„dort allein, wo wir vor den Geschicken tragisch sind, im Reinsten, Bittersten, Ruhmreichsten eines jeglichen, kann sogar für
einen Kunstgenuß der hohe oder großartige Austausch menschlicher Schreie statthaben, welchen die außergewöhnliche Stoß-
folge dieses Verses durchzieht" (an Verhaeren, April 98).[1]

Gegenüber den Naturalisten vertrat Mallarmé (in *Le Genre ou
les modernes*) die Gleichstellung des Buchdramas mit dem
szenisch aufgeführten. Ihm bereitet die bloße Lektüre der bitteren, ungeschminkten antik-modernen Tragödien des unruhigen
Outsiders Becque ebensoviel Vergnügen wie deren Aufführung,
zumal sich ihm beim Lesen die Sätze gleichsam gedruckt ein-
prägen. Wehe vollends, wenn ein Romanbuch – dessen eng-
gepreßte Papierfaltung sozusagen, gegen den brutalen Raum, die
seelenzarte Verdünnung der Schönheit verteidigt – für die Bühne
bearbeitet werde, wie etwa die Romane der Brüder Goncourt!
Nicht ein bestimmtes Schauspielergesicht wünsche er über seine

Seele gebeugt zu sehen: in der Phantasie möchte er die Züge der Romangestalten erschaffen (noch dringendere Zweifel am Theater bewegten George[1] und Wolfskehl). Gerade die unfaßbaren Feinheiten einer modernen Gesellschaftstragödie könnten nur plump unterstrichen verdolmetscht werden. „Auf eurem Theater läßt sich mit mehr Wahrscheinlichkeit das Paradies darstellen als ein Salon." Immerhin verführt ihn an A. Daudets Bühnenbearbeitungen, daß er den Roman fast vergessen mache durch ein kühn unzeitgemäßes „Schauspiel, wie es nicht sein soll", mit taktvoll knappster Andeutung der Seelenkämpfe! Und an denen des gegenwartsbesessenen Zola die Unpersönlichkeit des Tragischen: unüberbietbar modern die kaufmännisch überlegte, scheinbar gefühllose Kontraktszene zu Beginn des Phaedradramas *Renée*, hinter der man dann (wie in *Hérodiade!*) „das dumpfe Orchester von unter der Erde" sich rühren fühlt, die Blitz- und Donnerentspannung des lang verdrängten Lebenstriebs. Das latente Vererbungsdrama von der Unumgänglichkeit der Instinkte galt dem *Igitur*-Dichter als die aktuelle und die letzte tragische Theorie. An Mirbeaus *Mauvais bergers* (1897), einer Nachahmung von G. Hauptmanns *Webern*, überraschte ihn wenigstens Sarah Bernhardts Spiel und einige guten Szenen; „im ganzen ist es immer, man spürt es, zwischen Zeitungsartikel und griechischem Trauerspiel" (zu Fontainas, 22. 12. 97).

So begriff er auch, im selben Aufsatz *Le Genre* .., den Naturalismus zugleich als eine Versündigung gegen das Göttliche an der Bühne, .. das freilich nur noch ein Gott oder ein riesiger Volksentschluß retten könnte. Auf der tempelschänderischen Szene beleuchte brutales Gaslicht Ehebrecher und Diebe, klagt er. Die Zuschauer ihrerseits wollen sich vor dem aurorabemalten Vorhang nur zerstreuen wie in einem beliebigen Salon, sich umschauen — doch nicht nach der Enthüllung ihres Ewigen Selbst und der Großen Feier, sondern nach ihren Straßen- und Hausbekanntschaften. In betont alltäglicher Geisteshaltung reden sie über die Nichtigkeiten, von denen sie sorgsam leben, .. wenden die Köpfe, um ihre Ohrgehänge schillern oder ihren Backenbart plappern zu lassen: ich habe mit dem hier Dargestellten nichts zu tun! Ah, Mallarmé begreift Gautiers Wunsch, diese grobe muffige Mittelmäßigkeit mit einer Operette zu vertauschen. Sein eigenes Ideal wäre der eherne Text eines Jahreslauf-Mysteriums. Genug; man reizt den Blümleinidealismus aus Pappe und knarrenden Brettern, wie auch das naturalistische Alltagsdrama, hinreichend durch Bloßstellung einzelner Entgleisungen. Wollte man die eigene in halb übertretenem Verstummen gestaute Kraft verraten, käme dies Wollen nicht alsbald durch Nachahmung abhanden? Immerhin, mag das Göttliche am gemeinschaftsreligiösen Wesen des Theaters auch sehr in Vergessen gefallen sein: der Zustrom von Mimikern, Jongleurs, Tänzern und einfachen Akrobaten beweise wenigstens theaterträchtige Regungen. Und der einfache Mann habe ein Recht, vom Staat „Spiele" zu verlangen: sie bieten dem Volk, auch den Besitzlosen, das feierliche Mysterium seiner eigenen göttlichen Schönheit. Vordem seien wenigstens die Könige als pompöse Kleiderpuppen aufgetreten, doch heutzutage stehe jede Regierung ratlos dieser Volkssehnsucht gegenüber.

Da ein Gemeinschaftspakt ohne das Siegel der Kultur nichtig ist, gab man sich eben, einerlei wo, ohne Groll eigene Traumvorstellungen. Beim Tanz allein, der poetischsten Theaterform (Div., 180), war das unmöglich, man mußte da schon ins Eden-Theater gehen, zum italienischen Ballett.[1] Mallarmé, eng befreundet mit der Beaugrand, einer späten Vertreterin des klassischen Balletts,[2] kam nicht etwa aus einem Überdruß an der Poesie, sondern eben weil alles dort voll von ihr war. – In *Ballets,* dem ersten seiner schönen Tanzaufsätze, entdeckt er, daß man die reizenden Einfälle eines Tanzlibrettos meist mit dem eigentlichen Wesen des Tanzes verwechsle. Man kündet ein „Sternenballett" an, weil man auf einen blauen Vorhang Sterne genäht hat: das Ballett kann aber nicht das Wesen der Sterne tanzen, ebensowenig den Frühling, und ein weißes Schweben drückt nichts vom Schneeflockenfall aus! Nein, die Definition des Balletts wäre: „in einem unaufhörlichen Überallsein eine bewegliche Synthese der Stellungen jeder Gruppe". Star und Gruppe sind beim Ballett nicht individuelle tanzende Frauen. Denn sie sind nicht Frauen, sondern Sinnbilder für Dinge. Und tanzen auch nicht, sondern schreiben mit dem Körper statt mit der Feder ein abgekürztes Wundergedicht. Allenfalls ähnelt der Tanz einem beflügelten Flattern,

im Wegflug ins Ewige und der pfeilschwirrenden Rückkehr,..
und so war es ein nicht sehr eigenartiger, aber anziehender Einfall, La Fontaines Fabel *Les Deux Pigeons* für das Ballett zu bearbeiten. Mit dem ersten Akt allerdings, den Mallarmé auf einer
meisterlichen Seite beschreibt, war auch dies Motiv abgebraucht,
und zum Schluß glich es nur noch irgendeiner banalen bürger-
lich-zeitgemäßen Liebesgeschichte. Gleichzeitig lehrte die Dop-
peldarstellung des Vogels, daß Tanz und mimische Schauspiel-
geste einander alsbald spinnefeind werden, wenn man sie verwechselt und im ersten Anhieb ihre an sich mögliche Verbindung erzwingen will. Ihr Gegensatz war immerhin ausgedrückt in demjenigen zweier Gegenspielerinnen, aus dem heraus der Librettist aber den Gesamtbau dieses Kunstwerks hätte
entwickeln sollen; nie darf er vergessen, daß das Ausdrucksmittel der Tänzerin nur die Schritte sind und nicht einmal die
Geste.

An der allzu zeitgemäßen Choreographie seiner Zeit mußte
Mallarmé, Künftiges vorahnend, eine überpersönliche philosophische Einsicht — hell wie das Scheinwerferlicht auf der grell-
weiß geschminkten Ballerina — in das Wesen des Tanzes, des
sichtbar und geschwind verleiblichten Phantasierens, und in die
Grenzen seiner Ausdrucksmittel vermissen. Für den gedanken-
vollen Zuschauer liegt ja der Hauptreiz darin, den duftigen Sinn
der einzelnen Bewegungen zu befragen. Es gilt ja bloß, der Tänzerin, die vom Unbewußten her Offenbarerin ist, seinen poetischen Instinkt huldigend wie eine Blume — neben den andern
Rosen, die im wirbelnden Emporschweben ihrer Tanzschuhe
sichtbar sind — zu Füßen zu legen und allein von ihr zu erhoffen,
daß sie „die tausend unerweckten Phantasien anschaubar und im
rechten Lichte zeige: Und schon gibt sie — in einer Wechsel-
beziehung, deren Geheimnis durch ihr Lächeln auszuströmen
scheint — dir durch ihren immer bleibenden letzten Schleier die
Nacktheit deiner Denkgebilde hin und schreibt deine Gesichte
lautlos auf in der Gestalt eines ZEICHENS, das sie ist". Daß der
Schleier, der *hasard*, immer bleiben muß, war zur großen Erkenntnis des *Igitur*-Dichters geworden. Sein neuer Optimismus
war, daß er durch die Schleier der Künste hindurch die Einsich-

ten erhoffen dürfe, die er einst durch mystisch-buddhistische, abstrahierende Schleierlosigkeit hatte erzwingen wollen.

Wenn Mallarmé als Dichter des Tanzes „an der Schwelle des verheißenen Landes" starb, wie Mauclair schrieb, so war sein Ideal doch nicht die betont mimische russische Choreographie, an welche Mauclair denkt; eher die französisch sinnenhafte Form eines versonnenen Mary-Wigman-Tanzes. Auch die bei den Russen so wichtige Szenerie verwarf der Dichter als überflüssig, ja als banal und grob, wie seine behutsam zarten Seiten *Les fonds dans le ballet* zeigen. Freudig begrüßte er die halb unbewußt von der Schleiertänzerin Loïe Fuller begonnene Revolution des einfarbigen Hintergrundvorhangs. Die Amerikanerin, welche schwindelerregend, fast übermenschlich im Bad der fliegenden Florstoffe dämmergrottenähnliches Funkeln kreisen ließ, welche als eine von irgendwo hereingeblasene Flocke auf die Szene wirbelte, ließ auf dem sprungüberflogenen Boden das ungeahnt körperlose Bühnenbild einer Blüteninsel strahlend erstehen. Aus der Musik, in welcher gleichsam das Bühnenbild ruhte, wurde es in den ohnehin musikverwandten Gazeflitter hereingezaubert und hervorgerufen. Statt der akzessorischen unbewegten Pappkulissen wurde jetzt die Atmosphäre etwas Unsichtbares, Nie-Gewußtes, und wieder reiner Spielplatz der Phantasie.

Neben der Fuller, der großen Solotänzerin, behauptete sich das alte Ballett nur durch etwas, was schon der blendende Kritiker Rodenbach in einem Aufsatz über die Statue einer nackten Tänzerin (Cléo de Mérode) als besonderes Tanzfluidum gegen den Bildhauer Falguière verteidigt hatte und was Mallarmé in dem Aufsatz *Le seul il le fallait* aufzeigt: durch das bei jeder Frau verschiedene und doch modisch gleiche **Kostüm**, welches einen Reizausschnitt frei läßt und welches die bewundernd streifenden Blicke trinkt oder sich im wogenden Hauch der Schleierstoffe genießt. Beim Beschauer erweckt es „widerspruchsvoll Furcht oder Wunsch, zu viel und nicht genug zu sehen". So werden bei der geistreichen Ballettakrobatik durch das herkömmlich kurze, aufleuchtende Röckchen (durch welches gleichsam das Hinsinken abgeschwächt und das Zehentanzen emporgehißt wird) die Beine als unmittelbares Ausdrucksmittel der Idee unterstrichen. — Mal-

larmé hat im Gefühl seiner Sicherheit, alles in Geist umsetzen zu
können, das Ballett geliebt. Trotz des nur einmal durchbrochenen[1]
Verzichts auf eigene Ballettlibretti, die bei Aufführung in der Opéra
ja doch nicht wunschgemäß und mit Verstehen dargestellt werden würden (zu Fontainas, 14. 11. 94), und obwohl er das Ballett nur als eine literarisch entartete Form des wahren, geheim-
priesterlichen TANZES ansah (wie ja auch die Musik auf dem
Theater ihr Tiefstes und Dunkles und der Gesang sein einsames
Jubeln einbüße!), so scheint es doch, als habe er sogar für sein
ideales Gesamtkunstwerk nicht auf das Ballett verzichten wollen.
„Wird das persönliche Drama", schrieb er an Pica, „um ihm ein
ausgeprägter *allegorisches* Element zuzuführen, mit der Ballett-
kunst vermischt, so entfernt es sich damit von der Historie, sogar von der Legende, und wird wieder der Poesie, dem reinen
Mythus zugeführt. Wagner hat die wundervolle, unmittelbar be-
deutungsvolle Tanz-Schrift verpönt und sich mehr oder minder
an eine Zusammenbringung von Beethoven und Shakespeare (wie
er irgendwo zu verstehen gibt) gehalten"; nach Fontainas dagegen hätte Mallarmé mündlich ein Überwiegen der Verskunst
gefordert gegenüber ihrer gefährlichen Gleichordnung mit Musik und Tanz bei Wagner.

Ähnlich liebte er das Kabarett – von einem Programm der Folies-Bergère schreibt er: „Elemente eines Fünfakters, die aber,
o Freude, noch in elementarem Zustand blieben!" (*Dern. Mode*)
– und die moderne Posse etwa eines Meilhac wegen ihres hellen,
tiefen, nie kopfhängerischen, von anzüglicher Laune durch-
schwirrten Hin und Her an Szenenverwicklungen (Div. 197).
Daß er aber sogar selber Spielleiter und Souffleur einer Laien-
bühne für Bauern war, bezeugt vollends, wie wenig naserümp-
fender Ästhet er gewesen ist. Es war in dem Feriensommer 1881,
welchen seine beiden entfernten Neffen – sie nannten ihn oncle –,
der einundzwanzigjährige Paul und der fünfzehnjährige Victor
Margueritte, mit ihm in Valvins verbrachten. In einer durch die
Comédie Française genährten Theaterleidenschaft klebten die beiden an der Seinebrücke und andernorts Plakate einer Ferienbühne
an: „Théâtre de Valvins". Im früheren Atelier des Malers Alphonse de Neuville, über einem Heuschober, erstellte der Zim-

mermann eine kleine Bühne. Hausgeschneiderte oder beim Trödler gekaufte Lappen vertraten die Kostüme und grüne Wandschirme die Kulisse eines Saals oder Zauberparks, je nach Angabe eines Aushängeschilds. Mit Lampen und Stühlen fand sich ein sehr dankbares Publikum von Bauern und Freunden ein. Als Darstellerin von Banvilles Nérine, von Colombine (in *Pierrot héritier* und Banvilles *Beau Léandre*) und von Guillemette im *Pathelin* trat die siebzehnjährige Geneviève Mallarmé in ihrem roten Kleidchen vor und sprach mit einem Knicks ein vom Vater erbetteltes, nicht allzu schwieriges Sonett an das „Volk von Valvins", „wenn über den buschigen Bühl schon der Mond seinen Märchentrug gießt": Eine lustige Spielschar sei auf der Seine gefahren gekommen, ihre Hoffnungen so glühend wie der topas- und orangefarbene Abendhimmel, und sie haben die Freude hier an Land gefrachtet. Eine Hütte in ein Märchenreich zu verwandeln braucht es nur eine Kerzenreihe als Rampenlicht, zwei goldbefranste Leintücher als Vorhang und, statt Kalbsgeblök, den Geigensang eines jungen Nachbarn.

Dem vierhundertjährigen Schwankhelden, dem geriebenen Advokaten *Maitre Pathelin*, den Paul darstellte, schrieb Mallarmé eine knorrig groteske, altertümliche Monologeinlage auf den Leib. Pathelin wünscht dem alten Richter, dessen Sterben durch einzahnigen Altweiberklatsch und lachende Mädchenlippen angekündigt wird, ein Asyl in der Hölle, denn im Himmel würden ihn mit heraushängenden Zungen seine unterdes heilig gewordenen Galgenopfer verfolgen; der alte Schurkenmeister ließ sie aufhängen, weil sie ihn nicht genug schmierten. Unterdes nimmt Pathelin selber, im Vertrauen auf sein richterlich dunkles Gewand und drei ihm geläufige lateinische Worte, den noch warmen Richterplatz ein, als objektivstes, unbestechlichstes Gericht: Ankläger, Richter und Spitzbube in einem! – Auch für fünf Vorstellungen der „Saison" 1882[1] hat Mallarmé kleine Prologe in Triolet-Strophen verfaßt, etwa um vom Bürgermeister das Zeichen zum Beginn zu erbitten, oder um jedem Wanderer hier den kostenlosen Ausschank des Lachens anzukündigen. Als man aber Hugos Trauerspiel *Hernani*, dessen Rhetorik die sonst ehrfürchtigen Bauern zu Lachstürmen hinriß, zum zweitenmal spielte,

mußten überzählige Zuschauer mit Gewalt die Treppe hinab-
gedrängt werden; als diese vor dem verrammelten Tor die Mar-
seillaise anstimmten, drohte Mallarmé mit etlichen Eimern Wassers und veranlaßte, daß fürder nur vor Geladenen gespielt
wurde.

Durch seinen ermunternden Beistand hat Mallarmé damals
auch an der Neuerstehung der alten Pantomime mitgewirkt.
Ihre Träger waren der neuschöpferische Pierrot-Darsteller, der
böhmische Seiltänzer Jan Kaspar Dvorjak, genannt Debureau,[1] sowie die Schriftsteller Richepin (*Pierrot assassin*) und Paul Margueritte. Paul, der Sohn von Mallarmés Jugendgespielin Eudo-
xie Mallarmé, spielte in jenen Wochen mehrfach monologische
Pantomimen ohne Musik, was er dann in Paris durch Mallarmés
Fürsprache bei dem einst berühmten, jetzt im Alter zum Variété
herabgesunkenen letzten Mimiker Paul Legrand vervollkomm-
nete. Obwohl dieser zumal dem Gedanken einer tragischen Pantomime gar keine Zukunft voraussagte, hatte Paul Margueritte
mit seinem *Pierrot assassin de sa femme* (gedruckt 1882) in
Daudets Salon 1887 einen weittragenden Erfolg.[2] Diesen stummen Monolog des weißgekleidet unbeschriebenen Phantoms
feierte Mallarmé in einer Besprechung (*Mimique*) als das schlicht
vereinfachende, handlungsarme, wortlose Ideegeschehen, das Er-
träumtes und Ausgeführtes im Mimen identisch werden läßt.

Große Dichter

Die literarischen Neigungen des reifen Mallarmé sind ein Ausdruck seiner völlig undoktrinären Freude am dichterisch Starken,
einerlei welcher Herkunft. Gautier und Baudelaire, denen er jetzt
in zwei feierlichen Gedichten huldigt, haben keine unmittelbare
Bedeutung mehr für ihn. Neben Poe war es eigentlich nur Shakespeares *Hamlet*, der ihn vom *Igitur* an entscheidend beeinflußte, besonders seine Vorstellung eines künftigen monologischen *drame avec soi*. Noch 1895 erwiderte er dem jungen Saint-
Georges de Bouhélier, der ihm das Manifest einer neuen heldischen Theateridee zusandte (*La Vie héroïque des aventuriers*):
diese Vorstellung „des Helden, um dessen Gestalt – die einzige! –

sich die paar symbolhaft geadelten Menschentypen gruppieren, das ist eben jenes Theater, dessen schimmernden Gefühlsdekor mehr als eine von meinen Seiten entwirft".[1] Und am *Hamlet*, „dem Stück par excellence", auf das er sich schon 1862 in der Besprechung des Dramas eines Bekannten aus Sens, des Schauspielers Léon Marc, berufen hatte, las er ab, weshalb überhaupt ein Theater existiere, denn hier fand er am eindeutigsten das urtragische Thema ausgeprägt: den Gegensatz des verhängten Lebensgeschicks zum Erträumten. Er freute sich, daß er die Reihe seiner Theaterbesprechungen gerade mit diesem Drama beginnen durfte,.. daß sein noch vom sommerabendlichen Wolkentheater trunkenes Auge nicht gleich gezwungen war, irgendein brutal zeitgenössisches Werk zu begutachten. Was er bei der Pariser Aufführung zu tadeln hatte, war zunächst die historisch allzu präzise elisabethanische Inszenierung; denn neben dem in seiner traditionell düsteren Trauertracht ohnehin zeitlosen Hamlet sei jede Inszenierung gleichgültig. Sehr störend erschien ihm die aus alter Pariser Schauspielallüre erklärliche Wichtigtuerei der Nebenspieler. Denn hier müsse alles erlöschen und verblassen, was nicht der übermenschliche Held selber sei. Alles sei nur in Beziehung auf Ihn, alles sei Er. Hamlet das mythische Symbol von jedermanns Jünglingszeit, der anmutig trostlose Weltmann, der *avec le suspens d'un acte inachevé* (Igitur vergleichbar) „den verderblichen Einfluß des HAUSES zunichte macht". Hamlet der Zwiespältige, nach außen hin närrisch „unter der zwiespältigen Peitsche der Pflicht", innerlich aber mit den Augen das Bild seines Selbst unangetastet umklammernd. „Hamlet oder Der Zerstreute", wie Mallarmé einmal treffend an einer Provinzschmiere angekündigt sah! Denn alle, die sich ihm nähern, streicht er mit einem Blick weg und wandert, ein Symbol der Einsamkeit jedes Denkenden, weiter,.. das Auge allein auf sein Ich gerichtet. So löscht er auch verträumt mit der Degenspitze den Polonius aus wie eine beliebige Ratte. Polonius sollte weniger als komischer Majordomus gespielt werden, sondern als geschwätzige, senile Null, als Symbol dessen, was Hamlet im Alter werden würde („Anastasius"), so wie Ophelia Symbol seiner *jungfräulichen Kindheit* sei („Pulcheria"). Schon die bloße Gegenwart des dunklen Zweiflers ist Gift genug, die Menschen um ihn verenden zu lassen; und Fortinbras, mag er als Mann des Schwerts auch Kontrastfigur sein, bildet mit seinen Trommeln und Trompeten nur ein Finale für das stagnierende Dauersterben in diesem Trauerspiel der Seele.

An Shakespeares *Macbeth* wiederum packte ihn die geheime Regie des Satans. Thomas de Quincey hatte in einem berühmten Aufsatz gezeigt, wie durch sie, eine furchtbare Zeitspanne („Parenthese") lang, das Menschliche aufgehoben wird, bis es durch das Pochen am Tor wieder in sein Recht eingesetzt wird. Mallarmé, der dieses Motiv im *Igitur* verwendete, ergänzt die Beobachtung de Quinceys durch eine weitere, daß der Stamm, von welchem nachher der böse Apfel falle, zunächst einmal ganz flüchtig entschwindend, eben noch zu sehen sei. In der ersten Szene werden nämlich die Hexen, *außerszenisch* als Herrscherinnen der Schwelle, nur gleichsam „aus Versehen" beim Auseinanderstieben erspäht. Ja nicht darf der Regisseur sie *hereinkommen* lassen, vielmehr „sind sie da, im Sinn des präexistenten Schicksals". Es ist ein einzigartiger Kunstgriff dieses Dramas, gerade noch vor dem Erlöschen der Saalbeleuchtung etwas wie den Zufall vorzuspiegeln, gleichsam einen Fehlgriff des Maschinisten. Wie in einer Posse bei vorzeitigem Öffnen des Vorhangs ein Regisseur oder Souffleur so tut, als wisse er nicht, nach welcher Seite am schnellsten zu entkommen, so werde hier beim brüsken Sichverabschieden der Hexen ein Teil der Satansküche, noch ohne den Kessel, blitzartig sichtbar.[1]

Die Souveränität eines sarkastisch übermoralischen Gegentyps zu Hamlet war es wohl auch, die Mallarmé zu einer Entdeckung und luxuriösen Neuausgabe (1876) des Romans *Le Calife Vathek* veranlaßte, welchen der englische Nabob William Beckford 1787 verfaßt hatte. Mit seiner Mischung von voltaireschem Zynismus und phantastischen Einfällen war das Werk ein Lieblingsbuch Byrons gewesen. Durch einen Hinweis auf eine vorgebliche Neigung Mérimées zu dieser Erzählung verhüllte Mallarmé die Tatsache, daß er deren erster und eigentlicher Wiederentdecker war. In einer sehr umfangreichen Einleitung, die er als Sonderdruck auch an Freunde versandte,[2] hat der Dichter mit-

unter etwas trocken die Schicksale des großen Epikuräers Beckford und seines so lange vergessenen Buchs geschildert, nebst
einer bibliophilen und einer sehr gewissenhaften bibliographischen Beschreibung.

Nicht weniger abseitig mußte damals auch Mallarmés „tiefe
Verehrung" (wie er selbst schrieb) für die kraftvollen Prosagedichte *Gaspard de la Nuit* von Aloysius Bertrand wirken
(1807–41). Der junge Bertrand, begeistert durch schottische
Balladen und durch F. A. Krummacher, dessen Motto „Gott-
Liebe" er in der *Gaspard*-Vorrede als den Kern der Kunst anführte, hatte in seinen Prosagedichten den Zwang der schön-
rednerischen Eloquenz abgeschüttelt; als Versdichter war er weniger kühn (wie ja auch Xavier Forneret und M. de Guérin).
Durch jene Kleinkunstpoesie eines farbigen Provinzfrankreichs,
eines dämonischen Mittelalters, war einst Baudelaire zu seinen
„Kleinen Prosadichtungen" über die Moderne angeregt worden,
wie die Vorrede in La Presse vom August 1862 dankbar bekannte. Ein Exemplar der nach Bertrands Tod von seinem
Freund Victor Pavie 1841 besorgten ersten Ausgabe befand
sich in Mendès' Besitz. Bei seiner Übersiedlung nach Tournon litt
der junge Mallarmé darunter, „daß in meiner Bibliothek, welche
die Wunder der Romantik enthält, dieser liebe Band fehlt, den
ich nicht aus der Hand gab, solang ich ihn von einem Kameraden
entleihen konnte".[1] Er erwarb dann von Pavie persönlich ein
Exemplar und versicherte ihn des Beistands seines ganzen Freun-
deskreises, wenn Pavie durch eine Neuausgabe „das Werk eines
Dichters, den ein wirkliches Fatum der Vergessenheit ausgeliefert
hat, neu aufblühen" ließe, zumal da das Exemplar der Pariser
Nationalbibliothek dauernd verliehen sei. Zu seinem Entsetzen erfuhr er aber durch Pavie, daß noch immer vierundzwanzig Exemplare als unverkäuflicher Rest der alten Auflage vorhanden seien.
Er übernahm es sofort, diese Bände bei Freunden abzusetzen, und
überlegte die Möglichkeit eines gemeinsamen Pressefeldzugs.
Denn Bertrand „ist durch seine geballte und verzierte Form
wirklich einer unserer Brüder.. Dieser wunderbare Reif, der
während der romantischen Hohen See ins Meer geworfen wie der
Dogenring und verschlungen war, jetzt taucht er auf, zurück-

getragen von den klaren Wellen der Flutzeit" (Tournon 1866, an Pavie). Einige der Gaspard-Gedichte ließ Villiers 1867 drukken. Zu einer Neuausgabe kam es erst im August 1868 und dann wieder 1895, vermutlich auf Mallarmés Veranlassung. Er hatte diese herrliche Altburgund-Phantasie vorher immer wieder im Kreis seiner Jünger empfohlen. Wodurch wohl auch Stefan George den Plan faßte, „auf seine Kosten eine deutsche Ausgabe herauszubringen",[1] Paul Fort den Ausgangspunkt seiner Dichtung fand, und nach Sainte-Beuve, Banville und Champfleury nun auch Rodenbach, Moréas und Hervieu an diesen Prosagedichten Freude fanden. Wenn Mallarmés Tochter äußerte, sie wisse nicht, was sie tun solle, pflegte der Vater zu sagen: „Nimm Bertrand, man findet da alles."[2]

Noch erfolgreicher war Mallarmés Eintreten für die Lyrik Poes, welche in seinen ziemlich wortgetreuen Prosaübertragungen dennoch recht fremdartig wirkt. Aus einer 1875 geplanten Volksausgabe seiner *Raven*-Übersetzung wurde nichts. Lemerre, zu dem Manet durch Mallarmé geführt wurde, fand damals Geschmack daran, sich auf eine breite Leserschaft umzustellen, und die Schullehrer, durch die er sich nun beraten ließ, versicherten ihm, seine Buchreihe wäre durch den *Corbeau* geschädigt. Er könne seinen Verlag nicht aufs Spiel setzen, die Übersetzung sei „absolut unklar" (11. und 13. 3. 75 an Mallarmé) und „bringt solche Verworrenheiten, daß ein ernsthafter Verlag sie unmöglich veröffentlichen kann" (an Manet). Zehn Jahre später trug Mallarmé die meist schon verstreut erschienenen Übertragungen, unter welchen die „erzählenden und langatmigen" fehlten, zu dem Verleger Vanier, zum Zweck seiner kommentierten Ausgabe; da ihn dieser aus Geldmangel zwei Jahre hinhielt, übernahm der Brüsseler Verleger Deman das Manuskript (1888). — Immer schon war dem Dichter das Antlitz Poes gegenwärtig gewesen: die übermarmorne Stirn, die tiefen Augen — Sterne, aber viel näher! — und der zuckende Mund, dem nichts fremd war als das Lachen. Wie er in seiner Skizze *Edgar Poe* berichtet, erlebte er ihn aber leibhaftig, in ganzer dämonischer Größe und in seinem tragisch-neckischen, flackernden, verhaltenen Düster erst durch das Poe-Porträt Whistlers, .. der seinem Landsmann durch denselben

schlanken Wuchs und dieselbe Verfeinerung amerikanischen
Schönheitssehnens verwandt war. Und dann vergaß Mallarmé
doch wieder alle Poe-Photographien und -Stiche vor dieser außergewöhnlichen, überwirklichen Geistesdichtung und gewahrte visionär, fernab von Welt und Zeit, wie an diesem erratischen
Block der Zukunft die Juwelen einer Niemandskrone funkeln. Im
übrigen zeigt sein Anhang zur Poe-Ausgabe (*Scolies*) eine unverkennbar kritische Distanz;[1] sowohl zu der allzu verbummelten
Poe-Gestalt „à la Delacroix" bei Baudelaire, die er durch Hinweise auf zwei englische Biographien würdiger und weniger sen-
sationell skizziert — als auch gegenüber der von Baudelaire und
Valéry so bestaunten zergliedernden Bewußtheit in Poes lyrischem Schaffensprozeß, die sich in Poes Studie über die Genesis
des *Raven* ausdrückt. Mallarmé will zwar nicht so weit gehen,
diesen „fast lästerlichen" Bericht nur als nachträgliche Mystifi-
kation anzusehen. Kühle Einsicht in den Bau eines Werks ist eher
Sache des Dramatikers; aber entschuldigend fragt Mallarmé:
warum sollte Poe, dem keine Bühne zur Verfügung stand, nicht
seine Architekten- und Musikerveranlagungen auf die Lyrik angewandt haben! Poes Genialität und Ehrlichkeit sprechen sich
jedenfalls aus. Gewiß kann der dichterische Rohstoff (hasard) in
einem Kunstwerk „nur verhüllt enthalten sein; doch kann den
Ewigen Flügelschlag sehr wohl ein heller Blick begleiten, der
den im Flug überwundenen Raum durchforscht". Und auch von
Poes magischem Weltbild entfernte er sich, je menschlicher er
selber wurde; leuchtende Magie, aber naiv verjüngt, ist sein Ideal,
angebahnt etwa in Mauclairs Novellenband *Les clefs d'or*, ganz
in der „großen Tradition Poe, Villiers, aber durch das Leben erneut, wogegen diese zwei Schrecklichen sich sträubten" (an Mauclair, 24. 1. 96).

Den einst Poe „die adligste Dichterseele aller Zeiten" genannt
hatte — Lord Tennyson (1809—92), lag ihm hierin vielleicht
näher. Aber doch nur der abseitige Tennyson. Wenn kürzlich ein
führender Lyriker, Wystan Hugh Auden, bei diesem „stupidesten
der englischen Dichter"[2] Gedichte entdeckte, die in ihrer Alp-
druck-Bedrängnis nahe bei Baudelaire stehen, so war Mallarmé
darin vorangegangen. Bezeichnend, daß er sich eins der am mei-

sten poësken Gedichte, die nächtliche Alpdruck-Phantasie *Mariana*, zu einer Übersetzung wählte, die übrigens ebensowenig wie die Poe-Übertragungen fehlerfrei ist — kürzend, und ohne etwa die zahlreichen Feinheiten der Alliteration zu berücksichtigen.[1] Seine Einschätzung Tennysons formulierte er erst im Oktober 1892, als im *Poets' Corner* über Tennyson das Grab sich schloß und als das *Echo de Paris* Mallarmé um einen Nachruf ersuchte. Als Eingang, zugleich als Antrieb und Stachel für die eigene Stellungnahme begann er, wie so häufig, mit polemischer Verwahrung gegen die künstlerisch ewig unzuständige Tagespresse, welche, statt sich bescheiden zurückzuhalten, hastig und verlegen auf dem laufenden zu sein vorspiegelt; die auf farbigen Steindruck hinwies, wo Tennysons Kolorit allenfalls dem leichten Fresko ähnelte; die an Cabanel erinnerte, wo die heiter gedämpfte Schlichtheit der *Maud* sich den Gemälden von Puvis de Chavannes vergleichen ließe (Fassung A). Wenn schon eine dieser stets trügerisch flüchtigen, ja unmöglichen Gleichungen, dann hieße Tennyson: die Formgewandtheit Leconte de Lisles gemildert durch Vigny, und dieser wiederum bisweilen durch Coppées Zartheit.

Kümmert ein Volk sich nicht um seine eigenen Dichter, so hat es damit, schreibt Mallarmé, unbestreitbar die Berechtigung erworben (*titre de lauréat!*), auch die ausländischen Meisterwerke ignorieren zu dürfen. Und doch, seine Dichter sind denen des Auslands gegenüber oft noch viel abweisender: so verschworen sind sie dem Klang ihrer Muttersprache, daß sie eine andere unterbewußt nicht anerkennen mögen. Und das ist vielleicht notwendig für ihr wunderliches Meinen, nur in der Lautung, in welcher von ihnen ein Ding ausgesagt werde, klinge es quellend und urtümlich. So war denn auch in Frankreich die einzige dichterische Grabspende für Tennyson die ausgewählte *Viviane*-Übertragung des ohnehin dem Engländer seelenverwandten Jean Lorrain. Nicht nach der eintönigen, übermäßig himmelblauen Anmut seiner vag und geziert sentimentalen Jugenddichtung (A), nicht nach *Enoch Arden* und den *Idyls*, die man einst im Prunkeinband auf dem Salontisch fand, möge man Tennyson beurteilen. Aus *Maud, In Memoriam* und (in B) *Oenone* formte sich für Mallarmé der Mythus „Tennyson": sein komplexer Gesamteindruck jenseits der Einzelwerke, sein RUHM jenseits aller äußeren Ehrungen (in A sind sie aufgezählt) oder Verlagshonorare, — kurz, das eine wesentliche Wort seiner Genieseele, das für jeden Mitmenschen da ist.. selbst für den, der das Buch nicht, nur den Dichternamen kennt. In diesem Mythus Tennyson liege lyrischer Aufschrei und elegische Idylle, Glühendes und Wehes, Ruhe und Sturm, Feingefühl und hochfahrende Leidenschaft (A); eine zarte, hochgemute Gestalt, die sich bewußt dem Stil adliger Zurückgezogenheit des Geistes beugte, arglos, wortkarg, und jetzt seit dem friedlichen Hingang das stolze Antlitz vollends den Gaffern entziehend. Unbewußt, nieverführt von des Lebens bunter Unrast, besaß Tennyson alles, was hochentwickelte literarische Kultur und eigenständiges, geschmackvoll sicheres Können, schön verschmolzen mit dem herrlichen Urdichtertum eines Erwählten, zu zeugen vermag. Mehr sei höchstens von den paar überlebensgroßen Genies unserer unvermeidlichen Literaturgeschichte zu verlangen. Immer sei eines Dichters Ziel und Zauber: in der Stimme eine bislang nie vernommene Lautgebung schwingen zu lassen und aus dem völkischen Ausdrucksvermögen Klänge herauszuholen, die man als neuartig und zugleich als blutsverwandt empfindet (Div., p. 115). Als den „wahren Leser von Versen" aber bezeichnet Mallarmé „jeden, der ein Buch öffnet, um in sich selbst zu singen" (an Swinburne).

Vorübergehender als das Eintreten für Shelley und Keats, das ein dauerndes Verdienst Mallarmés bleibt, war sein Interesse für Algernon Charles Swinburne (1837–1909). Ihm, den Maupassant als tief mit Poe verwandt empfand, ließen Mallarmé und Manet im Juli 1875 durch Gosse[1] ein Exemplar der Übersetzung von Poes *Raven* überreichen. Swinburne dankte mit der Zusendung seines vaterländischen Dramas *Erechtheus*, eines allerdings nicht sehr bezeichnenden Werkes, in dem weder Swinburnes Sturmfanfaren noch sein oft fast sadistischer Schicksalspessimismus zu Wort kommt. „In Wort und Handlung herrscht die erhabene Nacktheit der antiken Gefühle und ihre milde Zartheit", schrieb Mallarmé in der *République des Lettres* über dies neue Werk der „größten Stimme des heutigen England". Den Wortführern eines realistischen Dramas hielt er entgegen, dies anti-

kisierende Gewand sei so lange keine Schande, als uns ein Theater
im Sinn der Antike und Shakespeares abgehe. Wohl erkennt er
einen Hauptmangel des englischen Baudelaire-[1] und Hugo-Schülers: „das Ganze erweckt, ein wenig, den Eindruck, mit allzu
großen Zügen und überhastet geschrieben zu sein." Doch daß es
ein Lesedrama geworden ist, abseits von „den traurigen Bühnen-
brettern, die fast allein in dem ruhmvollen Dauerleben Shakespeares und seiner Gruppe Entschuldigung finden", erscheint
ihm nach der Tradition Shelleys, Byrons, Beddoes' und „unseres
Freundes Horne" (1803–84), des Keats-Schülers, durchaus in
der Ordnung. Um so tiefer, göttlicher das Schweigen zwischen
den Zeilen (besonders bei den Stichomythien) neben Trompeten-
und Flötenmusik.

„Recht offiziell und ornamental" empfand er dagegen mit
Recht ein Gedicht wie Swinburnes Ode an Victor Hugo.[2] Es
scheint, als habe Mallarmé, an dessen Dichtungen Swinburne zeitweilig „fast fieberhaft" Anteil nahm (Gosse), mehr für diesen
bedeutet als dieser für ihn. Andere Engländer, etwa W. G. Hen-
ley, den er den „Löwen" nannte (1894), scheint Mallarmé übrigens nicht gelesen zu haben. Nicht ahnen konnte er, daß einer
seiner Korrespondenten, ein allmählich genialisch-verbummelnder
Professor für deutsche Literatur an der Universität Sidney, Christopher Brennan († 1932), für die Lyrik in Australien entscheidende Bedeutung gewann.[3]

Buchmäßig war auch Banvilles allegorisches Versdrama *Le
Forgeron* (1887). Und doch war Mallarmé, im Aufsatz *Solennité*,
gewiß, daß es, vorgetragen, das Höchste von dem zu vermitteln
vermöge, was aus der ganzen neueren Verstradition herauszuholen sei, und daß es trotz des mythologischen Gewands auch das
Volk bezaubern werde. Er kenne nichts, was sich derart zur
Ouverture einer gemeinsamen Weihe- oder Jubelfeier eigne. Die
luftleicht stimmungswechselnde, durchscheinend undingliche ver-
jüngte Verskunst des alten Dichters „verrät ihn heute als ein
überlegenes Ausnahmewesen, ganz allein trinkend an einer heimlichen, ewigen Quelle". — Wie eng Mallarmé sich dem stets höflichen, ironisch gütigen Kavalier Banville verbunden fühlte, verrät schon ein Neujahrsschreiben aus seiner Avignon-Zeit: „All

meine Zuneigung für Sie, mein sehr teurer Meister, und meine Wünsche für ein schönes Jahr. Ich lebe sehr nahe bei Ihnen und hoffe, es Ihnen eines Tages sagen zu kommen."[1] Im Juni 1871, während der Übersiedlung nach Paris,[2] zog Banville bereits Mallarmés Sprachkenntnis zu Hilfe, um den englischen Sonettzyklus *Intaglios* (1870) des Advokatenclerks und Meisterübersetzers John Payne, des späteren Gründers der *Villon-Gesellschaft,* zu verstehen; denn ein Gedicht darin war Banville gewidmet. Auch Paynes Übertragung zweier Banville-Balladen für die englische Ausgabe des Dramas *Gringoire* las Mallarmé dem Freund vor, und so schwungvoll, daß „er mich vollständig Rhythmus und Musik nachempfinden ließ" (Banville an Payne, 19. 6. 71). Im August lernte Mallarmé in London, bei Bonaparte Wyse zu Gast, den Übersetzer von *Tausendundeiner Nacht* kennen. In späteren Jahren besuchten sie einander noch oft, und Payne hat noch nach Mallarmés Tod dem „köstlichen Geist und goldenen Herzen" die beiden Bände seiner *Poetical Works* zugeeignet.[3]

Im geliebten Luxembourg-Park, in dem Banville fast täglich lustwandelte und den er im *Fluch der Kypris* besang, errichtete man ihm anderthalb Jahre nach seinem Tod eine Büste. Mallarmé, der damals neben Fontainas als einziger unermüdlich auf den angeblich altmodischen Banville hinwies,[4] war schon im Februar 1892 auf Einladung Coppées dem von Sully Prudhomme präsidierten Ausschuß beigetreten und hielt bei der Denkmalweihe, an einem Herbstsonntag, seine *Banville*-Rede. Für die alltägliche Ehrung dieses Unsterblichen bedürfe es eines solchen ruhmhegenden Parks mit seinem eigenen Himmel, frei vom Privaten und Religiösen... während das basaltene Grab der trauernd knienden Witwe und den Angehörigen vorbehalten sein möge. Um zu verdeutlichen, was Banville bedeute im Ganzen der Literaturgeschichte, vergleicht er sie dem breiten, zuverlässigen Fundament eines Baus, dessen gleich einem Gebet himmelaufgereckte Pfeilerbogen hoch oben sich vereinen. Aber, nur wenig der Schwere dieser architektonischen Statik verbunden, reißt sich aus ihr etwas luftig-Lebendiges los, ein Sylph, vergleichbar einer leuchtenden Fledermaus: das einsame, kühne, diamantene, wilde, wirbelnde Genie. Banville habe solch hohes Schweben bisweilen

erreicht, als letzter oder auch vielleicht als zukunftsverheißender
Bote vor dem Fall des alten Traditionsbaus. Obschon nicht Musiker, hatte er ein Gefühl dafür: um eine Landschaft wiederzugeben,
genüge eine bloße musikalische Gipfellinie, die verdunstet wird
und verknüpft zu einem verfeinerten Schwebezustand. So lasse
sich der ganze immergrüne Wald in einem einzigen Akkord ausdrücken, meint Mallarmé (und mischt dann doch unversehens
eine „programmusikalische" Jagdreminiszenz bei). So genüge zur
musikalischen Vorstellung einer pastoralen Nachmittagswiese die
vibrierende Linie eines Bachrieselns, wogegen die sprachlich begrenzte *Lyrik* ohne das Begriffliche nicht sein kann, mithin
durch ihre an sich überlegeneren, illusionslos klareren Ausdrucksmittel der Natur grobschlächtiger verbunden bleibe. Bei alledem
fühlte Banville, der einzige Meister eines lyrisch blitzartigen Fein-
geistes, sich der erhabenen Läuterungsdichtung aus „zwei aristokratischen Zeitaltern Frankreichs" so verwandt, daß er, in feiner,
achtungsvoller, heiterer Schönheit, diese Tradition sogar gegen
den pietätloseren Hugo einsetzte. Und so bewunderte Mallarmé
an diesem souveränen leuchtenden Dichter der Freude und der
Versgeschmeide weniger die illusionistische Akrobatik der Reim-
und Versarabesken, ob er sie gleich in Mußestunden gerne nach-
ahmte,[1] noch auch die meisterlich spitze Ironie; sondern die innere Notwendigkeit eines makellosen neuen Schöpfertums, dessen
Lyrik an „Meisterschaft, munterem Ungestüm und göttlicher
Leichtigkeit" jede frühere erreichte (D. Mode, 15. 11. 74).

Ähnlich regte ihn Lemerres Veröffentlichung der gesammelten
Dichtungen von Léon Dierx im Jahre 1872 zu einem Hinweis
in Blémonts Zeitschrift auf das dichterisch Bleibende an. Daß
Dierx ebensowenig wie Banville bereit sein werde, ihn auf den
neuen Pfaden der Dichtung zu begleiten, das war ihm jetzt offenkundig klar. Er legte ihm verhüllt nahe, seine dichterische Art zu
ändern, und zweifelte gleichzeitig, daß Dierx sich dazu bereit-
finden werde (von 1878 an veröffentlichte dieser nichts mehr),
es sei denn, daß die Liebe, die stets revolutionierende, die durch
Dierx bisher selten angerufene, umwälzend einbreche. Den jüngsten Ansätzen des Freundes zu modern-anekdotischen Verserzählungen ziehe er dessen mythische Geschichtsdeutungen und Pro-

phetien vor. Aber in allem erfaßte Mallarmé das dichterisch Erlebte. Er unternahm den Aufsatz voll Bewunderung für den Einklang von naturhafter Schwermut und granitenem Stolz der Seele, der für Dierx bezeichnend sei. Und er endete mit dem Weckruf, ohne den Dichter sei der moderne Mensch, soweit er sein unzulängliches Streben nicht Gott opfere, „unrettbar dem Nichts geweiht".

Wer Banville liebte, der konnte wohl sagen: „Das Kunstwerk täuscht nicht vor, es ist die Lüge selbst: durch sie strahlt es auf das Leben. Wir trügen, aber wie die Sonne; wir lügen, aber wie das Leben."[1] Und doch konnte sich derselbe Mallarmé mit „einfachem und raffiniertem Lachen", wie er 1874 im ersten Brief an den im Februar bei Manet erstmals begegneten Emile Zola schrieb, auch dessen Bearbeitung von Ben Jonsons *Volpone*, den Schwank *Les Héritiers Rabourdin* ansehen, „eines der paar Meisterwerke der Zeit", ein „Wunder des großen Lachens" (*D. Mode*); und konnte literarästhetische Angriffe Zolas billigen (an Zola, 3. 2. 77). Nachdem im *Bien public* auf Protest der Abonnenten die Veröffentlichung von Zolas Roman L'Assommoir eingestellt werden mußte, hatte Mallarmé den Mut, in seiner *République des Lettres* den Abdruck zu wagen (9. 7. 76 bis 7. 1. 77). Den Orden der Ehrenlegion empfand er zum erstenmal als „etwas Gewaltiges, Nationales", als ihn Zola bei der Vollendung der *Rougon-Macquart* erhielt (14. 7. 93). Als jedermann noch über Zolas veristische Extravaganzen stritt, hielt sich Mallarmé ausschließlich an dessen „unerhörten Sinn für das Leben, seine Massenbewegungen, die Haut Nanas, die wir alle gekost haben" (zu Huret); zumal seit *Une page d'amour,* die er als den ersten nicht mehr rein soziologischen Roman Zolas begrüßte (24. 6. 78). Weit über dem blutarmen englischen Roman[2] glaubt er diese lebendurchpulsten Gestalten und Landschaften, und die Unbeirrtheit, Durchsichtigkeit, Stimmungseinheit, Sicherheit und sogar, in der „Symphonie" *Lourdes* (1894), die Musikalisierung dieser Romanwerke. Indes, obwohl Mallarmé den Naturalismus als heilsame Sintflut[3] anerkannte, blieben die Gegensätze bestehen. Sehr entschieden schrieb er dem zwei Jahre älteren Kameraden, all jene allein dem *Zufall* verhafteten Schilderungen seien

von seinem eigenen, auf ewige Sinndeutung gerichteten Streben völlig verschieden (an Zola, 26. 4. 78).

Die Kluft zur neuen Kunst der realistischen Erzähler war damals für einen Lyriker noch äußerst tief. In seine Modezeitschrift
hatte Mallarmé zwar einige Novellen aufgenommen,[1] aber ohne
etwa Balzac zu pflegen; mit Flaubert und Maupassant blieb es bei
belanglosen persönlichen Berührungen. Wenig hielt Mallarmé von
der „Erfahrung", auf die der damalige *Experimentalroman* so
stolz war. Wie wenig überzufällig sie sei und wie sie der Experi-
mentator ebensowohl nach rechts wie nach links wenden könne,
drückt ein Brief an Dujardin aus. Hier geht er so weit, den Roman
nicht zur wirklich „großen schrifttümlichen Kunst" zu rechnen;
dabei blieb er auch. 1891 hält er den Naturalisten entgegen, ihre
Überzeugung sei kindisch, eine Aufzählung von Edelsteinnamen
„schaffe" auch gleichzeitig diese Edelsteine: das könne ein Dichter nur, wenn er eine den Edelsteinen vergleichbare Reinheit laut
werden lasse, — das einzige „Schöpfertum", dessen der Mensch
überhaupt fähig sei. Solange jene Edelsteine nicht Ausdruck eines
Seelenzustands sind, sind sie sowenig menschlicher Besitz, wie
die Edelsteine, die eine Warenhausdiebin stiehlt, dieser zugehö-
ren.[2] Schon damals riet er, man möge Zola als ein nicht-intellek-
tuelles, also unliterarisches Ereignis verstehen, voller Leben, Tast-
barkeit und Nähe zur „Menge", aber doch, samt Flaubert und
Goncourt, überholt durch die neueste Überwindung des „malerischen" 19. Jahrhunderts, durch die Rückkehr zur älteren Geistigkeit, zum psychologischen, seelenzerlegenden Erzählen. Unbekannt ist, ob Mallarmé an der damaligen Neuentdeckung Stendhals (bei Bourges, Bourget u. a.) einen Anteil nahm; daß an Stendhals Schriften Tolstoj mit seinem „weiten schlichten Genius im
Ausdrücken der Idee" sein Französisch gelernt habe, erschien
Mallarmé als ein glückhaftes Zeichen (*Le Gaulois*, 22. 6. 96).

Bezeichnender aber ist, daß er an Tolstoj, wie in einer
andern kleinen Zeitungsnotiz bei Gelegenheit Maupassants (P[5],
p. 875), zwar eindringlich den Stil preist, nicht aber die eigentliche erzählerisch-epische Kraft würdigt. Was hatte er von Tolstoj gelesen? Und las er die gesammelten Werke Stevensons, die
ihm seit 1895 zugesandt wurden? Nach seinem Brief vom 7. 12.

96 an den Ausschuß für ein Stevenson-Denkmal (p[5], p. 879)
könnte man vermuten, daß er ihn nur aus Berichten von Schwob,
Régnier und Griffin kannte. Auch als die *Revue blanche* ihn über
die großen Skandinavier befragte, befürchtete er nur, man könne
allgemein „Einflüsse" überschätzen; sie brauchten Generationen,
um in die Tiefe zu dringen, und die entscheidendste Quelle für
den Dichter sei doch seine Individualität. Der bloße Gedanke,
daß Gide einen realistischen Roman geschrieben haben könnte,
verschlug ihm die Sprache, als dieser ihm sein *Voyage au Spitz-
berg* überreichte. Es war das Schlußdrittel des späteren *Voyage
d'Urien* (1893, publ. 1896), womit Gide dem Anti-Naturalismus
den ersten Roman schenken wollte. Bei der nächsten Begegnung
sagte Mallarmé zu Gide: „Sie hatten mir einen großen Schreck
eingejagt: ich fürchtete, Sie seien ‚rangegangen'."[1]

Einmal aber ergriff er doch die Gelegenheit, dem Kunstwert
und den Aussichten der realistischen Erzählung im Gesamtbild
seines eigenen Kunstbegriffs eine grundsätzliche Stelle zuzuweisen. Am 6. Juli 1893 war Maupassant nach achtzehnmonatigem
Aufenthalt im Irrenhaus gestorben. Schon während der Trauer-
feier überdachte Mallarmé einen Rechenschaftsbericht, der unter
der Überschrift *Deuil* erschien. Warum, schreibt er, dieses Gefühl des Befreienden, und doch auch des Ungelösten und des
Harrens? Man hatte unwillkürlich leiser von Maupassant geredet,
seitdem ihn die „erste Liebkosung der Finsternis", der Wahnsinn, an die Schwelle der Ewigkeit geführt hatte. Auf eine falsche
Meldung von seinem Tode hin hatte eine Rundfrage bei führenden Literaten stattgefunden. Verehrend und zustimmend hatten
sich die Älteren ausgesprochen, auch der junge Bourget, der in
Maupassant sogar die Erfüllung der Jugendwerke Flauberts
feierte. Aber auch die Jüngeren, die ihn verschmähen, werden bei
diesem einzigartig außerliterarischen Schriftsteller anerkennen,
daß er in geheimnisvoll angeborener Reinheit bewältigte, womit
andere herb sich abmühen. Nicht die selten gewordene Qualität
der Gipfel besaß er, wohl aber fand sich stolz und zärtlich in ihm
der literarische Mutterboden der Nation ausgedrückt, das unmittelbare, für jedermann gute Erbe. Eine der Erdgottheiten ist er,
wie der La Fontaine der *Fabeln.* „Wer liest, kann sie lesen und in

der Folge alles lesen." Das Schrifttum wird hier wieder zur „urtümlichen, nichterlernten Funktion".

Seitdem dichterische Erzählungen als Feuilletons in die Zeitungen einziehen (so wie die glitzernden Juwelen- oder Stoffläden ins Parterre von Mietskasernen), kommt es nicht selten vor, daß die Qualität einer solchen Erzählung sogar den Leitartikel aus dem Sattel hebt. Es ist schön, daß darin das Heute einen Fortschritt bedeutet und daß seit einigen Jahren der politische Tagesmarkt einen Widerschein von oben erhält. Maupassants Beiträge haben mittelmäßige Auswirkungen dieser Neuerung eindämmen helfen. Er wird dennoch von manchen abgelehnt: ändere es denn etwas, ob bessere Kunst durch die breite Masse um ein klein wenig mehr aufgenommen werde? Habe denn nicht allein Bestand, was „hoch und selten, unermeßbar und unter dem Namen Dichtung bekannt ist"? Bleibe denn das knisternde Entfalten einer Zeitung nicht eine Parodie auf den dichterischen Flügelschlag? Mallarmé aber stellt den „bewundernswertesten der literarischen Tagesschriftsteller (journalistes littéraires) dieser Zeit" in einen tieferen Zusammenhang. Denn „ein gewaltiger Wettbewerb um die Einsetzung des modernen volkstümlichen epischen Gedichts (Poème) oder wenigstens um eine ungezählte *Tausendundeine Nacht*" scheine sich zu regen, zum Staunen der lesenden Majorität; und Mallarmé lädt die Heutigen dazu ein, daran teilzunehmen wie an einem Fest. Auch Maupassant glänzte in den Novellen und hat in seiner Spätzeit durch Versuche mit dem Roman einiges daran erweitert und unsicher gemacht. Denn wie dieser Gattung, so fehlte etwas auch ihm, der „saftig war, klar, robust wie die Freude und unbeschränkt wie sie im Schenken". Was ihm fehlte, „ein beängstigtes oder subtiles Darüberhinaus, etliche Begeisterungen", das trug in seinem Dasein das Schicksal nach: als es den Gesündesten und Klarsichtigsten in einen Irren und einen Toten verwandelte.

Während Maupassant nur in einer kleineren Gruppe seiner Novellen die Anregungen Poes weitergeführt hatte, traf das oft nur allzu eng für die unruhigen Erzählungen von Villiers de l'Isle-Adam zu. Mallarmé schätzte ihren lyrischen Schwung, schnitt sie sorgfältig aus dem *Spectateur franco-russe* aus und

verlieh sie an seine Jünger, niemals aber, trotz dessen lebhafter
Bitten, an den Verfasser selbst; der würde sie, befürchtete Mallarmé, vernichtet haben. Er sei Poe, „seinem erhabenen Vetter",
ebenbürtig. Außergewöhnlich schön, in der Sprache eines Gottes
verfaßt, nannte er, Villiers gegenüber, dessen *Contes cruels*,[1] in
die sich zu gleicher Zeit in Berlin auch der junge Laforgue und
sein Freund, der Pianist Théo Ysaye, verliebten (Laforgue an
Ch. Henry, Berlin 26. 2. 83). Mit Villiers ging es damals rasch
bergab. Er hatte, wie man zu sagen pflegt, eine schöne Zukunft
hinter sich. Als Boxlehrer verdiente er sechzig Francs die Woche,
um seinen Sohn Victor (1881--94) und dessen Mutter, die verwitwete Marie Bregeras, eine Analphabetin, durchzufristen. Die
Begeisterung des jungen Verhaeren, der im Brüsseler *Art moderne* durch anonyme Aufsätze über die *Eve future* (7. 11. 86)
und über Mallarmé (30. 10. 87) Breschen schlug und Villiers
im November 87 bei dem Verleger Deman dort einführte – damals sah er in Brüssel die Aufführung seiner *Évasion* –, half nur
für eine kurze Zeit weiter. Nach einer Vortragsreise am 25. 2. 89
in der Brüsseler „Gruppe der 20", vor dem König, fünfmal herausgeklatscht, in Antwerpen, Gent (4. 3. 89) und Brügge, brach
er mit Magenkrebs hoffnungslos zusammen. Mitte Januar 89
besuchte Méry, wohl in Mallarmés Begleitung, den bettlägrigen
„alten Wolf" in seiner Kammer und half dem Gedemütigten und
Entmutigten mit Geschenken und besonderer Krankenkost weiter, verständnisvoll eingehend auf all seine kleinen Sorgen und
seine Furcht vor der Krankheit.[2] Villiers lebte zeitweilig völlig
aus Mallarmés Tasche: „Ich bin da, mein Alter", tröstete der,
„schlaf auf deinen beiden Ohren." Anfang März fand er den
Ausweg, eine große Anzahl alter Freunde zu einer Monatszahlung
von fünf Francs zu gewinnen. Damit und mit den fünfhundert
Francs vom Neudruck der *Ève future* konnten Villiers, seine Marie und der kleine Totor im April trotz eines Heeres von Gläubigern ein eigenes Häuschen in der rue de la Croix zu Nogent beziehen. Da lag er nun in der Hängematte, im Gärtchen, „j'y fume
seul, je le maintiens", scherzte er (an Mallarmé, 21. 4. 89), dann
wieder irreredend „von Blumen, wie Ophelia".[3] Seit 1886 behandelte ihn durch Mallarmés Vermittlung einer von dessen Be-

wunderern, Dr. Albert Robin, Menschenfreund und Bibliophile,
dem Villiers mit der Widmung zweier Novellen dankte. Der Zustand des Kranken wurde rasch hoffnungslos. Auf Huysmans'
Empfehlung und mit Hilfe einer staatlichen Unterstützungssumme
überführte man ihn am 12. 6. in das Krankenhaus der Patres von
Johann-von-Gott, rue Oudinot. Seine Angst, die Gläubiger könnten das Häuschen an sich reißen, nahm derart zu, daß man es
fiktiv an Mallarmé verschreiben mußte; der stellte sich scherzend als sein Shylock vor, dessen Pfund Fleisch zuliebe Villiers
tüchtig essen müsse. Das letzte bißchen Geld ließ der Kranke sich
durch den würdelosen Léon Bloy abbetteln. Halb durch den frommen Huysmans gezwungen (die Szene ist am Schluß von Léon
Bloys bösartigem Schlüsselroman *La femme pauvre*, 1897, häßlich verzerrt dargestellt), wurde der Sterbende noch mit Marie
getraut, „das Ja beinahe in einem letzten Seufzer gesprochen,
und die Hand des einen Gatten in derjenigen des andern, wie für
eine Abreise".[1] Zeugen bei der standesamtlichen Trauung, die auf
Villiers' Verlangen mit Mérys Sekt gefeiert wurde, waren Mallarmé, Huysmans, Dierx und G. Malherbe: die einzigen, die Villiers seit dem April zu empfangen bereit gewesen war. Fünf Tage
später, am Morgen des 19. 8., starb Villiers. „Er war sehr alt,
sehr schön, die Miene ein wenig hoffärtig und gelahrt, ganz und
gar einer seiner Ahnen."[2] Mallarmé – und Huysmans, der ihn
in Valvins benachrichtigte – waren durch den Toten als Testa-
mentsvollstrecker und Vormünder seines Sohnes eingesetzt; sie
und Dierx signierten auch die für Villiers' Freunde bestimmten
Nachlaßbände.[3] Auf den Friedhof von Batignolles – der billigste,
„schattig und dezent"[4] – führten die drei Freunde, zwischen
ihnen Villiers' Sohn, den Trauerzug. Es folgten Cladel, Stefan
George, Marras, Coquelin, G. Guiches, Mikhaël, Bourges, P. Alexis, Malherbe, E. Chabrier und sehr viele andere, eine Zeitlang
auch Leconte de Lisle, mühevoll humpelnd.

Nicht ein Gedicht wie Verlaines wundervolles Villiers-Sonett
in *Dédicaces*, sondern ein *Elogium* war Mallarmés Requiem auf
den Freund. Er wolle ihn zeichnen, schrieb er, „im Profil, vom
Rücken, leicht, und so wie er sich seinesgleichen (es gab seinesgleichen nicht) gab". Er las es im Februar 1890 – sein Debüt

als Redner (was durch den Organisator der Reise, Rodenbach, in einem ankündenden Aufsatz unterstrichen wurde) — zuerst in Brüssel; die Presse nahm an dem psalmodierenden Gesang Anstoß, mit dem er die Zitate aus Villiers vortrug. In Antwerpen kürzte er den zweieinhalbstündigen Vortrag um die Hälfte, dann folgten Gent, Lüttich, Brügge und der Club der „Vingtistes" im Brüsseler *Musée Moderne*. Mockel, Verhaeren und E. Picard [1] empfingen ihn. „Der französischen Prosa", schrieb Régnier darüber, „bleibt für immer die Ehre eines herrlichen Stilstücks, vom gedämpften Beginn bis zum prachtvollen, düsteren Schluß. Bildnerische, gültige Schau eines Dichters auf einen anderen." [2] Diesem vierteiligen Meisterwerk des Taktes, der Sympathie und der durchdringenden psychologischen Porträtkunst sei im folgenden nachgegangen. Es hebt an mit der Frage nach dem existentiellen Wesen des Schreibens. Es ist ein „wahnwitziges Spiel", dessen Sinn im „Geheimnis des Herzens liegt". Da wird alles wesenlos, und das Selbst nur noch zum Widerschein des Göttlichen; denn durch Lettern — sie sind schwarz als Inbegriff des Zweifels („der Tintentropfen ähnelt der erhabenen Nacht") — gilt es „mit Erinnerungen alles neuzuschaffen, um klarzustellen, daß man wirklich da ist, wo man sein soll". Denn „eine Unsicherheit bleibt"! Durch das Schreiben wird die Welt feierlich ersucht, ihr Einprägsames auf die Höhe der Idealität zu verlegen. Villiers hatte einen Grad der schriftstellerischen Besessenheit erreicht, in der er einzig sein Selbst noch kannte oder es sogar im Unbewußten beließ, „um daraus, zu seiner eigenen Überraschung, hinreißend das Geheimnis zu entfalten". Hatte er überhaupt ein Leben? Wenn er, gleichsam vom Panorama des Abendhimmels auf seiner nicht vorhandenen Burgruine herabsteigend, jemandem begegnete, dachte er etwa jemals an etwas anderes als daran, ob die Stimme seiner Seele durch den Partner verstanden werde? Leidenschaften gab es in seinem Leben keine außer dem Schrifttum. Geschäfte — er unternahm sie reichlich und abenteuerlich — betrieb er mit der gleichen fürstlichen herben Geistigkeit wie den Dienst an der Idee: wer als wieder urtümlich (originel) gewordener Mensch an der keuschen Quelle des unbewußten Könnens trinkt, der dient nicht mehr irgendwelchen Begierden. Seine äußere Lage? — er redete nie darüber; und ebensowenig die Freunde, aus der „Scham, die Augen zu verschließen vor einem Weh, das jenseits aller Möglichkeit zur Hilfe sich befindet". Was er sagte, klang wie in großen Buchstaben gedruckt, aber es waren nicht die der Reklame. Im Gedanken an Villiers, diesen verkörperten Protest gegen die moderne Mittelmäßigkeit, muß Mallarmé an das Manuskript denken, das immer, wenn man ihm auf der Straße begegnete, aus seiner Jacke herauslugte wie ein Schmuck: immer wartete er unruhig darauf, daß man es ihn zeigen hieß, es war sein Talisman gegen das Häßliche der äußeren Lage, das Gesicherte, schon Ewigkeitsverbundene, das er dem Zweifelhaften entgegenstellte, „um gleich seiner bedrohten Würde auch seine Seele zu retten, seine uralte Seele, an die er glaubte". Er konnte mit dem Niedrigsten umgehen „gerade wegen dieses leichten Blättchens, das er zwischen die übrigen und sich schob". Es war wie die Wappenlilie seines Geschlechtes; und wie ein Palimpsest, so überladen mit Zusätzen. Ekstatisch oder halluziniert wirkte er in einem größeren Kreis von Menschen; das allgemeine Nichtverstandenwerden belebte ihn, bis zum frühmorgendlichen Heimweg selbander, wenn sie das erste Rot an den Scheiben aufglimmen sahen und nachgrübelten, ob es bald der Neue Tag sei, der für sie durchscheine. Obwohl er, von Jugend an, den Ruhm eingrenzte auf „die Idee, welche man in seiner Brust von sich hegt", ist er bei seinem Leichenbegängnis doch noch so etwas wie berühmt geworden. Und zwar würde er zu Unrecht gemurrt haben, es sei ja nur, „weil sie aufatmen, daß es diesmal endlich aus ist und weil sie mich nicht mehr wiederzusehen haben werden". Seit dem Tod Hugos hatten die Menschen bis nach Amerika hin nicht wieder so aufgehorcht — wenn man das respektlose Rasen der Reporter, die in den Parlamentsferien keine bessere Beute fanden, beiseite läßt. Und doch überlief etwas wie ein Schauer und ein plötzlicher guter Wille sogar jene Presse, die sonst „eher feindselig gegenüber denen ist, aus denen sie keine Annehmlichkeit zieht".

Im zweiten Teil der Abhandlung vergleicht Mallarmé das einstige Auftreten des jungen Villiers mit den späteren Besuchen des ergrauenden, zermürbten, verarmten Dichters. Auch damals noch behielt für alle sein Läuten an der Tür den reinen, aufrüttelnden, festlichen Klang einer Ausnahmestunde, einer auf keinem Zifferblatt vorgezeichneten. Umwittert von düster verzweifeltem Ringen, wenn auch vom einstigen mystischen Anlauf nur noch eine halbzerfallene Ruine auf strenggläubigem Boden übrig war, warf Villiers im Heim des Freundes dankbar die Unbill des Draußen wie einen Mantel von sich. In diesem Zufluchtsort konnte er aufatmend wieder er selber sein, sehr korrekt, fast elegant trotz seiner finanziellen Not (Mallarmé sagt schonend: „Schwierigkeiten ungeachtet"). Er sprach hastig und abkürzend, als habe er keine Zeit, wohl auch um Erklärungen auszuweichen, sprunghaft, oft die Gemütlichkeit dadurch gefährdend. Wo er ein Gut der Jugendzeit, deren Verlust er krampfhaft verleugnete, abgeblaßt spürte, suchte er es in hundertfachen Anläufen neu zu beleben. Aber sein Stimmklang, sein Schweigen bewiesen, daß dieser Mann mit seiner Pose, an der übrigens die untertänig Staunenden mitschuldig waren, doch recht hatte: er bot ihnen allen die Idee eines Geistesfürsten, eines Königs ohne Königreich. Gewiß, Villiers war ein Schauspieler, aber er spielte das ideale Ich, das jeder nur in seltenen Augenblicken blitzendster Entladung erreicht. Mochte er auch die durch Geschäft, Gerede, Begrüßungsformeln abgegriffene Sprache sprechen, sein Wahrheitsruf, fern von der Redseligkeit des Alltags, hat verborgenes Gold in dieser ans Licht gefördert.

So hielt Mallarmé in mancher Mitternacht diese seine Totenwacht für den Freund, mit der Zeit ebensowenig rechnend wie einst Villiers, dessen Stimme sogar im Tod so lässig verstummte, als habe er sie ausgebraucht. Und wie sein Blick zur Uhr schweift, gedenkt er der Zeiten, wo Villiers so oft die bestimmte Besuchszeit versäumte; und gerade, daß jetzt auch sein unverkennbares Türklingeln nicht ertönt, läßt ihm den Freund noch einmal ganz deutlich vor Augen treten. Erschiene er, so würde ihm Mallarmé gern eine letzte wichtige Frage stellen: tratest du deshalb auch in deiner geistesgeschichtlichen Stunde nicht rechtzeitig auf, auf daß die Spannung zwischen dir, dem Unzeitgemäßen, und den dir wesensfremden Zeitgenossen derart jäh klaffen bliebe? Und gibt selber die Antwort: Pünktlich ist dieser Dichter seiner Berufung gefolgt. Denn wer die Augenblickswelt in leuchtend geläuterter Sehnsucht erblickt, wer eine Zeit sinnbildhaft überragt, muß jahrhundertfern von ihr geboren sein!

Im dritten Teil seiner Rede kommt Mallarmé zu einer allgemeineren, ähnlich tröstlichen Auffassung der dichterischen Wirksamkeit, nachdem er unheimlich reserviert seine Hörer ganz dicht an den Nachtseiten von Villiers' Geschick vorüberführte. Dieser Mann, den seine Geburt bestimmt zu haben schien, seinen Namen auf die Höhe seiner Gedanken zu erheben, wurde er nicht etwa „durch jene Jugend, die sein Blitzschlag für ihn selbst wurde, verzehrt"? War es nicht tragisch, dieses vorzeitig geendete Leben, das außer Atem geriet und verbraucht wurde durch immer neues Aufsaugen von Ärger? Diesem Mann, „der nicht gewesen ist außer in seinen Träumen", so voll treuer Begeisterung und voll Verheißungen, ihm wand die Not stückweise seine Schriften, die durchaus einen großen Grundplan haben, aus der Hand. Auf dem Sterbebett sprach er geringschätzig von ihnen, „weil er gut fühlte, daß er den Geist der Zeit nicht gebändigt habe, voll heimlicher Verstimmung gegen dieses Hinterlassene, daß es in aller Beiläufigkeit ihm durch die Begebenheiten aufgedrängt worden war! — So viel Bravour, und nichts mehr bleibt als das ausgemergelte Antlitz des Sterbenden, der angstvoll in sich das Personwerden eines der absolutesten Typen der Menschen sucht. Wie, war ihm so sehr die Existenz zwischen den Fingern zerronnen, daß er selbst von ihr keine Spur klar erkennen konnte; war er genasführt worden, war das alles?" Und dennoch hatte die „Wut, seiner Zeit entbehrlich geschienen zu haben", in ihm noch einen Virus an Hoffnung übriggelassen. Im Blick des Kranken lag etwas wie ein Verbot, daß jemand den Hoffnungen seiner Jugend zu wenig Achtung zolle; etwas wie „die Wiederaufrichtung des innerlichen Stolzes, angesichts der Einsicht, daß er alles für seine Umwelt Mögliche unternommen habe und daß also sein so zerflattertes Leben existiere, sein fast versäumtes! Er sprach seinen Fall durch, befaßte sich mit Sonderabrechnungen mit dem Himmel: ‚Es wäre ungerecht!!', dann ein Seufzer — ‚du bist Zeuge', ich bemerke, daß ihn das Bedauern todesschwer heimsucht, ‚wisse das', fuhr sein Antlitz in der mit sauber-weißen Fenster-

vorhängen verschmolzenen Dämmerung fort, ‚einer Fehde zwischen Gott und mir‘. Oder eines Morgens, entsetzt und gleichsam
durch einen scharfsichtigen Alpdruck darüber ins Bild gesetzt,
daß Gnade nicht gewährt werde: ‚Ich habe in dieser Nacht zwei
Lästerungen oder drei erfunden‘ .. indessen fuhr er nicht weiter
fort, wie in Sohnesbewußtsein; mag sein, er bewahrte sie für den
passenden Augenblick.‘‘ Villiers' religiöses Wollen sei schwerlich
auf einen klareren Scharfsinn hingesteuert, wie manche meinten;
eher umgekehrt zur Kindlichkeit, zum Katechismus. An seinem
früheren Leben konnte man manches bedauern: daß er ungeachtet seiner Geringschätzung des Realen sich gleichwohl darauf ein-
ließ, das eigentlich Poetische mit dem Zeitgeschichtlichen zu le-
gieren; daß er sich an seinen Adelstitel klammerte, obwohl er
adlig genug gewesen wäre ‚‚durch die Tatsache, daß er Gedanken
allein hatte‘‘; daß er von dem Goldfunkeln in seiner Sehnsucht
nicht die greifbaren Geldmünzen ausschloß. Noch als er das Heim
bezog, das ihm seine Freunde für seine letzte Zeit gemietet hatten, kam es ihm bei seiner Faszinierung durch den Reichtum
ärmlich vor; jetzt aber immerhin in der demütigen Einsicht, daß
dies der Lebensstand jedes echten Dichters ist. Auch verwunderte
er sich, daß er als Ausnahmemensch hier nicht auf Haß stoße —
aber er tat das wohl nur, ‚‚um ein Recht zu lächeln zu haben‘‘.
Dann fiel sein Fehdezustand zur Gesellschaft von ihm ab. Wenn
Mallarmé die Sommerabende bei ihm verbrachte, schien es ihm
vergönnt, wenigstens einhellig mit dem Freunde zu denken. Oft
hatten sie einander nichts weiter mehr zu sagen. Die Gedanken
des Besuchers glitten wohl einmal zurück zu der Elendskammer,
aus der sie ihn hierher gebracht hatten, zu dem fast saitenlosen
Klavier dort[1] als der magischen Vorankündigung, daß die Dich-
terschwinge nach Beendigung des Flugs sich nun totenstill wieder
zusammenfalte. Dann aber suchten sie den sieghaften Sinn dieses
dichterischen Auftretens zu erfassen.

Zum letztenmal kommt Mallarmés Rede bei Beginn ihres vierten Teils auf den Tod des Freundes zurück. Er starb nicht etwa,
weil er dem Erhaschen der zauberhaften Gedanken nicht gewachsen gewesen wäre (sie helfen einen Dichter vielmehr verewigen);
sondern weil, trotz des naiven Stolzes auf seine Muskelkraft, sein

erzengelhaftes Wesen nicht auf den Kampf mit den „boxeurs quotidiens" eingerichtet gewesen war. Jedoch, es ist überstanden: er allein wäre es, der die Mühsale wüßte, wenn er noch etwas wüßte. Das „totale Opfer", dank welchem er sein Schaffen als ein Grabmal über sich türmte, war kein zu hoher Preis, und nur noch bei seinen engsten Freunden wird die Kunde fortdauern, „wie viel Elend für wie viel Adel" er bezahlte. Als ein bescheidener, aber kennerischer Schloßkastellan möchte Mallarmé jetzt zu den Werken des Freundes hinführen, vom verworren Zufälligen ihres Entstehens und von den tagesgebundenen und verlegerischen Kompromissen abzusehen lehren: durchdringt der Blick das, wodurch das Bleibende und Künftige verschleiert wird, so gewahrt er dahinter die harmonische Gliederung. Nach Mallarmés Meinung ist Villiers der einzige Franzose, dem die feindselige Verbindung des lyrischen Träumers und des Satirikers gelang. Also der ganze Umkreis des Poetischen; der ideale Glaube seines *Axel* ebenso wie die lachende Ironie des Pamphlets *L'Eve future.* Einem Orchester gleicht das Gesamtwerk. An der Stelle aber, wo die *Musik,* besser als andere Ritualien, auf das Latente und ewig Verborgene in einer Zusammenkunft des Volkes vorstößt, da hat die Vorsehung gewollt, daß „mit einer gleichen Herrlichkeit und überdies unserm Bewußtsein" nichts Geringeres als das artikulierte Wort großer *Dichter* ertöne und die erschöpfende Ernte einbringe.

In den bloßen Namen Villiers ist bereits alles Sagenswerte eingegangen: einstweilen „nicht vergessen, aber harren; dies die wahre Steinplatte des Grabes. Bis sehr ungeahnt und jählings eine Überzeugung um sich greift, welche durch niemanden, und daher um so besser, sich befestigt hat". Die „erhabene Waffenruhe" des unvergleichlichen Dichterhelden würde bis dahin durch das Erzählen von Anekdoten nur gestört. Eine aber soll ihn den Hörern in Brüssel doch näherbringen. Und Mallarmé erzählt ihnen von der letzten Freude des Kampfesmüden — von geschäftlichen Nebenerwägungen waren die Freuden des Verstorbenen ja immer frei. Nachdem Villiers mit fieberndem Zittern des Manuskripts vor dem Brüsseler Publikum gesprochen hatte, „glaubte er zu empfinden — wäre es Illusion, so gewähret sie ihm nachträglich! —,

daß er nicht unbeachtet geblieben sei". Aus dem Händeschütteln las er einen begeisterten Glauben heraus. „Saget mir nicht
nein: er wußte es besser als alle, und man kann einem Mitmenschen nicht abstreiten, ihm eine Freude bereitet zu haben, ohne
daß nicht der Dankbare derjenige wäre, der im Recht ist." Nach
Paris zurückgekehrt, hielt der Heimgekehrte auf der Straße sogar Leute an, die schwerlich im Bilde waren, voll ekstatischen Ermutigtseins und ernsten Stolzes, pries ihnen kennerhaft das Brüsseler Kunstverständnis und wandelte getröstet weiter, da ja nun
anderswo eine Stadt für ihn da war. Ein Jahr lang dachte er Tag
um Tag an die Wiederkehr. Als er sagte: „es sieht so aus, als
käme ich nicht wieder nach Brüssel", da, so erzählt Mallarmé,
„begriff ich einen endgültigeren Sinn in seinen Worten". Und
damals habe er beschlossen, Villiers' Botschaft seinen jetzigen Hörern auszurichten, als einen Lufthauch der Freude aus dem schönen Nirgendwo, der Heimat Villiers' „immer und besonders
jetzt". – So viel Mallarmé. Der trockene Entzifferer dieser Rede
glaubt keiner Rührseligkeit nachzugeben, wenn er ihr hinzufügt, daß ihm wenige so bewegende Seiten im Schrifttum der
Großen bekannt sind. Für die hastigen und also unberufenen
Neugierigen ist sie so verrätselt, daß am Abend des Vortrags ein
belgischer Offizier unter den Zuhörern mit demonstrativer Entrüstung den Saal verließ.

Wo immer die Bemühungen Villiers' einen Widerhall fanden, erzählerisch den bloßen Realismus zu durchbrechen, da
pflegte Mallarmé zu ermuntern. Manchen fehlte es nicht an zeitweiligen Erfolgen, so dem Freund Goncourts, dem Erzähler
Georges Rodenbach (1855–98), dem blonden, nervösen Urenkel
Christoph Martin Wielands und Vetter jenes Albrecht Rodenbach, der dem flämischen Schrifttum ein Meisterwerk, das Epos
Gudrun, schenkte. Er hatte in Gent die gleiche Jesuitenschule besucht wie Verhaeren und Maeterlinck und schrieb, seit 1887 endgültig in Frankreich ansässig, von dort seine Heimwehgedichte
an die Heimat. Neben Lemonnier war er der erste Belgier, der
sich in Paris eine literarische Geltung schuf, obwohl an Originalität anderen Schwermutsdichtern seiner Heimat, wie Van Lerberghe und Elskamp, nicht ebenbürtig. Mallarmé lernte ihn um

1878 bei Banville kennen. „Die ganze zeitgenössische Lese-
bemühung ist, das Gedicht in den Roman, den Roman ins Gedicht
münden zu lassen", schrieb er dem „sensationiste", wie er ihn
nannte (28. 2. 92), nach dessen Brügge-Roman. Die Poe und
Villiers nachfolgende erotisch-mystische Mischung in Rodenbachs Erzählungen verband sich nicht selten mit feinen lyrischen
Stimmungen. An seinen neun Novellen über Barmherzige Schwestern, *Musée de Béguines* (Mai 94), gefiel Mallarmé besonders,
daß jede durch ein Prosagedicht-Stilleben eingeleitet war, „daß
jedes dieser aus sich heraus lebenden Bildnisse sich für den Geist
in einen Zustand reiner entschwebter Verträumtheit jenseits des
Vorwandes umsetzt, höher noch als die Schwesternhaube" (an
Rodenbach, 1894). — Bedeutsamer war der „Seelenmonolog"-
Roman *Les lauriers sont coupés* (1887 in der *Revue Indépendante*) von E. Dujardin (1861–1949). Er wurde erst dreißig
Jahre später entdeckt und geschätzt, als James Joyce ihn als einzigen Vorläufer seines *Ulysses* begrüßte. So sehr war man seit
1888 überzeugt, Dujardin, der Don Juan, Kleidernarr, Spieler,
Wetter und Bookmaker, wisse nur zu bluffen, daß ihm weder im
Interview J. Hurets noch in der *Mercure*-Anthologie noch in La-
lous Literaturgeschichte ein Platz eingeräumt worden war. Strebe
er selber auch, schrieb Mallarmé über den Roman, auf anderem
Weg einen solchen „Fund" an, der mehr als bloßer Zufallswurf
sei, so „haben Sie da eine Form voltenschwenkender Kursivnotie-
rung festgebannt, die sich, abseits von den dekorativ gewundenen
Monumentalversen oder -sätzen, allein dazu eignet, ohne Mißbrauch der hohen Ausdrucksmittel das so köstlich einzufangende
Alltägliche zu gestalten".[1]

Der feinfühlige Ernst, mit dem Mallarmé, trotz seiner fest an-
gestammten Bürgerlichkeit, freimütig und ohne jede Überheb-
lichkeit mit den *ratés*, den unbürgerlichen Existenzen, umging,
fand seinen schönsten Ausdruck in der Grabrede für Verlaine,
die uns in anderem Zusammenhang beschäftigen wird. Im Januar 1872, unmittelbar nach Mallarmés Ansiedlung in Paris,
hatte Verlaine ihn gebeten, jeden Mittwoch zu ihm in die rue Nicolet zu kommen; aber kurz darauf hatte er selbst seine Land-
streicherfahrt ins Ausland angetreten. Als Verlaine 1879 wieder

wegen einer billigen Poe-Ausgabe anfragte, war er völlig vergessen und galt im Café Voltaire, wo er vergebens wieder Fuß zu fassen suchte, als heruntergekommener Trinker. Bis er Ende 1880 seine frommen Bußverse aus den Jahren 1873/79 auf eigene Kosten bei einem katholischen Verlag drucken ließ, war er bereits wieder den Lastern verfallen. Vielleicht erfuhr Mallarmé davon, einer der ganz wenigen Leser dieses Bändchens *Sagesse*. Denn angesichts der mönchischen Beteuerungen von Verlaines Vorrede warnte er ihn: „Kennen Sie sich wirklich auswendig? Ich meine nicht die früheren Bücher, sondern den künftigen Dichter, den Sie weiterhin tragen, he? Ich bezweifle es; mir scheint, Sie machen sich ein Vergnügen daraus, Ihrer Phantasie ein wenig die Flügel zu stutzen, ihr, die doch schließlich, um ein Engel zu sein, nur ihrer Flügel bedarf, unter welchen Himmeln auch immer es sei."[1] Der Brief muß Verlaine wohlgetan haben. Im Frühjahr 1882 erbat er sich von einem Bekannten Abschriften aller Verse Mallarmés aus den beiden *Parnaß*-Bänden.[2] Kurz darauf zog er mit einer seiner Dichtungen aus dem Gefängnis von Mons jählings die Aufmerksamkeit auf sich: als sein Gedicht *Art poétique* (in *Paris Moderne*, 10. 11. 82) wie ein Donnerschlag die überrumpelten *Parnaß*-Rentner aufschreckte. Bei Mallarmé konnte Verlaine des Verständnisses gewiß sein, und er wiederum brach nunmehr das erste Eis um Mallarmé. Mallarmé wußte das Dichtertum Verlaines von dessen würdelosen Exzessen zu unterscheiden. Keine Anekdote beleuchtet die wahrhafte Dichterfreundschaft Mallarmés besser, als ein Zwischenfall bei einem Künstlerbankett 1893.[3] Als man sich eben setzen wollte, taumelten johlend und sinnlos betrunken Verlaine und sein Dichterfreund Gabriel Vicaire in den Saal und tasteten sich an den Tisch der Ehrengäste. „Vorwärts, Alter! Mut, nur noch zwei Schritte!" sagte Vicaire. Während die Anwesenden darob in dröhnendes Gelächter ausbrachen, erhaschte einer unter ihnen, Jean Carrère, eine stumme Szene, die „mein Lachen gefrieren ließ und mich bis auf den Grund meines Herzens erschütterte". Unbemerkt hatte sich als einziger, in schmerzvollem Leid und Mitleid, in brüderlicher Trauer, einer der Ehrengäste abgewandt: Mallarmé. „Ich werde in meinem ganzen Leben die eindringliche Lektion über Menschenwürde nicht vergessen, die mir in dieser lärmenden Stunde die stille Träne Stéphane Mallarmés gegeben hat."

Mit einem achtzehnjährigen Freund war Verlaine am 1. 6. 72 im Café des Théâtre Bobino (rue de Fleurus) erschienen, beim *Diner des Vilains Bonshommes*, das regelmäßig stattfand, seitdem der Kritiker Cochinat bei der Uraufführung von Coppées *Passant* die rasend klatschenden *Parnaß*dichter als „unerfreuliche Männlein" bezeichnet hatte. Mallarmé hatte sich kaum um jenen wenig beachteten, wenig gesprächigen, scheinbar spitzbübisch schmollenden Teilnehmer gekümmert, von dessen schönen, noch ungedruckten Gedichten man sprach: den einzigartigen Meister des *Trunkenen Boots*, Arthur Rimbaud. Schließlich, schon ziemlich betrunken, fing dieser an, Lyrik vorzutragen, das Ende jedes Verses mit dem Wort *merde* skandierend. Als der Dichter Carjat ihn deswegen bedrohte, ergriff er einen Stockdegen, verletzte Carjat an der Hand und mußte durch den Hünen Michel de l'Hay hinausgeworfen werden. Nachdem Banville ihm seine Bitte um Aufnahme in den II. *Parnaß*band abgeschlagen hatte, notierte Rimbaud über fast alle Mitarbeiter (nicht aber über Mallarmé) einige meist ungnädige Beobachtungen. Vierundzwanzig Jahre später noch, nachdem Mallarmé 1891 durch die Presse den Tod des längst von jedermann Totgeglaubten erfuhr, erinnerte er sich der Hände des jungen einsamen Dichterwildlings: es waren Pratzen eines Proletariermädchens, mit roten Frostbeulen, wie Waschfrauen sie durch den raschen Wechsel von Warm und Kalt bekommen. — Verlaine allenfalls ausgenommen, habe kein Lyriker eine so starke Nachwirkung ausgeübt wie Rimbaud, stellt Mallarmé 1896 staunend fest. Und zwar weniger als Schöpfer der bloß in einigen Spätgedichten auftauchenden *Freien Rhythmen* als vielmehr durch den Zusammenprall seines sehr klassischen, vorromantisch herkömmlichen Stils mit dem tumultuarischen Prunken exotisch explosiver Leidenschaft. — Die Errichtung eines Rimbaud-Denkmals in Charleville erlebte er noch, doch ohne persönlich anwesend sein zu können.[1] Vielleicht erst in seinen letzten Monaten in Valvins mag ihm durch die Ausgabe von Rimbauds Schwager Berrichon, in der er an jedem Morgen las, das aufgegangen sein, was Rimbaud bedeutete: ein Wieder-

finden der durch Baudelaires *spleen* zurückgedrängten Natur und
deren jähes, riesenhaftes Auflodern; ein noch weitergetriebenes
Entfesseln der Halluzinationen und deren Eingehen in ein zwar
bloß gegenwartsnahes und geschichtsloses, aber urstarkes All-
gefühl; ein Verschmähen der virtuosen Verssprache und ihrer
Topoi – ohne einen Panzer gegenüber der Politik, der Tat, dem
Gelderwerb; und ein Trieb zum Handeln, der sich alsbald in
Claudel, in Breton und andern Gefolgsleuten Rimbauds fort-
setzen sollte. „Da ist es, das unvergleichliche Buch, der Meteor,
der aus was für Räumen herabfiel und den Sie in Ihren Händen
aufsammelten: welche Ergriffenheit davor!"[1]

Die Anfänge Rimbauds hatten manches mit denjenigen Mallarmés gemein. Die krasse Herzlosigkeit von Rimbauds *Proleten in
der Kirche* unterscheidet sich kaum vom *Guignon*. Dann aber
vertieften sich bei Mallarmé die Symbole und ihre wissende Ein-
helligkeit, bei Rimbaud die Augenbilder und ihre schmerzende Zusammenhanglosigkeit. Rimbaud hat ebenso die Gemeinschaft der
Weisen verfehlt wie die Gemeinschaft derjenigen Dichter, die ihn
hätten verstehen und vielleicht fördern können. Letztlich wohl
aus jenem kleinmütigen Trotz heraus, mit welchem in seinem
Prosagedicht *L'Impossible* gesagt wird, er glaube nicht daran,
daß es echte heilspendende „Erwählte" gebe. „Da wir ja Verwegenheit oder Demut benötigen, um uns an sie heranzumachen."
Er verfehlte an jenem Abend auch Mallarmé. Wenige Tage danach
brach er mit Verlaine nach London auf.

In seinem aus sachlicher Distanz verfaßten *Rimbaud*-Aufsatz
von 1896 gab Mallarmé statt der endlosen Folgen posthumer
Presseanekdoten einige große Linien von Rimbauds Geschick.
Das Commune-Abenteuer, die Reise nach London, als der Reiz
von Paris für ihn glanzlos geworden war und sein durch Ehe-
kummer und politische Belastung Paris entfremdeter Freund
Verlaine ihn drängte, dies und die selbstoperative Befreiung von
der Dichtung weiß Mallarmé künstlerisch zu motivieren. Daß
Rimbaud, der sich anders als Mallarmé nicht mit dem Lesen des
Eisenbahnfahrplans begnügte, bis nach Aden und Erythräa floh,
führte Mallarmé nicht auf die üblichen exotischen Neigungen zurück, sondern auf den Willen, zu den bisherigen Träumereien

Abstand zu gewinnen. Vielleicht habe Rimbaud die Kleinodien, mit denen er dort Handel trieb, als orientalischen Tand verachtet. Denn schwört ein vom Genie Gezeichneter sein Lebensgut ab, die Dichtergabe, dann soll er wenigstens, männlich und urweltlich, nichts an Zivilisation fortan um sich dulden. An dem damals noch fast ganz rätselhaften Abenteuerleben des späteren Rimbaud beschäftigt ihn nicht die mythenbildende Rätselfrage, mit welcher manche Zeitungen den Volksglauben an vergrabene Märchenschätze kitzelten: ob nicht herrliche Dichtungen des Toten über sein Orienterlebnis irgendwo noch unveröffentlicht lägen? Die erstaunlichste Geste dieses allzu frühreifen Genies, seine stürmische Dichtung achtlos aufzugeben, verlöre ja dadurch nur ihr Einzigartiges. Lieber wirft Mallarmé die psychologische Konfliktfrage auf: wenn, aus seinem Orientgarten heimkehrend, Rimbaud erfahren hätte, daß im Vaterland während seines Fernseins die weit üppigeren Früchte einstiger Ruhmesträume ihm gereift seien, hätte er sie gepflückt oder verschmäht? Gewiß, dies Dilemma, ob er an den Ruhm seiner Knabengedichte anknüpfen solle oder nicht, ist ihm durch seinen Tod bei der Rückkehr erspart worden. Doch folgert Mallarmé aus der hochfahrenden Schönheit dieses Lebens: vermutlich würde Rimbaud fremd und stolz den Unbeteiligten gespielt, wenn nicht gar als konsequenter Geschäftsmann den Rückstand an urheberrechtlichen Bezügen einkassiert haben.

Verlaine hatte den verschollenen Rimbaud neben Mallarmé und Corbière in einer heute enttäuschenden, damals aber als sein zweiter erfolgreicher Wurf beurteilten Artikelserie (*Les poètes maudits*) weiteren Kreisen vorgestellt[1] –, wenige Monate bevor Huysmans' *A Rebours* 1884 die Gedichte Mallarmés als Lieblingslektüre des erzdekadenten Des Esseintes einführte. Verlaine war durch Léo Trézénik, den die *Poetik*-Verse begeisterten, zu diesen Aufsätzen eingeladen worden. Mit Trézéniks Zeitschrift *Lutèce* (6. 4. 83–86; vorher seit 9. 11. 82 *La Nouvelle Rive-Gauche* betitelt[2]) und mit dem jungen Verleger Vanier, der bis dahin mit Fischereigerät gehandelt hatte, setzte eine ungewohnt kämpferische Note ein. In *Lutèce*, wo nicht zur Freude Mallarmés Leconte de Lisle, Heredia und Coppée angerempelt wurden,

erschienen die *Syrtes* von Moréas, die *Complaintes* von Laforgue, die *Quatorzains d'Été* von Tailhade; und es gab kaum ein
Buch der neuen Richtung, das nicht im Verlag des immer strahlenden, händereibenden, mit soldatisch herausgereckter Brust stol-
zierenden Vanier erschien. Seit dem Jahr 1885 waren Verlaines
Verse in aller Munde, selbst Anatole France[1] sah bald in ihm
den größten Dichter des Zeitalters. Als Mallarmé, dem er das
Schlußgedicht von *Einst und Jüngst* (1884) widmete, ihn drin-
gend zu den Dienstagen einlud, war Verlaine schon wieder in der
Ferne, in einem Ardennendorf (1883/85), wo ihn sein skandalö-
ses Auftreten abermals, in Vouziers, ins Gefängnis brachte. Die
biographischen Angaben für einen zweiten Aufsatz über Mallarmé scheint sich Verlaine im Oktober/November 1885 durch
Morice als Mittelsmann verschafft zu haben. Aus dem dunklen
ebenerdigen Hinterstübchen einer Pariser Weinkneipe, wo Verlaine danach hauste, übermittelte Ghil 1886 dessen sehnlichen
Wunsch, Mallarmé wiederzusehen. Da Verlaine sich nicht in Mallarmés bürgerliches Heim traute, kam dieser in die ärmliche
Stube Moreaustraße 6 und soll dort (nach Raynaud) mehrmals
bei Verlaines Mittwochsrunde aufgetaucht sein; sie duzten einander wie vordem. Dort wurde Le Cardonnel durch Germain
Nouveau und Griffin durch Raynaud eingeführt. Auf Verlaines
Bitte,[2] der seit seiner Scheidung sieben Jahre lang seinen Sohn
nicht mehr zu Gesicht bekommen hatte, versuchte Mallarmé übrigens, die beiden in seiner Gegenwart, am Ausgang der Schule des
Knaben zusammenzuführen; der Plan scheiterte allerdings, da
die Mutter das Kind stets nach Hause begleiten ließ.

Die Freundschaft blieb auch unantastbar trotz eines infantil
größenwahnsinnigen Kakographen, des jungen Anatole Baju
(1861–1903), eines aus der Provinz zugezogenen Volksschul-
lehrers und Umsturzhubers. Bei ihm vermengte sich der politische
Haß gegen General Boulanger wirrköpfig mit der Überzeugung,
Verlaine sei der größte Dichter aller Zeiten, und mit der Empörung über den Kritiker Félicien Champsaur, der 1885 in einem
Aufsatz die Jungen als „décadents" bezeichnet hatte. Baju gewann außer Verlaine den gelehrten Dandy Du Plessys, den
durch esprit ausgekühlten Nihilisten Jean Lorrain und dessen

Freund, den Liebhaber der Pariser Unterwelt und der Anekdoten,
Ernest Raynaud (1864–1936), einen schalkhaft gravitätischen,
politisch linksanarchistischen Polizeikommissar, der den Symbolismus zeitlebens als etwas Wesensfremdes empfand; er ver-
gaß seinem Freund Baju nie, daß er ihm das Erscheinen seiner
ersten Verse verdankte.[1] Ihnen allen schuf Baju die Zeitschrift
Le Décadent (10. 4. 86 bis April 89), die er anfangs in seiner
Wohnküche eigenhändig auf Abfallpapier druckte. Auch den
Nachdruck einiger älterer Gedichte Mallarmés hatte er erworben;
dieser übernahm zeitweilig mit Verlaine und Ghil zusammen die
Herausgeberschaft für Lyrik[2] und zog Villiers und Merrill bei.
An Stelle des Namens *décadents*, so schlug aber ein auf Poe sich
berufender Aufsatz von Moréas im *XIXᵉ siècle* (gegen den
Bourde-Aufsatz des *Temps* vom 6. 8. 85) vor, müsse man *sym-
bolistes* sagen. Nach einem Bruch mit Baju gründeten Moréas
und Kahn eine Gegen-Zeitschrift, den seit 7. 10. 86 in vier Nummern erschienenen *Symboliste*, wo Paul Adam pfleglich mit
Verlaine, aber heftig mit Baju und Ghil umsprang. Nichts kam
dem unschöpferischen Streithahn Baju gelegener als ein Ismus-
Gezänk. In A. Bérengers Kneipe im Norden der Stadt (rue de
Flandre) sammelte er jetzt eine Schar anarchistischer Trink-
kumpane, zu denen sich ebenso Cazals in Zuavenhosen wie Du
Plessys in Spitzenmanschetten einfanden. Mallarmé hatte es Moréas zu verdanken, wenn er mit zur Zielscheibe dieser „Décadents" wurde, die den unaffektierten, krassen Ausdruck pflegen
wollten. Als sein Gegenspieler wurde Verlaine erhoben, von welchem im Januar 1888 Baju einen scheinbar zustimmenden Pri-
vatbrief eigenmächtig in zehntausend Exemplaren drucken ließ.
Gleichzeitig verkündete er, es gebe zwei unvereinbare Menschentypen, die fortschrittlichen „Décadents" wie Verlaine, Rimbaud,
Laforgue, Merrill und Rachilde, unscheinbar kluge Stoiker, auf
der andern Seite die „Symbolistes", das Schlimmste auf der
Welt, gepflegte, spießige, egoistische Bankerte der Romantik wie
Mallarmé. Ein wenig mag Verlaines Mißtrauen dabei mitgespro-
chen haben, der aus einigen Aufsätzen Wyzewas[3] die Meinung
Mallarmés herauszulesen geglaubt hatte (an Morice, 26. 10. 87).
Aber Verlaines Launen änderten sich rasch. Obwohl eine Pro-

gramm-*Ballade* Verlaines für den *Décadent* durch Baju als der Todesstoß gegen den *Symbolisme* und gegen Ghils und seines treuen Schülers Verhaeren „instrumentistischen Gesangverein" bejubelt wurde, bezeichnete Verlaine in einem heiteren Sonett *A St. Mallarmé* vom September 89 die zwei Schlagworte, welche die ewigen Ismus-Gläubigen ihnen beiden aufgehalst hätten, als ebenso verunglückt wie ihrer beider Familiennamen (*Mallarmé* sei nicht „*mal armé*"). „Symbolismus? Verstehe nicht", sagte er bald darauf: wenn er leide und sich freue und weine, wo sei da ein Symbol? Was man hinter seinen Versen spüre, sei „der Golfstrom meiner Existenz" (zu Huret)!

Daß aber ihre Dichtungsideale denkbar verschiedenartig waren, hat sich wohl keiner von beiden verhehlt. Allein schon Mallarmés Umgang mit Hegel, aber mehr noch sein Durst nach dem Absoluten und sein Ringen damit, hatte ihn unauslöschlich anders geprägt als irgendeinen der Gruppe Verlaines noch bis zu ihren spätesten Fortführern hin, Ch. Guérin, L. Deubel oder Proust, Apollinaire oder T. S. Eliot. Fast wörtlich läßt sich auch die Unterscheidung der zwei lyrischen Grundtypen auf beide anwenden, welche Norbert von Hellingrath in seinen schönen Prolegomena zur Neuausgabe von Hölderlins Pindarübersetzung (Jena 1911) vortrug: Lyrik der *harten* und der *weichen* Fügung. Mallarmé handelte ohne Zweifel aus voller Überzeugung, wenn er dem Meister der weichen, musikantischen Lyrik 1891 (zu J. Huret) den Ehrenplatz unter den lebenden Dichtern zusprach.[1] Bereitwillig überließ er auch, im selben Jahre, seine Übersetzung von Poes *Raven* dem Schauspieler Damoy für eine mimisch-szenische Vorlesung: mit ihr begann am 21. 5. der Benefizabend[2] zugunsten von Verlaine und Gauguin, welchen Ch. Morice durch Paul Forts Bühnenklub *Théâtre d'Art* im Vaudeville-Theater veranstaltete; es war übrigens ein Mißerfolg, und Mallarmé erinnerte sich nur mit Grausen des Augenblicks, als beim Öffnen des Vorhangs sich herausstellte, daß die Zimmerkulisse des *Corbeau*, deren Kahlheit die Regie beanstandete, mit dem Bildnis eines schnauzbärtigen napoleonischen Generals geschmückt worden war.

Verlaines erste Schaffenshälfte, die parnassische, freudenvollere, würde, so meinte Mallarmé im Februar 95 (*La Plume*), allein

schon zu seinem Ruhm genügen. Mit den letzten fünfzehn Le-
bensjahren, in denen die Freude zurückhaltender blieb, „haben
unversehens, gleichsam für sich allein, vollere und reinere Or-
geln gespielt". Inzwischen war Verlaines leiblicher Verfall nicht
mehr aufzuhalten.[1] Seit Anfang 1886 empfing er meist in einem
Krankensaal des Broussais-Spitals seine Bewunderer, die sein
Bett umlagerten, und die Damen, die ihm Blumen brachten (Blumenvase war das Nachtgeschirr). Die Nacht vor seinem Tod lag er
hilflos, halbnackt auf dem Fußboden, nach einem Streit mit jener
häßlichen Dirne, der ehemaligen Metzgersfrau Eugénie Krantz, bei
der er in der Descartes-Straße 39 während seiner letzten Jahre
eine Zuflucht hatte. Schon lange vorher hatte Mallarmé gesagt,
auch am Menschen, nicht bloß am Schriftsteller Verlaine sei das
Schöne erkennbar, insofern man ihn vor dem Hintergrund des
Zeitalters sehe, welchem ein Dichter als vogelfrei gelte (zu Huret). So wollte er auch später nicht, daß man Verlaines Privat-
briefe unterdrücke. Wegen ihrer „Unbefangenheit", so riet er
einem, dem Verlaine einst Briefe geschrieben hatte, sei hier von
jener alten Regel abzugehen, daß man nichts als das von Anfang
an für den Druck Gedachte drucken solle. Verlaines Briefe an den
Maler Zilcken zeigen ja, „wie es für den Heros, in welchem jetzt
das Selbst des Dichters zusammengefaßt ist, ein Anliegen war,
das Weh — beispielsweise — einer chirurgischen Operation zurücktreten zu lassen hinter der Wunde des Elends; und wie er, Verlaine, der so prachtvoll und pflichtgetreu diese Wunde aufdeckte,
im Kämmerlein behutsam die Alltags-Charpie heranschafft und
Faden um Faden zurechtlegt". Eines von Verlaines wesentlichen
Vermächtnissen neben seinen Versen sei die Erkenntnis, daß man
so fleißig sein müsse, „schriftstellerisch zu bleiben und sich die
wesenhafte Zeit über am Leben zu erhalten", denn zu mehr als
„offiziell Hungers zu sterben" bringe man es bei mühseligem
Verdienen ja doch nicht.[2]
Wer am grauen, eisigen Frostmorgen des 10. 1. 96 Mallarmé im Trauerzug hinter dem einfachen Sarg gehen sah, von
Saint-Etienne-du-Mont zum Batignolles-Friedhof — und wer nach
den Grabesworten von Barrès, Coppée, Mendès und vor denen von
Moréas und Kahn die Verlaine-Rede Mallarmés anhören durfte,

mochte in ihm die eigentliche Hauptperson[1] und den reineren Erben Verlaines erblicken. Man erkor ihn denn auch zum Vorsitzenden eines Ausschusses, der im Luxembourg-Park eine Verlaine-Büste errichten sollte (noch unter seinem Nachfolger Rodin ist dies nicht gelungen). Sodann auch an Verlaines Statt zum *Prince des Poètes*. Sogar die damals nicht ihn wählten, gestanden zu, daß in seiner ironischen Gelassenheit „die feine Bildung und die liebenswerte Höflichkeit" der französischen Vergangenheit weiterlebe, und daß er für die Zukunft jedenfalls „pas gênant" sei.[2] Die Wahl, die ihm eine Woche lang die Aufmerksamkeit der Zeitungsleser eintrug und im übrigen die Verpflichtung bedeutete, bei Dichterfeiern anwesend zu sein, ist wie eine Bekräftigung seines literarischen Geschicks gewesen: Ruhm, nicht Berühmtheit.[3]

III

VON DER VERANTWORTUNG DES DICHTERTUMS

Vous fûtes le seul homme peut-être alors
Viélé-Griffin, La Partenza

An lyrischer Naturkraft war Verlaine der Dichterkönig in Frankreich. An erzieherischer Reinheit war es Mallarmé. „Was wir in dem kleinen Zimmer der rue de Rome fanden, hätte weder Verlaine noch irgendwer uns geben können .. Sein bescheidenes Leben war ebenso würdevoll, stärkend und beispielhaft, wie das Verlaines bedrückend und wenig geheuer war."[4] Nicht allein darin ist Mallarmés Größe zu erblicken, daß er das höchste Schöne unverwandt in einer reinen Dichtung auszudrücken strebte. Weit ungewöhnlicher war, daß er dabei weder hochmütiger Arroganz verfiel, der Erbkrankheit idealistischer Ästhetik, noch auch jemals seiner Dichtung Zugeständnisse an Käuflichkeit und Opportunismus seines Zeitalters erlaubte. Und durch seine Prosaschriften, die bisher wohl nur ganz wenigen vertraut sind, eröffnen sich Lehren und Bekenntnisse eines Dichters, die zu den edelsten der Neuzeit zählen. Kaum einer außer Wagner hat damals die Stellung des Künstlers so sehr aus dem Gefühl verpflichtender Verantwortung empfunden wie er, den zugleich seine sibyllinische Sprache ungesellig erscheinen ließ.

Die wahre Welt

Es war damals nicht die Zeit, wo der zeitgenössische Dichter als geistiger Führer seines Volkes anerkannt worden wäre; und um den Kranz Victor Hugos buhlte Mallarmé nicht. Es begann die Epoche zänkischen, immer feindseligeren Rechtens zwischen den Sprechern des öffentlichen Lebens und den Dichtern. Jene verübelten den Dichtern, an dringenden Entscheidungen der Gegenwart vorbeizureden, dazu noch in einer allzu anspruchsvollen Sprache. Diese predigten wider Lärm und Staub des materiell entfesselten Hexensabbats der Gegenwart, gegen das Erblinden künstlerischen Empfindens, die kulturelle Massenabfütterung. Nicht einmal die Könige erfüllten mehr die „naive Vorstellung von etwas Blendendem und Wundersamem", wie Mallarmé schrieb, als er den Prinzen von Wales in einer Loge bei Offenbachs *Orpheus in der Unterwelt* erblickt hatte; und der Tätowierte, der im Kabarett-Programm der Folies-Bergère auftrat, besaß mehr unauslöschlich Abstechendes als der im Publikum sitzende Großherzog Konstantin (D. Mode, 1. 11. 74).

So nahm Mallarmé, wenn auch weniger harsch als der George der *Porta Nigra*, den Eclat des Panama-Bankerotts zum Anlaß, die Entpoetisierung der Welt zu entlarven. Darüber spricht sein Aufsatz „*Or*". Wie farblos, ungegenständlich, mittelmäßig ist doch deren mächtiger Gott, das Geld, das man in Panzerschränken und Taschen verbirgt. Man scheute den *éclat*, und wenn er jetzt durch den Jammer der Geschädigten aufgehellt wird, so ist es ein *Glanz* wie der eines durch heroische Verteidiger selbst angezündeten Kriegsschiffs. „Verschwommen, mittelmäßig, grau" ist im übrigen das Zusammenbrechen einer modernen Bank. So eindeutig Ziffern sonst sind: hier, wo ohnehin jeder der Schuldigen so tat, als sehe er das Geld nicht, werden sie nicht vorstellbar – zu groß ist die Zahl der Nullen, dieser Sinnbilder des Nichtigen. Den Leuten konnte bei Milliarden nichts weiter einfallen, als sie zu unterschlagen. Über das Zynische dieses Gestaltloswerdens mögen andere trauern; dem Dichter ist es erst die rechte Bestätigung, daß es nur ein einziges echtes Gold gibt, den Glanz dichterischer Worte wie Wahrheit und Schönheit.

In der Dichtung lebt sodann vom großen einstigen Domzeitalter auch noch das Dämonische fort. Es ist ja, wie Huysmans' *Là-Bas* zeigte, im heutigen Paris noch keineswegs ganz durch die antik-legierte vage Modernität vertrieben; immer noch wirft Notre-Dame ihren Schatten, immer noch krallen sich die restaurierten grotesken Wasserspeier fest, immer noch wird am Vatikan der Posten eines Dämonenbeschwörers neu besetzt.[1] Auch die alte Alchymie, die in ihrer Suche nach dem *Stein der Weisen* ästhetische mit nationalökonomischer Sehnsucht verquickte, ist nicht tot. Denn, und darin steht Mallarmés Skizze *Magie* in leichtem Widerspruch zu seiner obenerwähnten Ablehnung des modernen Geldwesens — der Traum von einer unsichtbaren goldschaffenden Macht[2] lebt unbewußt noch fort als unser Bank- und Kreditwesen. Und gleichzeitig seien auch noch alte Zauberpraktiken lebendig, nicht bloß in museal-pietätvoller Wissenschaftsgeschichte, sondern in der Dichtung (in seiner eigenen vielleicht allzusehr). Als geistiger Schwarzkünstler ist ja der Dichter-Laborant bemüht, den Gegenstand zu verschweigen und ihn nur durch kaum vernehmbare Andeutungen dunkel ahnen zu lassen; an die Beschwörungsrunde zumal erinnert der durch ein erstes Reimwort stets sich öffnende, durch ein zweites sich schließende Vers. So ist die tiefe Welt des Geheimnisschauers, die einst im ungelehrten Volk heimisch war, dank der Dichtung noch unverloren.

Wo sind nun für den modernen Dichter noch Tore zu seiner eigensten wahren Welt? Man ahnt die Antwort: NATUR und MUSIK. Eine allgemeine Doktrin freilich würde man von Mallarmé in allen Fällen umsonst erwarten. Er bemühte zu solchen Auskünften nicht sein im Sphärenraum funkelndes Geistes-Ich; vielmehr nahm der behagliche Privatmann Mallarmé dafür als zwanglosen Ausgangspunkt die Frage, welche äußere Umwelt er einem Dichter als Aufenthalt nach Frühlingsbeginn empfehle (das Folgende nach *Bucolique*). Es versteht sich bei seiner Neigung zum Länd-

lichen, daß er jeden Kunstfreund, welcher inneren Rhythmen
verschworen sei, vor dem Markt der Masse warnte. Und doch will
er sein horazisch beschauliches Lob des Landlebens nur unter der
Voraussetzung gültig wissen, daß einer zuerst auf jenem Markt
gewesen sei und dort seinen Mann gestellt habe (tenu bon). Dann
erst könne er gewitzigt und in bescheidenster Einschätzung des
eigenen Wirkens sich abkehren. Gerade für den Dichter besitze
ja das Großstadtabenteuer die heiter paradoxe Nützlichkeit, daß
eine solche Häufung an Gestaltlosigkeit ein um so innerlicheres,
tieferes Aufbäumen dagegen hervorrufe. Es richte sich dies natürlich nicht gegen eine organische Polis, sondern gegen die heu-
tige Stadt, die auf Grund wirbelnden Betriebs zu *funktionieren*
behauptet, obgleich ihr zu wirklicher Funktion die gesunden Ge-
meinschaftsgrundlagen und die Krönung durch die Kunst völlig
fehlen, .. gegen die Stadt, deren wesenloses *Zentrum* durch bloßes
Zusammenstoßen langer Vorstädte gebildet werde und welche
dem Beschauer nur ein Weitereilen gestatte. Um so verhätschelter
vom Schicksal kam sich Mallarmé vor, sich bei alledem, und im
reichsten Sinn, eine zwiefache Brücke zum Poetischen erschlossen zu wissen.

In früher Jugend schon durch die Natur. Die schlaffen Sinne
aufrüttelnd, bot sie tastbar, unmittelbar die *Idee*. Und seine Leidenschaft glühte wie der unsagbare Scheiterhaufen des Hori-
zonts, wenn mit dem Opfertod des Himmels und der Wälder erhaben der Tag sich neigen will. Daß dies Mysterium den Menschen aufgerichtet sei, habe ihn stets über die Dumpfheit der
Heerstraße emporgehoben. In fortgeschrittenem Alter aber entdeckte er an einem Konzertabend schlagartig die Musik als teilhaftig jenes alten Glühens. Zu ihm zurückleitend, loderte sie nun
neu aus seiner Kindheit her — nun nicht mehr als Feuer am Himmel sichtbar, sondern als dunkles Saalgebälk den Tempel nach
oben abschließend, da jeder Brand als Sauerstoff die vage Träumerei benötigt, diese aber durch die gedanklich gestaltete Musik
aufgezehrt wird. Wie ein Wunder hatte ihn die Umsetzung seines
doch unwandelbar gleichen Ich aus dem Naturzustand in den Mu-
sikzustand angerührt: beide heilig, der erste noch erdverwurzelt,
urquellhaft, noch von Materie durchtränkt und doch gesichert

vor jedem Zugriff des Maschinenzeitalters; der andere feurige Verflüchtigung zu Assoziationen, mehr gedanklich, und – bei Fehlen eines Textes – allem Bildlichen enthoben.

Und doch: lauschte man dem Orchester (dem modernen Ersatz für die uns „mangels Geschichte" versagten Paläste) oder summte einem inneren, munteren Rhythmus Verse nach, so bricht sich das Echo unvermittelt an Mauern, welche Preisreklame für Utensilien und Herrenkonfektion posaunen. Fort also aus der Großstadt! Da aber ihr Tand – Wagen und Toiletten – im Freien ebenso üppig glitzernd schäumt, so wirbelt die Großstadt auch an der Küste sommers den Staub auf. Dahin ist der Strand, und das Meer, das (schon im *Igitur*) dem Firmament eng verschwisterte, löst sich tragisch aus der Natureinheit.

„Außer Sicht und in einem Urlaub von allen" durfte dagegen er, der Eremit von Valvins, als Inbegriff alles Geborgenseins den Frieden der Felder rühmen, welcher genügend Stille staple, fern von Zerstreuung und Gerede, um in Unausgesprochenem die *Größe* durchleuchten zu lassen. In der Stube bereut, oder schlimmer, verachtet man ja das Müßigsein; draußen aber schwebe Stillung zwischen den Stämmen des Hochwalds, und Tage tauchen in den schatzbergenden Märchenteich.

Wenig mehr als eine Stunde habe man zu gehen, nur bis das Besessensein vom Eisenbahnlärm verstummte, und schon sei man im Urwalddickicht von Frankreichs schönstem Forst, dem von Fontainebleau. Nur die endlosen Weizenfelder noch feiern leuchtend die Nähe der Stadt. Kein Eilen mehr, nur der Fluß. Etwas Ewiges ist in jedem ländlichen Bild, sei es Original oder dessen (an sich überflüssige) künstlerische Nachschöpfung. Denn nichts überbietet ja die Bilder *Tal, Wiese, Baum* – mag auch der modern verfeinerte musikalisierte Stil „geistigen Abkürzens" noch so sehr, bis zum Unausdrückbaren, herankommen gerade an die so französische Seine-Landschaft „sous un reflet de nuage classique et lieu commun". Für Mallarmé war es nie genug des Wunderns, wie begrenzt doch, sogar im Herbst, nach der Rückkehr des Badepublikums, die Bannmeile und Ausdünstung einer aktualitätsgehetzten Großstadt sei, eine Tragweite von noch nicht fünfzehn Meilen über Gras und Blätter hinweg! Wie wenig weit

die Lärmkanone hinausdonnere von den Wällen dieser Festung,
die sich die Menschen gegen ihre eigene, in der Natur ausströmende Herrlichkeit eigens erbaut haben, und deren einziger Läu-
terungshochofen, die Musik, in den Ferien auch noch stilliegt!
Daß es das noch gibt: daß das Lärmen so unversehens dem Menschen schweigt, der im Geiste sich eine Flöte schneidet für die
Freudenmelodien, deren schönste ist (*Div. 335*), „seiner selbst
gewahr zu werden, schlicht, unendlich auf der Erden".

Erwählung und Unabhängigkeit

Den Wald aufzusuchen, ist freilich nicht genug. Da war noch
ein Etwas, das den Dichter unterschied von den Ausflügler-
scharen, die sich am selben Oktobersonntag das gleiche Ziel gesetzt hatten. Diese·Sonderheit, dies innere Anderssein, dies Geheimnis der dichterischen Erwählung nannte er den RUHM, „das
Um-sich-Wissen (*conscience*), weitab von Reputation, Ehrung
oder was sonst die Masse umtreibt, schart, zusammenrottet;..
Bewußtsein eines Lebens, des Lebens. Dies ist, ohne Abstrich,
was es an Höchstem im Leben gibt".[1] Ein winziges unscheinbares
Begebnis aus der *Zufalls*welt öffnete ihm darüber die Augen,
und er hat es in einer jener hundertfach hintergründig schillernden „Anekdoten" nacherzählt, die aus einem tändelnd ironischen Beginn·bald zu festlichem Ernst überzugehen pflegen:
La Gloire.

Solang der Dichter durch die Pariser Vorstädte fuhr, stob die
Reklameplakat-Parade — Schmarotzer an Gottes mißachtetem
Sonnenlicht und Entweihung der Schriftkunst! — vor seinem
Blick davon, der seine innere Sammlung erst fand, als der Wald
auftauchte — wie jeder Wald im Sommer ganz besonders erhaben und geheimnisvoll stolz. *Fontainebleau:* der Schrei des Bahn-
wärters zerkläffte in dieser hohen Stunde den vom Leuchten
abendlicher Baumwinkel durchtränkten Namen. So gellend, daß
der Dichter gern die Fensterscheibe eingeschlagen hätte, den Störenfried zu würgen, dessen mechanisches Bellen bewirkte, daß,
nach dem einförmigen Knallen der Abteiltüren, der Märchenwald
nun der Touristensintflut preisgegeben war. Dann wieder rührte

ihn der Stolz des pflichtgemäß brüllenden Beamten über die vielen Besucher „seines" Bahnhofs, die alle den poetischen Aus-
nahmezustand angeblicher Waldesstille suchten. „Gewiß möchte
ich nicht etwa", so wollte ihn der Dichter gerne anreden, „die von
Natur und Staat dargebotene Sonntagslust allein mit Beschlag
belegen. Doch wünschte ich wenigstens, du ließest mich so lang
hier ungeschoren, bis ich jene Botschafter der Großstadt hinlänglich weit vorauseilen ließ zum Wald, dessen Laub gewiß
schon im lähmenden Bann der baldigen vernichtenden Entblät-
terung steht". Doch bleibt nichts anderes übrig, als dem hastigen
Mann an der Schranke statt eines zugedachten Trinkgelds die
Fahrkarte abzugeben.

Und als er sich nun auf der schon ganz menschenleeren Landstraße findet, da durchblitzt ihn jäh der Gedanke: von all den
Unzähligen, die ihr inhaltloses Leben in der marternden Groß-
stadtöde erst mit der abdampfenden Lokomotive vergessen können, ist außer mir keiner da, der sich gleichfalls verstohlen dem
Schwarm entzöge und ebenso wie ich die Herbstahnungen der
Natur empfände: das bittere schluchzende Leuchten dieses Jahrs,
.. die Äste, die an schwankende, der Zufallswelt sich entbäu-
mende Gedanken gemahnen, .. und eine Art schaudernder Hauch.
– Wirklich keiner! Und die Geste, mit der er seinen letzten Zweifel daran hinwegstreift, gleicht jener andern, mit der einer ein
herrliches inwendiges Gut, einen über alles Sichtbare erhabenen
Siegespreis hinwegträgt. Nun bedarf der Dichter nicht mehr des
übermenschlichen Stolzes, den der unsterbliche Hochwald ausgießt, auch nicht der königlichen Purpurpracht in der Fackel-
halle des Schlosses Fontainebleau: aller *Ruhm* ist für ihn in diesem Verweilen-Können – bis der Zug, der irgendwohin Leute weiter-
führte, nur noch als winziges Kinderspielzeug sichtbar war.

Es ist nicht unwesentlich für Mallarmés Persönlichkeit, daß
dies Hochgefühl des Verweilens doch wesentlich aus einem Ausweichen vor den anderen Menschen abgeleitet war. Werden wir
ihn deshalb einen selbstzufriedenen Narziß nennen? Nur weil er
sich wirklich als den Templeisen eines inneren Grals empfand,
an das Erwählte, Göttliche im Künstlertum glaubte wie wenige,
hat er für dessen Unabhängigkeit und *intégrité* gekämpft. Für

ein würdiges Gehege besinnlicher Stille (Cloîtres), für einen finanziellen Schrifttums-Etat der Nation (Le fonds littéraire), für
einen moralischen Schutz des Dichterwerks gegen die Banausen
(Sauvegarde) sowie für ein menschliches Integer-Sein gegenüber
Schüler-Epigonen oder Pressereportern (Solitude). Er sprach von
der inneren *Glorie,* weil allein auf dieser Voraussetzung der Dichter denkbar ist; nicht etwa weil er besonderes Interesse für die
eigene Person hätte erwecken wollen. Im Gegenteil schien ihm der
Vorzug von Dichtervorträgen im Ausland gegenüber denen im
Inland eben der folgende:[1] die Literatur sei etwas so Vitales, daß
sie geradezu darin bestehe, jedes anekdotische Interesse am Pri-
vatleben des Verfassers auszulöschen; welches doch im Grunde
nicht darüber hinauskomme, wie er etwa schläfrig seinen Tee-
löffel in die Untertasse lege und nach seinen Pantoffeln blinzle.
Selbst wer von einer tropischen Abenteuerfahrt heimkehrte,
müßte, um vor seinen Landsleuten hinreichend begründet para-
dieren zu können, erst irgendeine angebliche Jagdbeute vorzei-
gen, etwa ein unterwegs beim Pelzhändler erstandenes Jaguar-
oder Löwenfell.

Nein, mit keiner Eitelkeit hatte die Betonung seiner Sonderart zu tun. Daß sie auch für ein literarisches Zusammenwirken
die eigentliche Voraussetzung bot, begriff Mallarmé mit einer
Nüchternheit, an welcher ähnliche neuere Versuche sich hätten
ein Beispiel nehmen können. Ende 1873 entwarf und versandte
er mit Mendès zusammen die Statuten einer geplanten Dichter-
Weltzunft. Es sollte Hugo nebst englischen und französischen
Dichtern gewonnen werden, zunächst aber begann man mit Grüßen zwischen den ernsthaften Dichtern des *Armana Prouvençau*
und des *Parnasse.* Anspielend auf einen Gedanken des von Mistral
geschätzten Agricol Perdignier, verglich Mallarmé den Bund
einem *compagnonnage:* „Wir sind eine gewisse Schar, die ein
Mißachtetes liebt; es ist gut, wenn man einander zählt und ken-
nenlernt, weiter nichts. Die Fernwohnenden sollen einander lesen, die Reisenden einander besuchen. Und all das unabhängig
von den tausend unterscheidenden Gesichtspunkten, die übrigens nach gegenseitiger Beobachtung und Plauderei um so mehr
verschieden sind."[2]

In diesem Sinne ist Mallarmé, auch noch als er selber durch seine Pensionierung eine äußere Unabhängigkeit erreicht hatte, für die Lage der künftighin geistig Schaffendenden eingetreten. Der gleichmäßig starke Eindruck der beiden englischen Bildungsstätten, des imposanten Oxford, des intimen Cambridge, hatte ihn zu begeistertem Lob jener so verschiedenartig gebauten versonnenen Colleges veranlaßt, deren Studienarbeit zu einer großen Universitas führt, in welcher sogar die Wiesen — für Kühe, Hirsche, Sportleute — ihren festen Platz einnehmen. Am meisten bestaunte er, in seinem Aufsatz *Cloîtres*, die „Fellows", in denen Schönheit, Blüte und Frucht britischer Bildung erscheine. Diese Amateurs, die es in jedem College gibt, wählen sich selbst ihre gleichgesinnten Nachfolger. Verlangt werde nur ein akademischer Grad; im übrigen kann einer fortan seine lebenslängliche Rente abheben — auch an ausländischen Banken, falls er es müde ist, in seiner Bibliothek zu sitzen und in dem domweiten Refektorium, das sich über einem unschätzbaren Weinkeller erhebt. Die — heute freiwillige — Verpflichtung, bei Jüngern das Bewußtsein solchen Ausnahmemenschentums wachzuhalten, dünkt Mallarmé nur ein Luxus mehr. In solcher Freiheit des Forschens und Entdeckens, zu der man wortlos, ungezwungen, ohne Markten erwählt wird, durfte der beste Prosastilist des zeitgenössischen England leben!

Mallarmé weiß, daß diese weltmännische, hochgespannte, für französischen Sozialismus anstößige Einrichtung zweier Marmorstädte, die sich das sozial weitherzigere England der Eisen- und Kohlenstaubprovinzen für seine Denker leistet, nicht auf beunruhigtem Boden gediehe. Französische Ordnung würde nicht ein paar bevorrechtete Jünglinge ernsthaft doktoral umkleiden, — aus Mißtrauen und Gerechtigkeitsgefühl. Sie habe die chorisch gewaltige Botschaft der Klöster beseitigt, weil sie Vergangenheit war. Der Franzose kommt leichter über sein leises Neidgefühl hinweg, weil auch in England diese Botschaft verging; doch er weiß, sie wird noch in hundert Jahren nachklingen, ..solang der englische Fellow über Themen französischen Schrifttums gewandt zu sprechen weiß. Immerhin, tragen nicht diese Einrichtungen, hoch über der gegen sie anrennenden Robustheit, doch

vielleicht ein Fortschrittselement in sich? Ragen nicht die gotischen College-Türme geradeswegs hinüber in die Zukunft?
Mochte Mallarmé als bewußter Franzose auch allen nur von
außen sanktionierten Vorrechten feindselig gegenüberstehen, so
bestärkten diese (wenn auch selten schriftstellerisch orientierten)
Geistesklöster dennoch in ihm den Wunsch, es möchten gerade
den Dichtern solche Stätten der Einsamkeit und inneren Einkehr
vergönnt werden.

Aus dem nämlichen *Déplacement avantageux* nach England
stammt auch der praktische, einleuchtend begründete Vorschlag
einer Dichterhilfe, den er in alltäglichem Französisch und in der
Tagespresse vortrug. Jede Nation, die einmal Literaturklassiker
besaß, gewinne, durch deren laufende Verbreitung im Druck,
ein „literarisches Kapital", ganz unabhängig von etwaigen staatlichen Kulturzuschüssen. Dieser dauerhafte Schatz, der erfreulich unerschöpflich ist, verglichen mit der begrenzten Aufnahme-
fähigkeit der Durchschnittsmenschen, könnte nutzbar gemacht
werden. Der Verleger möge bei Klassiker-Neuausgaben (auch
solchen für Schulzwecke), die ja im Rahmen der Nachfrage kein
Wagnis bedeuten, zwar ruhig den vollen Gewinn behalten an
allen materiellen Zugaben, Druck, Format, Bildschmuck, Papier; aber jeder ehrliche Verleger wird zugeben, daß „etwas,
wenig, ein Nichts" auf Rechnung der Texte gehe, ihm somit
eigentlich nicht gehöre. Und hier darf der Staat, welchen eine
der „reinsten Quellen nationaler Ehre" nicht gleichgültig lassen
kann (Oxf. Cambr. p. 21), eine geringfügige Gewissenstaxe erheben. Dem Ehrenmann im Verleger dürfte diese Klarstellung
willkommen sein, da er bisher wohl etwas peinliche Zweifel empfunden haben mochte, wieso gerade Er zur Nutznießung des Na-
tionaleigentums komme, aber dann doch wohl wieder aus Gewohnheit und mit der Zerstreutheit des großen Geschäftsmanns
darüber hinwegging. Wenn schon die leiblichen Erben eines
Schaffenden (nur eines literarisch Schaffenden) fünfzig Jahre
nach dessen Tod gesetzlich das Recht auf sein herb erkämpftes
Werk verlieren, warum dann Spekulanten, so ehrenwert sie sonst
sein mögen, zu seinen materiellen Erben ernennen? Warum nicht
lieber seine geistigen Nachfolger? Denn wie der Tote sein Schöp-

fertum von weiter her als von seinem Ich besaß, nämlich aus einer größeren Ahnenreihe, so sind seine einzigen würdigen Erben die Jungen, die ihrerseits und auf eigene Gefahr die Spur ihrer Vorläufer suchen. Sie, deren idealistische Treue erst, neben der gleichgültigen Reverenz der Massen, den Toten unsterblich macht! Ob die Zinsen dieses „literarischen Fundus" als Ermutigungszuschüsse für Anfänger, als Preisverteilungen, Druckzuschüsse, Ehrungen verwandt werden sollen, auch Art und Höhe der Besteuerung hat Mallarmé der Presse und der Regierung überlassen. Keine von beiden schenkte dem Vorschlag Beachtung.

Unerfüllt ist auch ein anderes, ebenso ernsthaftes und mögliches Gesuch geblieben: *Sauvegarde.* Hier forderte er für die Dichtung eine „Schutzwache". Und zwar von der höchsten, noch vor dem Parlament zu nennenden Einrichtung des königlosen Frankreich, von der „im französischen Sinn gegründeten" *Académie française.* Denn die einzigartige, alteingewurzelte Kultstätte des Schrifttums, begründet im Vorfrühling eines *geübten stolzen Geschmacksstils,* welche durch das gemeinsame Band des nationalen Schrifttums auch die Denkschriften des Ingenieurs, Finanzmanns, Chemikers, Strategen weiht, soweit deren Gehalt sich in adliger, gleichsam griechisch-plastischer Gestalt über sich selbst hinausreckt –, sie hatte allzeit sich sorglich abseits gehalten,.. abgesehen von Revolutionszeit und Empire, wo man sie pietätlos zu einer Sektionsklasse des staatlichen „*Institut*" herabwürdigte (was allein für die anderen Sektionen schmeichelhaft war). Und auch wenn einmal das *Institut* eine neuzeitliche Machtstellung einnähme, so hielte sich die Académie mit ihren zwanglosen Tagungen doch zurück, sich aufsparend für ein erlesenes, ungenanntes Ziel; und etwas Religiöses bliebe in der unirdischen Hingabe ihrer weltfernen Mitglieder an das Geistige.

Indes gehören zum Reich des Ewigen die Bücher, gleichwie Gemälde und Statuen der Schmuck verlassener Paläste sind. Zur Ehrung aller meisterlichen Bücher erdenkt sich Mallarmé etwa ein abgelegenes Schloßbücherzimmer: wenn die Zahl ihrer Leser dereinst abnähme und ein Werk zeitweilig gänzlich der Vergessenheit verfiele, so blieb doch in diesem Mausoleum immer die glitzernde wechselseitige Eigenbeleuchtung der Goldrücken. Und

ein inwendiger ehrfürchtiger Segen spänne sich hinüber zum
Volk, das durch Hörensagen um diesen überpersönlichen Schatz
wüßte, ohne die Tür des für so viele toten Thronsaals zu öffnen.
Auch wäre es müßig, in dem Schatzgewölbe — geistig trägt ja
jeder Buchkenner ein solches in seiner Erinnerung — anders als
durch ein Gedenken an diese Meisterbücher Staub wischen zu
wollen; ihr idealer Fittich schüttelt ihn ja ohnehin selber ab.[1]
Statt sich nun aber mit der Unsterblichkeit solcher Bücher zu befassen, haben die vierzig „Unsterblichen" der Académie, eher
Gespenster als Lebende, sich vorwiegend darauf beschränkt, jeweils die vierzig Plätze neu zu besetzen. Ohne Frauenlachen und
ohne Echo, mit ihrem gemessenen Geplauder eingemauert in ihre
Nachfolgerschaft, zelebrieren sie mit der kahlen Palme eines
Satzgerüsts vor dem mit Vokabeln bestreuten Leichenstein des
Wörterbuchs. Und stirbt einer aus der Schar, so mimt der Nachfolger in seinem maliziös gespickten Nachruf einen Phönix-
mythos für das Publikum. Hier spricht Mallarmés tiefe Enttäuschung über die interesselose Ablehnung seiner Dichterstiftungs-
Idee durch die *Académiciens*, zu denen er in schülerhaftem Schauder wie zu ewigen, gestaltlos übermenschlichen Abstraktionen
hinaufgesehen hatte und denen er sich durch sein Bemühen um
einen gehobenen Stil, durch seine syntaktischen Auslassungen
und seine Liebe zum Geheimnis verbunden wußte.

Und doch könnten gerade sie als fachliche Instanz sich nützlich machen *de maintenir le livre*, denn die „Gesellschaft" — übrigens ein in der Literatur erschaffener Begriff — und die Pappkulissen ihres kulturellen Herrschaftsanspruchs seien nur eine
Fiktion,.. mithin ein ewig gegenstandsloser Gegenstand, ein nie
zu bewältigendes Danaidenfaß, eine billige Gelegenheit für allerlei vulgäre Wichtigtuer, ihr Für und Wider auf dieser gestaltlosen Bühne zu agieren. Gesetzt nun, diese *Gesellschaft* fände sich
köstlich entlarvt durch ein neuartiges, ungewöhnliches, über privaten Geschmacksurteilen stehendes Buch voll Jauchzen und
(nicht davon zu scheiden) Zürnen über die Dinge, wie sie sind —
so müßte, bei einer allgemeinen Ablehnung, dessen Verfasser,
obwohl allein dem Tribunal seines Genius verantwortlich, in der
Académie auftreten können und sein Wollen verteidigen, nicht

DER DREIUNDVIERZIGJÄHRIGE MALLARMÉ
(1885)

wie vor Richtern, sondern vor Gleichgestellten. Diese würden dann, aus langjähriger, grammatikalisch geschärfter Kenntnis heraus, möglichst schriftlich und, wenn es nach Mallarmé ginge, zustimmend formulieren, ob das Werk bei all seinem unbewußten, intuitiven Schwung auch vor den historisch vorbildlichen Meisterwerken bestehen könne: möchten die vierzig schmächtigen Ehrendegen über das bedrohte Werk ein stachliges Schutzdach wie einen Fittich breiten!

So etwa lauteten Mallarmés Gesuche an seine Zeit, anspruchsvoll und bescheiden zugleich — Gesuche weniger für sich selber als für die Dichtung überhaupt. Und auch nur für ihr Akzessorisches; denn wesenhaft dichterisches Leben — das führte er im Aufsatz *Solitude* aus —, innerliches Vergegenwärtigen von Sinnberührungen und -deutungen, vollziehe sich fern der Welt. Wahre künstlerische Gestaltung der Zeit, abseits von Zeilenschinden, Honoraransprüchen und auch offiziellen Dichterehrungen, kann nur durch ein zumindest gesellschaftliches Ausscheiden ganz oder, mit einem herben Kompromiß, wenigstens halb gerettet werden. Mallarmé war keineswegs sakraler Priester-Dichter wie George, vielmehr gesellig genug, diese Notwendigkeit als schmerzlich zu empfinden. Doch leider fand er sogar im Verkehr und Meinungsaustausch mit Dichterkollegen immer nur jedermanns eitles Bedürfnis, sich als das beste Sprachrohr des Genius auszugeben; es scheint ihm lächerlich, doch es müsse wohl so sein. Wozu also über Dichtertechnik diskutieren, d. h. zunächst anhören, wie der behendere Partner die Kunst summarisch auf das ihm Liegende zurückführt, nur damit man hernach aufbrausend andeuten kann, man selber besitze allein die wahre Kunst, und dann den höflichen Rückzug sinnlos verbohrter Behauptungen auskosten darf? Oder wer möchte lieber leichthin ausplaudern, wie viele Mißerfolge ihn ein einziger Treffer, Bürgschaft für unser Selbstvertrauen, gekostet habe? Und wen lockt der Ruhm, das weit ruhmreichere Geheimnisvolle des eigenen Schaffens durch Aufdeckung und Lehre zu zerstören?

Nur derjenige verfalle einem so „bizarren Unterfangen", der in einem ahnungslos zerstreuten Augenblick sich „*Meister*" nennen ließ; der alsdann bei klarem Bewußtsein ernst nahm, was höch-

stens ein einziges Mal ernst gemeint war; und der schließlich,
wenn er gewissenhaft und peinlich ist, aus innerer Scheu vor
einer Abwehr dann lieber einige lehrhafte Äußerungen zur Antwort gibt. Damit vergißt er, daß jeder junge Mensch ein Höchstes an Unabhängigkeit vor dem Lehrer verwahrt. Denn nur
äußerlich täuscht der gleiche Spaziertritt des Alten und des ihn
zur Huldigung besuchenden Jungen eine wirkliche Geistesgemein-
schaft hinter den ausweichenden Gesprächen vor: beide verharren
weislich reserviert oder ehrerbietig gegenüber der Scheidewand
des Generationenrückschlags.[1] Belehrung ist allein für den ewigen Lehrer und Schüler, nie für den stets einsam Schöpferischen.[2] Einmal sei ja jeder Dichter, ob er singe oder ob er bloß
die Stimme rein über das Alltagsgerede erhebe, dem unsterblichen Nachhall am nächsten: zwischen dem leuchtenden Kind-
heitsende und dem jungfräulich geschlechtlichen Jugendbeginn,
in der Geburtsstunde jeder Generation. Wenn die Zauberblüten,
wie in „Prose", sich am weitesten entfaltet haben.

Fern von Schulmauern, Formularen, Diplomen, im Kreuzgang
der Geistesgeschichte, an dem jede Generation ihren Gewölbe-
bogen anbaut, wünscht sich Mallarmé, im flüchtigen Kreis der
erlesenen Dichter von morgen, aus Erfahrungen zu sprechen:
bisweilen etwas gelahrt, aber nie selbstgefällig kleben bleibend
— selbst am Ewigsten nicht länger, als nötig ist, daraus zu schöpfen. Auch seinen Stil, der bei aller Wunderlichkeit so abwechs-
lungsreich ist, wollte Mallarmé nur so lange festhalten, als dieser
auf das Thema und in den Schacht der Sprache Licht werfe —
und von vorn beginnen, sobald die Schrulle drohe. Mit einer selbst
in Frankreich einzigartigen Elastizität rettete er sich vor dem
Schule-Bilden, der Vergötzung durch seine Bewunderer: schick-
ten sie sich an seinem Weg zum Kniefall an, so begriff er die
Notwendigkeit, schroff auf einen Seitenpfad abzubiegen und, als
ein Ungenannter, Vielfältiger, sich den sehnenden, nun ins Leere
greifenden Armen zu entziehen.

Nicht anders springt er übrigens auch mit jener Presse um, die
zwischen Bankerotten und Salonskandalen jede frohe Botschaft
breittritt. Er schildert, ebenfalls in *Solitude*, ihren Eilboten, den
Interviewer, der unbedingt jaja auf der Stelle wissen muß, was

Mallarmé denke.. („Nichts und nie", denkt sich der, und bietet als Schmerzensgeld Zigarren an, deren Rauchwolken er ,sonst nachzuträumen pflegt, bevor er daraus seine umschleierten Gedichte entwickelt).. von der Satzzeichen-Setzung in Vers und Prosa. Der Dichter erwidert nun wohl auch mit gespielter Ernsthaftigkeit, immerhin nicht als unwahres Werbegerede, sondern als leises, verträumtes Geständnis. Etwa: da bei der *Versform* die Zeilen das Ausströmen schon genug eindämmen, schienen ihm dort Satzzeichen überflüssig, wogegen er durch dieselben die Satzmelodie der *Prosa* festzuhalten liebe. Noch einen „zusammenfassenden Satz" heischt der Reporter, und flugs ist er samt seiner Beute verschwunden, bevor noch der Dichter seine Äußerungen schamhaft verhüllen oder auch nur der Zeitung ein rentables Angebot für eine Artikelserie vortragen konnte.

Durch schulmeisterndes Anschirren literarischer Anfänger sich eine Führerlaufbahn zu ermöglichen, hätte Mallarmé als verhängnisvolle gegenseitige Lähmung empfunden. Selbst entdekkungstrunkene Herzensergüsse junger Künstler sollten sich bald zu einer weniger wortreichen *inwendigen* Haltung wandeln, im Verzicht auf alles Geschäftig-Alltägliche. Daß er sich seine innerliche Abseitigkeit nicht rauben lassen wollte, war sehr entfernt von irgendeinem aufgeblasenen Gesellschaftshaß. Nur, und zumal für den Reporter sagt er es: wozu etwas anmaßlich und laut aussprechen, was doch reizvoller bleibt, wenn Verträumtheit es verschwiegen umschwebt? Dem Schweigenden eröffnen sich Urwahrheiten, verwandt den Tonleitern eines präludierend stimmenden Orchesters, und zerstieben, falls man sie geradewegs anfaßt oder auch sie isoliert zerfasert. Das gekrümmte Rückgrat manches Gedankens läuft in einen wundersam gerollten Fischschwanz aus: ihn trotz allen Sträubens zur öffentlichen Besichtigung aufwickeln zu wollen, kennzeichne einen bei aller Federgewandtheit bornierten Doktrinär. Zugleich allerdings erkennt Mallarmés realistischer Blick in der sorgsamen Bemühung, nichts ganz auszusagen, eine Tragik seines Jahrhunderts: nur äußerlich noch unterhalten sich heute zwei Menschen über denselben Gegenstand. Mit hinterlistigem Schwall umschleichen sie einander. Durch Worte Gedanken zu verhüllen, hartnäckig anderswohin auszuweichen .. und alles, um sich die eigene Unnahbarkeit zu gewährleisten, wenn ein Herzensdrang, *besoin cordial*, sie zur Begegnung Aug in Aug verlocken möchte!

Der Bund

> *Il en est qui vivront d'une vision de vous,*
> *Pensifs et pieux,*
> *Jusqu' à ce que leurs yeux*
> *Se ternissent et s'éteignent.*
>
> *Viélé-Griffin*, La Partenza

In seiner menschlichen und dichterischen Scheu, jemand „zu nahe zu treten", gesteigert noch durch den beruflichen Lehrzwang, lag Mallarmés Stärke und Schwäche. Wenn dennoch die Jungen sich um ihn scharten, so geschah es nicht nur wegen seiner Werke. Zu einem großen Teil schon durch die ernsthaft gewissenhafte *courtoisie sublime*,[1] mit der er sich der zugesandten Gedichtbände annahm und in regelmäßig freundlichen Briefen über sie urteilte. So wußte er an Eugène Hollandes Band *Beauté* (Jan. 92) „die adlig nackte Schlichtheit" zu rühmen, oder an der ungewöhnlich erfolgreichen Erstlingssammlung des Chénier-Nachahmers Albert Samain (1858–1900), *Au jardin de l'Infante* vom Juni 93, ihre Zeitlosigkeit und doch Gegenwart;[2] an Charles Guérins (1873–1907) stolz-traurigen Abschiedsversen *Le Sang des Crépuscules* von 1895 den köstlichen, angeboren schicksalhaften Dichterton;[3] an den Gedichten eines jungen Rumänen, Charles-Adolphe Cantacuzène, „den seltsamen Reiz dieser schluchzenden Ansätze, die in ein Lächeln verlaufen".[4] Aber auch das üppig Ungewohnte (*Propos* 151) an den wüsten aggressiven Skandalskizzen des einundzwanzigjährigen Alfred Jarry, *Les Minutes de Sable Mémorial*,[5] der diejenigen zittern machen wollte, die ihn nicht liebten, und so häßlich zu sein wünschte, daß die Schwangeren auf der Straße Fehlgeburten erleben oder sich an ihm versehen müßten. Fand Mallarmé in fremden Besprechungen wirkliches Verständnis für seine Dichtung, so lud ein Dankesbrief den Verfasser ein: Mauclair, Gosse, sogar den Anonymus eines Winkelblättchens aus Grenoble, der sich als der junge Poizat herausstellte und dessen erster Gang, drei Wochen später nach seiner Übersiedlung als Moderedakteur nach Paris, zu Mallarmé führte.[1] Als er in Oxford sich nachdrücklich dagegen verwahrte, „Haupt einer Schule" genannt zu werden – uneigennützig hätten sich die jungen Leute, weil er abseits schaffe, bei ihm eingefunden! –, bekannte er zugleich, er liebe diesen Umgang. Denn er halte es für eine Form der Treue, fast der Pflicht, eine Kunstbegeisterung, wie er sie seinen Meistern verdanke, der Jugend weiterzugeben .. und auch weil es in der schriftstellerischen Tradition Frankreichs wie Englands keine Lücke, nicht einmal eine Uneinigkeit geben sollte (Oxf. Cambr. 54). So hat er, trotz seines auch Huret gegenüber ausgesprochenen Abscheus gegen literarische Schulen und Lehren, trotz seiner Unnachahmlichkeit, sichtbar weitergewirkt, auf Mendès, Coppée und Villiers, dann auf den Régnier der *Épisodes*, den Gide des *Narcisse*, den Fontainas der zehn Sonette *Les Estuaires d'ombre* (1896), den Gregh der Verlaineschen *Maison de l'Enfance* (1897), auf den bescheidenen Albert Saint-Paul, dessen *Scènes de bal* er als „ein Kleinod der Stunde" ansprach,[2] auf Louys, auf viele Gedichte Valérys und fast tyrannisch auf Ghil. Oder auch auf den unsteten Sucher Louis Le Cardonnel (Valence 1862–1936), welchen es in seinen ersten Gedichten zu den Geheimnissen irischer Vorfahren zog, zu verzückter Liebe und gralsritterlichen Huldigungen an Ludwig von Bayern (*Poèmes, 1881–90*), bis er, seit 1896 Priester geworden, sich dem kirchlichen Erlebniskreis zuwandte; er war „einer der ersten bei Mallarmé", wie er in seiner Selbstbiographie schreibt, und bildete durch ihn seinen dichterischen Stil aus, „le goût inné en moi d'un certain tour poétique, un peu sibyllin, un peu augural". Auch der einstige Knappe des *Parnaß*, Verlaines Gegner und dann unzertrennlicher Gefolgsmann, Charles Morice (1861–1919), ist zu nennen, der keine Zeile schrieb, ohne mit einem Blick das Bildnis Mallarmés, des „einzigen Menschen, den ich Meister genannt habe", befragt zu haben, „welchem ich meine kostbarsten literarischen Gewißheiten verdanke und der mich vor überhasteten Hervorbringungen bewahrte.[3] Wenn in ganz Europa seit dem Jahrhundertende der Mut zu einem bewußten literarischen Stil, zu einem eigentlichen *Schrifttum* sich ausbreitete, so hatte der Kreis um Mallarmé daran einen der entscheidenden Anteile.

Sodann war es sein von Louys so gerühmter hoher Scharfsinn, der ihn wie ein Orakel erscheinen ließ. „Er war wirklich eine Art Gott. Man verehrte ihn noch mehr, als man ihn liebte. Er war wohlwollend, aber ohne alles Familiäre. Ein Lob aus seinem Munde verwirrte wie ein Beschluß der Vorsehung. Noch sehe ich de Régnier vor Erregung über einen feinfühligen Glückwunsch des Meisters erröten."[1] Die Keuschheit seines Menschentums, die *Reinheit* seines Kunstwollens enthielt ohne Zweifel einen unmerklichen, weithin ungewollten sittlichen Idealismus. Mallarmés Gäste wurden, wenn nicht besser,[2] so doch *feiner* im höchsten Sinne. „Unwillkürlich brachte sie die integrale Schönheit dieses Mannes von unüberlegten Handlungen ab; sie verließen ihn mit der Feststellung, sich vor ihm über sich selber hinausgehoben zu haben.. Er war einer jener Menschen, in deren Gegenwart man kaum Albernheiten sagen kann."[3] Verglichen mit den andern beliebten Dichtertafeln der Zeit, den wahllosen, redseligen Tabakskollegien um den launischen Verlaine (mittwochs) und um Coppée, und dem hochgesellschaftlichen Hofhalt Heredias (sonnabends) waren die „Dienstage der *rue de Rome*" anspruchsvoller, weil sie allein auf der fein abgestuften Qualitätsbehandlung durch den Meister beruhten, und ernster, weil man seinen Entschluß kannte: „es liegt mir nur an meinen Freunden — und an Dichtern, die von Natur meine Freunde sind".[4] Scharmant waren auch Banville oder Anatole France zu jüngeren Kollegen, und Heredia gab sogar formtechnische Anleitungen zum besten... aber es kam ihnen nicht in den Sinn, die verschworene Verbundenheit einer hohen Zunft zu stiften, *quelque fidélité*, mit Mallarmés bescheidenerem Wort. „Es ist Platon und der Fürst von Ligne."[5]

Achtzehn Jahre lang, seit 1880, öffnete jeden Dienstagabend gegen 9 Uhr[6] der Dichter oder seine Tochter den Gästen jene Tür, vor welcher junge Dichter wie Paul Fort (geb. 1872) und Charles-Henry Hirsch vor Ehrfurcht kaum zu klingeln wagten; manchmal erst nach Mitternacht stieg man die ärmliche Treppe wieder hinab, im primitiven Licht eines Leuchters, den man im

Hausflur zurückließ. Seitdem der Andrang der Jungen so stark wurde, daß einige auf dem Fußboden Platz nehmen mußten, erschienen Gattin und Tochter manchmal nicht. Den engsten Hausfreunden, unter denen übrigens kaum ein Schriftsteller war, standen die Ehrenplätze auf einer Polsterbank zu. Auf dem Tisch stand zum allgemeinen Gebrauch ein chinesischer Topf mit Tabak, dazu Zigarettenpapier, und bald mußte des starken Rauchgewölks wegen zum erstenmal gelüftet werden. Gegen 10 Uhr — und das war oft das Zeichen zum Aufstehen und zum Aufbruch — wurden so viele Gläser Grog hereingebracht, als Hüte im Flur hingen: durch die schlanke, leicht ironische Tochter, durch welche sich der Poe-Übersetzer Mourey immer an die blassen, durch schweres Schicksal geadelten Heldinnen Poes erinnert fühlte; sie war die treueste Hörerin, ,,schlank und blond, hübsch und keusch, hochgemut, die Hände auf ihren Knien gefaltet, in einer Haltung innerlicher Anbetung, welche ohne ihr Wissen wie ein Gemälde wirkte" (Poizat). Seine eigenen Gedichte las Mallarmé eigentlich nie anders als unter vier Augen. Alles umschwebte eine Stimmung ,,innerer Geselligkeit", wie George sie ähnlich in Deutschland pflegte. Trotz Mallarmés Wunsch nach einem Gespräch, trotz seiner Abneigung gegen den Ruf eines *Causeur* (Régnier) wagten nur Ältere wie Villiers oder Heredia, sich in den Monolog des Dichters einzumischen; aber Villiers wirkte dabei oft geistesabwesend, Becque zu laut und lebhaft, Dierx, der froh war, hier vor Mißachtung geborgen zu sein, schien nicht immer geistig folgen zu können, und der schwermütig alternde Heredia hüllte sich in Zigarettenrauch. ,,Nie gab es einen köstlicheren, vielseitigeren, erfindungsreicheren Plauderer. Mit unsichtbarer, diskreter Kunst richtete er seine Sätze auf die höchste Idealität aus, doch nicht ohne unterwegs alle Blumen seiner reichen Phantasie zu pflücken. In unerwartete Axiome faßte er eine seltene Weisheit, eine vornehme, überlegene Weltanschauung. Vor allem überraschte seine Beredsamkeit durch ihre Klarheit. Nichts Treffenderes, Unmittelbareres als seine Rede."[1] Das blendend Gehaltvolle dieses lauten Träumens hielten manche für sorgsam vorbereitet; doch Mauclair versichert, man habe ihm immer erst den Ball zuwerfen zu müssen. Eine Zeitungsnotiz etwa, ein Konzert,

die Vorbereitungen zur Weltausstellung von 1900, der durch
Whistler in London ausgemalte Pfauensaal (wobei Mallarmé den
Pfauenschweif ein „Gesträuch von Edelsteinen" nannte), der
Markt auf dem Clichy-Platz, die kuriosen Firmennamen zweier
Konditoreien in Fontainebleau (*Cieux* und *Amour*); einmal eine
Zeichnung von Constantin Guys (*Dame mit vorgestrecktem Bein*),
sehr selten eine bestimmte Dichtung und nie etwas Systemati-
sches waren der Ausgangspunkt des Gesprächs. Oder etwa — in
mildem Vergnügen, sich freuen zu dürfen am modellierenden
Licht der Sonne — eine sinnenhafte nackte Schulter auf einem
Gemäldefragment aus einem Trödlerladen; so im (überarbeiteten,
wenn überhaupt authentischen) Bericht eines Dialogs mit Viélé-
Griffin. Weitgehend aus Äußerungen Mallarmés besteht (nach
L. Mühlfeld) das ihm gewidmete „Eleusis" von C. Mauclair vom
Januar 94, auch andere Werke Mauclairs wie der Schlüsselroman[1] *Le Soleil des Morts*, an dem sich Bourges, Dauphin u. a.
erfreuten.

Zu den ersten unter den Jüngeren, neben Moore und Kahn, gehörten Rodenbach, der den edlen Ch. Guérin einführte, der künstlerisch konservative Auguste Dorchain (geb. 1857) und der kau-
stische Vorkämpfer der Impressionisten in *Vogue* und *Revue blanche*,
Félix Fénéon, den Jean Paulhan in der Vorrede zu Fénéons Werken als den größten Kritiker Frankreichs in hundert Jahren
feierte: Fénéon erkannte nicht nur das Endgültige an Gauguin,
Van Gogh, Cézanne, Seurat oder an Mallarmé, an Verlaine, sondern auch an Laforgue, Lautréamont und Jarry. Sodann der exzentrische und streitsüchtige Ästhet Graf Montesquiou (1885
bis 1921), schwarzhaarig, hager, mit grünlicher Haut und schriller Stimme, tyrannisch und blasiert bis ins Groteske, der mit
roter goldstaubbestreuter Tinte tausend längst vergessene kunst-
gewerbliche Sonette schrieb; Victor Margueritte, der als Sieb-
zehnjähriger mit der wehmütig ernsten Gartenpoesie seiner *Brins
de Lilas* begann; und der in Frankreich naturalisierte Pole Theodor de Wyzewa (1862–1917), durch Dujardin eingeführt, be-
lesener Kenner der zeitgenössischen Weltliteratur, durch den man
in Frankreich Theodor Fontane kennenlernte, mittellos, ver-
schmutzt und kränklich, auf journalistische Fron angewiesen.[2]

Weitere Kreise wurden erst im März 83 aufmerksam durch den Theaterkritiker der *Vie moderne*, Fourcauld (17.3.); dann im Dezember durch Verlaines *Mallarmé*-Aufsatz, durch Huysmans' *A rebours* (köstlich parodiert von Régnier, in *Lutèce*, 1. 8. 86), durch die Mallarmé-Parodie in Beauclairs und Vicaires *Déliquescences* (April 85 in *Lutèce*), durch die Kritiken von Paul Bourde im *Temps*[1] und von Francisque Sarcey in *La France* (1. 9. 86: „J'ai lu de ses vers et n'en ai pas compris un traître mot"). Der führende Kritiker Jules Lemaître schrieb noch an den Schriftleiter des *Figaro*, mit Rücksicht auf „unsere bürgerlichen Leser" wage er nicht, eine größere Studie über Mallarmé zu bringen, schlug dann aber doch 1889 eine Bresche durch sein Lob der Jugendverse, besonders des *Guignon*.[2]

Vielleicht ohne es zu wollen, rekrutierte Mendès eine Kerntruppe von Mallarmé-Jüngern. Bei einem Vortragsabend (salle des Capucines) von Dichtungen nach Dierx, Glatigny, Villiers, im November 84, in Anwesenheit von Banville, Leconte de Lisle, Cladel, las Mendès zum Schluß den *Après-midi*. Der Eindruck war hinreißend für eine Gruppe von Studenten; sie kamen meist aus dem Lycée Fontanes, wo sie seit Februar 83 eine hektographierte Schülerzeitschrift *Le Fou* pflegten,.. ohne übrigens Mallarmé zu kennen, da sie, mit Ausnahme von A. Fontainas, den englischen Unterricht nicht besuchten. Die gleiche Gruppe scharte sich um die unter Banvilles Ägide stehenden und von ihm eingeleiteten sieben Nummern der *Plëiade*, gegründet am 1. 3. 86 durch den späteren Sportredakteur und Theaterdirektor R. Darzens; sie brachte u. a. Maeterlincks erste Verse. Unter ihnen Pierre Quillard (1864–1912) und der streitbare Verlaine-Prophet und Ibsen-Übersetzer Rodolphe Darzens (geb. 1865). Ferner der gleichaltrige Sohn eines in Brüssel zum Bürgermeister gewählten Parisers, André Fontainas († 1948), der als Lyriker nacheinander unter den Eindruck Banvilles, Mallarmés (*Le Sang des fleurs*, 1889), Régniers und Valérys geriet. Noch in seiner Sterbestunde hat Fontainas nach Mallarmé gerufen. Dann zwei jüdische Verehrer Baudelaires. Der eine war Ephraïm Mikhaël, 1866–90,[3] der sich für sein einziges, 1893 aufgeführtes Drama den gleichen Stoff wählte wie bereits Anatole France in den *Noces corinthiennes:* vor dem mit Mendès begonnenen Fragment *Briséis* griff seine mit B. Lazare verfaßte *Fiancée de Corinthe* (1888) auf Goethes *Braut von Korinth* zurück. Noch mehr der dramatischen Dichtung zugewandt war der spätere Übersetzer von Hauptmanns *Hannele,* der 1891 mit Louys nach Bayreuth pilgerte, Ferdinand Hérold, ein Enkel des Komponisten. Zur gleichen Gruppe gehörten bis zu seinem achtzehnten Lebensjahr ein phlegmatischer Amerikaner, Stuart Merrill (1885–89 studierte er in Neuyork) und sein Freund und Vorbild, der um so regsamere René Ghil, eig. R. Gilbert, 1862–1925, Sohn eines wallonischen Vaters und einer poitevinischen Mutter.

Dieser schilderte in der Vorrede zu seinen naturalistisch wuchtigen, in grobkörnigem Französisch verfaßten Erstlingsversen *Légende d'âmes et de sangs* (Jan. 85), seines überzeugendsten Buches, die trunkene Begeisterung bei der Entdeckung der hauchzarten Poesie Mallarmés. „Ein einziger Dichter, ein großer Dichter hat solche Verse: St. Mallarmé. Er ist ein Träumer, der in seinen eigenartigen Traum das Blut seiner Adern und sein lebendiges Gedenken an die Erde legt. Er ist ein Realist. Seine Worte sind Licht, Halbdunkel, heißes Waldesdickicht." Der Gefeierte dankte für die Übersendung dieser Verse einer besonderen Wortmagie; man habe sich „ungeheuer für Ihren Anlauf zu einer geschriebenen Orchestrierung zu interessieren". Auch des äußerst planmäßigen Ghil gleichzeitiger Entwurf für seine weitere Arbeit machte ihm den Meister gewogen. „Ihr Buch ist recht interessant! Es gemahnt mich an Entwicklungsstufen meiner selbst, in einer ans Wunder grenzenden Weise.. Was ich vor allem lobe, und was einer, wer? Sie vielleicht, vollbringen wird, das ist der Versuch, am Beginn des Lebens die erste Steinschicht eines Bauwerks zu legen, dessen Architektur schon heute von Ihnen gewußt wird; und nicht (und wären es Wunder) aufs Geratewohl zu schaffen."[1] Der Brief lud den Jüngling nach Valvins und zu den Dienstagen. Eingehend sprach Mallarmé die theoretische Artikelreihe durch, welche Ghil dann für *La Basoche* schrieb, eine Brüsseler Literaturzeitschrift von Henri de Tombeur (seit 1884); in ihr erschienen die ersten Verse von Mikhaël, Fontainas, Quillard, Darzens, Merrill, D'Esparbès, de Guaita und V.-E. Michelet.

Der Versuch Ghils, die Beziehungen zwischen Farben und Klängen nicht subjektiv wie Rimbauds Vokalsonett, sondern wissenschaftlich zu klären, und seine Instrumentallehre vom (schwarzen) Orgelklang a, vom (weißen) Harfenton e, vom (blauen) Geigenton i, vom (roten) Trompetenstoß o und vom (gelben) Flötenklang ü[1] bildeten den Ausgangspunkt für Ghils später immer erneut umgearbeitete, mit spätparnassischer Systematik komplizierte Doktrin des leitmotivischen „Instrumentisme". Als Ghil die Aufsätze 1886 unter dem Titel *Traité du Verbe* in der *Pléïade* herausgab, bot sich Mallarmé an, eine kleine Vorrede beizusteuern. Die vielumstrittene, bis 1904 viermal völlig umgearbeitete Schrift fand breiten Widerhall und trug Ghil den kurzlebigen Ruhm ein, von Auguste Marcade als dritter Führer der neuen Bewegung neben Mallarmé und Verlaine genannt zu werden (27. 11. 86). Im Streit vom Oktober 86 nahm Ghil gegen Moréas und auch gegen Verlaines „angebliche Schüler" als einzig wahrer Verwalter des echten Symbols Stellung: in seiner *Décadence artistique et littéraire* und in Vallettes *Scapin*. Fern von dem „Klüngel Kahn & Cie" (d'Orfer, der Dichter der frivolen *Papillotes*, an Ghil, 28. 11. 86) eröffnete dann Ghil am 7. 1. 87, finanziert von dem Musikkritiker Gaston Dubedat,[2] eigens eine Monatsschrift für seine „méthode évolutive-instrumentiste d'une poésie rationelle", die *Écrits pour l'Art*. Er stellte sie unter Mallarmés Ehrenprotektorat und gewann für sich, vorübergehend, Merrill (der sein Erstlingswerk, die *Tonleitern*, Ghil widmete) und dessen Freunde Verhaeren und Mockel; M. Beaubourg, Jean Carrère, A. Delaroche, E. Hollande, Retté, Saint-Paul, Tola Dorian und seit 1904 den besonders eifrigen Russen V. Brjusov; später Royère, René Arcos, Duhamel, John Charpentier, J.-A. Nau, Romains, Vildrac, A. Orliac. Schon im Mai aber wurden ihm Régnier und Griffin von Dujardins *Revue Indépendante* abspenstig gemacht. Als auch der Geldgeber sich zurückzog, fand diese Zeitschrift der „Harmonisten", die sich gegen Verlaines „Melodisten" wendete, mit der sechsten Nummer ihr Ende, und Ghil war für die nächsten anderthalb Jahre, bis zum Bruch vom Juni 1889, auf die Mitarbeit in seines Nachahmers Mockel belgischer *Wallonie* angewiesen, in „einer Verbannung in obskure

Kohlenbergwerke", wie ihm Mallarmé in lächelndem Bedauern schrieb.

Als 1887, im Februar, achtundzwanzig neue Gedichte Ghils erschienen, unter dem Titel *Le Geste ingénu* und Mallarmé als dem „Vater und Herrn des Golds, der Juwelen und der Gifte" gewidmet,[1] erteilte ihm dieser alsbald, unlöslich mit dem Lob verknüpft, eine Reihe ernsthafter Warnungen. In richtiger Vorahnung schloß er aus den im Anhang aufgeführten Titelentwürfen Ghils für ein dreiteiliges, soziokratisch-evolutionistisches Lebenswerk, daß dessen Dichtertum durch abstrakte Gedanklichkeit bedroht sei.. und zugleich durch den doktrinären *Instrumentisme* auch die Einhaltung der Versform. „Gewiß hat bisher keine Dichtung sich dem zu Vollbringenden so genähert", schrieb er ihm (13. 3. 87). „Mit seltenem Blick.. haben Sie die Kunst, die sein wird, erahnt. Ich stelle mir vor, daß man sie nur durch lange Träume oder Jahre des Studiums endgültig bearbeiten kann und keineswegs von einer blitzartigen Erleuchtung aus; aber Ihre Hinweise haben das Neuartig-Sein für sich. Unleugbar wünschenswert ist eine stärker hervorgehobene Folgerichtigkeit im Hauptmotiv, das man zu Unrecht *Inhalt* nennt und von dem Sie sehr wohl spüren, daß es nur der Abglanz des Inhalts sein darf. Auch der Vers ist nicht immer hinreichend ein vom Auge umspannbares, greifbar geprägtes Kleinod, Sie verstehen mich. Wir hatten das im Sommer gesehen, jedoch wieviel hat seither alles gewonnen![2] Ihr Buch ist ein Übergangswerk — Sie werden es später so beurteilen —, doch nicht ohne eine mutige Kühnheit, welche Sie geradewegs aufs Schwierige vorstoßen ließ. Überall sproßt eine Fähigkeit zu Träumerei und Musik — noch ohne sich frei zu machen —, die ich als außergewöhnlich ansehe. Wäre ich an Ihrer Stelle, so triebe ich das, in einem kommenden Anlauf, bis zum Gedanken und zum Gesang; um zuletzt Ihr umfassendes und wirklich symphonisches Spiel wieder neu aufzunehmen, und alsdann gemeistert. Sie müssen, indem Sie da stehenbleiben, wo Sie sind, eine Bewegung nach einer anderen Seite tun, zu irgendetwas einfach Greifbarem, und es zu Ihrer Kunst heranführen." Statt dessen war der knochige Mann mit den schwarzen Stehhaaren, zäh gewissenhaft, ganz fern von dem leichten Caféplau-

derertum eines Moréas, humorlos, nur noch mehr beflissen um
den „Kampf“ und um einen lehrbaren, wissenschaftlich gesetz-
lichen Drill der Lautinstrumentation, unter Heranziehung von
Helmholtz' Studien über die Harmonien der verschiedenen Mu-
sikinstrumente; ein trauriges Gegenstück zu den physikalisch-
optischen Bemühungen der Monet und Seurat um eine wissenschaftliche Malerei. Das gegenseitige Vertrauen ging in die Brüche
durch einen lärmend-doktrinären Aufsatz Ghils im *Figaro,* in
dem er Mallarmés Dichtung mit dem Reklame-Stichwort „symbolisme instrumentiste“ behing. Mallarmé fand dies *déplorable*
und sagte es ihm.[1] Daß es im April 88 zu einem Bruch mit Mallarmé kam, lag jedoch tiefer begründet in Ghils immer erheb-
licher ausgeprägtem Materialismus. Mallarmé sagte ihm endlich
im Kreis der Schüler mit ernstem Nachdruck: „Nein, Ghil, ohne
das Paradies kommt man nicht aus.“ Und Ghil trotzte: „Ich
glaube doch, Meister.“ Bald hernach, in der ersten Nummer der
durch Merrills Dollars wieder flottgemachten *Écrits pour l'Art*
(Juni 88–Dez. 92), erfolgte die Kampfansage der „instrumentistischen“ Sekte gegen den *Symbolismus.* Mallarmés geplan-
tes Werk, schrieb Ghil 1889, werde ein kompilatorischer, un-
origineller Entwurf mit veralteter Bildersymbolik sein, noch fern
von der philosophischen Ghilschen Symbollehre; „und zu behaupten, daß eine vorgebliche Neuerer-Schule von dieser vor-
geblichen Entdeckung leben wolle!“ Bis zu seinem Tod schuf
Ghil fortan für einen winzigen Anhängerkreis rund 20.000
eigenbrötlerische Retortenverse, mit strengster Anlehnung an
Mallarmé in der Terminologie, in der Häufung großer Anfangs-
buchstaben, der Freilassung von Druckflächen und der Beseitigung von Satzzeichen, und nur selten mit Seiten einer vollwerti-
gen Lyrik, aber immerhin mit einem so erheblichen Gedankenreichtum, daß er literarhistorisch eines Tages interessieren wird.
Schon im April 87 hatte ihm Wyzewa in der *Revue Indépendante*
vorgeworfen, er beute das, was Mallarmé ihm freundschaftlich
aus seinem eigenen großen Dichtungsentwurf anvertraue, in parodistisch entstellter Form aus. Das alles ist noch unerforscht.
Kurz vor Mallarmés Tod scheint ihm Ghil den dritten, letzten
Band (1897) seines *Ordre altruiste* zugesandt zu haben, und

Mallarmé antwortete: „Er gefällt mir — erheben Sie! — trotz der Wissenschaft, wegen einer menschlichen Schau hier, die ich der Nomenklatur sogar für überlegen halte" (*Propos* 171). Über das Paradies einigten sie sich nicht. Ghil schrieb einem Freund: „Das Eden Mallarmés? Nein, nichts davon. Sein Wort drückte die idealistische Gegnerschaft und diejenige des Baudelaireschen Spiritualismus aus, die mir auf solche Weise der Symbolismus entgegensetzte und zur Kenntnis brachte" (an Arcano Jukanthor). Und ein Schüler Ghils verlas noch 1936 vor Mallarmés Grabstein ein Sonett mit der Belehrung: „Nul Eden reconquis n'entr'ouvrira ses portes."[1]

Merrill (1863–1915), der 1890 in Amerika die klassische Blütenlese französischer Prosagedichte seit A. Bertrand veröffentlicht hatte, zog im Juni 93, in der literarischen Studentenzeitschrift *L'Ermitage* (gegründet April 90), einen gewissen Trennungsstrich: „Mallarmé, Laforgue, Rimbaud, drei Namen, die zu sehr auf unserer Jugend gelastet haben. Wir bewahren für diese Dichter eher die Bewunderung von Kennern als von Schülern." Mallarmé hatte sich einst an der „feinen und flüssigen Qualität" einer ausnehmend „begabten Anfangsarbeit" sehr gefreut: an den *Gammes* (1887), welche auch ein Mallarmé gewidmetes Sonett *La Flûte* enthielten. Doch hatte er Merrill brieflich gewarnt vor der zungenbrechenden Häufung der Ghilschen ledernen Alliterationen und Binnenassonanzen, „welche durch allzufaustdicke Äußerlichkeit sich, sogar in ihrer Herstellungsart, verraten. Auf daß das Wunder des Verses, einen Augenblick lang, unerklärlich bleibe!" Als Merrill daraufhin von billigen Lautspielereien zum liedhaften Stil Verlaine-Debussy überging, zollte Mallarmé lebhaften Beifall. So am 3. 4. 91 der Sammlung *Les Fastes*: „Ihre hohe Gabe zu musikalischer Schau, zugleich umrissen, flüchtig und volltönend, macht mich staunen; und jeder Zug weckt so viel schwingenden Glanz! So daß hier für meinen Sinn wirklich *Gepränge* ist, .. hätten Sie Ihr Buch selbst nicht so betitelt."[2] Zum eigenen Dichterstil reichte es bei Merrill nicht. Als er die Symbol-Überladung abschüttelte und mit Whitman, den er einmal kurz gesprochen hatte, in Menschheitsbeglückung schwärmte, blieb er formlos. Ohne unmittelbare Bedeutung war er für die Symbolisten seiner Heimat (Edgar und Francis Saltus, R. Hovey, William Vaughan Moody).

Damals hatten sich bei Mallarmé zwei junge Dichter eingefunden, welche dem Meister als besonders werte Freunde bis in unsere Tage, jeder auf seine Art, treu geblieben sind: der altadlige Normanne Henri de Régnier, 1864–1936, ein Dichter des feinen Vergangenheitsduftes verblaßter Dinge, eine vornehme Dichtergestalt im neueren Frankreich. Und sein damals unzertrennlicher Freund, unservil gegenüber dem Pariser Ton, ein frischer, aufgeschlossener Dichter des Auges noch mehr als des Ohrs, Francis Viélé-Griffin, 1864–1937, aus einer alten, reichen Familie Amerikas.[1] Die Schulkameraden hatten schon 1885 gemeinsam in *Lutèce* debütiert — Griffin seit dem 29. 3. fast surrealistisch wild als *Alaric Thome:* 1886 folgte *Cueille d'avril*, 1888 *Ancoesus*. Die einsame Würde Griffins, dessen dichterische Ader, erfüllt von Botschaften mythischer Urwelten, allzufrüh versiegte, und nicht zuletzt seine Herzensgüte hinter rauher Schale war Mallarmé wesensverwandt — und desgleichen Régniers verträumte Liebe zur Poesie umgoldeter Ulmen und Kastanienwipfel. Der ironisch selbstische Brokatdichter Régnier, hager, mit Gallierbart, kahlhäuptig, ein leidenschaftlicher und täglicher Besucher der Salons, „Ritter Lohengrin" (wie ihn später L.-P. Fargue nannte), in Monokel und Gehrock, hielt sich bei aller lässigen Liebenswürdigkeit von den anderen unabhängig. Er unterdrückte zu Mallarmés Lebzeiten die sarkastischen und leichtsinnigen Seiten seines Wesens, um dem feierlichen, schweren Stil des geliebten Meisters treu zu bleiben. „Ihm, dem Beispiel seiner Werke und dem Einfluß seiner leuchtenden Plaudereien verdanke ich, was ich bin" (zu Huret, 1891). Allzu deutlich zeigt sich der Einfluß noch in *La Demeure* (1891) und in dem Band *Tel qu'un songe* (1892), aus welchem dieser Lieblingsjünger, was sonst an den Dienstagen nicht üblich war, seine *Gardienne* vorlesen durfte. In seinen ersten Werken jedoch, den auf eigene Kosten gedruckten *Lendemains* (1885) und den Heredia gewidmeten *Apaisements,* überwog, wie auch in den Spätwerken, der Zug zu Chénier, zu Heredias Parnaß-Ideal und zu einer Antike, in der die Dinge müheloser und vereinfacht waren.

Den ersten Band sandte Régnier an Mallarmé, den zweiten an Heredia, und wurde durch beide eingeladen. Manche glaubten später, er sei mit Geneviève Mallarmé verlobt. Er heiratete aber 1898
die mittlere der drei Töchter Heredias, die lebenslustige Marie, die
Schwester von Hélène Maindron und Louise Louÿs; unter dem
Schriftstellernamen Gérard d'Houville übertraf sie in ihren Büchern und *Figaro*-Aufsätzen bald die etwas veraltenden Werke
ihres Gatten an Frische und Natürlichkeit. In Régniers Lyrik und
bei genauerem Hinschauen auch in seinen epikureisch frivolen
Erzählungen bemerkt man, wie seine Seele immer neu sich quälte
über die polygame Veranlagung von Frauen, die er liebte.[1]

Noch entfernter als Régnier von der Allegorie und von Mallarmés
intellektueller Gedanklichkeit ist die zarte, gelöste Dichtung Griffins „Pour moi toute ombre est claire." In seinem Versdialog *Lassos
d'Hermione* (1894) erkennt man unschwer das tragisch-erhabene
Bildnis des alternden Mallarmé, der in drei Jahren Griffins Blick
für das Poetische ausbildete und sich besonders an seinem Gedicht *La Dame qui tissait* erfreute; seine *Chevauchée d'Yeldis*
(1893) sei für den Symbolismus, was Sully Prudhommes *Vase
brisé* für den Parnasse bedeutet habe. Wo er in der Wortwahl zu
nachlässig sei, erfreue er dafür durch einen neuartigen Rhythmus angelsächsischer Prägung (7. 4. 87). Ein nicht geringes
Wagnis des sogenannten Symbolismus ist es ja, im echt romantischen Sinn Kräfte der nicht-latinisierenden Dichtung befreit zu
haben. Mallarmé hat diese Befreiung weit mehr gefördert, als der
spätere Moréas oder auch Valéry es wahrhaben wollten. Ergriffen
schrieb er nach dem Lesen der zunächst verlainischen, dann freirhythmischen Verse Griffins: „Vielleicht und gewißlich kündet sich hier erstmals der Gedanke an, daß, wenn man bis zur
Entkleidung der gezierten Komplikation des bisherigen Verses
gelangte, dies darum sein mußte, um die Nacktheit einer
schlichtgewordenen Seele zu zeigen; oder daß alles, Lautung,
Empfinden, wieder urwüchsig werden mußte! Um uns nicht
mißzuverstehen: Ihre Rückkehr zur Jugendlichkeit ist allein
einem Höchsten erlaubt, das Heftige so sehr in der Feinheit und
aus so reinen Schwingungen, daß etwas wie arglose Aufrichtigkeit (ingénuité) da ist. Es ist mir lieb, daß dieses so allenthalben

menschlich sei" (23. 2. 88). Bei Griffin ging ihm der Sinn der
alten Balladendichtung auf, des im Unterschied zur monologischen Lyrik „dramatischen Poems, demgegenüber ich bisher
ungerecht gewesen bin, aber es hatte sich schlecht dargeboten".
Hier, „solange wir nicht Mythen haben werden", werde die Folge
szenischer dialogischer Bilder einleuchtend (17. 6. 88). – Mallarmé führte im Herbst 86 Griffin und Régnier, die sich damals
noch nicht verfeindet hatten, in das Café d'Orient, rue de Clichy.
Dort gründete damals Dujardin seine *Revue Indépendante,* ortho-
dox für Mallarmé, gegen Verlaine, Moréas und später auch Ghil,[1]
zusammen mit anderen Dienstag-Gästen, mit Huysmans, Ghil,
G. Moore, dem behäbigen Auvergnaten Jean Ajalbert[2] und dem
gepflegten kleinen Paul Adam von der *Vogue;* bei der strengen
Exklusivität der Zeitschrift stand es bis zum September 88 an,
bis Régniers erste Verse erschienen.

Das Jahr 1886, durch die Fünfzigjahrfeier 1936 als offizieller (sehr verspäteter) Beginn des „Symbolismus" geweiht,
brachte Mallarmé nicht nur neue Freunde, auch Zeitschriften, die
um seine Mitarbeit warben. In Belgien etwa hatte es um 1881
nur zwei moderne Zeitschriften gegeben, *La Jeune Belgique* und
L'Art moderne. Nun entwickelte in Lüttich im Juni 86 der formsichere Albert Mockel (1866–1945), welchem Régnier die Bekanntschaft Mallarmés vermittelte, aus seiner früheren Zeitschrift
L'Élan littéraire das neue wagnerianische Symbolistenblatt *La
Wallonie,*[3] in deren Verlag auch Georges *Pilgerfahrten*[4] erstmals
erschienen. – Mit vergessenen Prosagedichten Mallarmés begann
sodann Léo d'Orfer am 11. 4. 86 die erste der einunddreißig
Nummern seiner seriösen Zeitschrift *La Vogue,* wo man Laforgues
Moralités légendaires, Rimbauds *Illuminations* und russische
Dichtung kennenlernte. „Diesen Titel würde ich zuletzt wählen",
sagte Mallarmé zu dem seit 13. 5. ernannten Herausgeber
G. Kahn. Der führte damals bei den Dienstagen den bretonischen
Freund H. St. Chamberlains ein, den bedeutendsten Dichter dieser
Altersgruppe, Jules Laforgue (1860–87), der 1886 nach sechs
Berliner Jahren[5] und nach viel Lektüre Eduard von Hartmanns
zurückkehrte; in Laforgues *Hamlet* erschien das Leitmotiv Mal-
larmés von tragisch-grausigem Scherz umspielt. – Am 1. 11.

folgte dann die erwähnte *Revue Indépendante* Dujardins, bei dem
sich Mallarmé gleichsam zu Hause fühlte und der ihm in einem
Artikel eine so hohe Rolle zuwies, daß der Meister, ,,ein wenig
alternd", abwinkte. Denn es scheine ihm mehr das zu sein, was er
für irgendeinen erträumt, als was er selber bisher geschaffen
habe.[1]

Durch Dujardin, der sich bemühte, seine dichterische und seine
geschäftliche Begabung sauber zu trennen, war im selben Jahr die
Publikation von Mallarmés erster Gedichtsammlung erfolgt. Deren Besprechung im Brüsseler *Art moderne* (30. 10. 87) durch
den feurigen offenen Emile Verhaeren (1855–1916) war das
erste wirklich dichterische und bedeutende Eintreten für Mallarmé, den ,,ersten Dichter im gegenwärtigen Frankreich". Auch
sonst hat der urwüchsige rotbärtige Tuchhändlerssohn, der damals
eben von einer schweren Nervenkrise gesundete, den Meister unterstützt; er vermittelte die Veröffentlichung des *Poe*-Bands (1887)
und der *Pages* (1891) – wie auch Ghilscher Schriften – im Brüsseler Verlag Deman.[2] Mit seiner glücklichen Eheschließung 1891
endete für den in die Nähe des Wahnsinns gelangten Dichter die
Zeit des groben Naturalismus und der schlimmen Unrast. Trunken dionysisch, in glühendem, gedankenlosem Glück, pries er
jetzt alles Lebendige, was unter freiem Himmel sich rührt. Man
weiß, wieviel die Entdeckung dieser von Eigenschaftswörtern geradezu berstenden Verse um 1905/07 für R. M. Rilke bedeutet
hat. Als Verhaeren 1893 in den *Campagnes hallucinées* erstmals die technische Gegenwart besang, schrieb ihm Mallarmé:
,,Jetzt sind Sie zu der Stunde im Leben des Künstlers gelangt,
welche die vollendete ist, wo das, was er tut, und er selbst nichts
als Eines sind .. Ihr Werk wird jetzt unbefangen Ihre Seinsweise;
etwas anderes als Literatur."

Eindeutig setzte sich seit 1889 für Mallarmé die einzige lebens-
fähige unter den damaligen Zeitschriften ein, der Ende 1889
durch den bedächtigen Alfred Vallette, die Leute der bisherigen
Pléïade und das Freundespaar E. Raynaud und Jules Renard gegründete *Mercure de France*, welcher mit Mallarmé, Régnier,
Tailhade und Louys als Mitarbeitern begann.[3] Es war das Jahr, in
welchem der trotz großer Hoffnungen hernach verbummelte

Charles Morice,[1] der braune, schmale Lyoneser, sein berühmtes
Manifest des Symbolismus veröffentlichte (La littérature de tout
à l'heure). Im März stieg ein junger Abiturient des Darmstädter
humanistischen Gymnasiums, Stefan George (1868–1933) in
Paris ab. Der Zufall führte ihn im Hôtel des Américains (rue de
l'Abbé de l'Epée), wo er wohnte, mit einem Altersgenossen aus
Toulouse, Albert Saint-Paul, zusammen. Der las ihm nun vormit-
tags stundenlang französische Verse vor und half bei eigenen
französischen Versen (jetzt in: *Sagen*) nach. George versuchte
sich an der Sprache Baudelaires, von dessen Gedichten er einige
übersetzte,[2] Verlaines, dessen Nachklang in den mit Widmung an
Mallarmé gesandten *Hymnen*[3] spürbar wurde, und Banvilles, dessen artistisches Stalaktitenparadies in Georges *Algabal* (Ludwig II.
von Bayern gewidmet) wiederkehrt. Bei den *Plume*-Abenden begegnete er Moréas, Régnier, Merrill. In der Rue de Rome, wo ihm
Mallarmés Stimme als eine wahre *Ohrenweide* unvergeßlich sich
einprägte, traf er Herold, Griffin, den feinen Poe- und Zola-Ver-
ehrer Fontainas und A. Delaroche, der 1892 Stücke aus dem *Algabal* für den Brüsseler *Floréal* übersetzte.[4] In den *Blättern für
die Kunst,* für die er sich Übersetzungsrechte von Mallarmé aus-
bat (an diesen, 12.8.92),[5] verpflanzte er mehr vom formstrengen
als vom lockernden Wollen Mallarmés nach Deutschland. Ohne
daß ihm die verhauchenden Klänge Mörikes fremd waren, lenkte
George zu A. v. Platen zurück. Die französische Wendung gegen
den *Parnaß*, sagte er zu Mockel, sei für die deutsche Lyrik zunächst nicht nachzuahmen. Es ist schwer zu sagen, wieweit Georges oft unfreier Formkult in einer stilisierenden Scheu vor dem
eigenen Ich oder in einem Wissen um die Grenzen seines dichterischen Temperaments gegründet war. Die Schroffheit des *Parnaß* und der *Hérésies* des jungen Mallarmé lag ihm näher als die
Anmut Verlaines, die durch Hofmannsthal etwas gesuchter und
feierlicher aufgenommen wurde. Noch den späten Rilke faszi-
nierte unter dem Eindruck Valérys bisweilen die Aufgabe, die
deutsche Sprache unter Vermeidung des Tüftelns in die allerstrengsten Versformen hineinzuzwingen. Früh zwar trennte sich
George von Mallarmé durch seine Anknüpfung an Nietzsche,
dessen ganz private Notgeburt und Trostidee, der Übermensch,

ihn zur mythischen Phantasie seines *Maximin* führte. Über das
Technische hinaus begriff George den Sinn von Mallarmés Vertrauen auf ein „Eden". Das mag ihm bei seiner Auseinandersetzung mit Nietzsche zugutegekommen sein. Wohl hat ja auch
Nietzsche, scheu, aber unverwandt, etwas wie einen Glauben festgehalten, daß der Mensch ein Eden hinter sich habe, in das er zurückkehren kann. Er zerstörte freilich die billigen Hoffnungen,
als gelange man dahin mit Hilfe des Mitleides oder irgendeiner
andern Solidarität, oder mit dem Wahn, die harmonisierte Antike sei ein solcher Helfer. Immerhin war bezeichnend, daß
Nietzsche die Antike, wenn nicht mehr apollinisch, so doch auch
nicht pessimistisch-trivial, vielmehr dionysisch anschaute. George
lehrte das Goethisch-Apollinische als Ziel des Dionysischen.

In seiner Neigung zum monumentalen Lehrgedicht bisweilen
mehr Prophet als Dichter, übernahm George die Lehre Nietzsches
von der Göttlichkeit des Leiblichen mit ähnlicher glaubenstif-
tender Feierlichkeit. Man kann in George auch etwas wie einen
katholischen Nachfahren des protestantischen Dichtungs-Dikta-
tors Klopstock erkennen. Mit der solidarischen Verpflichtung
einer Gemeinde erwachte wieder das geheimbündlerische Ideal aus
Goethes *Meister* und Novalis' *Lehrlingen von Sais.* Georges Bund,
welcher ein auf das Volk fast verzichtendes Reich gärtnerisch betreute, beruhte auf der Kürung von wenigen; durch den Abfall
eines einzelnen mußte George denn auch tiefer getroffen und niedergeschlagen werden, als es für Mallarmé wahrscheinlich ist. Was
an den schroffen Normen Georges zunächst ohne Not und verfrüht erschienen war, erschloß sich später durch die echten Nöte
des Krieges läuternd einem geschichtlichen Bewußtsein und dem
deutschen „Land, dem viel Verheißung / noch innewohnt". Nun
gelang, jenseits des geschmäcklerischen Sektentreibens der Schnal-
lenschuhjünger, die endlich wahrhaft erneuernde, glückhafte Wiederfindung Hölderlins und durch ihn des sprachlichen Rufens als
eines Heißens und Verheißens, des Heißens wiederum als eines
Kommens und „Nahens von Welt" (Heidegger), je nach der Auf-
nahmebereitschaft für eine gotterfüllte Welt. Diese Wiederfindung war das höchste Ergebnis Georges — und durch ihn hindurch mittelbar auch ein Dienst von seiten Mallarmés und Nietz-

sches. Das zunächst erschlossene Neuland mit vielen zu teilen, war schon dem jungen George nicht gegeben. Als etwa Richard Dehmel, jedermanns Eros und Großstadtleben besingend, für seine 1894 gegründete Zeitschrift *Pan* (in der auch für den Erstdruck von Mallarmés *A la nue* Platz war) George zur Mitarbeit eingeladen hatte, ließ dieser sich nicht einmal zu einer Antwort herab.

Ein anderer am Jahrhundertanfang vielbeachteter, heute höchstens noch in seiner Sappho-Nachahmung *Les Chansons de Bilitis* (1894) lesbarer Prinz und Priester einer alexandrinisch literatenhaften Kunst suchte das Werk eines Flaubert und Leconte de Lisle morbider und musikalischer aufzufrischen: der verwöhnte, nervöse Erotiker Pierre Louÿs (eig. Louis, 1870 bis 1925), ein vielbelesener und weitgereister Humanist aus vermögender Familie, der mit seiner spätantiken Hetärenwelt besser in den Salon seines späteren Schwiegervaters Heredia paßte;[1] er verlor ein wenig viel Zeit damit, sich in Szene zu setzen. Anfangs war Louÿs von den Abenden des „Papstes", der ihn am 19. 6. 90 empfing, wenig angetan;[2] Mallarmé habe ja nicht einmal etwas von Ruskin gelesen! Doch zwei Jahre danach war ihm der Meister wie ein zweites Ich geworden. Das schöne *Sonnet adressé à M. Mallarmé le jour où il eut cinquante ans* ist ein dauerndes Zeugnis dafür. Der noch unveröffentlichte[3] Dankesbrief des über sein Schicksal sonst so Schweigsamen spricht nicht allein aus, wie sehr ihn dieser unerwartete Glückwunsch freute, sondern überhaupt, wie tief der Glaube dieser jungen Menschen ihm ein Stück seines Wesens geworden war: „Louÿs, ich erinnere mich an nichts, das mich so bewegt hätte; und dies Sonett, geheimnisreich und sieghaft, besitzt, neben seiner Schönheit, sogar das am Kunstwerk, wo alles als Wunder erscheinen muß, nämlich nicht vorhergeahnt zu sein: wie haben Sie so eines Datums gedacht.. Es richtet mich auf, weil meine Goldene Hochzeit mit der Muse sich anzukünden schien mit einem gesundheitlichen Zusammenbruch; doch dies gibt mir den Glauben wieder. Ich habe mein Leben gewagt, für einiges, als Einsamer; und sieh, es findet also Anteil; ich kann nicht verlieren! Ich danke, ergriffen, lieber Freund" (18. 3. 92). Louÿs lernte durch Mallarmé seinen oft erstaunlichen literarischen Spürsinn entwickeln, und allmählich

vielleicht jenes Ungenügen an der eigenen Leistung, das ihn in
seinen späteren tatenlosen Jahren entmutigte.

Den Weg zu Mallarmé fanden, durch Louÿs eingeführt, drei
seiner Kameraden, deren Verse er veröffentlichte in den elf Lieferungen seiner Sammlung *La Conque* (seit 15. 3. 91;[1] unter Mitarbeit von Mallarmé und Régnier) und in der kostbaren, von Redon, Puvis und J.-E. Blanche ausgeschmückten Zeitschrift *Le
Centaure.* Sein Lieblingskamerad von der École Alsacienne, den
er sich bald durch eine allzu tyrannische Freundschaft entfremdete, war ein bleicher, fiebernder, lichtscheuer Asket, purita-
nisch gekleidet, hinter dessen Christusbart und Schulterlocken
niemand den späteren André Gide geahnt hätte (1869–1951). Als
Gide ihm das erste Buch seiner Anfechtungen, die *Cahiers d'André
Walter*, zusandte, seiner eigenen Verse überdrüssig, seitdem er
Ende 1890 diejenigen Mallarmés gelesen hatte, lud Mallarmé den
„rare Intellectuel", den er in dem Buch zu erkennen glaubte,
brieflich zu den Dienstagen. Durstig, bis zu Tränen erschüttert,
hing der Zwanzigjährige an den Lippen des Meisters. „Indem
ich ihn liebe, scheint mir, ich habe noch niemals geliebt und bewundert: es ist ein hemmungsloses Hinfluten von mir zu ihm",
(Gide an Valéry, Febr. 91). Aber die Befreiung, deren er bedurfte, war nicht die vom banal Sinnlichen; dem hatte ihn schon
seine streng protestantische Erziehung enthoben. Ein so frag-
würdiger Führer Oscar Wilde gewesen ist, so bedeutete doch er,
neben Nietzsche,[2] für die Entfaltung von Gides Dichtung zunächst mehr. „Ich tat äußerst schwer daran, wieder im Wirklichen Fuß zu fassen und die Lehren der Schule (ich meine die
durch Mallarmés Schüler gebildete) aufzugeben, deren Richtung
es war, die Wirklichkeit als eine zufällige Bedingtheit darzustellen und das Kunstwerk aus ihr wegzumeißeln" (an Jacques
Doucet). Wirklichkeit – das hieß für Gide nicht allein die Na-
turekstase eines St-G. de Bouhélier („il faut vivre éblouï) oder
die ekstasenfeindliche Unschuld und kleinweltliche Schlichtheit,
die sein Freund Jammes anstrebte, oder die Begeisterung von Edmond Jaloux für Jean-Paul Richter. Sondern mehr als dieses;
das dunkle Verwobensein des fruchtbar Daimonischen mit dem
Teuflischen, und die Reize des Bösen, welche in Lautréamonts

oder Karl Spittelers Phantasien von einem bösartigen, menschenfeindlichen Gott erst unvollkommen zu ihrem Recht gekommen waren. Das Schaudern als der Menschheit bestes Teil lehrte ihn frühzeitig Goethe, zugleich aber die Mahnung zur Harmonie; „nichts wird mich im Leben so beruhigt haben wie die Betrachtung dieser großen Gestalt" (Tagebuch, 1895). Goethe verhalf ihm über Nietzsche und Dostojevskij hinaus, und allmählich erkannte Gide die Notwendigkeit seiner Lehrzeit bei Mallarmé. Durch sein Beispiel lernte er „jenen Begriff des Sichzwängens, ohne den meine Wesensart es nicht aushielt",[1] auf das Kunstwerk übertragen. In jener Jugendzeit freilich „kam mir so vor, es tue not, wieder eine unmittelbare, sinnliche Fühlung zwischen dem Schrifttum und der äußeren Welt herzustellen und, wie ich es in einem späteren Vorwort zu meinen *Nourritures Terrestres* schrieb, ‚neu auf den Boden einen nackten Fuß zu stellen'. Womit ich mich gewiß von Mallarmé entfernte; doch bewahrte ich aus seiner Lehre einen heiligen Schreck vor der Leichtigkeit, der Nachgiebigkeit vor allem, was schmeichelt und verführt, im Schrifttum ebenso wie im Leben".[2]

Der zweite der drei Freunde von Louÿs, ein stolzer Denkerkopf und Kenner der deutschen Philosophie, später Mitgründer des Théâtre de l'Œuvre (mit Lugné-Poë, 1893), war ein blonder Däne namens C. Faust, der sich Camille Mauclair nannte (1872–1945). Er bekam in der Sorbonne durch Louÿs die erste Gesamtausgabe Mallarmés zu Gesicht und schrieb sie ab, da er sich jeden Pfennig mühselig durch Zeitungsarbeit verdienen mußte. Glühend kündete er in einem Aufsatz der *Revue Indépendante* von Mallarmé, und erhielt ebenfalls eine Einladung. Das Büchlein des Einundzwanzigjährigen, die *Conférences sur St. Mallarmé* (1893), gewahrt erstmals auch in Mallarmés stets vernachlässigten theoretischen Aufsätzen „einen solchen Glanz, daß ich Ihnen nicht ohne Gemütsbewegung davon sprechen kann. Selbst ein Buch über diese Dinge wäre schal".

In einem Café während des Universitätsjubiläums zu Montpellier im Mai 1890 war Louÿs mit einem kleinen Militärurlauber ins Gespräch gekommen. Es war ein Mathematikstudent, der sich nebenher ein wenig mit dem Schrifttum befaßte, ein Halb-

italiener, Paul Valéry (1871–1945). Er war damals, wie er
1924 berichtete (Vorrede zur zweiten englischen Übersetzung der
Soirée avec M. Teste), so besessen vom intellektuellen Drang, nur
Präzises, Reines zu geben, daß ihm sogar die Literatur und die
Philosophie zu vag und unrein erschienen und die Prosa noch zu
nah an der Poesie. Als der Neunzehnjährige einige Gedichte Mallarmés zu Gesicht bekam, schien ihm alles andere glanzlos, die
Landschaft, Hugo, Baudelaire.[1] Durch seine Begeisterung für
E. A. Poe, der ihm den ersten mündlichen Kontakt mit Mallarmé
„in wenigen Augenblicken" herstellen half, war Valéry vorbereitet, ebenso durch seine Schätzung von *A rebours* (seit Sommer
89 seine „Bibel") und von Rimbauds Versen; wesentlich besser
vorbereitet als Louÿs sogar, der damals noch Vigny, Sully Prudhomme und Verlaine vorzog. Es gelte, darin sah Valéry sich durch
Poe bestätigt, zwischen der Welt in uns und derjenigen um uns
ein symphonisches Gewebe bewußter Analogien herzustellen und
so die Poesie zu befreien „von der lastenden Hilfe durch banale
Philosophien, falsche Zärtlichkeit und leblose Beschreibungen.
In Frankreich verwirklicht allein der *Nachmittag eines Fauns*
dieses ästhetische Ideal" (18. 4. 91). Die eigenen Gedichte, deren etliche ihm Mallarmé begutachtete, entmutigten ihn aber immer mehr. Mit „Grauen" stellte er fest, als sein *Narcisse parle*
in der *Conque* erschien, das sei unleserlich schlecht (an Gide,
Karfreitag 91). Wohl lobte Mallarmé den „seltenen Ton" und
die Anleihen bei der Musik, aber Gide gegenüber verwunderte
er sich, wie ein so begabter Verskünstler hier so „leichte" Verse
einmenge (Gide an Valéry, 25. 7. 91). Als Valéry endlich, im
Oktober 91, zu seinem ersten Besuch nach Paris kommen konnte,
stellte er bald fest, daß seine urskeptische, eigensinnig intellektuelle Grundhaltung und diejenige Mallarmés „nicht die gleichen" waren. Aber die Diskussion war für beide unerschöpflich,[2]
bis in die letzten Jahre Mallarmés, in denen sich der Schwarm
der Jüngeren etwas verlaufen hatte.[3] Als Valéry sich einmal einen
halben Vorwurf gegen deren, wie er glaubte, Karrieremacherei
entschlüpfen ließ, erkannte er erst an Mallarmés völlig unbefan-
genem Lächeln, wie unrichtig er sich ausgedrückt hatte. Solange
Mallarmé lebte, blühte der sehr intellektuelle junge Dichter mehr

als irgend ein anderer in der Wärme dieser herzlichen Zuneigung auf. Aber ein Tag in Valvins sollte der letzte sein. „Er ist mir müde vorgekommen, er war ganz weiß, und sein Boot, dessen Leine er noch vor kurzem lenkte, war, so sagte er mir, im Stich gelassen. Wir gingen auf sein Zimmer und plauderten. Er zeigte mir Entwürfe zu der in Ausarbeitung befindlichen *Hérodiade* usw., wechselte vor mir seine Flanelljacke, gab mir Wasser für die Hände und besprengte mich dann mit seinem Parfüm. Am Abend geleitete er mich mit seiner Tochter an den Bahnhof Valvins, und unvergeßlich ist, wie da die Nacht, die Stille und die dreistimmig tönende Sprache waren" (an Gide, 25. 9. 98).

Seit dem Tod Mallarmés versicherte Valéry stets, er sei vor dessen Werk noch „ebenso durch das Unmögliche erstaunt und gefesselt wie vor zwanzig Jahren" (brieflich). Mit derselben gelassenen Bescheidenheit wie sein Meister hat Valéry, dessen schöne *Einführung in die Methode Lionardos* damals in der *Nouvelle Revue* niemand beachtete, für seine Familie in jahrzehntelanger Büroarbeit durchgehalten, wobei ihm der Gedanke, seine Notizen für irgend etwas Ganzes auszuwerten, absurd erschien.

Damals wohl wurde ihm klar, daß es ihm nie auf das schöne Schrifttum oder auch nur auf die Menschen angekommen war; nur auf das „exercice spirituel", nur darauf, deren Denktätigkeit zu kontrollieren.[1] Vielleicht nicht einmal an Mallarmés Wesen und Werk beschäftigte ihn anderes. Von Wagner zitierte er gern den Bericht über den *Tristan:* dies Werk sei unter der Herrschaft einer großen Leidenschaft und nach mehreren Monaten theoretischer Überlegung entstanden; aber er selbst, Valéry, schien dabei nur an die zweite Komponente zu denken. Kurz vor seinem Tod betonte er, die Hauptthemen seines Denkens seien in fünfzig Jahren *unerschüttert* geblieben. Nie anders als wegwerfend sprach er von denen, welchen an einem „Gehalt" (fond) liege; der sei „nichts als eine unreine — das heißt vermengte Form. Unser Gehalt besteht aus zusammenhanglosen Zwischenfällen, und Anschein" (*Je disais quelquefois ...*). Eine so poe-getreue Theorie eines angeblich durch nichts als durch die Bewußtheit bestimmten Werkes war Wasser auf die Mühle derer, die von jeher den „Symbolisten" Inhaltlosigkeit vorwarfen.[2] Schweizer Kritiker

suchten (gegen J. Benda) Valérys unglückliches Losungswort
„Absolute Poesie" (*Variété* III, 16) als eine durchaus „seinsver-
wurzelte" Haltung und somit als „echte Dichtung" geheuer zu
machen; sie wäre angeblich derjenigen eines Baudelaire, Rimbaud, George oder Rilke verschwistert. Dabei wurde leider, noch
über Thibaudet hinaus, auch Mallarmé als ein zweiter Valéry mißverstanden. Da Mallarmé sich doch „inkompetent für alles mit
Ausnahme des Absoluten" erklärt habe, wurde seine Theorie einer
Poesie der Säfte und Nerven (1862) überhört, wie auch seine
Triumphlieder auf die Errettung des „Zufalls" und der Schönheit, jene Errettung von 1868 vor der „idealen Nacktheit". Und
statt des Erlösungsglaubens vom kindhaften Eden meinte man
nur „die illusionslos-nihilistische Sicht ins Absolute (des eigenen
Geistes)" bei Mallarmé festzustellen.[1] Absolute Poesie kennt Mallarmé nur als scherzhafte Fiktion: in den Anfangsworten des *Salut* verhieß er sie, um dann überraschend durch die ergreifendste
Herzlichkeit zu beglücken.

Nicht darauf kommt es an, ob Valéry „absolute Dichtung" geschaffen habe — gewollt hat Valéry sie zweifellos, im Unterschied zu seinem Meister. Wohl aber darauf, ob sie „verantwor-
tungsschwere Wirklichkeit... Erlebnis der Bezugstiefen" (W.
Günther) besitze. Valérys poetische Theorien kennen diese Sorge
nicht, zu spüren ist eher der Mangel daran. Erfuhr Valéry nicht
wenigstens ein einziges Mal, daß Dichtung ein Muß ist, einem
Schicksal verbunden und also nicht absolute Voraussetzungslosig-
keit? Vielleicht lassen sich erste Spuren dafür einem eben erst
aufgefundenen Zeugnis entnehmen und vielleicht brachte auch
hier, wie bei George und doch zugleich anders, der erste Weltkrieg eine Erprobung für die Mallarmé-Nachfolge. In den Krieg
geworfen, im schaudernden Bewußtsein, seine „innere Freiheit
verloren" zu haben, zwang Valéry sich selbst die Harmonie auf.
Es geschah in den fünfhundert Versen seines „Exercitiums"
(exercice), der *Jungen Parze*, des „Meisterwerkes Mallarmés",
wie ein Voreiliger scherzend sagte.[2] Ein Arzt, meinte Valéry in
einem heuer bekanntgewordenen Brief[3] über dieses sein 1917
veröffentlichtes Hauptgedicht, werde den „seltsamen Fall" verstehen: „Ich sah recht gut, alle meine Überlegungen über die

Ereignisse waren leer oder töricht. Die Angst,[1] die unnützen Vorhersehungen, das Gefühl der Ohnmacht wühlten fruchtlos in mir. Damals entstand in mir der Gedanke, in meinen Mußestunden mich zu einer grenzenlosen Aufgabe, die engen formalen Bedingtheiten unterworfen sein sollte, zu zwingen. Ich erlegte mir auf, Verse zu machen, von der Art derjenigen, die mit Ketten beladen sind.. Dies Gedicht (das *La Jeune Parque* genannt wurde) bietet allen Anschein der Gedichte, die man 1868 wie 1890 hätte schreiben können.[2] Alles ,verläuft', als hätte es den Krieg 1914—18, während dessen es entstand, nicht gegeben. Und doch weiß ich, der ich es gemacht habe, wohl, daß ich es *sub signo Martis* gemacht habe. Ich erkläre es mir selbst nur, ich kann, daß ich es gemacht habe, nur fassen als: in Funktion zum Krieg. Ich habe es in der Beängstigung und halb wider sie gemacht. Ich hatte mir schließlich aufgeredet, daß ich eine Pflicht vollzöge.. Ich bekenne, das Französische schien mir eine sterbende Sprache, und ich forschte in mir, es *sub specie aeternitatis* zu betrachten. Es gab in mir keine Art von heiterer Gelassenheit. Ich meine demnach, daß die heitere Gelassenheit des Werks nicht diejenige des Seins beweist. Es kann im Gegenteil vorkommen, daß sie das Ergebnis eines angstvollen Widerstands gegen tiefe Wirrsale (perturbations) ist und daß sie, ohne irgendwie das Harren auf Katastrophen widerzuspiegeln, auf dieses eine Antwort erteilt."[3] — Valéry ist nie müde geworden, auf die vorbildliche Gestalt Mallarmés hinzuweisen. Nicht ohne Beklommenheit. „Wir werden für unsere Jüngeren nie das tun, was Mallarmé für uns getan hat."

Nichts war dem Kreis dieser ernsten Stille ferner als das feminine Gehaben der üblichen weihrauchduftenden Schönheitsflunkerer, für die noch Huysmans' *A rebours* heimlich schwärmte. Als eines Dienstags der Modekönig Oscar Wilde, aufgedunsen, schwammig, wie ihn 1895 Toulouse-Lautrec zeichnete, seine Aufwartung machte, befand er sich vor einem hartnäckig schweigenden Gastgeber, dessen Kreis nach einem warnenden Telegramm Whistlers („Wilde kommt zu Ihnen. Silberzeug einpakken") den berüchtigten Plagiator in ausgelassener Stimmung erwartet hatte. Welcher Gegensatz zwischen dem Schullehrer Mallarmé, der bescheiden am Gänseknochen einer roten Tonpfeife

sog, und jenem aufgemutzten Blender und Süßling, „in einem
Frack erster Klasse, geschnürt, gekämmt, auf Glanz poliert,
lackiert, mit Edelsteinen beringt, in Diamanten wie eine Venus-
priesterin, den seidenen Rockaufschlag mit einer ungeheuren
Chrysantheme oder einer übergroßen Sonne betupft, flankiert
von seinem Euryalus Alfred Douglas,.. beunruhigt durch die
Ironie, die ihm entgegenwehte, und weniger sicher seiner Effekte als unter den Londoner Gecken, die ihm damals zu Füßen
lagen".[1] Denn dieses war vielleicht das Erstaunlichste, wie einträchtig, wie einhellig die Runde um Mallarmé fast alle zusam-
menschloß, welche sich hier sammelten, so verschieden sie sonst
sein mochten. Da war ein Frühvollendeter, dessen Verse Gide am
24. 4. 1907 (Tagebuch) zu den schönsten in französischer
Sprache rechnet, E. Signoret,[2] welcher einmal über einem sech-
zehn Seiten langen Brief an Mallarmé (bezüglich des Lebens-
unterhaltes der Dichter) gänzlich dieses Schreibens Anlaß vergaß, so daß er erst auf dem Umschlag nachtrug: „Ich teile Ihnen
mit, daß ich das schöne Mädchen, das ich liebe, geheiratet habe,
usw." Dann der *Tausendundeinenacht*-Übersetzer aus Kairo, Dr.
J. C. Mardrus. Der bescheidene stille Wagnerfreund Edouard Gra-
vollet, Musiklehrer und Organist. Durch diesen altbewährten Vertrauten des Hausherrn und durch Clemenceau wurden Gravollets
Jugendfreund Lucien Descaves eingeführt (1861–1909), Sohn
eines Pariser Graveurs, ein Nacheiferer der „brutalistischen"
Verse Richepins, dann der Erzählungen von Jules Vallès und
Huysmans,[3] – und auch der junge Rechtsstudent E. Bonniot. Es
erschien der langbärtige Maler Hawkins, der sich stets falsch benommen haben soll, sodann Fénéon, Tausserat, Marcel Schwob,
E. Raynaud und Lorrain, der gravitätische Versdoktrinär Robert
de Souza und der banvillesk-ironische, preziöse Urpariser Léon-
Paul Fargue (1878–1947), der die Pariser Chronik Mallarmés
als ein Kaleidoskop zusammenhangloser Sätze weiterpflegte; er,
der einstige Schüler aus Mallarmés Klasse im Rollin, durch seine
Freunde Régnier und Herold eingeführt, erhielt ein Lob für seinen in der Zeitschrift *Pan* erschienenen Zyklus *Tancrède*. Ein einziges Mal nur ließ J.-E. Blanche sich sehen. Nicht viel öfter der
menschenscheue Debussy und der spätere Kämpfer der *Cocarde*,

Barrès (1862–1923), welcher den parnassischen Glauben an ein ungerührt reines, allem Pöbelhaften enthobenes Ästhetentum fast knabenhaft keusch zu leben und durchzusetzen entschlossen war. Diktatorisch selbstbeherrscht, die Legende seines raffinierten Ich bewußt stilisierend, eisig reserviert gegenüber allem, was vielleicht beschmutzen könnte, ein blinder Hasser und ein treuer Freund, hatte Barrès, noch ohne etwas geschrieben zu haben, durch kühne Besuche die Achtung von L. de Lisle und Faguet erobert. Für Mallarmés Gedichte war Barrès durch seinen Freund Philippe Berthelot, den zweiten Sohn des Chemikers, erwärmt worden. War eine solche Dichtung ihm gemäß, ihm, dem Feierlichen, den manche wegen seines olivenfarbenen Teints und seines Savonarola-Kopfes als „hispano-arabisch" empfanden,[1] wenn er hintübergereckten Hauptes seinen Stock durch die Luft sausen ließ, die Arme vor einem Bonaparte-Bildnis kreuzte oder seine Traumwelt mit pompösen Pascha-Verheißungen, mit Escorial, Versailles und Neuschwanstein möblierte? „Das ist nun wirklich sensationistische Kunst", verlautete Barrès über Mallarmés Verse *(Taches d'encre)*. „Er schreibt für sich allein, und einige Blasierte kosten ihn aus." Für das Fehlen gemeinplätzlicher Leidenschaften, für Mallarmés leuchtende Verse vor dunkelm Hintergrund, dürfe einer sich wohl begeistern.[2] Aber diese „Unentschlossenen" wie Baudelaire, Mallarmé und Verlaine mit ihrem „winzigen" Schaffen, konnten sie sich mit der üppigen Größe eines Lamartine und Hugo messen? Mit jenen Repräsentativen, mit denen er, Barrès, seine verzweifelte, dem Vaterhaus entfremdete reise- und heimathungrige Verstörtheit zu übertönen suchte? So ging er schließlich an den Dichtern der „kleinen Musik" vorbei und einer immer maßloser fanatischen, nationalreligiös motivierten Megalomanie entgegen.

Zu den selteneren Gästen bei Mallarmé zählten auch P. Bourget, Darzens und der 1890 mit einer Villiers-Studie hervorgetretene Henry Bordeaux (seit 22. 11. 91). Auch der junge Diplomat Paul Claudel erschien bisweilen, dessen Erstlinge damals anonym erschienen und der bei den Ostasiaten die lebendige Bestätigung für ein von Mallarmé ersehntes sinnbildliches Denken vorfand.[3] Der junge Pariser Chronist Jean de Tinan (1872–1900), der

Genfer Charles Vignier, durch dessen Gedichtband *Centons* Samain zu seinem Impressionismus kam, Charles Whibley und der amerikanische dichtende Ex-Theolog Richard Hovey;[1] der Genfer Malerdichter Daniel Baud-Bovy und der Halbrumäne Jean de Mitty, ein adliger Dandy. Und die andern alle, welche Mallarmé zwei Jahre vor seinem Tod noch in dem Sammelband *Le Tombeau de Baudelaire* vereinte, den er im Verlag der *Plume* herausgab,[2] und die ihm auf Anregung von A. Mockel im März 97 ein Album mit Gedichten zu seinen Ehren überreichten.[3]

„Du lehrtest uns adlig zu denken. Du warst uns Muster des Glaubens und Sinnbild der unwandelbaren Güte, deren einzig die großen Seelen fähig sind." So sprach Mockel, der in seinen *Propos de littérature* (1895) einen Teil der Gedanken aus den Dienstagabenden aufgezeichnet hat, im Jahr 1912 auf dem Bankett des *Mercure*. Die Ehrfurcht, die Mallarmé von den Jungen erntete, hatte er selbst gesät durch die Ehrfurcht, die er jeder noch so linkischen Kunstbemühung zollte, wenn er den Einsatz des wesenhaften Menschen fühlte. „Sein Einfluß war gerade dadurch stark, vielfältig und fruchtbar, daß man bei ihm nur die Pflicht eines jeden sich selber gegenüber lernte."[4] Das ist wohl die eigentliche Zauberlehre dieser einzigartigen Hohen Schule der Dichtung gewesen.

Die Dritte Republik

Unterdes pfiffen und schnaubten draußen, unmittelbar unter den Fenstern, die rollenden Züge des Sankt-Lazarus-Bahnhofs. Man wird nicht erwarten, daß Mallarmé sie hymnisch begrüßte, wie Zola und Verhaeren es taten. Wir haben nichts daran verloren, daß er seine Dichtung den damaligen Humanitätsbotschaften und Religionsstiftungen Swinburnes und Hugos verschloß, mit denen George Moore im XVI. Kapitel seiner *Confessions* abrechnete; daß er nicht einmal, wie Leconte de Lisle und Ménard, zeitgemäß den Buddha oder, wie Dierx und Cazalis, Darwin besang. Er hielt nicht, wie neuerdings sogar Valéry, eine Rede über das Frauenwahlrecht, er setzte sich nicht, wie 1880 Villiers, dem Mißerfolg einer royalistischen Gemeinderatskandidatur aus; oder dem einer sozialistischen wie der junge Barrès, der sich 1892 als sozialistischer Abgeordneter von den Nationalisten des Pariser Markthallenviertels wiederwählen ließ, längst den Krieg als unausweichlich vor Augen („die besondere Aufgabe von uns jungen Menschen ist es, das entrissene Land wieder zurückzuholen", Taches d'encre, 1884); oder dem Mißerfolg einer nationalistischen Wahl, wie der großspurig vitale Paul Adam ihn erlebte, der auf Barrès' Pfaden wandelte und dann durch Léon Blums dreyfusistische *Revue blanche* gegen Barrès vorgeschickt wurde. Die inneren Tragödien dieser Dichter blieben Mallarmé erspart: diejenige Adams, der als Journalist und 1917 als Kandidat für den Kriegsministersessel scheiterte und für seine sechzig Bücher, ungefeilte pompöse Flaubert-Nachahmungen, nie mehr als eine karge Augenblickswirkung erzielte. Oder diejenige von Barrès: der war aus edler mannhafter Würde heraus nicht bereit, ein kontemplatives Dasein zu bejahen, und wollte bei einem zersplitterten und heimatlosen Tun, heimlich von einem wollüstigen Orient und von Goethescher Harmonie träumend, die ihm selbst versagte Einheit nur dem Tod und den Toten zugestanden wissen.

So wurde Mallarmés klarer Blick nicht getrübt, als die Wogen der politischen Kämpfe in die Welt des Schrifttums hereinschlugen; als George Moore bei einem Essen dem Gegner der Dreyfuspartei, Barrès, die Serviette ins Gesicht schleuderte; als Marcel Proust den Kunstkritiker J.-E. Blanche verwarnte, weil dieser den antidreyfusistischen Karikaturzeichner Jean-Louis Forain bewundert hatte;[1] oder als Rodin die Empörung der Dreyfus-Verteidiger Ajalbert (*Sous le sabre*) und Descaves (Aufsatz in *Aurore*) auf sich zog. Mallarmé hielt sich von den politischen Praktiken seiner Zeit fern, nicht aus einer schizoiden narzissischen Scheu vor Öffentlichkeit und Beruf (J. Fretet), nicht weil sie ihm zu stark, sondern weil sie ihm zu schwach erschienen. Immer wenn in seinen Schriften das Wort *Geschichte* erscheint, steht es im Gegensatz zur entseelten Entartung, zu der wenig erhebenden, vom käuflichen Parteienhandel gegängelten Herrschaft neuerer Erpresser-, Wechsler-, Freibeuter- und Drahtziehertums ohne Tatenpoesie, ohne Fürsten und Glanz.

Schon das II. Kaiserreich hatte ihm nichts bedeutet. Die furchtbaren Fluchverse *Les Châtiments,* die Victor Hugo 1853 wider den Usurpator Napoleon III. schrieb, waren ihm, literarisch oder nicht, wertvoll genug, daß er um ihretwillen Berufsentlassung und Kerkerhaft riskierte. Er besaß das als Geschäftsbrief getarnte gefährliche Buch und lieh es 1865 unter allerhand Vorsichtsmaßregeln sogar einem Berufskollegen am Gymnasium von Tournon aus.[1] Daß Mistral seit 1867 mit Victor Balaguer, der sich damals in Mallarmés Dichteralbum eintrug, und mit Bonaparte-Wyse in pathetischem Ernst den Sturz Napoleons betrieb, daß er mit seinem antipariser Gedicht La Countesso bis zum Herbst 70 einen provenzalischen Separatismus schürte, war ihm ohne Zweifel bekannt, und er hätte nichts dagegen gehabt, anno 70 durch Mistral vom Rathausbalkon zu Avignon die Republik proklamiert zu hören. Doch dies betraf nicht seine Dichtung.

Der Krieg zeugte auf französischer Seite sowenig einen großen dichterischen Rufer wie auf deutscher; Hugo und Rimbaud malten nur das Leichenfeld. In den ersten Kriegswochen eilte Mallarmé, wie alle andern, zum Zeitungskiosk, mitten aus dem Morgenunterricht. Doch was an Nachrichten nach Avignon gelangte, war so widerspruchsvoll, daß er sich bald nur an Depeschen hielt. Und dann die Wahrheit über Sedan. „Es liegt heute in der Luft eine unbekannte Dosis von Unheil und Wahnsinn. Und all das schon darum, weil vor fünf Wochen eine Handvoll Dummköpfe sich als beleidigt erklärten und die neuere Geschichte mißverstanden, die in anderem beruht als diesem kindischen Kram. Nie habe ich die Albernheit so zutiefst verachtet" (an Mistral, 4. 9. 70). Sully Prudhomme, zeitweilig in Uniform wie Verlaine, Raffaelli, France und Villiers, schrieb damals *La France,* Silvestre seinen *Patria*-Zyklus, Coppée seine *Lettre d'un mobile breton,* Banville mit einer ordinären Flachheit, die niemand ihm zugetraut hätte, seine *Idylles prussiennes;* sogar L. de Lisle ein *Sacre de Paris.* Kurz, die bis dahin „gefühllose" *Parnasse*-Poesie mobilisierte. Jeden von ihnen meinte Dierx,[2] welcher die gefallenen Kürassiere von Reichshofen besungen hatte, in seinem Aufruf zum Haß.. „Et vous, autour de notre haine / Rangez-vous, impassibles Dieux!"

Mallarmé entschwand nicht nach Mentone wie Heredia. Und
er hätte sich gescheut, eine „Odelette guerrière" zu schreiben
und vortragen zu lassen, wie jene von Catulle Mendès.[1] Für Mallarmé war eine Kriegsbegeisterung, wie er sie schon im Juli bei
dem Freunde Aubanel feststellte, eine fremdartige Form des
Leichtsinns. Als er später einmal, vielleicht in den unruhigen Re-
vanchewochen des Generals Boulanger,[2] sich selber sein Krieger-
liedlein sang,[3] war der spiegelfechterische Untertitel „kriege-
risch" ebenso lächelnd wie das Agitato des trochäischen Rhythmus; gegen etwaige Vorwürfe, daß das Wohlwollen bei ihm aufgehört habe, verteidigt er sich mit dem Humor einer stillen
Abendstunde. Die impressionistische Wahrnehmung, daß an seinen Beinen der rote Schein des Kaminfeuers widerleuchte, ver-
mischte sich symbolisch mit damaligen Kriegs-Ängsten zu fol-
gender abergläubischer Assoziation: sapperment, ich kann darüber nicht länger hinwegsehen, ich habe so ein Gefühl, als ver-
wandle sich meine Hose in die rote Soldatenuniform, und der
jungfräuliche Zorn, mit dem ich einen feindlichen Einmarsch er-
harre, hat soviel Gewicht wie derjenige, mit dem ein weißbehand-
schuhter Liniensoldat die geschälte oder ungeschälte Gerte wirbelt. Eine solche Gerte ist nicht hart genug, um die Eindring-
linge zu besiegen, aber ihre Härte reicht leider hin zu etwas anderem, nicht viel weniger Bedrohlichem — warum gibt man nicht
endlich Ruhe! —, nämlich in mir die eingewurzelte *Brennessel der
Sympathie* durchzuhauen." — Zu einer Gegenwart, wo alles dahin
drängt, in der Fahne des Nachbarn nur das Gegenteil des Eigenen
zu sehen statt dessen Eigenes, hielt er sich in Abstand. Auf eine
Rundfrage des Inhalts: Von jeder Politik abgesehen, sind Sie
für engere geistige und gesellschaftliche Beziehungen zwischen
Frankreich und Deutschland? erwiderte er: „Sollten Sie die soziologischen Beziehungen zwischen Frankreich und Deutschland
für geringer halten als die mit dem übrigen Ausland, so spreche
ich meinen Zweifel aus; doch bin ich nicht zuständig. Was den
geistigen Austausch betrifft, so scheint er mir, auf meinem Feld,
seit einigen Jahren glühend — denn Paris huldigt Wagner, und
Berlin hat in den *Blättern für die Kunst* Baudelaire übertragen.
Mein Beifall."[4] Und wieviel Bestätigungen würden er und die Sei-

7   Wais 2. A.

nen erst bei Goethe gefunden haben, hätte man damals Goethe gelesen; etwa in jenen Worten aus den *Noten und Abhandlungen
zum West-östlichen Diwan:* ,,Der Dichter steht viel zu hoch, als
daß er Partei machen sollte. Heiterkeit und Bewußtsein sind die
schönen Gaben, für die er dem Schöpfer dankt; Bewußtsein, daß
er vor dem Furchtbaren nicht erschrecke, Heiterkeit, daß er alles
erfreulich darzustellen wisse.''

Jenseits vom privaten Gegensatz Mendès' und Hurets, die miteinander duellierten,[1] und vom politischen Mirbeaus und Mauclairs ist es dem Dichter durchaus gelungen, seine Dichtung dem
Parteienstreit gänzlich zu entziehen,.. konnte er auch nicht verhindern, einmal dem konservativen Fanatiker Barrès zu mißfallen, und ein andermal Anatole Baju, welcher die Dichtung nur
benötigte als ,,eine Kraft, die, im destruktiven Sinn ausgenützt,
die Grundlage der Gesellschaftsordnung untergraben konnte''
(*L'anarchie littéraire,* 1892). John Payne wollte ihm seine re-
publikanische Gesinnung als einen Widerspruch zu seiner aristokratischen Verfeinerung nachweisen, ,,da du doch aus dem Grund
deiner feinempfindenden Seele diese ganze schmutzige Küche
eigensüchtigen Falschspielens und Verdummens hassest, die man
den Liberalismus nennt''.[2] Das war echt parnassisch, im Geiste von
Gautier und dessen Jünger Nietzsche, von L. de Lisle und dessen
Nachahmers M. Barrès' Unterscheidung (seit 15. 11. 84) zwischen
supérieure und *basse humanité,* es war im Geiste Gobineaus oder
D'Annunzios, der in seinen antidemokratischen *Vergine delle rocce*
die Zeugung eines neuen Königs von Rom an die letzten Bour-
bonen knüpfte; auch der monarchistischen oder neu-heroischen
Lyrik von Ezra Pound bis Gottfried Benn darf man gedenken.
Wer vermöchte darin wie in allen andern politischen Doktrinen das
Begründete vom Eitlen oder Überheblichen zu scheiden; von kran-
kem Widerspruchsgeist; von zerstörerischem Haß gegen das
eigentlich Lebendige und in sich Selige; vom Sich-Verbohren in
eine jenseitslose Welt, in einen Staat, der zum Heranzüchten
einer kleinstmöglichen Elite herabgewürdigt wäre. Mallarmé ist
darüber hinausgelangt. Seine Schönheitsbegriffe hatten sich zum
unumwunden Menschlichen hingeläutert, — fern von jeder Vermutung, sie könnten irgendwelchem unbewältigten geheimen Groll

als Deckmantel dienen, wie man sie bei Flaubert, den Brüdern
Mann und nicht wenigen andern hegen darf, .. bei Nietzsche und
Oscar Wilde etwa, deren Lehren vom Primat des Ästhetischen und
von der Sündlosigkeit alles Schönen hinwegzureden suchten über
ein quälendes moralisches Bewußtsein.

Unachtsam oder unempfindsam in der geschehenden Geschichte zu leben, stand nicht in Frage. Im Streit um Edouard Drumont etwa scheint Mallarmé die Bedeutung der Pro-
pagandagelder nicht verkannt,[1] während des Dreyfus-Prozesses
1898 den Zeitungsfeldzug „des lieben Zola" mißbilligt zu
haben,[2] und es scheint ihn beschäftigt zu haben, was der
Staat aus Anstand tun müßte, falls die Unschuld des Deportier-
ten bewiesen würde.[3] Und daß vom echten Dichterbewußtsein
eine echte Humanität untrennbar ist, gewahrt man an Mallarmés
Auseinandersetzung mit der Justiz als dem Ausdruck des modernen Staates überhaupt, bei Gelegenheit der Verurteilung des
achtundachtzigjährigen Suezkanalerbauers Ferdinand de Lesseps im Panama-Prozeß des Jahres 1893. Diese Auseinandersetzung bildet die zweite Hälfte der ersten Fassung seines Aufsatzes „Gold" (*Or*). Dort heißt es: In der Moderne, die doch
mehr als andere Zeiten „unwillkürlich die Elemente einer Tragödie in sich schließt", gebe es trotz aller ihrer sonstigen Ver-
schwommenheit den „edlen, peinlichen Helden". In ihm verkörpert sich eine Lehre des Prozesses: „die Ungeeignetheit der Justiz, einigen Fällen gerecht zu werden", zu brandmarken. Dem
Dichter liegt fern, etwa die gerichtliche Entscheidung zu be-
mäkeln. In Finanzkämpfen muß man sich wohl oder übel durch
den Tyrannen, durch das „anonymat gouvernemental" schützen
lassen; die Gerechtigkeit ist etwas Fiktives (sein Geld bekomme
einer durch sie ja auch nicht zurück). Wird sie unparteiisch und
untadelig ausgeübt, so „verneint sie den Menschen nie". Der
Dichter beugt sich sogar davor, daß das Urteil nicht „glückliche
Worte" gefunden habe und unterscheidungslos vereinfachend
nur von Gaunertum sprach, wo auch großartiges modernes Aben-
teurertum mitspielte. Es lasse sich ja wohl nicht verhindern, daß
alle, welche „der Elite entgehen", über einen Kamm geschoren
werden. So wolle er sich denn den Wortlaut des Urteils gefallen

lassen, um so mehr, „als ich ihn als falsch durchschaue und als
seine lichtscheu unheimlichen allgemeinen Wendungen manchem
Angeklagten zum Heil ausschlagen. Der und jener erhält einen
Hieb ab, damit gezeigt sei, daß er nicht getroffen ist, oder daß
schöne Häupter trotzdem oben bleiben". Zufriedenstellend aber
ist das Urteil freilich für niemanden, es sei denn für den „See-
lenpöbel", der gern zerschmetterte Statuen sieht. „Eine Gerichts-
entscheidung bleibt gröblich gerade wegen der allzu großen Zahl
derer, deren Sprachrohr sie wird." Immerhin gibt es die Möglichkeit, Berufung einzulegen, und zwar nicht nur juristisch. Die
Männer der Höhe wissen, wohin sie gehören gegenüber „einer
Waffe, die im Namen aller fähig ist, das Individuum zu zerstören
oder zumindest ihm die Ehre abzuschneiden". Der Dichter lobt
die Salons seiner Zeit, die „Gesellschaft", in welcher aus der
Vergangenheit her ein scharfsichtiger Geschmack und echte
Empfindung weiterlebt. Sie benahm sich richtig. Nach Verle-
sung des Urteils nämlich drückten viele Hände „würdig, spontan, ernst die Hand der Verurteilten, als sei nichts geschehen,
und löschten so an ihr die Spur schändlicher Fesseln: sie haben
etwas Unbewußtes, Höchstes zu erkennen gegeben". Die Richter
sollen Urteile fällen – und wir wollen nicht den Unklugen nach-
eifern, die für Strafaufschub plädieren. Aber „zumindest innerliche, höhere Folgerungen" –; auch wenn wir noch nicht wissen,
ob man dem alten Lesseps, der doch schon dem Grabe nahe ist,
seine Orden abfordern, ob man ihn aus der Académie ausstoßen
wird. Ein „sehr neues, wenn auch gewiß nicht klar umrissenes
Gefühl" hat der Dichter entstehen sehen. Und er hat sein Amt
darin gesehen, es als das Wesentliche kundzutun.

Einmal nur fand er sich bereit, das Reich der Dichtung gegen
Anwürfe der politischen Tagespresse zu verteidigen. Der Anlaß
war denkbar unvorteilhaft, denn die Dichterschar hatte damals
tatsächlich in unbedachter Ausgelassenheit eine Blöße geboten.
Die *Plume*, am 15. 8. 89 gegründet von Léon Deschamps, die,
durch ihre Sondernummern und ihre Unabhängigkeit von den
Klüngeln, mit einer Auflage bis zu 1500 Stück bald die verbrei-
tetste Literaturzeitschrift wurde, pflegte seit Anfang 1890 am
zweiten und vierten Sonnabend jedes Monats in dem engen, von

Gauguin ausgemalten Bierkeller der Gaststätte *Soleil d'Or* (1, place Saint-Michel) Dichterzusammenkünfte abzuhalten, wobei auf der von Deschamps eingenommenen Tribüne Verse deklamiert oder gesungen wurden.[1] Am 9. 12. 93 waren neben den prominenten Stammgästen Verlaine, Moréas, La Tailhède, Roinard, Merrill, Retté, E. Raynaud, Signoret und dem Spottliedersänger Cazals drei seltene Gäste anwesend, Rodin als Präsident, rechts von ihm Zola, links von ihm Mallarmé; dieser saß neben Verlaine, welcher, soeben aus London zurückgekehrt, dort das Honorar von drei Vortragsabenden während weniger Tage in der Unterwelt durchgebracht hatte. Die Zusammenkunft stand unter dem Eindruck eines am Mittag verübten anarchistischen Bombenwurfs in der Deputiertenkammer, der aber abgesehen von Verletzungen des Abbé Lemire und achtzig leichteren Verwundungen kein Unheil angerichtet hatte.[2] Noch wußte man nichts Näheres, auch den Namen des Täters Vaillant nicht, da erschien zu vorgerückter Stunde bei den nach Tischen getrennt sitzenden Literatengruppen ein Reporter des *Journal* und ersuchte die Gäste, flugs einen Aphorismus über das Attentat niederzuschreiben. Während der einstige Communard Verlaine die Tat als infam bezeichnete, enthielt sich Mallarmé einer Stellungnahme, mit dem Satz: ,,Ich kenne keine andere Bombe als ein Buch.''[3] Dennoch rückte dieser Ausspruch anderntags in ein befremdendes Licht inmitten mancher dreister und verantwortungsloser alkoholischer Einfälle aus den Reihen der Jungen, welche ihre flegelhafte Respektlosigkeit vor dem Parlament und Sympathien für das Dynamit nicht verhehlten. Die konservative und die Regierungspresse, auf der Suche nach den moralischen Mitschuldigen des Attentats, hielt sich an die törichten Äußerungen der literarischen Elite, schlug Harmlose und Anarchisten über einen Leisten, und zumal der *Temps* ersparte ihnen nicht die schärfsten Vorwürfe.

In seiner Erwiderung, *Accusation*, hatte Mallarmé zwar ein Recht, sich zu verbitten, daß nun den Abseitigsten, den Dichtern, die ganze Schuld aufgebürdet werde. Aber die Vorfälle bewiesen doch, daß sich diese Dichter eben nicht bloß mit freien und gebundenen Versen beschäftigten, und auch sein eigener

Idealismus mußte wie eine unangebrachte Witzelei wirken, wenn er erklärte: Explosion überirdisch hellen Lichtes im Parlament würde er begrüßt haben, aber leider sei sie so kurz gewesen, daß man den Abgeordneten nichts davon anmerke; daß ihr eine mörderische Kugel- und Nagelladung beigemischt gewesen sei, wodurch ein paar Redselige bemitleidenswert zugerichtet worden seien, verurteile er natürlich.

Daß die Dichter, welche sich, wie für ein Besonderes, zurückhaltend bezeugen, der Neuigkeitspresse ein Dorn im Auge sind, erklärt er sich: das Dichtertum belege, zwar nicht mit einer Bombe, wohl aber mit Verruf auch die imponierendste und kostspieligste laufende Großstadtchronisterei. Möchte doch statt Diffamierung sich das Gefühl für die heilsame Wichtigkeit dessen durchsetzen, daß einige wenige Kunstjünger ihre Abkehr von den Massenleidenschaften des Vorteils, Vergnügens oder Behagens darlegen durch die keusche, zwecklose (gratuit) Zurückgezogenheit, mit welcher sie eine Minderheit von (vielleicht unfruchtbaren, vielleicht aber auch schöpferischen!) Fremden bilden. Kunst ist Bürgschaft der ewigen Volkheit. Einzig die Künstler, meint er, hegen auch in Zeiten bürgerlicher Verwahrlosung die wahre, überzeitliche Gemeinschaft, *unanimité*, weil sie die unverlierbaren Ideale des Umstrittenen dadurch hochhalten, daß sie jene abseits von der Menge bewahren. So erscheint das Dichterstreben als Inbegriff einer „Politik auf die allerweiteste Sicht", und in diesem Sinne nannte Mallarmé die Gegenwart das „Interregnum für den Dichter" und untersagte ihm, ihr hörig zu sein (an Verlaine, 16. 11. 85): „Sie ist zu sehr in Leerlauf und unendgültiger Gärung, als daß anderes zu tun wäre als geheimnisstill auf das Später oder Nie hinzuarbeiten und zeitweilig den Lebenden seine Visitenkarte – Stanzen oder Sonett – zu senden, damit sie einen nicht steinigen, falls ihnen bewußt wird, daß sie kein *Sein* besitzen." Sterbespruch für einen Archimedes..

Die Gestalt dieses Dichters freilich, den „Mann, der seitab geht, sein Grab zu meißeln" (1891 zu Huret), hat Mallarmé vergebens bei den Zeitgenossen der erhitzten neunziger Jahre vorausgesetzt, und durfte es gewiß nicht bei Laurent Tailhade (Tarbes 1854–1919). Wie sein Freund Lorrain, wie Cros und

Rodenbach verbrachte Tailhade die Abende im Café der Place Saint-Michel, wo der Spaßmacher Emile Goudeau und eine polnische Anwaltstochter, die Musikstudentin Marie Krysinska (1908 gestorben als Frau des Malers Georges Bellenger), zur Pflege des Spottliedes den Club der „Hydropathes" begründet hatten (5. 10. 78). Er zog auch mit nach Montmartre, als Rodolphe Salis die „Hydropathes" für seine freche Brettl-Bühne „Chat-Noir" (seit 1880) gewann[1] und als in der gleichbetitelten Zeitschrift (seit Jan. 82) Bloy den Parnaß schmähte[2] und Tailhades Freund Moréas Verskünste sprühen ließ. Hier im lachlustigen Kreise von Jean Rictus, Samain, Dubus, Léo Riotor, Morice, Roinard, Lorrain, Trézénik, R. Caze wurde ein Stück des alten Künstlerkneipenstils am Leben erhalten. Der affektiert elegante Tailhade, ein blendender Plauderer, hatte seinen älteren Sonetten 1891 die überscharf satirischen Vitriol-Balladen seines *Pays du mufle* folgen lassen, wo er mit elaboriert latinisierenden Wörter-Ungeheuern, mit begabter, aber gräßlicher Epigrammatik Hohn, Haß und Verachtung gegen die Presse, die Stützen der Gesellschaft und den Stumpfsinn der Masse spie und auch von den Dichtern nur wenige — wie Dierx und Mallarmé — verschonte. War dieser erblich belastete Heißsporn mit seinen ewigen Duellen, Prozessen, politischen Ränken und Haftstrafen der äußerste Gegenpol Mallarmés — obgleich der Jüngere ihn zu kopieren suchte (R. Hahn) —, so schätzte dieser doch Tailhades wundersam formvollendete mystische Verse von 1894, *Vitraux*. Und als er ihn plötzlich wehrlos der plattesten Schadenfreude der Presse preisgegeben sah, stellte er sich furchtlos vor ihn. Es hatte nämlich gerade Tailhades Antwort auf dem *Plume*-Abend seinerzeit in der Presse Begierde nach seinem Skalp erregt. Er habe gesagt, schrieb Tailhade nachher: „Was machen die Opfer aus, wenn die Gebärde schön ist? Was macht der Tod von verschwommenen Menschenwesen aus, wenn durch ihn das Individuum sich bestätigt?" Der Reporter[3] dagegen hatte berichtet: „Die Gebärde, mit der Vaillant seine Bombe warf, war eine schöne Gebärde." Nun geschah es, daß eines späten Abends am 4. 4. 94, während zufällig nebenan in den *Sociétés Savantes* eine Anarchistenversammlung tagte, Tailhade in Begleitung einer Dame einen Fensterplatz im Restaurant Foyot einnahm, in dem er zu wohnen pflegte. Auf der menschenleeren Straße kam ein Attentäter vorbei und legte aus ungeklärten Gründen eine Bombe in einem Blumentopf am Fenstersims nieder. Als sie platzte, warf sich Tailhade vor die Dame, die heil davonkam, während ihm Brust, Gesicht und Schulter so zerfetzt wurden, daß er drei Wochen lang bewußtlos im Krankenhaus lag. Das geschwinde Gericht über den verhaßten dekadenten Satiriker, dessen Auftreten provozierend genug gewesen war — er stolzierte in farbiger Seidenweste, rotgefüttertem spanischem Umhang mit Sombrero, schrieb seine Briefe mit weißer Tinte auf schwarzes Papier und dergleichen —, wurde von mehreren Zeitungen, besonders dem *Voltaire* und dem *Événement*, mit schadenfrohen Witzen und Spottliedchen bejubelt. Während die von den Zeitungen übersteigerte Aufregung über den Vorfall abklang, nutzte der maliziöse Cazals die Konjunktur durch Herausgabe eines Bilderhefts, in welchem der bandagierte mönchisch-sarazenische Schädel des jetzt einäugigen, rechtshändig gelähmten Freundes zu sehen war.

Obgleich der Genesende in jenen Tagen, den Worten entrückt, glücklicher das weiße Schweigen unbeschriebener Blätter erlebte, schrieb ihm Mallarmé für das Heft die Vorrede. Im Bemühen, die Sinnlosigkeit des Zufallsabenteuers tröstend-launig zu leugnen, ist dies Wunschporträt Tailhades (der später als Familienvater aus Nahrungssorgen zahme Kompromisse schloß) das assoziativ Preziöseste geworden, was der späte Mallarmé je ersann. Wie unpoetisch, scherzt er, diese Zufallsverwundung ausgerechnet durch einen banalen *Blumentopf!*.. Wenn sie auch den Schwachsinnigen die günstige Gelegenheit bot, sich endlich den Namen des Dichters zu merken. Aber wie sollte man auch von einem Blumentopf verlangen können, die Zauberblume der Phantasie zu beherbergen! An den *Narben*, die Tailhade so gut stehen, wird nun auch der Öffentlichkeit sein (den Freunden längst vertrauter) kämpferischer Grundzug aufgehen, da jetzt jedermann seine Finger in die Wunden legen kann. Während Federfuchser, denen von heut auf morgen seine Dichtung aufging, sie „weiteren Kreisen" vorstellen, hebe er „mit dem Gelöbnis, männlich zu denken", sein Haupt aus den Binden, sicherer,

ernster und reifer geworden, wie nach einer sinnenden Besprechung mit dem Schicksal. Sogar aus den geistesabwesenden Zu-
fallsworten, mit welchen Tailhade aus der Ohnmacht erwachte
(„Wenn nur das Fenster da oben nicht Schaden nahm!"), entwickelte Mallarmé ein nicht nur programmatisches, sondern
auch dichterisches Sinnbild: durch den Einbruch des politischen
Chaos blieb das Dichterideal der *Vitraux* unberührt; im Rund-
fenstermosaik fehlt keines der leuchtenden, leidenschaftsgefärb-
ten Glasscheibchen, aus denen es zerbrechlich und doch unantastbar zusammengefügt ist, und welche den Lichtstrahl des Dichter-
traums nicht voll und blendend durchließen, ihn vielmehr in ab-
wehrender Milderung gleichsam in der Schwebe festhalten.

Dem jungen französischen Nationalismus, welcher in den
neunziger Jahren sich ausbreitete, stand Mallarmé nicht ablehnend gegenüber, aber entfernt. Zumal er dort die ernste soziale
Mitverantwortlichkeit vergeblich gesucht hätte, die ihn bei den
anarchistischen Unruhen anno 93 nicht gleichgültig ließ,[1] .. so
sehr er sie im übrigen als nutzlose Verzweiflungsakte verdammte
(zu Mauclair). Als er die scharfen Angriffe seines treuen Jüngers
Mauclair las, welche, in erbitterter Feindschaft gegen die auf-
rührerischen Literaten, dem Blanqui-Buch des Jakobiners Gustave Geffroy galten, schrieb er ihm, er wünsche ihm dafür die
Hand zu drücken (Sept. 97). Auch hatte er nichts einzuwenden,
in Mauclairs antirevolutionärem Roman, welchen die ultranatio-
nalistische Juliette Adam in ihrer *Nouvelle Revue* veröffentlichte,
als derjenige Dichter in den Mittelpunkt gestellt zu werden,
welcher als einziger nicht den umstürzlerischen Verführern
verfällt.[2]

Andrerseits besaß er, wie übrigens auch der aktive Nationalist
Mauclair, zuviel kernfranzösische Bedächtigkeit, als daß die recht
literatenhafte Gründung der kleinen, immer stärker politisierten
„École Romane" durch Jean Moréas 1891 im Café de l'Avenir
(place Saint-Michel) seinem Geiste gemäß gewesen wäre. Der kleine
braune Janni Papadiamantopoulos (1856–1910), wie er eigentlich hieß, hatte als Fünfzehnjähriger in dem übersteigert altertümelnden Griechisch, das damals bei den Athener Patrioten
Mode war, weinerlich düstere Gedichte geschrieben und einen Li-

teratenzirkel gegründet. 1873 wurde als bewußter Tort gegen die
pessimistische Richtung sein Gedichtband *Täubchen und Schlangen* bei der Preisverteilung der Universität Athen übergangen.
Beleidigt, ging er zum Studium nach Bonn; aber 1878, als man
ihn am deutsch-bestimmten Athener Königshof Ottos von Bayern
noch dort glaubte, siedelte er heimlich nach Paris über. Bezaubert von Mallarmés Poe-Sonett ließ er sich durch Le Cardonnel
bei den Dienstagen einführen. Ein naiver Darbietungsmensch,
prahlsüchtig, eifersüchtig, respektlos, ehrgeizig, vielbelesen und
zugleich von verborgener, gleichsam buddhistischer Schwermut
(,,Oh, ne plus vivre!"), hatte er unter der Geringschätzung, die
man seinem Nicht-Franzosentum und seiner Ungepflegtheit ent-
gegenbrachte, viel zu leiden. Nach ersten Nachahmungen von
Richepins Gossensprache trieb es ihn zu dauernden Übersteigerun-
gen des eleganten Auftretens und des Gebrauchs der französischen
Sprache; ,,eine gezähmte Elster", sagte Tailhade, der mit ihm
und einem andern Freunde, Vignier, um die Palme der Eleganz
rang. Für sein Dichtertum nicht ungefährlich war die Formgewandtheit, die ihn zu allerlei philologischen Eklektizismen im
Sprachstil jedes beliebigen Jahrhunderts, vom Altfranzösischen
an, verführte; so daß Mallarmés Ausruf schwerlich nur lobend
war: ,,Vous trichez avec les siècles!"[1] In seinem zweiten Manifest
(nach dem vom 11. 8. 85) am 18. 9. 86 im *Figaro* hob Moréas den assoziativen Charakter der neuen Dichtung hervor und
grenzte sie gegen ,,Belehrung, Deklamation, falsche Gefühls-
duselei, objektive Beschreibung" ab, sowie auch — eine Lehre
aus *Igitur!* — gegen die Gefahr der Abstraktion: ,,der Wesenszug
der symbolischen Kunst besteht darin, nie bis zum Begriff der
Idee an sich zu gehen";[2] schon d'Orfer (Le Scapin, 1. 10. 86)
und Ghil (Dates, 70) haben darauf verwiesen, daß dies Programm die Periphrase einiger Gedanken Mallarmés darstelle.
Dieser nannte das Erstlingswerk des Griechen *eines der fesselnd-
sten Gedichtbücher:* ,,Sie sind heute einer unter wenigen, der jeden
Vers in seiner eigenen Vollendung ins Ideale hebt." Und er verhieß seinen Versen eine Zukunft: ,,Was gäbe es Reizvolleres als
diese Mischung von Naivität und Alter, mit Ihrer Meisterschaft
geeint?"

Leider stieg dem anpassungsfähigen Favoriten, der von seiner Studienzeit in Bonn eine echte Liebe zur mittelalterlichen
Dichtung, besonders zu auftaktlosen Versen (*Les Syrtes*, 1884)
mitgebracht hatte, sein Griechentum zu Kopf. Er zog den satanischen Dandy und den Romanzendichter (*Les Cantilènes*, 1886)
aus, verpönte Wein, Weib und die „germanische" *pessimisterie*,
und bemühte sich, das immerhin in vielfacher Hinsicht von Rom
fernste unter den romanischen Völkern darin zu bestärken, alles
sei *bâtardise* [sic], was nicht „esprit roman" und mittelmeerisch
sei, — und zugleich für sich, Moréas, selber damit das ersehnte
Bürgerrecht zu erwerben.[1] Dichterisch verblieb es zwar allzu-
lange bei musealen Ronsard-Kontrafakturen und einigem Weiter-
wirken auf Griffin und Régnier. Wohl aber baute, frei von Moréas' gedankenarmer Eitelkeit, der intellektualistische Fanatiker
Charles Maurras, ein Jünger Mistrals, auf dem romanisch-latei-
nischen Mythus seine politische *Action française* auf. Wogegen
M. Barrès, der Sohn südfranzösischer und lothringer Ahnen, sich
auf einer Griechenlandreise eingestand, daß er nicht bereit sei,
sein Heimatkirchlein dem Ideal der Akropolis zu opfern. Moréas
aber versteifte sich auf seine Säuberungsaktion: „So muß ich,
um mein Ideal reinzuhalten, mit meinen Freunden Verlaine und
Mallarmé brechen, deren hohes Verdienst ich mehr zu schätzen
weiß als ein anderer" (an Huret, 19. 5. 91); und mündlich
äußerte er über Mallarmé: „Ich werde seine Bücher nicht mehr
aufschlagen." Obwohl dieser noch am 2. Februar ihm zu Ehren
das Jahresbankett der *Plume* vor zweihundert Künstlern präsidierte[2] und ihm über seinen besonders durch Barrès hochgefeier-
ten *Pèlerin passionné* (Dez. 90) geschrieben hatte: „All das ist
neu, genau, suggestiv, packt mich und, wie Sie sehen, bezaubert
allenthalben!" Aber was darin noch an den Symbolismus, diese
„invasion de littératures barbares", erinnerte, mußte weichen;
und um ja nicht un*klassisch* zu werden, war Moréas in seinen
späteren Versen lieber problemlos langweilig. Seine Nationalisie-
rung von Barrès' Barbarenmythus speiste die politischen Supe-
rioritätsthesen in der Dritten Republik — während das am meisten Fragwürdige an der Denkart des *Parnaß*, die Einteilung in
eine *humanité supérieure* und *inférieure*, sich gleichzeitig auch

außerhalb Frankreichs bei Nietzsche, D'Annunzio, George, Hofmannsthal und in den meisten exklusiven Zirkeln festsetzte. Moréas, der mit feierlichem Gestus all seine Tage und Nächte im Café verbrachte, sah sich um einen äußeren Glanz seiner neuen Wendung betrogen. Seinen politischen Freunden war er sehr bald nicht politisch genug. Schon 1894 und 96 bei den Wahlen für einen *Dichterfürsten* hatte kaum jemand mehr eine Stimme für den eben erst Gefeierten übrig. 1897 zog ihn aus dem Café Vachette der Türkisch-Griechische Krieg vorübergehend wieder in die Heimat. Am gelassenen, kampflos entsagenden Stoizismus von Moréas' späten *Stanzen* fand A. Gide noch 1938 Mustergültiges. Liebeslyriker wie Moréas, hat auch G. Apollinaire, der Sohn eines südtirolisch-italienischen Adligen und einer Polin, diesen Gedichten noch manches abgewonnen und auch die letzten Worte des einsam Sterbenden aufgezeichnet: La vie! La mort! Non, il n'y a que la poésie (brieflich, 31. 3. 1910). Bei den Jüngeren wird Moréas seit langem nicht mehr gelesen.

Ähnlich zeitgebunden und doktrinär, mit breiterer Komparserie, war die (gleichfalls halbpolitische) Wendung einer Gruppe junger Dichter, die seit 1895 sich in der *Auberge du Clou* trafen. Die „Naturisten", wie sie sich nannten, fanden in der *Plume* Aufnahme. Besonders in dieser Zeitschrift (seit 1. 5. 96) lehnte sich der spätere Konvertit Alphonse Retté (1863–1930), Mitherausgeber der *Ermitage* (seit Jan. 92) und Redaktionssekretär von Kahns *Vogue*, in Aufsätzen und Versen gegen Mallarmés, wie er meinte, pathologische Ungeheuerlichkeiten auf. Vordem hatte er den Dichter in seinen *Cloches de la nuit* besungen und hatte in seinen bisherigen Hohnschriften nur Spießer und Naturalisten verunglimpft. Die Änderung soll er aus Rache vollzogen haben, da ihm Gäste Mallarmés nahegelegt hätten, seine Teilnahme an den Dienstagen einzustellen.[1] Bezeichnend, daß er über seine Schmähung Mallarmés das Stendhal-Wort setzte: „Ich werde ehrlos werden und den Ruf eines Schufts erhalten. Was macht's? Mut gibt es überall." Nicht weniger ungeschlacht begann gleichzeitig der Lebensprophet Maurice Le Blond, Zolas Schwiegersohn, sein *Essai sur le naturisme* mit den Worten: „Nun ist's genug. Lang genug hat man Baudelaire und Mallarmé bewundert.

.. Mallarmé hat noch immer nicht mit seinen endlosen, abwechs-
lungslosen *Variationen über ein Thema* aufgehört, wo er sich an
jämmerlichen Feststellungen des Neuen vom Tage in einer epileptischen Sprache versucht." Dies war die Begegnung mit einer
respektlosen Jugend, die kaum einem alternden Dichter erspart
bleibt. Hier war es eine Generation, vom *élan vital* Henri Bergsons
bis zur herrischen Gilde Georges, die ungeduldig eine Botschaft
heischte und der es nicht gefiel, alles verschwimmend in der
Schwebe zu lassen, und ihre Sätze, so wie Mallarmé fast stets, mit
dem bescheiden-frageschweren Zusatz „nicht wahr?" zur Diskussion zu stellen. Die Naturisten drängten mehr als die „eitle,
geschwätzige" *école romane* (nach Le Blond) danach, die eigentliche Tatjugend der gerontokratischen Dritten Republik zu werden. Sie stäupten Huysmans und Gautier, Dunkel und Spuk, und
den alexandrinischen Bazar des *L'art pour l'art;* überhaupt jede
verträumte Bindung des einzelnen an sein Sehnen und seine Leidenschaften, an Allegorie oder Symbol; überhaupt alle Bücher,
zumal die Bildungsdichtung artistischer Mandarine. Von Tol-
stojs Kunsthaß erfaßt, riefen sie nach nützlichen, rationalen, realistischen Zweckwahrheiten, nach tätiger Menschenverbrüderung,
nach gesundem, verjüngendem, barbarischem Optimismus, nach
„strahlend-gigantischem Pantheismus", nach Rückkehr zu Victor
Hugo. Da man sich erzählte, Mallarmé habe zu einem Freund
gesagt „ich bin ein Verzweifelter", bangten manche mit Recht
um das idealistische Erbe des europäischen Humanismus. Im Oktober 96 erhielt beispielsweise Gide von Francis Jammes einen
Brief, durch welchen dieser ihm vorschlug, in einem Keil zu
dreien, Gide, Jammes und Bouhélier, über Mallarmé hinaus —
den einzigen übrigens, von welchem Jammes sich außer von Gide
und allenfalls von Griffin verstanden fühlte (Nov. 95) — vorzustoßen. Aus Gides *Irdischen Nahrungen* sehe er, Jammes, daß
Gide gleichfalls zu Rousseau und Bernardin de Saint-Pierre zu-
rückkehre.[1] Gide konnte später[2] nicht umhin, festzustellen, daß
die Übersteigerung des Kunstbegriffs, „bis zur Verachtung der
Poesie" — bei Heredia ebenso wie bei Mallarmé —, mit einem allzu
einseitigen Gegenschlag beantwortet worden sei. Bei Jammes habe
sich eine „fast völlige Blindheit gegenüber der Kunst" erwiesen.

In jenem Jahr 1896 erfolgte ein Angriff auf Mallarmé und Régnier durch den Führer des „Naturismus", Saint-Georges (eig. Georges Lepelletier) de Bouhélier (1876–1947), in der Vorrede zu Montforts *Sylvie.* Der Älteste der Gruppe, Fleury, war noch keine zweiundzwanzig Jahre alt. Bouhélier setzte seinem *Hiver en méditation* eine begeisterte Huldigung an Zola voran. Als er sie dem mürrischen Alten überreichte und ihm von den Zola-Freunden um Gasquets Zeitschrift *Les Mois dorés* in Aix und um die demokratischen *Essais de jeunes* (Magre, Marc Lafargue, Jean Viollis) in Toulouse berichtete, horchte Zola auf und bat ihn, darüber einen Aufsatz zu schreiben. Den brachte Zola in der von Antonin Périvier und de Rodays geleiteten Zeitung *Figaro* unter; Emile Berr setzte das Wort „Manifest" in die Überschrift, und noch am Abend des 10. 1. 97 trug die Abendpresse die Kunde vom „Naturismus" in weitere Kreise. Fünf Tage später, als sich an der Porte de Clichy zwei- bis dreihundert Menschen sammelten, um durch einen Grabesbesuch den vor einem Jahr verstorbenen Verlaine zu ehren, fand sich de Bouhélier, der mit Montfort und Leblanc erschienen war, plötzlich durch Cladel oder Dierx einem Unbekannten vorgestellt. Es war Mallarmé. „Was ich mache, scheint Ihnen nicht sehr zu gefallen? Jeder Generation ihre Aufgabe!" Und er habe noch, erinnert sich Bouhélier, den Wert der Geduld gerühmt und keine Achtung für Dichter bezeugt,[1] die es bei einer mechanischen Nachahmung seiner eigenen Lyrik beließen.

Wenn ihrer beider Auffassung vom Bühnenhelden schon, nach einem Brief Mallarmés an Bouhélier, nicht wesentlich verschieden war, so hatte Mallarmé jedenfalls am Naturalismus Zolas längst vor den Naturisten und ganz wie sie das vital poetische Pulsen gewürdigt und seinen Jüngern nahegebracht[2].. im Gegensatz zur Zola-Verachtung E. Raynauds und anderer „Romanen". Auch die naturistische Forderung, Einfachstes unrhetorisch zu besingen, Blumen, Früchte, Frauen, hatte er in seiner Art erfüllt. Gerade sein Gymnasion des Geistes näherte sich in manchem dem echten Wollen der Naturisten und ließ es Dichtung werden. Schon Merrill hielt es ihnen entgegen, und schon 1892 hatte die (von Merrill finanzierte) Zeitschrift E. Signorets,

Le Saint Graal, Zeugnis dafür abgelegt. In dem einzigen Jahre
1897 bewiesen es Régnier mit den Jeux rustiques et divins,
Griffin mit Clarté de Vie (freudig von Gasquet in der Revue Na-
turiste begrüßt) und mit seinem Wieland le forgeron, der den Mut
und den Freiheitswillen verherrlichte, Verhaeren mit Visages de
Vie und Gide mit den Nourritures terrestres (1895 abgeschlossen). Es folgten George mit dem Teppich des Lebens (1899) und
seinen späteren ethischen Mahnungen, Merrill mit den Quatre
Saisons (1900) und mit seinem verbreitetsten Buch, dem huma-
nitären Aufruf Une Voix dans la Foule (1909), Fontainas mit
dem Jardin des Iles (1901), Mockel mit Clartés (1902). Mehr
noch: während von den großtönenden Manifesten der Naturisten nur der ungefüge brutale Unanimismus der Marinetti und
Drieu La Rochelle weiterlebte, und während die beiden führenden Naturisten, M. Magre und der herrscherlich selbstbewußte,
schwungvolle de Bouhélier, bald ganz gesonderte Pfade ein-
schlugen, haben die eigentlichen „naturistischen" Leistungen
fast alle den scheinbaren Umweg über Mallarmé eingeschlagen. So Verhaeren, der vom Eros und von Großstädten sang;
Signoret, Fargue, F. de Miomandre (Samsarâ), Ch.-L. Philippe, bis 1896 glühender Mallarmé-Schwärmer und Gast der
Dienstage;[1] so P. Fort, der sich von Baudelaire zu befreien
vermochte und mit Gide, Régnier und den Belgiern in der Zeitschrift Vers et Prose (1905—14) Mallarmés Namen hochhielt.
So die sinnenhaften Südfranzosen Raymond de la Tailhède,
F.-P. Alibert und Jean Royère aus Aix, der in seiner Zeitschrift La Phalange (1906—14) mit Thibaudet, Duhamel u. a.
die zweite Sammelstätte für den Mallarmé-Kreis schuf und sich
noch 1932, in Frontons, als Schüler Mallarmés bekannte. Gerade
in der Phalange ist dann besonders seit 1911 wiederum eine
Dämpfung der naturistischen Pathetik durch eine Rückkehr zur
Strenge Mallarmés festzustellen. Gegen Mallarmé hieß ein Aufsatz
von Léon Bocquet, durch welchen dieser seine mit Montfort herausgegebene Nouvelle Revue Française (15. 11. 1908) eröffnete;
er stimmte darin der Theorie Jean-Marc Bernards vom ohnmächtigen Mallarmé zu. Der Aufsatz wurde zum Anlaß, daß die
Redaktionsmitglieder Gide und Schlumberger mit den meisten

Mitarbeitern die Zeitschrift noch einmal begründeten (1. 2. 1909) und Montfort auf seine Neugründung *Les Marges* abgedrängt wurde. Darüber hinaus läßt sich sagen, daß die lyrische Bemühung da, wo sie an Mallarmés Werk vorbei und nicht durch dieses hindurch strebte, in Frankreich bisher wenig Bleibendes hinterlassen hat, in der naturistischen Bewegung ebensowenig wie bei den Novalis- und Emerson-Jüngern, im „Humanisme" (seit 1902) von Gregh, Barbusse, Arcos, Larguier und dem jungen Jouve; oder in dem vegetativen „Unanimisme" von J. Romains, der sich seit 1908 gegen Royères „Neo-Mallarmismus" richtete; im Kreis von Vildrac, Duhamel, Valéry Larbaud, Durtain; oder bei der Gräfin Mathieu de Noailles, geb. Brancoveanu, die „auf lange Jahre hinaus den Pantheismus und die Liebe zur Natur zu tot ritt".[2]

So ist denkbar, daß es in der Tat keine volle Erfüllung für jene schon ins Politische hinüberragende Sehnsucht geben mag, die einmal durch Jean Giraudoux in Worte gefaßt wurde, Sehnsucht nach einer französischen Literatur, in welcher auch die „großen primitiven Schmerzen" eine Stätte fänden, neben den bürgerlich-neunmalklugen bloßen „Betrachtungen" über das Elend usw. Nach einer Literatur, in welcher es, schreibt Giraudoux, „das natürliche Aufbrausen oder Jubeln" gäbe, da wo jetzt „Leid, Laster, Verzweiflung bloß einen umgebildeten Ausdruck, nie aber ihren natürlichen Schrei finden können.. Die Beschlagnahmung (confiscation) der französischen Sprache durch jene Kaste bürgerlich anmutender Schriftsteller ist so restlos, daß dem wahren französischen Volk seine Schreie abhanden kamen". Eine ungeheure Kluft jedenfalls gähnt zwischen der sprachlichen Unbefangenheit eines Rabelais und der mühseligen Wörtersuche eines Flaubert. Bei Völkern, bei denen der Sprachbestand wenig „beschlagnahmt" ist, scheint die Wörterfülle für sich allein bereits etwas wie eine tragende Kraft zu besitzen. Lyriker an der kulturellen Peripherie Europas zeugen besonders dafür. Amerika gehört dazu: mit Walt Whitmans tönenden Sturzbächen, mit den *Cantos* von dessen Bewunderer Ezra Pound, und mit der rhythmischen Fülle von des letzteren Schüler T. S. Eliot, der die Rhythmik seines *Sweeney Agonistes* stundenlang mit Hilfe einer Kin-

dertrommel abwog. Oder das urgewaltig entfesselte Pandämonium von Vokabular und Syntax bei dem Anglo-Iren James
Joyce. Schwächer schon in der naturistischen Lyrik Deutschlands,
die manche als „Expressionismus“ zu bezeichnen lieben. Zeitlich
am frühesten spricht hier die geographische Peripherie in zwei
denkwürdigen Ansätzen des Jahres 1898. Damals fand der ost-
preußische Autodidakt Arno Holz den organischen Lyrik-Rhyth-
mus der deutschen Sprache wieder und verwendete ihn für das
Seelenwanderungs-Abenteuer seines ungeselligen poetischen Ich.
So in seinem Hauptwerk, dem ersten *Phantasus* von 1900. Hier
hätte Holz ein Meisterwerk geschaffen, wären seinem verströmen-
den Furioso nicht immer wieder seine sprachlich weiterdeuteln-
den, mäkelnd manierierten Nachträge in die Quer gekommen.
Noch mehr krankt der großartige kosmische Mythus *Das Nord-
licht* des Triestiners Theodor Däubler, im gleichen Jahr begonnen, an einer traditionsfremden Unsicherheit gegenüber dem deutschen Wort- und Satzstil. Zur rhythmischen Armseligkeit und der
sprachlichen Verwahrlosung kam oft hinzu, daß die Goethesche
Forderung nach Persönlichkeit gestaltlos geworden war. Diese
Tatsache suchten manche deutsche Naturisten, noch williger als
die französischen, durch ein deklamierendes Stammeln von „Wir“
oder „Menschheit“ und hinter Schwulst und Marathon-Über-
schriften zu vertuschen. Heilsamer war daneben die Fortführung
von Nietzsches artistischem Stilbewußtsein und die sprachliche
Bündigkeit, weniger bei den Vertretern der Sonett-Manie als in
Gottfried Benns Wendung vom dynamischen zum „statischen Gedicht“. Auch aus den Notbehelfen einzelner naturmagischer Lyriker, mit Hilfe von Flora und Fauna über das eigene Ich hinweg-
zufinden (Wilh. Lehmann, G. Britting, K. Krolow), glückten da
und dort Gedichte, in denen ein zurückgewonnener Sinn und damit
eine echte Sinnbildlichkeit in der Art Mallarmés verheißungsvoll
verschmelzen mit dem Naturhaft-Poetischen (E. Langgässer, Günther Eich). Auch dies ist „Naturismus“.

Mit alledem ist es bei den einzelnen abendländischen Nachbar-
völkern gar nicht so übermäßig verschieden bestellt. Die *reine
Poesie*, die untendenziöse Lyrik steht letztlich überall vor dem
nämlichen unmerklich „politischen“ Hintergrund: einerseits ist

sie der Vergangenheit verpflichtet, – beispielsweise Georg Trakls
Gedichte dem greifbaren Nachhall Hölderlins, Rimbauds und
Dostojevskijs. Nicht minder verpflichtet ist sie der Zukunft.

In seiner ernsthaften Liebe und tätigen Ehrfurcht vor den
kommenden Geistesführern lag, in einem weiteren Sinn, das politische Bewußtsein Mallarmés. Es ist das nämliche Bewußtsein,
das ihn überkam, wenn er mit Ausländischem zu tun hatte: Vergangenes mit Künftigem verflochten zu finden. Etwa ergriff ihn
am Phänomen der englischen Sprache, daß in ihrem Wortschatz
die *ältesten* arischen Familien fortleben (mit Ausnahme der ost-
indogermanischen) und man gleichzeitig hier staunend feststellen
könne, welche *künftige* sprachliche Weiterbildung auch des alten
Französischen hätte ausdenkbar sein können.[1] Ähnlich ist auch
das kleine Sonett, das er den jungen Dichtern von Brügge 1893
als Erinnerung an seinen Besuch ins Stammbuch schrieb, *Remémoration*, der verschwiegene Ausdruck seiner Gläubigkeit an den
stolzen Aufbruch einer neuen, weniger schwermütigen Jugend.
Gerade das *Tote Brügge* Rodenbachs (1892) schien ja die fata-
listisch-dekadente Stadt par excellence. An manchen Tagesstunden
beginnt, von keinem absichtlichen Hauch aufgewirbelt, ihr weih-
rauchfarbener Vorzeitdunst zu schweben; unmerklich, sichtbar,
faltenweise wie einen Behang, läßt ihn das Bauwerk, das bloß-
gelegt zurückbleibt, von sich weichen. Er schwebt fort, oder
scheint nur noch insoweit sein Dasein bekräftigen zu wollen, als
er die Freundschaft, die wir schlossen, durch das Bewußtsein des
Geschichtlichen vertieft wie durch eine nützliche (A), alters-
schwere Narde. Wir schlossen die junge Freundschaft wie aus
Unvordenklichem und zugleich beseligt, in plötzlicher Aufwal-
lung, in der stets erlesenen Stadt mit ihren düsteren Grachten.
Aber als in den toten Wasserläufen der Gast ein vielfaches Morgenrot gespiegelt findet, da liest er seherisch das Orakel der Natur ab. Es ist ein Sinnbild des Aufbruchs – die andere wahre
Botschaft dieser einzigartigen Stadt, aus deren Söhnen einzelne
erkoren werden, den Geist weiterstrahlen zu lassen als den hur-
tigen Fittich des Genius, hoch über der bisherigen ziellosen
Schwermut der Schwäne auf den Kanälen!

Hoheit des Buches

Aus innerer Verantwortlichkeit hat Mallarmé die Unterschiede zwischen der unbegrenzt tätigen Öffentlichkeit einerseits und der *action restreinte* eines hohen dichterischen Schaffens hervorgehoben; um alsdann an deren positive Zusammenhänge und Beziezungen zu mahnen. Sehr eingehend in den drei Aufsätzen *Quant au livre*. Er stimmt dort einem jungen Freund zu, daß der erste Anlaß zum „Schaffen mit Worten" der Drang zur Tat sei. Was in diesem körperscheuen Zeitalter fast nur noch der eintönige Radfahrsport betreibe, nämlich den Durchbruch durch das Seßhaftbleiben, dem entspreche auf geistiger Ebene gleichfalls ein Durchbruch durch das seßhaft Verträumte, eine Art „pedaltretenden Gegenübers zur Idee (A: zur Seele)". Ein existentieller Drang: wer nämlich eine Bewegung anfacht, erhält dafür die frohe Empfindung mit, daß er der Veranlasser war, daß er mithin existiere; „denn dessen ist keiner von Anfang an ganz gewiß", schreibt Mallarmé — ein Bote des problematischen Jahrhunderts, das in der Dichtung den Doppelgänger-Zweifel erfand. Als dichterisch-denkerische Tat gilt ihm allerdings nicht die Meditation, die ohne greifbare Fährte sich verflüchtigt; sondern allein was zu Papier kommt in greifbarer Tintenschwärze — symbolhaft analog zu dem gestaltwerdenwollenden Dunkel (undenkbar, weiß auf Schwarz zu schreiben!),.. und auch im Zwang des üppigen Reizes der verästelten Möglichkeiten beim Aneinanderreihen der Buchstabenlinien, wobei die Form der nächstfolgenden stets dem Klöppler dieser schwarzen Spitzen geheimnisvoll verborgen ist. Und eine weitere Vorbedingung wahren Schreibens ist das unsagbare Etwas, von welchem ein Weniges noch im vollendeten Werk nachschwingt.

Dies das Warum. Und wo liegt nun des Dichters Wirkungsfeld? Den es drängt, etwas Unerhörtes, etwas beim Massenmenschen Verkümmertes zu schaffen, der hat eine öffentliche Wirkung ja verspielt und handelt nur noch auf geistiger Ebene, ohne jemand zu belästigen. Und doch ist sein privates Herzeleid, am Busen genährt wie eine Schlange, und seine private Freude, die ja in seinen Versen sozusagen nachgemimt werden, durch ein

Medium noch monumental der Volksgesamtheit verbunden:
durch die Bühne, den Ewigen Ort, wo das Volk wie bei großen
Festen sich in seinem wahrsten Wesen widergespiegelt erlebt.
Dort fällt die Entscheidung im Kompromiß des Heilig-Dichte-
rischen mit der bühnentechnischen Scheinwelt, mit jenen gemie-
teten Schauhäusern, die durch eine Überladung mit Banalem
äußerlich vom üblich Banalen herauszustechen trachten und in
denen man den Lokalteil der Zeitung dramatisiert vorgeführt erhält. Alle Achtung, wenn einem solchen Giebel einmal ein geistiges Gipfeltum entspricht, eine echte Flamme statt der überall auf
klein gestellten Gasflämmchen. Entweder das Werk (einerlei ob
realistisch oder klassizistisch) wächst zu volltönender Gesamt-
wirkung. Oder die Kulissen erdrücken es und lassen die Worte
hohl und leer klingen. Sobald ein Dichter aber, in trügerischem
Vertrauen auf den praktischen Einfluß seiner Verse, über das
Theater hinaus, auf die Straße wirken wolle, habe man es nicht
mehr wirklich mit Buch, Maskenstil, Dichter zu tun. Jedes Dichters Neigung, auch seinerseits den Hader der Gegenwart zu nähren, hatte Mallarmé schon in jungen Jahren — er empfindet es
geradezu als angeboren — als wesensfremd gewertet, ja als Schäd-
lingswerk, als Verstoß gegen den restlos reinen Urschwung des
Gefühls, aus welchem die Dichtung stamme. Der unterirdische
Eisenbahntunnel (= die Gegenwart) vor der Einfahrt zum Bahn-
hofspalast der jenseitigen Erfüllung biete jedermann die Möglichkeit, in stiller Vorahnung sich seelisch zu sammeln.

Aktuelles, „zeitgenössisches" Dichtertum ist für Mallarmé unvorstellbar, weil es die „Gegenwart" nicht gebe. Es werde vielmehr aus einem Geschehensfragment des Jahrhunderts durch
hastgepeitschte Reporter eine „Epoche" konstruiert und diese
dem Alltag übergestreift. „Bewahre dich also und sei da. Die
Dichtung — Weihe. In keuschen Spannungen versucht sie sich
abseits, derweil anderswo die aufgeregte Gebärde herrscht." Nach
der Veröffentlichung besitzt das Buch, auch ohne Leser, ein
Eigenleben, das über dem Chor der Seiten waltet,... einzig *ewig*
zwischen allem Menschlich-Akzessorischen. Das heißt aber nicht,
Mallarmé wolle den impressionistischen „Augenblick" als unfruchtbar ausschalten! Davor verwahrt er sich ausdrücklich,..

nur finde man allein von dort aus nicht den Zugang zu vertiefter
Schönheit. So allgemein solche Thesen gefaßt sind, immer läßt
sich auch auf Mallarmés eigene Werke rückschließen: schon ihr
Stil war ja so buchmäßig, daß ein einmaliges Vorlesen nicht genügte,[1] und ihre Veröffentlichung war erst recht ein einziger
Einspruch gegen die unabänderliche Tatsache, daß im Abend-
lande das Buch (mit Ausnahme der Bibel) Gegenstand des verlegerischen Marktes geworden ist.

Daß dieser, wie die Presse im Herbst 1892 wehklagte, vor dem
Bankerott stehe, entlockte dem Dichter grimmen Spott (wir öff-
nen den Aufsatz *Étalages*). Es werde nichts mehr verkauft, das
Publikum sehe sich seine Sonnenuntergänge ohne literarische
Einführung an:.. eine herrliche Reklame war für die Literatur-
Großbörse diese angebliche unselige Marktlage des Romans (von
der Lyrik war dabei nie die Rede)! Nach Presse-Echo, Interview
und Gestikulation hätte man glauben können, es handle sich um
einen Bankkrach, so angelegentlich eiferten die Schriftsteller den
Bankiers nach. Als sei ihre Lage von Baissen und Kursstürzen abhängig! In Wirklichkeit herrscht eine durch den Aufschwung der
Tagespresse gesteigerte Überproduktion, und das *Schaufenster*
ist aufdringlicher, ausgedehnter als je; welche Entartung die
neuere Fensterwerbung durch Massen-Architekturen von Bücher-
türmen und -säulen! Neuerscheinungen brachte man früher im
Winter heraus, heute spekuliert die Büchermesse bis in den Sommer hinein: die gebildete Dame kauft sich für die See ein Frei-
luft-Büchlein, und ihre behandschuhte Hand hält es zwischen
ihre Augen und den Meeresstrand,[2] so wie die ungebildeteren Ja-
panerinnen oder Spanierinnen sich durch den poetisch bemalten
Fächer von der Landschaft ringsum isolierten. Nur daß diese
ihr unbewußtes Lebensentzücken steigern – sogar ein Dichter-
verslein auf dem Fächer wäre da ja überflüssig –; wogegen der
zerstreuende Roman den Menschen weder zu sich noch zu den anderen führt, sondern ihn zweideutig im wertlosen Nichts, zwischen beiden hält; sein ganzer Ehrgeiz ist es, die sattsam alltägliche Begegnung eines Herrn A mit einem Fräulein B vorzu-
führen. Gewiß, Horizont und Schauspiel des Alltags soll der
Gegenstand der Dichtung sein und nicht dem gähnend verwahr-

losten Durchschnittsgeist überlassen werden. Aber es soll durchseelt werden. Die Alltagssprache soll durch Besinnung auf ihren
ursprunghaften Sinn geläutert und geprägt werden — sei's in der
Versform, wo allein durch die Einrückung auf dem weißen
Druckfeld schon die Worte adliger wirken, sei's in einer ungreifbar musikalischen Prosa-Rede, welche die Kunst des Verschweigens verstünde.

Die Presse wird durchaus als lebenswichtige Elementarmacht
anerkannt, solange sie nicht — neben *propagande d'opinion*, neuesten Nachrichten, Reklame — die Kunst als Magd in ihren Dienst
zwingen will; oder solle damit etwa die einstige Geburt der Zeitung aus dem Literaturwerk unterstrichen werden? So wie manche
Mietskasernen sich auf einen Juwelier- oder Seidenladen im Erdgeschoß etwas zugute tun, so solle hier durch die Rubrik *Unter
dem Strich* (französisch „rez-de-chaussée") verwischt werden, daß
die Zeitungen des eilenden täglichen Geschehens halber existieren! Unerbittlich zieht Mallarmé die Grenzlinie zum Köstlichsten
und Hohen, zur Dichtung. Blättern im Buch rauscht von flüggem
Denken: eine Parodie darauf ist das Auffalten der Zeitung; ihr
Format „macht den BAND, das heilige Format, zur Kanaille", und
das Gebrüll der Zeitungsausrufer ist dieser heiligen Schöpfung
„bloßgelegte, würdelose Zunge, die sich zum Straßentreiben hin
reckt". Der reine Dichter[1] würde seinerseits, fern von Weltläufigkeit, breiter Wirkung, Kassenerfolg, seinen wenigen Lesern, die er alle von Angesicht kennt, sein Manuskript auf persönliche Art darbieten, . . auf Altholland- oder Japan-Papier, im
Ornat strengen Buchschmucks, ohne Reklame oder öffentliche
Anzeige. Da ja selbst der geschäftstüchtigste Dichter doch nie
die Einnahmen etwa eines Ingenieurs erreichen wird, wozu also
noch länger dieser ungleiche Wettstreit? Wozu mit Dingen feilschen, die ohnehin nicht „gehen"? Wenn andrerseits der Verleger heute über sein geringes Ansehen klagt, so liegt die Schuld
nicht etwa darin, daß er zu wenig geschäftstüchtig wäre, sondern
daß für ihn der Gedanke an ein Ausnahme-Werk unvorstellbar ist.

Aus dem Gesagten geht hervor, weshalb die äußere Gestalt
des *Buches* für Mallarmé — ohne daß er deshalb eine besondere

Buchstabentype hätte erfinden wollen wie George — nicht ein spielerischer oder snobistischer Ausstattungsschmuck war, sondern eine Satzung, ein Glaubensbekenntnis. Bis auf die Spitze getrieben erscheint dieser Standpunkt in einem der Widmungsgedichte, wie Mallarmé sie über jene kalligraphischen Abschriften seiner Werke zu setzen pflegte, welche seine Verehrer sich gerne anfertigten.[1] Seine Dichterarbeit habe ihm zwar noch keine Lorbeeren gebracht (symbolassoziativ: vom Licht seiner Lampe sei noch kein Ruhm an seine Schläfe und den graumelierten Bart übergestrahlt); daß aber seine Gedichte hier in der buntfarbigen Kalligraphie eines alten Messebuchs abgeschrieben wurden, das sei *Ruhm*. Das schöne Papier, Grab und Leichentuch zugleich für sein geisterhaftes Sein, enthalte etwas wie Schwingungen der Unsterblichkeit, seitdem es, dem Buchkünstler gehörend und von ihm allein durchblättert, in der Gestalt eines gotischen Evangeliars gebunden vorliege! — Mallarmé liebte die würdige Form des Bandes nicht als Selbstzweck, wie die meisten Bibliophilen, sondern als den Adelsschild für die Würde der Dichtung. Es ist die These, die er sich in Lob und Tadel zuschreiben ließ: alles existiert, damit es letztlich ins BUCH münde.[2]

Damit beginnt sein Bekenntnis *Le livre, instrument spirituel*, in welchem er aus dem äußerlichen symbolisch den inneren Gegensatz des hohen Buches zu der stets „auf dem Sprung" (als *point de départ*) befindlichen Zeitung ableitet. Einmal habe er auf einer Gartenbank heiter dem Spiel des Windes in den Blättern eines Buches zugeschaut, als die danebenliegende Zeitung vom selben Wind wie ein wertloser Fetzen durch den Garten weggezerrt wurde,... sich schließlich gar über einen Rosenbusch stülpte, gleichsam eifersüchtig auf das stolze Glühen der Rosen. Und geradezu metaphysisch bedeutsam scheint ihm der Unterschied des Großformats der Zeitungsblätter zum Buch, dessen dicht geschichtete Faltung wie das winzige Grab der schöpferischen Seele anzuschauen sei. Die Zeitung bietet das Papier und den krassen Ablauf des Textes im Rohzustand sowie die aus dem Ärmel improvisierten, noch tintenfeuchten Manuskripte. Der Rahmen ist gegeben, ohne Beziehung zur Qualität: Format, Zeitungskopf, Leitartikel, der stammelnde Jahrmarkt der zusam-

menhanglosen, geizig verstümmelten Annoncen; schließlich die
Feuilletonspalten als ein lebloser Mülleimer für beliebige Interes-
senten. Dagegen nun der Reiz eines unaufgeschnittenen Bandes!
Geballte Kraft zu jederzeitigem Aufflug schlummert in den ge-
heimnisbergenden Seiten. Nicht breitmöglichste Auflageziffer,
sondern rituale Weihung der Alltagsworte und -lettern durch den
Hauch des Unendlichen, Schaffung eines beweglichen umfassenden Spiels der Beziehung. Fern von drucktechnischen Zufällen
erweist sich das Wunder der Buch-Einheit in geschlossener Ganzheit: aus unbewußtem Ur-Wissen steht für den Dichter von vornherein sogleich Platz, Seite, Linienhöhe eines Einzelmotivs fest,
oder die Stelle irgendeines Verses in einem Sonett, auch wenn es
erst in Gedanken konzipiert war.

Der Dichter des *Würfelwurfs* hat in seinen letzten Jahren die
Mystik des Buches als eines *Musikinstruments des Geistes* über-
spannt. Um dem unorganischen Zeilenabreißen beim Hin- und
Herfliegen der lesenden Augen zu entgehen, wollte er ein musik-
erfülltes Lesen ermöglichen, das Raum ließe für ein musizieren-
des Weiterträumen mit geschlossenen Augen, wie etwa der Kla-
vierspieler es kennt. Nicht weniger störte ihn das entjungfernde
Aufschneiden eines bisher unangetasteten Buchs (der Zeitung
bleibt es erspart, so mechanisiert sie sonst ist), weil das Falz-
messer wie ein blutendes Opfermesser barbarisch besitzergreifend
die dem Werk immanente Gesetzmäßigkeit, einige Seiten aufschlagen zu können und andere nicht,[1] zerstöre. Daß einem einzigartigen Werk zuliebe die Konventionen unseres Buchdrucks
einmal übertreten werden dürften, wird man dem Dichter gerne
zugestehen. Und gewiß könnte sich mancher daran begeistern,
auf jeder Seite und jedesmal in anderer Linienhöhe fettgedruckt
nichts als einen großen, tiefen oder heißen Satz vorzufinden, der
umrankt wäre von erklärenden oder weiterspinnenden kleinen
Nebenstücken. Nur täuschte sich Mallarmé in der Hoffnung, die
modernen Leser würden die leeren Druckflächen im *Coup de Dés*
mitlesen; sie überspringen sie. Damals aber, im Sommer 1895,
als Mallarmé noch nach Gesinnungsgenossen forschte, die glei-
cherweise, jenseits von Prosa und Vers, eine neue dekorative
Druckform anstrebten, sprach er erst verschleiert und verhalten:

nur entfernte, aber eindringliche Andeutungen ließ er für die Staunenden aufflattern, so wie ein weißer Schmetterling die Gedanken derer, die ihm nachblicken, in ferne Traumländer entführe (Div. 279; P⁵, 382).

Die auffällige Bemühung des Alternden um einen wenigstens äußerlich untadeligen, wesenhaften Wuchs der Buchform ist die würdevoll bescheidene Folge seiner Erkenntnis, daß er selber nur eine zusammenhanglose Reihe von Gedichten habe schaffen können, „ein Album, kein Buch" (an Verlaine, 16. 11. 85). Freilich wußte er die Unmöglichkeit seines marmornen ganzheitlichen Ideals, schon als er es entwarf. „Ein Buch der Baugesinnung und Planung, und nicht eine Sammlung von Zufallseingebungen, wären sie auch des Wunders voll; noch weitergehend möchte ich sagen: das BUCH, .. aus der Überzeugung, daß es im Grund nur Eines gibt, das jeder, welcher schrieb, unbewußt anstrebte, sogar die Genialen. Die orphische Deutung der ERDE, die des Dichters einzige Pflicht ist und das ausgesprochenste dichterische Spiel" (ebd.). Als er Ende 1896 seine verstreuten Prosastücke in dem Band *Divagations* vereinte, empfand er es noch einmal schmerzlich als unarchitektonische Häufung, als Journalistenarbeit. Und doch durfte er in der Vorrede, das Buch entschuldigend, sich zumindest auf eine Einheit berufen, diejenige des Gedankens und der Idee.[1] In einem demütigen Sinnbild für des „Menschenwillens *Quantum satis*": Auch aus einer alten Klosterruine spreche zum Wanderer die Lehre des unzerstückten Gesamtbaus. Nein, antwortete ihm Rodenbach (28. 1. 97), ein Dom sei es, — der zwar, weil es auf dem Papier nicht anders möglich sei, nur zerstückt bestehe, aber von dessen Steinen noch mancher Dichter einen zu sich stecken werde.

Adlige Kunst

Sein künstlerisches Wollen versuchte Mallarmé zum erstenmal im Jahre 64 anderen und sich selbst zu erklären. Es geschah in dem temperamentvollen Manifest *Hérésies artistiques*, in Frankreichs vornehmster Kunstzeitschrift *L'Artiste*. Noch bedient er sich hier, Paul Bénichou hat es trefflich gezeigt,[2] der abgegriffe-

nen Antithesen, wie er sie bei den Zeitkritikern antreffen konnte.
Insbesondere knüpfte er an jenen Begriff des Philisters an, der
sich häufig bei Menschen findet, die halb im Süden, halb im
Norden heimisch sind, von Brentano bis zu den Brüdern Mann.
Ein grämliches Abgestoßensein vom „Vulgären" (diesen Begriff
führte Germaine de Staël ein) erinnert bisweilen an misanthro-
pisch kleinmütige Seiten bei Leconte de Lisle; nicht aber an die
Überlegenheit, mit der 1859 Baudelaire (in *Gautier*) zwischen
dem *ton populacier* des Popularitätsdrangs und dem Isolierenden
des aristokratischen Geschmäcklertums abgewogen hatte.

„Alles Heilige und was heilig bleiben will, umhüllt sich mit
Geheimnis", beginnt Mallarmés jugendliche Abhandlung über die
Dichtkunst. „Ich habe oft gefragt, warum einer einzigen Kunst,
der größten, dieser notwendige Zug versagt wurde. Sie ist ge-
heimnislos gegen die geheuchelte Neugier, abschreckungslos gegen
die Pietätlosigkeit unter Lächeln und Grimasse des Unwissenden
und des Feindseligen." Wie gut, meint er, haben es die religiösen
Kulte, auch die Musiker mit ihren Noten, „diesen gespenstigen
Zügen strenger, keuscher, unbekannter Zeichen". Oder die Gemälde eines Rubens oder Delacroix, an denen die meisten Besucher zerstreut vorüberwandern. Falle aber der Name Shakespeare oder Goethe, so fühle sich jener Typ, welchen die moderne
Eitelkeit in Ermanglung von anderem den *citoyen* nennt, alsbald
zum Mitsprechen angeregt. Warum muß ein Meisterwerk wie
Baudelaires Gedichtband, gleich irgendeinem Schreckensschmö-
ker, jedem ersten besten zugänglich sein, dessen Eintrittskarte
das ABC-Buch bildete! „Seitdem es Dichter gibt, wurde zur Fern-
haltung dieser Lästigen keine unbefleckte Sprache errungen —
hieratische Formeln, deren trockenes Studium den Profanen blind
macht und den schicksalhaft Gepackten, *patient fatal*, anspornt..
O ihr goldnen Schließen der alten Messebücher! O ihr nie ver-
gewaltigten Hieroglyphen der Papyrusrollen!"

Alles werde dadurch schlimmer, daß zum Ideal der soliden
„instruction", zum *homme instruit, complet*, gehört, Homer zu
„beurteilen" und Hugo zu „lesen". Dadurch werden diese Märtyrer des Schulunterrichts — und die Poesie überhaupt, die doch
als Kunst „ein für seltene Individualitäten zugängliches Myste-

rium" ist –, „auf die Ebene einer Wissenschaft erniedrigt". Das
bedeutet, daß die Dichtung als einzige von allen Künsten unzähligen Schülern, die besser etwas Praktisches trieben statt über
Vergil zu gähnen, zwangsweise einverleibt wird, „denn schwer
läßt sich unterscheiden, unter dem Wuschelhaar welchen Schülers der sibyllinische Stern mählich leuchtet". Das Ergebnis? Die
Wirkung jeder Kunst, die Bewunderung, begegnet hier lau, verschwommen und dumm, und die Poesie wird behelligt vom Ge-
bell der herrschsüchtigen Meute der bloß Intellektuellen.

An irgendeine gemeinsam geschöpfliche Grundlage des Künstlers und der Menschheit vergaß der Zweiundzwanzigjährige zu
denken. Der Kunstbegriff der *Parnaß*gruppe hat hier die Menschheit hoffärtig in zwei unvereinbare Rassen aufgespalten – später
bei Thomas Mann begegnet man ihnen anthropologisch durch-
säuert allenthalben wieder als den Vielspältigen, den Zersetzungs-
kundigen des alpinen Zauberbergs und den Unzerspaltenen, hoffnungslos Gesunden des nördlichen Flachlands. Zwar mildert der
junge Mallarmé das Negative an seinem Ausblick auf die Menge;
aber nur weil Rekriminationen unwürdig der „sérénité du dédain" seien, weil der Philister sie ja doch nicht beachte und weil
zu den ohnehin zahlreichen falschen Freunden der Dichtung noch
die Menschen hinzukämen, die nur eben nicht gern zu einer Mehrheit gehören. Aus diesen Gründen „handeln gewisse Schriftsteller
falsch und am unrichtigen Ort draufgängerisch, wenn sie mit der
Menge wegen deren albernem Geschmack und deren nichtiger
Phantasie rechten. Wenn Baudelaire treffend sagt, daß ‚die Menge
beleidigen, sich selbst zur Canaille machen heißt', so muß der
Inspirierte diese Ausfälle gegen den Philister verschmähen". Der
Dichter muß sich bewußt sein, daß er das Ausnahmewesen und
die andern die Norm sind; machen sich etwa die Engel in der
Bibel über die Menschen lustig, weil diese keine Flügel haben?
Immer noch besser Profane als Profanatoren. Zu ihnen rechnet
er auch die Dichter, die durch billige Buchausgaben um größere
Leserzahlen buhlen. Als Mensch könne man Demokrat sein, als
Künstler aber gelte es, Aristokrat, Adliger zu sein. Die Autoren
der billigen Ausgaben werden zur Strafe Schullektüre werden.
Und die Leute werden gerade ihre schlechtesten Stellen rühmen,

diejenigen ohne den „hohen Duft der überlegenen Vornehmheit,
der euch umschwebt"; so wie sie von Victor Hugo den *Moïse*
preisen und *Ma fille, va prier* statt des *Faune* oder der *Pleurs
dans la nuit*. „Ihr denkt vielleicht an Corneille, Molière, Racine,
die populär und berühmt sind? — Nein, sie sind nicht populär:
ihr Name vielleicht, ihre Verse nicht. Die Menge hat sie einmal,
das gebe ich zu, gelesen, ohne sie zu verstehen. Aber wer liest sie
zum zweitenmal? Die Künstler allein." Und er endet, man möge
das sittlich Gute vulgarisieren, nicht aber die Kunst. „Mögen die
Massen die Moral lesen, aber gebt ihnen bitte nicht unsere Poesie
zu schmecken. O ihr Dichter, stets waret ihr stolz; seid jetzt
mehr, werdet wegwerfend (dédaigneux)."

Daß Mallarmé reifer wurde im Sinn des eines Dichters allein
würdigen Eindringens in die seelische Lage der kunstfernen Mitmenschen, das läßt sich nicht allein an seinen Dichtungen zeigen,
sondern auch an seinem Kunstbegriff. Schon zehn Jahre später ist
seine innere Widerstandskraft gewachsen, und er bedurfte nicht
mehr des Schutzes der Schroffheit und künstlicher Mauern.
Schwerlich entging ihm, daß die Dichtung des Abendlandes seit
1820 beinahe nur noch im Realistischen stark und echt war.

Die idealistische Poesie, die Darstellung des Wesenhaften, behielt zwar wie zuvor den höchsten Sitz, der ihr gebührt (wehe,
wenn sie ihn verließe). Doch wie sehr nachgeboren und hohl sie
wurde, entging dem breiten Publikum in erstaunlichem Maße.
Wenige damals haben so wie Mallarmé darunter gelitten, daß der
einstige „natürliche Einklang" der Tracht mit dem Volk, des
Schmucks mit der Schmuckträgerin heute zerstört scheine, „mit
Ausnahme der Völker, die in jedermanns Auge Barbaren blieben,
oder noch bestimmter Bauern, die bei uns als widerspenstig
gegen die Zivilisation angesehen werden. Die Zivilisation! Besser:
die Zeit, aus der fast jede schöpferische Kraft entwich, im
Schmuckgewerbe wie in der Möbelindustrie; und in beidem sind
wir gezwungen, auszugraben oder zu importieren". Es gälte nicht
den Tand der Asiaten zu importieren, sondern die Herzenseinfalt
seiner Schöpfer; nicht den Theaterprunk des Mittelalters auszugraben, sondern die Kühnheit, mit der man ihn damals trug. So
in *Dernière Mode*.

In einer entarteten Gesellschaft „ohne Festigkeit, ohne Einheit" (zu Huret) empfanden sich die meisten Dichter als Heimatlose, deren jeder sich seinen eigenen Weg zu suchen hatte, abseits von den verflachten Banausen und den Kupfermünzen[1] ihrer lauen Rede. „Sagbar ward Alles: drusch auf leeres stroh" (George). Diese, die Beschenkten, hatten zum Werk hinaufzuschauen, nicht dieses hatte sich anzubiedern mit dem „Pöbel, der nicht versteht, wenn wir Kunst machen" (Rich. Wagner, Ges. W. I, 225). Die Literatur andererseits stand in der ihr wesenseigenen Gefährdung, nicht nur jenen verbildeten Janhagel, welcher Rodins „Denker" mit Axthieben zerschlug, auszuschließen — sondern das Volk überhaupt; aus Hochmut, aus Eigenwillen, aus Herzenskälte. Warum denn eine Scheu vor dem Phrasengeplätscher der Presse, da doch V. Hugo daran wenig Anstoß genommen hatte und, dessen unbeschadet, durch sein robustes Dichterungestüm alle Bedenken schweigen hieß? Mallarmé besaß nicht das Temperament Hugos, und er schloß das Jahrhundert ab, das jener begann. Die Zeit rief ihn an ein anderes Amt. Mallarmé hatte die Hoheit des Buches zu hüten. Er hat in Wirklichkeit bald über Volk, Erbe, Sprachbild weit mehr nachgesonnen, als der schöpferisch-bedenkenlose Hugo es jemals tat oder irgendein „Regionalist" oder „Populist". Was er an Wesenhaftem, Gestrafftem zutage förderte, widersprach fast schmerzhaft dem Gewohnten und Schalgewordenen. Doch eben darin fand er die Berufung zu seinem Schatzwächteramt, das er mit beispielhafter Redlichkeit, Bescheidenheit, Selbstlosigkeit betreute. Sein Stil sollte ein kategorischer Imperativ sein. Bei jeder Lektüre wird das Erzieherische in diesem Wollen spürbar: dem Leser die Lider des inwendigen Auges zu öffnen. Weil dabei geduldige geistige Sammlung vorausgehen mußte, hat er den Gehalt seiner Sätze sinnreich umzäunt.

So nennt — ich folge den ersten Seiten von *Le Mystère dans les lettres* (1896) — der Dichter ganz offen dieses als ein Bemühen: den Müßiggängern, die hastig alles „überfliegen" wollen, die erfreuliche Schein-Erkenntnis zu erleichtern, in diesen Schriften sei nichts, um dessen willen sie verweilen müßten; zu diesem Zweck gebe er seiner Sprache nach außen irgendeinen korrekten

Sinn. Wenn freilich der verborgen dahinter funkelnde Inhalt von
einigen mißtrauischen Unberufenen geahnt wird, verbitten sie
sich stirnrunzelnd, mit Unverständlichem gefoppt zu werden.
Und weh dem Dichter, der sich getroffen gäbe: hämisches Wit-
zeln, *esprit de litige*, wird ihn, heutzutage zumal, erdrücken. Doch
diese Leute sind nicht das Volk; Mallarmé gibt sich keineswegs
mit etlichen *happy few* zufrieden. „Irgendein Verborgenes muß
es in der Tiefe eines jeden geben; unerschütterlich glaube ich
an etwas Unzugängliches, Verborgenes, Heimliches beim gemeiniglichen Menschen." Das klingt anders als die *Ketzereien* zwei-
unddreißig Jahre zuvor.

Gewiß, er weiß, sobald die Menge dies Geheimnisvolle greifbar, etwa auf einem Bogen Papier, vor sich sehe, leugne sie in
eifriger Empörung jeden inneren Anteil ab. Er selber habe es ja
erlebt: sobald ihn, den Dichter des Verschwiegenen, die geschäfts-
tüchtigen, leichtgläubigstes Vertrauen genießenden Gewährs-
männer einmal bei der Menge angeschwärzt hatten, konnte er
fortan sagen, was er wollte, und sei es ein harmloses *Ich möchte
mich schneuzen:* alsbald witterte man unverständliche Flausen
und kehrte ihm mit jähem Ruck der Röcke den Rücken. Doch zu
ihrer Verständnislosigkeit ward die Menge — sie, die doch immer
wieder neue Genies gebiert! — allein durch jene Gewährsleute ver-
bildet und verhetzt, denen als vernünftig nur gilt, was nicht hintergründig, nicht von Dunkel umwittert ist. Alle Dichtungen
schrauben sie mit winselndem Knicksen auf den einen Maßstab
zurück, ob die geschätzte Leserin dabei mitkomme oder nicht.
Verdammen sie etwas als „dunkel", so sparen sie sich zudem
auch von vornherein die Mühe des Beurteilens, und können doch
dabei heuchlerisch offenlassen, ob sie selber nicht doch mit-
kämen. Und das eigene literarische Schaffen dieser skandalös
gewalthaberischen Schriftkritiker (Mallarmé schweigt über ihre
Namen), ist dies nun zumindest etwas wert? Im Stunden-
tarif hingeschmiert bieten sie eine unrettbar vordergründige
banale Welt aus, weil vom Flachen die geschwindeste Wirkung
zu erwarten ist. Roh und abgeschmackt noch in der Nachahmung; .. aus einem beglänzten Lustgarten ersteht eine trostlose Pfuscherwelt voller Flaschenscherben, ohne heimliches

Springbrunnrauschen, ohne grüne Wipfel. Selbst der Verlagsreklame graust es.

Der einzige unter ihnen, mit dem Mallarmé abrechnete -- das Folgende nach *Oxf. Cambr. p. 58f.* --, wenigstens soweit „eine Allgemeinheit in den Aussagen gewahrt" blieb, war Th. Herzls zionistischer Mitkämpfer Max Nordau, der in seinem subalternen Buch *Entartung* (1892) mit nicht zu überbietender platter, „gesunder" und „vernünftiger" Philistrosität alle wesentlichen Schriftstellerköpfe des heutigen Europa herabzuhauen versessen war; „der eine Richard Wagner ist allein mit einer größeren Menge Degeneration vollgeladen als alle anderen Entarteten zusammen".. usw. Durch Zeitungen erfuhr Mallarmé, daß er in ähnlich unflätigen Ausdrücken dort[1] verfemt ward wie Ibsen und Maeterlinck, wie der *blödsinnige* Rossetti und der *geisteskranke Fanatiker* Ruskin, als ein jämmerliches Gespenst in abbröckelnden Ruinen (wogegen ihn kurz darauf französische Journalisten als den Mitverschworenen von erschrecklichen Dynamitattentätern darstellten!). Dieses pervertierten Windmühlenkämpfers erpichter Eifer, das allgemeine Fehlen von Fähigkeiten nachzuweisen, und der Steinhagel seiner Ausdrücke *Idiot* und *Narr* (selten gedämpft zu *Dummkopf* oder *Irrer*) wider den hochmütigen Geistesadel, der angeblich Europa bedrohe, entlockten Mallarmé ein Schmunzeln. In einem Punkt stimme er diesem *Vulgarisator* zu, der, mit himmelschreiender wissenschaftlicher Verbrämung, alle religiösen und künstlerischen Menschen ins Irrenhaus schicke: Nie schafft die Natur das voll ausgewachsene, fertige Genie; es wäre kein Mensch mehr. Sondern sie berührt den reich Beschenkten gleichzeitig heimlich und raubt ihm fast ganz die Fähigkeiten des Kritikers oder Richters,.. nicht ohne mütterliche Zärtlichkeit. Mit dieser Schwäche und dank ihr wächst der Erkorene zur Erfüllung auf und läßt freilich den großen Schwarm seiner Brüder zurück wie einen Abfall, vergleichbar den Wahlzetteln nach durchgeführter Abstimmung. Nordaus Irrtum sei, alles als Abfall zu behandeln. Man sehe daraus, wie wenig die feinen Ausgleiche der Physiologie und des Schicksals in die plumpen Hände eines vielleicht zum Bootsmann oder Monteur geborenen Menschen gehören. Als solcher hätte er nämlich, einem richtigen Instinkt folgend, das schlichte heilige Wirken der Natur in einem Punkt begriffen: er hätte sein Buch nicht geschrieben! — Die Verschmelzung von Ironie (der *entartete* Verfasser der *Entartung!*) und tiefem feierlichem Ernst in Mallarmés positiven Sätzen über ein Negatives ist etwas ganz Eigenartiges in der Geschichte des Schrifttums.

Als Widerpart dieser nivellierenden Afterbildung, des unverantwortlichen *selbstarmen* Haufens hat Mallarmé das Wort von einem geistigen Adel gesprochen, fast als einziger Franzose seiner Zeit. Sein schöner Aufsatz *La Cour,* dessen Gedanken im folgenden wiedergegeben werden, schickt voraus, daß die heldischen Fanfaren einer Symphonie ihm *adliger* blitzten als etwa der Klang eines tatenberühmten Vorzeitnamens. Entsprechend einem Adelsbegriff jenseits des Standes war ihm überpersönlicher Ruhmesglanz, traumhafter Ahnenstolz nur jenseits von Geld und Gut denkbar .. auch bei denjenigen, die etwa besaßen, was das Schicksal den anderen verwehrte. Kleinliche Unterscheidungen mit weitgebreitetem Fittich zu überdecken, das ist der erste Beweis von Hochwertigkeit, zugleich Voraussetzung für eine Kunstschöpfung. So denkt also, trotz des ermutigenden Gemurmels etlicher Zeitgenossen, Mallarmé nicht an eine Rückkehr zum exklusiven Adel. Aber gegen den Gleichheitswahn des Kunstgenusses nimmt er entschlossen Stellung, frei von Geringschätzung und Illusion. Man habe den Massen eingeredet: Alles ist verpflichtet, euch zu gefallen, .. und dann habe man sie, mangels greifbarer Erfüllung, auf die Kunst losgelassen. In Wahrheit gebe es für einen Händler, einen Erdarbeiter nach ihrem harten Tagewerk nur noch den Schlaf, nur noch den Traum vom Lebensunterhalt; und doch sind sie, mögen sie auch das Unsterblichkeitsleuchten in den Sonnenuntergängen nicht gewahren, der gotthaften Ursprünglichkeit noch ganz nah, .. der Garbe, aus welcher das Brot wird.

Doch ohne ihnen das Glück der Ruhe zu vergönnen, welches ihr schlichter Arbeitssegen verdient, habe man sie, statt ihnen zu essen zu geben (der soziale Mallarmé!), zum Sturm auf die Kunst geködert. Wie eine chinesische Mauer gegen ein künftiges Kunstwollen errichtete man vor dem Schleier der Lüge, in Massenformat, eine Tempelattrappe aus vergoldetem Gips. Zwar ödete

sie im Grunde alle an, denn in jedem glomm die Erkenntnis: ist
dies das Mirakel, lieber keines! Doch schwor man ihnen — zum
Glück nicht immer mit Erfolg —, zur Krönung des lärmenden
Hochgefühls bedürfe es der Kunst. Die Kunst, durch ihre Zucht
und Strenge jedem Umtrieb fremd, hatte ja noch gefehlt in dem
für Gaffer ohnehin so reichhaltigen Jahrmarktszug, dessen tägliche Beschreibung behaglich der Zeitung zu entnehmen war
(dieweil man vor den Tragödien im eigenen Innern die Augen
schloß): Zusammenbruch eitergedunsener Banken, explodierende
Höllenmaschinen engelreiner Sozialreformer, und zwischendurch
Ministerkrisen in der Zugluft nervöser Parlamente. . .

Weh nun, wenn der große Haufe, verblendet durch den Kriti-
kerklüngel, sich anmaßte, das Auftauchen eines wahrhaft *Erwählten* abzuwenden! Wo doch alles nur dem einen dienen sollte,
daß Er frei und ungehemmt sich enthülle, schaue, wisse und
seine Würde mit einem Meisterwerk bekräftige. Niemand hat
über Ihn zu entscheiden, den Mann des Anfangs und des Endes.
Das *Volksganze*, la totalité populaire, läßt sich nicht in noch so
vielen und großen Tempeln auffangen. Sondern darin allein, daß
ein einziger, und sei es der Ärmste, Bedrängteste, Letzte, zur Pil-
gerschaft erkoren werde und zum Sittlichen Stellvertreter aller
wachse. — Auf die Einwände: aber wer bestimmt das?, warum
trifft die Wahl gerade diesen und nicht ebensowohl jenen? erwidert Mallarmé: beide, und warum nicht noch weitere! Statt an
den Erwählten denkt ihr töricht an einen durch mechanische
Stimmabgabe Gewählten, weil euch bei der *Wahl* bangt vor dem
Mitwirken von etwas Unfaßbarem, Göttlichem! So enthüllte Mallarmé (und George ist ihm in all diesem gefolgt) neben der viel-
berufenen parlamentarischen Ordnung eine „aristokratische".
Doch hat diese Wendung gegen die Nivellierung nichts gemein
mit einem vaterländisch verkleideten individualistischen Hochmut. Versöhnlicher als Nietzsche, Barrès, George oder D'Annunzio fand er, das ewige Antlitz des Volkes beruhe in der wechselseitig bedingten Spannung eben der beiden zusammenprallenden
oder sich durchdringenden Ordnungen. So untrennbar, wie die
antike Münze auf der Oberseite eine heiter hohe Gestalt trage und
auf der andern Fläche die grobe gebrauchsbestimmte Ziffer!

Dieses nun ist die Bedingung des Geistesadels: weder aus einer
Tradition läßt sich eine Elite fortpflanzen noch durch einen
Machtspruch. Sie entsteht auf den Wink einer heiligen Gewalt,
welche dem Winde gleicht, der an einer Stelle nur umreißt und
zerfegt und anderswo schimmernden Staub in köstlicher Schwebe
hält. Nur das Publikum bleibt dasselbe, im Harren auf eines
Meisterwerkes Einladung zur Schönheit. Wenn dann der
Schöpferische im Saal erscheint, so wird es ihn nicht zu
Vorstandstisch und Ehrentribüne ziehen: ohne Namen und,
gleich dem Dirigenten, von rückwärts zeigt er sich, solange
die Eingebung strömt; und dünkt es ihn gut, verschwindet er in
der Menge.[1]

In diesem Sinn also gibt es heute gleichfalls einen HOF, wenn
auch nicht mehr als Gewimmel um einen Monarchen, und sei er
selbst ein König des Geistes zugleich. Und gibt es den *höfischen*
Menschen, ..welchen man jüngst, in törichter Begriffserweite-
rung des nichtadlig Geborenen, s[ine] nob[ilitate], mit dem (von
Thackeray definierten) Studentenspitznamen *snob* benannt habe.
Der Treubund der Freunde, einerlei ob Männer des Gedankens
oder der Tat, bildete den Kreis. Ursprünglich in gemeinsamer Bewunderung für die MUSIK als das dunkle Tor zu unergründlicher
Erhebung; sie, deren Mallarmé schon im Eingangssatz gedenkt
(*Div. 350*), gilt ihm als die eigentliche Bahnbrecherin. Dem
Nahen der großen Kunst freudig entgegenzufiebern, zeugt von
Mut und Wertempfinden. Zumal bei dem so häufig enttäuschten
Warten; es pflegen ja nach anfänglicher Werbung die Meisterwerke oft so zu tun, als kehrten sie sich finster ab: um die allmählich geneigter werdenden Schlafmützen der Wartenden mit
einem Funkeln der Lächerlichkeit zu übergießen. Wie müßte
Kunst empfangen werden? Gründet man eine Siedlerstadt, so
wird, noch bevor Justizpalast, Tempel oder die stockwerkweise
geschichteten Bewohner zu sehen sind, eine inbrünstige, zuweilen
künstlerisch verklärte Weihestunde als Bedürfnis empfunden!
Und Mallarmé schließt mit heiterer Ironie die Bratenröcke kunst-
erpichter Honoratioren in sein Schlußcapriccio ein: „Bei solchen
Gelegenheiten, einerlei wem die Ehrung gilt, ist dann auch voll
an seinem Platz das Meer der (nicht schwerwiegenden) Zylinder-

hüte, glatzendeckende Platt-Form des *Égalité*-Ideals und aufschwungbereit bei jedem Vivat."

Schon fünf Jahre zuvor hatte Mallarmé solchen Gedanken nachgehangen, im Sterbezimmer dessen, der für ihn Inbegriff eines adligen Dichters war, seines selig-unseligen Freundes Auguste Villiers. Ich gebe sie nach dem III. Teil der Studie *Villiers* wieder. Es waren Gedanken, so berichtet Mallarmé, des Mannes würdig, der, „jede andere Verwendung als die seine in der Welt ablehnend, nichts hatte sein wollen als derjenige, als welcher er seit Urzeiten unabstreitbar und gemäß einer Vereinbarung zwischen seiner entbrannten Berufung und seinem Unstern geboren war". Welcher Art Gedanken? Obwohl ein Dichter nicht dem Kunstbedürfnis der Masse dienstbar werden kann und die Nation am besten freimütig zugäbe, wie leicht sie auf Kunst zu verzichten vermag, so sei doch Eines zu erinnern: „Wenn die Menge nach allen Richtungen ihre Mittelmäßigkeit ausgetobt haben wird, ohne jemals auf etwas anderes gestoßen zu sein als auf zentrale Nichtigkeit, wird sie heulend nach dem Dichter rufen." Wie die Licht*garben* der Abendsonne metaphorisch an die *Garben* irdischer Erntearbeit sich anknüpfen lassen, so möge die Menge ruhig den Dichter als den Verwahrer und Deuter ihres Leuchtens einladen, damit er den Markt durch ein Feuerwerk erhelle. Da man ihm hoffentlich ein Honorar nicht verweigert, wird er nicht absagen; denn so leicht soll man es sich nicht machen, es der *Nachwelt* zu überlassen, daß sie dem Dichter gerecht werde — „unsere Kinder, was wissen wir davon" —, und sich damit zu trösten, jener Besitzlose werde schon an seinem Ich Genüge haben.

Wie Mallarmé an diesem Sterbebett, nur wenige Schritte von den Fahnen und Lichtern der Pariser Sommerausstellung, an Ewiges dachte, so sucht er zugleich beim Beginn der Wintersaison nach jenen Festen, die nicht mit Straßenumzügen und Zeremoniell gefeiert werden. Was Villiers, nur eben verfeinerter, „mit nichts als sich machte", das biete einem jeden beispielsweise die Einrichtung seines Zimmers — „Grotte unserer Intimität". Es ist voll von Reizen des Anfaßbaren; mit der Nichtnutzbarkeit von Nippes-Gegenständen, in welcher die Frau gleichwohl etwas wie einen Rahmenschmuck für ihre Person entdeckt. Oder mit orientalischen Stoffstücken, die „an der Wand eine entbrannte Fensterscheibe wie eine Leidenschaft" darstellen oder auch die unsagbar stille Träumerei der Hausherrin verdämmern lassen. Oder das Korsett der Dame, ist es nicht wie ein Abbild des Panzers der weiblichen Seele gegen die sturmartigen Krisen des Aufleuchtens und Erlöschens ihrer Möbelwelt und der assoziativen Antworten darauf? Jedes Zimmer wäre freilich nichtssagend und lügenhaft, wäre da nicht — Besuche und Teegeplauder sollen darüber natürlich nicht unterschätzt werden — auch ein geöffnetes Buch. Ein Buch, über das nicht unbedingt gesprochen zu werden braucht — zur „hübschen Untätigkeit der Lippen" bildet ja der Rosenstrauß hier zur Seite ein Gegenstück. Nur dazusein braucht das Buch, ein Gefährte zum Drinblättern, ein „Kästchen des Geistes"; und die sinnschweren Drachenmuster der Tischdecke, auf der es liegt, scheinen ihm zu entquellen gleich arabeskenartigen Sätzen aus Villiers' Schriften.

Der Dichter und das Volk

Der Anspruch einer *adligen* Kunst ist nicht ohne Gefahr. Schon die Skaldenlyrik Islands sah man in sprachlicher Verdorrung und Verstiegenheit enden. In ein dünkelhaftes *Odi profanum vulgus* war mehr als ein französischer und außerfranzösischer Jünger Mallarmés verfallen. Anknüpfend an die beiden Trutzgedichte *Tombeau de Poe* und *Salut* hat man auch ihn selber als „unzugänglich in einem Stolzkloster" dargestellt.[1] Während aber sein italienischer Übersetzer, Vittorio Pica, wohl unter dem Eindruck des italienischen Schrifttumsgeschicks, scharf eine *letteratura d'eccezione*, eine lyrische Auslesedichtung des *Wie*, von einer erzählerischen Volksdichtung des *Was* auseinanderriß, erreichte Mallarmé, wie erwähnt, die Überzeugung, in jedermanns Brust sei dieselbe Sehnsucht nach dem Geheimen anzutreffen. „Der ewige Schatz ist allen offen und genügt dem Glück aller."[2] Er umbuhlte weder noch verachtete er jene, die es nicht nach der Kunst dürstete.

Um an Mallarmés eigenartig passiver Haltung zum Mann aus dem Volk zu begreifen, daß sie nicht kleingläubig oder gleich-

gültig war, sondern anteilnehmend, nicht überheblich, sondern
demütig, nicht kalt oder leichtsinnig, sondern weise, ehrfürchtig,
redlich, und übrigens nicht ohne Humor — „niemand ist jemals völlig idiotisch"[1] —, muß man in seiner sinnbildlichen Parabel *Conflit* nachlesen, wie er, aus der geistigen Sphäre herabgezwungen,
sich mit der Welt des *Zufalls* wesenhaft auseinanderzusetzen
wußte. — Allzusehr war ihm seine stille Einsiedelei in Valvins ans
Herz gewachsen, die Zufriedenheit, die er alljährlich empfand,
wenn es über der steinernen Haustreppe grünte und wenn er den
winterlich eingerosteten Fensterladen aufstieß und die sich bie-
tende Aussicht mit dem erstarrten Erinnerungsbild vom Vorjahr
zur Deckung brachte, als liege keine Zeit dazwischen. Im Frühjahr 1895 aber blieb der Lohn für sein treues Rückkehren aus:
in das Krächzen des aufklappenden Ladens — zum erstenmal bemerkte er, wie wurmstichig der sei — mischte sich vom unteren
Stockwerk her Lärmen, Gassenhauer, Streitgetöse. Richtig ja,
man hatte ihm geschrieben, das untere Geschoß des Ferienhäus-
chens sei heuer an den Schenkwirt des Hôtel des Rosiers verpach-
tet, als Kantine für eine Schar Arbeiter, welche durch einen
Eisenbahnbau die Einsamkeit der Landschaft entweihen sollten.
Er hatte lange beängstigt gezögert, ob er wiederkommen solle
oder nicht, und schließlich beschlossen, das Haus zu verteidigen.
Dessen Entthronung zur Kantine traf ihn selber, so zärtlich be-
trübt es ihn, daß gerade seine Lieblingsstätte jenseits von Zeit
und Alltag am verletzendsten durch die landschaftzerstörende
Fortschrittsentwertung leiden müsse.

Er gewahrt die elf Nebenmieter in einem Graben ausruhend,
Hoch- und Tiefbauarbeiter in blau-weiß gestreiften Trikots,.. die
Samthosen abgenutzt (der Dammbau geht also vorwärts). Wo
immer die Erde ein anderes Gesicht bekommen soll, wimmelt es
von solchen trägen, starken Wanderarbeitern, deren Unabhängig-
keitsdrang lieber die rauheste Witterung erträgt als die Fabrik.
Ohne Scheu und laut treten sie nun in seine Erlebniswelt. Gewiß,
der Lärm verwundet ihn; es bleibt ihm unbegreiflich, warum die
Menschheit vor Geschrei nicht denselben Widerwillen hat wie vor
Gestank. Und doch, als er sie so mit geschultertem Gerät aus-
und eingehen sieht, und als er bei einem Besuch im Gerätekeller

das doppelgeschlechtige ödlandbefruchtende Handwerkszeug, Hacke und Schaufel, in langen Reihen blinken sieht, Ausdruck geballter reiner Arbeiterkraft, da empfindet er neben seiner Verärgerung ein Neues.., kein „literarisches" Gefühl, etwas Religiöses, das ihn fast in die Knie zwingt. Der Dichter gibt einen Einblick in seine Gedanken frei: Nein, sagt er sich, ich kann nicht durch Pochen auf Paragraphen diese Leute ausquartieren, die auf Grund ungeschriebener ortsüblicher Mietskontrakte und sogar unter Bezahlung einer Mietsumme hier eindrangen. Ich darf das Spiel nicht verderben, muß nachgeben; was ich auch vorbringen könnte — gesetzt, ich täte es —, immer klänge ein Ton von Geringschätzung mit, da mir zusammengewürfelte Gesellschaft nun einmal widerstrebt. Oder sollte ich zu ihnen sprechen: „Kameraden! Ihr ahnet nicht die Lage einer Einsiedlerseele in diesem ausflüglerfreien Waldesdickicht mit seinem verborgen bergenden Fluß: in ihr, ganz wie im leuchtenden Säuseln der Luft, bewirkt der Mißklang von Fluchen, Rülpsen und Raufen den unerträglichsten unsichtbaren Riß." Nicht daß ich meinte, auf die elf würde dies Bekenntnis keinen Eindruck machen; jedenfalls würde es schwerlich das sofortige Gelächter auslösen, das ausbräche, stünden statt ihrer elf „Herren" vor mir. Denn diesen einfachen Menschen ist aus ihren Räuschen das Wundersame vertraut und aus ihrer harten Fron die Ahnung von irgendwelchen höherstehenden Wonnen. Vielleicht würden sie in meiner schmerzensreichen Sonderart nicht eine ausgesprochen gesellschaftliche Abgrenzung erkennen (die sie verärgern müßte), sondern die einzelmenschliche; vielleicht gar nähmen sie zeitweilig sich zusammen, .. wenn auch bald die Gewohnheit Sieger bliebe. Oder es erfolgte die ebenbürtige Erwiderung: „Unsereins hat in der kurzen Freizeit das Bedürfnis, zusammenzusitzen. Wer hat gebrüllt, ich, er? Sein Johlen reißt mich auf, rüttelt mich wach. Einen anderen schreien zu hören, wiegt schon ein Freibier auf."

So erkennt der Dichter mit derselben launigen Feinfühligkeit, die ihn anfangs gegen den Lärm aufbrachte, das Notwendige. Sollte er den Sommer wohlwollend gestalten, etwa gar die Angreifer mit eigener Hand in das ihm zustehende, ausgedehnte schattige „Gütchen" führen (es zu kaufen, hatte er hartnäckig

versäumt, ..vielleicht, ganz zu schweigen vom nötigen Kapital,
aus einem Drang, nichts zu besitzen, sich nicht zu binden auf
die Gefahr hin, gestört zu werden wie jetzt, wo ihm der immerhin nicht bloß *zufällige* Verkehr mit Proletariern beschert
wurde)? Oder sollte er verärgert die Beziehungen abbrechen,
einen Zusammenstoß herbeiwünschen? Doch macht er sich zunächst nur auf, wenigstens das selbstbepflanzte Blumengärtlein,
sein wahres Ferien-Wohnzimmer, abzuriegeln; die Arbeiter konnten ebensogut auf einem andern Weg zur Baustelle gelangen. —
Daß er am Gatter dabei mit einer unflätigen Anpöbelung ange-
brüllt wird, bringt den Dichter wider Willen auf. Denn mochte
der taumelnde Hüne, der sich durch das Gatter der Einfriedung
schimpfend hereinbäumte, auch betrunken sein, ein Mann war es
jedenfalls, der ihn da steif und feindselig musterte. Doch wozu
durch einen Faustkampf auf dem Rasen den Klassenkampf illustrieren, da die Trunksucht schon allein diesen geistig nicht zu
werfenden üblen Grobian umlegen mußte.. so unfehlbar, daß
gleichgültig schweigendes Zuschauen fast strafbar schien..

Immerhin, neben matten Stunden der Unschlüssigkeit, Faul-
heit, Verstimmung und dumpf trunkenen Verwirrung gab es auch
Zeiten der Stille. Zumal an Sonntagabenden, in des Dichters Lieb-
lingsstunde, wenn er friedlich die Dämmerungskrise genoß, die
Vertiefung des durchsichtigen Tagleuchtens durch nahende Schatten. Die Kameraden genossen den Abend auf ihre Art, hielten
Zwiesprache zwischen Abendessen und Schlaf über Lohnfragen,
räkelten sich in der Landschaft. Der Dichter, sein Entgegenkommen zu zeigen, verharrte als ein Ausgeschlossener an dem Fenster, mit welchem das alte Häuslein auf den Platz blickte. Nie
kam eine wirkliche Fühlung zustande (vielleicht überhaupt nie
unter Männern). ,,Wir schuften", sprach ein Störrischer, ,,und
die anderen profitieren." ,,Ihr tut's, um euren Unterhalt zu haben", stellte der Dichter richtig. ,,Ja, die Bürger wollen eine
Eisenbahn", sagte einer gleichgültig. Und lächelnd der Dichter:
,,Ich beileibe nicht. Nicht ich rief euch in diese echobergende
Freudenflur, welche ihr Gleichgewicht ebenso einbüßt wie ich
mein Behagen." Zahlreiche solcher Gespräche, bei denen er sich
das Seine dachte, verstummten unter dem Bann des demantnen

Himmelsstroms; die Werkmänner drunten am Boden gaben durch
Schweigen gleichsam die Nichtigkeit ihrer Worte von sich. „Vielleicht arbeite auch ich?" hätte er ihnen noch zurufen mögen. Woran? Von ihnen hätte keiner die Frage gestellt — denn da sie die
Funktion des Rechnungsrats einsahen, respektierten sie den Gei-
stesarbeiter. Wohl aber des Dichters Gewissen. *Wozu* dient es,
im allgemeinen Leistungsaustausch? Und traurig sieht er sein
Schaffen ebenso eitel, *vain,* wie Gewölk und Sterne des Dämmer-
himmels für diese Männer.

Wieder liegt heute abend die Fronkolonne im Gras. Aber besiegt, lahmgelegt, schwunglos, wie Erschossene auf das ewige
Schlachtfeld hintaumelnd und fallend, ein Haufen schlaftrun-
kener Leiber über taubem Lehm. Schon meint der Dichter, am
Fenster lehnend, den Abendhimmel einmal ungestört genießen
und mit dem Blick über seine Quälgeister hinwegsteigen zu dürfen — da dünkt ihn dies irgendwie unschicklich, ungebührlich,
verantwortungslos,.. ein Verstoß gegen sein Dichteramt, das ihn
Dunkles deuten, Schicksalhaftes schätzen heißt. Denn diese Be-
trunkenen fanden ja, anders als die meisten und als viele ver-
möglichere Menschen, nicht Sättigung im Brot allein,.. um welches sie morgen wieder, wie vergangene Woche, stur und stier
grabend, mit jedem Loch (im Dienst eines höheren Gedankens)
auch eines in ihre Lebenskraft bohren. Nein, ehrenhaft halten sie
in ihrem Dasein dem Weihevollen, dem holden Wunder eine
Stätte frei: dadurch daß sie einen zeitweiligen Todesschlaf suchen,[1] wenn auch ahnungslos über Wert und Glanz dieser Feier.
Den freudigen Schönheitssinn, welchen sie vor der hehren Säu-
lenhalle des Hochwalds, im Stolz auf ihr Tagewerk, in schlichtem
Lebensbezwingen und Aufrechtstehen hätten finden können, sie
suchen ihn zumindest noch triebhaft in einer Serie von Fusel-
gläsern — Opfer, nicht Priester dieses Kults,.. Sinnbild, wie des
Menschen Sehnen abstumpft, wird es weniger vom *Willen* als von
dumpfem Verhängnis getragen.

Hier scheint Mallarmés Ahnung einer tragischen Unterlas-
sungssünde der neueren Kunst hervorzutreten: daß keiner diesen Armen half! Zugleich der tiefere Blick, daß diese Hilfe
schwerer sei, als ein Tolstoj wähnte. In einer ganz ähnlichen Lage

findet man übrigens den Helden von Jean-Paul Sartres Roman *Les Chemins de la Liberté*. Auch er ertappt sich im Angesicht roher Kameraden des zweiten Weltkriegs auf dem Gedanken „Vous me dégoûtez" (Band 3, 1949), und auch er gelangt zu der Grunderkenntnis: „Wer hat mir das Recht gegeben, so streng zu sein? ..On est pareils." Ungeheuer verschieden aber ist die Folgerung, welche der Held bei Sartre zieht, also bei einem Schriftsteller, der näher bei Dostojevskij und Faulkner steht als bei Mallarmé. „Wer bin ich, daß ich mich weigere zu trinken, wenn meine Kumpels betrunken sind?" Er „hat es über, klar zu sehen" (il en a marre de voir clair). Verallgemeinernde Schlüsse wird man daraus nicht ziehen, wohl aber, soweit es dessen bedarf, die Überzeugung bestätigt finden, daß es noch nicht überflüssig geworden ist, Mallarmé zu lesen.

Kehren wir zu *Conflit* zurück. Den Dichter am Fenster erfaßt ein Erbarmen, es möge über der dunklen blinden Herde, über welcher nun die Gestirne aufblitzen, etwas Helles schweben bleiben, auch wenn ihre geschlossenen Augen es nicht erblicken,.. nur damit es da und gesagt sei. So kehrt er denn bei den Schlafenden mit seinem ganzen Denken ein, und er achtet es nicht, daß sie ihn nun mehr noch vom Abendhorizont abziehen als zuvor durch ihren Lärm. Ihrer hütend, nicht fern vom Abendschein der Ewigkeit, erkennt der einsame Dichter in diesen Männern des Urhandwerks „das Volk". Sie alle beugt robuste Einsicht in das Menschheitslos über die brotgewährende Tagesarbeit: Die gestern rodeten, rammten, Aquädukte stemmten, morgen Bahndämme graben, jene sind es, Louis-Pierre, Martin, *Poitou*, *Normanne* und wie sie sonst heißen nach Sippe oder Gau, die da unten ihr Ohr an Mutter Erde legen. Und sie wachsen ins Zeitlose — ja, soweit es ihresgleichen vergönnt wird, ins Ewige.

Es ist vielleicht die überraschendste Eröffnung bei der Entzifferung dieser Prosa, wie sehr doch jener Mann des Jahrhundert-Endes für sein Volk dasein wollte, im Sinnbild eines inwendigen *Bundes* sogar mit den Schönheitsfernsten. Ehrfürchtig sein Gelöbnis, eine Kuppel segnenden Leuchtens über ihren Häupten wölben zu wollen, ..wenn nicht für sie selbst, so doch für ihr ewiges Sein. Und vielleicht das dunkle Gefühl eines Irrgangs von

Jahrhunderten französischer Kunstdichtung. Oft sagte er auch
in Valvins während der Proben für sein Bauerntheater, es gebe
nur zwei verständnisvolle Zuhörerkreise: die Dichter und das
Volk. Und wünschte, der Dichter dürfte in einer riesigen Halle
vor den Menschenmassen mit lapidaren Sätzen das Wesenhafte
der Kunst verkünden.[1] Dem Volk entstammte die Sprachkunst,
aus einem organischen Volk würde sie neu wirksam, .. das sind
die auch für George bedeutsamen Schlußgedanken seines Oxforder Vortrags über *Musik und Schrifttum* (1892). Den etwas
dogmatischen Dozierton hatte Mallarmé dort, ohne den ernsten
Charakter aufzugeben, bald aufgelockert durch eine Plauderei:
wie rasch doch „die Straße" jeden aufs Geratewohl anfeinde, der
ein anderes Gut sammle und zu hegen wisse als das des Profits!
Er aber erinnerte die Verständigen daran, das selbstgewollte Los
des Dichters sei, aus Schule, Heim und Markt die geeigneten
Worte zu Ausdrucksmitteln zu wählen.[2] Und ermutigte: bei euch,
den Hörern, hat der Vers doch seine Wurzeln, .. so schrecklich
und süß dann auch die orchestrale Schwebe sein mag, worin der
dichterische Fittich sich bis ins Unausdrückbare hinüberspannt.
Denn zur Eroberung jeder Schönheit, auch im Zeitalter der Musik, genügt durchaus die gewöhnliche Sprache (les mots de la
tribu), die nichts Mittelmäßiges mehr besitze, sobald ein niegehör-
tes Echo sie zu begleiten geruhe.[3] Dies Festhalten am alltäglichen,
gar nicht „erlesenen", nur eben klang- und sinnschwer verdichteten Wortschatz erklärt auch, daß er sogar das Gossenfranzösisch des Schnapsbudenromans *L'Assommoir* von Zola nicht
grundsätzlich verwarf.[4]

Auch daß in heutiger Dichtung sich die säkulare Schwäche der
Völker verrät, führt er im Oxforder Vortrag auf die Erscheinung
zurück, daß die materielle Welt, Stadt, Regierung, Gesetz, nicht
mehr als wesenhafte Gemeinschaftsbindung (*Cité!*), nämlich
sinnbildhaft, erlebt werde. So als ob einer bloß den Kirchhof,
Reihen von Erdhügeln, begriffe und nicht dessen Verflüchtigung: die himmlische Heimat. Unsere Zoll- oder Wahleinrich-
tungen etwa, die sich im bloßen Nützlichen erschöpfen, sie werden nicht mehr durch erhabenes Brauchtum, würdig der „Weihe
des Volks", geadelt zum „Ausdruck des in voller Durchsichtig-

keit, Nacktheit und Unausdenkbarkeit thronenden GESETZES"!
Darum mahnte der Dichter: zersprengt, was euch das Blickfeld
auf eine sinnerfüllte Erde trübt, oder erleuchtet es wenigstens
durch die buntgereihten Lampions der Kunst.

Nur dann werde das Frankreich der Zukunft eine Erneuung
des Religiösen erleben, wenn (so wie auch Wagner träumte) das
Hochfliegende in jedes einzelnen Brust sich zu tausendköpfiger
Gemeinschaft zusammenfinde. Nicht ausreichend dafür sei die
bloße, elementare Politik, die Ebene des Stimmschein-Abgebens
— denn je höher sich der Lobgesang aufschwingt, desto seliger
wird es sein, keinen *Namen* mehr zu nennen. Noch auch eine
Revolution: auch sie durchglühe nicht genug mit der Läuterungs-
qual des Brennens, Sichvernichtens und heldischen Neuerstehens
(*renaître, héros*).

So ist Mallarmé nicht ein Ästhet gewesen, der bei seinem einstigen Schreck über den *Arbeiterdichter*, ,,cette chose, grotesque
si elle n'était triste pour l'artiste de race" (*Hérésies*) oder bei
Whistlers *Ten o'clock* stehengeblieben wäre. Während andere
Zeitgenossen aktuelle Tagesprogramme entwickelten, gab er, im
Sinne seines Dichterbegriffs, für die Zukunft seines Volkes eine
seherische Losung. ,,Es lag etwas Religiöses in der Luft dieser
Zeit", erkennen manche nachträglich, ,,in welcher einige sich
innerlich eine Anbetung aufrichteten und einen Kult dessen, was
ihnen so schön erschien, daß man es schon übermenschlich
nennen mußte".[1] Auch Mallarmés Sehnsucht war, ,,daß die Dichtung für das Gepränge und den erhabenen Schmuck einer geschlossenen Gemeinschaft bestimmt sei, in welcher der *Ruhm* —
die Leute scheinen sogar die Meinung dieses Wortes vergessen zu
haben! — seinen Platz hätte" (1891, zu J. Huret). Diese Gemeinschaft war für ihn die Nation, oder wie er lieber sagte, *la race.*
Wir sahen, wie er unter dem Eindruck Bayreuths aus dem Vaterländischen die neue kultische Feier erhoffte: Le dévouement à la
Patrie.. requiert un culte; étant de piété. Ebenso entzog er sich
den formsprengenden Putschversuchen Ghils und Kahns nur aus
einer inneren Verbundenheit mit der Tradition des romanischen
Verses. Frankreichs und Englands Schrifttum, beide verbunden in
Geben, Nehmen und abwechselnder Führerstellung, schienen ihm

die einzigen Sprachen, die den Glauben an eine „Literatur" hochgehalten hätten,[1] und für beide betonte er, statt einer Polarität,
gerade die Kontinuität in den Meisterwerken. Denn während in
anderen Ländern, selbst in Deutschland, zwischen dem Auftreten
der einzelnen Genies, das ja als überragende Gipfelung stets un-
berechenbar erfolge, immer Lücken klaffen, fügen sich in der
französischen und englischen Literatur gleichsam kleinere Häuschen, Säulenhallen, Brunnen, Statuen zusammen zur Ganzheit,
dem Palast König Jedermanns, dem Bronn seiner Vaterlandsliebe,
..so daß ihm eine Wahl zwischen den ebenbürtigen Bauwerken
Frankreichs und Englands sehr schwer erschiene.

Was bei alledem die Kritiker belanglos zu dünken scheint, Mallarmés Erkenntnis, es gelte, mit dem Gedanken beim Volk zu sein,
gehört in Wahrheit zum Wesentlichsten seiner Botschaft. Mit der
„Hinerziehung einer immer größeren Zahl Einzelner zu dieser
neuen Kunst" (W. Günther) ist es nicht getan. An der innerlichen
Wegscheide trennt sich der dichtende Ästhet vom „Dichter eines
Volkes". — Das Gelobte Land hat Mallarmé nicht betreten. Geistig
und seelisch trug es ihn bereits. Ihre Zwiesprache wurde zu wenig
vernehmlich.

Der Dichter ein Held

Die *Naturisten* trennten sich hierin von Mallarmé, als sie ihn,
nach den ersten ungerechten Angriffen, dankbarer begreifen lern-
ten. Ihr bester Sprecher, Joachim Gasquet, ein Dichter monu-
mentaler Haltung, sagte im *Effort* vom 15. 1. 1900: „Mallarmé
hat uns durch das prometheische Schauspiel eines zu Boden ge-
schmetterten ungeheuren Genies den Sinn für das Heldische und
den gebieterischen Drang zum Sieg geweckt. Ein Teil seiner Unfruchtbarkeit stammt aus jener Art herrenlosen Aristokratentums,
das ihn wie Baudelaire, wie Villiers, gewisse notwendige Handlungen verachten hieß". Die Anklage des herrenlosen Aristokratentums glaubten wir wesentlich abschwächen zu dürfen. Fast
schuldbewußt liebte er das Volk, ungleich Baudelaire und Villiers.
Die Ernsthaftigkeit mag man immerhin anzweifeln, mit der er
sich gegen Interpreten seiner Verse wandte, da doch ein vierjäh-

riges Kind sie verstehen könne;[1] oder als Berthe Morisot fragte,
warum er nicht ein einziges Mal so schreibe, als ob er für seine
Köchin schriebe, seine Antwort: „Wie! Ich würde für meine
Köchin nicht anders schreiben!"[2] Unzweifelhaft aber ist neben
willentlicher Neigung zur Verhüllung doch auch sein Wunsch,
einem weiten Kreis verständlich zu sein: er sagte es ausdrücklich
zu Dujardin, als er ihm den ersten Artikel für die *Revue Indépendante*, den „Hamlet", brachte und ihn bat, ihm die schwerver-
ständlichen Stellen anzugeben. Doch von den zwanzig Stellen, die
Dujardin nannte, wollte er es allerdings hartnäckig nur für eine
oder zwei gelten lassen, und niemals wieder kam er mit dieser
Bitte.[3] Er konnte es nicht glauben, die Schwierigkeiten, ihn zu
verstehen, seien unüberwindlich; jeder — freudig begrüßte — Leser, dem seine Werke etwas gaben, war ihm ein Beweis. „Allen"
sollte auch sein vorbereitetes Drama gewidmet sein, und noch
1893 sagte er von dem geplanten Buch, es solle auch für den einfachen Franzosen so schön und befriedigend sinnvoll sein, wie ein
Dienstmädchen die paar Takte Schumann, welche sie bei einem
Hauskonzert auffängt, schön findet.[4] Dazu kommt, daß dem
breiteren Verständnis jedweden Dichters, zumal bei den Zeitgenossen, Grenzen gesetzt sind; auch Wagner schrieb für den *idealen
Hörer*. Wer die Fähigkeit besaß, große Massen zu überzeugen,
hat fast nie den künstlerischen Weg eingeschlagen. Der Künstler
dient, indem er freudig eine Arbeit richtig tut. So drückte Rodin
es in seinem Testament aus: „Leider redet man heute den Arbei-
tern zu ihrem Unglück ein, daß sie ihre Arbeit hassen und ver-
pfuschen sollen. Die Menschheit wird erst glücklich sein, wenn
alle Menschen Künstlerseelen haben werden, das heißt, wenn allen
ihre Arbeit Freude macht."

In seinem beharrlich dienenden Wächteramt, in dem er nichts
vom *Herrenlosen* zeigte, liegt das unscheinbare Heldentum Mallarmés. Und darin, daß für ihn Dichtertum zuallererst Haltung,
nicht möglichst breite Leistung war. Höchstes ästhetisch-ethi-
sches Wollen; niemals mehr Rechte als der Kamerad-Taglöhner,
immer nur strengere Verantwortung, härterer Maßstab. Und nie
der Hochmut, nie der Dünkel. Schon äußerlich stach der Dichter,
durch dessen Aussehen sich George Moore an den typischen fran-

zösischen Bauern oder Arbeiter gemahnt fühlte, nicht wesentlich
von seinen Nachbarn, den Bauern, ab. Er plauderte bei seinem
biederen Barbier in Fontainebleau vom Schönen in Leben und
Kunst,[1] oder schrieb für die treue Bauernmagd Françoise ein
Verslein. Und die Bauern nannten ihn vertraulich „den Mann,
der sein Pferd ertränkte", denn einmal hatte er sein gemietetes
Pony mit dem Wagen fahrlässig einen Augenblick auf der Ufer-
böschung allein gelassen; als er zurückkehrte, ragte als einsam
schwankendes Schilf nur noch die Peitsche aus dem Fluß. Er besaß nicht das Pathos Hugos. Er trug den launigen Ernst und die
gelassene Sanftmut, die erkämpft waren im Stöhnen seiner Ju-
gendlyrik; und eine fühlbare Sympathie zu den Fremdartigen,
vor denen er immer noch stand wie einst vor den Zirkusknaben.
Anders hätte er nie die folgende Begegnung mit dem Arbeiter der
Faust nacherzählen können, die an enthobener, anmutiger Milde
und tragischer Tiefe unerreichbar ist und bleiben wird.

Als Gleichnis nicht so bildhaft wie die unvergeßliche Schluß-
situation der Fensterszene im *Conflit,* zeigt diese Parabel, *Confrontation,* den Sommergast von Valvins auf einem übernächtig
matten, mühseligen Vormittagsgang durch die Wiesen, auf welchen schon kein Tau mehr perlt. Der schweißbenetzte schmäch-
tige Dichter und ein muskelkräftiger Arbeiter, dessen Oberkörper
da plötzlich auftaucht aus einer seit der Morgenfrühe ausgehobe-
nen Erdgrube, starren einander fragend an. Beim Arbeiter ver-
bitterte Verachtung über den Müßiggänger. Dieser, peinlich beschämt, so großmächtig hoch auf dem Wall der Arbeitsgrube zu
stehen, reimt sich für alle Fälle schnell eine innere Verteidigungs-
formel zusammen, etwa: „Schaffen heißt für den, eine Karre
vollschaufeln und sie anderswo ausleeren; für Bezahlung täte er
auch das Umgekehrte." Dennoch, so wird ihm dabei alsbald bewußt, ist Erdarbeit niemals vergebens; das Grab, das jener gräbt,
bedeutet für ihn Leben .. und Zufriedenheit, weil sein Tun un-
anfechtbar ist. Mit dem Tun des vom Dichter verkörperten Men-
schentypus ist dagegen im einzelnen wenig anzufangen, vielleicht
weil es das Innehalten (l'hésitation) bejaht... O beneide mich
nicht, Kamerad, daß mein Schaffen allein von mir selbst begut-
achtet zu werden braucht! Oft verwirft der Werkführer in mir

ein Werk, das die Kunden untadelig fänden. Wie würdest du dich wehren, müßtest du bewußt einen Tag aus deinem Leben auslöschen, „mourir un peu"![1] Immerhin sucht auch in dir der unbewußte Drang nach dem Höheren wenigstens das zeitweilige Betrunkensein, .. auch dies eine Art der Opferung des unersättlichen Ich.

So wie die jetzt senkrecht herabdrückende Sonne ihre Bahn zum bewegungslosen Zenit beschreibt, so hat das allmählich zur Herrschaft gelangte Gold bei der Durchschnittsmenschheit das dämmerige Ahnden einer höheren Macht verdrängt; man braucht sich nur dem brutalen Glanz zu versklaven, um auch schon den Lohn in klirrendem Bargeld zu empfangen. Bisweilen aber treibt einen Einsamen das Leuchten einer anderen Ehre, nach dem Sinn der Dinge zu fragen und weltfern zu fliehen, um zu erforschen, ob der güldene Strahl ihm überallhin folge. Gelingt es ihm endlich, fern von der Masse, allein im Ringen mit dem Engel, den baren Wesenskern seines Denkens als gültige Ewigkeitsmünze durchzusetzen, durch Prüfung und Entbehrung hindurch, .. dann lassen sich die Menschen von der Richtung seines Wollens lenken. Auch Mallarmé, trotz einer schlaflos durchwachten Nacht und des sterbenden „verborgenen Gefährten" in seiner Seele, sucht das gütige Geschenk dieser Begegnung fruchtbar zu machen. Der regelmäßige Gruß, den das Haupt des Arbeitenden bei Schwung und Stoß der Schaufel zum Horizont beschreibt, soll nicht der einzige bleiben. Und in dem klaren Blick, den er nun auf den Arbeiter richtet, findet jener, demütig-gläubig, die tiefe Achtung des Dichters vor dem Werkmann ... Stumme Andeutung eines Händedrucks. Denn stets geht ja das Beste, was zwischen zwei Männern schwingt, ihnen verloren, sobald sie zu sprechen anheben. Schon daß er es hier erzählte, erschien dem Dichter noch allzusehr eine nachträgliche Literarisierung aus der Erinnerung — an jenen Sommertag, wo ihm, am Vergleich mit dem Handarbeiter, die schicksalhaft auferlegte Haltung des Bucharbeitenden, des *lettré*, aufging.

Durch Tapferkeit allein, besonders dem Geld gegenüber, wahrt der heimlich gesalbte Templeis die *Elegantia*, die letzte. Wessen Gewissen nicht rein ist, der schweige. Und zwar nähme Mal-

larmé die bloße Überlassung von Kunstwerken an die Tagespresse weniger schwer, denn immerhin stamme die Wortkunst
aus der Gebrauchssprache und könne wieder zu ihr ausgestoßen
werden. Doch einen Seufzer schweigender Bestürzung entlockt
ihm der seltsame Irrweg vieler Dichter, welche anfangs auf das
Höchste und Letzte zielten und sich dann auf die feile Geschäfts-
ebene herabzwingen ließen. Im Schrifttum gibt es eben nicht die
Karriere, das *Vorwärtskommen*, sondern einzig den Aufstieg..
im dichterischen Sinn der Sonnenbahn zur Mittagshöhe. Karriere
schon deswegen nicht, weil der Geniefunke nur in Abständen
sprüht, .. in welchen man dann genötigt wäre, lückenbüßerischen
Ersatz zusammenzuklauben. Der Dichter „hat schlichte Hände";
unecht und bestandlos aber wird alles, sobald man — statt ein
Held zu sein und, wenn nötig, zu trutzen — den überall sich bie-
tenden Kompromissen nachgibt.. etwa hier um Lobsprüche —
wertvoll nur, wenn unerwartet! — buhle (ungeschminkter: wenn
man für sich Reklame machen lasse) und dort für eine Ehrung,
einen Orden etwa, Stimmung mache (wie nett, wenn man sich
nachher zieren kann). Am wenigsten verzeihlich aber für den,
welcher ursprünglich ein hohes Ziel anstrebte und einen Elite-
kreis um sich versammelt sieht. Blind ist, wer mit seiner Seele
Schacher und Handel treibt.[1] Nein, der rechte Dichter gedenkt sogar bei dem bißchen Gold für seinen nötigsten Lebensbedarf noch
zuerst irgendeiner berufsgetreuen Sinndeutung des Gelds, bevor
er an den Kapitalwert denkt. Es gibt keine Verwechslung zwischen dem Daumendruck, der Geld abzählt, und jenem, mit welchem ein Plastiker sein Idealbild schaffend umkost.

Nach diesem ethisch hohen Glaubensbekenntnis der *Confrontation* begreift man, warum für Mallarmé ein Ungenügen mit
sich oder der Welt kein Grund gewesen wäre, achselzuckend wie
Rimbaud alles im Stich zu lassen. Man ahnt auch, daß ihn die
Feindseligkeit jener nicht zu treffen vermochte, deren gutes und
schlechtes Gewissen an einer solchen Lebenshaltung, deren Möglichkeit sie bisher abstritten, Anstoß nahm. Der stur Tätige wird
in Gefahr sein, die dichterische Zielfreiheit als etwas Zielloses
mißzuverstehen; sie zeigt sich eindeutig bis in Mallarmés grammatikalische Bevorzugung des zielfreien, nichtfinalen reinen In-

finitivs (überhaupt des Modalen) vor dem tatmessenden, endlichen Temporalen. Sie erklärt erst, warum er so manchem als „Weiser und Held" galt;[1] weshalb an seiner *unbeugsamen Sanftmut* (die schönste Formel, von A. France) sich Mauclair in schwerer Anfechtung beschämt aufrichtete.[2] Warum viele im Blick auf ihn „inmitten der Schrecken des Lebens eine Liebe zu den heldischen Dingen bewahrt haben".[3] Und warum in Valérys Aussage dieser Tapfere „durch seinen Charakter, seine Anmut und die äußerste Reinheit seines Glaubens in bezug auf die Dichtung am würdigsten war, geliebt zu werden. Alle anderen Schriftsteller schienen mir, ihm verglichen, den einen Gott nicht erkannt zu haben und sich der Abgötterei hinzugeben".[4]

Er war zu wenig zur Selbstzufriedenheit vorbestimmt, als daß er dies Heldentum nicht vor allem bei andern Dichtern gesehen hätte. Und dem im kleinen oft entgleisten Landstreicher-Schicksal eines lieben Toten, welches er allenthalben verurteilt und verunglimpft fand, reichte er in Ehrfurcht die Krone einer großen Würde. Wenig hochherzigere Trauerreden gibt es als die knappen Sätze Mallarmés vor Verlaines Grab, ..dessen Sehnsucht nach der *Stille* er vor allem begriff. Denn nicht Beifall, Ruhm und lautes Wort, nicht das Schluchzen der unvollendet zurückgebliebenen Verse folgte dem Toten dahin nach, wo er sich barg.. auf daß sein Ruhm befreit sei vom Unzulänglich-Privaten. Gleich andern unter den brüderlich Trauernden überließ Mallarmé es dem Chor der Zeitungen, durch ihren Papierschrei die Todesbotschaft in das gestaltlos ferne Publikum zu tragen.

Das Vorurteil wider den Toten werde dereinst von dieser Grabplatte aus aufgehellt werden. Doch, möge auch unsere zum Abschied ausgestreckte Hand — Verlaine liebte diese Gebärde — wie eine Einladung wirken, noch ein letztes Mal zu erscheinen: seiner ins Erhabene gewachsenen Gestalt gebührt es nicht mehr, sich zu rechtfertigen. Wir Anwesenden also haben jene Unzuständigen und aufs Geratewohl Aburteilenden, die den Sinn von Verlaines Leben verkannten, zu belehren, daß im Gegenteil seine Haltung „korrekt" in vollem Sinne war. Böte auch der melodische, adlige Fluß seiner Verse dem Durst jugendlicher Lippen nicht ein so *lindes, ewiges und französisches Naß*, müßte uns doch

Schmerz und Ehrfurcht bewegen über das Drama vor unseren
Augen, .. bei dem es keine Möglichkeit gab, auch nur durch unser
Mitgefühl jene Vollendung ins Ewige zu stören, zu welcher hier
Einer sich angesichts des Schicksals aufreckte. Wir, die mit der
Welt einen mehr oder minder einträglichen Kompromiß gefunden haben, sollten das seltene Heldenbeispiel würdigen, daß ein
Zeitgenosse, als einziger unter so viel Furchtsamen, es trutzig wagte,
nichts zu sein als Sänger und Träumer. Jeder Jüngling, der frisch
und kühn dem göttlichen Geheiß folgt, wird ja von Einsamkeit,
Kälte, *inélégance* und Elend so schimpflich gegeißelt, daß ihm
kaum zu verargen ist, wenn er lieber an seinem Selbst schimpflich handelt, um sich behaupten zu können. Verlaine aber hielt
sich fast nur durch die Dichtung, sagte ja und leerte den Kelch
bis zur letzten Qual und Schamlosigkeit. Nicht sein, sondern
unser aller Leben war ein Skandal; er aber hat ihn aufgefangen,
bejaht, gesucht. Tapfer, weil er sich nicht verbarg vor der verschleierten mütterlichen Norne, welche den Dichter mit Not und
Dürftigkeit schlägt. Sondern er trat ihr in seiner Blöße entgegen
und reizte sie noch, ihre Geißelhiebe zu beschleunigen! — So
grüßte Mallarmé die furchtbare Redlichkeit, das wilde, treue
schlichte und ehrenhafte Herz seines Bruders Verlaine.

IV

VON MALLARMÉS KUNST.
WOLLEN UND MÜSSEN

Das Vorhaben:

Sinnverknüpfung und musikalische Andeutung

In dem Vortrag *La musique et les lettres* (p. 38f.) hat Mallarmé, nach einigen Bemerkungen zur Technik des Verses, vier
Pfeiler seiner künstlerischen Glaubensüberzeugung aufgerichtet.
Zwei haben wir betrachtet. In einer Zeit feiler Vielschreiberei ver-
setzte er das literarische Publikum vor die zerknirschende Ge-

wissensfrage, ob es überhaupt das Schrifttum (les Lettres) gäbe, d. i. die (irgendwie verewigende) Formwürde der Aufzeichnung – auf jedem Geistesgebiet, denn auch Architekt, Jurist, Arzt können ihre Entdeckungen zur „Rede" erheben. Diese anspruchsvolle Existenzfrage, welche die akademischen Schrifttumshüter damals offenbar nicht auszusprechen wagten, müsse Mißtrauen verraten im Munde eines Mannes, von dem man nur ein Umkränzen des Kunstaltars erwarte. Dennoch war nur auf diesem Grunde sein Ja denkbar: „Das Schrifttum existiert, und, wenn man so will, allein, unter Ausschluß von allem."

Und neben diesem Glauben der andere, daß alle, die wachen Sinnes sind, ihren schlichten und urtümlichen Weg zur Schönheit finden können; dazu brauche einer vom verzwickten Chaos des zeitgenössischen Geistes gar nichts zu verstehen. Denn was mache den Dichter? Daß einer die musikalische Entsprechung von Licht und Wolken in den Jahreszeiten empfinde; daß er den Sinnbanden zwischen Naturstimmung und unserer Leidenschaft nachtaste; daß er eine Ehrfurcht davor besitze, wie die Buchstaben sich durch ein ewiges Wunder zur Sprache eines Volkes zusammenfanden, und einen Sinn für ihr Gleichgewicht, für ihr Wirken, Widerstrahlen und ihre Verklärung im überwirklichen Rahmen, dem Vers. Mehr brauche es nicht – neben dem Drang der kraftsprühenden göttlichen Lettern, die ins Werk gesetzt zu werden wünschen. Der paradiesische Adam bedarf keiner Bildung, er hat alles: Glück, Lehre, Ort. Diese Gabe nun, die „Rechtschreibung" im Unterschied zum Geschreibsel, ist nicht etwa nur Gestaltmittel, sondern schon Sinngehalt; denn einen Satz, einen Vers gestalten entbinde in uns zugleich Durchblicke, Sinnverknüpfungen. Lesen ist daneben nur ein Akt der Verzweiflung, wenn die Erkämpfung des Glücks außer Reichweite liegt, in Augenblicken, wo eine seltsame Lähmung jede Befriedigung ausschließt; schon das Rascheln beim Umblättern erscheint als ein bis zum Stocken oder Pochen des Herzens ungeduldiges Warten auf etwas anderes.

Die Sinnverknüpfung und eine weitgehende Musikalisierung, Mallarmés zwei andere Forderungen, ergeben sich aus seiner platonistischen Überzeugung von der Unwesenhaftigkeit einer nur-

materiellen Scheinwelt; „es ist unmöglich, daß wir in bezug auf
das Absolute die Herrn seien, die wir gewöhnlich zu sein scheinen" (notiert von Poizat). Sodann aus seiner künstlerischen Überzeugung vom Wert des Geheimnisvollen; im Gegensatz zum *Parnasse*, welcher geheimniskarg „die Gegenstände direkt zeigte"
(zu J. Huret, 1891). Ähnlich hatte Gustavo Adolfo Bécquer, welcher für Spanien ein ähnliches Wollen wie Mallarmé, nur mit
einem Vorsprung von wenig Jahren, in Versen und Prosagedichten gestaltete, unterschieden: „Ist man mit einer *artistischen*
Dichtung zu Ende, so wird mit befriedigtem Lächeln weiter-
geblättert; wenn man ein *poetisches* Gedicht fertiggelesen hat,
neigt sich die Stirn beladen von Gedanken ohne Zahl." Und auch
wer allein das Real-Wirkliche anerkenne, raubte sich unbedacht
die beste Freude daran, verwürfe er den *Köder*, das Jenseitige
(au-delà)! In dem genannten Vortrag schweigt Mallarmé über diesen wirkenden Antrieb der Kunst, aus Furcht, das dichterische
Ganze frevelhaft um des (alsdann nichtigen!) Kernes willen zu zer-
legen. Welch erhabenes Spiel für den Dichter, unser Ausgeschlos-
sensein aus einer verbotenen, titanischen Höhenlage zu fassen
und himmelwärts zu schleudern! Daß wir, aus Überdruß (ennui)
an den allzu körperlich aufdringlichen Dingen, etwas innerlich
Magnetisches aus uns entwickeln dürfen! Und daß diese körperlose Kraft nun die Dinge löst, durchsättigt, jederzeit ihnen fern-
strahlendes Leuchten in einsamen Weihestunden verleiht! Nichts
anderes, denn die Natur ist ja da; man wird keine neue hinzu-
erschaffen als Großstädte oder Eisenbahnen. Was wir, immer
und einzig, vermögen, ist die Sinnverknüpfung: die je nachdem seltenen oder vielfältigen Beziehungen zu fassen, gemäß
dem eigenen Innenleben. Der eine wird die Welt ausdehnen, der
andere sie vereinfachen; denn auch das ist schöpferisch, etwas
Entschwindendes oder Fehlendes wahrzunehmen.

Nichts weiter: die Erscheinungen, so wie sie uns streifen, zu-
sammenhaltend vergleichen, und an den Schnittpunkten schwankende schöne Gestalten erwecken! Erfasse man alsdann die Ge-
samtarabeske, deren Teile sie sind, so begreife man plötzlich die
schwindelnden, sprunghaft flirrenden Wendungen und die klagenden Akkorde: nicht mehr irreführend, lassen sie fortan eine

Logik erkennen, deren Triebfedern chiffriert sind in einer unsern Fibern unfaßlichen Urharmonie. So sehr auch der zu Tod getroffene Drache der Täuschung durch seine glitzernden Zuckungen abzulenken versucht: siegreich, ohne Fälschung oder Überspitzung, behalte man die allgegenwärtige große *Linie* im Auge, die von jedem Punkt zu allen anderen gezogen werden kann, um die ganzheitliche *Idee* zu gewinnen; grob und sinnenfällig könne man sie freilich nicht machen, denn jede reine Harmonie ist geheimnisschwer. Das muß wissen, wer jenes Unendliche entfesseln will, dessen Rhythmus — wie auf Fingerdruck an den Tasten des Wortklaviers — in die Worte unserer Gebrauchssprache eingehe, falls sie die richtigen sind. Denn Schrifttum ist geistige Jagd danach, in umrissener Rede Zeugnis ablegen zu können, daß die eigene Phantasie dem Geschehen gewachsen sei — und zwar mit der Hoffnung, in ihm sich wiederzufinden.

Musik will dasselbe, nur wortlos. Schon bei Mallarmés Schilderung des literarischen Variierens konnte man der Musik gedenken mit ihrem dunkeln Tasten der Sorge und dem endlichen Durchbruch vielfältig morgendlichen Aufleuchtens; mag sie begrifflichen Sinn auch erst durch die Worte, im Gesang erlangen. Und nachdem die Instrumentalmusik, um nicht in selbstunbewußter Dumpfheit zu verharren, in der Oper dem Wort die Hand reichte, soll die Wortkunst ihrerseits bei der Musik Anleihen machen, ..das Gleiten, die Stöße und Übergänge, rasch entweichende Fülle, endloses Weiterschwingen, Abkürzen, ..auch ein Blick auf die großen Magiker der Dichtung ermuntert ja dazu. So eilen *Musik und Dichtung* auf getrennten Wegen zum Treffpunkt, wechselseitige Mittel für das große Gesamtwerk *Mystère*. So sind sie als Oper und Buch die beiden Antlitze der Janusgestalt *Idee*, das eine aufs Dunkel hinaus, das andere lichtumflossen. So sind sie (alles Folgende nach *Crise de Vers*, Divag. p. 244 f.), in der Verschmelzung von Musik und Vers durch Wagner, die *Poesie:* hörbare Strahlen, golden und grell bestrahltes Schlingwerk der Töne. Gewiß, sowohl die Dichtung wie das Konzert soll am Eigenwert festhalten, jene am begrifflichen Aussagen, dieses am Verschweigen. Doch wäre das Begriffliche ohnehin durch den Wortklang verwischt; und umgekehrt ist (ohne oder mit Bewußtsein des Komponisten) die Musik, zumal die neuerdings so erfolgreiche Symphonie, eine Sonderform des Gedanklichen. Daß die Wortkunst, jahrhundertelang einziges Ausdrucksmittel eines Volks, nicht unbeeinflußt bleiben konnte von dem weltbedeutenden Wundergeschehen der Tonkunst, erkennt Mallarmé an zwei Stiltendenzen: an der verfeinernden Umsetzung (Transposition) und am ganzheitlichen Werkgedanken (Structure).

Dies scheint ihm das Gemeinsame aller heutigen „Schulen", der bewußten oder der vom Journalismus dazu gestempelten: statt stofflichem Naturalismus und krasser, schneidender Ratio wollen sie alle nur die Einflüsterung (suggestion), .. jenes klare, schmelzflüssige Etwas, das sich bei der Begegnung zweier konkreter Bilder erschließen läßt. Nicht länger die (ästhetisch irrige) Stoffaufzählung, ob sie sich bisher auch in Meisterwerken fand; am Wald will die Generation Maeterlincks das unmerkliche Grauen oder das im Laubwerk webende unhörbare Gewitter schildern. Ein Palast wird, besser als durch Schilderung des Bausteins, lebendige Expression durch einige Fanfarenstöße gesteilten Stolzes. Der ganzheitliche Reiz eines Denkmals, des Meeres oder eines Kopfes kann nicht durch Beschreibung vermittelt werden, nur durch ahnungsvolle *Aufrufung, Einflüsterung*,[1] durch die Fähigkeit, aus einer Handvoll Staub etwas Flatternd-Flüchtiges für das Buch zu befreien, ohne es darin einzusperren! – ein geistiges Etwas, „das mit nichts zu tun hat außer mit der Musikerfülltheit von allem". Dort Bürostil, hier Dichtung. In Andeutung und Aussonderung allein werden die Dinge wesenhaft. Als der Jubel, von Schwere befreit zu sein, schwingt sich das Lied empor.

Der redende Dichter soll ganz zurücktreten und einzig aus der Nachbarschaft verschiedenartiger Wörter soll der poetische Kraftstrom zünden .. ein wechselseitiges Widerscheinen, vergleichbar dem latent fortfunkelnden Lauffeuer an einer Diamantenkette. Um so mehr aber bedarf dann ein Versband einer inneren allgegenwärtigen Ganzheit, Bauordnung (*Structure*). Eine schicksalhafte Einheit muß zwischen den Zeilen — wie unerträglich, stünde sie gedruckt! – die Stücke verbinden. Jedem Ruf sein Echo! Nicht die großzügige Zusammenhanglosigkeit der Romantiker und nicht die künstliche, äußerliche Buch-Einheit. Sondern die ungreifbar sich ablösenden Raumgruppen bilden nebeneinander die rhythmische Ganzheit der *Seite,* wobei die Druckzeilen nur die Strebepfeiler für den eigentlichen verschwiegenen Gedicht-Raum, für die unbedruckten Flächen bilden. Und wenn heute junge Dichter ahnend und stockend eine *Werk*magie auf die überwirkliche Schreibfläche eingraben, so fühlt Mallarmé sein eigenes Werk ihnen verbunden durch die nämliche Symmetrie, in welcher der Vers zum Gedicht, das Gedicht zum Gedichtband steht. Denn wie sein Fenster, an dem sich Regenstreifen in verwirrten Rätseln durchkreuzten, durch einen Blitz in plötzlicher Ganzheit aufleuchtet, so bildet alles, was in den letzten Jahrzehnten geschrieben oder kompiliert worden ist, ein einziges großes Buch. Ein jedes Buch bringt eine eigene Lesart bei (einen eigenen *Würfelwurf*) für die gewaltige Preisarbeit der Menschengeschlechter um den wahren Text. Wie stark der Einfluß der Musik in diesem seinem künstlerischen Programm ist, verschleierte Mallarmé nicht: ihm bedeutete die erhabene Unbegrifflichkeit eines Konzertstücks schon den Entwurf eines allmenschlichen, eines urtümlichen Gedichtes, in dem alles viel verständlicher ist, weil es ungesagt bleibt, alles viel leichter ausdrückbar, weil der Komponist sich zu keiner Ausdeutung verleiten läßt. Und gleichwohl erkannte er, unverbesserlich der Feder verschworen, erst das Ausgesagte als ganz gültig an. Mit dem Scherbenorchester der altersschwachen Versformen will er die Symphonie auf das Buch übertragen; oder einfach: den Anspruch der Wortkunst reklamieren. Denn darin bereitete er die Wertung der Musik im Georgekreis[1] vor: aus der vollen, eindeutigen Gipfelung des Wortes erhoffte er die höchste *Musik*, nicht aus dem elementaren Geschmetter von Kupfer, Saiten und Holz.

Widerstreit im Gestalten (Reflex und Reflexion)

Mallarmé hat solche „Literaturtheologie", die er stets, auch Eingeweihten gegenüber und in zwanglosester Äußerung, als etwas schulmeisterlich empfand, gern „Träumerei eines Arbeitslosen" genannt (*Diptyque*). Besaß er die Anlagen, sein Vorhaben zu gestalten? Am wenigsten fehlte ihm, wir sahen es, das strenge Baugefühl für den Ernst des buchs. Und genügte nicht auch, neben der Würde, seine poetische *Anmut*, um das Unsagbare duftig festzuhalten, dem abgestumpften Tastsinn der Menschen Angedeutetes wieder fühlbar zu machen? Niemand schien geeigneter. Denn Mallarmé, ein Rutengänger der Tiefe, ein reizbarer Hineinlauscher in die Stille, besaß die nervöse Sensibilität eines Keats, Poe und Rilke, zumal den Hauch- und Tastreflexen gegenüber [1] Während auf einer großen Harfe die Hände seiner Muse spielen, recken sich — Félicien Rops hat es auf seiner Mallarmé-Zeichnung von 1887 festgehalten — von überallher aus der Leere rätselhafte andere Hände nach den Saiten; in seinem Ohr bebten ungeahnte Klänge, unmerkliche Feinheiten nach. Als Zola einem Unglücksfall glücklich entging, sprach ihm Mallarmé feinfühlig von „der geheimen Traurigkeit, die im höheren Menschen eine Begegnung mit dem bösen Zufall hinterläßt, trotz des Bewußtseins, ihm entronnen zu sein". Seine Empfänglichkeit war so verfeinert empfindlich, daß ihm grobe Geschmacklosigkeiten kein Ärgernis mehr bedeuten konnten, daß er vielmehr sicher war, einen letzten Funken Schönheit auch in ihnen noch zu finden, in einem sehr durchschnittlichen Plakat nicht weniger als in einem Deckenfresko oder einer Apotheose (an Zola, 6. 11. 74). Gebärden studierte er bis in letzte Nuancen, oft vertraten sie ihm das greifbare Symbol-Medium zwischen zwei abstrakten Gedanken,[2] und die meisten seiner Erzählungen enden mit der Schilderung einer sinnbezeichnenden Gebärde. Auch an den späteren Korrekturen kann man meist eine fortschreitende Verfeinerung beobachten: *flûte aux mains* zu *flûte aux doigts* (Placet), oder statt *j'aime les harmonieux sanglots des femmes* (Symph. litt. III) jetzt: *j'aime naître les lumineux sanglots...*

Und doch wäre es falsch, in Mallarmé einzig den ätherischen Mystiker[3] oder den Impressionisten sehen zu wollen, dessen intuitive Musikalität nur verschwommene Halluzinationen aufzeichnete — wie die Worte „Quels bateaux?", welche Griffin ihn einmal notieren sah — und dessen logische Reflexion ganz verdrängt worden wäre durch eine Assoziation der Reflexe. Wenn wenige so

meisterlich den hauchzarten Schmelz des schönen *Hasard* im
Flug festhielten und „den Augenblick an der Kehle packten",[1] so
warfen doch auch wenige einen so vernichtenden, verstandesschar-
fen Blick auf die reale *Zufalls*welt. In seinem Menschentum gelang
ihm das Wunder, *Anmut und Würde* zu verbinden. In seiner
Dichtung aber entfesselten sich beide, auf eine letzte Spitze getrieben, gegeneinander und ins Unbegrenzte. In der bisweilen
widernatürlichen Verbindung des Naiven und des gestreng Bewußten, des Unbeschwerten und des labyrinthisch Zweifelnden,
des Unmittelbaren und des Künstlichen, des Alogischen und des
Scholastisch-Spitzfindigen sehen wir das eigentümliche Wesen
seiner so unanschaulichen und gleichzeitig einprägsamen Kunst
und seiner teils lyrischen, teils abstrakten Thematik. Auch seiner
Dunkelheit; sie war keineswegs nur eine Folge allzu zarter In-
tuitionen, sondern nicht weniger das verschrobene Retortenwerk
eines Alchymisten. Zugleich liegt darin seine Größe, daß diese
zwei unvereinbaren Welten sich in seinem Schaffen (das sich
auch äußerlich in lyrischen Vers und in kritische Prosa hälftig
scheidet), so untrennbar verbanden mit einer synthetischen Feinheit, die es nie wieder geben kann. Mallarmés Ideogramme werden für den Menschen, der fast ganz einer dieser beiden Welten
allein angehört, weithin eine literarhistorische Kuriosität bleiben: hier für den reinen lyrischen Dichter, vom seltenen Schlag
Verlaines, dort für den rationalen Menschen. Der Literaturkritiker wird etwas von dieser Doppelheit besitzen müssen.

Mallarmé selbst hat nur unscharf das Zwiespältige seines
„blumengeschmückten Labyrinths" zu erkennen vermocht. Sein
Prosastil jedenfalls ist ein Abbild des unaufhörlich wuchernden
Skrupels. Über das Private scherzte er scheu hinweg und verbarg, was er tat, im Mantel eines lässigen Als-Ob,[2] so wie er
grammatikalisch das unpersönlichere Passivum bevorzugte;[3] und
wie liebte er es, den Dingen einen doppelten Boden zu geben! Auf
die Ironie Mallarmés hat schon Thibaudet verwiesen. Mit Vorliebe erscheint sie im Gewand pedantischer Verknöcherung. So
in seinen Gelegenheitsversen die veralteten oder gezierten Verbalformen, wie sie damals noch in den Vorlesungen Brunetières ihr
Dasein fristeten;[4] meisterhaft in einer Anekdote des Rimbaud-

Essays, wie er den komischen Kontrast des gutmütigen Gastgebers Banville und des ungebärdigen wilden Rimbaud in einer
bewußt schulmeisterlich gewählten Greisensprache abspiegelt, ..
ein Kabinettstück humoristischer Prosa. Wesenhaft steckte ihm
der *Doktor noch im Leib*, daneben wohl auch der sparsame Haus-
wirt der Sprache, der gern ein Bild, das er wieder streichen
mußte, dann doch ein paar Verse später wieder einschob,[1] auch
wenn es in dem neuen Zusammenhang rationalistisch und wenig
zwingend wirkte.

Doch wurde dies Dichten „par la science" niemals alleinherr-
schend; es diente jener dauernden, nie aufzuhebenden Spannung
zwischen dem Verhüllten und dem zu Durchschauenden, durch
die sich Mallarmés Stil von einem Rebus unterscheidet. Diesen
Stil zu übersetzen ist unmöglich, man müßte denn die poetische
Anmut, oder die Ironie oder die Würde oder das Dunkel oder alle
zusammen opfern. Darum geben auch unsere Paraphrasen auf
diesen Seiten nur das gröbere Sinngerüst, um die Lektüre des
Textes zu vertiefen, dem sein Dämmerlicht und sein geheimer
Ton-Gehalt belassen bleiben. „Die Sprache, sagt Hölderlin, bilde
alles Denken, denn sie sei größer als der Menschengeist, der sei
ein Sklave nur der Sprache, und so lange sei der Geist im Menschen noch nicht der vollkommene, als die Sprache ihn nicht
alleinig hervorrufe" (Bettina von Arnim, *Günderode*).

Die Eigenart dieser Sprache ist die Vereinigung satzschöpfe-
rischer Reflexion mit der Seismographie impulsiv impressionistischer Reflexe. Thibaudet hatte zunächst mehr die nervöse,
durch Satzzeichen getrennte Notierung des Gedankengangs hervorgehoben,[2] während Valéry im Gegenteil den Stil Mallarmés
als die am wenigsten „romantische", weil zusammenhängende
Sprache ansah, und auch Gide, ähnlich wie Laforgue (bei Raynaud), vom *Nonplusultra des Parnasse* sprach, „aprioristisch,
folglich vorzüglich französisch, cartesianisch, — aber in der Form
konziser, als es der etwas hastige Geist der Franzosen erträgt; die
Wirkung scheint lateinisch, wegen der Knappheit und Syntax".[3]
Wir sehen das Wesen dieses Stils in seiner Zwiespältigkeit. Einerseits war die Sehnsucht Mallarmés, der sich im Klangmeer Richard Wagners wohlfühlte, ein unmittelbares, improvisiertes

Festhalten aller Erlebniseindrücke.[1] Und tatsächlich ist zumal seine Prosa ganz aufgebaut auf der psychologischen Reihenfolge aller ergänzenden Einfälle, die oft satzsprengend das Hilfszeitwort vom Zeitwort trennen, aller Nebengedanken, auslassenden Überspringungen (er sagt *réticence*), zögernden Vorbehalte, skeptischen Hemmungen, vertiefenden Stauungen und Krisen. Durch schulmäßig logische Satzkonstruktion wird ja sonst, besonders im französischen Schriftstil, die gehirnliche Reihenfolge zerstört, in welcher die Wahrnehmungen und Begriffe nacheinander aufblitzten. Mallarmés sensualistisch-impressionistische Präzision heißt ihn, statt *Arbeitertrikots mit weiß-blauer Querstreifung*, vielmehr „die weiße und blaue Querstreifung von Trikots" festzuhalten (*Conflit*), oder den Zymbelgoldklang vor dem Vergleichs-Ausgangspunkt, dem Sonnenschein (*Pitre*). „In der Nähe schwankte eine Pappel" (Tennyson, *Mariana*) erhält gleichfalls geänderte Reihenfolge: *Un peuplier, fort près, remuait;* ebenso ist das Erscheinen der Geliebten in *Apparition* eine Tonleiter von Wahrnehmungsstufen. Dem entspricht sein Ideal eines so spontanen Stiles,[2] daß man den Stimmklang des Verfassers noch unmittelbar heraushöre;[3] da er beim Vorlesen seiner eigenen Prosa durch stärkere Betonung bzw. Flüstern das Satzrückgrat von den hypertroph flirrenden „Randbemerkungen" unterschied, war nach dem Zeugnis der Zuhörer ein Haupthindernis für das Verstehen beseitigt.[4] Im *Coup de Dés* hat er solche Hervorhebung durch fette Drucktypen erleichtert.

Auf der andern Seite aber nicht eine zu erwartende Disziplinlosigkeit, die allein die wirklich anarchische „Dunkelheit" wäre, sondern jenes Höchstmaß an satzbaulicher Logik,[5] das ihn *Hérodiade* IB oder die drei *Würfelwurf*-Kapitel in einen einzigen Satz gießen ließ. Den nervösen Ansturm der Gedankensprünge und Abschweifungen gibt er weder in den Kaleidoskop-Splittern eines James Joyce noch in den *mots en liberté* eines Marinetti wieder. Sondern er dachte in Sätzen, Satzpolypen, die er mit all ihren Ausläufern und Facetten in eins als Ganzheit zu Ende erlebte. Man forme einmal aus einem einzigen Satz ein Sonett und sehe zu, ob es Poesie wird und als Gehalt noch erkennbar bleibt; Mallarmé gelang es. Besonders die Prosawerke sind einerseits, im

Gegensatz zu den gebändigteren Versen, vielgestaltige „Abschweifungen", flüchtige *divagations*, weit unruhiger als die schönere, weniger seismographische Prosa eines Valéry; die Einzelatome werden unterschieden, durch Kommata[1] oder auch ein „ou". Aber sie haben sich dennoch in den Plan eines tyrannischen Satzbauwerks einzufügen — das durch akrobatische Bildanknüpfungen noch weiterhin vertüftelt und kompliziert ₊wird und dessen anfängliche Undurchsichtigkeit halb aus trunkenen Halluzinationen zu stammen scheint, halb aus einer sorgfältig eingesparten und verteilten Abdichtung. Das künstlerische Gleichgewicht dieser „schweren, glitzernden Satzgefüge" (mit Georges Worten) ist denkwürdig und einzigartig. Was ist im ersten Satz des *Nénuphar Blanc* nicht alles an Erlebtem zusammengedrängt und labyrinthisch ineinanderprojiziert! Äußerlich die Vorwärtsbewegung des Rudernden, der starre Blick seiner Augen, die Morgensonne und das Gleiten der Wellen ringsum, und seelisch die Mitte zwischen Versunkenheit, Weltvergessen und Gedankenlosigkeit, das Verrinnen der Zeit um ihn, der Kontrast zwischen ihm und der Umwelt, und alles nun poesieerfüllt im psychologischen Dschungel der paar ebenmäßig gebauten Worte: „les yeux au dedans fixés sur l'entier oubli d'aller, comme le rire de l'heure coulait alentour".[2] Oder im zweiten, ebenso schulgerecht geknüpften Satzgespinst die suggestive Wahrnehmungsreihenfolge des erwachenden Träumers, eine Art psychologischer Zeitlupe: zuerst das streifende Geräusch (im Schilf), dann das Bewußtsein des Anhaltens, und zwar nicht durch die Erkenntnis des Einziehens der Ruder, sondern durch das Sonnenglitzern auf den (eingezogenen) tropfenden Rudern! Oder wie im *Sonnet pour votre chère morte* allein durch die Wortfolge im Satz gleichsam das langsame Auftauchen des Gespenstes suggeriert wird mitsamt der Möglichkeit, der hinstarrende Betrachter unterliege vielleicht einer halluzinierten Sinnestäuschung durch das Kaminfeuer oder die Gestalt des Sessels.

Die eine Voraussetzung für ein Verständnis Mallarmés ist darum die Bereitwilligkeit, sich durch die syntaktische Zucht seines kaum je wirklich mißverständlichen Satzbaus durchzuwinden. Doch genügt natürlich nicht, wie Royère meinte,[3] die bloße Her-

stellung einer regelmäßigen Wortstellung zur Erhellung des Inhalts. Wäre es nur das, so hätte der Dichter die Warnung John
Paynes, seine Inversionen seien gegen den Geist der Sprache (12.
6. 76), befolgen können. Häufig wird man auch in der durchein-
andergeschotterten Sprache Satzglieder isolieren müssen, die unverbunden eingeschoben sind entweder als Beiseite-Bemerkungen[1]
oder, wie im *Tombeau de Poe,* als gleichsam vorzeitig entschlüp-
fende Wahrnehmungsschreie des Schmerzes (Vers 9) oder des
ehrfürchtigen Staunens (Vers 12).

Oft empfand der Dichter das Bedürfnis, den regelmäßigen
Rhythmus durch grelle Asymmetrien zu stören: sowohl in der
ungleichen Belastung einzelner Satzglieder[2] als auch in verblüf-
fend verhalfterten Wortzusammensetzungen, wie sie dem Wesen
der altisländischen Rätselmetapher entsprachen, .. denn ,,die *Kenning* ist Zusammenknüpfung von Widerstreitendem; sie beruht
auf Heterogenität der Bedeutung von Grundwort und Bestim-
mungswort".[3] Nicht bloß die bildhafte Stetigkeit,[4] auch die Ein-
deutigkeit des Sinns wurde gelegentlich zerstört durch das allzu
kondensierende Zusammendrängen der Floskeln. So kann man
bei dem Bild-Telegramm ,,Les bouquets à terre, alentour, quelques plumes d'aile déchues" (Symph. litt. II b) zweifeln, ob die
Blumen als den Federn vergleichbar oder die Federn als das einzig Blumenähnliche erscheinen sollen. Daß die an sich ferner-
liegende zweite Möglichkeit gemeint war, läßt sich allein auf
Grund einer früheren, ausführlicheren Fassung entscheiden
(,,keine Blumen am Boden ringsum, nur verstreut einige Federn").

So verfing sich Mallarmés Drang zum Vagen, Duftigen in
einem nicht weniger angeborenen Bedürfnis nach Bündigkeit.
Auch George forderte ja ,,die kürze – rein ellenmäßig – die
kürze" (Blätter für die Kunst II, 2, p. 34). Gedrängte Komprimierung ist dem Deutschen zwar durch manchen randvoll er-
lebnisgeballten Goethe-Vers geläufig (*Weiche Nebel trinken rings
die türmende Ferne*), der italienischen auf andere Art etwa durch
Foscolos Sepolcri, der französischen Lyrik nach Villon aber war
sie weithin fremd geblieben; und wo Mallarmé sie erzwingt, ist es
oft, als stecke er zwei Finger in den einen eines Handschuhs, wie
Léon-Paul Fargue scherzend sagte.[5] Aber liegt der Fehler nur bei

Mallarmé oder nicht auch bei denen, die jahrhundertelang allzu
kleinmütig mit der französischen Sprache umgingen? „Es schien
ihm so“, schreibt Valéry, „als beute die französische Syntax nur
einen Teil der mit ihren Regeln zu vereinbarenden Kombinationen
aus.“[1] Vorläufig freilich behalten weiterhin in verdichteten Span-
nungsreizen durch den Zusammenprall begrifflich ungleichförmiger Wörter[2] beispielsweise die englischen Lyriker den Vorrang. Für die Prosa, in welcher Swinburne, Verlaine und die meisten damaligen Lyriker versagten, konnte der Dichter der *Dernière Mode* und der Prosagedichte in liebevollster Bemühung
seinen Stil immerhin auf die verzwickt erbosselte Kabinettkunst
französischer Klassiker, zumal La Bruyères,[3] stützen. Aus dieser
alten Tradition heraus gedachte er in den sechziger Jahren seine
Thesis *Le Langage* zu schreiben, „ein seltsames Büchlein, sehr
geheimnisvoll, ein wenig schon nach Art der Kirchenväter, sehr
destilliert und knapp — dies an Stellen, die geeignet wären, Begeisterung auszulösen (dazu Montesquieu studieren!). An den
übrigen Stellen der große, lange Satzbau des Descartes. Sodann
im allgemeinen: etwas La Bruyère und Fénelon mit einem Duft
Baudelaire. Schließlich ein Stück meiner selbst — und mathematische Sprache“ (*Diptyque II*). Das Ragout wird nicht vielen
munden, aber der Geschmack ist französisch. Und man konnte
darin sogar, im Gegensatz zu der selbstgefällig breiten und brei-
igen Syntax etwa der Brüder Goncourt, des alten französischen
Prosastils Rettung vor der Erschlaffung erblicken und die bis in
die Zeitungsprosa hinein merkbare Nachwirkung[4] vergleichen mit
derjenigen von Paul Cézannes herber Tektonik auf die impressionistische Malerei.

Die hochgradige Durchsättigung dieses Stils, die eine lang an-
dauernde Lektüre auch bei angespanntester Aufmerksamkeit unmöglich macht, verrät sich besonders bei jedem Versuch einer
Auflösung in gewöhnliches Französisch. Zumal die Neufassun-
gen Mallarmés zeigen, wie spartanisch er sich etwa der Eigen-
schaftswörter entledigen konnte (Symph. Litt. II) oder der Ver-
ben,[5] besonders der Hilfsverben (*Placet; Contes ind.*) und der ton-
leeren Umstandsworte, geschwätzigen Artikel und Partikel. Um
ein *et* (Sonneur ACD) oder *qui* (AB) zu sparen, baute er den Satz

um oder setzte ein latinisierendes Partizip.[1] Für die Rede Hérodiades erreichte er dadurch eine wunderbar fremde, überpersönliche Starrheit. Wie Mallarmés Rede im alltäglichsten Gebrauch
„den Eindruck hinterließ, als verleihe er allen Worten Nachdruck",[2] so gilt ihm auch literarisch jede schlaffe Silbe als Spalt-
pilz, so korrigierte er Swinburnes *recueillir* zu *y cueillir* oder sein
eigenes *souris* (Placet) zu *ris*. Mit einer eigentümlichen Vorliebe
für das einsilbige Wort, in der Thibaudet den Einfluß der englischen Sprache vermutete.[3] Er vermied Besitzanzeige und Mehrzahl,[4] und sogar Worte oder Begriffe, die im Satz hätten wiederholt werden müssen, sparte er ohne Zögern ein.[5] Denkt man etwa
daran, daß Ellipsen wie *pas* im buchmäßigsten Gegensatz zu der
volkstümlichen Ellipse von *ne* stehen, so wird man diesen gefeil-
ten Quintessenzsätzen bei all ihrer folgerichtigen Gekonntheit
nicht den Vorwurf ersparen können, daß sie nicht als organischer
Kosmos gezeugt wurden, sondern in gespenstischem Dorren entstanden. Durch Gedankensprünge und dauernden Aderlaß ist der
Stil durchscheinender, vornehmer geworden, aber auch blasser.
Man ist bei Mallarmé sicher, nie eine Seite dichterischer „Abwesenheit" aufzuschlagen, und doch scheint es ungesund, fast
pervers, daß es einen Dichter gibt, der nicht, wie man von Homer
sagte, zuweilen ein wenig schlummert. Darin ist diese skrupel-
haft verdichtete Dichtung Auswirkung einer fast antilyrischen
Befangenheit in Mallarmés Seele, der Scheu, allzu Banales oder
allzu Ungezwungenes zu schaffen.

Niemals aber hat sie als Alleinherrscherin einem ähnlich saft-
und hintergrundlosen Skelettgerüst sich annähern können, wie
es Carl Sternheim einst an deutscher Prosa übrigließ. Denn stets
ist sie bei Mallarmé teilhaftig eines lebendigen Hellsehens und
Flügelrauschens. Gerade aus dieser Spannung gewann er jenes
geheimnisvolle Raunen, das er bei der Musik so bewunderte,
wenn das Thema sich allmählich aus den kunstvoll gerafften und
sich lüftenden Schleiern (auch aus denen unserer eigenen
Dumpfheit) herauslöste. Diesen Teil seines dichterischen Pro-
gramms hat er etwa so verwirklichen können, wie es in *Le Mystère dans les lettres* (Divag. p. 287f.) bereits rückschauend vorgetragen wird. Zwei Wege des geheimnisvollen Beginns beim

Gedicht werden dort unterschieden. Entweder man beginnt, wie
im *Pitre* oder *Après-midi*, nach Hugos Art mit einer kurzen
schmetternden Fanfare[1] und läßt während ihres Nachhallens die
Überraschung langsam Gestalt gewinnen. Häufiger indes wählte
er den umgekehrten Pfad: eine Reihe von Ahnungen und Zweifeln wird dunkel und schweigsam verbunden.. bis zu einem
schlichten, endgültigen Aufleuchten am Schluß. Beide Arten fand
er ausgeprägt auch in der Musik, und diese habe sie dem Schauspiel der Sonnenuntergänge absehen können.

Gewiß, so fährt er fort, man spreche der Wortkunst häufig
das Recht auf das Geheimnisdunkel ab[2] und beschränke es auf
Tonkunst. Deren gewaltiger Aufschrei scheint ja leibhaftiger,
unverkennbarer, lichter als jedes Gerede; jede Angleichung an
den materiellen Wortschatz ergäbe einen störenden Mißklang.
Aber „Schrift“ und Musik gehen ja von der gemeinsamen Voraussetzung eines wort-losen Aufschwungs der Vergeistigten aus;
und so rang Mallarmé — er verrät es sehr scheu und gleichsam
bloß zur Entspannung — um einen Stil, der weder so abgrundtief
sein durfte, daß der Leser zum Taucher werden müsse, noch auch
so seicht, daß nur ein spärliches Schmutzgeriesel quelle. Als Ge-
währ dafür, daß er noch hinreichend verständlich bleibe, bewahre er deshalb der Syntax Treue. Freilich nicht dem Satzbau
der leichten, spritzenden, gewandt überredenden Plauderei, möge
auch gerade in Frankreich die Grundbegabung erblich sein, trotz
größter Nachlässigkeit elegant zu reden. Denn neben diesem
Genrestil der Memoiren und Briefe gewahre man im französischen Schrifttum ja auch steile, jähe Adlerflüge, deren klare
Kurve die Urblitze der Logik durchwittern. Unversehens eine
sich ein Satz, stammelnd, und verstrickt durch scheinbar unverantwortlichen Einschub immer neuer Sätzchen, zum überlegen
ausgewogenen, himmelwärts steuernden Gefüge.. Dies dem nör-
gelnden Gaffer: die Sprache ist es, die flügge sich tummelt.

Für den seismographischen Geist sei nun von der Diamantenkette der Worte einzig jenes seltenste Funkeln wesenhaft, welches ihre geschliffenen Seiten, aus unsagbarer Ferne gespeist,
auf der Wand einer Grotte in verworrener Ordnung widerspiegeln. Ja, beim Abweichen vom kleinlichen Pedantenverstand und

vom modischen Geschmier müsse sogar ein linkischer Dichter in Schutz genommen werden gegen jene Ankläger, welche über alles angeblich *Unklare* oder *Schale* sich entrüsten und den Lesern die Last des Begreifens abnehmen. Wir wissen, daß Mallarmé solchen Angreifern die Fähigkeit des Lesenkönnens absprach .. nämlich etwas anderes lesen zu können als die dem Trägen gefügige Zeitung. Sich einführen lassen in die Kindhaftigkeit durch die weihevolle weiße Fläche einer Buchseite, achtlos gegenüber einer Überschrift – die müßte zu laut wirken! Vor dem keuschen Spähen der Dichter (im Gegensatz zum lüsternen der Faune!) hat sich das einsame Jungfräulichsein selber gleichsam in Stellen von fleckenlos unbefangener „Weiße", *candeur*, aufgetan; als Zeugnis für die Hochzeit mit der *Idee*. So daß, was zwischen den Zeilen singend und musizierend die Deutung fortspinnt, unsichtbare Vignetten und Schlußzieraten hinterlasse. Mit diesen Gedanken endet der Aufsatz *Musik und Schrifttum*.

Das Ziel einer geheimniserfüllten Kunst hat Mallarmé nur allzusehr erreicht. Die Tyrannei seines Reflektierens hat seinen poetischen Gefügen stets eine (weithin unbeabsichtigte) letzte Wendung ins Verstiegene oder Abstruse verliehen, .. worüber zwar der geduldige Leser hinwegfinden wird, nicht aber der voraussetzungslose und drängende. Man kann das Zwitterhafte in Mallarmés Stil schon an der widerspruchsreichen, teils kanzleimäßigen und überwachten,[1] teils ätherischen und quellenden Zusammensetzung seines Wortschatzes beobachten. Doch auch seine beiden künstlerischen Hauptforderungen sind durch die Zwiespältigkeit der schöpferischen Veranlagung auf eine bis ins Dämonische verrätselte Ebene verschoben worden.

(1) Sinnverstrickte Welt

Am Anfang jeder schöpferischen Sinngebung steht die Auflehnung gegen gedankenloses, träges Hinnehmen. Am entschiedensten beim Künstler, dessen entmechanisierende Aufgabe ja nicht nur ein Was, sondern das Wie betrifft. Jedem Dichter wird sein Handwerkszeug, die Sprache, immer wieder abgegriffen, verschlissen, geschwächt, erschlafft erscheinen. Er wird von vornherein eine Anzahl Worte ausscheiden, ...obschon er mit der Losung *Der gute Schriftsteller ist der, welcher täglich ein Wort bestattet* [1] bald jede Verbindung mit dem Leben und den Nebenmenschen verlöre und sich endlich vor der Notwendigkeit des Selbstmords fände wie jener Dichter in Villiers' Erzählung *Sentimentalité*. Man kennt die Klagen Richard Wagners über die Verbrauchtheit der neueren Sprachen;[2] oder Rilkes Flucht in die Fremdsprachen, um sein Deutsch zu schonen: „Bedenke, wie viele, viele Worte ich mir spare durch ihren Nichtverbrauch am Alltagsbanalen.‘[3] Oder Georges Erkenntnis: „Klangvolle Dunkelheiten sind bei Pindar, Dante und manche bei dem klaren Goethe.“[4]

Die Scheidung der Sprache, gleichsam für verschiedenen Gebrauch, in eine ungeschliffene, impulsive und eine ausgeruhte, überdachte, wesenhafte hatte Mallarmé als „unleugbare Sehnsucht meiner Zeit“ erkannt. Berichten, Belehren, sogar das Beschreiben, das ganze nichtliterarische Prosaschrifttum glaubte er dem allbeherrschenden *reportage* versklavt, und bitter fragte er an, ob für derlei Gedankenaustausch nicht einfach das Geben oder Nehmen eines Geldstücks ausreiche. Er aber wollte den reinen Sinneskern in jedem Ding der Natur lebendig wissen, und zwar dadurch, daß er dessen störendes Konkretsein bis auf ein feines Verschmelzen zu verhüllen gedachte durch die Sprachkunst. Sage der Dichter „Eine Blume“, so schwinde in ihm die Vorstellung konkreter Umrisse oder Blätterkelche, und in linden Tönen erstehe das niemals je gesehene, platonisch einzigartige Urbild der Blume (idée même et suave, A: idée rieuse ou altière). Durch den Dichter gewinne die Sprache, die Gebrauchsmünze der Menge, wieder ihr Wesenhaftes, Traum und Gesang, Voraussetzung für das Dichten: nun kann der Vers schließlich vereinzelte Vokabeln zu einem ungeahnten, bannenden, vollen Wort zusammenschweißen. So wird Alltägliches, welches trotz aller syntaktischen und metrischen Kunst noch an den Worten haften blieb, aufgehoben, und ganz gewöhnliche Wortgruppen klingen nun ebenso niegehört wie die Stimmung des Beschriebenen niegeahnt wirkt.[5]

Donner un sens plus pur aux mots de la tribu![6] Von niemand, auch nicht von Poe, welcher dem amerikanischen Journalismus entwuchs, konnte man, vor George, mit größerem Recht aussagen: „Alles schien platt und schlaff, nachdem man ihn gelesen hatte".[1] Wyzewa nannte Mallarmés Sprache „den edelsten Versuch, der je gemacht ward, die Dichtung zur Weihe zu erheben, ihr endgültig ein höheres Feld zu sichern über der Unzulänglichkeit und Abgegriffenheit der Prosa". Auf welchen Wegen hat er diese Ent-Konventionalisierung und mystische Sinnerfüllung der Sprache Voltaires versucht? Nicht durch den herkömmlichen *gehobenen* Stelzenstil des Französischen, welcher ihm, dem allzu Belesenen, nicht weniger schal, schwülstig und abgebraucht klang als die Gebrauchssprache, ..ob er es gleich mehrfach mit ihm versuchte, etwa im ersten Tennyson-Nachruf. „Aber wenn ich dann anhob, fühlte ich, daß ich nicht konnte, daß man nicht das Recht hat, die Schriftsprache so zu mißbrauchen — und ich begann wieder zu erfassen, was sie fordert."[2] Noch ferner mußten ihm Ghils Bemühungen liegen, durch Nutzung wissenschaftlicher Ausdrücke eine neue Sprachpoesie zu erschließen. „Nein", soll er ihm gesagt haben, „wir müssen jedermanns Worte benützen in dem Sinn, welchen jedermann zu verstehen glaubt! Ich gebrauche nur solche. Es sind gerade die Worte, welche der Bürger allmorgendlich liest, dieselben! Aber wenn er sie nun gelegentlich in irgendeinem meiner Gedichte wiedertrifft, versteht er sie nicht mehr. Denn sie sind von einem Dichter neu geschrieben worden" (Ghil, Dates 214).[3] Schon bei seiner sprachphilosophischen Arbeit um 1869 hatte er ja die starre, eindeutige Wissenschaftssprache zu ersetzen gedacht durch das beseelte *Gespräch*, wo noch der Ton mitschwingt und die Gedanken vibrieren und die Worte noch doppelten Boden besitzen. Das schien ihm die rechte fiktive Mitte zwischen dem flüchtigen Geplauder und der Ebene des Abstrakten; durch das Zeichen (*signe*, Schrift) werde das Wort dann seinem Sinn verknüpft, und das Wort führe von der *phrase* zur *lettre*. Übrigens hat Mallarmé seine Überzeugung, ganz mit den schlichten Mitteln des Alltags lasse sich die Dichtersprache bestreiten, doch nur zu einem Teil verwirklicht, wie schon ein Blick in Walter Naumanns Dissertation über seinen Wortschatz zeigt. Zwar gab es Worte der Profansprache, die ihm teuer waren, so sehr, daß er zögerte,

31*

sie in seinen Briefen zu verschwenden;[1] um etwa das Wort *poésie*
zu schonen — erst recht *poète*, denn keiner sei immer Dichter! —,
empfahl er *fiction* oder *vers* (zu Fontainas, 13. 1. 95). Aber ein
eingeborener scheuer Drang, sich zu zieren, verleitete ihn manchmal, nicht oft, zu „seltenen" und krausen Wortformen, und nicht
etwa bloß in ausgesprochen preziösen Gedichten wie *Placet B*
(poind, pastille usw.). Sein *authentiquer*, sein *vernal* ist nicht
ganz ohne Anlaß durch den Spott von Gabriel Vicaire (Les déliquescences), Fénéon (*Jacques Plowert*, Petit glossaire pour ser-
vir à l'intelligence des auteurs décadents et symbolistes, Vanier,
1888; mit P. Adam) und Paul Reboux (A la manière de..,
Bd. III) getroffen worden.

Das fruchtbarste Prinzip seines Sprachwollens, mit dem er besonders auf George wirkte, war die Besinnung auf die Urquellen
eines Worts, die *etymologische Magie*,[2] „die Wörter mit der Wurzel auszuziehen" (Rudolf Pannwitz). Es sind die Pfade, die Meister Eckhart ging, der farbloser wirkte, wenn er Latein schrieb,
und dessen Mystik sich wahrhaft aus der etymologischen Wortkraft seiner Muttersprache entwickelte. Auch der Weg Bonalds,
der seine ganze mystische Hierarchie aus dem Orakel des Lin-
guistischen herleitete. Der Weg Georges und seiner Schüler, vom
freirhythmischen Charon-Kreis Otto zur Lindes bis zur philosophischen Wortfindung Heideggers. Mallarmés Schrift *Les Mots
anglais* ist ein einziges Schwelgen in der Etymologie bis zurück
zum Indogermanischen. Vom Englischen unterscheiden sich demnach die romanischen Sprachen, die *langues filles*, dadurch, daß
ihnen „die Suffixe nur durch das Latein und ohne eigenen Wert
überkommen sind"[3] Schwach sei bereits im Lateinischen die
Fähigkeit zu zusammengesetzten Wörtern gewesen, und noch
schwächer sei sie an die romanischen Sprachen vererbt worden;
voll ausgebildet sei sie bei *langues mères* wie dem Griechischen
und dem Germanischen. — Zu Sanskrit und Semitistik ermutigte
ihn Lefébure mit der Verheißung, über das Urdenken der Menschheit werde man aus der Sprachwissenschaft noch vieles erfahren (an Mallarmé, 23. 3. 70). Die Ursprache stellten sich beide
als einsilbige Wörter aus sinnbedeutsamen Konsonanten mit vager Vokalbegleitung vor (Jan. 70). Daher sei die Alliteration so

wichtig, „dem Geist des Nordens eingeboren", die Wort und laut-
liches Sinnbild noch verbunden weiß und „zu einem der heiligen
oder gefahrvollen Mysterien der Sprache gehört".[1] Doch in seinen Übertragungen nach Poe wich Mallarmé ihr scheu aus, besorgt um den französischen, „unseren Wohlklang". Jarry, Ghil,
Breton und andere empfanden solche Rücksichten nicht mehr.
Dennoch wird die Alliteration künstlerisch sinnvoll erst in Verbindung mit einem gebundenen Starkton-Rhythmus; in dieser
Weise wurde sie bekanntlich durch Gerard Manley Hopkins zu
neuem Leben erweckt, weiterwirkend auf T. S. Eliot und auf die
gebundenen Stabreimdichtungen seines Mitstreiters Wystan Hugh
Auden (*The Age of Anxiety*, 1946). Bei deutschen und skandina-
vischen Versdichtern wird diese sprachliche Faszinierung gleichfalls früher oder später noch anderes zu zeitigen haben als die
bisherigen Ansätze von Richard Wagner bis August Stramm.

Nicht allein durch die großen Buchstaben für geweihte Begriffe (dies auch bei Villiers, Mendès, George u. a.), auch durch
Wortstellung, Wortspielerei und metrische Hervorhebung erreichte Mallarmé mehr und mehr, daß der Leser auf einzelne
Worte aufmerksam wurde, ihrem Nachhall, ihrer wurzelhaften
Sinnherkunft nachhing. So entstand Mallarmés „wundersames
präzises Wort", von dem Régnier in seiner Rede vom 9. 6. 12
sprach, „dies berühmte Wort, welches den geheimen und wahren Sinn aller Dinge sagte und immer ein Wort der Weisheit und
Schönheit war". Nachdrücklich rühmte Mallarmé um 1894 seinen Jüngern die Wichtigkeit des Etymologischen, und verriet
seine Abneigung vor dem Gebrauch nicht wurzelhaft französi-
scher Worte, sogar des Wortes *idée;*[2] doch erwartete er nicht, wie
Moréas,[3] das Heil von einer gelehrten Rückkehr zum knorrigen
Französisch der Altvordern, mochte er auch eine Reihe alter-
tümelnder Worte heranziehen (hoir, ire, choir, abscons). Daß
auch dies linguistische Experimentieren zuweilen die Grenze zum
Undichterischen streifte, zeigte sich an manch fragwürdigen
Wortbildungen („avant-dire"), und zumal später bei einigen
Fortsetzern.[4] Während Christian Morgenstern von erstarrten
Worten und verkrüppelten Satzgerippen der deutschen Sprache
den grotesken Totentanz seiner *Galgenlieder* agieren ließ, führen

im ernsten Laboratorium Mallarmés die Worte bisweilen das gespenstisch gestaltlose Eigenleben von wunderlichen Beschwö-
rungsformeln und zungenbrechenden Logogriphen (aboli bibe-
lot; avec l'ail nous l'éloignons; l'innocent annonçât-il), von Symmetrien des Silbenechos (haletât, traçât, j'amenasse, appelât, je
m'immisce) oder des orthographischen Augenbilds (sus, con-
vainc). Die Reime und auch manche Korrekturen (etwa *nuls* in
Guignon C, Vers 62, statt *nus* in B) beweisen, daß er sich weit
weniger der nur-ästhetischen Euphonie als vielmehr der klanglich verrätselten Zufallsbegegnung beugte.[1] Solche gleichsam
abergläubische Versponnenheit in die Lautung ist besonders
wirksam als Prophetie (folie: fiole; plus qu'un pli; tristement
dort une mandore; litige: de lys la tige) und als polemische Parodie (mon jeune étonnement: son jeu monotone ment; ampleur
arrive: pleure la rive), oder in Valérys *Narcisse* als ahnungs-
schweres Echo „expire − pire"?,[2] beliebt auch in den surrealistischen Laboratorien.[3] Französischer Sprachgeist ist dadurch in
ungeahnter Weise wieder entmechanisiert und sinnvoll belebt
worden.

Doch dies war ja erst Voraussetzung für seine eigentliche
„symbolistische" Aufgabe: die Durchgeistigung allzu eindeutiger
Materie, die Auslegung des großen Buchs der Schöpfung, die
Sinnverknüpfung des Kaleidoskops impressionistischer *Zufalls-
gefühle* und -bilder:[4] und ohne daß sie den Schmelz des Manet-
Pinsels verlören! Alle großen Dichter empfanden diese metaphysische Notwendigkeit, und darum dürfte Claudel die Bedeutung Mallarmés doch übersteigert haben, als er meinte, „seit
Balzac hatte die Literatur von Inventaren und Beschreibung gelebt: Flaubert, Zola, Loti, Huysmans. Mallarmé ist der erste,
der sich vor das Äußere stellte nicht wie vor ein Schauspiel oder
wie vor ein Schulaufsatzthema, sondern wie vor einen Text mit
der Frage Was heißt das?"[5] Er antwortete nun freilich nicht als
Philosoph, sondern als Dichter; scharfsinnig, überraschend, nie
stirnrunzelnd. Dennoch so, daß vor seiner Rede manche zum
erstenmal dem Wunder begegneten, daß einer „dachte, bevor er
sprach" (Gide). Stets blieb der reflektierende Reichtum aufs
engste verbunden einer erstaunlichen Netzhaut-Reizbarkeit für

die schönsten und zartesten Sinnenreflexe, die ihn als Muster
eines ästhetischen Dichters bestätigt. Alles Abstrakte vergoldete
sich ihm, wenn er wollte, mühelos zu existentieller Bildhaftigkeit. Der Satz etwa: noch ist nicht die Jahreszeit, die Fischreusen
auszulegen, lautete, ins Ästhetische umgedacht: noch beugen
wir uns nicht zum Auslegen der Reusen, uns dabei im Wasser
spiegelnd; und ins Absolut-Ästhetische: „auf der Welle spiegeln wir uns noch nicht, um die Reusen auszulegen" (*Vers de
Circ.* 170).

Er aber wollte mehr, — ohne übrigens jene geringer zu schätzen,
welche sich bemühten, „nichts von dem zu übersehen, was hier,
am Boden, geschieht, die vielfältige und so weitreichende Liebe
oder den zeugenden Akt: das zeigt eine kläräugige Philosophie
und wahre Poesie" (an Zola, 12. 12. 87). Mallarmé war der einzige Dichter, welcher die dimensionale Scheidung der abstrakten
und der konkreten Sinnsphäre aufhob, ohne allzuviel von seinem Dichtertum einzubüßen.[1] Er hatte, gleichzeitig mit Mendès,[2]
begonnen, die von Hugo und selbst noch von Baudelaire (trotz
dessen *Concordances* und *Correspondances*) auseinandergehalte-
nen Bildsphären zu mischen. Durch kühnsten synästhetischen
Stimmungstausch optischer und akustischer Assoziationen[3] war
die Mauer zum Abstrakten unterhöhlt worden. Er hatte die seit
der *Pléiade* fortschreitende Entsinnlichung des Dingworts (Sub-
stantiv) abgeschlossen durch die substantivierte und parataktische
Verselbständigung des Eigenschaftsworts; les vents sinistres qui
parlent dans l'effarement de la nuit (*Symph. litt. III, A*) korrigierte er zu „qui parlent d'effarement et de nuit". Auf Kosten der
logischen Bindungen erhalten die Einzelteile der konkreten Welt
ein isoliertes Sonderdasein[4] und verlieren dadurch das Wichtig-
tuerisch-Materielle. „Darin beruht das ganze Mysterium: die geheimen Wesensgleichheiten aufzurichten durch ein Zwei-und-
Zwei, durch welches die Gegenstände zersetzt und abgenutzt werden im Namen einer im Mittelpunkt befindlichen Reinheit" (an
Griffin, 8. 8. 91; *Propos* 148). Zugleich öffnet Mallarmé, mit
Ausnahmen,[5] bei abstrakten Vorstellungen plötzlich eine Tür zum
Sinnenhaften, ..zumal durch Zurückgreifen auf die etymologische Sinngebung: redet er etwa von einem *Trugbild,* chimère,

so nimmt er den Begriff zugleich als Bild, als *Fabelwesen* aus
dem Meer, mit einem „Gleißen seiner Schuppen" (Div. 247).

Das Ringen für eine „zentrale Reinheit" gegen eine bloß ding-
liche Welt ohne Mitte also wäre sein Anliegen, die „orphische
Enthüllung der Erde" (an Verlaine)? Eine schwer faßbare Mitte,
diese *Reinheit*. Und wird sie wirklich immer erreicht, sobald der
Dichter zweierlei, etwa wie bei Novalis Sichtbares und Unsichtbares, paarweise ineinander verstrickt? Genügt es, daß er aus
seiner Welt nur eben das Verbindungswörtchen *gleichwie*
(comme) ausschließt?[1] Kann man sich auf die Dauer mit dem
Schlagwort „école du Symbole" befriedigt fühlen, das d'Orfer
aufstellte (*Le Scapin* 1. 9. 86)? Auch wies schon die erste Definition des „Symbolismus" (Moréas, in *Figaro* 18. 9. 86) darauf hin, daß diese Seinsweise bis zu den Mystikern des Mittelalters zurückreiche. In der Tat: habe ich, und sei es ein einziges
Mal im Leben, den Flug eines Adlers mit den Augen und mit der
Seele mitgeflogen oder mich in die Unterschiede einer Rose und
einer Lilie anschauend versenkt, so ist dieses Schweben und dieses Blühen auf lang hinaus ein Teil meines Wesens geworden, es
ist weniger mehr ein Bild als vielmehr eine Art meines Erlebens,
und mein Denken wird es fortan mühelos als ein Sinnbild ge-
brauchen, ohne ein solches „Symbol" als fremden oder abge-
sonderten Teil der Aussage zu empfinden. Symbolismus? Jeder
Ismus ist jedenfalls nur gerade das, was man daraus macht, und
derjenige des Symbols ist, um mit der Poetik Martin Heideggers
zu sprechen, so alt wie die Dichtung selbst, denn das Bleibende
„setzt sich selbst ins Werk" im Symbol, immer geschieht Dichten in Sinnbildern. Dies war übrigens die richtige Antwort schon
der frühesten Zeitgenossen auf das unglückliche Stichwort Symbolismus. „Sinnbildliches sehen", hieß es in Georges *Blättern
für die Kunst*, „gehört nicht zur dichterischen Technik, sondern
ist die natürliche Folge geistiger Reife und Tiefe".[2] Mallarmé
also bejaht die zu einem Sinn hin gespannte Natur[3] im Unterschied zu einer „gegenstandslosen Kunst", welche, sei es aus Mißtrauen und Haß gegen das Wirkliche oder aus Größenwahn
oder aus beidem, der naturgegebenen Umwelt keine Sinnmög-
lichkeit zuzugestehen scheint. Schon allein die Rolle des Spre-

chens, der gesprochenen Rede liegt ja wohl darin, wesensgemäß
ein „Zwischen" zu bilden: „das Haus des Seins" zwischen dem
Ding und dem, worin mancher Gottes Wohnung wahrzunehmen
glaubt, und was Heidegger „Welt" zu nennen vorschlug.

Symballein, Zusammenwerfen und an einem Einzelnen irgendein Ganzes ablesen, läßt sich als ein Stück Romantik bezeichnen,
insofern damit auf urtümliche Erfahrungen hingestrebt wird. Nicht
immer ist das allein schon ein Wert. Mancher verlangt von einem
Sinnbild einen wohlfundierten Sinn und die Einwilligung seines
eigenen rationalen Empfindens. Ein solcher Sinn kann klassisch
sein, das heißt auf eine urtümliche *Gesetzlichkeit,* auf etwas Ge-
regelt-Proportioniertes bezogen. Und das Urphänomen, das sich
im Phänomen sichtbar zu machen hätte, kann die *Idee* sein, von
der Moréas im Manifest seines *Symbolismus* redete. Auf ähnlich fester Warte befindet sich sodann das mystisch-religiöse
Symbol, dessen Untergrund seit Bonaventura der Glaube und die
Theologie ist. Diese Symbole sind einer großen Verbreitung gewiß; mancher Künstler beneidet den Philosophen und Theologen
darum.[1] Für keine der beiden Symbolwelten ist Mallarmé aus-
giebig, und zahlreiche Kunstkritiker verargen ihm namentlich
seine Beziehungslosigkeit zur christlichen Symbolik. So wurde
Mallarmés Wollen und Müssen beispielsweise durch Emilie Noulet beurteilt auf Grund der Auffassung, seine Symbole müßten,
da sie nicht mystisch-religiös seien, bei aller Schönheit gehaltlos
sein. „Sein Drama ist, daß das Symbol nur dann lebensfähig ist,
wenn es aus einer wirklichen Mystik stammt. Nun hat aber der
sogenannte Symbolismus, die unter diesem Namen bekannte sehr
literarische Schule, aus den Symbolen nur die Symbolidee ent-
nommen, nur die leere Idee der Schönheit."[2]

In der Tat gibt es für eine einflußreiche Gruppe von Kunst-
kritikern nur diese eine Alternative: entweder „mystisch" oder
„leer". Andere sind vorsichtiger. Guy Michaud verwies zwar auf
die christlichen Mystiker (1947), um zu beweisen, Mallarmé sei
nicht Mensch gewesen, habe kein Herz und keine Liebe gehabt,
seine *poésie inhumaine* sei das Schweigen, leer an Verwirklichung;
aber immerhin sei er nicht absolut genommen leer, „nicht nichts"
(Claudel, *Positions*), seine Welt sei „nicht unwirklich, sondern

vorwirklich, nicht unmöglich, sondern einzig aus Möglichkeiten bestehend". Marcel Raymond möchte den Dichter an die Seite buddhistischer Mystiker stellen,[1] Antoine Orliac suchte Fäden vom Altägyptischen, Altindischen, von der Kabbala, von Eckhart, Paracelsus und Böhme zu Mallarmé zu entdecken: er sei nicht einer der Mystiker gewesen, aber durch vieles mit ihnen verbunden, ein *initié*, ein rosenkreuzerisch Eingeweihter gewesen.[2]

Was ist daran richtig? Sind etwa Mallarmés theoretische Schriften „leer" zu nennen? In welche Fernen seine Symbole wiesen, darüber deutlich zu werden, war allerdings seine Art nicht; sowenig wie durch die Lehre Poes, das Wesen der Dichtung sei die Analogie, das geheimnisvolle Echo der Dinge in einer solchen Symbolwelt ausgedeutet wurde. Immerhin läßt sich beispielsweise aus dem Unternehmen Mallarmés, das Wesen der Dichtung in einem Satz zu definieren (auf Bitte von d'Orfer, 1884), einiges ablesen: „Dichtung heißt: durch die auf ihren wesenhaften Rhythmus zurückgeführte menschliche Sprache wird der geheimnisvolle Sinn der Aspekte des Daseins[3] zum Ausdruck gebracht." Theoretisch jedenfalls wollte Mallarmé mithin wesentlich mehr, als einige der genannten Kritiker an ihm gelten lassen. Es bleibt die Frage, inwiefern er es wirklich mußte und konnte.

Gewiß ist zuerst eines: Mallarmé erfüllte die genannte Theorie, in welcher übrigens seine bewundernswürdige ethische Haltung bescheidenerweise ganz verschwiegen ist, nicht immer restlos. Es gibt genug Beispiele dafür, daß er nicht immer nach einem „geheimnisvollen Sinn" hin gespannt war, sondern oft genug nur nach einem preziösen. Seine preziösen Leistungen halte ich für beiläufig, andere wollen fast nichts anderes feststellen als diese. Ich glaube zu sehen, daß er die preziöse Symbolik hemmungslos wuchern ließ, solang es ihm nur auf Zerstreuen oder Unterhalten ankam; etwa in der *Dernière Mode*, wo er die Schleier an den Hüten der englischen Reisenden „Nomadenzelte" nannte. Oder als er einmal auf einem See des Bois de Boulogne einen steifen Herrn mit Zylinder rudern sah: er hat ihn aufgesetzt, um die Fiktion eines Dampfbootes zu erzeugen. Oder er improvisierte beim Anblick eines verbummelten Gassenjungen, der verdrossen

Gemüse feilbot:[1] „Sehet, dieser Junge hat sich die beiden Arme mit Gemüsen beladen, eigens um sich am Stehlen zu hindern." Keine einzige Bewegung brauchte sinn- und schönheitsleerer Zufall zu sein. In einer typischen Geste etwa hielten seine Verse den alten Freund Baudelaires fest, Paul Nadar (eig. Tournachon): den berühmten Stammvater der Kunstphotographen,[2] dessen Linse die Menschen ebenso sicher einfange wie sein Wurfnetz die Fische des Stromes, .. in einer Bewegung, brüsk wie die eines Erwachenden, der mit der Schulter gleichsam den Schlaf abschüttelt .. oder auch wie das gekrümmte Aufrecken einer einsamen Weide, wenn alles noch gleichmütig ist außer dem blauen Morgenhimmel, der die kühl und faul dahinfließende Seine kost, und wenn ruderlos noch der Fischernachen am Pfahl angeschlossen schlummert. Am ausgelassensten trieb er es, als Méry ihm den Auftrag erteilte, die langweilig erzählten *Contes Indiens* von Mary Summer reizvoller auszugestalten. Für diese private Belustigung zog er denn die tollsten Register dessen, was ich als die preziöse Sinnverstrickung und Noulet als den Symbolismus überhaupt bezeichnete. „Sogar die Pfauen auf dem Dach schrien freudig", als der Wagen einfuhr — so erzählte Mary Summer. Mallarmé machte daraus: Sogar die Pfauen, „welche auf den durch den Abend mit Feuern übergossenen Ziegeln hocken, ahmen mittels ihres blitzenden Schweifs jedes Rad des raschen Wagens nach". Ähnlich sein Zusatz zu den *Zehn Prinzen* des Inders Dandin: als der böse König Wikatawarman auf dem Scheiterhaufen verbrannte, sei seine *schwarze* Seele einen Augenblick in seinen *verkohlenden* Zügen sichtbar geworden. Hier ist man, wie so oft später bei Jean Giraudoux, an der messerscharfen Grenze vom Noch-Poetischen zum Nur-noch-Geistreichelnden angelangt. Gewiß klang es geheimnisvoll, als Mallarmé zu Huret sagte: „Die Dinge sind da, wir haben sie nicht zu schaffen; wir haben nur ihre Beziehungen zu erfassen." Aber wenn daraus nichts weiter entsteht, als was die bisher angeführten Beispiele zeigen, kann man nicht umhin, Emilie Noulets Enttäuschung zu teilen. Und wenn solche müßigen Spielereien zuweilen ins Dunkle entarten, so läßt sich schließen, daß es also eine Dunkelheit des Oberflächlichen gebe.

Das Beispiel von der „schwarzen Seele", das auf Mallarmés
Knabenzeit zurückgeht,[1] weist nun aber zu einer weiteren innerlich sinnvolleren, daher weniger niedrigen Schicht seines Symbolismus; ich nenne sie die *literarische* Sinnverstrickung. Sie
läßt zunächst gleichfalls verstehen, warum mancher dem Symbol-
gebrauch Mallarmés die Tiefe absprechen mag. Das Sinnbild
„*schwarze* Seele" ist ja kein urtümliches Bild, sondern eine alt-
hergebrachte intellektuelle, „literarische" Konvention. Vor der
aber hütet sich der elementare Dichter; nur zögernd läßt sich
etwa Rilke auf dichterische Deutungen des „Engels" ein, einer
gleichfalls buchmäßig überkommenen Konvention. Dante war
hier noch weit unbefangener; und, zumal in seiner Jugend, auch
Mallarmé, obwohl er aus seiner Lektüre „alter Bücher" zuweilen
nach einer unsymbolischen Seebrise seufzte. An ungefähr alle
Dinge unseres Kosmos dürfte sich ja bereits eine überkommene
literarische Sinndeutung heften. Ist nun der moderne Dichter gezwungen, so zu tun, als komme sie ihm nicht in den Sinn? Welche
Seiltänzerei! Um „echt" zu wirken, zuerst dem eigenen Bildungs-
gut unnatürlich aus dem Weg gehen müssen! Ist für manchen
der Topos *Sternenzelt*, so bedauerlich es sein mag, nicht vertrauter als der tatsächliche Nachthimmel? So glaube ich in einer
scherzhaften Anekdote um Mallarmé einen erheblichen und vielleicht zukunftsbedeutsamen Mut zur Selbsterkenntnis festzustellen. Für ihn war, wie Coppées Tagebuch berichtet (18. 7. 72),
mindestens zeitweilig der Sternenhimmel so ausschließlich ein
„literarisches" Sinnbild, daß er scherzhaft den nicht herein-
passenden Mond beseitigt wünschte; nur daß es dann Ebbe und
Flut − d. h. abermals: ihren Symbolwert ! − nicht gäbe, habe
ihn versöhnlicher gestimmt gegen diesen überflüssig störenden
„Käse".

Wird vor unserem Kritikertribunal ein Dichter solcher Bil-
dungsreminiszenzen überführt, so sind wir gewohnt, den Stab
über ihn zu brechen. Wir setzen dabei voraus, daß reine Buch-
begriffe wie beispielsweise *Penultima* keinerlei Beziehung zum
menschlichen Schicksal hätten. Sodann daß ein Dichter, der *Literarisches* benützt, zu träg gewesen sein müsse, sich gleichsam
neugeboren in die Dinge zu versetzen; etwa im Sinn jener Anek-

dote, daß die Lyrikerin de Noailles ausgerufen habe, als einmal ein Gartenbesitzer ihr sein Melissenkraut zeigte: „Ei, so sieht also diese Blume aus, die ich so oft besang!" Der Leibhaftigkeit von Mallarmés Blumensymbolen wird man ähnlich mißtrauen. Stammen sie nicht von Vorgängern? Fanden wir nicht den Clown und die rosenfingrige Morgenröte, Gletscher, Schnee, Gold und dergleichen so sehr bei seinen Vorgängern, daß es fast scheint, er habe nur deren Dichtung neubearbeitet herausgegeben? Was Villiers oder Baudelaire als den „Traum" oder den azurnen Äther darstellten, wurde dies durch Mallarmé vielleicht nur eben symbolisch genommen, ohne eine eigene erlebnismäßige Nachprüfung der Grundlagen? Nicht einmal, daß er das so oft besungene Haar Mérys wirklich mit Augen gesehen habe, wollte ihm Noulet zutrauen.

Voreilig bei alledem ist jedoch die Voraussetzung, daß bei den Verstrickungen *literarischer* Sinngehalte der Dichter nur „symbolisch nehme", ohne etwas Eigenes zu erleben. Vorsichtiger ist es, zu sagen, daß fast alle Dichter bei einem solchen Unternehmen scheiterten. Mallarmé allerdings, so scheint mir, hatte die Gabe, gleichwohl dabei noch ein Dichter zu bleiben. Schon darum, weil ihm die *literarischen* Symbole nicht etwa nur dann vor Augen standen, wenn er am Schreibtisch saß und beispielsweise mit der Feder eine Rundfrage über den soziologischen Sinn des Zylinderhuts beantwortete (die Krone überdauernd, habe diese Kopfbedeckung die Vitalität des Bürgertums erwiesen usw). Er lebte so sehr in ihnen, daß er nicht weniger „authentisch" war, wenn er buchmäßig festgeprägte Symbole wie *Heiligenschein, Himmel, Schlange des Paradieses, Federbusch* zur Sinnverstrikkung beizog. Wem sonst wäre das gelungen, und dabei so mühelos und aus dem Stegreif wie in den folgenden Beispielen! Als Dauphin in ehrfürchtigem Ernst bei einem einsamen Gang auf den Felsen von Samoreau ausrief: „Mallarmé, ja, Sie sind ein Heiliger", erwiderte der Dichter, nach einem gespielt groben *Und Sie nicht weniger!*: „Und nun wollen wir unsere Heiligenscheine abnehmen und damit, wie mit Goldscheiben, das feine Spiel der Grazien spielen."[1] Oder bei einem Essen in Samois, mit Dujardin, A. Marie u. a., rief er, als am Federhut einer Tisch-

genossin ein aus dem Gewölk hervorbrechender Sonnenstrahl auf-
leuchtete: „Ihre Feder, Madame, hat den Himmel gefegt." Oder
im Garten seiner unnachgiebigen Méry, beim Anblick eines Gar-
tenschlauchs: „Alles was uns bleibt von der Schlange des Paradieses!" Oder als der junge Redakteur der *Revue Indépendante* sich
über die Ausrufezeichen aufhielt, mit welchen Mallarmé die
Sätze seiner Theaterkritiken spickte, verteidigte der Dichter sich
in einem Distichon: dies Zeichen gleiche einer Feder, die man
sich an den Hut stecke (Vers de Circ. 141). Dies Beispiel zeigt
besonders klar, wie trotz äußerlicher Gestaltanknüpfung der Begriff des Federbuschs kaum mehr als Bild, fast nur als abstraktes *Zeichen* (festlicher Erhebung) gehandhabt wird.

In der Einmengung buchmäßiger Vorstellungen kann man
übrigens noch erheblich weiter gehen als Mallarmé. Dann allerdings meist auf Kosten der Poesie. Dante tat es; Stefan George
folgte ihm sogar etwa darin, fremdsprachige Verse oder Verse
aus älteren Dichtern als Zitate in die eigenen zu übernehmen.
Ezra Pound und sein Schüler T. S. Eliot machten es sich bekanntlich fast zum Grundsatz, die Zitate, die in ihrem vielbelesenen Geist
auftauchten, beim eigenen Dichten nicht zu unterschlagen. Unverfänglicher ist dergleichen natürlich im Prosagedicht, zumal wo dieses sich dem Aufsatz nähert. Als Mallarmé über die Aufführung
von Kunstwerken zu berichten hatte, konnte es nicht ausbleiben,
daß er unaufhörlich die Augenweide im Zuschauerraum als Verbildlichung für den literarisch oder musikalisch geistigen Sinn des
Podiums ausbeutete —, im vollen Bewußtsein, daß die beiden
Räume ja in Wahrheit einen Mißton zueinander bilden. Ja, die
stete Spannung zwischen äußerem Mißklang und poetisch erwirk-
tem Einklang scheint mir den eigentlichen Schlüssel zum Dyna-
misch-Schönen von Mallarmés Kunst darzustellen; während Be-
zeichnungen wie symbolistisch, barock oder dergleichen letztlich
alles verwischen und relativieren. Auf der nämlichen Spannung
beruht in einem engeren Sinn die literarisch-künstlerische Wesenheit der *Rätsel.*

Neben den beiden Schichten des preziösen und des literarischen
Symbolismus läßt sich bei Mallarmé eine weitere, die tiefste, feststellen, von deren Möglichkeiten, der magischen, der mythischen,

der religiösen, er mindestens die beiden ersten gepflegt hat. Die dritte übrigens vielleicht nur darum nicht, weil er als Schriftsteller einer kritischen Zeit nichts Vorgreifliches behaupten wollte. Seine Tat war, die Abtrennung der Sinnbilder von ihrem Zufälligen nicht zu erzwingen, den Würfelwurf der Erhellung bewußt zu vermeiden. Ich verstehe es als eine weise, vielleicht fromme Demut, wenn er im *Frisson* oder im *Démon* die „irrécusable intervention du surnaturel" nur als ein Rätselbuch aufschlägt, oder wenn er, bescheidener als Sully Prudhomme, die sinnbildliche Botschaft des Siebengestirns am Ende von *Ses purs ongles*, über die allgemeine tröstliche und verewigende Bedeutung hinaus, brieflich als „unfaßbar", *incompréhensible*, bezeichnet. Ein Victor Hugo freilich, in dessen Augen Mallarmé ein „lieber Impressionist" war, hatte wenig Verständnis für solche Reserviertheit. Da unsere Zeit eher zu vielen als zu wenigen Botschaften Gehör schenkt, liegt ihr die Haltung Hugos, der sich nie lange zum „Würfelwurf" einer Deutung bitten ließ, näher. An die Stelle der bei Baudelaire und Valéry so häufigen Allegorie, die sich noch in Mallarmés *Hoffnung*- und *Mißgeschick*-Gedichten findet, tritt in seinen reifsten Dichtungen etwas Neues: die Halluzination[1] als Schicksalseinsicht oder gar als Schicksalsbotschaft, etwa durch das erwähnte Siebengestirn, ein andermal, als Herodiades Stimme ertönt (1A), durch die Vision der verhüllten Monstranzen usw. Der Dichtungsfreund mit rationalen Vorbehalten wird dies im allgemeinen als Überbelastung des poetischen Symbols beurteilen, und in der Tat gibt es unerklärbare Tiefen, in denen Sinnbilder aufhören, noch einen Sinn auszudrücken, Tiefen, denen allenfalls noch der Komponist gewachsen ist, während der Dichter gut daran täte, nicht weiter vorzudringen.

In seiner tiefsten Schicht erst tritt Mallarmé also den Welträtseln näher. Sie läßt sich wie in den beiden ersten Fällen am gleichen Coup de force, am Zylinderhut, erläutern. Wenn zwei Herren den Hut lüften, so ist es, scherzte er, als ströme rings um ihren Kopf, wie aus einem Kochtopf, der Dampf ihres gegenseitigen Hasses aus. Den Zylinderhut nannte er einmal den Blumentopf für die kopfstehende Pflanze Mensch; oder ein andermal: den Sockel der nächtigen Säule, die auf jedem von uns lastet.

Hier suchte er mithin an letzte Fragen zu rühren, und was wir daran zu lernen haben, ist, daß man es tun kann, ohne aufzuhören zu lächeln. Daß er als Dichter über solche Fragen nicht so viel zu wissen behauptet wie ein Theologe, werden wir ihm weder als Gehirnleere und Sterilität noch als Unbegabtsein zum Symbol auslegen. Durch sein mythisches Sinnverknüpfen erreicht er, so scheint mir, eine Heranführung an Geheimnisse des Daseins, die atemraubend ist; man kann ihr den Namen „orphisch“ belassen. Es geht bis in kleine scherzhafte Verslein, etwa wenn er einen Mann einen Humpen zur Neige leeren sieht und den Humpen sprechen läßt: „Ich halte geheim, was jener dachte.“ Oft wird in Mallarmés reifen Schriften gleichsam jedes Molekül schwanger vom Schicksalhaften. Der junge Paul Claudel hat es, halb unbewußt, erkannt, als er seinem Meister Mallarmé in einem Sonett[1] den bitteren Lorbeer des kämpferischen Sieges und den grünen des Geheimnisses um die Schläfen wand, weil seiner Dichtung „rien d'éternel comme rien d'éphémère n'échappe“. Wenn es unterdessen manchem theologisierenden Tageskritiker vermutlich völlig einerlei geworden ist, ob Igitur im Nichts oder im Absoluten untergeht, wofern er nur untergeht und so die Nichtigkeit einer unfrommen Dichtung bezeugt, so ist es an der manchmal belächelten Wissenschaft, zumindest für eine gerechte und in wissenschaftlichem Sinn sorgfältige Beurteilung einzutreten. Man kann nicht Mallarmés Werke hastig durchblättern und dann erklären, zwar den deutschen Romantikern oder Nerval und Baudelaire seien ihre Bemühungen um mystisch-metaphysische Erkenntnisse hoch anzurechnen, Mallarmé aber gebe eine sterile, geistesleere „esthétique par le vide“, die niemals „die ganze Person“ betreffe und an der man zu Unrecht etwas Heldisches habe aufweisen wollen. So 1947 in dem zweibändigen literarhistorischen Werk eines verdienten Nerval-Kenners, Henri Clouard. Dort heißt es, nach zwanzig fast durchaus ablehnenden Seiten über den Dichter: „Man hat uns eine Partitur mit unbekanntem Schlüssel ausgeteilt, und wir meinten uns verpflichtet, sie zu entziffern? Danke schön, man möge das nicht von uns verlangen“ (I 51). Der Nervenarzt Jean Frétet (*L'aliénation poétique*, 1946, p. 94 f.) suchte gleichzeitig auf fünfzig Seiten nachzuwei-

sen, bei Mallarmé sei nicht die Spur eines Gedankens, er vermittle ein krankhaft unlebendiges Grübeln über sprachtechnische
Fragen.

Nachdem diese Grenzlinie zu ziehen war, werden die nachfolgenden kritischen Einschränkungen richtig verstanden werden.
Die Schriften über Mallarmé, scheint mir, lassen die Frage noch
unbeantwortet, in welcher Art sich im Gedicht das von Mallarmé
,,orphisch'' genannte Verhältnis des Dichters zur sinnbildhaften
Wirklichkeit auswirke. Was ist denn dabei bezeichnend für seine
Art, sei sie ihm bewußt gewesen oder nicht? Von den beiden Erscheinungen, die ich festzustellen glaube, möchte ich nicht behaupten, daß sie die einzigen sind, aber offenbar sind sie besonders augenscheinlich. Nennen wir sie das Prinzip der kommunizierenden Geschehnisse und dasjenige der Orakelträger. Am ehesten ist man mit beiden aus dem Überdenken von Träumen vertraut.

Soweit die Dichtung ein Teil unserer rationalen Kultur geworden ist, ist auch ihre Bildersprache auf den Umkreis der psychologisch naheliegenden Assoziationen eingeschrumpft. Alle größeren Gedankensprünge pflegen durch die Wendung ,,so wie..''
oder ausführliche Erklärungen überbrückt zu werden. Anders bei
Mallarmé. Die Fingerspitze seiner Herodiade leuchtet in der Morgenröte wie eine Flamme; eine Locke löst sich aus ihrem Haar;
das Wachs einer Kerze schmilzt usw. — ein Geschehnis steht ohne
rationale Notbrücke und ohne landläufige Assoziation neben dem
andern, und eben diese ungewohnte Unverbundenheit spricht zum
Leser als ein Mysterium, als ein mahnendes Gedenken an die
große Rätselhaftigkeit allen irdischen Schicksals — im *Würfelwurf* sogar in buchgraphischer Entfernung eines Bildes vom
andern. Ähnliches findet man in den Märchen des jungen
Ludwig Tieck, dem meines Wissens frühesten Beispiel für
das Prinzip der kommunizierenden Geschehnisse, d. h.
der Geschehnisse, die einander gleichbedeutend sind, ohne jede
erkennbare Verknüpfung. Immerhin ist dabei die fatalistische
Stimmung nicht unumgänglich. Für die Vervielfachung hieroglyphischer Metaphern im Bewußtsein einer letztlichen ,,orphischen'' Verbundenheit verweise ich auf ein bekanntes Gemälde

der deutschen Romantik, die von Versen Klopstocks angeregte „Lehrstunde der Nachtigall" von Philipp Otto Runge. Eine Nachtigall ist auf dem Bild nicht zu sehen. Das von einem Reliefrahmen umgebene Mittelstück zeigt eine weibliche Gestalt, die einem flötenspielenden Amor zuhört. Für das übrige beachte man, was der Maler in einem interessanten Brief über das Gemälde schrieb. „Ich lasse unten im Bild ein Stück von der Landschaft sehen. Diese ist ein dichter Wald, wo sich durch einen dunklen Schatten ein Bach stürzt; dieses ist dasselbe in dem Grunde, was oben der Flötenklang in dem schattigen Baume ist. Und in dem Basrelief kommt oben über wieder Amor mit der Leier; dann auf der einen Seite der Genius der Lilie, auf der andern Seite der Genius der Rose. Auf diese Weise kommt eines und dasselbe dreimal in dem Gemälde vor und wird immer abstrakter und symbolischer, je mehr es aus dem Bilde heraustritt."

Dreimal „im Grunde dasselbe". Bei Mallarmé sind es oft ungezählte scheinbar zusammenhanglose Bilder und Geschehnisse, die geheimnisvoll kommunizierend eines und dasselbe Erlebnis wiedergeben. Er bedient sich dieses Prinzips der Häufung und Vervielfältigung, wohl um sich einer Aussage über das zwar als einheitlich geglaubte, aber erschauernd verschleierte Grundgeschehen entziehen zu dürfen. Spielerischer klingt es, wenn er einmal vorschlug, ein verstellbares Zifferblatt mit verschiedenfarbigen Symbolzeichen herzustellen, aus deren jeweiligen Konstellationen sich Betrachtungen über die ganze Weltordnung ablesen ließen .[1]

Dieser Einfall, mit dem er, vielleicht ohne es zu wissen, eine Erfindung des Scholastikers Raymundus Lullus aufgriff, zeigt den Übergang zu dem andern Prinzip, dem der „Orakelträger". Nicht nur entsprechen die Bildvorgänge einander sinngemäß, sie sind für Mallarmé unablässig Weisungen und Botschaften, die das Schicksal an den Menschen richtet. Vielleicht war es der eigentliche innere Sieg Mallarmés in der Dichtung, als es ihm gelang, aus der grauenvoll passiven Rolle, in welche auf solche Art der Mensch erdrückend geriet, ein winziges Maß eigener menschlicher Tat herauszuläutern, und sei es nur die Tat einer willentlichen Selbstauslöschung. Immer häufiger wird es in seinen späteren Gedichten, daß das „Mais" oder „Non!" der Wendungsmitte nicht eine Verdüsterung, sondern eine tröstliche, willensgeprägte Aufhellung einleitet.

Man ermißt die Bedeutung nicht, welche die Dinge, die Bilder für Mallarmé besaßen, wenn man nicht erwägt, wie oft er unter ihnen litt, und daß er sich als den Ort der eigentlichen übermenschlichen Ruhe den gestirnten Himmel erträumte, den durchaus bildlosen und also erlösenden. Und dies gerade in einem Zeitalter des wahllosesten Mißbrauchs aller Sinnbilder, in der sich zumal das Kunstgewerbe in platten Assoziationen überbot: man schuf damals einen Ofen in Gestalt eines gepanzerten Ritters, einen Humpen als Frau mit Cul-de-Paris, ein Plätteisen als Dampfboot usw [1] Im Bewußtsein seiner psychologischen Wehrlosigkeit vor ähnlichen, wenn auch poetischeren, Assoziationen hat sich Mallarmé ausgesprochen zurückgesehnt zum Bürgerstil Louis XVI mit seiner ruhigen, klaren Sprache und seinen adligschlichten familiären Möbeln in diskreter Mahagonigliederung. Im Gegensatz zu den anspruchsvollen, vieldeutig bedrechselten Möbeln seiner Zeitgenossen, wo der Blick sich aufspieße an den Ähnlichkeiten irgendeiner trügerischen, groben dekorativen Anspielung und verlockt werde, an ihren wirr gewundenen Zieraten märchenhafte Phantastereien auszuspinnen (Div. 196).

Aus dieser Wehrlosigkeit gegenüber einem nicht etwa verkrampft erzwungenen, sondern wahrhaft angeborenen Spieltrieb erklären sich die abergläubischen Beklemmungen seines nicht religiösen, sondern magischen, man könnte sagen druidischen Weltbilds. Es ist nicht bloße *Preziosität*, wenn Mallarmé vermied, von der Schraube zu sprechen, die den Dampfer treibt; die Schraube, meint er, reizt, wendet sich verführerisch, bis das Wasser, durch ihre trügerische Anmut angelockt, sich mitreißen läßt: es strömt zusammen, strömt ein, stürzt in die Falle, stößt.. und trägt das Schiff voran.[2] Derlei paradoxe Spielereien, Übersteigerung irrationaler Sinnverknüpfung, führen zurück auf eine Art animistischen Urglaubens an ein dämonisches Eigenleben der Dinge. Darum vielleicht Mallarmés große Neigung zu reflexiven Verbalformen wie *s'allume;*[3] die Ersetzung von *est accompagné* (Symph. litt. II, A) durch *s'accompagne;* die Übersetzung der

Tennyson-Stelle, daß der Riegel in Marianas Zimmer *was un-lifted* durch *était sans se lever*. Wie das Volk damals aus dem Knacken eines Schranks, dem Stehenbleiben einer Uhr, und wie die Halbgebildeten aus dem spiritistischen Tischrücken erschauernd Botschaften ablasen, so fühlte der Jünger Poes sich umstellt von einem rätselhaften System geflüsterter Hinweise und vieldeutiger Orakel, hinter denen ein *Kakodämon* (wie der von E. T. A. Hoffmanns *Kreisler*) geschäftig sein mochte. Ein Flaschenhals ist in unheimlicher Bewegung und kündet bei aller Abwesenheit der Menschen, daß ein menschlicher Sieg sich vollzog (*Surgi*). Ein Schneetreiben — ihm ist es der symbolische Schicksalswink, das verlorene Blütenreich werde hienieden nie wieder verwirklicht werden (*Mes bouquins*). Eben diese Botschaft, die Erkenntnis des „Anastasius" der *Prose*, wird rege, wie uns scheint, im Schlußbild des selbstpsychologischen Berichts *Le Démon de l'Analogie*, der im ersten Heft einer durch Charles Cros und Henri Mercier gegründeten Zeitschrift erstmals erschien. Er verrät besonders die Leibhaftigkeit dieser magischen Bindung an Kleinkram wie bei Annette von Droste; und eines angstvollen, geradezu altkeltischen Haruspizien-Forschens auf Vogelbotschaften usw., so in *Petit Air II*, wie es einstmals schreckhaft die Nächte des unglücklichen Aloysius Bertrand verstörte. Das Schöne der *Démon*-Dichtung liegt in ihrer schicksalhaften Sachlichkeit. Der Vorwitz der *Guignon*-These ist gedämpft.

Aus seiner täglichen dichtungstörenden Schulfron lag dem Dichter, mitten im Straßentreiben, der lexikalische Ausdruck *Penultima* durch eine hartnäckige Fügung noch im Ohr; und es sang wie nach einem Enjambement nicht minder absurd weiter, mit erlöschender Stimme „.. *Ist tot*". Mit dem Klangrhythmus bildeten sich Halluzinationen. „Penultima" — das klang wie ein vergessenes *Musikinstrument*, über dessen Saiten schleppend und leicht ein *Flügel* — derjenige „glorreichen Sich-Erinnerns", an die Zeit der Kindschaft, an die einstige Verbundenheit mit einem noch nicht gestorbenen Gott?[1] oder ein *Palmzweig*[2] niedersinkend gleitet, .. bis er endlich das Wort laut nachsprach. In der Pause aber vor dem im Gebetston beigefügten „Ist tot" war es, als springe die bei „.. nul .." so gespannte Saite des Vergessens.

Doch als er nun ärgerlich die marternden traurigen Worte[1] los-
zuwerden hofft, indem er sie betont weinerlich zerredet, durch-
fährt ihn plötzlich die nervös schreckhafte Eingebung, aus seiner
Stimme spreche die erste, die einzig ewige Urstimme (die vergessene seiner Kindheit?). Aber in eben dem Augenblick hatte
er seine Hand in einem Ladenfenster widergespiegelt gesehen,
und zwar als gleite sie gleichsam liebkosend auf etwas nieder.
Stehenbleibend stellt er fest, daß er sich in der Straße der Antiquitätenhändler befinde. Und da – in dem Ladenfenster des In-
strumentenmachers, vor dem er stehenblieb, gewahrt er: auf-
gehängte alte Saiten*instrumente* und, am Boden liegend, vergilbte
Palmzweige und tief im Schatten *Flügel* einstiger Vögel! ...

Der kühle Psycholog wird dies überzufällige Zusammentreffen
vielleicht aufklären wollen als nachträglichen Irrtum des Dichters, dessen Bildvisionen in Wirklichkeit erst nach dem unbewußten Beschauen des Ladenfensters sich geformt hätten. Für
Mallarmés Menschen- und Dichtertum aber bedeutete diese unheimliche Begegnung mit dem Vergessenen „die nicht abzuleug-
nende Einmischung des Übernatürlichen und den Beginn des
Schauders, unter welchem mein vordem selbstherrlicher Geist
röchelt" (Div. 14). Oder man denke an den Schluß seines Aufsatzes über die Macbeth-Hexen (*La fausse entrée*), wo er voraussetzt, die Menschen seien zwar gewöhnlich zu blind, um „der
scheuen Gebärde von Komparsen der Finsternis gewahr zu werden", hier aber lege der vorzeitig aufgehende Vorhang zur Erhöhung der Angst „in einem gleichsam zufälligen Bruch der Regeln gerade dasjenige bloß, was verborgen bleiben zu müssen
schien, so wie das Folgende – im Hintergrund und wirksam –
mit dem Unsichtbaren in Verbindung steht: Während des blitzartigen Auftauchens durchschaut und scheucht jedermann die
Küche des Unheils auf".

Ähnlich hat auch Mallarmés eigenes Vorhaben einer duftigen,
beflügelten Sinnverknüpfung eine schicksalhafte Wendung genommen zu dämonisch verhängter Sinnverstrickung. In die nämliche stumme, aufregende Lage, in die er sich selber geworfen
fand, versetzt er auch den Leser durch einen magisch verrätselten, beunruhigend belebten Stil, welcher, gleich den Versen Dan-

tes, Verborgenes als „orribili cose" verschweigt.[1] Überall in seinen
Versen liegen Pfeile auf unsichtbar überspannten Sehnen, gerichtet auf ein ungeahntes Ziel. Zum Mythischen, das dieser Dichtung entging, insofern sie dem Tragischen auswich, — dem Tragischen, von welchem Nietzsche soeben entdeckte, daß darin der
WILLE „in der ewigen Fülle seiner Lust" mit sich selbst spiele, —
zum Mythischen gelangte sie schließlich dennoch: auf dem Weg
über die Dämonen.

(2) *Musik im Vers*

„Sicher ist hier das Vorbild der Vorbilder", sagte Mallarmé
von Beethovens Neunter Symphonie zurückkehrend, „ein Typus
musikalischer Baukunst, der für alle Künste gilt. Das Werk, das
wir eben hörten, kann Lehre und Beispiel für jeden sein, der ein
Neues Schönes, wie Baudelaire sagen würde, zu schaffen sich
sehnt".[2] Man hat Mallarmés Anlehnung an die Musik, die über
Poe auf die deutsche Romantik zurückweist, oft mißverstanden,
hat einseitige Euphonie als einziges Gewicht dieser Dichtung ausgegeben (Faguet, Gosse u. a.). Gewiß, die Korrekturen Mallarmés zeigen eine Bemühung um flüssigen Wohlklang, .. um das,
was er mit Banville das „Poematische" nannte,[3] und er hat den
Klang *Paphos* oder den Flötenton des auch von Valéry nicht verschmähten *module* empfunden. Durch eine eigenartige akustische
Sinnlichkeit, durch ein „musikalisches" Timbre der Tonfärbun-
gen wird ja gewöhnlich die romanische Armut an Rhythmus aufgewogen. Und doch, schon Verhaeren hatte bemerkt, diese Dichtung sei „nicht melodisch, sondern harmonisch"; Satz- und Vers-
bau regeln sich mehr nach dem Auge, wie bei Gautier, als nach
dem Ohr, wie bei Flaubert.[4] Der oberflächlichen Süße vieler Mus-
set-Verse widersprach das Drängen Mallarmés nach epigramma-
tisch strenger Strophengliederung und einem einsilbigen Französisch. Und ebenso widersprach die Intellektualität Mallarmés
jener besonderen Art, auf welche Verlaine Melodik zu schaffen
suchte, nämlich durch vielerlei Mittel[5] den Wörtern ihren intellektuellen Sinn auszulöschen, um ihrer als eines gefügigen musikalischen Rohmaterials gewiß sein zu können. Sowohl durch

seine Gedanklichkeit entfernte sich Mallarmé oft von der Weichheit und Anmut als auch dadurch, daß ihm oft an schroffer
Ausdruckshärte gelegen war: redet er vom Röcheln, so röchelt
der Vers wirklich mit, in gestörter Zaesur und unschöner r-Dissonanz (la plupart râla..; *Guignon*). Der Vokalscholastik eines
Ghil stand er fern, .. obwohl er in den *Mots anglais* bis ins Indogermanische zurück nachzuweisen suchte, der Laut в betone Gebären, Hervorbringen, Fruchtbarkeit, gesegnete breitblühende
Fülle, auch Prahlerei, der Laut ʟ enthalte gestilltes Sehnen, Lust,
gleißendes Licht, .. das im Laut ʀ ergriffen werde mit dem
Wunsch, es zu durchbrechen oder zu zerschmettern, usw. Daß es
ihm um mehr ging als um akustische Abtönung einzelner Wörter, hat er übrigens selber an Gosse geschrieben: „Ich mache
Musik, und als solche bezeichne ich nicht die, welche durch
euphonische Annäherung von Worten erreicht werden kann, diese
Vorbedingung versteht sich von selbst; sondern das Transzendente
(l'au-delà), das durch bestimmte Wortverteilung magisch erzeugt
wird; wo das Wort dem Leser nur noch als etwas materiell Vermittelndes gegenwärtig ist, wie die Tasten des Pianos. Ja, nur noch
ein Geschehen zwischen den Zeilen und über den Blicken, in voller
Reinheit, ohne Einmischung von Darmsaiten und Ventilklappen
wie beim Orchester, ausschließlich schrifttümlich und lautlos. Die
Dichter aller Zeiten taten nie etwas anderes und neu ist nur,
daß man sich dessen ergötzlicherweise bewußt wird. Nehmen
Sie Musik im griechischen Sinn, welcher letztlich ɪᴅᴇᴇ oder
Rhythmus zwischen den Beziehungen bedeutet; darin liegt Göttlicheres als im öffentlichen, im symphonischen Ausdruckfinden"
(10. 1. 93).[1]
   Es ist also gar nicht so sehr die Verskunst, von der Mallarmé
die *Musik* erwartete, sondern der allgemeine unsagbare Schönheitseindruck seiner Sänge. *Musikalische* Vorherrschaft im Gegensatz zu begrifflicher! „Einen Gegenstand *nennen* heißt drei
Viertel des Genusses am Gedicht unterdrücken, welches aus dem
Glück des allmählichen Erahnens besteht; ihn *suggerieren* ist das
ersehnte Ideal" (zu J. Huret). Dieselbe auch in Verlaines *Art poétique* begegnende Forderung (Que ton vers soit la chose envolée
..Où l'Indécis au Précis se joint) vertritt das auftaktlos leicht-

füßige, fast unheimlich gewichtlose Gedicht *Toute l'âme*. Er
schrieb es, als der *Figaro* ihn für eine Rundfrage *Die Dichter und
der freirhythmische Vers* um eine Äußerung ersuchte. Die (zugleich
etymologische) Einheit von Atem und Seele bezeugt sich im zu-
rückgehaltenen[1] Rauch einer Zigarre, wenn wir ihn kunstvoll in
Kringeln aushauchen (A: trop marqué), die, langsam verschwebend, erst durch ihre Auflösung in neue Kreise empfunden werden. Und so wie eine Zigarre erst richtig glimmt, sofern die Asche
sich vom (A: schönen) hellen Kuß der Glut abscheidet, so soll der
Dichter, wenn Liedersang auf seinen Lippen sich regt, zuvor das
gemeine Materielle abstreifen. Denn allzu präziser Inhalt erstickt
das Duftig-Dichterische.[2]

Manche Themen des späten Mallarmé sind denn auch von spinn-
webartiger Zartheit, wie sie schwerlich von Verlaine, Maeterlinck
oder Rilke erreicht wurde, auch kaum in Georges *Blättern für die
Kunst* mit ihrem sehr ähnlichen Bekenntnis: „wir erlauschen na-
turtöne die den alten fremd waren. uns reden mienenspiele deren
kaum merkliche linien ehedem verborgen bleiben mochten unter
den zuckungen heftigerer reize. der mensch und vornehmlich der
künstler ist geistiger und leidenschaftsloser geworden und dem-
entsprechend haben sich auch die mittel zur erzielung des künstlerischen eindrucks zu ändern". Für Mallarmé genügte die Schönheit eines verschwiegenen Saitenklangs aus Sphärenharmonien,
eine durchscheinende Traubenhaut, das flüchtige Blinken von
Frauenhaaren, der wimpernweiche Tuschestrich eines Chinesen,
der halbbewußte Rhythmus eines geflügelten Fächerhauchs,
Sternglitzern, Blumenaura, .. „rien que la nuance". Auch die Gesichte, die er stets als Inbegriff der höchsten Schönheit aufführt,
der lichtmythische Abendhorizont, das rote Sonnenleuchten, bleiben bezeichnend gestaltlos, musikalisch verschwebend. Als ein
„bißchen Schaum über einem Golf" bezeichnete Mallarmé selber[3]
seinen *Faun* („dies Lachen, das in meinem nackten Schweigen
aus einer Flöte kam"). Zumal die *Igitur*-Fragmente zeigen, daß
die Handlung nur als äußeres Gerüst für reizbarste Variationen
gedacht war: das Zufallen der Grufttore wird nur im Nebensatz
erwähnt. Obwohl dessen Nachhall und Nachbeben von grund-
legender Bedeutung sind, werden sie nur am Nachzittern des Uhr-

pendels in dem abgelegenen mitternächtigen Saal gerade noch
wahrnehmbar dargestellt. Die äußersten, unmerklichsten Wellen-
kreise, die ein ins Wasser geworfener Stein hervorruft, wünschte
Mallarmé in ihrer ganzen Unmerklichkeit aufzufangen.. aber
mit dem Ehrgeiz, daß in geheimnisvollen Andeutungen doch etwas
ahnungsvoll herausklinge über den Stein und den, der ihn warf.
Das bedeutet, daß gewiß nicht alles, aber sehr vieles zu verschweigen ist. Oder um es nicht negativ mit Thibaudet, sondern positiv
mit Mallarmé auszudrücken: die Echtheit der Kunst verlangt den
Dingen genau das Schweigen zu belassen, mit dem sie uns begegneten. „Diese Kunst, nicht wahr, die höchste, besteht darin, von
den feinen, angeschauten Dingen, wenn man sie besingt, niemals
den Schleier gerade des SCHWEIGENS, unter welchem sie uns ver-
führten, wegzunehmen."[1]

Der Dichter hat den Stil musikalischer Andeutung über sein
ganzes Werk gebreitet. Sogar den Sinn seiner Symbole anzudeu-
ten, schien ihm nach ersten brieflichen Kommentaren allzu grob
und zu nahe der allegorischen Gefahr; daß er bei den zerfetzten
Vogelfedern in *Hérodiade* I A, im *Démon de l'analogie*, in *Petit
Air II* vielleicht an „âmes déchues" dachte, läßt sich nur aus der
sehr frühen *Symph. litt.* II A vermuten. Sehr oft bleibt es in un-
sicherer Schwebe, ob überhaupt eine sinnbildliche Andeutung
mitschwingt — ob etwa die Vorstellung der „continuité de cimes
tard évanouies", die er stets mit dem Namen *Fontainebleau* verband, neben dem Wald nicht auch den schwermütigen Helden-
zauber der Schloßvergangenheit meinte. Doch eben in dieser ungreifbaren Bedeutsamkeit liegt der Reiz dieser Kunst. Auch in der
Sprache wird ja alles gelöst, aufgelockert, ausgelüftet, gewicht-
loser gemacht. Statt *mein Leib* und *mein Fleisch* korrigiert er im
Pitre: „la nudité qui pure s'exhala de ma fraîcheur de nacre";
und den Reichtum der indefiniten Worte haben Ch. E. Rietmann,
W. Naumann, E. Noulet gesammelt.[2] Auch häufige Infinitive und
unvermittelte Substantiv-Ausrufe[3] verstärken den Eindruck einer
nirgend festgelegten Welt sensibel offener Möglichkeiten.

Durch das rhythmisch karge prosodische Erbe Frankreichs
fühlten die Jüngeren sich nicht minder beengt als durch die allzu vordergründige und logische Sprache. Für den neunzehnjäh-

rigen Albert Mockel, der sein großes Erlebnis Chopins und der deutschen Musik in die Lyrik hinüberretten wollte, war dieses das unlöslichste Problem: wie ließ sich der Alexandrinervers durch freiere unregelmäßige Rhythmen ersetzen? Baudelaire, um dessen „vielgepriesene" Form, nach Rimbauds feinhöriger Bemerkung, es freilich „faul bestellt" (mesquin) war, hatte noch alles, was „brusque et cassé" war, auf die Erzähler und Dramatiker eingeschränkt wissen wollen (*Th. Gautier*). Ein bloßes Durcheinanderwürfeln der herkömmlichen Versmaße (Marie Krysinska, *Chronique parisienne*, 1881)[1] war auch nicht die Befreiung. Ob als erster Laforgue, der im November 1885 seinen ersten Brief an Mallarmé richtete, oder der mit Laforgue seit 1880 befreundete G. Kahn einen Schritt weiter tat, ist bisher nicht festgestellt.[2] Ebensowenig der Einfluß der französischen Übersetzungen von Wagners Texten (auf Claudel?). Da veröffentlichte Gustave Kahns Zeitschrift *La Vogue* im Jahr 1886 die vierzehn Jahre lang verschollenen „freien Verse" Rimbauds, *Marine* und *Mouvement*. Für Paul Claudel war dieses Heft „der Blitzschlag des Beginns", wie er an Mallarmé berichtete; von Rimbaud, „gegen den Sie mir ungerecht scheinen", schrieb Claudel später: „Ich kann sagen, daß ich Rimbaud alles schulde, was ich geistig und sittlich bin, und es gibt, glaube ich, wenige Beispiele einer so engen Vermählung zweier Geister" (26. 7. 97).[3] Im nächsten Heft, eine Woche nach der ersten Probe, folgte die erste Nachahmung durch Gustave Kahn sowie Laforgues Whitman-Übersetzung. Der Erfolg der *vers libres* war erheblich. 1886 bedienten sich Laforgue und Moréas (Vogue, Nov.) der neuen Gestaltung; im Juli 87 folgte Ajalbert (Revue Ind.), im April 88 Dujardin (*Litanies*, Fassung A), im Mai Mockel (*L'antithèse*), im August Griffin (Rev. Ind.), 1889 Retté, Verhaeren und Maeterlinck, 1890 Régnier, dann Herold (*Joie de Maguelonne*), Fontainas (*Vergers illusoires*), Van Lerberghe, Mauclair (*Sonatines d'Automne*), de Souza (*Fumerolles*). George hielt sich zurück in der kleinmütigen Meinung, die deutsche Dichtung habe noch erst an dem verstechnischen Werkzeug gewissenhafter zu schmieden;[4] während unterdessen in Nietzsches Versen, da und dort auch in den senkungsfreien unter den Versen Rainer Maria Rilkes und bei

Späteren[1] das, was diesen Dichtern vorschwebte, begeisternd erfüllt wurde. Verlaine hat bei alledem – trotz seiner anfangs durch Ch. Morice (*Nouvelle Rive Gauche*, 1. 12. 83) angegriffenen Verse gegen die „torts de la rime" – jetzt den Reim bzw. die Assonanz verteidigt (Un mot sur la rime. *Le Décadent*, 1. 3. 88). Daß er den Zwölfsilbner oft auf vierzehn Silben erweitert habe, bereue er nicht, sagte er 1891 zu Huret, dies sei nicht als Vernichtung der Verszucht anzusprechen. „Jetzt macht man Tausendfüßlerverse.. kunterbunte.. Vor allem: das ist nicht, nein, das ist nicht französisch." Neuartiger als Rimbaud erweise sich überdies keiner der Jüngeren: diese Überzeugung wiederholte Verlaine auch bei seinen acht Vorträgen in Belgien im Frühjahr 1893, bei denen er, ein Jahr vor Mallarmé, bereits eine Art von geschichtlichem Abriß über den Freien Vers gab. Im Grund seien, so meinte er in *Quinze jours en Hollande*, die Versuche „unglücklich"; er selber habe sich nie daran gewöhnen können. Solange noch die freirhythmische Poesie im Grunde durch drei junge Dichter getragen wurde, durch Griffin, Verhaeren und – am populärsten – durch Jammes, flehte Coppée den letzteren, den Freund seines Schützlings Samain, an, seine Verse doch wenigstens wie P. Fort als Prosapsalmen drucken zu lassen (*Le Journal*, 6. 10. 97).[2] Valéry empfand den Rhythmus allein, als einzigen „Widerstand", für allzu schwach, und scheint Rilke in seinen letzten Jahren dadurch beeindruckt zu haben. Viele der Altersgenossen waren wagemutiger: Cros' Sohn Guy-Charles Cros, der Mallarmé-begeisterte Litauer Milosz,[3] Saint-Pol-Roux, Tr. Klingsor, Alibert, Divoire oder der spätere Romandichter J.-A. Nau (Torquet).

Mallarmé verzichtete auf das freirhythmische Gedicht ganz, dessen Vers er charakterisiert als „éloigné autant du moule constant que de la prose, irréductible à l'un des deux, viable".[4] Anfangs hatte er es eindeutig verworfen. Durch den Vergleich mit englischer Lyrik mag er vielleicht erkannt haben, woraus der romanische Vers seine Feinheiten zieht, nämlich aus dem zunächst hörbaren, aber dann am Zäsur- und Zeilenschluß gesetzmäßig versöhnten[5] Konflikt zwischen dem alternierend-metrischen und dem grammatikalischen Akzent (nur z. B. in Willibald Glucks französischen Operntexten sind beide dauernd identisch). Daß

dagegen die Feinheiten des nordeuropäischen Verses auf dem
Gegensatz beruhen, welchen die feste Anzahl der (immer auch
grammatikalisch betonten) Hebungssilben gegenüber der unfesten
Zahl von Senkungssilben bildet. Eine erste Beunruhigung auf
Grund der Bekanntschaft mit Poes Lyrik glaube ich 1872 in
Mallarmés Aufsatz über Dierx zu beobachten. Dierx halte, trotz
neuartiger Züge, „die schöne Tradition unserer Versifizierung"
aufrecht. Gegenüber fremden dichterischen Mitteln seien sie
auch zuerst verführerisch wie die von Poe, sei Zurückhaltung,
discrétion, ratsam. Zur Schönheit der französischen Dichtung
benötige man „l'allure ordinaire" in der Versform. Es habe sich
nun einmal durchgesetzt, nur einen Verstypus zu verwenden, répétition obsédante et paresseuse.[1]

Er blieb weiterhin wachsam, als andere Fremde die ersten
Attentate gegen die romanische Versrhythmik unternahmen. Die
1880 bei Lemerre erschienene *Poétique nouvelle* eines Artillerie-
leutnants Della Rocca de Vergalo (geb. 1850 in Lima) las er —
mit höchstem Interesse, wie er dem Verfasser schrieb; dennoch
warnte er ihn vor der allzu willkürlichen Ausebnung der Vers-
und Zäsurpausen, beunruhigt von diesem Manifest einer neuen
Dichtung,[2] welches der Peruaner übrigens in seinem eigenen Gedichtband *Les Feuilles du cœur* (1877) gar nicht ausführte. Schon
als 1879 ein junger Lyriker sagte, es gelte die Versform zu
sprengen, *desserrer*, hatte Mallarmé schroff widersprochen: nein,
es gelte sie gerade enger zu schnüren, *resserrer*. Dieser Zwanzigjährige war Gustave Kahn gewesen (Metz 1859–1936), der
seine in einer Zeitschrift gedruckten Erstlingsgedichte dem Meister der rue de Rome als einzigem zugesandt hatte. Mallarmé
hatte ihn eingeladen und ihn dann mit drei Büchern entlassen:
mit Bertrands *Gaspard de la Nuit*, Villiers' Novellen und Dierx'
Lèvres closes. „Alle jungen Dichter", meinte er, „müssen die
Lèvres closes von Dierx und die *Fêtes galantes* von Verlaine auswendig wissen". Als der spätere Lyriker der *Palais nomades*
(1887) im Herbst 1885 nach vierjährigem Heeresdienst in Nord-
afrika wieder in Paris erschien, war er zwar noch nicht über den
alten Alexandriner hinausgekommen. In der Tat wird es wohl so
bleiben, daß der regelmäßige Wechsel starker und schwacher

Versakzente für die romanischen Sprachen nicht eine Fessel bedeutet; während einige der größten vergangenen und gewiß auch
der zukünftigen Leistungen des nordeuropäischen Verses auf der
Freiheit der Senkungssilben beruhen (auch silbengezählte Verse
werden als Notmaßnahme meist nicht-alternierend gelesen). Etwas von dieser Freiheit begann jetzt Mallarmé dem französischen
Vers zu wünschen. Um einem sinnlos lästigen Zopf auszuweichen,
dem Mitzählen der längst verstummten Schluß-e im Versinnern,
hatte er gewöhnlich ein vokalisch anlautendes Wort anschließen
lassen, wodurch aus Elisionsgründen die Verpflichtung entfiel,
das *e muet* mitzurechnen. Es leuchtete ihm nun ein, als Verhaeren, der Sohn einer flämischen, ursprünglich holländischen
Familie, hier sich auflehnte, mochte auch seine allzu mühelose
Wortwahl weniger begeistern. Für Verhaeren galt das *e muet*
metrisch als nicht vorhanden.[1] „Mein Lieber, was in diesem Buch
ans Wunder grenzt, ist ein dauerndes Erfinden des Verses, der
nie gerinnt und stets gelöst voranquillt: er sieht sich nicht als
ein für allemal gemacht, fertig, endgültig an, so wie es bisher
der Irrtum war, sondern macht sich die Mühe, sich zu erschaffen,
als sein eigenes Selbst und als anderes; wie das Leben" (18. 1.
89). Der Vers von Verhaerens *Flambeaux noirs!* „Ich beginne zu
glauben, daß es dies ist, was zu allen Zeiten zu tun gewesen war"
(an Verhaeren, April 91). Am 14. März hatte Mallarmé sich mit
dem Reporter J. Huret unterhalten, dem gegenüber gleichzeitig
Kahn nur noch hochnäsig herablassend von Mallarmé sprach.[2]
Mallarmé trat indessen bei Huret gerade für die drei Freirhyth-
miker Griffin, Kahn und Laforgue besonders ein.[3] Denn er wollte
die Bemühungen der Jungen ernst nehmen, auch wenn er ihnen
nicht seine Bedenken verhehlte. Am 3. 8. 95 ergänzte er Äußerungen jener älteren Rundfrage, welche J. Huret am 3. 3. 91 im
Écho de Paris eröffnet hatte.[4] Jetzt hielt Austin de Croze für den
Figaro (29. 6. bis 24. 8.) eine Umfrage über den „Freien Vers
und die Dichter". Mallarmé bezeichnete dabei den „offiziellen",
den alternierenden Vers als das bleibende Hauptschiff der Vers-
kirche, die nicht-alternierenden Rhythmen als die Seitenschiffe.
Eine Dissidentenkirche sei unerwünscht. „Der freie Vers ist eine
schöne Eroberung, er stieg auf als Empörung der Idee gegen die

Abgedroschenheit des ‚Abgemachten' ... Die Dichtung ist nichts
als der musikalische, überhelle, erregende Ausdruck eines Seelen-
zustandes; der freie Vers ist eben das. Kurzum: wenig aber gut."
Beides sollte gelten.[1] An Mauclair schrieb er (*Propos* 157), der
regelmäßige Wechsel von Hebung und Senkung, *le nombre fixe*,
werde „unerträglich, es sei denn bei den großen Anlässen".

Gehen wir seine Aufsatzsammlung *Crise de Vers* (1886–96)
durch: Man trifft den Mann, der schon zwanzig Jahre vorher geklagt hatte *Et j'ai lu tous les livres*, mit müde gesenkten Armen
vor seinem Bücherschrank: er erspäht die Analogie der andauernden öden Regenböen draußen mit den buntschillernden Perlen-
schnüren auf den vielen Bücherrücken. Und gegen die Scheibe
des Schranks gelehnt liest er symbolhaft am Widerschein auf den
Büchern die Unruhe der blitzdurchzuckten Außenwelt ab. Habe
doch sogar die (meist um zwanzig Jahre nachhinkende) Aktuali-
tätspresse bemerkt, daß eine stürmische Krise ausbrach – ein
Ausruhen des Schöpferwollens, ..weniger als Abschluß denn als
feinfühlende Selbstprüfung. Wem Dichtung wesentlich oder das
Wichtigste ist, der erkennt als Zeichen der Jahrhundertwende
Umwälzungen.. Nicht solche des Forums wie um 1795 – aber
in des Tempelvorhangs unruhigen Falten klafft ein Riß. Ratlos
steht das bisherige Leserpublikum des verstorbenen Victor Hugo
vor der jungen Literatur: solange Er, der die ganze Philosophen-,
Politiker- und Historiker-Prosa in seine Verse hineinriß, noch
lebte, gab es keinen Wettbewerb.[2] Sein einsam ragender Tempel
barg den Mythus, Dichtung gebe es nur in metrischer Form.
Kaum aber hatte der geniale hiebsichere Schmied die Augen geschlossen, zerlegte sich der Vers, das gebundene Metrum, frei
und vergleichbar den tausend Aufschreien einer Orchesterpartitur, in seine Einzelsplitter.

Es ist dieselbe überraschende Neuigkeit, die Mallarmé 1892,
in *Oxford Cambridge*, in den kurzen Botenruf zusammendrängte:
man will den Vers stürzen, die Prosodie; sie, die in allen politischen Revolutionen unangetastet geblieben war.. aus Gleichgültigkeit oder aus Respekt. Überraschend aber, wie Mallarmé dort
noch ganz vermied, Einwände gegen die neuen „freien Rhythmen" vorzubringen. Er erhoffte die Formung individueller Dich-

tung.. und die glückliche Ergänzung der bisherigen Extreme: der Prosadichtung einerseits, die mit Klangmitteln des Verses spielt, und des traditionell strengen silbenzählenden Metrums. Gleichzeitig aber hat kein Dichter Prosa und Vers so scharf in Wort und Tat auseinandergehalten wie er. Während Prosa in zeitlicher sukzessiver Entwicklung (d. i. im Satz) sich kunstvoll aufrolle, gleiche der Vers einem Bündel von gleichzeitig – nicht nacheinander – auf die Idee abgeschossenen Pfeilen; und während der Vers durch die Initiale am Anfang und den Reim am Schluß zusammengehalten werde, ordne sich die Prosa nach Satzzeichen. Durch den *vers libre* (Prosa mit überlegten Vershebungen) aber erscheinen ihm nun sogar das Plakat und die Zeitungsannonce beachtenswert: deren in sauberen Grenzstrichen übereinandergereihte Abschnitte erinnern ihn an die neue Gedichtform. Wohl verwahrt er sich gegen Fanatiker, welche den herkömmlichen Verskanon überhaupt nicht mehr dulden wollen, aber sein Hauptangriff gilt den mißlaunigen Kleingläubigen. Schon lägen abseits von theoretischen Streitigkeiten die ersten dichterischen Leistungen vor, .. und schon allein die Einführung von Schweigepausen in den abgeleierten Gang der Verse sei ein Gewinn; auch werde nach gewissen Schonzeiten der metrische Vers als etwas Seltenes leuchtender in alter Schönheit wirken. Im Gegensatz zur vielbeschrieenen, aber nur scheinbaren Reform[1] des *Parnasse* schien Mallarmé damals bereit, einer *Musikalisierung* auch der metrischen Form beizustimmen: „Das Gefühl für das in der Welt zu erfassende Musikalische soll sich dem urpersönlichen, reinen Vers vereinen, um dessen Urrhythmus aufleuchten zu lassen und auf alles andere als eiteln Bodensatz zu verzichten."

Um zur *Crise de Vers* zurückzukehren (Div. p. 237f.): schon 1893 bestritt er dort, an der unterirdischen, durch Rimbaud und Verlaine vorbereiteten Sprengung des Metrums teilgenommen zu haben; obwohl er die Versuche mit glühendem Interesse beobachtet habe. Mit Recht sieht er in der einseitigen Versteifung auf Reimpoesie eine Ursache des Abgleitens der französischen Literaturepochen: kurze Glanzzeit, dann Abbrauchen des Reims, Stocken, Erlöschen, Wiederkäuen.[2] Ein neuer oder auch nur der alte Glanz sei nicht wieder geschaffen worden, weder durch den Drang orgiastischer Romantiker, Unpoetisches zu poetisieren, noch durch den düsteren, kalten *Parnasse;* heute helfe man sich mit ablenkender Oberflächenkunst, ohne die Nachahmung weiter zu verhüllen. Sehr gewissenhaft unterscheidet Mallarmé nun drei Gruppen der jetzigen Versreformer. Den paar Versregeln an sich − es sind nichts als Vorsichtsmaßnahmen, so die Vershalbierung − mißt er dabei kein Gewicht zu; denn Nicht-Übertretung eines Gesetzes sei noch keineswegs eine Tugend: wer sich nicht von Anfang an aus eigenem Antrieb solche Gesetze schuf, bewies damit, wie sinnlos es für ihn bliebe, sie zu erlernen.

Die erste Gruppe, die am klassisch nationalen Alexandrinervers noch festhält, lockert nur dessen kindisch steifes mechanisiertes Metrum auf und gliedert durch Beseitigung des erkünstelten Taktschlags die zwölf Verssilben in möglichst vielfältiger rhythmischer Abwechslung.[1] Daß auch er „persönlich", bestärkt durch Banvilles *Forgeron,* überzeugt war, man könne alle gewünschten Regungen mit dem Alexandriner suggerieren, hatte er Huret gegenüber ausgesprochen (*Enquête* p. 59). − Vermittelndes Schwanken dagegen zeigt sich bei der Richtung Régniers, welche an der ererbten nackten Versform als höchster Vollendung zwar festhielt, sie aber, vergleichbar einem Degen oder einer Blume, nur selten und nur zu bestimmten Wirkungen hervorholt und sie im übrigen von ähnlichen und anklingenden Formen, 11- oder 13-Silbnern, umspielen läßt. Oder bei Laforgue, der, umgekehrt, durch bewußt mißtönende Verse reizvoll zu wirken sucht. Solche gewollten Übertretungen und Mißklänge, die Mallarmé früher als Tempelschändung verdammt hätte, weiß er 1893 eben dank der befruchtenden Nähe des strengen französischen Verstakts zu würdigen: dieser wird ja nur ein wenig eingeschränkt, ..und zwar weil er bis zum Überdruß abgebraucht worden war, statt, wie dies auch für die Nationalflagge gut wäre, seltenes Geschenk zu bleiben.

Ganz radikal ist der dritte Schritt, der zum *Freien Vers* führt − genauer gesagt zum *polymorphen* Vers (um einer Verwechslung mit dem aus Fabeln und Opern des 17. Jahrhunderts bekannten „Vers libre" vorzubeugen, der ja aus der Anordnung fester Versformen bestand). Nun wird die gebundene Silbenzahl beliebig gesprengt, soweit dies künstlerisch nötig scheint und der Leser es sich gefallen läßt; erstmalig in der Literaturgeschichte hat, abseits von der offiziellen gebundenen Dichtform, jeder Könner die Möglichkeit, seine Huldigung an die Wortkunst auf selbsterfundenem Instrument vorzutragen. Aber Mallarmé, weit weniger liberal als noch kurz zuvor,[1] unterstreicht, im Gedanken an doktrinäre Bilderstürmer, daß nichts von dem, was am Früheren schön war, verlorengehen dürfe. Und er wiederholt seine alte Überzeugung: sicher werde man bei hochfliegenden Anlässen[2] sich stets dem ehrwürdigen Primat des klassischen Verses beugen. Für Stimmungsskizzen dagegen, *une anecdote* (c: un récit), für schlichte Herzensmelodien, möge er ersetzt werden durch jedes Einzelnen private Flöte oder Geige; es entspreche der dichterischen Weiterentwicklung, sich nicht bloß ausdrücken, sondern sich verschiedengestaltig ausdrücken zu können.

Unmittelbar anschließend betont er nochmals die unvergleichliche Unentbehrlichkeit des silbenzählenden Verses, .. als hätte er geahnt, daß nicht lange danach G. Kahn, in der Vorrede seiner *Premiers Poèmes* (1897, p. 37), sich gegen die Auffassung empören würde, daß die ,,großen überpersönlichen Gesänge der Zukunft sich den freien Rhythmen verschlössen.. Sie werden alle Mittel annehmen!'' Unverkennbar spricht Mallarmés eigenes Kunstwollen mit in der Besinnung, warum eigentlich bis heute der Vers als etwas Notwendiges empfunden worden sei. Die Sprachen dieser Welt, meint er, sind unzulänglich, denn die gemeinsame Ursprache besitzen wir nicht mehr, auf daß wir uns nicht göttergleich überheben. Damit ist uns eine klanglich und stimmungsmäßig entsprechende Wiedergabe dessen versagt, was vor der Fixierung unser Gedanke gewesen war und was vor jedem Flüstern die lautlose Ewigkeit zu uns sprach. Nur einige bezeichnende, farbige Laute sind noch da; indes spürt man nichts von ihnen in der Alltagsrede: dort beanstandet Mallarmé, der Wortklang *jour* wirke dunkler als *nuit*, *ténèbres* klinge bloß dämmrig neben dem ganz lichtlosen *ombre*.[3] Solche Mängel nun lassen sich allein durch den Vers ausgleichen und ersetzen; als ein Ersatzmittel ist das Metrum einst erschaffen worden! Unter einem sinn-

gebenden Blick ordnen sich im Vers die Alltagsworte zu stiller
Endgültigkeit.

In richtiger Vorahnung gibt er — als treuer Eckart jeder Kunst,
die, ohne Zukünftiges zu verbauen, „all dem treu ist, was ein
schlichtes und herrliches Erbe war" (*Div.* p. 196) — den Reformern zu bedenken, wie peinlich es wäre, wenn nun mit all ihren
abseitigen, schweifend suchenden und eigenwillig erfindenden
Versuchen sich doch die bisherige Versgestaltung nicht übertreffen ließe.[1] Warnend verweist er auf die Bestrebungen, den gebundenen Vers auszuschalten, bloß um der Strenge und Enge
bisheriger Tradition zu trotzen! .. Schön! Doch wenn die Form-
sprengung so weitergeht, wenn schließlich jeder einzelne seine
eigene Verslehre predigt — nebst eigener Orthographie, versteht
sich (Anspielung auf Ménard) —, dann haben zwar die theoreti-
sierenden Vorrede-Schreiber zu tun, aber die Leser machen sich
lustig. Nein, es geht nicht ohne Bindung (Versentsprechung,
Verabstufung!). Denn Dichten heiße ein Ganzes in einer Viel-
heit gleichwertiger Sinnsplitter erleben und diese fügen und gliedern; und am eindeutigsten wird der Gleichklang der Verse eben
doch, in den Schlußtakten, versiegelt durch den Reim!

All das zeigt bereits deutlich, daß die unter dem Einfluß der
Musik ausgebrochene „Verskrise" für Mallarmé weniger als für
alle anderen eine verstechnische Frage, ein Anlaß zu metrischen
Reformen war. Sondern daß er für sein Teil die Musikalisierung
allein durch die Feinheit des suggerierenden Anschlags anstrebte;
daß er den Vers nicht sprengte, wie G. Kahn es tat, sondern ihn
„verwesentlichte", *essentiellisait*.[2] Eine Ausnahme freilich drängt
sich auf, zumal da Mallarmé scherzend zu Kahn darüber gesagt
haben soll, nun habe er doch noch klein beigegeben: das letzte
Werk *Un Coup de Dés Jamais N'Abolira le Hasard* (1897), das
mit seinen verschiedenartigen Drucktypen und seinen Wortinseln
im gestaltlosen Meer breiter weißer Flächen zunächst wie ein gra-
phischer Vorgeschmack kubistischer Malerei wirkt. „Finden Sie
nicht, daß es ein Akt des Wahnsinns ist?" sagte der Meister lächelnd zu Valéry; und zu Mauclair, es werde ihm „sicher nicht
weniger Schwindel erregen als mir". Auch das Suchen nach den
bei Didot endlich gefundenen richtigen Drucktypen, die müh-

same Drucklegung, die umständliche Begutachtung der Fahnen-
abzüge mit Valéry, Mauclair und Gide, die Nicht-Versendung von
Presseexemplaren, die theoretisierende Vorrede, und in seinen
letzten Monaten die Pläne zu einer neuartigen Setzmaschine für
Bildgedichte, auf der die Druckerei Lahure (ihre Sonderausgabe
des „Würfelwurf" ist nicht erschienen) sein graphisches Wollen
getreuer ausführen sollte: all das weist auf eine wunderlich private Vergrübelung in „diesen Versuch, einen ersten, dies Tasten"
(an Gide). Wenn wir die Ansicht vieler Mallarmé-Freunde[1] nicht
zu teilen vermögen, welche in dieser Dichtung die bedeutendste
und höchste Leistung Mallarmés erblicken, so deshalb, weil es
ausgeschlossen ist, ohne genau Kenntnis des *Igitur* in die Dichtung als Gesamtleistung, also einschließlich des Gehaltes, einzudringen – und jede Dichtung, unabdingbar, muß allein aus sich
heraus verständlich sein.

Nicht aber, weil uns die äußere Form allzu befremdend erschiene. Sie wird nur unklar, mißversteht man Mallarmés Musikalisierung einseitig im Sinn von Verlaines *De la musique avant
toute chose!* Weniger ein instrumentales thematisches Klang-
phantasieren mit Lauten wird gegeben, wie die Dissertationen von
Rauhut und Josef Winkel und Rauhuts *Französisches Prosagedicht* (p. 94) glaubten. Wenn etwas an eine Orchesterpartitur
erinnert, so ist es das durch besonderen Druck hervorgehobene
Leitmotiv des Titelsatzes, dessen vier Teile langsam enthüllt und
durch Nebentexte ausgesponnen werden – vergleichbar jener
Reklameprosa, in welcher einzelne Worte durch Blockdruck fett
herausgehoben sind, die, miteinander verbunden, einen Leitsatz
ergeben. Dann die breite unbedruckt gelassene Fläche zwischen
den einzelnen Satzgruppen, die vom Leser nicht übersprungen
werden darf – wie dies im lärmenden Großstadtkino von Mari-
nettis *parole in libertà* möglich ist oder bei den Setzkastenspie-
len von Apollinaires *Calligrammes* oder dem Traumgeflunker
und Irrenhauslallen einiger Neueren. Vielmehr muß sie mit-
gelesen werden, als Resonanz der Stille, als das absolute furchtbare Schweigen des gedanklichen Hintergrunds, das er beim eigenen Vortragen – er las es ganz gleichmäßig und leise, sagt Valéry
– wohl auch mitlas. Wie er seine Schüler auch auf die feierlichen

33*

Pausen beim klassischen französischen Tragödienvers besonders
hinzuweisen pflegte (nach Mauclair).

Sodann war ihm die typographische Linienhöhe keines Worts in
diesem Gefüge gleichgültig. „Jeder Satz, jeder Gedanke, wenn sie
einen Rhythmus haben, müssen mit diesem den Gegenstand prägen, den sie vornehmen, und in ihrem nackten, quellenden, spontanen Entstehen ein wenig von der Stellung des Gegenstands zum
Ganzen wiedergeben" (an Mauclair, Sept. 97). Die kontrapunk-
tische ganzheitliche Durchdringung einer Gedicht-Partitur war
der am meisten achtunggebietende Erfolg dieser Formstudie; in
einer Julinacht vom Meister zum Bahnhof von Fontainebleau begleitet, empfand damals der junge Valéry: „Er hat eine Seite
endlich zur Gewalt des Sternenhimmels zu erheben gesucht." – In
seinem Vorwort für den ersten Abdruck in der Zeitschrift *Cosmopolis* bekennt der Dichter, er habe sein Wollen nicht bis zum
Letzten durchzuführen gewagt, schon weil die Zeitschrift bei
allem Entgegenkommen doch nicht gegen jedes Herkommen verstoßen könne; er gehe „in vieler Hinsicht nur so weit, daß es niemand kopfscheu mache, und hinreichend weit, um die Augen zu
öffnen". Die Drucksatz-Richtung von links oben nach rechts
unten (über deren Symbolabsicht bei Gelegenheit unserer Interpretation) tritt erst in der 1914 veröffentlichten und unmittelbar
vor seinem Tod druckfertig gemachten Fassung B deutlich hervor. Denn hier ist dann der Inhalt einer Seite von A je auf zwei
Seiten verteilt, auf denen aber, als wäre es eine einzige Seite, die
Zeilen durchlaufend zu lesen sind.

Doch schon in A hatte das Vorwort mancherlei Rechenschaft
abzulegen: „Es ist wahr, das *Weiße* nimmt Wichtigkeit an und
drängt sich zuvörderst auf; um Stille ringsum zu gebieten, benötigte die Versdichtung es ja schon immer, und zwar so, daß ein
lyrisches, kürzeres Stück in der Mitte des Blatts etwa ein Drittel
davon ausfüllte. Diesen Maßstab überschreite ich nicht, nur ver-
streue ich ihn. Das Papier drängt sich jedesmal dann ein, wenn
ein Bild von selbst abbricht oder gegenüber neuen Bildern zu-
rücktritt; und da es sich nicht, wie bisher immer, um Verse d. i.
regelmäßige Klangreihen handelt, .. eher um prismatische Bre-
chungen der *Idee,* deren Zusammenwirken auf einer bestimmten

geistigen Szene nur gerade die Zeit ihres Auftauchens dauert —
so verteilt sich der Text auf veränderliche Stellungen, näher oder
ferner vom latenten Leitfaden. Die, wenn ich so sagen darf, literarischen Vorzüge des so nachgeahmten Abstands, welcher geistig Wortgruppen bzw. Worte untereinander trennt, dürften darin liegen, daß er das *Tempo* bald beschleunigt, bald verlangsamt;
es wird unterstrichen und, durch eine Simultan-Schau der Seite,
sogar bestimmt (die Seite als eine Einheit genommen, so wie der
Vers die vollkommene Linie an sich ist). Schnell, gemäß der Be-
weglichkeit der Schrift, streicht das Dichterische um das stok-
kende, bruchstückhafte [*würfelgleiche!*] Abrollen des schon vom
Titel an eingeführten Grund-Satzes, und verstreut sich ebenso
rasch. Alles verläuft abgekürzt, hypothetisch; Erzählung wird
vermieden. Zu ergänzen: Aus dieser Darbietung des Gedanklichen
im Rohzustand mit allem Zurücknehmen, Hinausziehen, fugen-
artigen Entweichen ergibt sich für einen, der laut lesen mag,
eine Partitur. Die Verschiedenheit der Drucktypen — je für das
Hauptthema, ein Nebenthema und Angrenzendes — drückt deren
Wichtigkeit für das laute Vorlesen aus, und die Stellung oben
oder unten auf der Seite notiert ein Steigen oder Fallen der Ton-
gebung."

So war also das äußerlich Befremdendste an dieser neuen Dich-
tungsgattung eigens zur Erleichterung des Lesens gemeint gewesen, und schon Naumann hat in seinem Aufsatz über den *Würfelwurf* auf das Paradoxon hingewiesen, „daß gerade der Wunsch
nach größter Allgemeinheit den Dichter zur größten Esoterik
führt"! Er selber — obwohl er ausdrücklich ablehnte, etwaige
künstlerisch fruchtbare Zukunftsaussichten vorauszusagen —
glaubte wirklich, eine neue Kunstform geschaffen zu haben, die
einer ganz bestimmten Erlebnisform angemessen sei. Und gemäß
seiner konservativen Grundhaltung betonte er, „daß in überraschender Weise der Versuch teilhat an zwei besonders teuren
Schöpfungen der Gegenwart, den *Freien Rhythmen* (vers libre)
und dem *Prosagedicht*. Die Verschmelzung beider erfolgt hier
unter einem, ich weiß, fremdartigen Einfluß, dem der Konzert-
symphonie; einzelne ihrer Mittel wird man wiederfinden, die mir
der Dichtung anzugehören schienen, und die ich zurückhole. Die

Gattung — möge es eine werden, wie die Symphonie allmählich
neben der Sangeskunst! — läßt die alte Versform unbeschadet, die
ich verehre.. und der ich das Reich der Leidenschaft und der
Träumereien zuerkenne. Wogegen auf die folgende Art vorzugs-
weise einige Themen losgelöster, umspannender Phantasie bzw.
Geistigkeit darzustellen wären; denn diese von der Dichtung,
der einzigen wahren Quelle, auszuschließen besteht keinerlei
Grund".

Daß aber neben diesem ganz freien, geflügelten Partitur-Stil
seine andern Werke strengster Versobservanz stehen, verrät abermals, daß die naive Unbeschwertheit, die eine Voraussetzung po-
lymorpher Versfügung ist, einem Teil seines Wesens fremd war.
Seine erlesene Reimkultur verrät es — von ihm übernahm es der
junge George, die teuer erkauften Reime in anderm Zusammenhang nicht mehr zu verwenden! — und auch sein ans Pathologische grenzender Drang, fertige Verse immer noch zwingender
umzuarbeiten; einen Alexandriner mit unkorrekter Silbenwer-
tung wie „Rêve en un long solo que nous amusions" (*Après-midi*,
C_1) konnte er auf die Dauer nicht dulden. Bezeichnend auch, daß
er die überdachtesten Formen bevorzugte, die *Rondels*,[1] die Ter-
zinen (*Guignon, Aumône*) und das Sonett. Am meisten das Sonett, jene höchst bedenkliche und längst überbeanspruchte Form,
bedenklich, falls man voraussetzt, daß alle gesunden literarischen
Formen — man denke an die griechischen Chorlieder und sogar
an das Epigramm — wandlungsfähig und dehnbar sind. Hier be-
folgte er die durch Baudelaire gepriesene Forderung Poes: „In
einem Gedicht wie in einem Roman, in einem Sonett wie in einer
Novelle muß alles an der Endlösung mitwirken; ein guter Dichter hat schon seine letzte Linie im Auge, wenn er die erste
schreibt." Schon der Zwanzigjährige bekennt, halb scherzhaft
sich für seine „Sonettmanie" entschuldigend: „Aber für mich
ist das ein großes Dichtwerk im kleinen; die Vier- und Dreizeiler scheinen mir je ein ganzer Gesang, und oft bringe ich drei
Tage damit zu, ihre Teile im voraus ins Gleichgewicht zu bringen, damit das Ganze harmonisch sei und sich dem Schönen
nähere" (an Cazalis). Eben weil er den natürlichen lyrischen
Strom nicht in die vier Teile des Sonetts absonderte, sondern ihn

oft beinahe nach Art der Ode über alle Abschnitte hinwegfluten ließ (Strophensprung), gelang ihm, woran unzählige andere scheiterten. In der weisen Erkenntnis aller großen Nichtitaliener, der Reimreichtum des Italienischen sei in andern Sprachen nicht nachzubilden, nahm er nicht selten in die Oktave einen dritten Reimtypus auf,[1] in die Sestine immer bei den Achtsilbnersonetten und meist (17mal von 24) bei den Zwölfsilbnersonetten. Auch in der Reimstellung erzwang er nur selten die strengeren Formen;[2] so wählte er für die leichtsinnigen unter seinen späteren achtsilbigen Sonetten gewöhnlich das Reimpaar als Abschluß,[3] das aber keine Zusammenfassung bringen solle, sondern ein klangvoll verklingendes, leuchtend verschwebendes Echo des Hauptgedankens, ,,une dernière pirouette, une queue de comète''. Abgesehen von dieser Auflockerung jedoch solle das Sonett ein ,,Block'' sein, ein Kristallkubus aus Einzelversen. Und jeder von diesen sollte aus Einzelworten zum ,,Ganzheitswort'' zusammengeflossen sein (zu Dauphin), im Sinn Banvilles möglichst frei von der zerstückelnden Logik der Satzzeichen.

Und wirklich, welche gehämmerte und einprägsame Einheit besitzen die meisten Verse Mallarmés, ohne Störung durch irgendein eigenmächtiges Wort! Schon seit den melodiösen Frühgedichten...

    De blancs sanglots glissant sur l'azur des corolles.

Kaum einer von denen, die je über Mallarmé schrieben, hat es sich nehmen lassen, wenigstens eine Reihe dieser fugenlosen Suren aufzuführen, welche nach Thibaudets schönem Nachweis auch durch Binnenassonanz (l'herbe Verlaine), Alliteration und metrische Symmetrien zusammengehalten werden. Ein Unmaß atomistischen Schwelgens muß allerdings die Meinung entstehen lassen, Mallarmé habe nichts als ,,Perlenschnüre'' syntaktisch isolierter seltener Verszeilen reihen wollen, ,,Wortkonstellationen'' statt Sätze (Thibaudet p. 311). In Wirklichkeit ist bei ihm das Gedicht so sehr ein mehrstimmig verschlungenes Ganzes, daß man es gar nicht Vers für Vers lesen kann (absichtlich häuft er dazu in den Anfangsversen das Rätselhafteste). Vielmehr muß man den Sang als Ganzes empfunden haben, bevor nicht nur der

Sinn sich erschließt, sondern auch die Schönheit, .. wie das übrigens gerade bei einem Sonett ohnehin naheliegt. In Nachahmung Banvilles verlieh Mallarmé dem Reim neben seiner bindenden auch „die Wächterfunktion, zu verhindern, daß einer unter allen Einzelversen die Herrschaft oder Entscheidung an sich reiße" (*Div.* p. 227). Daß ihm selber der polymorphe Vers nicht wesensnah war, entschlüpfte ihm 1892, als er hingerissen von Banvilles Reimdrama *Le Forgeron* schrieb, daß „jede Dichtung, die anders verfaßt ist als im Hinblick darauf, dem alten Geist des Verses zu gehorchen, nicht Dichtung ist" (*Div.* p. 225). Ja, aus seiner etymologischen Lautmystik heraus kam er drei Jahre später eigentlich zum allerstrengsten Reim, dem Augenreim, oder jedenfalls zu der These (in Diptyque II), das Schriftbild eines Verses sei so bedeutungsvoll, daß bei lautem Lesen nicht alles vermittelt werde.[1] Er empfand etwas Sinnvolles in der alten französischen Reimregel, daß *tu vois* auf *les lois* reimen könne, nicht auf *la loi*. Durch den *s*-Laut (dem er einen analytischen, zersetzenden Charakter nachsagte) schien ihm der Pluralis des Substantivs zuinnerst geheimnisvoll verschwistert den Formen der 2. Person Singularis: so empfand er es, da er ja „sich halte an alte Subtilitäten, an denen man freilich zugrunde geht, aber eben zugleich das Edelmetall zutage fördert aus ihrem ungreifbaren Umkreis". Die englische Sprache hatte er einst gerühmt wegen ihrer schwierigeren, weniger als die deutsche und französische durch die Fülle eintöniger Suffixe geschwächten Reimkraft (*Les Mots anglais*, Conclusion).

So verband sich in Mallarmés Gesängen das Festhalten an der alten Versform[2] in ihrer bündigsten Epigrammatik mit einer erstaunlichen visionären und stilistischen Kühnheit. Randvoll mit Erlebtem und Verhaltenem war Ton und Klang, und nicht erst in Quintessenz-Versen wie

> *O mort, le seul baiser aux bouches taciturnes!*

Indes ergab sich nicht jene gewichtlos weiche, musikalisch verschwebende, nichts-als-schöne Lyrik, welche der Dichter vielleicht gewollt hatte. Gedichte ehern wie gnomische Sänge, federnd gestrafft wie mathematische Formeln, erbosseltes Rätsel-

raunen von der magischen Leuchtkraft isländischer Ragnarök-
Strophen, oder des *Kubla Khan* von Coleridge. Auch dies war
Lyrik „musikalischer Andeutung“, nur in einem ungewöhnliche-
ren Sinne, welchen Mallarmé am besten umschrieb mit dem Wort
incantatoire. Mehr noch als Melodien krallen diese Verse sich im
Gedächtnis fest, .. und schon frühe Leser des Dichters bestätigen,
was jedermann bei Mallarmé erfährt: wie rasch man diese Gefüge auswendig weiß,[1] wie die *hantise* sich zum *démon* des von
ihnen Besessenseins steigern kann[2] und wie unwiderstehlich diese
„bleibende“ Rätselschönheit selbst dann wirken kann, wenn man
nicht bereit ist, in den Sinn einzudringen.[3] Klingt nicht aus Schall
und Rhythmus des *Cantique* allein schon ein feierlicher Jubel?
„Es müßte Gedichte geben können“, hatte sich einst jener Novalis gewünscht, den jetzt Maeterlinck neu entdeckte, „bloß wohl-
klingend und voll schöner Worte, aber auch ohne allen Sinn und
Zusammenhang – höchstens einzelne Strophen verständlich – wie
lauter Bruchstücke aus den verschiedenartigsten Dingen“.[4]

Mallarmé hat diesen Wunsch auf seine Art erfüllt. Nicht
weichlich verfließend und zerbröckelnd sind seine Worte, eher
hart, zackig und vereist, .. und auch nicht spielerischer *Zufall*,
sondern von irgendwoher magnetisch gehalten und verstrickt.
Man ist auch weniger verzaubert, wie es vielleicht Novalis gewollt
hatte, als vielmehr gebannt, festgebannt, und in einem endlosen
tönenden Raum. Bannsprüche, ja, aus vorliterarischer Frühe, lösen hier die eigentlich subjektive Gefühlslyrik ab. Beschwörungen, „proverbes de beauté“ (Royère), Zauberformeln, seltene und
unrhetorische Klänge bei den Isländern, bei Hölderlin und Poe,
in Mörikes *Orplid,* begrifflich umrissen von Valéry, dem Dichter
der *Charmes,*[5] und schon im Mallarmé-Aufsatz Georges: „Denken wir an jene sinnlosen sprüche und beschwörungen die von
unbezweifelter heilkraft im volke sich erhalten und die hallen
wie rufe der geister und götter, an alte gebete die uns getröstet
haben ohne daß wir ihren inhalt überlegt, an lieder und reime
aus grauer zeit, die keine rechte ,klärung zulassen bei deren her-
sagung aber weite fluten von genüssen und peinen an uns vor-
überrollen und blasse erinnerungen auferstehen die wie schmerz-
volle schwestern uns schmeichlerisch die hände geben.“ Anders

als im geheimnislosen *Parnaß* erhielten die Worte eine Art koboldhaft purzelnden oder musikalischen Eigenlebens. Er wollte
„sich wieder daran machen, das Alphabet zu lernen".[1] Dem Wort
quinconce antwortet im folgenden Satz ein *quinquet* (Réminiscence); in den „mourantes violes" (*Apparition*) mischt sich so
sehr Geigenklang und Blumenduft, daß ein Übersetzer „Veilchen" schrieb. Der Reim hat wieder etwas vom magischen Reiz
der Volksetymologie und der Echolalie. Auf einem Skizzenblatt
zum Igitur findet man Mallarmé über solchen mystisch ungreifbaren Zusammenhängen brütend: *l'heure* neben *le heurt, écho*
neben *ego, plus* und *plu, choc, chose* und *chute.* Und zumal durch
doppelsinnige Worte,[2] *mâts* in *Brise,* glace in *Ses purs,* coupe in
Salut, bois in *Faune* A, tu, vogues; abgesehen von Banvilleschen
Klangspielen wie *tout ce qui nuit: nuit* (schon V. Hugo, *Mai,*
1872), *jeune : jeûne, cygne : signe, verre : vers, mère : mer,* nehmen Reim (*joue; faux*) und Satz[3] Gebärden voll sibyllinischen
Gesanges an. „Mâts sans mâts" — das nähert sich als Ausdruck
wahnwitziger Verlassenheit dem Expressionismus.

Bei alledem würde man von den **inneren** Spannungen dieser
Gesänge nichts ahnen, ließe man sich von solchem subjektiv akustischen Genießen einlullen, statt „par une série de déchiffrements" (zu J. Huret) in den Knäuel der Assoziationen und Anspielungen einzudringen — mit derselben Geduld, mit der man
Dante, Blake, den späten Hölderlin oder Rilke liest. Das Frage-
zeichen — auf dem Exlibris des Félicien Rops von Mallarmés
Musenthron! — steht heute wie damals abschreckend, einschüch-
ternd und doch lockend hinter diesem Werk. Es „schied mit
einem Hieb die ganze Schar der Lesekundigen", schreibt Valéry.
„Unverweilens, unausweichlich schien es ihr Bewußtsein im emp-
findlichsten Punkt zu treffen und jenen beträchtlichen Hort
einer aufgespeicherten Eigenliebe zuinnerst aufzuwühlen, in dem
eine Kraft haust, die *es nicht ertragen kann, nicht zu begreifen..*
Es gibt nur wenige Menschen, die es gar nicht wurmt, etwas nicht
zu verstehen, und die sich zufrieden geben, so wie man sich damit zufrieden gibt, Algebra oder eine Sprache nicht zu verstehen."[4] Freilich hat die Befriedigung, eine Nuß geknackt, einen
Rebus gelöst zu haben, nichts mit dem dichterischen Erlebnis zu

tun. Nicht eine *poésie casse-tête*, aber eine Poesia absconsa prägt sich in jeder großen Dichtung ein, im Sinn Valérys: „Ich gestehe, ich erfasse fast nichts von einem Buch, das sich mir nicht widersetzt" (NRF, 1932).

Die magische Musikalität Mallarmés, die eigentliche Mitte dieser Kunst lebt deshalb eben durch das Schweben zwischen einer Dunkelheit und ihrer Dechiffrierung. Gewiß kann eine Übersetzung oder eine Interpretation den Reiz des verschlossenen Tabernakels nie bewahren. Im drangvollsten Engpaß befindet sich der Übersetzer von Mallarmés Versen, zumal wenn er anspruchsvoll auftritt: ihre Vielspältigkeit wird er niemals nachbilden können, und wenn er nun Geheimnisvoll-Dunkles in erklärender Abkürzung wiedergibt, wird es als „sehr ernstlicher Fehler" gerügt werden, „da es sich ja um eine Poesie handelt, die erst wieder unter wiederholten Bemühungen einer mannigfachen Grübelei sich entfalten kann und darf. Allzuoft läßt das Interpretieren auf jene intellektuelle Gespanntheit nach dem Sinn verzichten, der einen unentbehrlichen, oft hauptsächlichen Teil dieses Sinnes bildet".[1] Die freieren paraphrasierenden „déchiffrements" dagegen sind von vornherein nur dienend, nicht Selbstzweck. Wenn sie sich, im Gedanken an die einzigartige Knappheit des Originals, vor täppischem Zerreden möglichst hüten, dürfen sie, wie Gourmont mit Hinblick auf die Dante-, Faust- und Browning-Kommentare sagte, als ein Zeichen der Ergriffenheit bestehenbleiben. Mehr als Hinweise können sie nicht geben. Die Dornröschenhecke bewahrt ihren Zauber.

Mallarmé ist nicht eine von jenen Sphinxen, die in den Abgrund stürzen, wenn man ihre Rätsel löst. Ein „Mallarmé dévoilé" wäre nur dann zu befürchten, falls der Dichter kleiner würde, sobald man das Begreifbare an ihm begriffe, oder falls durch einen inhaltlichen Extrakt die Aneignung des Textes überflüssig würde. In Wirklichkeit dient alles nur dieser Aneignung. Mallarmé betrachtete „ein Gedicht als ein *Mysterium*, dessen Schlüssel der Leser suchen muß" (1893 zu E. de Goncourt), wobei der Dichter manchmal durch einen Brief, manchmal durch eine beigefügte Ausdeutung (z. B. das Schicksal des Buchs auf der Konsole, im Wagner-Gedicht, als „manque de mémoire")

mithalf, wohl aus ähnlichen Gründen, wie Valéry sie mehrfach
vortrug. Und er widmete seine Werke dem jungen Gide, auf daß
dessen einfühlende Seele „Eigenes hineinlege", oder dem jungen
Fabre, auf daß sie durch ihn „leise sängen". Ziel aber war nie
eine unklare relativistische Vielfalt beliebiger Deutungsmöglich-
keiten (Klemperer), sondern die Vermittlung eines bestimmten
Erlebnisinhaltes, musikalisch ätherisiert. „Nein, lieber Dichter",
schrieb er an Gosse, „ich bin, von linkischem Ungeschick abgesehen, nicht dunkel — sobald man mich liest, um hier Musik zu
suchen oder den Ausdruck einer Kunst, welche sich zufällig (in
Wirklichkeit weiß ich den tiefen Grund) der Sprache bedient.
Dunkel allerdings werde ich für den, der meine Werke mit einer
Zeitung verwechselt."[1] Man gedenkt der Schlußverse von Rodenbachs Gedicht auf Mallarmé..

> *Poème! une clarté qui, de soi-même, avare,*
> *Scintille, intermittente, afin d'être éternelle;*
> *Et c'est, dedans la nuit, les feux tournants d'un phare!*

DICHTUNG DER ZWEITEN LEBENSHÄLFTE

DIE SCHEU VOR DER KREATUR

Aus den beiden Parabeln *Conflit* und *Confrontation*, die gedanklich und symbolhaft zum Edelsten und Vollendetsten gehören, was Mallarmé geschaffen hat, ließe sich erwarten, er werde in seinen Versen ebenso verinnerlicht zu irgendeiner menschlichen Gemeinschaft, zum Menschen überhaupt vorstoßen. Auch sein bescheidenes freundliches Wesen und tief darin verwurzelt die „wilde Brennessel der Sympathie" war ja zumindest den Menschen seiner Umgebung aufs engste verbunden, mit einer zarten Feinfühligkeit, die in den kleinen diskreten Gelegenheitsgedichten so leibhaftig spürbar wird. Wie hat er zugleich duldsam und liebevoll die Menschen Verlaine und Villiers eindringlich zu beobachten gewußt; und ohne je das Vornehme dem Psychologischen zu opfern. Beispielsweise fand er es bezeichnend, daß Villiers' Freunde nie über dessen äußere Verhältnisse sprachen, „denn von diesen Dingen pflegte er zu schweigen. Das schweigende Abkommen entsprach auch der allgemein menschlichen Scham, vor einem Elend, dem man nicht steuern kann, die Augen zu verschließen — spräche man davon, so bekäme das liebe Freundesantlitz Schatten. Mit einem nicht unbewußten Lächeln ließ er es sich gefallen. Denn unter seiner bisweilen gespielten Hastigkeit verbarg er die scharfsichtige Menschenkenntnis eines Diplomaten. Im Notfall hätte er die geringste diesbezügliche Betretenheit bei einem Gefährten pariert und abgebogen durch melancholische Zwischenbemerkungen wie: der Name, den ich trage, macht wirklich alles schwierig.."
Wer so tief zu schauen vermag, hat vieles zu verschweigen. Was Menschliches zwischen ihm und seinen Schülern, seinen Jüngern, seinen Freunden geschah, schien ihm allzu persönlich für seine „reine" Dichtung. Nur in den frühen Liebesgedichten für Marie, den späten für Méry und den Fächersonetten für Frau und Tochter pulst in verschiedener Wärme das Herzblut der Zuneigung. Sehr früh, in *Don du poème*, trieb er die Unterscheidung von Mann und Weib bis ins Metaphysische. Mit ehrfürchtiger Feier-

lichkeit liebte er die Menschen, das Volk, erträumte ihnen das sakrale Theater der Zukunft, sprach von ihrer neuen Heiligung. Doch ihr Leben und Sein jenseits der großen Symbolumrisse bildnerisch zu gestalten, versagte er sich — nicht mehr wie einst, um eine künstliche, unmenschliche Ungerührtheit vorzutäuschen; eher weil er sie doch alle inbegriffen wähnte von dem hohen Kunstgewissen, dem sein Leben gehorchte, .. und vielleicht aus der scheuen Ungewißheit, ob bei engerer Fühlungnahme mit der Kreatur seine stille Gestaltungskunst nicht überwältigt und erdrückt würde. Den Ekel vor dem Physischen hat er in einem Jugendsonett *Parce que de la viande* nicht weniger schroff und kraß ausgedrückt als zehn Jahre später der junge Rimbaud. Der Schlußvers klagt bitter: ,,O Shakespeare und du, Dante: daraus kann ein Dichter entstehen." Woraus? Als äußerster Naturalist, als ein Naturalist nicht aus Pedanterie, sondern qualvoll sich wundreibend am Kontrast des Göttlichen und des Widerlichen, zählte Mallarmé in diesen Versen die unreinen Möglichkeiten auf, wie in einem zukünftigen Vater die jähe Lust zur Zeugung wach geworden sein mag. Hier ist man wohl an den Wurzeln eines Grundmotivs seiner späteren Dichtung: des Grauens vor dem Gedanken daran, aus welcher Fremdheit sein eigenes Dichtertum einst erzeugt worden sein mochte; an den Wurzeln der Auflehnung Igiturs gegen die Väter; des Nicht-Einwilligens und Lieber-Ungeborensein-Wollens beim ,,Sylphen" des *Surgi*-Sonetts gegenüber ,,meiner Mutter und ihrem Liebhaber"; und beim Aufatmen (in *Une dentelle*) über ,,das Nicht-Vorhandensein des Bettes".

Das eine ist gewiß, nicht die ästhetizistische Zeitmode war es, um deretwillen der spätere Mallarmé vor dem brutalen Ausblick des Lebens zurückwich. Wohl zeigen die Werke der zweiten Lebenshälfte nicht mehr das Schreiende und Krasse, das bis in *Hérodiade* hereinreichte, die Bilder sind gedämpfter, die Satzfolge weniger aufdringlich. Nicht aber läßt sich etwa ein Verpönen gröblicher Wörter feststellen. Seit den derb-grotesken Szenen des *Guignon*, mit denen er einst Baudelaire übertrumpfte, hat er zwar gelegentlich krasse Bilder gemildert, aber nur da, wo das Niedrige abgedroschen und daher schwach wirkte.[1] Kurz vor

1870 kam dann der „ton populacier" in Mode, nachdem sich
Verlaine als erster für seine Vorstadtstudien ein Apachenkostüm
gekauft hatte und im Salon Ninas seinen *Ami de la Nature,* einen
Gassenhauer im Gossenfranzösisch (das er erst mühsam erlernte),
vortrug. Und auch hier verschmähte Mallarmé nicht einige gut-
gelaunte Anleihen, wie ihn überhaupt eine pariserische Unbefangenheit und ein stiller Humor ganz von der literarisch ernsten
Schönheitsaskese etwa des jungen George entfernten. Ihm konnte
es beifallen, unter die Kritzeleien an einer bäuerlichen Latrine die
Strophe zu setzen: „Der du deinen Leib erleichterst, du kannst
bei dieser dunkeln Tat singen oder deine Pfeife rauchen, ohne
deine Finger an die Wand zu bringen."

Mallarmés Dichtungen „nach dem Leben" haben das eine gemeinsam: sie vermeiden im oben angeführten Sinn die gefühls-
weiche, mitleidige oder innige Begegnung Mensch zu Mensch.
Nur den kuriosen Kreaturen wandte er sich zu, die an der Peripherie der Schöpfung ein tragikomisches Dasein fristen und aus
der Distanz einer rauhen Sympathie erlebt werden können. In
der Regel wird der beiläufige, zufällige Charakter dieser unbürgerlichen Begegnungen betont. Einzig in der Parabel *Un spectacle interrompu,* Mallarmés einziger Tiergeschichte, strebte er
nach einem notwendigen, evidenten, einfältigen Blickpunkt zum
Idealen hin, jenseits der Scheinwirklichkeit, mit deren Widerschein die Masse sich begnüge; wie er ja stets bedauerte, daß es
in unserer fortgeschrittenen Zeit nicht in jeder Großstadt einen
Verein der Träumer gebe, der vom Standpunkt des „Traums" die
Dinge des Tages zu betrachten wisse. Nicht für jene, die an allem
nur das Reporterhaft-Gewöhnliche begreifen, sondern mehr als
Monolog schilderte er seine Begegnung mit der niedersten Kreatur, dem Tier. Es war in einer Tingeltangel-Bühne, und ihm war
nicht gelungen, auf seine Doppelfreikarte irgendeinen Partner
zum Mitgehen zu bereden. Ohne also einem Nebenmann seine
Eindrücke weitergeben zu können, sah er sich ganz mit dem
naiven Vergnügen des Publikums das banale und doch mythische
Ausstattungsstück „Das Tier und der Genius" an. Ein leicht-
beschwingtes Feenballett flüchtet sich da auf eine Reihe orien-
talischer Säulen vor einem plump hereintrabenden echten Arktis-

Bären und wird beschützt von einem schlanken Harlekin im Silbertrikot, welcher, den Bären foppend, des Menschen Überlegenheit über das Tier darstellte. Eine Beifallssalve brach ab, als vor den gespannten Augen der Possenreißer, die gespreizte Hand hebend, etwas im Fluge zu haschen suchte; dieser altbewährteste unter den *lazzi* der Pantomime war mit der nämlichen Leichtigkeit gemimt, mit welcher der Mensch eine Idee auffängt. Neugierig richtete sich dabei der Bär auf, berührte mit der einen Pfote forschend des Gauklers Schulter, mit der anderen seinen Arm: so wie ein untersetzter biederer Knecht, die behaarten Beine spreizend, sich in geheimer Bruderschaft anlehnt, um die Griffe des Genius zu erlernen. Offenen Mundes staunte der Mensch, dessen Antwort man atemlos erharrte, der imaginären Fliege nach, bis auch der Kopf des Bären, der ihm zur Brust reichte, immer mehr in die Höhe wuchs..

In dieser schlichten, bedeutsamen, ewigen Situation fühlt sich der Dichter als Sprecher des Tiers. „Sei gut und nicht harten Herzens", möchte es zu dem gleißenden, übernatürlichen Vertreter des Stolzes der Menschheit sprechen, „deute mir das Wesen dieser Umwelt aus Schimmer, Staub, Stimmen, in welche du mich treten lehrtest. Älterer Bruder aus dem Reiche der Weisheit, mein dringliches Fragen, auf das du sicher zu antworten weißt, ist gerecht. Denk daran, daß ich den häßlichen Höhlenpelz noch trage, weil in dunkler Urzeit ich meine Kraft verbarg, dir freie Bahn zu lassen.[1] Laß eine Umarmung vor dieser Schar Urkunde unserer Versöhnung sein!" Und das bescheidene Theater ward zum absoluten Raum eines Weltall-Dramas, das Publikum verwandelte sich in den symbolischen Zeugen des Geistgeschehens; nur die festliche Gaslampe der Saaldecke blakte erwartungsvoll und mit der Neutralität des Elementaren. Da zerbrach jäh der Zauber, als aus der Kulisse ein blutender, roher Fleischfetzen dem Bären zugeschleudert wurde, verfrühter Leckerbissen aus der üblichen Abfütterung nach der Vorstellung. War durch den Glanz des Theaters in dem Tier der Sinn nach etwas Höherem erwacht, so umhüllte totes Schweigen den dumpfen Trott, in dem es nun, wieder auf allen Vieren, die Beute freßgierig beschnüffelte. Und seltsam, die Zuschauer atmeten erleichtert, fast nicht enttäuscht

auf, als vor ihren blinkenden Theatergläsern das Tier sich für
den niedrigen Fraß entschied. — Weit seltsamer noch ist, wie
leichthin auch Mallarmé, sobald nun der mit Anzeigenreklame
bedeckte Vorhang gefallen ist, die Tragik des Tieres mit begräbt;
er redet nur vom Bewußtsein der höheren Wahrheit seines Sehens,
das er unter der so andersfühlenden Menge gelassen empfand.

Nirgends wagt er, hart auf hart oder Wange an Wange von
der einfachen starken oder schwachen Kreatur zu singen, bren-
nend um ihren Segen zu ringen. Das Nicht-Korrekte reizte den
Modernen. Übersatt von humanistischem Geistesstolz, will man die
klammernden Organe der Nerven und des Blutes nicht unterschätzt
wissen. Er hat auch obszöne Verse unter seinen Papieren, aber er
schickt sie dem Freund nicht, „weil die nächtlichen Verluste
eines Dichters zu Milchstraßen werden müßten" (an Cazalis,
Okt. 64). Cazalis seinerseits hatte von der absonderlichen Neigung eines Negers gesungen, der, vom üblichen Lieben abgestoßen, allabendlich eine Löwin aufsucht, um auf ihrer Stirn träumend zu entschlummern (*L'amour d'un noir*). Ein krasseres
Triebgeschehen aus der Nachtseite der Sinne zu gestalten hat
auch Mallarmé versucht, als er — Mondor vermutet: nur um Glatigny nicht zu enttäuschen — einen Beitrag lieferte für den zweiten
Band des von Rops ausgeschmückten, alsbald polizeilich eingestampften „Parnasse Satyrique du XIXe siècle, Recueil de vers pi-
quants et gaillards de Béranger, V. Hugo, E. Deschamps, A. Barbier, A. de Musset, Barthélemy, Protat, G. Nadaud, de Banville,
Baudelaire etc.". „Bitte Armand Renaud um Verse", schrieb er
an Cazalis, „die ich für ihn gekritzelt habe und deren Grausamkeit, trotz der gewiß ganz plastischen und äußerlichen Schilderung, er vollkommen empfunden hat: ich hatte versucht, dahin
zu gelangen. Ich bestimme sie mit zwei andern, die ich im Kopf
habe, für den *Parnasse satyrique* bei Malassis unter dem Namen
Tableaux obscènes" (Dez. 65). Frei von Baudelaires Verfallensein
an Triebhaftes und wie in enthobener Schau auf ein beiläufiges
Naturereignis, entrollt sich dieses Sonett *Une négresse*. Da steht
ein Mädchen, mager wie eine Gazelle und schmachtend in Unschuld und Schuldgefühl seines eben erst treibenden Frauenwachs-
tums. Lüstern, das erste schreckhafte Erschauern des weißen

Mädchens auszukosten, wirft sich vor ihm eine wilde Negerin
rücklings nieder und reckt in selbstgefälliger Schaustellung und
mit naivem Zulachen ihren bis auf die Schuhe tierhaft entblößten Leib. Und gleichsam gebannt von der barbarischen Dämonie
dieses Exhibitionismus bricht die Weiße an ihr nieder wie ein
Opfer. Den Dichter scheint an alledem nichts weiter zu berühren
als die Assoziationen zum sonderbar-farbig Ästhetischen des Geschlechts und der Rasse. — Die Briefstelle zeigt, daß man gut daran
tut, solche Dichtungen mit der gleichen Kühle aufzunehmen, mit
der sie gemeint waren. Das gilt auch für manches andere damalige
Werk, in welches ein im Geiste Goethes Urteilender etwas wie die
larenhafte Unschuld dinglicher „Welt" hineinzulegen geneigt ist;
eine solche Wärme trug R. M. Rilke etwa in das Beilager mit dem
Aussätzigen, in Flauberts *Saint Julien,* hinein. Darf man von Mallarmés *Négresse* sagen, was Rilkes *Laurids Brigge* von Baudelaire
und seiner *Charogne* schreibt: „Es war seine Aufgabe, in diesem
Schrecklichen, scheinbar nur Widerwärtigen das Seiende zu sehen,
das unter allem Seienden gilt"? Vermutlich mißverstand Rilke,
auf eine höchst fruchtbare Weise, Baudelaires *Aas*-Gedicht (vorsätzlich ja „abgesehen von der letzten Strophe"). Schwerlich mit
viel mehr Recht als bei der *Négresse* würde man in *La Charogne*
etwas wie ein *Feiern* und Heiligen des Seins, zumindest als dichterische Triebkraft, feststellen, mögen Rilkes Verse an *Baudelaire*
(1920) noch so seherisch klingen: „doch da er selbst noch feiert,
was ihn peinigt, / hat er unendlich den Ruin gereinigt: / und
auch noch das Vernichtende wird Welt." Mallarmé feierte und
bewältigte in seinem Sonett von der Negerin nichts Wesenhaftes
an den Dingen, er hob das Animalische hier nicht zum Firmament, nicht zur „Milchstraße". Es war ihm bewußt, daß es Gebiete des Lebens gab, in denen ihn etwas daran hinderte, sein
wahres dichterisches Amt zu erfüllen.

Persönliches durfte hier nicht hervortreten, nur Klänge des
Verfemten, Verbrecherischen, Dämonischen (démon, goinfre,
rusée), die übrigens in der ersten Fassung noch absprechender verschärft waren (infâme *statt* étrange; l'indécente). Um
so ausgelassener, unbeschwerter und gröber im Sinn des Gassengelichters — und, weit überraschender, ganz ohne Wehmut —

glossiert er etliche „gens du milieu", Eckensteher aus dem Pariser Naturschutzpark: in seinen geringfügigen *Chansons bas*. Spitzbübischer Humor, spitzfindige Ironie spiegeln sich im Kontrast des hüpfenden auftaktlosen Kurzvers-Presto mit der doktoral genäselten Steifheit schwindelerregender Reimwitze. Doch wie bei seinen Vorgängern Des Essarts (Poésies parisiennes, 1862), Banville (Les Parisiennes de Paris, 1866; Les Camées parisiens, 1866) und Coppée (Les humbles, 1872) sind die Gestalten nicht wahrhaft vital durchblutet. Mallarmé richtet sich um so mehr an stumme Marionetten, als er mit seinen Quartinen nur einige der realistischen Charakterzeichnungen des Pariser Malers Jean-François Raffaelli illustrierte,[1] im heiteren, umgängigen Ton dieses stets gutgelaunten Kameraden, mit dem zusammen man ihn 1896 bei Dujardin als Trauzeugen antraf. Es sind Tanagra-Figürchen, aus Erde gebrannt. Offensichtlich bedeutet ihm diese schweigende Fauna von Paris nicht viel mehr als den Vorwand für die sprühenden Improvisationen eines leichthin amüsierten und doch nachdenklichen Pflastertreters.

Da ist in seinem Pechgestank ein Flickschuster, der vor dem Duft einer weißen Lilie gewiß nicht bestehen könnte. Jedesmal wenn er des Dichters Schuhe mit einer neuen Sohlenschicht beschlägt, scheitert dessen Sehnsucht, einmal mit paradiesisch nackten Füßen dahinschreiten zu dürfen.. (wovor sich damals Peter Altenberg in den Straßen von Wien nicht genierte). Doch auch der biedere Schuhbesohler klopft auf die Sohle eine fernhin schweifende, treuherzige Sehnsucht fest: einmal beauftragt zu werden, selber Schuhe für uns schaffen zu dürfen! – Danach redet der Dichter eine Verkäuferin wohlriechender Kräuter an. Mit dem kessen Zwinkern ihrer Braue werde es ihr nicht gelingen, ihm eines der strohigen blauen Lavendelbüschel aufzudrängen. Er überlasse geruchsempfindlichen schönen Seelen, eines an den Wandfliesen jenes Ortes, den man als „les lieux" par excellence bezeichnet, aufzuhängen (wie es um 1880 da und dort üblich war), um im Bann des Darmes feinfühlige Idealität zu heucheln. Und noch barscher rät er der Kleinen mit dem altmodisch romanhaften Namen: es wäre ersprießlicher, sie steckte sich den würzig duftenden Lavendel in ihre ausladende Frisur und fände so für die Jungfräulichkeit ihrer verlausten Reize einen Mann. – Dem Straßenarbeiter, welcher die Steine zerklopfend nivelliert, nickt er tröstend zu: auch er, der dichtende Schullehrer, habe Tag für Tag klobige Gehirne aufzuklopfen. Oder begrüßt er pfiffig den Knoblauch- und Zwiebelhändler als Bundesgenossen gegenüber der Gesellschaftskonvention: Knoblauch beschleunige die Anstandsbesuche und Zwiebel die Kondolenztränen. Da ist ein Steinbrucharbeiter, der sich, gegen das Herkommen seiner Klasse, regulär verheiratet: ihm gönnt er den Lohn, daß Weib und Kind ihm die Suppe bringen. Oder ein Glaser: das Glas der Hucke,[1] die er auf dem Rücken trägt, empfängt des gespeicherten Sonnenlichts ganzen, unverhülltesten Blendglanz. Oder der unermüdliche forsche Zeitungsausrufer, der selbst bei Tauwetter sich nicht erkältet. Unter den gerissenen Blicken der Altkleiderhändlerin schließlich, die seinen schäbigen Anzug taxierend durch und durch spähen, fühlt er sich dessen entledigt.. und entschreitet, gleichsam in heiterem heimlichem Triumph, als nackter Gott.

Ähnlich oberflächliches Scherzo blieb auch eine pikante Pilgerfahrt vor die Rampe der Boheme, in der mondänen Gesellschaft Whistlers, der ja im Leben nicht weniger leichtsinnige Flausen pflegte als zuweilen in seinen Gemälden. Ihm, und zwar nicht mit Unrecht mehr dem Boulevard-Lebemann als dem Maler, huldigte er mit einem freien Grazioso, *Billet à Whistler,* .. in einer von romantischen Stuart-Royalisten gegründeten englischen Zeitschrift, dem *Wirbelwind.* Er beginnt mit Whistlers Gegenwelt, mit der bürgerlichen. Beim Thema „Wirbelwind", heißt es da, denke er nicht an die launischen Windstöße, die ohne Anlaß plötzlich die Straße für dahinstiebende Zylinder in Beschlag nehmen. Wohl aber an den schaumig strudelnden Gazegischt, den flinken Musselinwirbel durch das Knie der Tänzerin, die einst so viel für sein und Whistlers Bummelleben bedeutete. Geistreich, trunken, unbeweglich, sie wirft durch ihr Balletthöslein alles Stumpfe und Träge geblendet nieder – Whistler gehört nicht dazu –, .. wobei ihr einziges Bestreben ist, Whistler möge den Luftwirbel ihrer Röcke lachend wittern.

In der nämlichen behenden Art, durch abstrakte Allgemeinbegriffe gleichfalls lässig das Gegenständliche zerzupfend, beschrieb Mallarmé ein andermal eine der Anfechtungen durch das Geschöpfliche, aber durchaus als Naturereignis. Und zwar wirkt das heikle Thema der Prosaskizze *L'Ecclésiastique* gerade dadurch harmloser, ja mitfühlend und fast humoristisch, daß es ohne Aufhebens mit einer gewissen seriösen, taktvollen Steifheit vorgetragen und durch eine persönliche Beichte eingeleitet wird. Beim Nahen des Frühlings gerate er in einen doppeldeutigen, noch halb vom intellektuell-ironischen Winter belasteten Zustand, aus dem er dann erst erlöst werde durch „eine gänzliche, naive Naturverbundenheit, die mich noch die Unterscheidung einzelner Grashalme auszukosten befähigt". In dieser Zeit lege er sich gern mit seinen abseitigen Betrachtungen hinter irgendeinen neubelaubten Busch vor der Stadt. Und dabei wurde er unabsichtlich Zeuge, wie ein katholischer Priester, verhungernd nach dem Frühling, sein knackendes Gebein heimlich im Grase wälzte, „in der Seligkeit seiner Ureinfalt glücklicher als ein Esel", und gleichsam all das versteckte Düster herauspeitschte aus den Falten seines schwarzen Priesterkleids — dieser Tracht, in welcher Mallarmés preziöses Auge den anmaßlichen Anschein entdeckt, „als wäre man alles für sich selber, sogar seine Frau". Frühlingssäfte erwärmten dieses Geschöpfes „unfruchtbares Denken", befreien „die unwandelbaren Gesetze, die in seinem Fleisch geschrieben stehen", und so bejaht es den Lenz auf seine Art, „durch eine unmittelbare, eindeutige, handfeste, leibhaftige Fühlung mit der Natur, bar jeder geisteslüsternen Neugier". Der Dichter verrät seine Anwesenheit nicht, hält sich abseits, räumlich und auch menschlich. Es konnte ihm nicht daran liegen, diesen armen Narziß schamrot zu machen: es hätte aussehen können, als wolle er einen Stein werfen („und nichts dergleichen dient den Ratschlüssen der Vorsehung"),[1] .. und zum anderen hätte er ja sonst dies „zugleich barocke und schöne Bild mit seinem geheimnisreichen zeitgenössischen Siegel" nicht festhalten können.

Gerade in dieser Schlußwendung verrät sich der lächelnde, zwanglose Abstand des reifen Mallarmé zur Kreatur, den der künstlich schroffe *Parnasse* noch nicht besaß. Banville hatte ihn mit Oberflächlichkeit erkauft; während Baudelaire den Kampf,

das Leiden am Leben und die Späherfahrt in die anomalen
Reiche von Rausch und Traum vorzog und den Weg einschlug,
den später Rimbaud in dem Wort zusammenfaßte: „Il s'agit de
faire l'âme monstrueuse .. Le poète se fait *voyant*, par un long,
immense et raisonné *dérèglement de tous les sens*" (an P. Demeny, 15. 5. 71). Bei Mallarmé fehlen etwa nach 1870 die grausamen Schlachtfelder solchen Ringens. Der reife Mallarmé litt
nur an sich und dem Schicksal; mit dankbarem Wohlwollen stand
er vor der Außenwelt. Eindringlich aber begriff er bei Baudelaire
den Dualismus − dem er selber einst sich entzogen hatte, seitdem
er die harmonische Durchdringung des Irdischen mit dem Idealen anstrebte. Und als ihm im Juli 92 L. Deschamps von der
Plume den Vorsitz einer Kollekte zur Errichtung eines (1901 verwirklichten) Baudelaire-Denkmals anbot − er sagte zu, nachdem
Leconte de Lisle den Ehrenvorsitz übernommen hatte −, hat Mallarmé gerade diesen Dualismus des Sakralen und des Naturalisti-
schen seinem feierlichen Sonett *Le Tombeau de Charles Baudelaire* zugrunde gelegt, das er als Scherflein für den vom Ausschuß
(Heredia, Sully Prudhomme, Verlaine,[1] Stefan George, Verhaeren, Huysmans) beschlossenen gleichnamigen Sammelband beisteuerte. Der Januskopf Baudelaires (gegensätzlich schon in
dem Titel „*Fleurs du Mal*"), rot und schwarz, beherrscht die
Quartinen als „Tempel und Bordell", deren Zusammenprall wiederkehrt im Auswurf des Tempelmunds „Schmutz und Rubinen",[2] und im Kontrast des Lupanars: festliches modernes Gaslicht und lichtscheues uraltes Laster. *Baudelaire* − das ist ein im
Sand begrabener Pharaonentempel, der durch seinen grab-
geschwärzten Kloakenmund Schlamm und auch rubinrote Kleinodien speit und dadurch sinnbildlich denken läßt (divulgue) an
ein Weihebild des Totengotts, der in herrscherlicher Häßlichkeit seine im wilden Aufkläffen rotleuchtende Schakalschnauze
reckt. Und möge der zopfgleich verflochtene[3] schmierige Docht
des soeben erfundenen Gaslichts noch so hell züngeln − dies von
der Presse, man kennt das ja hinlänglich, verherrlichte Fort-
schrittssymbol, das angeblich alles Schmachvolle einer unmün-
digen Vergangenheit auswischen würde! −: dieses Auslöschen ist
nichts als ein Neu-sich-Entzünden! Denn die Gasflamme be-

leuchtet doch nur wieder die ewig-menschliche Schmach, die
Prostitution, die vom Pfühle steigt, sobald auf den Gassen die
Lampen angezündet werden.[1] Immer ist der Fluch des Urhäß-
lichen rege: so erklang für den Fortschrittsoptimismus die bittere Botschaft Baudelaires.

Indes hat Mallarmé sie hier auf Kosten von Baudelaires ästhetischem Idealismus etwas einseitig in den Vordergrund gerückt.
Aber damals sah man ja bei Freund und Feind in Baudelaire fast
nur einen „poète de mauvais lieu",[2] und als seine eigentliche
Schöpfung, Muse und Patronin galt der große allegorische Schatten der Dirne, das Dienstmädchen der Lust, das barbarische
Weib; noch die von Mallarmé 1895 gesammelten Baudelaire-
Huldigungen bieten bezeichnende Belege.[3] Wer weint am echte-
sten um Baudelaire? Auch Mallarmé antwortet: Sie, die Vogel-
freie, die Verlorene, die in den *Fleurs du Mal* besungen wird als
die Giftblume[4] des Menschen, der sie zu seinem Schutz[5] immer
einzuatmen gezwungen ist, falls sein Mark ihr verfiel. Und was
für Baudelaire die echteste Grabes-Ehrung wäre? Ganz mit dessen Abkehr vom abgedroschenen Glanz, „loin des sépultures cé-
lèbres / vers un cimetière isolé" (Baudelaire, *Le Guignon*), enthüllt Mallarmé langsam sein visionäres Gedächtnismal: Kein Vo-
tivkranz, verdorrend in Steinstädten bar der abendlichen Sonnen-
schönheit, wiegt an lebendiger Segnung für den Toten die dankbare
Pietät eines Straßenmädchens auf; kein Lorbeer, eitel und nichtig
am Grabstein lehnend, kann sich dem Schleier entgegensetzen, in
welchen sie erschauernd sich hüllt, in der Ferne des Toten geden-
kend .. Seine Gestalt ist in ihr schattenhaft Gestalt geworden.

Selten sonst verraten Mallarmés Verse solche Bruderschaft mit
dem unbekannten Mitmenschen. Doch sie auszusprechen bedurfte
es der Erinnerung an Baudelaire und der Beziehung auf ihn. Seine
eigenen Streifzüge an der Peripherie der Gegenwart wahren das
Zeichen beiläufiger und wohlweislich abgekürzter Abenteuer. Erinnern wir uns aber, daß nicht allein seine Verhaltenheit sich
einer Welt-Freundschaft widersetzte. Sondern zugleich der Glaube,
alles Schöne, Stolze und Edle der Volksmassen sei ewige Gestalt
geworden in den wenigen großen Pflügern der Kunst, welche die
Furchen der Zukunft zogen.

II

VERKLÄRUNG DES KÜNSTLERTUMS

Findet die innere Stimme, die ein Fortleben nach dem Tode bejaht, keine religiöse Auskunft, so hält sie sich an das Überlebenskräftige, an das Genie. Fast all seine Gedichte der Künstlerverklärung hat Mallarmé auf das Grab bezogen. Sie unterscheiden sich dadurch bezeichnend von den unzähligen Huldigungsgedichten der Zeit, etwa von Sully Prudhommes Sonetten auf Chénier, Vigny, Gautier, Leconte de Lisle (Ta bouche au verbe d'or sans lèvres désormais) oder Banville. Durch die Nachricht des *Charivari* (13. 4. 66) von Baudelaires Tod war Mallarmé tagelang völlig niedergeworfen, bis sie sich dann als falsch herausstellte. Was bleibt? Ist der Schöpferische dem Tod gewachsen? In welcher Weise? Auch noch ein weiteres Jahr danach schien ihm die Allgegenwart des Todes etwas, gegen dessen Schauer die dichterische Begnadung letztlich ohnmächtig sei. Noch immer lag für ihn der Unstern, das satanische Mißgeschick darin, daß Schönheit erfahren zugleich ihre Hinfälligkeit erleben heiße und daß wir in dem Augenblick, da sich uns das volle Leben aufzutun scheint, das erschauen, was wir gerade verspielt haben. ,,Alle Geburt ist eine Vernichtung; und alles Leben für einen Augenblick ist der Zustand des Dem-Tod-Verfallens, in welchem man die Dinge, die man verloren hat, auferstehen läßt, um sie zu schauen. Vorher wußte man nichts von ihnen'' (an Lefébure, 27. 5. 67). Wie hätte sich die Dichtung mit dem Tod messen können in einem Zeitalter, das von *l'art pour l'art* sprach! und von dessen Hauptvertretern einer, Flaubert (welchen so mancher als den andern damaligen Schutzpatron der Kunst neben Mallarmé stellte), sich insgeheim völlig darüber klar war: ,,Ich befasse mich mit Kunst, aber ich glaube sowenig an sie wie an sonst etwas, denn der Kern meines Glaubens ist, keinen zu haben'' (an L. Colet, 24. 10. 46)! Aber in eben jenem Brief über die Todverfallenheit begann der fünfundzwanzigjährige Mallarmé erstmals von der Offenbarung erfaßt zu werden, welche nach und nach sein ganzes Wesen durchtränkte und es vor Angst und Sorge feite –, von der Offenbarung, welche dem unscheinbaren Schullehrer mehr und mehr eine zauberhafte Ausstrahlung auf alle verlieh, die ihm begegneten, . . zunächst in der allerkleinsten Runde der engsten Freunde, an die allein er damals in seiner Bescheidenheit zu denken wagte, „um mein Sinnbild überallhin zu tragen, wohin ich ziehe, und mich sei's in einem Zimmer voll schöner Möbel, seis's in der Natur, als einen widerstrahlenden Diamanten zu fühlen" (an Lefébure, 27. 5. 67). Was war diese Erkenntnis anderes als die zuletzt von Hölderlin ausgesprochene: *dichterisch wohnet / der Mensch auf dieser Erde!* . . jene Verse, über die Martin Heidegger richtig sagte: „Dichtung ist nicht nur ein begleitender Schmuck des Daseins, nicht nur eine zeitweilige Begeisterung oder gar nur eine Erhitzung und Unterhaltung. Dichtung ist der tragende Grund der Geschichte und deshalb auch nicht nur eine Erscheinung der Kultur und erst recht nicht der bloße *Ausdruck* einer *Kulturseele.*"[1]

Am 23. Oktober 1872 starb Théophile Gautier, dessen *Italia* und *Roman de la Momie* neben Chateaubriands *Atala* und *René* zu den frühesten Büchern in Mallarmés Knabenbibliothek gehört hatten. Wenige Wochen später hatte dieser von Mendès, dem Schwiegersohn des Toten, die Aufforderung erhalten, neben Leconte de Lisle, Heredia, Dierx, France, Coppée, Silvestre, Luigi Gualdo und fünfundsiebzig andern Dichtern (die sich in alphabetischer Reihenfolge an einen poetischen Nachruf Victor Hugos für dessen treuen Bewunderer anschließen sollten) mitzuarbeiten an einem gemeinsamen Erinnerungsbuch an den Toten. Glatigny, mit den poetischen Nachrufbänden des 16. Jahrhunderts, den *tombeaux*, vertraut, scheint den Einfall gehabt zu haben, Lemerre veröffentlichte den Band. „Nach einem von mir verfaßten Prolog", so lauteten Mendès' Leitlinien, denen sich dann aber nur Mallarmé und Coppée unterordneten, „in dem gesagt wird, daß einige Dichter bei einem Trauermahl zu Gautiers Ehren vereint sind, erhebt sich einer nach dem andern, und jeder feiert eine der Begabungen ihres toten Meisters. – Sie wenden sich an ein Bildnis Gautiers. Also wird die Form ‚Du' empfohlen, wenigstens in der ersten Strophe.. Das Stück soll ungefähr sechzig Verse in Strophen umfassen; beginnend mit einem weib-

lichen, endend mit einem männlichen Reim, um sich ins Ganze
einzufügen. Sind die Huldigungen beendet, wenden sich in je
einem Zweizeiler die Dichter mit einem Trauerwunsch nacheinander an den Toten, jeder gemäß der Seite, die er verherrlicht
hat. Doch diese Distichen können später gemacht werden.“[1]
Mallarmé hat sich, abgesehen von der strophischen Forderung,
in seinem *Toast funèbre* an Vorschriften und Zeremoniell gehalten. Vielleicht hätte die leichte, florettierende Odelette-Form des
Salut an den „vainqueur du tombeau“, verfaßt von Banville in
der Nacht nach Gautiers Tod, dem Auftreten des Toten mehr ent-
sprochen, der seinen tiefen bitteren Groll über mangelnde Anerkennung sein Leben lang hinter einer friedlichen Wohlgelaunt-
heit zu verbergen gewußt hatte. „Sonnabend werde ich nicht
bei Lemerre sein“, heißt es in einem Brief Mallarmés. „Damit Sie mich vertreten können, füge ich folgendes bei..
Mit *O toi qui* anhebend und mit einem männlichen Reim abschließend will ich in Reimpaaren eine der ruhmvollen Fähigkeiten Gautiers besingen: die geheimnisvolle Gabe, mit den Augen
zu sehen (streichen Sie *geheimnisvoll*).“[2] Daß er dennoch nur in
der kleineren Hälfte seiner Dichtung zu diesem Thema kam und
mit einer allgemeineren Betrachtung schloß, wird man erklären
dürfen aus einer beunruhigten heidnischen Widersetzlichkeit
gegen die vordringliche Betonung des Grabrituals — schon im
Buchtitel *Le Tombeau de Gautier* — und des Leichenbanketts,
vielleicht auch der herausfordernden Trinksprüche an einen
Toten.

  Töricht wäre mein Gruß — so wendet er sich an den toten
Gautier, als schicksalhaftes Sinnbild des Dichterglücks — fahl
wäre meine Trankspende, erhöbe ich, in der Hoffnung, Dein
Schatten möge gespenstisch im Flur wiederkehren,[3] meinen Po-
kal leer, ohne Wein! Das den Bechergrund schmückende goldene
Wappentier wände sich verschmachtend![4] Ich will mehr! Ich
selber habe Dich ja an marmorner Stätte aufgebahrt. Denn an
ehern geschlossener Grufttür soll man die Lebensfackel ganz auslöschen. Und die des Dichters bei unserer stillen Feier in Versen
gedenken, mögen sich bewußt werden, daß er nun dem Sarko-
phag ganz gehört. Nur so viel bleibt noch: das Leuchten, mit

dem die Abendsonne sich so lang in den Scheiben von Gautiers
Grabeskapelle spiegelt, bis sie dort in der grauen Dämmerung
schließlich selber stolz zu ihm herabsinkt, wird eins mit dem
Ruhmesglanz des großen Könnertums, dem Ruhmesglanz, der
durch dieses Licht heimkehrt in das reine Urfeuer. Denn in falschem Stolz fürchten sich die Menschen davor, sich zu ihrer
eigentlichen Herrlichkeit, Leibhaftigkeit und Einsamkeit zu bekennen. Lieber geben sie ungestüm ihr Selbst als den bloßen
kümmerlichen Abglanz eines dereinstigen vorgeblich idealen (in
Wirklichkeit schemenhaften) Seins aus.[1] Mallarmé aber hat, wie
er hier bekennt, in der Totenkammer, mochten auch die nichtigen schwarzbespannten Wände überall mit dem Wappenzeichen
der Trauer, den landesüblichen Silbertränen, übersät gewesen
sein, doch seinerseits keine Träne (wie durchscheinend und dennoch wie düster!) vergießen mögen, als dieser Eine, schon zu
einem namenlosen Gefährten der andern Hingeschiedenen Gewordene, sich taub und ungerührt gegenüber Klageversen, stolz,
blind und stumm in seinem umrißlosen Bahrtuch umwandelte
zu seiner ganz neuen Rolle, der Rolle nämlich, den fleckenlosen
Nimbus zu tragen, in welchem ihn nach kurzem Zögern die
Nachlebenden zu feiern bereit sein werden.[2] Und will dann im
Nebelreich alles nicht-mehr-gestaltete Wollen des verwesten ehemaligen Menschen sich noch so fauchend zu klaffendem Nichts
ballen, das den bis auf bloße Erinnerungen an das ferne Erden-
rund schon ganz verflüchtigen Toten noch am Irdischen festzuhalten sucht durch traumhaft alberne Fragen nach der Erde,[3] . .
so verhallt im Raum die abweisende Antwort einer schon sich
umbildenden Stimme: „Ich weiß nicht." Im Unterschied zum
blöden Nichts, zum ewig Unhumanistischen, ist Gautier sogar
darin noch ein erhaben Klarwissender, daß er weiß, daß man im
Tod nichts mehr wisse. Das Eingehen ins Nichts gehört für Mallarmé mit zum Schicksal der Menschheit. Es hindert sowenig
wie in der soeben entstandenen *Igitur*-Dichtung den Triumph
des Menschentums.

    Wie aber verklärt Gautier sich ins Ewige? Seine Arbeit als
Dichter bestand darin, durch tiefes Sehen am Wundergewim-
mel des Schönen das Wesenhafte, Bleibende herauszuheben; sie be-

stand darin, dessen äußerster bebendster Verdichtung in den beiden Gegenpolen, zwischen denen die ganze Welt liegt, in der *Rose*
und der *Lilie*, einzigartig in mythischen Sagen Laut zu geben.
Da hört man nun fragen: überdauere davon denn nicht etwas den
Tod? So fragen die abergläubisch Zerquälten, die nicht vom
Nachgrübeln über ein Jenseits loskommen und noch den leuchtendsten Genius als irgendein schattenhaftes Gespenst fortlebend
wissen möchten. Nein, nicht als ein Schemen lebt das ewig schat-
tenlose Genie weiter. Wohl aber soll − denn es liegt Mallarmé
daran, daß der Wunsch zum Weiterdauern nicht etwa überhaupt
unerfüllt bleibe − zur Verklärung des sanften Todesfalles ein
Etwas denjenigen überdauern, welcher sanft mitten in jener
schöpferischen Pflichterfüllung entschlief, die uns allen durch
die Schönheit der Erdenwelt aufgegeben ist. Dieses Etwas, welchem Mallarmé das Weiterleben wünscht, ist ein weihevolles
Nachzittern, das aufklinge aus dem Wort „Rose", wenn Er es
gebrauchte, wie von purpurroter Trunkenheit, oder aus „Lilie"
wie ein großer weißer Kelch − aus den Blumen, welche sein
durchdringender Blick, diamanten wie Regensprühen, aus ihrem
kurzlebigen Blühen auffrisch zu ihrem paradiesisch unverwelk-
baren Ur-Sein. Das sensualistische und formstrenge Vermächtnis
Gautiers, das *Sehen* und *Sagen*, wird dabei durch Mallarmé geradezu eifernd gegenüber dem Gestaltlosen des *rêve*[1] verklärt! „Je
chanterai le voyant, qui, placé dans ce monde, l'a regardé, ce que
l'on ne fait pas."[2] Um als *reiner Dichter* den Garten der wahren
Poesie zu bewohnen, gilt es einzig, so wie Gautier tat, aus diesem
Garten mit sanftem großem Wink die schlaffe Träumerei als
etwas Feindliches von dannen zu scheuchen. Dann mag, nach seiner Gewohnheit, der Tod kommen! Männer wie Gautier kann er
nicht in die Namenlosigkeit stürzen; nur durch ein Schließen der
geweihten Augen und durch ein Schweigen fügt der Meister des
Schauens und Sprechens sich in dies Letzte. Wir Dankschuldenden
aber können, kaum ist der Meister zur erhabenen Ruhe gegangen,
einen verläßlichen Steinblock wälzen über des Todes dichtungs-
feindliches Klang- und Lichtlossein. Und jener Block wird das
Denkmal sein, welches die triumphale Allee von Gautiers Unsterblichkeit kultisch dienend ziert.

Eine andere, noch machtlosere Gefährdung des Künstlertums, die träge Verständnislosigkeit der Masse, verband Mallarmé bald darauf abermals mit der Vorstellung eines Dichtergrabmals: in der Sestine seines schneidendsten Sonettes, *Le Tombeau d'Edgar Poe*, des einzigen französischen Beitrags zum Poe-Gedenkband von Mrs. Sara S. Rice. Als Ingram und Swinburne in ihrem Auftrag die Vermittlung dieses Beitrages übernahmen (9. 11. 75) und auch V. Hugo einzuladen gedachten, hatte Mallarmé abgeraten; er zweifle daran, daß Hugo etwas von Poe gelesen habe, „welcher seit zwanzig Jahren einen Teil der Eindrücke suggeriert hat, von denen die Menschen der zeitgenössischen Altersreihe leben", und leicht möchte Hugo von seinem erhabenen Felsensitz „einen Einbruch oder etwas Ähnliches in Poes idealer Mächtigkeit" wittern (an Swinburne).

Welch fremdartiges Findelkind im Lande der Präzision war doch auch dieser mystische Traumlauscher Poe, mit seiner Sehnsucht nach dem Adel, seinem Haß gegen den flachen Fortschrittsoptimismus! Diese gegensätzliche Zuspitzung eines Problems war schon von Poes ersten Vorkämpfern in Frankreich aufgegriffen worden. Barbey d'Aurevilly hatte Poes Zusammenbruch unter der „Rache der bürgerlichen Mittelmäßigkeit" dargestellt als „eine furchtbare Anklage, einen Bannfluch auf ganz Amerika" und auf die „dumpfe Brutalität" eines dichtungsfremden maschinenbesessenen Landes.[1] Ähnlich auch Baudelaire unter dem frischen Eindruck der öffentlichen Verdammung von Nervals Selbstmord, 1856 in der Vorrede seiner Übersetzung der *Histoires extraordinaires*, wo er, durchaus bewußt (Brief vom 25. 3. 56), „versuchte, einen lebhaften Protest gegen den Amerikanismus einzumischen, ..um den Haß zu erleichtern, den meine freie Seele gegenüber Händlerrepubliken und physiokratischen Staatsformen empfindet". Mallarmé hielt sich in seinem Sonett an die maßvollere Darstellung Baudelaires von 1852, wonach Poes Tod den Amerikanern wirklich leid getan und viele Trauerbezeugungen hervorgerufen habe. Immerhin fügte er sarkastisch bei: um Poes Grab, aus welchem immer noch unlösbares Geheimnis aufstieg, abzudichten und die Gefahr einer gen Himmel anklagenden Dichterseele zu bannen (*Scolies*), hätten die beunruhigten Ame-

rikaner einen basaltenen Grabesblock „über des Dichters leichten Schatten gewuchtet zu ihrer Sicherheit, damit er ja nie wieder auftauche" (p[5], p. 78), – eine Parodie des *Toast*-Motivs vom
Grabstein als Kerkerhüter.

Mythisch wuchtig wie kaum eine Dichtung der Zeit ragen Beginn und Ende des Sonetts. Nachdem der Tod den Dichter Poe
ins Ewige und zu seinem überpersönlich gültigen Dichter-Selbst
umgewandelt und sein Werk von allem Zufälligen entkleidet
hat, schreckt er wie mit dem nackten Flamberg eines Engels[1]
sein Zeitalter auf; „*nackte Hymne* bedeutet, wenn die Worte im
Tod ihren absoluten Wert annehmen", erklärte Mallarmé seiner
amerikanischen Übersetzerin. Und zugleich erweckt er bei den
Zeitgenossen bestürzte Reue (A[2] overawed) darüber, nicht rechtzeitig gewahrt zu haben, daß in dieser fremdartigen Stimme
machtvoll der Tod seinen Sieg kundtat.[2] Auf das Bild des Engels
der reinen Rede, in welchen Poe sich gewandelt hat, folgt dann
der vielköpfige Drache, der zu jedem Sankt Michael gehört. Wie
er schäumend aufzüngelte, als er in des Engels Mund den alltäglichen Worten „einen allzu reinen Sinn geben" hörte,[3] so hatte
die puritanische Menge gegeifert, Poes magische Rede sei die
Wirkung einer schimpflichen Trunksucht. Tatsächlich war Poe
seit dem Skandalerfolg des pharisäischen *Memoir of Edgar Poe*
(1850) von Rufus W. Griswold[4] in denselben Verruf eines alko-
holischen Paralytikers geraten wie Grabbe, Baudelaire und James Thomson; auch bei den französischen Kritikern.[5] Und Baudelaire liebäugelte zu sehr mit der angeblichen Opium- und Ha-
schisch-Stimmung bei Poe, als daß seine Hinweise überzeugt
hätten, Poe habe wenig getrunken und sei durch den Alkohol
nicht geschädigt, eher beruhigt worden. Um so entschiedener
weiht Mallarmé sein Totenmal dem noch kaum entdeckten Idea-
listen Poe, dem Weltendenker des *Heureka*. Er wendet sich dem
Grabmal Poes zu. Nicht dem „haarsträubend"[6] geschmacklosen
Gedenkstein aus Granit und Marmor, für welchen einige Schul-
mädchen von Baltimore zehn Jahre lang Geld gesammelt hatten
und unter welchem dann auf dem dortigen Friedhof nicht weit
von Poes erstem Grab am 16. 11. 75 die Gebeine des Toten gebettet wurden; für diese Einweihung war Mallarmés Sonett

„nachträglich" (*commémoratifs:* an S. Rice, 4. 4. 76) bestimmt. Während der Achtzeiler des Sonetts in einem Rückblick verebbt war, führt brüsk der Sechszeiler über die Gegenwart zur Zukunft, wobei jeder der Dreizeiler durch einen grammatikalisch isolierten Eingangsvers lapidar betont wird (ähnlich im *Wagner*-Sonett und öfter).

O das Leidige, daß die Materie und der Himmel, daß der reale *Boden* und der ideale *Äther* (A) in einem ewigen *Widerstreit*[1] liegen! Der wäre der richtige Gegenstand für ein Relief, das strahlend aus Mallarmés Geist geschaffen (A: mon idée) auf Poes Grabstein eingemeißelt gehörte.[2] Vor manche Frage stellt dieser Widerstreit den Leser Mallarmés: warum findet nicht der Äther ein liebendes Verhältnis zur Erde und warum nicht der Dichter zu seiner — amerikanischen oder sonstigen — Heimat? Ist es nicht der Dichter selbst, welcher, „stellaire, de foudre, projeté des desseins finis, humains" (*E. Poe*), ausgespien aus dem dunkeln Kampf von Himmel und Erde, hier liegt; so wie der *Würfelwurf*-Meister aus einer „horrible naissance", aus dem eigensüchtigen Brautbett des Denkers mit dem dumpfen, erlösungssüchtigen Meer, hervorging?

Einerlei! Möge denn wenigstens dieser unbehauene, düsterernste Findling (A₁ sombre, A₂ stern), dieser ruhevolle Meteorblock, den ein dunkles kosmisches Sternendrama hierher verschlug,[3] auf immer als graniten trutziger Grenzstein ragen wider künftige,[4] tückisch krähende Lästerung des Dichterischen, die in der Ferne schon ihre schwarzen Flügel schüttelt.

Die streitbare Haltung der Gedichte auf Gautier und Poe ist bezeichnend für die siebziger Jahre, in denen Mallarmé, von den meisten verkannt, in der verstockten und verbockten Zähigkeit seines Freundes Manet ein Vorbild besaß. Seine Vorwürfe verstummten fast ganz, je mehr er begriff, jedes große Kunstwerk schwebe, unberührbar hoch, über den Lästerungen des Tages und den Launen der Zeitgenossen. Alsbald trat auch die Erwähnung künstlerischer Gestaltungsprobleme zurück. Es wird nun weniger vom Wollen eines Puvis de Chavannes, eines Verlaine geredet, . . ihr Sein, ihre dauernde ewige Gestalt sollte in verklärter Schau beschworen werden. Dem edlen Puvis konnte er in Rodenbachs

Haus begegnen, und wenn er bei einem Festessen zu dessen Ehren am 16. 1. 95 nicht erschien, so schrieb er doch in das dabei überreichte Album die Trochäen seines *Hommage*. Ihr Adagio wird beherrscht von einer so antikisch ländlichen Allegorie, daß dieser idealistische Maler selber sie hätte malen können. Die Assoziation der aufgehenden Sonne mit einem Mund und ihrer fächer- oder palmenartig (vgl. *Don du Poème*) gespreizten Strahlen („Rosenfinger") mit angesetzten Posaunen verrät trotz des schulmäßigen *ainsi* den Symbolisten Mallarmé.

Die aufdämmernde Morgenröte mit den Strahlentrompeten, die sie, ohne daß sie — und wir — einen Laut hörten, als Bläserin ansetzt, hat bei sich einen Begleiter, der zu ihr gehört — und selbst wenn ihr durch eine noch frostige Morgenfrühe die Hand so klamm würde, daß man diese als eine drohend gegen das Licht geschüttelte Faust deuten könnte. Der Begleiter ist der früh aufgestandene Wegbereiter, welcher der ausziehenden Herde voranschreitet, der Hirt mit der Kürbisflasche am Stab; des harter Aufschlag prüft im Zwielicht den Pfad des Künftigen, bis dorthin, wo üppig der Born quillt. Ganz ebenso führt Puvis als bahnbrechender Bürger der Zukunft, unverstanden, doch nicht vereinsamt, sein Zeitalter zur Tränke, zur nackten Quellnymphe der Unsterblichkeit, welche den Zeitgenossen entschleiert wird durch seine ewige Kunst.

Bei einer so hochgemuten Enthobenheit über alles Private eines Künstlers konnte der späte Mallarmé des *Grabmals für Verlaine* seine frühere strenge Scheidung des Lebendigen vom Toten (im *Toast*) aufgeben. Indes verstärkte sich seine Abneigung dagegen, beim Tod eines Dichters sich aufzuhalten.. und darob zu vergessen, daß Dichtertum Wachstum, Licht und Wärme heißt. Als am 8. 1. 97 Verlaines Todestag sich jährte, wurde auf Beschluß[1] des Ausschusses für die Errichtung einer Verlaine-Büste am 15. 1. 97 eine Seelenmesse in der Chlotildenkirche zelebriert. Dies geschah zweifellos nicht auf Vorschlag Mallarmés, welcher der Vorstand des Ausschusses war und am Ausgang der Kirche dem segnenden Pfarrer Mugnier ins Ohr lispelte: „Et moi, je suis l'enfant de chœur de Verlaine."[2] Dann legte man einen Kranz auf das winterliche Grab, und Mallarmé, Raynaud, Du Plessys

und andere sprachen einige Verse. Schwerlich erfaßte einer unter
den Hörern die Widersetzlichkeit Mallarmés im ersten Teil seines
Tombeau auf diesen Toten, der sich selber einst mit einem
etwas rührseligen Anagramm *Pauvre Lélian* genannt hatte. Spürbar hat Mallarmé die Erbauung über das sühnende Sterben
des bekehrten Jammertalpilgers ganz vermieden, in ausdrücklichem Gegensatz zu den religiösen Nachrufen. Wozu auch! Der
düstere Felsblock, in wütendem Widerstand gerüttelt und weiter-
gewälzt vom Schicksalssturm, wird sich nicht besänftigen (A)
und hübsch ruhig halten lassen – auch nicht von den frommen
Händen, die am wuchtigen Naturschauspiel von Verlaines schwan-
kendem Geschick nur das eine fassen: ihn nach allem, was er mit
Sünde und Weh der Menschen gemeinsam habe, abzutasten,.. um
dann gleichsam die gemeinsame unselige Gußform segnen zu
können. Ach, so ist es hienieden ja meist: wenn irgendwo die
sommerliche Lebensbrunst jubiliert,[1] ist der stofflos lastende
Vorhang zagen Kleinmuts – mögen seine Falten voll von noch
so bräutlicher Gewißheit beben[2] – über das längst glutreif sich
hebende Gestirn der Zukunft gesenkt (wie über Verlaines lebendige Leistung), dessen erstes Glitzern alles Volk mit silberner
Weihe übergießen wird! Genug vom Grabstein! Es heißt unsern
Verlaine vergebens suchen, spürt man den Fußtapfen seines äußerlichen Sprunges in den Tod nach, jenes Sprunges, der doch für ihn,
unsern Vagabunden, nichts als ein neues Landstreichern war. Der
wirkliche Verlaine ist doch da, dieser Meister trinkt in Wirklichkeit nicht vom Wasser des Styx. Wie ein Kind im grünen Gras
versteckt, ist er dabei – nämlich scheinbar mit einem Trinkenden
übereinstimmend und in Wahrheit durch weisen Abstand getrennt
(A: dans le vacant accord) – unbefangenen Vorgebens, ganz als
tränke er, und unversiegten Atems – ein nicht gar tiefes Rinnsal
auszukunden, welches die Mucker verleumden als den Tod. Schon
die ganze, an Keats und Poe anklingende[3] Schlußvision eines
kindhaft spielenden Dichters am Wiesenrain bildet gleichsam
das sprechende Zeugnis, wie hier der Tod nur mehr ein seichtes
Bächlein ist, ganz ohne schreckhaften Klang. Mit dem Achtzeiler endet jäh der schroffe Stolz Mallarmés, und es spricht die
andere Seite seines Wesens, die mitfühlende („unser Vagabund")

35*

und die milde. Man gewahrt in diesen Schlußversen die Gestalt
Verlaines, noch menschlich, und doch nichts mehr von dem ple-
bejischen Triebmenschen mit dem kahlen verbeulten Sokrates-
schädel, der faunischen Kurznase und Backenpartie, dem strup-
pigen Bart. Der Sohn des Metzer Pionierhauptmanns und der
frommen alten Frau ist dahin, nicht mehr sieht man ihn mit seinem steifen Knie einherhumpeln, den Knüppel in der zitternden
Hand, auf die Stirn den Filzhut zurückgeschoben und den Hals
in seiner grauschmutzigen Halsbinde; man hört nicht mehr sein
mürrisches Schimpfen und Fluchen, das Prahlen mit den Lastern,
das tränenselige Heulen, das schmetternde Gelächter, das bald wie
Kinderlachen (Valéry), bald wie das Trompeten eines Elefanten
(J. Renard) klang. Auch der Blick des „Dorfzauberers" (wie
A. France ihn nannte), der keinem ins Auge sehen kann, ist erloschen; nicht mehr lugt der Absinthsäufer aus der Kneipe, wo
wohl der Droschkenkutscher Bibi-la-Purée mit dem Kleingeld
bleibe, das der Getreue als falscher Blinder am Tor von Notre-
Dame für ihn erbettelt; und nicht mehr weist er den neugierigen
Besuchern den Geldbeutel mit den paar Pfennigen drin, seinen
offiziellen Bettelbeutel neben dem wohlverborgenen zweiten. An
die Stelle solcher Züge ist in Mallarmés Versen ein ewiges Bild
Verlaines getreten, und doch ohne daß die Verklärung diesesmal
mit einer Auslöschung des menschlichen Umrisses erkauft wäre
wie noch in den Versen auf Gautier und Poe.

Und so auch in dem einzigen Gedicht, in welchem Mallarmé
verrät, wie die leidenschaftlichen Gefährdungen seines eigenen
Lebenswegs ihre Verklärung fanden durch seine Poesie der duftigen Rauchkreise und Tuschestriche. Die Verse des *Salut*, durch-
sichtig perlend und gleichsam in eine dünne, abendstille, kristal-
lene Seeluft hineingesprochen, rezitierte der Fünfzigjährige, stürmisch bejubelt als Präsident des siebenten Dichterbanketts[1] jener
Zeitschrift *La Plume*, in welcher er im Jahre 1893 wohl den
Gipfel seines äußeren Ruhmes erreichte; dort schrieb von ihm
Achille Delaroche: „Zum erstenmal seit Racine (ich vergesse
nicht Chénier, Vigny, Baudelaire, die es durch Zufall waren),
enthüllte sich der Dichter als Meister." In dem Trinkspruch,
der zu den schönsten Sonetten Mallarmés gehört (nachklingend

in Georges Gedicht *Rückkehr*), begegnet man erstmals einer
engen Symbolverknüpfung zwischen den Sphären „Schiffahrt"
und „Kunst", – besonders durch das doppeldeutige *Toile*[1] und
durch die *Sirenen;* von ihnen erzählt ja die orphische Argonau-
tensage, daß sie sich ertränkten, als ihr verführerischer sinnlicher Bann durch Orpheus, den ersten Dichter, gebrochen ward,
dessen Sang reiner als der ihre klang.[2] Gerade in einem Hervor-
läutern des zartesten Poetischen durch Verzicht auf die verführerisch pulsende Dinglichkeit lag auch Mallarmés Sieg. Die Bescheidenheit des ersten und sechsten Verses, die gutmütige
Freundlichkeit des siebenten, die Heiterkeit des zehnten, die Pathetik des Schlusses – ein geniales Klavier der Gefühle. Und dabei erklingen alle aus reifem Abstand und in einem einzigen,
sicher festgehaltenen Bild. Das vermag keine Technik, das ist
großes und echtes Dichtertum. Nichts mehr von den künstlichen
Schutzmauern des jungen Mallarmé. So sicher gegenüber dem
Getriebe fühlt er sich jetzt. Mit der schalkhaften Nebenabsicht
(denn über die Poesie darf man sowenig drauflos reden wie über
die Keuschheit), die Zuhörenden durch das Wort Schaum[3] und
durch das zum Trinkspruch erhobene Sektglas (verre, coupe)
zunächst irrezuführen, spricht Mallarmé sogleich von seinen Versen (vers) – nicht viel mehr als bloße keusche Pausenrhythmik
(coupe) kundzutun, dürfen sie sich anmaßen.[4] Eben damit verwurzelt er sogleich das Schlußmotiv seines Gedichtes.

In der Ferne ertränkt sich die Schar der lockenden Sirenen,
rücklings von ihrem Riff abstürzend, . . spurlos, nein doch, etwas
bleibt zurück wie schaumiger Gischt: der unsagbar hauchartige
Vers, an dem nichts sinnlich Materielles mehr ist außer dem
Pausen-Einschnitt, dem Wahrzeichen jeder Lyrik.[5] Ohne als
Steuermann aufzutreten, segelt der Meister dahin auf dem Schiff
der Schaffenden – auf dem Achterdeck schon, während die jungen Freunde vorn stehen am stolzen Bug, der es mit Gewittern
und Winterstürmen aufnimmt. Und aufrecht gestrafft in reifem
Trunkensein, vor dessen gefährdendem Schwanken ihm nicht bange
ist, fühlt er, der des Dichterbanketts unsichtbaren Lorbeer trägt,
sich bewogen, sein Glas zu heben zum Gruß an alles, was mit Fug
der fleckenlosen Mühung seines blanken Kunstsegels würdig war:

einsame Stunde, gefährdendes Riff, wegweisendes — und vielleicht verewigendes — Gestirn.[1]

Abendliche Stimmung dankbarer Rückschau, gemischt mit einer bescheidenen, gelassenen Herausforderung — es gab keinen vollendeteren Vorspruch für Mallarmés lyrisches Werk. Indes war es sein letztes Wort nicht. Sechs Jahre danach erschien ein wesentlich anderer „Salut" für eine symbolische Meerfahrt, das Sonett *Au seul souci de voyager*, .. dessen drittletzter Vers „nuit, désespoir et pierrerie", worauf auch W. Naumann hinwies, in auffälligen Parallelismus zum entsprechenden Dreiklang-Vers in *Salut* steht (auch der Drang nach diesem Ideal ist beide Male als *weiß* symbolisiert). Als Mallarmé nicht lange vor seinem Tod um einen Beitrag für ein Gedenkalbum zur Vierhundertjahrfeier des Indien-Seewegs und der Umschiffung des Kaps der Guten Hoffnung gebeten wurde, erinnerte er sich vielleicht an Baudelaires Symboldichtung *Le Voyage*, wo gleichfalls ein *inventeur d'Amériques* vom Schiffs-Ausguck ankündigt „Amour, gloire, bonheur!"[2] Und wo als die *wahren Wanderer* nicht jene gepriesen werden, die fliehen, sondern die „aufbrechen, um aufzubrechen": „De leur fatalité jamais ils ne s'écartent / Et, sans savoir pourquoi, disent toujours: Allons!" Oder an jenes Gedicht Poes vom ewig fahrenden Ritter „in search of Eldorado", welches Mallarmé einmal seiner Schulklasse an die Wandtafel schrieb. In seinem Sonett aber erscheint der aus *Salut* geläufige Wunsch, stolz und unerschütterlich am Vorwärts festzuhalten, in ein unheimliches Bild eingekleidet. Diesen Glückauf-Gruß, noch über das wunderhelle verwirrende und auch nützliche Indien hinaus zu reisen in das nicht mehr durch Nützliches Begrenzte, entbietet dem Meerfahrer die *Zeit*, die er überzeitlich hinter sich läßt wie ein umschifftes Kap. Es ist eine Botschaft wie diejenige, die Vasco da Gama allzeit von der Raa seiner seegepeitschten Karavelle empfing. Denn dort flatterte ein schaumig weißer Vogel mit neuer Botschaft,[3] bei dessen eintönigem Schrei von nie erreichbaren Gestaden das Steuer nimmer Kurs nach Hause nahm! Alles was in des Vogels Sang warnend und lockend von diesem Gestade raunte, Nacht, Verzweiflung und ferne Kleinodien, lag gleichsam widergespiegelt im Lächeln des bleichen Kapitäns.

Hier gleicht allein die unverzagte Haltung jenem friedlich heiteren, hochgemuten Kunstpriester, der in *Salut* seinen Freunden zutrinkt. Dessen *Solitude* aber begegnet jetzt als *Nuit;* und *récif* als *désespoir!* Wie in Todesnähe bleich ist sein Antlitz. Auch der unwirkliche Ruf des gespenstischen Vogels hat etwas Beklemmendes. Vasco aber lächelt. Die Dissonanz zwischen den fast gleichzeitigen Geschwistergedichten verrät ein weniges von der Nachtseite des alternden doppelgesichtigen Dichters. Dem Lächeln wird man wiederbegegnen.

III

SEIN ODER NICHTSEIN

Ehedem hatte der Dichter von *angoisse* gedichtet, nicht ohne vielfachen Vorgängern verpflichtet zu sein. Nun gibt er nur Andeutungen preis, doch das Verschweigen verdichtet sich bei aller Gestaltlosigkeit um so mehr. Da ist das auftaktlose Lied *Indomptablement a dû* (für Daudets Album). Da mein Hoffen sehnend sich empordrängt, heißt es da, so mußte schließlich unbezähmbar, hoch oben im Raum verloren in Ausbruch und Verstummen, die unwirkliche Stimme des Vogels auftönen, der in Wäldern und Tälern nicht heimisch ist. Und den man kein zweites Mal mehr im Leben hört... Der unbändige,[1] ferne Sänger — ob das Schluchzen aus meinem Busen nicht weher klang als aus seinem? Doch wer wollte das entscheiden! — wird er dereinst ganz zerfetzt und zerschmettert auf einen Pfad herabstürzen (A: tomber)? Es ist der Pfad — das Wort *sentier* beherrscht bedeutungsvoll den Reim — zur Höhe, auf dem einstmals die Hoffnung des Sprechers aufgebrochen war. Ist die Vogelstimme eines der vielen Orakel, in denen er die Entscheidung über sein Geschick abzulesen glaubt?[2] Und stürzt der Vogel der hohen Hoffnung darum ab, weil aus der Brust des Dichters das Schluchzen drang?

Mehr nicht, nur Dissonanzen des Brüchigen, des Entgleitens. Schwermütige, nicht zur Lösung bestimmte Rätseleindrücke um-

düstern den verklärten Kult des Edlen und Schönen. So wie bei
Poe streng und ernst der Rabe namens *Nevermore,* den Schnabel
im Herzen des Dichters, sich niederläßt auf einer erhabenen Pallasbüste. Was war es, das ihn zu Moore und Romain Coolus sagen ließ: „Keinen einzigen Tag ging ich die rue de Rome entlang,
ohne beim Überqueren des Boulevard des Batignolles die ätzende
Versuchung zu empfinden, mich von der Eisenbahnbrücke herabzuwerfen"? Entfernung oder Entfremdung gegenüber seinem
Werk?.. Das Gefühl, in eine Sackgasse geraten zu sein? Schwerlich war es noch das einstige Gefühl der Ohnmacht gegenüber
einem zu hohen Ideal. Eher ein Verzweifeln am Schrifttum überhaupt. Einst hatte ihn danach verlangt, ein schlichter chinesischer
Porzellanmaler sein zu dürfen; jetzt erlebte er durch Wagner
staunend das Wunder der Musik. Es mochte, wovon damals in
einem Wagner-Aufsatz Wyzewas die Rede war, auch ihn jener
Alpdruck überfallen, jene Angst des Ich, welches noch nicht sich
selbst gefunden, noch nicht „göttlicher Magier" im Sinne Parsifals oder des Wagnerschen *Beethoven* geworden ist. Zwischen
Hommage à Wagner (Jan. 86) und *Une dentelle s'abolit* (Jan.
87) mag er wirklich geglaubt haben — wie Lenau, als er eine Vorlesung seiner *Albigenser* abbrach —, Musik allein könne das
Höchste ausdrücken. Dabei mußten ihm, auch wenn er es in untadeligen Versen sagte, düstere Ahnungen aufsteigen über Unzulänglichkeit eigenen (und fremden?) Dichtens, für welche nicht einmal das Unverständnis der Masse verantwortlich zu machen war.
So im Sonett *Hommage,* das Dujardin für die *Revue Wagné-*
rienne bestellt hatte. Nicht von ungefähr griff der Dichter für
den beklemmenden Alpdruck auf vier tragische Jugendverse in
Hérodiade IA zurück, wo er die Seiten eines Buches (plis, grimoire, pages de vélin) und dessen grabesschweren seidenen Einband (le dais sépulcral à la déserte moire) einander gegenübergestellt hatte. Diesen Gegensatz trieb er jetzt im Achtzeiler, als
dunklen Kontrast zum leuchtend posaunenden Sechszeiler, laborierend weiter voran durch das grüblerische Wortspiel *une moire*
plus qu'un pli.

Aus dem todkündend einsargenden[1] Schweigen des (damals in
Moirée-Stoff bevorzugten) B u c h e i n b a n d s[2] spricht eine gebie-

terischere Vorankündigung als aus den bedruckten Buchbogen;
einsam liegen sie auf der Pfeilerkonsole und werden beim Zusammenbrechen des morschen Tischbeins mit absacken müssen,
..so wie nach seines Schöpfers Tod das Buch bei der Nachwelt
in Vergessenheit sinkt. Tief entmutigt blickt der Dichter wenn
nicht auf Weltliteratur und Dichtungstheorie, so jedenfalls auf
sein eigenes dreißig Jahre lang begeistert geübtes Spiel mit den
vertrackten Formeln, den Schriftbildern, mit denen er etwas gleich
einem Schauer, wie er den Schwingen der echten Kunst vertraut
wäre, zu verbreiten bemüht gewesen war. Am besten verschlösse
man all das in einem Schrank! – Welch wechselseitige Meisterschaft breitet sich aus Wagners leuchtendem Maestoso über die
Welt, mag auch die finster lärmende Unmusikalität scheel lächeln! Aus dem wie auf Pergamenten (Gegensatz zu *pli*) ver-
blaßten Altgoldklang der Bläserfanfaren[1] steigt morgendlich wie
ein mythischer Sonnengott Richard Wagner auf zu einer lang
erträumten Weihebühne hin, auf welcher solche Tonglut Gestalt
werden kann. Sogar mit Tinte bei sibyllinisch schluchzendem
Niederschreiben läßt sich schwerlich die blendende Weihung
stummhalten, die er ausstrahlt. Daß freilich der Komponist
Wagner zugleich für die alte Dichtung eine tröstliche Erneuerung mit heraufführte,[2] davon steht nichts in dem Gedicht. Es ist
unverhüllt ein Gerichtstag Mallarmés über das eigene Tun, und
eine Huldigung an den genialen Musiker. Und doch wird man
sich hüten müssen, die Gedichte der achtziger und neunziger
Jahre einfach als „in eine dumpfe Stimmung von Angst" ge-
tränkt[3] aufzufassen.

Sorge und Selbstbehauptung

Die innere Existenz galt dem Dichter stets gefährdet. Von Jugend an, durch die Lektüre Poes noch erhitzt, stand er, fast wie
seine Herodiade, unter Schauern eines sacht ihn umstehenden,
von symbolischen Vorzeichen angekündigten Verhängnisses. Aus
Schweigen und Verhaltenheit, was seinen Anlagen und seiner
schwachen Gesundheit entsprach, erwuchs äußerste Verfeinerung
des Empfindens; indes nicht ungestraft. Bei Poe war es nur ein

stundenlanges Vorsichhinstarren gewesen.. auf „einen bizarren
Schatten, der sich schräg auf den Vorhängen oder dem Fußboden
vorschiebt — mich eine Nacht über vergessend, wie ich die gerade Flamme einer Lampe oder der Kaminglut beobachte" (Be-
renice). Mallarmé machte in einer Herrengesellschaft, bei einem
Gespräch über Schlaflosigkeit, Rosny gegenüber eine weit un-
heimlichere Mitteilung. „Ja.. es ist ziemlich schmerzlich.. besonders zu Beginn. Ich schlafe seit zwölf Jahren nicht mehr."[1]
Ich kenne, schreibt Rosny, die Schlaflosigkeit, sie erfüllt mich
mit unaussprechlichem Grauen; ich glaube falsch verstanden zu
haben: „Sie wollen sagen, daß Sie wenig.. oder schlecht schlafen?" sagte ich. — „Keineswegs.. ich schlafe nicht.. ich wache
vierundzwanzig Stunden täglich." Er sprach mit seiner sanfte-
sten, aber auch unmißverständlichsten Stimme. Beklommen fuhr
ich fort: „Dann haben Sie tatsächlich zwölf Jahre ohne zu schlafen verbracht?" „Außer einem einzigen Mal.. einem Abend, wo
ich vor dem Niederlegen ein Glas sehr heißen Wassers trank. In
dieser Nacht habe ich geschlafen.. Mehr nicht. Seither hatten
viele andere Gläser heißen Wassers nicht mehr dieselbe Wirkung." „Das ist furchterregend." „Weniger als Sie glauben. Man
gewöhnt sich.. Man denkt ganz leise.. langsam.. aber hellsich-
tig.. Die Menschen hätten ohne Schlaf leben können.. Er ist
keine wirkliche Notwendigkeit.. er ist eine Gunst."[2] Brieflich
gab er als den Beginn der Schlaflosigkeit die Zeit um 1884 an.
In solchen durchwachten toten Nachtstunden gewahrte der Dichter, wie die Dinge, und wäre es das sinnlose Mobiliar des Peluche-
Zeitalters, unheimliche Bedeutungen, ein rätselhaftes Menetekel
anzunehmen schienen; selbst im Zögern seiner Feder schien ihm
der Nachtmahr *Angoisse* sich anzukünden, Angst vor der Auslöschung dessen, was ihm teuer war, durch „tout ce qui nuit: et
l'avare silence et la massive nuit". Dawider *brauchte* er geradezu,
wie er bei Griffin sagt,[3] als Vogelscheuche das Klingeln von Besuchern, welches die Myriaden schwarzer Gedanken, die auf seinem Papier lasteten, aufschreckte wie einen Schwarm aufflat-
ternder Dohlen. Was vom Raunen solcher Schattenstunden in sein
Werk einging, ist, was den Dichter am meisten der großen Masse
der Leser entzog und entzieht. Weil bei Mallarmé der einsame

Einzelne, der allein eines Seelendramas Held sein kann, als
schwindelnd höchster Exponent aller andern Menschen erlebt und
lebt, so brauchte es zwischen ihm und jenen, die er vertrat, kaum
mehr äußere Beziehungen. Daraus erklärt sich für diese Dichtungen der äußersten Verwaisung, die einsamsten vielleicht ihres
Jahrhunderts, warum Urempfindungen der Menschheit hier, als
scheinbar rein subjektive Schau nur, in ihren denkbar kom-
pliziertesten, abseitigsten, isoliertesten Schwingungen aufgefangen werden und erst von da aus rückwirkend sich erschließen lassen.

In Zwiesprache mit der Stille und der kalten Mitternacht harrte
der Dichter auf letzte Rettungen des Lebendigen vor dem gestaltlosen Erlöschen einmal im Tod, zu andern Malen in dem (von
Igitur heraufbeschworenen) Absoluten. Er harrte auf die Orakel
und Gleichniszeichen der unbegreiflichen Schicksalsentscheidung,
wartete in Hoffen und Bangen, in Schauer und Zuversicht. Nicht so
sehr eine allgemeine Angst, oder Furcht vor Besonderem, bewegte
ihn wie sonst unter dem Eindruck Poes, vielmehr ein durch Sorge
vertiefter Stolz. So entstanden, nach dem frühen Sonett *Ses purs
ongles*, das Nachtlied *Quand l'ombre* und das Triptychon *Tout orgueil*.

Quand l'ombre, ungeachtet seines flackernden Beginns, der an
Baudelaires *Chant d'automne* denken läßt, lebt aus einem ungeheuer stolzen Vertrauen und zugleich aus einer provozierend
schroffen Beziehungslosigkeit zum All und zum Firmament, die
einen Leser Klopstocks, Kants, Goethes oder Shelleys befremden
wird. Nach dem neugierig-dummen Nichts (*Toast*) zeigt er nun
die sinnlosen Planeten des Universums in ihrem stumpfen Unterschied zur menschenzeugenden ERDE, zu ihr, deren Sehnen im
geistigen *Mysterium* irgendwelcher uralter Idealträume sich zu
spiritualisieren trachtet. Das Absolut-Sein-Wollen der Elbehnon
war ein solcher alter großer Traum gewesen; und wenn ihn das
Selbst-Sein-Wollen Igiturs als einen Wahn entlarvte, so war doch
auch dieser Todbereite ein Geschöpf und nun eine geisthafte Verwirklichung der ERDE. Hatte doch durch Igitur der sinnlose „hasard.. en s'affirmant ou se niant" (*Igitur*), obwohl Igitur den
Zufall nicht aufhob, ein erhabenes Gegenüber des *Menschenwillens* erhalten. So auch verstehe man hier den Dichter.

Auch er hat lang um einen jener alten Sehnsuchtsträume der Erdbewohner gerungen, hat ihn dann als zerstörerisch für sein körperliches Dasein[1] durchschaut und sieht jenes Ideal jetzt in der Sterbekammer aufgebahrt. *Unzweifelhaft* aber hatte das Ideal einen *Flügel* hohen und edeln Strebens besessen; ihn hat das Ideal — nicht gewillt, ganz und gar umzukommen — in die Brust des Dichters eingesenkt. So fand in diesem Einzelnen und Einsamen Zuflucht, was in alten Zeiten das Anliegen von Vielen gewesen sein mag. Seine Gläubigkeit strahlt von so innerlichem Leuchten, daß dem von ihr Erfüllten die Umwelt nur mehr eine mit Trauerpomp bespannte Totenkammer scheinen will, in welcher die Silbertränen der Wandbespannung — verächtlich spricht der Dichter von ihren künstlichen, schönheitsfremden, verkrampften Glitzerketten[2] — nichts als den lügenhaften Trugzauber des Todesdunkels darzustellen vermögen. Und lassen die Silbertränen in der schwarzen Kammer nicht etwa an die rund um unsern Erdball verstreuten glänzenden Himmelskörper denken? Villiers hatte diesen Einfall, und Mallarmé wird ihn in der vierten Strophe aufgreifen. In der dritten bekräftigt ein feierliches *Ja* den geretteten Glauben. Ein großes seherisches Wissen ist in ihm: Mutter Erde wirft die Hybris der Idealität als ein mystisches Leuchten weit in die ferne Zukunft, weit fort aus dieser bittern Nacht,[3] in welcher jetzt das einsame Ich dem Tode gegenübersteht. Sie, die Erde, bestimmt den idealen Geist für (A: *pour*) die schönheitsleeren Zeitalter, die ihn jetzt noch — wenn auch bereits immer weniger vollständig — mit ihrem dunkeln Gewicht überdecken. Und wie vor dem gläubigen Ich der Scheinprunk der Sterbekammer verblaßt, so wiederholt es sich im All. Seitdem das festliche Leuchten des Geistes von der Erde ausging, werden diesem Leuchten gegenüber die Feuerkörper, welche der (in seiner Endlichkeit oder Unendlichkeit gleichermaßen öde) Weltraum umherrollen läßt, zu glanzlosen Vergleichszeugen dafür, daß es nur ein einziges echtes Licht im All gibt, dasjenige unserer Erde, da sie den Menschengeist trägt.

Vom Fortdauern über den Tod hinaus, mit der (aus dem *Toast* geläufigen) Warnung vor einem Sich-Verlieren an Tote, wie es den Jüngling Mallarmé gefährlich genug bedroht hatte, handelt auch das fein ausgewogene Gelegenheits-Sonett *Sur les bois oubliés*. Es ist als *Consolatio* für einen untröstlichen Witwer geschrieben; für einen späteren Gast der Dienstage, wie man mit Mauron vermuten kann, den Ägyptologen Maspéro, der 1877 (1875, nach Mondor) seine Frau, Ettie Yapp, verloren hatte. Mit der Stimme der Entschlafenen und in diesem Sinn auch für die Entschlafene spricht das Gedicht am Totensonntag 1877 sänftigend zu dem Gatten. Wenn der traurige Winter über die menschenleeren Wälder zieht, und wenn du, der Verwitwete, der einsam an der Schwelle vor dem Tod zum Warten Gezwungene (dieser Doppelsinn dürfte mitspielen), nicht das Haus verlässest: dann klagst du, daß über mein Grab, in welchem wir stolz dereinst − als eine „einzige Mumie" (*Tristesse*) − vereinigt sein werden, nichts anderes sich in dieser Jahreszeit breitet als das Nichtvorhandensein von Blumenkränzen. Du achtest nicht des Schlags der Mitternacht. Ohne darauf zu lauschen und ohne in Schlaf zu sinken, bleibst du angespannt wach, bis beim Aufleuchten des letzten Kaminscheits in dem alten Armstuhl[1] endlich, erzitternd davor, am hellen Kamin Platz zu nehmen, mein Schatten da ist. Doch wer es einem Toten nicht erschweren will, häufig wiederzukehren, der sollte nicht mit zuviel Trauerblumen den Grabstein belasten, den mein Finger aufstoßen muß mit dem Sehnen einer versunkenen Kraft![2] Auf daß meine Seele neu auflebe, zitternd in der Helle des Kamins, braucht es ja nichts, als daß ich von Deinen Lippen meinen Namen in den Abend hineingeflüstert höre. − Anregung für dies Sonett boten, mehr noch als die Witwertrauer in Poes *Raven*,[3] nächtliche „visites" der toten Geliebten wie in Gautiers *Taches jaunes* (1844), Poes *Ligeia*,[4] Nervals *Aurélie*, Tennysons *Locksley Hall*, bei Dierx, bei Baudelaire, in dessen *Chambre double* auf dem Bett sinnlich schön „das Idol, die Herrscherin der Träume" jählings auftaucht und im Augenblick verschwindet; oder in dessen *Ténèbres* (Un Fantôme I) der Dichter „seul avec la Nuit" eine aufleuchtende Gestalt erkennt (C'est Elle! sombre et pourtant lumineuse). Namentlich aber in Banvilles *Cher Fantôme* (1860), wo sie den Untröstlichen idealistisch zu Leben und freudetrunkenem Gesang mahnt. Auch Mendès riet einem Freund, durch eine optimistische *Consolatio L'Asyle*, in einer recht öden Behausung so lange der verlorenen

Geliebten nachzutrauern, bis er darob einschlafe: anderntags werde er im Angesicht des blauen Himmels dann befreit erwachen. Wirksam besonders die Schilderung, welche Mendès beiläufig von dem verfallenen Saal gegeben hatte: ein gealterter Einsamer (hôte) sei einst daselbst verzweifelt umhergeirrt, am Kamin niederkauernd, „oubliant, sous le poids de son rêve engourdi / De jeter une bûche au landier refroidi" (vgl. *Tout Orgueil*); seither liege das Haus öde . .

> *N'a plus de maître, et nul n'a refermé l'entrée*
> *Depuis que l'hôte ancien, dont l'âme est délivrée,*
> *Y reçut un passant formidable, la mort!*

In dem Gedicht von Mendès meine ich einen Ansatz für das vier Jahre danach entstandene geheimnisvolle Sonett *Ses purs ongles* zu finden, welches der Dichter damals, 1868, mit den Worten „Sonnet allégorique de lui-même" überschrieb, als ein Sinnbild seines eigenen Innern also, so wie das von ihm übersetzte *Haunted Palace*[1] die Seele Poes verbildlichen sollte. Es war fünfundzwanzig Jahre vor der Veröffentlichung seines soeben besprochenen Sonetts *Cette nuit* (Quand l'ombre). Damals begann die Arbeit am *Igitur*, auf Grund der Erlebnisse, die wir bereits kennenlernten. Beide Dichtungen scheinen mir nicht zu verleugnen, daß Mallarmé von der letzten Seite des sehr schönen Skizzenbuchs der Brüder Goncourt *Idées et sensations* (Paris 1866) gleichfalls einen starken Eindruck erhalten hat. Ich finde auf dieser letzten Seite die Schauer eines Zimmers geschildert, in dem keine Spur von Vergangenheit, Zeitsinn und Geräten auf den Möbeln anzutreffen ist, eines Hotelzimmers. „Es ist da eine kalte, tote Ordnung, eine unbelebte Symmetrie, nichts treibt sich herum, nichts liegt herum; nichts legt auf die Möbel eine Spur eines Gestern, das Ihres wäre, ein Buch, irgend etwas Vergessenes. Im Grunde ist es nackt, mit dem strikt Notwendigen versehen . . nicht *eine* Erinnerung . . Der Kamin ist nicht Herd und hat keine Asche (La cheminée n'est pas le foyer et n'a pas de cendres)." Und das Buch endet mit dem Satz: „Diese Nacht (cette nuit) vernahm ich in meinem Bett die Pendule der Uhr des Hotels und am Horizont das in Flut befindliche Meer. Mir schien, ich hörte zur selben Zeit den Pulsschlag der ZEIT und das Atmen der EWIGKEIT."

Mallarmé begann sein Nixensonett, wie man es nach dem Ausgangspunkt, dem Reimwort Nixe, nennen darf, 1868 mit den dunkeln Versen

> *La Nuit approbatrice allume les onyx*
> *De ses ongles au pur Crime, lampadophore,*
> *Du Soir aboli par le vespéral Phœnix*
> *De qui la cendre n'a de cinéraire amphore.*

Auch neunzehn Jahre später noch, nach einer Umarbeitung, sind es zuerst die onyxfunkelnden Fingernägel der Nacht, die man aufleuchten sieht. Der Vogel Phönix, der „abendliche" (A), dessen Asche niemals die endgültige Bestattung in einer Urne findet, dessen Untergang also — wie es in seinem Wesen liegt — niemals ein endgültiger sein wird, ist ein ziemlich herkömmliches Gleichnis, ein Topos, für die Sonne. Die seltsame Formulierung jedoch bringt den Leser sogleich auf den Gedanken, daß es etwas anderes gebe, was im Unterschied zur Sonne wirklich seinen dauernden Untergang finde und wahrhaft zu Asche werde. Die hauptsächliche Änderung in Fassung B beruht darin, daß die untergehende Sonne nicht einfach dem „Abend" ein Ende setzt, sondern dem „abendlichen Traum", rêve vespéral.

An der zweiten Strophe hat Mallarmé wenig geändert,[1] mit Ausnahme des Schlusses. „Car le Maître est allé puiser l'eau du Styx / avec tous ses objets dont le rêve s'honore". In B nahm der „Meister" einen einzigen Gegenstand mit, den hochtönenden „ptyx",[2] ein muschelartiges Gefäß, und es diente nicht dem Traum, sondern dem Nichts. In beiden Fassungen hat der *Meister* (ohne daß er deswegen äußerlich das Zimmer zu verlassen brauchte) das Wasser des Totenflusses getrunken. Im Saal spricht kein Erinnerungsgegenstand, kein Andenken des Einst, davon, daß irgend etwas fortlebe.

Nacht ist es in beiden Fassungen. Die Mitternacht (B) hat es gebilligt (*approbatrice*), daß mit dem Untergang der Sonne diesmal der Abend — der einmalig schicksalhafte Abend (großgeschrieben) — ein bedeutsames Ende fand, das einer totalen Aufhebung (*aboli*) gleichkam. Etwas wird emporgestreckt gleich

einer Leuchte, und es geschieht im Schauer eines Verbrechens
(A) oder einer würgenden Beklemmung, ja sogar – weil großgeschrieben – der absoluten Beklemmung, L'Angoisse (B). Was
ist mit der Leuchte gemeint, die so, durch diesen ganzen Zustand
hindurch, emporgestreckt wird? A deutet es überknapp an: das
„reine Verbrechen", B dagegen sagt etwas deutlicher: manchen
abendlichen Traum, der im Brand des Sonnenuntergangs sein
Ende gefunden habe. Der Meister jedenfalls hat sich von dieser
verbrecherischen Reinheit, diesem *Traum* getrennt und hat aus
eigenem Wollen den Weg zum Tod eingeschlagen. War es also
gar nicht *sein* Traum, *seine* Reinheit, *sein* Wunsch nach einer
katastrophalen Vernichtung, nach einem absoluten Verbrechen
am Dasein (*Crime* ist großgeschrieben)? Eine *Vielf*alt hatte dabei mitgewirkt (maint), und dieses absolute Verbrechen sollte zugleich ein Triumph einer beklemmenden *Rein*heit sein.

In dem allem ist mit ungeheuerlicher Abkürzung die Situation
aus *Igitur* skizziert, an die ja die Möbel des leeren Saales nicht
weniger deutlich erinnern als die großgeschriebenen Begriffe
und der Idealtraum der vielen Generationen, dessen Träger ehrgeizig bemüht waren, ihn von jedem *Aschen*stäubchen der Vergänglichkeit frei zu halten. So sehr abgekürzt ist hier alles, wie
die Umrisse einer langen Erzählung für jemand, der mit dem *Igitur* vertraut war – aber nur für einen solchen –, in acht Versen
angedeutet werden konnten. Wir befinden uns offenbar an der
Stelle, als Igitur die Phiole – hier der „einzige Stolz des Nichts"[1]
– ausgetrunken hat, um sich der Aufhebung des Wechsels von
Sein und Nichtsein (zugunsten der absoluten Reinheit, auf welche
der Idealtraum seiner Sippe generationenlang hingezielt hatte)
unter Bejahung des Nichts zu entziehen; bei dieser Flucht ins
Nichts nimmt Igitur „alle Gegenstände, durch welche der Traum
sich Ehre erweist", mit sich, nämlich das Buch, die Kerze und die
Würfel, die alle für die Heraufbeschwörung der vollendet reinen
Beseitigung alles Menschlichen bereitgestellt waren. Da auch im
Sonett die Gegenstände des *rêve* ins Nichts eingingen, ist der durch
die Mitternacht erwartungsvoll hochgereckte *Traum* vereitelt.

Die Erzählung Igitur hatte dann ihren Abschluß gefunden mit
dem wütenden Pfeifen der Sippe, die ihrem Sohn ein Ja nahe-

legen wollte, wo er ein Nein zu sagen entschlossen war. Und einen
Abschluß damit, daß in den Spiegel im verödeten Zimmer die
Leere des Nichts einzieht – aber nicht ohne daß, durch das ge-
genüberliegende Fenster, im Spiegel das funkelnde Siebengestirn
auftaucht, als eine triumphierende Apotheose der Erhabenheit,
die hier in dem Entschluß des Selbstmörders sich verewigt hatte.

Wie verhält sich dieser Schluß zu dem Ausgang des Sonetts,
in dem man ja auf den ersten Blick ein offenes Fenster feststellt,
durch welches das Siebengestirn, der Große Bär (französisch le
nord) hereinblickt? Vergessen wir nicht, daß das Sonett in eben
dem Monat entstand, in dem wir Mallarmés erstes Arbeiten an der
Igitur-Erzählung sicher annehmen können. Gleichzeitig äußerte
er sich über diese Verse in einem bedeutsamen Brief, wo er geheimnisvoll davon spricht, daß ein systematisches umfängliches
,,Werk" in Arbeit sei. Diesem Werk gliedere er nunmehr als
erstes Sonett das genannte an, von welchem er – darüber wissen
wir nichts – in Verbindung mit ,,einer Studie über das Wort"
schon früher geträumt habe (an Cazalis, 18. 6. 68). Durch diesen
Brief erfährt man nicht nur, daß Mallarmé ursprünglich sogar
dem unbeweglichen Offenstehen des Fensters einen sinnbildlichen
Gehalt untergelegt hat (das Aufhören jeder Bewegung, die Ent-
zeitlichung durch das Absolute), sondern man erhält eine vollständige Schilderung der äußerlich anschaubaren Situation; und
zwar durch den Zufall, daß der Dichter das Sonett von Anfang
an dafür bestimmt hatte, ,,durch eine Radierung voller Traum
und Leere" illustriert zu werden – es sei ja ,,so schwarz-weiß
wie nur irgend möglich". Offenbar zur Unterrichtung des Illu-
strators, den Cazalis ihm vermitteln wollte,[1] verweist Mallarmé
auf ,,ein geöffnetes nächtliches Fenster mit angelehnten Fenster-
flügeln: ein Zimmer mit niemand darin,[2] trotz der, wie die
ruhiggestellten Fensterflügel bezeugen, unbewegten Luft; und in
einer Nacht des Nichtvorhandenseins und der Fragestellung – an
Möbeln nichts außer der vermutlichen Andeutung verschwom-
mener Pfeilertischchen – ein durch ein Kampfgeschehen belebter
und im Erlöschen begriffener Rahmen (belliqueux et agonisant)
des an der Wand hängenden Spiegels, des Spiegels, in welchem
der Große Bär, la Grande Ourse, der diese von der WELT verlas-

sene Wohnstätte mit nichts als mit dem Himmel verbindet, sich nach Sternenart und unbegreiflich widerspiegelt. Ich wählte diesen Gegenstand eines nackten, auf sämtliche Arten sich überdenkenden Sonetts, weil mein Werk derart vorbereitet ist und gleichmäßig hierarchisch gestuft ist — es stellt, so gut es vermag, das Universum dar —, daß ich nichts hätte weglassen können, ohne einem meiner aufeinander aufbauenden Eindrücke Schaden zuzufügen — und in ihm (dem Werk) befindet sich kein Sonett."

Was aber ist das universale Geschehen, das sich jetzt an der „kampfbelebten und ersterbenden" Umrahmung des Spiegels abspielt? Denn am Ende des achten Verses ist ja sogar derjenige Leser in einen „doute du Jeu suprême" hineingeworfen, der die Beziehung zum *Igitur* nicht kennt. Es kann ihm nicht verborgen bleiben, daß der erste Vierzeiler um den Begriff einer Leuchte kreist — wenn auch paradoxerweise dieses unheimliche Licht sich in der (weil großgeschrieben) absoluten Nacht erfüllt, und daß im zweiten Vierzeiler gegenüber diesen abstrakten Mächten ein Mensch auftritt, der den Weg ins Dunkel, ins Nichts einschlägt. Wird diese Herausforderung durch den verwegenen *Meister* ungerächt bleiben? In Fassung A antwortet die Sextine: „Et selon la croisée au nord vacante, un or / néfaste incite pour son beau cadre une rixe / faite d'un dieu que croit emporter une nixe // en l'obscurcissement de la glace, Décor / de l'absence, sinon que sur la glace encor / de scintillation le septuor se fixe."

Das Hervorstechende, und auch gegen *Igitur* durchaus Neue, ist hier die Nixe. Der Kampf, der sich bösartig auf dem vom Fenster her beleuchteten Rahmen abspielt, als Zierfigur[1] von dessen Ornamentik (Décor), tobt zwischen ihr und einem „Gott". In B heißt es: zwischen ihr und Einhörnern, die Feuer wider das Wasserweib stieben — wobei man der Einhorngeschichte gedenkt, wonach Einhörner nur einer Jungfrau gegenüber friedfertig sind. Die Nixe ist also die Widergöttliche, die Unkeusche, verführerisch Verlockende; ihre Nähe zum Spiegel darf uns nicht an die aus einem Spiegel lockend auftauchende Nackte aus Mallarmés *Frisson d'hiver* denken lassen,[2] sondern an den Inbegriff der Nixe, an ein Zwitterwesen — also trügerisch wie Chimaira oder die Sirene —, das vergebens der tierisch-unreinen Hälfte seines

Wesens sich zu entsträuben scheint, nämlich dem geschuppten Flossenschwanz. Ein Wesen der sehnsüchtig-ehrgeizigen Begehrlichkeit und des lüsternen Unsterblichwerdenwollens. „Sie meint den Gott in die Verdunklung des Spiegelglases (*glace*, sinnbildlich: des *Eises* absoluter Verewigung?) hinein zu entführen, in den Dekor des Nicht-Vorhandenseins", so heißt es in A. Sie meint es! Aber sie bleibt in Wahrheit ebenso machtlos wie die Nixe in B gegen die Einhörner. Wäre die Nixe eine Jungfrau, so hätte sie, der alten Sage gemäß,[1] Macht über das Einhorn. Offenbar keimt hier schon ein Hauptgedanke des späteren *Würfelwurf*-Gedichts, wonach der kentaurenhaft zwitterhafte „Meister" der Sohn und Säugling einer bösartigen Meerfrau ist, die ihn aus Rache tötet, weil er sich weigerte, den Würfelwurf zu tun, der das Sein in das absolute Sein hätte verwandeln können. Das wütende Pfeifen von Igiturs enttäuschter, nach Göttlichkeit lüsterner Sippe hat Mallarmé hier in der Gestalt der Nixe verkörpert. In beiden Fassungen erfährt man, daß ihr Schicksal ist, vom goldenen Rahmen hinüber in das Todesdunkel des Spiegels zu entschwinden, wo sie stirbt (B: défunte) und wohin sie auch (in A) den „Gott", den „Meister", der ihr Widerstand leistete, mit hereinzerrt. Diese Szene kehrt im *Coup de Dés* wieder. Wogegen das Einhorn-Sinnbild nicht weiterwirkte. Obwohl dieses übrigens zeitweilig im *Igitur* hatte Aufnahme finden sollen; Mallarmé gedachte zum Widerstand des Einhorns gegen die Nixe dadurch eine Sinnbrücke zu schlagen, daß Igiturs Würfelbecher aus jenem Einen Horn geschnitzt gewesen wäre.

Von solchen Entwürfen beließ Mallarmé aber letztlich nur das Grundmotiv. Jene Zurückwerfung und Abweisung der Nixe entspricht dem Sieg Igiturs und seinem désaveu; auch demjenigen des Schiffbrüchigen in *A la nue*, welchen die „Geizige", das Meerweib, zwar ins Wasser reißt, wütend über die vereitelte *perdition haute*, und dessen „so weißes Haar", das weiterschwimmt, noch die Nichtigkeit ihrer Rache bezeugt. Für die Symbolik jenes Sieges fand Mallarmé übrigens eine Anregung in Poes *Ulalume*, im jähen hoffnungsvollen Aufglitzern eines Gestirns.[2]

Alsbald (sitôt) nachdem das Leben des Gott-Helden erlosch, beginnt seine Apotheose, seine Erhebung unter die Sterne. Im

Gegensatz (sinon que encor; encor que) zu dem Untergang und zu
den weiblichen Mächten der ersten und dritten Strophe pflanzt
nun das Schicksal in den Spiegel des Nichts, in dem alles scheinbar sinnlos zerging, die sieben Strahlen des ewigsten Gestirns, das
glitzernde Nord-Septett des Septentrio, eben jenes, das Mallarmé
sich einst als Aufenthalt der verstorbenen Schwester dachte
(Plainte A_1). Mit dreifach stabendem S festigt es einen bleibenden
lautlosen Nachruf hoch über aller menschlichen Vergänglichkeit.

Kleine lyrische Intérieur-Stilleben im Geiste Poes bei Villiers,
Mendès,[1] Coppée oder auch bei dem Melodramatiker Maeterlinck, die gleichfalls das geheimnisvolle Weben der Dingwelt im
einsamen Zimmer voll gespenstischer Ahnungen und Erinnerungen zu vermitteln wußten — sie mögen poetischer wirken, weil
sie, anspruchsloser, mit einem magischen Impressionismus sich
begnügen. Die Nachtlieder Mallarmés, an denen man einseitig das
,,ent-inkarnierende" Dunkel beachtete (A. Rousseaux, *Figaro litt.*
11. 9. 48), nicht aber den Schimmer der Hoffnung, tragen den
Widerschein des Schicksalskampfes aus *Igitur* und *Würfelwurf.*

Mit der gleichen Einseitigkeit las man die folgenden Sonette,
und zwar von den frühesten Deutungsversuchen an. Das Beklem-
mende der einen tat der andern Hälfte regelmäßig Eintrag.
Schon im *Allegorischen Sonett seiner selbst,* das wir soeben lasen, hatte der Dichter bewußt verwischt, ob einmal in der Öde
des mitternächtigen Saales ein Mensch sich befunden hatte, der
,,dénué de toute signification autre que de présence" (*Igitur*) hier
die Vorzeichen seines Endes aus den Vorgängen im Dunkel abgelesen hatte. Ebendies gilt für die drei Sonette von 1887, *Tout
Orgueil, Surgi, Une dentelle.* Das erste spielt ganz auf leerer
Szene, und wiederum ist das Thema die Apotheose des Weiter-
leuchtens eines stolzen Sieges von jemandem, der scheinbar der
Nacht unterlag. Soweit etwas greifbar wird, ist es im selben
Augenblick auch schon entschwunden. Mit hoher Kunst wird
dadurch dem Leser unbewußt das Gefühl spürbar gemacht, daß
er sich in einer Welt von Entscheidungen jenseits der Realität
befinde.

Die Kunde von etwas Unabänderlichem will der Achtzeiler
mitteilen. Wohl mag es sein, so beginnt Mallarmé, daß aus eines

Tages abendlichem Ende großartiger Stolz aufbrennt. Gleich der
Rauchfahne aus einer Feuerglut![1] So gibt eine unbewußte Prophetie ihm zu sagen ein (löste nicht auch die hitzige Hybris
der Elbehnon sich in Qualm auf!). Aus einer Feuerglut? Einer
braucht nur die Fackel umzukehren und ihre Flamme zu ersticken: und alles Blasen wird mit aller Macht der Ewigkeit keinen Aufschub gegenüber dem Untergang (abandon) erbetteln können! Möge also die Hoffart noch so herrisch aus dem Abend-
leuchten rauchen, die Verhinderung des Dunkelwerdens und das
Wiederanzünden des Feuers — auch des Feuers im Kamin eines
uralten Schlosses, das einem letzten Erben gehörte — würde sie
nicht erreicht haben. Daß dort im Kamin das Feuer ausgelöscht
ist (und kein Windhauch der anblasenden Ahnen es mehr ent-
fachen kann), das erscheint in dem Gedicht als das Sinnbild für
die Entscheidung jenes Erben. Eine reiche Siegesbeute hatten die
Ahnen ihm vererbt, aber durch sein Dasein sind diese Trophäen
zusammengestürzt. Jetzt ist er tot, nur mehr als Gespenst des
Mauergangs (corridor: *Toast*) könnte er noch auftauchen.

In Todesangst hatten die Vergangenheit, die Ahnen, sich am
Weiterleben festkrallen wollen, als sie gewahrten, daß ihr Erbe
ihnen das endgültige nächtige Grab bereitete, indem er sich von
ihrem Wollen lossagte (désaveu). Wer vor den Kaminherd des
Zimmers träte, der könnte noch den verzweifelten Todeskampf
ablesen, der sich hier abgespielt hat: als der letzte Schloßherr,
der eigenwillige Erbe, das Herdfeuer für immer austilgte, da um-
klammerten die wehrenden Krallen der Ahnen, so wie es jetzt
noch das starre eiserne Brandgitter tut, die Feuerstätte im Kamin. War derjenige, der hier das Nichts heraufführte und für
das „Grab aus Gehorsamsverweigerung" verantwortlich ist, nur ein
Verräter, ein Nichtswürdiger? Die Antwort auf diese letzte Frage
liest der Dichter abermals an dem ab, was das nächtige Zimmer
selber ihm verrät. Nein, in dem, was hier geschah, ist das scheinbare Versagen zum Ruhmesblatt geworden, das Sich-Versagen
gegenüber dem Trophäenstolz der Vergangenheit. Wohl ist der
Kamin ohne Feuer. Aber ihn deckt in marmorner Erhabenheit
eine gewichtige Platte, die durch eine Konsole getragen wird...
„Que la fulgurante console", so lenkt der klangvolle Schlußvers

zum Anfangsvers zurück, in einem neuen heimlichen Stolz, herrlich aufleuchtend. Das „Grab" ist nicht das letzte Wort, es ist wesenlos geworden. Die Marmorplatte und das Funkeln des Konsolenpfeilers bleiben als die Denkmäler einer ruhmreichen Erinnerung an den Letzten seines unsterblichkeitssüchtigen Geschlechtes bestehen: er allein errang, und wäre es mitten im Dunkel des Nichts, eine echte Unsterblichkeit des Schönen. Mit solchen Versen sang Mallarmé sich Trost und schöne Gewißheit zu gegen die Sorge, daß er ein Gescheiterter sei: daß er versagt habe bei einem großen gnostischen Gewaltstreich gegen die Weltordnung wie demjenigen der Elbehnon-Ahnen. Über die Vermutung, er bange um seinen schriftstellerischen Nachruhm (Wyzewa, Soula, Naumann, Noulet, P. Gan) war man nicht hinausgekommen. Möchte es diesen Zeilen gegeben sein, den Bann des Mißverstandenseins, der um den seltenen Mann sich gelegt hat, zu lösen!

Lange auch plante er eine Dichtung über das Thema, wie der „Erbe mancher reichen, aber belanglos gewordenen Trophäe" sich zu seinen Erzeugern stellte. Um 1880 dachte er an ein Versepos von immerhin fast tausend Versen. Das Thema? Noch bevor er gezeugt wird, bäumt sich der künftige Keim eines Sohnes warnend auf gegen die Absicht seines künftigen Erzeugers, sich mit einem bestimmten Weib zu vermählen. In diesem Kern glauben wir die im *Coup de Dés* berichtete Vorgeschichte des Helden zu erkennen, der durch die verhängnisvolle Verbindung des „Ahnen" mit der Sirene gezeugt ward. Was G. Moore von mündlichen Äußerungen Mallarmés sich nach langer zeitlicher Distanz noch in Erinnerung rief, hat nur fragmentarischen Wert: „Ein Mann liebt ein Weib und ist dabei, sie zu ehelichen; doch der Keim, der in diesem Mann ist (das *potentielle* Kind), erdrückt [révolté; overwhelmed] durch den Gedanken, daß seine *potentielle* Mutter ihr Mädchentum verlieren wird, bestrebt sich, dem Mann diese Ehe zu widerraten."[1] Der in I, Vers 11 angekündigte Trotz gegen Bindung des Sohns an den Vater und (in III) die Sehnsucht nach der Mutter bilden eine Trilogie-Mitte (II), das Sonett *Surgi* ..

Hier spricht ein aus keiner Umarmung Geborener, der kußlos Ungezeugte, Sinnbild einer nie erfüllten Sinnenhaftigkeit und eines noch weniger als durch den Erben Igitur gelebten Lebens. Er nennt sich einen Sylph oder vergleicht sich einem Sylph; vielleicht im Gedanken an die Verse Poes vom „nameless elf, / That haunteth the lone regions where hath trod / No foot of man!" *(Silence)*, oder in Mallarmés Übersetzung „son ombre, elle innommée, qui, elle, hante les régions isolées que n'a foulées nul pied d'homme". Stolz und, wie man nach den Zusammenhängen wird annehmen dürfen, triumphierend, rühmt er sich, daß er die Zeugungsabsicht seiner Eltern, die von der Chimäre geleitete, zunichte machte. Die geringschätzige Erwähnung des Vaters erinnert unmittelbar an eine der geheimsten Vorstellungen Mallarmés, die wir aus *Parce que de la viande* kennen. Der — einer lebendigen Rose vergleichbare — Zeugungskuß kam nicht zustande. Stolz (*ne consent*, wie Hamlet und Igitur) bejaht der Sylph in sich den unbefleckten Todeskuß; wiederum im Sinn des „agoniser" *(Ses purs)* und des „désaveu" *(Tout orgueil)*.

Emporgewölbt aus der sich schwellenden Bauchung einer zerbrechlichen Vase[1] und im Dunkel verloren, läuft ihr Hals jäh aus nicht in eine Blume, sondern in deren Nichtdasein, in das Fehlen einer krönenden Glutblume — deren Blühen wie ein Kuß die Nachtwache der Bitternis hätte durchdringen können. Und dieser selbstgewollte, aktive (*s'interrompt*) Verzicht findet sein Gegenstück im Raunen des Sylphs, der unerschaffen an des wärmelosen Zimmers kahlem Gebälk schwebt: Deren Leib mich gebären könnte, und ihr Liebhaber, der mich zeugen könnte, ich dächte schon (ein zufriedener Ton!), sie fanden nicht zusammen! Nie formten ihre Lippen[2] die Rosenblüte eines Kusses, nie tranken sie vom Becher des gleichen Hirngespinstes.[3] Das Sichbäumen nach der *Rose* eines schwängernden Kusses entspricht dem aus begehrlichem Willensplan gelenkten Sichbäumen der Vasenbauchung. Aber ihr Hals wird „nicht beachtet", und ohne anderen Inhalt zu bergen als ihre bodenlos unergründliche Witwenleere, bleibt ihr nicht die geringste Möglichkeit, aus sich die Rose, den *baiser funèbre* der Zeugung, wachsen zu lassen.

Diese beiden nächtlichen Sonette sind, wie *Ses purs ongles* und *A la nue*, wie *Igitur* und *Würfelwurf* zur Verherrlichung des désaveu, des hamletischen Nichthandelns geschrieben: dieses wählt

den ganz eigenen, durch keine einstige eigensüchtige Zeugung
aufgehobenen Tod lieber, als der drängenden Umwelt nachzugeben und die Lösung ihrer Rätsel auszusprechen. Hätte es keine
andere Möglichkeit geben können als dieses, wenn auch heldische,
Nichtgeborensein? Die Antwort darauf ist der Ausblick aus jener
heroischen Nacht zu einer seligeren Morgendämmerung hin: das
elegische Sonett *Une dentelle.* – In seiner ersten Hälfte wiederholt es, was wir bereits wissen. Der Zweifel über den Ausgang
des „Hohen Spiels" beruhigt sich. Die befürchtete Zeugung ist
nicht zustande gekommen (dafür, daß man sie gerade als das *Begraben* des Ich, *ensevelir*, aufzufassen habe, setzt Mallarmé die
Lektüre von *Surgi* voraus). Denn was in *Surgi* durch den Kuß
angedeutet wurde, ist jetzt durch das Bett ausgedrückt.

Daß die Gefahr des Zeugungs-Vorhabens auf ewig ausgeschal-
tet ist, *absence éternelle de lit*, von diesem Gegenstand zunächst
handelt Mallarmé. Von jenem Ur-Grauen also, das ihm schon die
Verse *Parce que de la viande* eingab, dem Ekel davor, das eigene
Dasein dem Verhängnis einer unreinen Zeugung verdankt zu
wissen. Dieser Teil, der Achtzeiler, ist aufgebaut wie die andern
nächtlichen Gedichte der „Sorge", die wir entzifferten: in der
ersten Hälfte schaudert ihn noch vor dem Nicht-Sein-Dürfen, in
der zweiten Hälfte stellt er erleichtert fest, daß diese Entscheidung für das Nichts gerade den Sieg über einen gnostischen Gewaltstreich bedeute.

So wird denn zunächst bangend geschildert als eine Herausforderung, als „lästerlich", daß das Vorhandensein eines Bettes
vereitelt ist. Geht es doch um das „Höchste Spiel", das Schicksal
der todlosen, übermenschlichen Wahrheitserkenntnis, um ein gno-
stisches „Jeu suprême"![1] Alles ist von Erwartung erfüllt, ob es
wohl gelingen werde: sogar an einem Spitzenvorhang vermag der
Dichter sie abzulesen. Denn sind nicht Spitzen mit ihrem Weiß
in Weiß, mit dem ewig neuen Hin und Wider ihrer Arabesken-
windungen, die gepaart gegeneinander anzukämpfen und doch
nie einander aufzuheben vermögen – sind nicht sie das echte
Abbild der noch unentschieden verzweigten Webstuhlarbeit des
Schicksals? Wo nun endlich der Spitzenvorhang in zweifelndem
Harren zu einem Ende gelangt, wo er einen Durchblick gewährt,

da gestattet er jetzt einen entscheidenden Blick: auf das Nicht-
vorhandensein eines Bettes. Um aber das Große Spiel zu gewinnen, hätte es gelingen müssen, den Spieler zu zeugen, ihn zu gebären und heranzuziehen! Das Spiel ist sonach auf ewig verspielt.[1] Gilt es, darüber niedergeschlagen zu sein? Der Vorhang
ist es, der nun ein Zeichen ist (wie die Konsole in *Tout orgueil*).
Er hängt gar nicht leichentuchartig herab, wie er bei einem echten „Grab" müßte. Nein, das „sépulcre de désaveu" ist im Gegenteil ein Anlaß, aufzuatmen: der Vorhang bauscht sich schwe-
bend hinüber zum Fenster (*ensevelir - flotter*) lichtwärts,[2] zum
Fenster, das von jeher für Mallarmé das Sinnbild der Freiheit
und der geretteten Schönheit war.

In den Sorge-Dichtungen *Ses purs*, *Igitur* und *Tout orgueil*
war diese Tröstlichkeit dadurch erwirkt worden, daß einer sein
Leben zu opfern bereit war. In *Surgi* hatte ein Ungezeugter, der
Sylph, den nämlichen heroischen Widerstand abgelesen am Anblick des „Nichteinwilligens" eines Blumengefäßes. Wer ist jetzt
in *Une dentelle* der Betrachter? „Einer", sagt Mallarmé. Und
zwar derjenige, der gerade dabei ist, den Sieger im vereitelten
„Höchsten Spiel" zu feiern, nämlich das Nichts und, als ein
Sinnbild des Freiwerdens, den selbstgefühl-weckenden Unsterb-
lichkeitshauch. Der Hauch war dem Fenster zu verdanken, und
dessen dämmerndes Morgenlicht (es bildet die Sinnbildbrücke
vom Acht- zum Sechszeiler) erweckt in unserem Helden den kühnen Wunschtraum, erleben zu dürfen, daß die Sonne bald gülden
auf ihn hereinflute! Die Sonne, der junge, lebendige, schöne Tag,
die kindhafte und urtümliche Dichterkraft! Diese Hoffnung,
hat er ein Recht auf sie, gerade er? Gewiß, nicht etwa irgendein
willentliches Schuldhaftsein hält Mallarmé hier seinem Doppel-
gänger entgegen; wohl aber führt er ihn zu einer tieferliegenden
Erkenntnis. Dem Leser Mallarmés ist sie nicht fremd, demjenigen, der aus *Réminiscence* und *Guignon* die Klage über die Mut-
terlosigkeit heraushörte, über das Verwaist- und Verkümmertsein
und darüber, daß man nur ein gequältes Stiefkind der herrlichen
Kunst- und Lebensfreude sei.

Dem einsam Brütenden gibt das stumme Zimmer ein Zeichen,
zum zweitenmal. Diesesmal geht es von einem Musikgerät aus,

das „traurig bei ihm schlummert", von einer Laute. Was sagt sie
ihm? Gewiß, der Verzicht auf eine gnostische Hybris, der Verzicht auf Geburt überhaupt war ein denkwürdiges Geschehen.
Aber freilich, seliger und das eigentliche Glück wäre eben doch
gewesen, in der Tat geboren zu werden, Sohn der ur-herrlichen
Mutter heißen zu dürfen, im Reich des Schönen, der Musen und
der Musik, Sohn der hegenden, bergenden, tönenden Bauchung
einer Laute — „Welt" jenseits der Welt des fleischlichen Mutter-
schoßes und der spitzengleich wahnwitzigen Geistesmartern.
Jene schöne Laute! Sie ist nun nicht erklungen. Traurig, da
sie zum Aufgang der Sonne, zum Fenster hin keine Frucht
getragen, hüllt ihre Bauchung jetzt das hohle, schallräumige
Nichts ..

Zwischen dem Schluß von *Une dentelle* und der *Prose* hat das
Sonett von 1885, *Le vierge, le vivace et le bel aujourd'hui*, seinen
Platz. Den klagenden Unterton über die frostige Lähmung finden wir wieder; aber nicht von Geburt an empfindet er sie jetzt,
sondern, wie in *Prose*, erst als Wirkung der nachträglichen törichten Verschleuderung einer einstigen, zu wenig gehüteten Fülle.
Dabei wird deutlicher als in *Prose* wieder das dichterische Ver-
säumen als Grund angeführt (pour n'avoir pas chanté ..), aber
mit geringerem Nachdruck als in Une dentelle. Der Igitur-Mythus
ist hier auf den Sänger übertragen, an die Stelle des Wollens der
Ahnen tritt die Reinheit des Eises, in dem sich der Sänger nicht
mehr schuldlos, sondern durch eigenes Versäumnis verfing. Die
äußere Situation des Gedichts stammt, wie schon Gregh erkannte,
aus Gautiers leichten Versen „Un cygne s'est pris en nageant /
Dans le bassin des Tuileries", der sie seinerseits einem Zeitungs-
bericht über das tatsächliche Festfrieren eines Schwans in einem
vereisten Teich entnahm.[1] Daß daraus — in Theophil Spoerris
Worten, welche auch der Auffassung H. St. Chamberlains entsprechen[2] — „der reinste Ausdruck der Mallarméschen Kunst"
erstand, das erwirkte nicht allein die außerordentlich eindringliche Symbolvertiefung oder die vierzehn eintönig schrillen Reime
auf i, in welchen sich der knirschende Grimm des winterlichen
Lichts verdichtet.[3] Sondern daß, in allem Grauen dieses Gefrie-
rens in der Idee, noch Würde und ernster Adel des Trotzes sich

spiegeln .. bis hinüber in die Schönheit der stolzen Halsbiegung des edlen Tiers.

Hatte der Dichter der *Fenster* seinen Idealismus befragt: „est-il moyen d'enfoncer le cristal, et de m'enfuir, avec mes deux ailes sans plume?", so treibt ihn jetzt die Sorge um das lebendige Heute. Wird die junge, frische, schöne Gegenwart noch mit einem trunkenen Flügelhieb zu unserer Rettung jene harte Frostdecke des abgelegenen erstarrten Sees aufsprengen können, tief unter der, gleich kristallenen Gletscherströmen, ein nie entschwirrtes Fliehen, ein verkümmertes Aufschwingen spukt?[1] Die Antwort des Dichters ist nicht ein klares Nein. Aber das Symbol, in das er sie kleidet, klingt nicht tröstlich; in veränderter Form ist es der Mythus des *Elbehnon-* oder *Würfelwurf*-Erben, nur daß im Sonett deutlich die eigene Schuld vorliegt. Ein Schwan, ein Geschöpf, aufgewachsen in paradiesischer Frühzeit, entsinnt sich unversehens, welch schimmernde Pracht in ihm ist. Doch zugleich weiß er in hoffnungslosem Widerstand sich als Gefangenen. Einst nämlich hatte er an das innerlich verödende Glitzern der unfruchtbaren Winterweiße sich verloren, statt die Schwingen seines Gesangs[2] zum Südland des vollen Lebens emporzulenken. Jedes Gedicht ist ja in sich schon ein Entsträuben aus dem eisigen Schweigen des weißen Papiers: „Das Gedicht endet, das Weiße kehrt zurück."[2]

Der Sechszeiler bringt die Gegenbewegung. Des Gefangenen aufgereckter Hals[3] bleibt frei: sein Haupt — wie das des gleichfalls nur scheinbar gefangenen Meisters im *Würfelwurf* — schüttelt den Untergang in dem absoluten Weiß von sich, der ihm aufgezwungen wurde. Sowohl in diesem besonderen Fall als auch allgemein durch sein Vogelsein „verneint er" die grauenvolle Macht, vor der er nicht mehr zum schönen Leben hin entkommen kann, nämlich den Raum. Ein schattenloses Schattenwesen seiner selbst, dem schlohreinen gestaltlosen Grauen ringsum von Geburt an durch seine eigene weiße Farbe zugesellt und vorbestimmt, hüllt sich der Schwan trotzig in „kalte Verachtung .. inmitten des nutzlosen Exils" und erstarrt (s'immobilise), gleichsam im Sinn eines Gestirn-Werdens.[4] Man lasse es sich nicht verdrießen, bei diesem Gedicht, das so ganz selig in

sich selbst ist, dennoch auf die weiteren Zusammenhänge zu
schauen, beispielsweise *exil* nicht einfach als „Einsamkeit"[1] zu
denken. Man erinnere sich einmal des von Geburt unfreien Meisters im *Würfelwurf*. Auch er kann seine Freiheit nur noch dadurch betätigen, daß er das Gestaltloswerden im Absoluten —
hier dem Weiß in Weiß entsprechend — trotzig herausfordernd
nicht anerkennt, indem er seine Gedanken auf den *hasard* gerichtet hält. Noch deutlicher parallel ist der Schluß. Auch sein Widerstand wird verewigt durch ein Stern-Werden und endet mit
einem „Stehenbleiben an einem letzten Punkt, der ihn zur Weihe
erhebt". Die Großschreibung *le Cygne* als Schlußwort erinnert
an jenes ältere Sonett, das Mallarmé auf den Reim *se fixe* geschrieben und mit einem andern Sternennamen *le Septuor*, abgeschlossen hat.

Das tätige Ja
(Ein Würfelwurf. — Hérodiade I C)

Es will scheinen, als sei der *Igitur*-Torso in den achtziger Jahren
für den Dichter erneut gewichtig geworden. Anspielungen in den
Gedichten verraten es ebenso wie mündliche und briefliche
Äußerungen den Vertrauten gegenüber. Unschwer erkennt man
das alte Hamlet-Thema des Helden, der vor dem Erb-Geheiß zögert, um sein Ich nicht zu verlieren, in einem mündlichen Bericht wieder, welchen George Moore sich nach langen Jahren in
unscharfe Erinnerung rückrief.[2] Das „Stück" habe nur eine einzige Gestalt vorführen sollen, „einen Jüngling, den Letzten seines
Geschlechts, der zurückgezogen in einem alten Schloß haust, wo
der Wind heult und ihn aufzufordern scheint, das Glück der
Sippe wiederherzustellen. Doch der Jüngling weiß nicht, ob der
Wind ihm rät zu warten, oder sich ans Werk zu machen; denn,
wie Mallarmé sagte, es liegt im Geist der französischen Sprache,
daß der Wind sich stets bemüht, *oui* zu sagen. Er sagt und wiederholt *ou..., ou..*, und beinahe ist er so weit, *oui* auszusprechen,
doch nie gelingt es ihm, den Schlußvokal zu bilden. So bleibt der
Jüngling im Zweifel und weiß nicht, ob er aufbrechen oder bleiben soll.[2] Mallarmé ahmte den Wind nach". Dies i, als Sinnbild

einer vergeblich ersehnten Entscheidung (das erlösungsdurstige Amorphe drängt seinen letzten Erwählten, endlich das „oui" auszusprechen und so die Entkörperung ins Absolute zu ermöglichen), taugte literarisch nichts. So ersetzte der Dichter es, vielleicht überhaupt erst jetzt, durch das weniger extravagante Sinnbild des nicht vollzogenen einzigartigen *Würfelwurfs*, das man aus der Igitur-Erzählung kennt. Schon dort skizzierte er am Schluß das Siegesmotiv aus *Ses purs ongles,* wonach im Siebengestirn der bleibende Ruhm des Helden weiterwirke. Daß die *Sieben* am Firmament der eigentliche unsterbliche Würfelwurf ist, höher als jede Würfel*sechs:* dieser neue Einfall bildet eine Grundlage zu Mallarmés Mysterium *Un Coup de dés n'abolira le hasard.*

Es war schon die Rede von der drucktechnisch so unherkömmlichen Nur-Schrift-Dichtung, die zwischen Prosagedicht und freien Rhythmen eine neue Gattung bilden sollte. Nirgendwo findet sich Mallarmés Doppelnatur, errechnet syntaktische Laborantenchemie neben visionärer Intuition, so auf die Spitze getrieben. An Stelle von Satzzeichen wird allein durch die druckarchitektonische Stellung das Zusammengehörige verbunden, und auch die Notenhöhe einer Zeile auf dem Satzspiegel wird für ihren Inhalt bedeutsam. Ganz unten auf den Seiten findet man zumeist[1] düstere und lastende Wortgruppen: Du fond d'un naufrage, abwärtsgerichtet die Ertränkung des Helden und den Absturz der Feder; oder unten dominierend *le Hasard.* Dagegen ein helles Aufblitzen EXCEPTÉ / à l'altitude zuhöchst auf der Seite: oder die beherrschende ruhige Klarheit (*Le Maître*) und die Vorgänge am Himmel (*le Nombre*). Vergleichbare Ideogramm-Spiele begegnen, worauf schon Thibaudet hinwies, auch in chinesischer Poesie, wo etwa ein Regenguß durch die Anordnung der Buchstaben verdeutlicht wird (desgleichen in Apollinaires *Calligrammes*); ebenso auch in den barocken Bildgedichten der „Pegnitzschäfer". Mit der Bildgestaltung scheint sich jedoch, da Mallarmé von einer „Partitur" spricht, die ganz andersartige Absicht zu verbinden, an ein Zusammenwirken orchestraler Stimmen zu erinnern.[2] *Musikalisch* ließe sich übrigens auch die einzige Formgesetzlichkeit nennen, durch die sich dieses „Mysterium" von bloßer Prosa unterscheidet; ich meine die Tatsache, daß hier ein Wort lautlich das nächste (noch stärker in *A la nue*) und eine Wortgruppe baulich die nächste zu gebären scheint. Fasziniert durch solche, auch satzlogische, Gesetzlichkeiten, stellte Mallarmé seine sonstige Bevorzugung des Verses für eine Weile zurück.

Als Mallarmé unmittelbar vor seinem Tod die endgültige Fassung des Gedichts bestimmte, verfügte er noch verschwenderischer über den Platz. Jede Oktav-Seite der bei Unwin Brothers (London) gedruckten Fassung A wurde jetzt auf zwei Quartseiten aufgeteilt. Einzelne Sätze wurden dabei über den Mittelfalz des Buchs hinweggeführt, um die so entstehende buchtechnische Cäsur als Ausdruck eines ahnungsschwer innehaltenden, orchestral bebenden Schweigens,[1] einer räumlichen Entfernung[2] oder einer expressiven Hervorhebung[3] auszuwerten. Einmal scheint die Doppelseite eine Menschengestalt nachzubilden, LE MAÎTRE steht an der Stelle des Hauptes, und der Hinweis auf den ausgestreckten Arm (pour le jeter..) reckt sich auch typographisch heraus. Oder auch erhebt sich auf einer halben Seite nichts als die verlorene Wortgruppe *plume solitaire éperdu*, neben der man etwas wie ein Barett zu erkennen meinen kann. So unterstreicht die Leere der Weißflächen etwas vom gestaltlosen Alpdruck, von der schwindelnden Einsamkeit und Stille dieser nur in lautlosen Gebärden und Bildgruppen agierten Handlung; selbst das entscheidende „*Lachen*" des Helden wird ja nur ausgedrückt durch das stumme Symbol der am Barett befestigten *Feder*. Und auch etwas von der abgründig räumlichen Endlosigkeit des Meeres und des Himmels, zwischen denen verloren die Klippe des Menschen liegt, die nackte Ur-Situation des Menschen, schiffbrüchig auf die paar Handbreit Erde geworfen zu sein. „Die See, von der man besser schwiege", schrieb Mallarmé einmal (*Div.*), „falls nicht gleichzeitig vom Firmament die Rede ist, löst sich geradeswegs aus der Natur ab. Zwischen den beiden wütet ein Drama, das seinen Grund außerhalb von Personen (sans personne) hat." Der Kampf spielt sich hier nicht nur darin ab, daß die obere gegen die untere Seitenhälfte antritt; das unruhig bebende Treiben der See wird im geneigten Kursivdruck erzählt;

während für alles, was stabil auf den Sternenhimmel bezogen
ist, die senkrechte Antiqua steht.

Seine symbolgraphische Bildabsicht in в hat Mallarmé selber
in einem Brief an Gide vorgetragen. „Die Anordnung soll, genau gesetzmäßig und soweit es im Druck möglich ist, die schicksalhafte Erscheinung (allure) eines Sternbildes bieten. Das Schiff
krängt, es neigt sich seitwärts, von der linken Seite oben bis zur
andern unten, usw. Denn hier liegt der Blickpunkt (in einer Zeitschrift mußte ich darauf verzichten): erst dann besitzt eine Satzaussage über ein Geschehen, oder sogar über einen Gegenstand,
einen davon kündenden sinnvollen Rhythmus, sofern sie diesen
Inhalt nachahmt."[1] Mithin wäre die stets schief nach unten verlaufende Folge der Wortgruppen ein äußeres Nachahmungsbild
für die Gleichnisse des gelähmten Fittichs und des niedersinkenden Segels.

Mögen auch die Sinnbilder stark von *Igitur* abweichen: der
Kern der Elbehnon-Mär bildet doch die unentbehrliche Voraussetzung für den *Würfelwurf*.[2] Eben darin beruht unser Haupteinwand gegen den *Coup*. Beweis sind uns die bisherigen Interpretationen, Thibaudet, Soula, Cooperman, Naumann:[3] trotz
der allerlebhaftesten Kombinationsgabe, die sich, zumal beim
Letztgenannten, mit einer besonders feinfühligen und gewissenhaften Behutsamkeit verband, mußten sie das Werk im ganzen
und zumeist auch im einzelnen mißverstehen – aus dem einzigen äußerlichen Grunde, weil ihnen die Kenntnis der *Igitur*-
Fabel fehlte.[4] Als auf Mallarmés Bitte der Maler Redon in all diesen scheinbaren Abstraktionen nach einem Stoff für seine vier
(leider verschollenen) Steinzeichnungen zum *Coup* suchte – deren Veröffentlichung plante der Verlag A. Vollard –, klagte er
zerquälten Kopfes: „Ach, hätte er doch auch nur von einem Stuhl
oder einem Dämon gesprochen!" (*Mercure*, 1. 8. 36).

Ganz wie im *Igitur* ist nicht etwa im Untergang von Mallarmés
Sprecher, dem Monolog-Helden, die eigentliche Niederlage zu
suchen; sondern es unterliegt die anmaßliche Hybris, welche das
Reich des Absoluten herbeizwingen zu müssen meinte. Es unterliegt das *Meer*. Wie im *Igitur* wird der Held vorgestellt als eine
bittere, düstere, edle und fürstliche Hamletgestalt, beim Ablauf

der vorherbestimmten Frist. Doch trägt er jetzt, zum „Meister" gealtert, einen eisgrauen Bart (A: tout chenu), und die starre Feder an seinem schwarzen Samtbarett wurde ein trotziges Sinnbild. Bleich ist er, aber ohne daß wie von Igitur berichtet würde, wie marternd der allgemein menschliche Widerstreit zwischen absolutem und relativem Dasein auf ihn wirkte.[1] So wie *Igitur* unter den *mathématiciens* seiner Sippe, steht auch er unter dem „destin" der „anciens calculs". Doch in seinem „ancestralement" wird nicht mehr greifbar, ob noch ein ganzer Sippenstammbaum gemeint ist wie im *Igitur.* Vielleicht unter dem dauernden Eindruck der (in seinem Zimmer hängenden) Manet-Ölskizze, wo Hamlet auf der mitternächtigen Terrasse die Aufforderung der gespenstischen Vatergestalt anhört, redet Mallarmé im Coup nur von einem einzigen Stammvater, dem „aïeul". Der war es, der zusammen mit der unerlösten „zufälligen" Dumpfheit, mit der *Sirene* des Meeresabgrunds, jenen einzigen Sohn zeugte, durch welchen die Eltern die egoistische „chance" zu erreichen hofften, dereinst befreit zu werden vom mühseligen „Zufall"; sei es, daß die Materie der Urzeit, *écumes originelles,* sich durch den Menschengeist eine Erlösung erhofft habe („délire"!), oder daß es diesen gereizt habe, gegen die Dumpfheit der stofflichen Tiefen die Kraft des Willens zu betätigen. So kam ihre „Brautschaft" zustande, und deren Ergebnis wird sogleich vorangekündigt, in fallendem Schriftbild: „chancellera / s'affalera / folie".[2] Auch in *Ses purs ongles* wurde das Wasserweib, die Nixe und Chimaira, durch den Gott-Heros, durch das Einhorn-Feuer, in ihrer Erwartung enttäuscht.

Sodann erscheint als Sinnbild der erlösenden *Chance* wie im *Igitur* der nur einmal mögliche Würfelwurf der Idealzahl. Igiturs übrige Erbrequisiten, Lampe, Buch und Phiole, sind dagegen als entbehrlich gestrichen; wie auch das einsame Turmgemach durch eine Felsklippe im Meer ersetzt wurde; Zola würde wieder geseufzt haben: „Dieser Wagner macht uns blöd mit seinen Vorgebirgen. In seinen Dramen ist man immer auf der äußersten Spitze eines Felsens."[3] Die erwartungsvolle amorphe Unerlöstheit wird lapidarer versinnbildlicht: die Ahnengruft aus *Igitur*

wird zu dem An die Tiefe Gefesselten, zum „Abgrund", zum
Meeresschlund, *mer* (= mère?), *gouffre*.

Für eine solche Weitung ins Unendliche war viel bei Victor
Hugo zu lernen. Es scheint mir schwerlich bestreitbar, daß die
Veränderung des *Igitur*-Rahmens unter dem Eindruck von Vic-
tor Hugos 1886 erschienener philosophischer Verserzählung *La
Fin de Satan* erfolgte, deren Reichtum an Bildern in einem durch
Mallarmé[1] gebilligten Aufsatz von Rodenbach und in einem schönen Aufsatz Paul Valérys gerühmt wurde. Hugo verlegt dort den
Schauplatz dreimal „außerhalb der Erde". Beim erstenmal stürzt
Satan, der abtrünnige Engel, in den Abgrund (gouffre) — mit
geknickter Schwinge; deren blendende Weiße „fut monstrueuse
au point de s'égaler à Dieu". Beim zweitenmal erfolgt die große
kosmische Wende durch folgendes Geschehen: auf leerer Szene
sieht man aufschwungsehnend eine Feder aus der Schwinge bebend schweben „entre l'abîme plein de noirceur et les cieux... /
On sentait, à la voir frissonner, qu'elle avait / fait partie autrefois d'une aile révoltée; / le jour, la nuit, la foi tendre, l'audace
athée, / la curiosité des gouffres, les essors / démésurés, bra-
vant les hasards et les sorts, / l'onde et l'air, la sagesse auguste, la
démence, / palpitaient vaguement dans cette plume immense".
Beim drittenmal versöhnt sich Gott um dieser Feder willen, die
er in die Allegorie der Freiheit verwandelt, mit dem Abgrund;
er nimmt Satan unter dem neuen Namen Lucifer zu sich. — Mallarmé ließ sich durch Hugo nicht zu prophetischeren Verheißungen verführen. Aber die hier angeführten Verse dürften ihm die
aufgetürmte démence des Elbehnon-Geschlechtes unmittelbar vor
Augen geführt haben. So wurde aus der Turmspirale der weiße
Flügel im Abgrund.

Auch durch volltönend wuchtige, abstrakte Sentenzen weitete
sich der Horizont im *Würfelwurf*, gegenüber den langen Schilderungen der Nervenschwingungen Igiturs. Deutlicher als in *Ses
purs ongles* wird die weise Gehorsamsverweigerung des „Meisters" erklärt, des großen Bürgen, in dessen Macht es läge, das
aus dem Magma der Materie sich emporsehnende Universum zu
erlösen in ein zufalls- und persönlichkeitsfreies Nirwana des Absoluten. Für Parallelen zu den evolutionistischen Gedankengän-

gen René Ghils verweise ich auf die erste Auflage dieses Buches
(*Mallarmé*, München[1] 1938, p. 417).

Mallarmés Gedicht gliedert sich übersichtlich in die vier Aussagen des Titelthemas ,,Un Coup de Dés / Jamais / N'abolira / Le
Hasard". Der erste Teil allerdings besteht aus einer leeren Seite:
erst allmählich und geheimnisvoll soll der Sinn des WÜRFEL-
WURFS sich enthüllen. Die drei anderen Abschnitte umfassen je
ein einziges, verkünstelt aufgeschwollenes, wenn auch syntaktisch zusammenhängendes[1] Satzungeheuer.

,,NIE" ist das Thema des zweiten Teils. Warum denn ,,wird *nie*
ein Würfelwurf den Zufall[2] beseitigen"? Weil ,,der Meister zögert": das ist der Kern des Satzes und zugleich des zweiten Kapitels, ..das im übrigen natürlich die Aufgabe hat, die Lage zu
umreißen und die Sinnbilder einzuführen. *Der Meister zögert,..*
obwohl er weiß, daß dies Werfen des Würfels nicht ein privates,
sondern ein reines, universales Handeln ,,in den Ewigen Umständen" bedeutet. Und obwohl er — so wie Igitur von seinem
frühesten Ahnen vermutete, daß er durch einen Schiffbruch auf
die Klippe geworfen worden war — ein Schiffbrüchiger ist und
also aus der Tiefe eines chaotischen, unerlösten Daseins sich zu
einer Lösung genötigt sieht. Rettung? Rettung für wen? Seine
Blicke haften auf dem Meeresabgrund (dessen schaumige Feder-
weiße alsbald die ganze Bildentstehung beherrscht). Des Abgrunds starr gebannte, aufschwungsüchtige Gischtoberfläche
gleicht einer weißen Vogelschwinge.. als hielte er sie hoffnungslos in flachem Winkel gesenkt. Denn so war es gewesen: bei dem
ungelenken Versuch der Meerestiefe, sich emporzuheben zum
Äther, war von vornherein der Flügel schlaff niedergebrochen..
und bedeckt (wie die Eisdecke, in *Le Vierge*) nun alles von unten
her Aufquellende, erstickt im Keim alles sich Emporwerfende:
Sinnbild des mühsamen Alls (oder des Menschengeistes) und seines Begehrens, von seiner Dumpfheit erlöst zu werden![3] Aber, sagt
Mallarmé, mag auch der *Abgrund*, unter seinem *Flügel* (plötzlich wird dieser assoziativ verglichen mit einem zwischen Aufschwung und Absinken schwankenden *Segel*, das mit seiner durchsichtigen Weiße alles Dunkel überdeckt), sein eigenes klafter-
tiefes Innere so zusammenballen, daß es zu der seitwärts

geneigten Schiffssegelbreite noch gleichsam den bauchigen Schiffsrumpf bildet[1] — so zögert der Meister dennoch.

Wie dieses schiefliegende Symbolschiff, welches der Abgrund ihm zum Aufbruch anbietet, flottzumachen sei (durch den Würfelwurf[2] nämlich), .. ganz im Wissen von solchen unvordenklich vorbereiteten Plänen war der Meister einst aufgewachsen. Und jetzt folgert er mit dem Blick eines alten Steuermanns, allein aus der Meeres-Umwälzung, welche vom einheitlichen Horizontstrich her bis vor seine Füße aufbrandet: daß die Stunde gekommen sei! Auch in seiner Faust — in welcher er den Würfel gepreßt hält, so fest, als ballte er die Faust gegen ein Schicksalslos (das seine!) und gegen die Winde — rührt sich, schüttelt und mischt sich jetzt die einmalig höchste, alles andere ausschließende Wurfzahl des Absoluten Geistes, .. auf daß der Meister sie nun werfen möge mitten in den Sturm hinein und dadurch dessen qualvoll krassen Zusammenprall alsbald glätte, und steil von dannen segle. Er aber zögert, und seine ausgereckte Faust, welche den verborgenen Würfel vorenthält, erstarrt leichenhaft. Statt daß er fanatisch, ungeachtet seiner eisgrauen Haare, den Wurf täte — nicht in eigenem Namen, sondern um so die gepeitschten Gischtwellen zu erlösen (und sich selber mit ihnen, denn auch sein eigenes weißflutendes Barthaar[3] gleicht einer von ihnen, die ihn schmiegsam umfinge) —; und daß so der Mensch durch eine Art unmittelbaren, endgültigen Schiffbruchs (ohne ein tatsächliches Schiff und außerhalb des räumlichen *hasard*)[4] ausgelöscht würde.

Denn so lautete das Vermächtnis, welches aus verschollener Ahnenvergangenheit (nie ward bisher die Faust geöffnet, in welcher über einem immer noch nicht endgültigen Haupt die Würfel bereitgehalten wurden!) bestimmt war für einen Letzten, der auf die entscheidende doppelweltige Schwelle zu stehen käme als der ewige Ur-Daimon! Und jenes Geheiß hat[5] den Meister aus wesenlos gewordenen Landen hingeleitet zu dieser Stunde, in welcher alle höchstmögliche Wahrscheinlichkeit (daß die Idealzahl erreicht wird) gipfelt. Mallarmé holt an dieser Stelle das Wesentliche über die Herkunft des Helden nach:[6] Als Knabe war er mütterlich vorsorglich von der Meereswelle gekost, geglättet, besorgt, gewaschen, geschmeidigt und vor dem Todeslos der am Strand zwischen Bohlen bleichenden Gerippe gefeit worden. Denn das Kind war gezeugt worden im Liebesspiel des Stammvaters mit der *See* (die als lockendes Meerweib, also als ein in Gewundensein endendes Trugwesen, eine Chimaira, verkörpert vorstellbar ist) — weil entweder die See die verstiegene Hoffnung hegte, sich mittels des Stammvaters aus ihrem leidigen „Zufalls"-Sein erlösen zu können, oder er, gegen den „Zufall' der See die Macht des absoluten Intellekts zu beweisen. Ähnlich hatte auch Wagners Wotan, ohne dem Menschlichen Rechnung zu tragen, sich die Wälsungensippe herangezogen, damit sie seine ruhelose Qual durch eine Symboltat (das selbstlose Hinabwerfen des verfluchten Rings von der Uferklippe) beende; die Anknüpfung scheint hier noch enger als im Igitur. Mallarmé schließt das JAMAIS-Kapitel, indem er das Ergebnis der bräutlichen Vereinigung vorwegnimmt: in Erfüllung werden die Hoffnungen nicht gehen! Nachdem die Zeit der ersten leidenschaftlichen Ausschließlichkeit nachließ (vergleichbar einer schattenhaft erschlaffenden Würfelgebärde), wird der Schleier des schönen Wahns, und mit ihm die „folie d'Elbehnon" von einst, schwanken, herabgleiten — und so den Zufall „nicht beseitigen".

Der dritte Teil, N'ABOLIRA, bringt dies entscheidende Bildgeschehen. Noch schüttelt der Meister die Würfel, „als ob" er sie zu werfen gedächte (comme si, durch *si* in den nächsten Wörtern viermal angestachelt). Da taucht etwas Neues auf, auch durch den Kursivdruck. Als symbolischer Gradmesser der gärenden Spannung, weiß unter düsterem[1] Schicksalsverhängnis, wiegt sich (auf leerer Buchseite) über der aufschwungsüchtigen Abgrund-See, als ihr noch jungfräulich unerfülltes Wahrzeichen (*indice*) und voller Hybris „en opposition au ciel" das ironisch in die Stille eingeschmuggelte unscheinbare Vorzeichen, daß all diese Stille vom Geheul eines nicht mehr fernen Lust- und Weh-Zyklons zerrissen werden soll: Eine *Feder* umflattert den Abgrund.[2] Zunächst noch in unentschiedener Mittelhöhe, da sie weder auf ihn herabsinkt noch ihm entfliegen kann, „rythmique suspens du sinistre". Da, unversehens hat es ein Ende mit ihrer einsam rasenden Trunkenheit: ..sobald sie im flaumigen Vorbeistreifen an des Meisters mitternächtigem Barett hängenblieb und festgehalten ward!

Dies Gleichnis drückt das Hängenbleiben der Aufschwunghoffnung des *Meeres* aus; und zugleich die trotzige Weigerung des autonomen Menschen. Denn in so gesteiltem Hohn auf ein überirdisches Wollen ragt die Feder jetzt am Haupte der bitteren hamletähnlichen Herrschergestalt des Riffs, daß das Tragen eines solchen Barettschmucks wirkt wie ein winzig sinnbildliches Auflachen des Wissenden.. ein heldisches Lachen (héroïque), wie das Lächeln des bleichen Vasco da Gama, unausweichlich, dabei aber gleich einem aufgespeicherten Blitz, verhalten durch eine zwar menschlich beschränkte, jedoch mannhafte Vernunft. Und weiter rollt, einem *Würfel* gleich, dieses sein sorgenvolles Lachen auf seine enträtselnde Auskunft zu, dies Lachen voll Sühnedrang (expiatoire), in reifem Knospen unterwegs, noch verschwiegen, endlich aber offenbarlicher „Kairos" (mit George zu reden) und vollendet: „Wenn.."

Doch mitten in der Spannung, endlich zu erfahren, welche Erkenntnis denn dieses Lachen bedeutet, wird die entscheidende Auskunft noch kurz durch eine letzte verzweifelte Störung in der Tiefe verzögert (in Fassung A ist sie eingeklammert), während oben, auch typographisch, bereits ein überirdischer Würfel rollt. Unversehens blitzt ein blendender fürstlicher Federkopfschmuck über einem nicht zu erkennenden Antlitz wirbelnd auf und umdüstert zugleich (*verdüsterte*Stimmung einer dem*Dunkel* verschworenen Macht!) eine mädchenhafte Gestalt. Ganz wie eine *Sirene* sich aus den Fluten schlängelnd reckt sie sich herauf, .. doch nur für den kurzen Augenblick, um mit ihrem zappelnden, doppelflossigen schuppigen Nymphenschwanz einen Rache-Hieb gleich einer wütenden Ohrfeige zu führen wider die Symbolstätte, .. weil an ihr der Aufschwung der *Feder* (des Wahrzeichens der Tiefe) ein vorzeitiges Ende fand. Wenn schon das Endliche und Begrenzte, der *Hasard*, bleibt, so soll wenigstens der Meister auf dem Riff es büßen. Mit dem gleichen Hieb zerstört das Meerweib, aus Einsicht in die Vergeblichkeit, den Felsen, welcher das Unendliche, l'infini, einzugrenzen bestimmt gewesen war. Der Meister und der Fels lösen sich schattenhaft in Nebel auf; auch von der Gegenspielerin, dem Meerweib, ist fortan nicht mehr die Rede. Unschwer erkennt man in ihr die enttäuschte Stamm-Mutter des

Helden, die Verkörperung des anmaßlichen Sehnens, alles *Zufällige* und alles Unendliche auf die Eine *Idealzahl* der Absolutheit festzulegen. In Igiturs Selbstmord hatte man noch einen Rest
der alten Todessehnsucht (*Sonneur; Fenêtres; Brise*) wittern können. Jetzt erst stirbt der Held als „Meister", männlich, untra-
gischer, ohne eigenes Zutun.

So bleibt nun die leere Meeresfläche, deren brodelndes Magma
zur Bescheidung gezwungen wurde – und über ihr das tragisch
stolze Nachzittern eines heimlichen Sieges. Dies Bild hat Mallarmé in einem Versintermezzo, *A la nue accablante tu*, mit sug-
gestiver Lautmalerei[1] dargestellt. Der Sinn dieses Sonetts ist
ohne Kenntnis der Zusammenhänge des *Coup de Dés* nicht in
allen Einzelheiten faßbar. Mallarmé läßt hier mit Absicht in sibyllinischer Unklarheit, was soeben über dem lautlosen Meeres-
grund geschah. War es (so etwa fragt das Sonett) ein todesschwe-
rer Schiffbruch, von welchem kein Hall zu der basalt- und lava-
schwer[2] herabhängenden Wolkenwand hinaufdrang, der dem
klanghörigen Echo verschwiegen wurde durch einen sieghaften,
aber nicht hörbaren Hornstoß? Noch ist etwas Schaumweißes an
der Stelle, wo ein Untergang erfolgte. Was sein Grab fand, war es
etwas, das hier sein Scheitern erlebte? Oder war es nicht ebensowohl das, was der „Abgrund" (das Wort nun nicht mehr bloß
äußerlich aufgefaßt) ertränkte? Wurde ein Mast, von dem die
letzten Segel abgesunken waren, hinabgerissen? Oder war es jemand, der einem solchen Mast zu vergleichen gewesen war (*ou =
sive*)? Die Meereswelle[3] weiß es, doch sie erzählt nichts, so wütend – ist der weiße Schaum nicht ein Schäumen? – geifert sie in
ihrer Enttäuschung. Oder schwimmt da nicht ein weißes Haar,
dessen Weiß eine Herausforderung an das dunkle Meer ebenso
wie an den Schicksal-Himmel darzustellen scheint (im gleichen
Sinn wie das Weiß der Feder am Barett des Würfelmeisters als
ein Gelächter gegen den schwarzen Himmel stand)? Ragend und
hehr zwischen den übrigen Trümmern, wie (ou) ein solcher
Mast, muß gewesen sein, was hier ertränkt worden sein mag
durch den wutentbrannten Flankenhieb einer mädchenhaften
Sirene.[4] Denn auf der Meeresoberfläche treibt die letzte weiße
Haarsträhne eines verschollenen Greises als ein ewiges Sinn-

bild, wie ohnmächtig der *Abgrund* ist in all seiner machtlosen
Wut darüber, daß sein Hoffen auf die „perdition haute" (die
Auflösung der Zufallswelt in eine Welt der übermenschlichen
Vollendung) nun mißlang. — Eine Vorstufe dieser Szene gab
bereits der *Toast:* L'espace a pour jouet le cri.. Aber kehren wir
zum *Coup de Dés* zurück.

Das Zwischenspiel des enttäuschten Meerweibes und ihrer
Rache an dem pflichtvergessenen Sohne konnten nicht mehr das
Abrollen seiner großen bekennenden Rechenschaft aufhalten, die
er *geworfen* hatte. Rechenschaft darüber (wie Igitur sie vor seinen Ahnen ablegt), weshalb er zögerte, weshalb er den Wurf nicht
tat.. Gesetzt den Fall, er würfelte tatsächlich die Zahl, deren
Ursprünge nicht beim Menschen liegen (was eine Zahl ist, war
vor Urzeiten einzig an den Sternen abzulesen: *issu stellaire*). D. h.
vorausgesetzt zunächst, es gebe die Zahl als ein wirkliches Da-
Sein, also ganz fern von den verschwommenen, stets von dereinstigen Todeskrämpfen überschatteten Wahnbildern des Men-
schenlebens; gesetzt sodann, es würde ihr ein Anfang gestiftet
(wobei der quellende Ursprung, das beginnende Rollen des Würfels paradoxerweise auf einem Nein zur Welt beruhen) und auch
ein Ende würde ihr gesetzt (wobei der *Abschluß*, ebenso paradox,
ein Sich-Auftun bedeuten würde) — dadurch, daß ein üppiger
Stamm sich zu einem verfeinerten Sproß gedehnt hatte; gesetzt
auch, sie erreichte die magische Idealziffer und es würde das
Licht des Einleuchtenden fallen auf die alles — mit nur einer einzigen geheimnisvollen Ausnahme — umspannende Würfelsumme,
tatsächlich, augenscheinlich!.. kurz: Gesetzt: die ZAHL mit ihrer
abgründigen Vollkommenheit wäre erreicht — so wäre das
gleichbedeutend mit dem ZUFALL und seiner abgründigen
Unvollkommenheit. Die Wendung ist nicht schlimmer, weder
mehr noch minder, vielmehr ganz einerlei. „Si c'était le Nombre,
ce serait le Hasard."

Dieses also ist die Einsicht des *Meisters:* das Absolute würde
nicht über das Menschliche hinausführen und „den Zufall nicht
beseitigen" können. Wurde doch die Vorstellung der *Zahl* und
damit des Absoluten ursprünglich abgeleitet aus dem Zählen der
Sterne; und „deren Regellosigkeit am Firmament", wie Coppées

Tagebuch von Mallarmé berichtet, „erschien ihm als das Bild des *hasard*". Wissend *lacht* der „Meister" über die Bemühung, das Unvollkommene schlagartig durch das Vollkommene zu ersetzen und das Irdisch-Menschliche durch das Absolute. Auch dann, gerade dann, wenn er nun in einer Laune zufällig den Würfel würfe, bliebe es ja ein zufällig Zugefallenes, *Tyche*, nicht eine echte Selbsterlösung des Abgrunds! Ist es nicht würdiger der autonomen Persönlichkeit, auf diese Scheinlösung zu verzichten? Jenseits von Pessimismus und Optimismus hat der späte Mallarmé zuweilen in Gesprächen betont: menschliches Handeln sei nun einmal unerbittlich verwurzelt im *Hasard*, aber aus ihm heraus sei es auch fruchtbar.[1] Der Träger dieser Erkenntnis darf „Meister" heißen, denn sie setzt ein weltweiteres Bewußtsein voraus als die Tat des „armen Wesens" Igitur, in dessen Seele der Dichter allerdings mehr Einblick gewährte. Igitur, welcher den verpflichtenden Autoritäten den Gehorsam aufsagte, um durch einen eigenen Gedanken, wenigstens den des Todes, seines Seins gewiß zu werden! Neuartige Form des *cogito ergo sum*.

Die Erkenntnis – der geistige „Würfelwurf" – erscheint, schon im Orakelspruch des Titels, in *negativer* Formulierung; ebenso das äußerliche Sinnbild, das Nicht-Werfen des Zauberwürfels. Wäre nun wirklich das Primäre an dieser Erkenntnis ein Negieren – nur noch die Hamleteinkleidung als Symbol einer düsteren Verbitterung ließe daran denken –, so müßte uns der Wert der später folgenden Bejahung in fragwürdigem Licht erscheinen. Doch scheint uns das Nein des *Meisters* (das frei ist von dem vitalen Körperheimweh Igiturs) bereits die stärkende vorahnende Gewißheit *voraus*zusetzen, durch eben dies Neinsagen werde ein künftiger Reichtum an weiteren Geistes-Würfen tätig gefördert werden.

Zunächst aber, bis das letzte Wort des Titelspruchs verklungen ist („... le Hasard"; zugleich Überschrift des nun beginnenden vierten Kapitels), herrscht noch ganz die Negation. Die *Feder*, Gradmesser der in Schwebe befindlichen Katastrophe, muß nunmehr wieder niedersinken in das Grab, das einst ihre Wiege war, .. in die Ur-Wogen, deren tolle, wahnwitzige Raserei sich erst vor kurzem noch verkörpert aus dem Abgrund emporgewor-

fen hatte zu einem hoch himmelwärts vorgeschobenen Riff —
worauf dieses in die alltägliche Gleichgültigkeit des Abgrunds
zurückgeschrumpft war. Und so will es scheinen, als sei von der
ganzen denkwürdigen Entscheidungskrise nichts Wirklichkeit geworden. Oder (où *A:* ou se fut) als hätte das alles nur stattgefunden, um zu bezeugen, daß alles durch Menschen Erwirkte gleich
Null sei. Aus der durch keine Felsklippe mehr hoch überragten
Fläche spricht ja ein Verschollensein.. Nichts als das platte
Dasein scheint dazusein, eintöniges, stumpfsinniges Wellengeplät-
scher.. Es ist, als wolle es überallhin das Schütteln des Würfels
in seiner Leerheit verstreuen —, jenen Wurf, der, hätte er stattgefunden, zumindest durch seinen Gehalt an Wahn jäh in diesen
Gewässern des Unwesenhaften, darein alle Realität vergeht, die
totale Vernichtung heraufgeführt haben würde.

Und doch ist, wer weiß, außerhalb dieses Daseins noch etwas
anderes da! Hoch oben, so fern, als ein irdischer Ortsbegriff in
Außerirdisches überzugehen vermag, glitzert ein Gestirn, der
Große Bär (französisch le Nord); wobei übrigens nicht gedacht
werden möge an die in Neigung und Senkung auf dies Siebengestirn ausgerichteten Orientierungsberechnungen der ,,Mathe-
matiker". Durch den typographischen Bildumriß dieser Schilderung glaubt Roulet sich an die Gestalt des Großen Bären erinnert (vgl. oben den Brief an Gide, p. 575). Kalt ist sein
Glitzern, so sehr scheint alles Lebendige erloschen und aufgehoben. Und doch nicht so sehr, als daß nicht dort oben etwas wie
ein rollender Würfel sich regte. So ist also das höchste Gestirn
noch nicht in absoluter Vollkommenheit erstarrt! Auf einer leeren
Würfelfläche, die ganz ungewöhnlich ist verglichen mit der gewohnten Würfel*sechs*, läßt das Gestirn in aufeinanderfolgenden
Stößen allmählich seine sieben Sterne aufblitzen.. in langsamer
Entstehung der alles umfassenden Idealsumme:.. das Gestirn
stutzt.. es schwankt.. rollt.. schimmert und sammelt sich,..
bevor es dereinst anhalten wird bei seinem letzten, höchsten
Stern als dem Siebenten Würfel-Auge, der niegezählten Würfel-
zahl. Über den *Zufall* hinweg weiht dereinst der heilige End-
stern die Zahl zur endgültigen, selig vertieften, die nun nicht
länger identisch ist mit dem Hasard!

Und wie bei diesem Gestirn, so sind immer und allenthalben
Würfel im Rollen! Der gestaltlose Kosmos, der dumpfe „Abgrund", irrt, wenn er durch die abrupte Mittlertat des einzigen,
wissenden Menschen — des „Erlösers", ins Religiöse übertragen,
obgleich es ebenso für die idealistische Philosophie, ja für jedes
Führertum gelten mag — ein für allemal erlöst und „ins Reine
gebracht" zu werden hofft. Mallarmés „Mysterienerzählung" widerlegt das am überzeugendsten dadurch, daß sie den Erlöser
selber — „da in seiner Seele des gemeinsamen Geistes Gedanken
still endend sich sammeln" (Hölderlin) — an seinem entscheidenden heiligen Gethsemane zeigt, wie er auf die Erlösertat, den
übermenschlichen Würfelwurf Sieben, Verzicht leistet: Um den
anderen das ihre zu tun übrigzulassen; um dialektischen Raum
zu stiften für die unendlich vielen menschlichen Anläufe, für
die *Großen Gedanken* jeder schöpferischen Persönlichkeit; und
um so das „Sein" (*To be*..) zu sichern. Das Seiende bedient sich
des Einzelnen, um sich zu stiften (so wie nach Heidegger Dichtung die „worthafte Stiftung des Seins" ist); das Ungewöhnliche
ist, daß dieser Vorgang hier durch eine Todesbereitschaft erzielt wird. — Darum lautet die Schlußthese des *Coup de Dés*, als
ein tröstlich stolzer Imperativ (und zugleich als letzte höchste
Botschaft des Sternenwurfs): „Jeder GEDANKE ist das Werfen
eines Würfels." Gide bewunderte an dieser Botschaft ihre „be-
friedete Größe.. den vollendeten Schlußakkord" (an Mallarmé,
9. 5. 97). Also bedarf es nicht der magisch überindividuellen
Strategie des höchsten Würfelwurfs. Denn jedes individuelle
Handeln im Bewußtsein des Absoluten (aber mit der Bereitschaft,
eher das Nichts zu wählen, als sich über unsere Zufallsbedingt-
heit entheben zu lassen) ist Würfelwurf genug. Das hohe Ringen der Menschen soll weitergehen. Schon das Schlußgedicht
von Bertrands *Gaspard*, Le Deuxième Homme, eine Nachahmung
von Grainvilles *Dernier homme*, hatte gezeigt, wie der Welt-
untergang ins Nichts abstürzt, wenn „der Mensch, dieser Eck-
stein der Schöpfung", fehlt. Vielleicht wird in einem ganz fernen
großen Einklang dereinst die gemeinsam erkämpfte Saat allen
Strebens, aller Würfelwürfe aufgehen; man könnte hier vergleichsweise auf die stoische Symbolik der (schon durch Thibau-

det herangezogenen) *Bouteille à la Mer* von Vigny verweisen. –
Daß auch das wissende „Lachen" des Helden im *Coup*, das seine
Erkenntnis ausdrückte, einer dieser vielen menschlichen „Würfelwürfe" war, erkennt man nachträglich an der gestaffelt zeilen-
abwärts rollenden Schilderung dieses Lachens: sie entspricht
nämlich, schon typographisch, durchaus dem am Schluß prophetisch geschilderten Würfelwurf.[1] Dadurch, daß er die katastro-
phale Symbolgeste, welche das Ende des Ringens bedeutet hätte,
nicht vollzog, hat er eine Menschheitstat getan, eine „Idee" – als
Synthese von „Realem" und „Absolutem" – verwirklicht, eine
ewig große Entscheidung getroffen. Daß jeder Mensch so handeln solle, sprach Mallarmé schon 1888 aus: „Die Unsterblichkeit fordert, daß wir, auf eine oder die andere Art, ein knapper
Inbegriff (abrégé) des Alls seien. Das Wesenhafte der Welt muß
in uns sein, andernfalls ist keine Unsterblichkeit möglich."
Und er selber, der Dichter? „Ich weiß nicht. Ich hoffe wenig..
doch tue ich, als sei ich unsterblich, da ich in allem eine Synthese
suche, .. da ich, oft ohne Hoffnung, sie zu ergreifen, einige Symbole verfolge, die das Unendliche erklären würden." Auf Rosnys
skeptischen Einwand, das All sei doch vergänglich, zerfließend
und unbeständig, schüttelte er den Kopf: „Es gibt Gesetze!"[2]

Darum auch wählte er sich das Symbol des Firmaments. Denn
daß schon in alten Mythen Helden und Heilige in den Sternen-
kalender erhoben wurden, erklärt sich ja gleichfalls daraus, „daß
die Verbindung des moralischen Gesetzes in unserem Handeln
mit dem Sternenhimmel so stark ist, daß beide dasselbe Erhaben-
heitsgefühl in uns wachrufen.. Das ist der Sinn des Wortes:
seinen Namen in die Sterne schreiben, in das einzige Buch der
älteren Menschheit, das im Umlauf eines jeden Jahres einmal
ganz gelesen wurde" (Wilhelm von Scholz, *Der Mensch und die
Sterne*). Buddhistisches und abendländisches Denken versöhnen
sich in Mallarmés Gedicht. Denn zwar geht das Individuum ins
Nichts ein. Aber sein Nein, sein Entschluß, auf eine Lösung des
zufallsgefesselten Kaleidoskops unserer Welt zu verzichten und
nicht eine Erklärung des Verborgenen zu erwürfeln, leuchtet als
ein großes Ja im schönsten, ewigen Rätsel der Welt, im Siebengestirn, in alle Zeiten weiter. Noch zarter als in Wagners *Parsifal*

ist das Geheimnis als Geheimnis belassen — so zart, daß es sogar denen, in deren Sprache es geschrieben wurde, noch fremd geblieben zu sein scheint.

Den einsamen Dichter erfüllten diese Einsichten seines Lebens so sehr, daß sie ihm, seit dem *Toast*, in jedes seiner größeren Werke einflossen. Auch als er kurz vor seinem Tode *Hérodiade* hervorholte, um ihr eine endgültige Fassung zu verleihen, die Vuillard, der Titelblattzeichner der Revue blanche, illustrieren sollte, konnte er nicht mehr anders als das Neue in sie hineinlegen. Er wollte sich nicht eingestehen, daß er mit den 36 Versen (IC), welche er jetzt schrieb und welche die neue Einleitung bilden sollten, den Gehalt der älteren Hérodiade (I AB, II) von Grund auf änderte und zerstörte. An der Stelle der neuen Verse, so schrieb er in seinem bibliographischen Nachwort, habe „eine *Ouverture* gestanden, die ich durch eine andere, im gleichen Sinn, ersetze".

Diese neue Fassung IC (*A quel psaume* . .) ist in Wirklichkeit in einem Sinn verfaßt, der dem *Würfelwurf* gleicht. Mallarmé gab dem Entwurf eine neue Überschrift: „Les Noces d'Hérodiade" und den bezeichnenden Untertitel „Mystère". Hier tun sich Beziehungen auf, an welche in der älteren *Hérodiade* noch nicht zu denken war. In der Tat, das „Warum der Krise" habe er damals noch nicht geahnt, erklärt die Eingangsnotiz; „ich gestehe, daß ich in meiner Jugend dabei stehengeblieben war. Ich gebe diese Begründung so, wie sie seitdem erschien, und bemühe mich, sie im selben Geist zu behandeln". Inzwischen sehe er nämlich klar bezüglich „der Begründung, über die ich nicht Bescheid gewußt hatte, weswegen ich diese Dichtung hatte unterbrechen müssen. Gefährlich, eine Jugenddichtung als Reifer zu vollenden! Aber sie war, als ich sie schuf, hinreichend verfrüht für mich, so daß ich heute nicht allzu weit zurückzudenken habe".

Die *Ouverture* IC ist nun nicht mehr ein Monolog, sondern eine lyrisch bewegte Erzählung in der Art des *Würfelwurfs;* und ebenso fragend gehalten wie das Sonett *A la nue*. Allen Eigenwert scheint der Tod des Täufers Johannes verloren zu haben; er dient nur noch als Vorspiel zum Selbstmord Hérodiades. Die Amme dagegen, die bis dahin nicht viel mehr als das demütige Echo ihrer Herrin war, wenn auch zugleich „née en des siècles malins", erhob der Dichter nun zu einer Symbolgestalt, zu einer Art Gegenspielerin, in die Rolle der „Mutter" des *Würfelwurfs* und der „Sirene" aus *A la nue.* Es gelang ihm, indem er das anklagende Wort von Hérodiade II gegen die Ammenmilch vertiefte. Aus Iᴀ entlehnte er nichts weiter als die Szene, daß die einsame Hérodiade am Morgen ihres Todestages in ihrer Kammer ein Lied anstimmt. Aber diesem Lied gibt er nun nicht mehr eine schwermütige Deutung, wie überhaupt die Heldin von Ic keinen schwermütigen Zug mehr hat. Sie ist eben kaum mehr die eigentliche Hérodiade, sie ist eine Schwester des Würfelwurf-Meisters; das Motiv „Mais cette tresse tombe" dient, auf den Schleier übertragen, einem neuen Gedanken.

Mit einer Frage beginnt der Dichter. Was für ein Lied, wie es keinem noch so alten Psalmbuch entstammt, wurde hörbar? Glich es nicht einem männlich starken Blitz,[1] welcher auf dem Weg zu der unbekannten Stelle ist, an der er einschlagen wird? Dies Lied kann nur aus der Kammer gekommen sein, deren Scheiben sich weit auftaten und wo düsterumrahmt nun eine in Schleier gehüllte Gestalt, l'Ombre, stehend lehnt, als das Phantom des latenten Widerhalls jenes Liedes. In ihr ist ein stolzes, überlegenes Wissen. Zukunftsahnerin die sie ist, verhehlt sie doch in so erhabener Haltung ein Zukunftswissen den todesdüsteren *Falten,* welche an ihrem Gewand sich regen. Dieses Zukunftswissen gibt ihr ein, trotz aller Annäherungsversuche von seiten des glitzernden Kopfstücks auf ihrem Haupt − denen des *Absoluten* −, jenem Kopfstück den Wunsch eines Fortdauerns in die Ewigkeit abzuschlagen (de ne pas perpétuer du faîte / divers rapprochements scintillés absolus). Das Bevorstehende nämlich kann man vorausschauend an einem lautlosen Entscheidungskampf ablesen. Was ist es mit dem Kopfstück? Es ist ein riesenhafter Diamant, durch welchen am Schleiergewand gefaltete Spitzen befestigt sind. Diesem Diamanten verweigern jetzt die Spitzen die Unterwerfung: sie lockern sich.

Aber da ist noch etwas anderes, das sich bewegt; ein flackerndes Zittern kündet lautlos etwas an. Und abermals ist es das Zei-

chen *Nein* (le signe que non). Daneben erscheint das ersterwähnte
Nein-Anzeichen, die von der funkelnden Agraffe angestrahlten,
jetzt verzweifelt in Auflösung geratenden Gewandknoten, nur ne-
bensächlich. Jener zweite Botschafter ist der *Teller* (jene Schüs-
sel, auf welcher in Bälde das Haupt des Täufers liegen wird; die
Ankündigung des Todesschicksals auch für Hérodiade). So nackt
und eindeutig leuchtet der Teller, daß alles Zweifelhaft-Vieldeu-
tige nicht umhin kann, sich über seinen Rand hinweg davonzumachen. Und nun wird das durch ihn deutlich werdende Geschick
gar noch durch Hérodiade ganz enthüllt, indem sie, gleichsam
einer letztmaligen hausfraulichen Anwandlung gehorchend, blank-
reibend über ihn hinstreift, ihn von Staub und Feuchtigkeit befreit. Dies vollzieht sich ungeachtet der verzweifelt ableugnenden Gegenwehr der unsichtbaren Gegenmächte (aux dénégations
très furieusement). Durch den bleichgescheuerten Umriß des
Tellers steigt die schreckensschwere Gewißheit von Hérodiades
Tod aufs höchste. Nicht als ob diese selbst in Grauen geriete.
Zumindest aber breitet sich von dem Teller, auf Grund seiner
sinnbildhaften Macht (comme emblème), die Angst vor dem Tod
auf ein Weib aus, das alles mit ansah. Es ist die Amme.

Es genügt nicht, die jetzt folgenden Schlußverse nur grammatikalisch recht zu verstehen. Graut es der Amme nur darum vor
dem nicht mehr abzuwendenden Tod Hérodiades, weil sie deren
anhängliche Dienerin (wie in Iᴀʙ) ist? Nein. Die Hérodiade von
Ic ist dazu bereit, in den Tod und ins Nichts einzugehen. Gleichwie aber der Diamant den vergehenden Faltenfluß des Gewandes,
um eines ewigen Weiterdauerns willen, zusammenklemmen wollte,
so stürzt auch für die Amme, die ewige Säugende, deren Milch
die Voraussetzung des Am-Leben-Bleibens ist, alles zusammen,
wenn Hérodiade stirbt. Solange die Fürstin lebt, kann das ehr-
geizige Absolute, „l'infini vorace", in Hérodiade gipfeln als fun-
kelnder First. Die Amme hatte als Helfershelferin dieses Plans,
durch ihr „blanc et maléfique lait" (wie die Sirene, die Mutter
des Würfelwurf-Meisters) mit die Hand im Spiel. Und jetzt sagt
ihr der Blick auf die Totenschüssel, daß alles verloren ist. Hérodiade will nicht länger Werkzeug sein und ist zum Sterben bereit.
Darum, so endet Mallarmés letztes Bruchstück, darum erbleicht

die Amme vor Grauen, *affres* (im gleichen Sinn wie die der Sippe
im *Igitur* und die des Passé in *Tout Orgueil*), weil sie zu einer
früheren Zeit— wie ihr Brusttuch und ihre Haube ja anzeigen und
wie sie gewohnt war—ihre weiße, ihre böse wirkende Milch aus
breiten, in Netzen getragenen Brüsten preisgab für einen Säugling (das Kind Hérodiade), in welchem das Unendliche selbst,
l'infini, gierig nach Weiterleben sich zu verewigen plante.

Durch die Todesbereitschaft Hérodiades unterliegt, in dem kos-
mischen Würfelspiel zwischen dem Unendlich-Absoluten und der
ungelösten Belassung des „Hasard", das Absolute. „Supérieure-
ment" aber bleibt in der Erinnerung der Entschluß des Mädchens, „mannhaft" wie der Blitz seinem Ziel zustrebend. Dieses
Gedicht ist das letzte Ergebnis im Denken des späten Mallarmé,
in der knappsten Form, die er ihm gegeben hat, verständlich wenigstens noch für diejenigen, die den Kreis seiner Werke mit ihm
zusammen durchschritten haben.

IV

ABGLANZ DES ABENDS
(Gedichte an Méry)

> *O Flambeaux! Que serait, après tout,*
> *votre gloire, sans les Ténèbres?*
>
> *Villiers, Claire Lenoir, X*

Die Mitternachtseite in Mallarmés Erleben entspricht geistes-
geschichtlich einer allgemeinen Verdüsterung der literarischen
Strömung, welche die achtziger Jahre beherrschte.[1] Der Fatalis-
mus Leconte de Lisles, der Buddhismus von Cazalis, die ersten
Übersetzungen Schopenhauers haben diese Strömung eingeleitet.
Mallarmé hat sich mehr als manche seiner Freunde dieser zeitweiligen Umdüsterung erwehrt durch den unverzagten Glauben
an das blanke Schwert der läuternden Dichterkraft (*Tombeau de Poe*). Nicht minder auch durch seine enge Freundschaft
mit den großen Meistern der französischen Freilichtmalerei. Sie
waren es ja fast allein im ganzen Abendland, Manet und Berthe,

Morisot, Renoir, Degas und Monet, die im trübgestimmtesten Kunstjahrzehnt des 19. Jahrhunderts die leuchtende Pracht des Schönen Tages hochhielten. Doch auch was an Wehmut in ihrem Festhalten des Flüchtigen sich verriet, ging ein in Mallarmés Hüteramt einer untergangsschweren Schönheit. Von Villiers, dem tragisch zerfallenden Illusionskönig, bis zu den ihm überreichlich zugehenden Lyrikbänden der Jüngsten nahm er alles voll und ernst, lobte und ermutigte in zahllosen Briefen — so häufig, daß man als allzu zage Kritikschwäche mißdeuten mochte, was in Wahrheit ein zähes Verteidigen des kleinsten Schönheitsfunkens, ja selbst der Illusion der Schönheit gewesen war. Niemand hat die wehmütige Seite in Mallarmés Wesen und Bildersprache schöner erfaßt als Albert Thibaudet in seinem Buch.

Insonderlich die Huldigungs-, Freundschafts- und Liebesgedichte seiner beiden letzten Jahrzehnte sind wie durchtränkt von dieser ganz zarten, verschwiegenen Schwermut. Sie ist eine Fortsetzung des alten einsamen Kampfes um das Sein, zu Anfang so einsam, daß mehr von „mon solitaire amour" die Rede ist als von der geliebten Freundin, von der dritten Marie seines Lebens (nur die erste führte diesen Namen tatsächlich). An diesem Schönheitsgenuß wird fast nur das für ihn Tröstliche und Beseligende hervorgehoben. Dennoch bildet, um von den nonchalant leutseligen *Vers de circonstance* abzusehen, dieser Verszyklus der Huldigung den einzigen Versuch Mallarmés, eine Scheu vor dem Menschlich-Kreatürlichen zu durchbrechen; soweit diese Scheu freilich Voraussetzung seines eigentümlichen Schönheitserlebens war, blieb sie unangetastet: „O si chère *de loin!*" .. In welcher Dankbarkeit er das Dasein Mérys mitlebte, berührt sich mit *Petit Air I* und fast schon mit Georges *Blättern für die Kunst:* das „strahlende geheimnis der dinge fühlen, darin leben und dann mit bewegter und von unsäglichen freuden zitternder stimme es stammeln — es mit bebender hand festhalten!"

Ein Gedicht der ehrfürchtigen zarten Beseligung, ohne Schwermut, ohne zweiflerische Selbstprüfung mag Mallarmés dichterisches Ideal gewesen sein. Der Zwiespalt seines Innern mußte ihm zwangsmäßig diese Dichtung versagen. Nur im Johannespsalm näherte er sich ihr, und nur in dem meisterlichen frühen

Sonett *Sainte* hat er sie erreicht, als er die feierliche Routine der
Alexandrinerverse zum erstenmal durch das Gewichtlose seines
späteren Versstils ersetzte. Von hier aus geht ein Weg zu Rilke
und dessen Sehnsucht nach der Beziehungslosigkeit und dem ab-
gelösten Sein.. „o stilles Weltverbringen". Dieses zuerst *Sainte
Cécile* betitelte Gedicht versprach er zum Namenstag (22. 11.)
Cécile Brunet, der Gattin des Felibers in Avignon, die mit Des
Essarts und Franz Gerhard zusammen zum April 65 die Patenschaft bei der kleinen Geneviève übernommen hatte. Es ist „eine
kleine melodische Dichtung, besonders im Hinblick auf die Musik geschaffen" (an Aubanel, 7. 12. 65). Ein einziger vollendeter
Satz, dessen erste Hälfte durch die beiden *Jadis*-Quartinen klar
gegliedert und dessen zweite eingerahmt wird durch zwei abrun-
dende Verse, führt in eine alte verstaubte Sakristei. Das Greifbare ist entdinglicht in eine unerklärte Herkunft und rem-
brandtsche (wahrhaft raumlose, nur aus dem Licht lebende)
Räumlichkeit, und das Kultische wird unmerklich entkirchlicht
zur Musik einer rein poetischen neuen Zeit. An der Glasscheibe
eines frommen Schreins gewahrt man die jungfräuliche Heilige
aller Musiker mit ihrer übergoldeten Viola aus Sandelholz,[1] die
einst neben Flöte und Laute glitzerte, nun aber trüb verblaßt, so
daß die Heilige sie vom Fenster abwendet.[2] Auch in dem Gesang-
buch, das sie hält, rauschte zur Stunde von Vesper und Complet
einst das Magnificat; nun aber geht das Buch aus den Fugen.
Doch es gibt ein lebendiges Musizieren *ohne* die toten Kunst-
mittel, ohne *Musik*instrument und *Buch* des gealterten Kult-
ritus – träg wiederholt sich zum dritten- und viertenmal „alt". Es
ist die Traummusik des Goldlichtschweigens. Ein abendlich vor-
überstreifender Cherub bietet[3] der Schutzheiligen seinen Fittich
dar – man kann an ein Bündel Lichtsaiten denken, das durchs
Fenster einfiel. Das Gefieder gleicht dem Saitenbündel einer
Goldharfe für die wie ein feiner Keil sich zuspitzende Finger-
reihe (zart im Anschlag wie das Dolcissimo des *Du doigt*..) der
heiligen „Musikantin der Stille".

Als Mallarmé dieses Sonett formte, dürfte er sich darüber erhaben gefühlt haben, noch Liebesgedichte zu schreiben. Nicht aus
Enttäuschung über die Liebe. Vielmehr aus Ekel über den Kitsch,

und überzeugt, daß mit den schwachen Kräften eines zeitgenössischen Dichtertums nicht mehr dem Mißbrauch der Liebe gesteuert werden könne. Als er im Februar 1865 Gedichte Lefébures zum Lesen erhielt, fand sich Mallarmé mitten im feinen und welken Rosenduft dieser ihn brüderlich ansprechenden Verse gestört: erkältend und fad wirke der allzu häufige Begriff *Liebe*. „Wenn er nicht durch einen eigenartigen Zusatz gewürzt wird, durch Begehrlichkeit, Verzückung, Krankheit, Asketentum, so scheint mir dies umrißlose Gefühl nicht poetisch. Was mich betrifft, so könnte ich in Versen dieses Wort nicht ohne Lächeln aussprechen.. Die Liebe, schlicht, ist zu sehr ein Naturgefühl, um den blasierten Dichtern, den Lesern der Verse, einen Eindruck zu machen; und ihnen davon reden ist, als wollten Sie unternehmen, dem schnapsgeröteten, durch ein Streichholz in Brand zu setzenden Gaumen alter Trunkenbolde Geschmack zu erregen am tiefen, frischen Quellwasser." Die Schuld trügen Des Essarts und Dichter seines Schlages, die mit ihren Huldigungen an einen dikken Eroskaben, rot und pausbäckig wie eines Fleischers Sprößling, den Geschmack verdarben. „In Wahrheit ist die Liebe nur eines der tausend Gefühle, die unsere Seele belagern, und sie darf keinen größeren Raum erlangen als die Furcht, der Gewissensbiß, die Langeweile, der Haß, die Trauer." Lefébure gab ihm damals zwar zu, die Zeit habe die Dichter des „spleen idéalisé", die, mit Poe, das Leidenschaftliche, das allzu Familiäre, aus der Kunst auszuscheiden trachten, sehr getrennt von den übrigen, die wie Aubanel freilich auch reizvoll sein könnten. Ohne seine eigenen Verse verteidigen zu wollen, sprach Lefébure aber die Theorie Mallarmés als doch zu einseitig an. „Es gibt kein Gefühl, das für die Dichtung allzusehr Natur wäre." Die Liebe, als Blüte und Ziel des Lebens, „bedarf keiner Aufpeitschung durch Satyriasis, um zu gefallen".

Als die Liebe und sogar das Wort Amour dann später doch wieder in Mallarmés sieben Gedichten für Méry Einzug hielt, gewann diese Empfindung eine neuartige und schöne Resonanz – sogar noch im schmerzlich Gewundenen der gezierten Gleichnisse – durch das Bewußtsein, daß kein Glück ledig sei von inneren Widerständen und Gegenströmungen. Von den ersten

vier Sonetten, die 1886, zwei Jahre nach der *Sainte,* im Druck
erschienen, sind zwei ganz ausgesprochen Gedichte der Befangenheit und des Vorbehalts gegenüber einem nur-vitalen und
gewissenlosen, das Sinnliche nicht adelnden Genießen. Das eine
Sonett, *M'introduire,* klingt wie eine fast verlegene Entschuldigung, das andere, *Quelle soie,* voll stolzen Bewußtseins der idealen Dichterverpflichtung, wobei er die ersten vier Verse aus einem
älteren Gedicht auf Marie Mallarmé (1868) herbeizog. In beiden
Gedichten ist die behutsame Bemühung des reifen Dichters spürbar, sich jedenfalls nicht ganz an das vielleicht hintergrundlose
Dasein der geliebten Hetäre zu verlieren oder etwa seine schmerzhaft verästelte Eigenart zu betäuben. Sondern im Gegenteil: den
Abstand zu dem so andersartigen Menschen ehrlich zu wahren,
genügsam und dankbar jedes sinnbildliche Schönheitsgeschenk
des zur Rüste gehenden Lebens zu empfangen, .. jedoch nicht als
Erlösung anspruchsvoll zu überschätzen, was bloße Tröstung war.

Als Günstling Mérys mag er sich anfangs etwas bang gefragt
haben, ob er nicht in ihre genußfrohe Welt einen allzu ernsten
Schatten werfe und wohl gar als befangener Kostverächter mißverstanden werde. So ist denn *M'introduire* entstanden als poetische Einführung der Freundin in seine Schönheitsbegriffe, in
sein scheues Wesen. Konnte er die Gletscher verlassen, wo er wie
Igitur in der keuschen eisigen Firnzone des Absoluten lebte! Mit
dieser Keuschheitswelt ist es zu Ende beim ersten nackten Betreten einer verschwiegenen (quelque) bewachsenen Bannmark durch
den Eroberer-Helden. Wenn dies geschah, muß den Sprecher
Furcht überfallen. Er erhebt aber alles zu einer gleichzeitig allgemeineren, gedanklichen Erwägung. In deine Lebenswelt eindringen – so redet er Méry an, ganz im Gewicht seiner schicksalhaften Weltentfernung – ist gleichbedeutend mit der Fähigkeit,
unbefangen die Sünde zu bejahen, die Sünde, welche von deiner
Seite nicht daran gehindert sein wird, daß sie laut frohlockend
den Sieg einheimse. Und auf dieses unbeschwerte Gewissen verstehe ich mich nicht! Doch sprich, ist nicht auch das ein Fröh-
lichsein – nur eben das meine –, daß meine dichterische Schau
am feuerzerfetzten[1] Horizont, über traumhaften Wolkenland-
schaften, im hinschwindenden Purpur einen Wagen zu erblicken

38*

vermag, ..den einzigen, dem abends meine Gedanken gehören, einen Wagen mit blitzfunkelnden, rubinsprühenden Radnaben? Der abendliche Sonnenwagen, wir wissen es, war ihm Urausdruck der höchsten irdischen Schönheit, schon wegen der Schwermut des auch von George besungenen „farbenvollen untergangs", ..im Gegensatz zum abgegriffenen optimistischen *Morgen*-Symbol.[1] An einem Septemberabend, als über dem Schilf der Seine die Libellen spielten, nannte er seinem Bootsgefährten Léopold Dauphin[2] als Victor Hugos schönsten Vers

Le soleil s'est, ce soir, couché dans les nuées.

Oder sprach er ein andermal, durchs Fenster den Blick auf die goldrot versinkende Märzensonne geheftet, leise zu dem jungen Ghil: „Und dann, mein lieber Dichter; alles ist zusammengefaßt in einem schönen Abend wie diesem." Vor ihm, er wußte es nicht, hatte ein sechs Jahre älterer Dichter, einer der größten Lyriker in Spanien, Gustavo Adolfo Bécquer, den symbolischen Ausdruck seines Sehnens gleichfalls gefunden in „ese inefable encanto, esa vaguedad misteriosa de la puesta del sol de un día espléndido".[3]

Das Leuchten der Sonne als heilbestimmendes Schicksalszeichen bereicherte sich seit der Bekanntschaft mit Méry durch ein anderes tröstliches Leuchten, das ihres Haares. In seinen Jugendgedichten auf das blonde Haar Maries hatte er noch nicht eine wirkliche Sicherheit empfunden. Wohl fand sich dort schon der Vergleich mit der Fahne (*Le Château*) und mit der balsamisch vergangenheitsschweren Seide (*Quelle soie*, A: De l'orient passé des Temps / nulle étoffe jadis venue). Aber als damals das Haar ihm hatte dabei helfen sollen, die Burg der Hoffnung im Sturm zu nehmen, war das Dunkle mächtiger geblieben. Auch fünf Jahre später, als er das Grauen gegenüber dem absoluten Sein abzuschütteln trachtete, wurde sein Bangen eher noch gesteigert durch die vollkommene Schönheit dieser Haare.

Damit ringt das scharf antithetische Sonett *Quelle Soie* A von 1868. Wie der damals Gestalt gewinnende Held Igitur zog auch der Dichter selbst vor der Unsterblichkeit sich auf das Nichts zurück. Es war ein Umgang, bei welchem die noch beweglichen Wand-

behänge des Zimmers „comme une chevelure languissante" ihm
die grabesdunkle Überzeitlichkeit des Ewigen erträglicher machten. Und mehr noch wagt er nun auch vom juwelenlosen „nackten
Haar" der Geliebten zu erhoffen, daß es die gestapelte *Zeit* bergen und behüten helfe. „Moi qui vis parmi les tentures / pour ne
pas voir le Néant seul, / aimeraient ce divin linceul / mes yeux,
las de ces sépultures". Dennoch schreckt er vor diesem herrlich
leuchtenden Haar zurück: plötzlich ist ihm, als blitze es dort wie
von Juwelen auf, Funken eben jenes verhängnisvollen *Seins*, das
ihn seinem eigenen Wesen entfremden wollte und dem er den
heroischen „désaveu" entgegensetzte. „Mais tandis que les rideaux vagues (A₁: *Mais les rideaux en leurs plis vagues*) / cachent
des ténèbres les vagues / mortes, hélas! ces beaux cheveux // lumineux en l'esprit font naître / d'atroces étincelles d'Etre, / mon
horreur et mes désaveux."

Die erste Hälfte dieses Sonetts griff Mallarmé auf, als er wieder einmal das Gefühl haben mochte, daß im Unterschied zu
einer bedrohlichen anderen Macht das Haar der Geliebten eine
Zuflucht und ein Ausruhen gewährleiste. An die Seidenbehänge
des *Igitur*-Zimmers, an denen die Hybris der Zeitlosigkeit zuschanden wird, mochten ihn die seidenen, kugeldurchbohrten
Fahnen eines nationalen Ruhmesfeiertages[1] gemahnen (nur daß in
ihnen die Chimaira eher einen Unterschlupf fände). Diese Welt
der Gloire *schreit* auf der Gasse.[2] Aber damit ist es nicht getan,
daß er, der Dichter, seine Augen davon abwendet und nur befriedigt den Anblick des schönen Haares aufnimmt. Befriedigt?
Ihm sagt seine innere Stimme, daß ein sicheres Auskosten seiner
Küsse auf solche Art ihm nicht bestimmt sei. Denkt er daran,
daß die Frau, zu der er spricht, gegenüber dem Prunk und dem
Prestige bei der öffentlichen Entfaltung von Gloire nicht un-
empfänglich ist? Jedenfalls aber daran, daß sie von ihm, dem
durch ihre Liebe zum Fürsten Erhobenen, ein fürstliches Ruh-
mesgeschenk erwarten darf. Und so versammelt er das Festlich-
Schöne des öffentlichen Ruhmesstolzes, kraft üppiger Wortkunst,
auf dem leuchtenden mächtigen Haarbusch der Freundin, läßt es
auf dies Haupt hinüberströmen, wo es wie ein Diamant wirkt,[3]
neben dem das Laute und Schreiende der Glorie[4] auf der Straße

glanzlos wird und verstummt. So krönt mit seinem gleißenden
imaginären Angebinde er, der Prinz,[1] seine Herzenskönigin.
Mallarmé konzentrierte sich seltsam auf dieses Thema. Anders
in seinen Briefen. Dort spricht er gern vom Lachen des „Pfauen"
Méry, dem *Pfauenschrei;* oder von ihren Kleidern, vom üppig
geschlagenen Rad eines tausendäugigen Gewandes, eines *Pfauen-
schweifes,* der es mit dem Feuerwerk am Nationalfeiertag aufzunehmen vermöge. Dagegen wird ihr Reinstes, das Blondhaar, das
in *Quelle soie* nur die Anregung zu einer Selbstprüfung bildete
(„mon solitaire amour"), ganz beherrschend in den beiden anderen Sonetten von 1886, die sich ausgesprochen der geliebten
Méry zuwenden. In *La chevelure* ist das Haar Sinnbild ihrer beglückenden Wesenszüge; in *Victorieusement* die Hilfe, „das Grab
zu besiegen". Beide Male wird es in ganz zerfließenden, ver-
schwimmenden Halluzinationen beschworen — ungleich der ju-
gendlich plumpen Allegorie des *Château.* Vieldeutig erscheint das
Bild jetzt mit anderen visuellen Sinnbildern verstrickt.

In *Quelle Soie* und in *La Chevelure* verbindet sich mit den Haaren ein ruhevolles Begehren und Genießen. Doch im zweiten Gedicht droht die Gefährdung nicht mehr so sehr aus dem eigenen
Innern; vielmehr aus dem Menschentum der Freundin, deren
sphinxhaft beunruhigende Blicke und Launen den ruhespenden-
den Balsam ihrer Haare stören und beeinträchtigen. In der „Anekdote" *La déclaration foraine* hatte Mallarmé ja Beispiele gegeben
für Mérys unberechenbare, oft scheinbar rätselhafte Launen,
welchen das leicht zu beunruhigende Zweiflertum Mallarmés
wehrlos gegenüberstehen mochte. Auch das Sonett *La Chevelure,* welches als ein Teil der *Anekdot*e und mit ihr veröffentlicht wurde, geht aus von der Antithese zwischen der launischen Grausamkeit ihres *Auges* und der im *Haar* versinnbildlichten milden Tröstung durch Schönheit.

Das köstliche goldrote Haar wird aufgesteckt, nachdem es
gleich einer lodernd fliegenden Flamme, gleich einer „lebendigen
Wolke" das Ziel erreichte: nämlich jenen äußersten Horizont, wo
die Sehnsucht des Liebenden, dieses Haar ganz ausgebreitet zu
sehen,[3] sich erfüllte, und wo es für diese Sehnsucht nur noch das
Aufhören (occidens) gab. Nun wird das Haar aufgesteckt, und

alles endet da, wo die Flamme[1] von jeher ihren Herd hatte, auf
der Stirn, die von dem jetzt erlöschenden Diadem der Haare be-
krönt wird. Der Dichter nun[2] empfindet es zwar nicht als schmerzhaft, daß das Brennen der Haare, das von innen heraus gespeiste,
das ursprünglich allein der Störenfried war, anderswo abermals
auftaucht — es ist von Haus aus eines und dasselbe —, daß es nämlich im Augenjuwel der Freundin weiterflackert,[3] im Wechsel
der hingebenden und der spöttischen Blicke! Aber die wehrlose
Zärtlichkeit des liebenden Mannes ist doch wie ein sprechender
Vorwurf gegenüber der Frau, der zwiefach Überlegenen; für ihre
Überlegenheit braucht sie erst gar nicht sternstrahlende Ring-
kleinodien anzulegen, sondern allein schon durch ihr Haupt-
haar blinkend legt sie dafür Zeugnis ab. Denn wenn einerseits
ihr glitzerndes *Auge* schmerzhaft den Zweifel des Mannes auf-
rührt, gleichwie eine brennende Fackel einen Nackten streift, so
wird das alles zugleich beglückend gemildert durch das Funkeln ihres *Rotblonds:* es ist mitten im quälenden Brand der Fackel
wie ein rubinrot heiterer, behütender Sprühregen abgestreifter
Funken.

Die beglückte Dankbarkeit, daß „ihr Lächeln schon das Weh
heilte, das ihr Blick dir zuwirft" (*Vers de circ.* 58), gab ihrer
Liebe das rechte Gleichgewicht. Wieviel die Freundin ihm bedeutete, läßt sich ahnen aus den Versen *Victorieusement fui.* Sie
bringen, wie *La Chevelure,* die bildhafte Verstrickung des geliebten Blondhaars mit dem Lieblingssymbol *Sonnenuntergang,* eine
eigentümliche, auch bei Aubanel noch nicht vorgebildete Schöpfung des Dichters. Der Mythus von der Sonne und vom Abend
war für kaum einen neueren Dichter so sehr eine mystisch-
poetische Glaubensüberzeugung wie für Mallarmé. Wir wissen
heute, zu wieviel Irrwegen es führte, als zu Anfang des 19. Jahrhunderts sofort nach der Entdeckung der indischen Mythologie
die abendländische Götter- und Sagenwelt auf das Streckbett der
einen naturmythischen Sinndeutung gepreßt wurde. Auch Mallarmé war noch Anhänger dieser Meinung. Als er nach der Mythologie des Engländers George W. Cox, die schon 1867 einmal
ins Französische übersetzt worden war, seine an verschiedenen
Stellen eigenmächtig erweiternde Übersetzung *Les Dieux antiques*

herausgab, führte auch er die gesamte Heldensage von Homer bis
Roland auf das eine Motiv des verschwindenden Sonnenhelden
zurück; selbst die Volksmärchen sind nichts, wähnte er, „als einer
der zahlreichen Berichte vom Großen Sonnendrama (*du Grand
drame solaire*), das alltäglich und alljährlich vor unseren Augen
sich vollzieht".[1]

..Heute nun war die „schönste Katastrophe"[2] besonders lächelnd und sieghaft hinabgesunken. In wirren Farbdissonanzen
beschwört der Dichter sie noch einmal trunken herauf: Blut-
seufzen und mörderisches Gold,[3] Ohnmacht und festliche Ekstase (erst in der auch metrisch harmonischeren Umarbeitung des
Sonetts wurde das Zwiespältige des *désolé combat* weniger betont: „Ruhmesbrandscheit, schäumendes Blut, Gold und Sturm")!
Und nun hat er, einsam in seiner Liebe, zum tausendstenmal
wieder sich zu wehren gegen die Finsternis, gegen seine düster bedrohliche *Sorge* vor der antlitzlosen Grabesvergessenheit.
Denn die Grablegung eines Dichters, eines Sonnenkünders (die ja
auch jedesmal einem Selbstmord der Sonne vergleichbar wäre!)
müßte sich doch eigentlich vor dem Hintergrund des großen
ruhmbestrahlten Abendglanzes vollziehen; nicht vor einer düsteren Wandbespannung aus Nachtgewölk.[4] Welches marternde
Hohngelächter[5] des Mißgeschicks (Guignon) aber, wenn es so
käme, daß – während weitab am ferngerückten Abendhimmel das
rote Licht als Bespannung für einen Königskatafalk sich zu-
rüstet – unterdessen sich über mir an ganz anderer, finsterer
Stätte das Grab schlösse im Düster spurlosen Vergessens. Und
ist denn vom ganzen goldnen Abendglast[6] kein teurer nachzüg-
lerischer Lichtfetzen mehr in der Hand des Dichters verblieben?
Höchstens (und fast allzu vorwitzig und anmaßlich will es ihm
zunächst scheinen!) der flutende Goldschatz des geliebten Frauen-
hauptes gießt auf ihn sanftschimmernd seine umkoste lässige
Weichheit aus im Dunkel der Nacht, das kein Strahl erhellt. Und
da plötzlich, in jäh ausbrechendem *Animato*, in dankbar erregter
Verherrlichung, wird ihm bewußt: So immerwährend wollüstig
und wonnig, dein Haupt, ja, als einziges eigensinniges Pfand, bewahrt noch etwas von des erloschenen Feuerhimmels *Verzweif-
lungskampf* (in Fassung в hymnisch einheitlicher: *Triumph*),

der dich krönend schmückt, wenn du mit heller Stolzgebärde dein
Haupt auf die Kissen bettest![1] Ist es nicht wie der goldgleißende
Schlachthelm eines erlauchten Kaisertöchterleins,[2] .. und die Rosen, die unter ihm hervordrängen, wollen sie nicht ein Gleichnis
sein der frischen Schönheitsglorie deines rosigen Leibes? Tod
und Liebe, Vergehen und Weiterdauern begegnen sich in diesen
Versen zu einem dionysisch abendlichen Einklang.

Inniger noch als diese Symphonie in Gold und Rot, galanter
unbeschadet des Ernstes, einzigartiges Pianissimo sinnlicher
Treue, zu privat, als daß er es hätte in seine Gesamtausgabe aufnehmen mögen, klingt Mallarmés Sonett *O si chère de loin*, das
herzlichste unter den Glückwunschgedichten zum Jahreswechsel.
Daß wir richtig lasen, wurde 1944 durch das Auftauchen eines
Briefes[3] bestätigt, der fast die gleichen Gedanken ausspricht.
„Soweit ein Wunsch: ein einziger, daß es, ein jegliches Jahr,
sich noch lange immer wieder neu schaffen möge, verstehst du,
mit dir als der Nämlichen, der Wundersamen und Geliebten.“
Nach so langen Jahren erscheine sie ihm so neu, als habe er sie
noch gar nicht gekannt. „Von allen Küssen, die ich auf dir um-
hertreiben lasse, drücke ich einen denn auf den Grund von dir
selber.“ Er liebe in ihr eine Doppelheit, „weil du der vollendete,
entspannende, lustige Kamerad bist und zugleich eine einmaliges
Entzücken ausströmende andere Gestalt“. Ähnlich nun die Verse.
Méry, ruft er sie, du mir so lieb von Urzeiten und doch nah, Weiße,
so erlesen du selbst, daß mir ist, als atme ich einen niegekann-
ten balsamischen Blumenduft, welcher — traumhaft — einer so
durchscheinenden Vase entstiegen sein müßte, daß nicht einmal
ihres Kristalls Schatten wahrzunehmen wäre.[4] Du weißt es, nicht
wahr: Jahr für Jahr schon, seit jeher dauert in deinem strahlenden Lächeln unverändert das nämliche Rosenblühen für mich
weiter mit seiner ganzen üppigen Sommerreife, die in die Kindheit und auch in ein Künftiges hineinragt. Wenn zuweilen des
Nachts mein Herz sich selber zu vernehmen sucht oder (was
gleichbedeutend ist!) wenn es nach einer allerletzten zärtlichsten
Anrede für dich sucht, möchte es seine Wonne finden in dem
nur ganz geflüsterten Worte *Schwester*. Du jedoch, goldschatz-
schweres Köpfchen, lehrst mich ein noch ganz anders süßes, das

stillste Wort: den Kuß, den ganz leise in deine Haare hineingesagten. Das Zukünftige, dessen Verheißung Méry ihm ankündete, lag darin, daß Bruder und Schwester zu sein nicht mehr in schmerzlichem Widerspruch stehe mit dem Mann- und Weib-Sein, das „Weiße" des Lilienparadieses (si blanche) nicht mehr mit der „Rose".

In der Liebeslyrik der folgenden Jahre verstärkt sich dann, förmlich von Gedicht zu Gedicht bis zu den letzten *Vers de Circonstance* mit ihrer unnachahmlich väterlichen Liebenswürdigkeit, die galante, ja scherzende Note. Mehr ein Umwerben als ein Werben. Es war eine herbstliche Liebe; man war sich zugetan, man wurde gelassener. Mallarmé und auch die sieben Jahre jüngere Freundin näherten sich dem fünfzigsten Lebensjahr. Gerade sie bei ihrem lebhaften Temperament und ihrer leidenschaftlichen Weltliebe mag dies nahende Altern schwer getragen haben; die schlanke Grazile von einst, die Manet verewigt hatte, war um 1890 in eine behäbige Juno *sur le retour* gewandelt. Mallarmé hat später in mancherlei Glückwunschverslein zu Neujahr oder Geburtstagen alternde Damen über das Verstreichen der Zeit getröstet — in keinem aber so lind, so taktvoll und, trotz der hier besonders überspitzten Concetti, so unbefangen wie im Sonett für den ersten Januar 1888, *Dame sans trop d'ardeur*.[1] Méry fand es, in der ersten Fassung (A), am Morgen dieses Tages, mit einigen Worten auf der Rückseite: „Beim Weggang hinterlasse ich diese Verse, damit sie morgen da sind, zur Stunde, in der ich Sie geküßt hätte, meine Freundin, wenn ich Pariser gewesen wäre; es heißt Ihnen ein wenig nahe sein."

Durch ein scherzhaftes Lob sucht er die Freundin ihren trüben Betrachtungen an diesem Tag zu entreißen. Die ersten acht Verse beschwichtigen: Lassen wir einmal fein artig (gentiment) alles beiseite, die Tränenausbrüche und das böige Aufbrausen — wenn auch dank diesem von deiner bewölkten Stirn schneller die Gewitterwolken wegziehen.[2] Diese Sturmstimmung überbietet sich (jalouse) heute darin, an einen schlicht verstreichenden Tag — den des Neujahrs — weiß der Himmel was für Aufhebens heranzutragen (A: ajouter) und bläht ihn durch eine zeitliche Ausweitung, durch die ja doch bloß fiktive neue Jahreszahl, ungebühr-

lich auf. Und dies an einem Tag, der doch für uns beide den
„sehr aufrichtigen Tag des Empfindens" darstellen müßte! Vermeide also den hochroten Aufruhr des Empfindens (ardeur), wo
du einer selbstzerstörerischen, qualverzerrten Rose gleichst, deren duftschwere[1] weiße Blätter sich purpurn-erhitzt färben, mehr
noch, einer Rose,[2] die überdrüssig ihres Schönheitskleides es auf-
reißt[3] und darin (AB: darunter) nur noch dem Weinen der diamantenen Tautränen hingegeben sein möchte. Laß uns von all
dem absehen und eine ruhige Erwägung anstellen! Denke an deine
angeborene Anmut und daran, daß sie aus jedem neuen Jahr[4]
auch wieder auf deiner Stirn neu zu erblühen pflegt. Meinst du
denn nicht, daß ein jedes Jahr, wie ja der Augenschein deiner
Schönheit lehrt (A: selon tant de prodige), sich hinreichend, und
zwar auch für mich, dahin auswirkt – nur so lind merklich, und
ganz so erstaunlich, wie es für einen Fächer sein mag, der im
Zimmer einen einzigen frischen Hauch ins Leben ruft –, daß
unser urvordenkliches unscheinbares Befreundetsein neu aufge-
frischt wird (A: rafraîchir) durch ein winziges Maß an ergriffe-
ner Zuneigung.

Den poetischen Glückwunsch zum nächsten Neujahr, 1889,
Si tu veux nous nous aimerons, kleidete Mallarmé nun auch
äußerlich in ein neckischeres Gewand, in die schwierige Form
des *Rondel*, wie Banville sie von den Lyrikern des 15. Jahrhunderts entlehnt hatte.[5] Das Geistreiche an seiner Dichtung ist, daß
sie, bei aller Kompliziertheit der beiden fünfmal variierten Reim-
typen und bei den raffinierten Sinnverschiebungen der necki-
schen Verswiederkehr, eine Dichtung gegen geistreiches Gerede
sein will. Anknüpfend an den jahrhundertealten Vergleich des
Frauenmunds mit einer Rose[6] hebt er warnend an: Lieben wir
uns doch lieber, ohne daß dein Mund spricht; denn das einzige,
was du erreichst, wenn du die rosengleiche Verschlossenheit
deiner Lippen antastest, ist nur erst recht ein schlimmes „Schweigen"![7] Keine geistreichen Bemerkungen sind so einfallsreich wie
die, welche in deinem wortlosen Lächeln liegen! – Mag nun sein,
daß die Möglichkeit einer leisen Kritik an Mérys lebhaftem
Esprit, auf welchen sie, nach Régniers Bericht, sich viel zugut
tat, Anstoß erregt hat; jedenfalls wendet er in Fassung B die Kri-

tik eindeutig gegen sich allein: Da Liebeslieder nie ein glitzerndes Lächeln sofort hervorzulocken vermögen, ist es besser, wir
lieben schweigend (oder ebensowohl, um an das Folgende anzu-
knüpfen: wir lieben uns mit den Lippen, ohne davon zu reden)!
Wie ein flatternder Blumen-Elf sich bis zu den äußersten Flü-
gelspitzen aus einer kaiserlich-purpurnen Rose heraussträubt, so
sprengt bis zu den Mundwinkeln ein auflodernder Kuß — das
stummste Liebeswort! — seine Lippenrundung. Und unvermittelt der leichtsinnige Schlußklang: wenn du willst, so wollen wir
uns lieben.

Nach der Krise vom Herbst 1889 schien Mallarmé durch über-
betonte Künstelei im Reim und Satzbau zu verstehen zu geben,
wie sehr ihm an einem inneren Abstand gelegen sei. Als er auf
Mérys mit Rosen bemalten Fächer 1890 mit weißer Tinte Verse
schrieb, begnügte er sich mit einer unpersönlichen bloßen Sinnverknüpfung der Motive Rosen und Ballfächer durch das beiden
Gemeinsame, den Duft; er nahm das Gedicht (*Eventail*) im übrigen nicht in die Sammlung seiner Verse auf. Daß Méry aus einem
weißen Kelchglas ein Parfüm aus Rosenduft benutzt, erfährt man
durch eine höchst gezierte Einleitung. Das Gefäß, so heißt es
dort, mit den leblos *gepreßten Rosen*, die sich bemühen, alle als
eine einzige nämliche Rose weiterzudauern, mag sich allenfalls
deinem jeder Liebesglut fremden Atem in den Weg stellen. Indessen brauche nur ich (der den *Fächer* Überreichende) das Bü-
schel der aufgemalten Rosen fächelnd durch einen Stoß zu entfalten, und schon schmilzt die leblose Starrheit, wobei trunkene
Blütenentfaltung und dein Lachen eins sind. Und nun wendet
sich der Redende an den braven Fächer. In kleinen fächelnden
Stößen verschwendest du an uns etwas duftend Himmlisches. Du
bist daher auch besser am Platz, als es ein Riechfläschchen sein
könnte; denn in dessen marmoriertem Stein könnte sich der
Wohlgeruch, der Mérys Emanation ist, nicht einschließen lassen,
ohne daß der Duft darob Einbuße oder Entstellung erlitte.

Oder auch schickt der Dichter seiner Freundin Rosen zum Geburtstag, einfach weil „ihr reizender Blick, auch wenn sie die
Lippen geschlossen hielte, rundum Diamanten streut" (*Vers de
circ.* 107). Ihre naturhafte, unbewußte Anmut ist so schön, daß

er über all ihre bewußten Anstrengungen nur scherzen kann —
so in dem vertraulichen *Rien au réveil,* als die „Princesse au ber-
ceau" (A) beim Erwachen, den Schlaf abschüttelnd, eine hochmütig abweisende Miene aufsetzt. Ihr ganzes schmollendes Auf-
begehren ist in den Rondel-Kehrreimen ausgedrückt und wird mit
ihm durch stete Sinnverschiebungen liebenswürdig gehänselt.
Alles hast du, sagt er ihr, beim Erwachen etwas mißmutig betrachtet, und gar noch (A: ou), wenn das Gefieder deines Hauptes lachend auf den Kissen wogt. Du kannst schlafen, und über
eines wird man nicht den geringsten Zweifel haben: beim Auf-
wachen wirst du nicht durch den geringsten Atemzug zugestehen,
daß es irgend etwas gebe — andere Leute mögen es noch so lo-
ben[1] —, worüber du nicht mißmutig sein müßtest. Was auch in
unseren staunenden Wünschen und unerfüllten Träumereien über
dein schönes Sein, das von ihnen nichts wissen will, enthalten
sein mag,[2] an deiner errötenden Blütenfarbe und am Diamanten-
gefunkel aus deinem Auge — nichts davon ist, das nicht an dir,
wenn du den Schlaf abschüttelst, zu sehen wäre!

Gerade in diesen späten Versen herrscht eine und dieselbe
Verbindung verschwiegener Ehrfurcht vor dem Schönen, mit
einem ironischen, leichtfertig duftigen, geblümten Geplauder,
welche die kleinen *vers de circonstance* beherrscht und welche
die Vorliebe des späteren Mallarmé für Beckfords *Calife Vathek*
erklärt, und besonders für die erst kurz zuvor entdeckte alt-
indische erotisch-heroische Erzählerkunst. Im Jahr 1893 kam
in Mérys Salon die Rede auf den schlechten Stil in den *Contes
et légendes de l'Inde ancienne* von Mary Summer (Paris 1878).
Dabei arrangierte man sich, dem Dichter eine kleine Nebenein-
nahme zukommen zu lassen. Als Mäzen trat ein Gast Mérys auf,
der reiche Arzt Professor Edmond Fournier. Mallarmé sollte die
Märchen geschmackvoller neu erzählen. Er führte es für vier
dieser Erzählungen aus, wobei er einen Preis von je hundert
Francs vorschlug. Unterzeichnen freilich wollte er sie nicht, weil
sie nicht „ganz und gar von mir" seien. „Diesen Stoff beizu-
behalten frommt nur, wenn man nicht alles ändert. Schriebe ich
selbst, so verschwände auch die Historie; und es wäre etwas ganz
anderes. Der Kern und die Erzählung halten einander und bilden

eine Einheit. Ich kann nichts, als sie vervollkommnen und sie
ausbessern" (an Méry). So beschränkte er sich neben einer erheblichen grammatikalischen Durchfeilung auf einige dramatische Umstellungen und lyrische Erweiterungen. Die Geschichten bilden jetzt ausgesprochene Feinschmecker-Prosa. Ihr lako-
nischer Stil, in ganz eigenartigen telegrammähnlichen Abkür-
zungen, unterscheidet sich beträchtlich von allen anderen Prosa-
werken Mallarmés: ohne Schachtelsätze und überladendes Rankenwerk; zuweilen etwas allzu hastig, allzu knapp gegenüber der
behaglich fließenden Breite des Originals; nicht bis ins Letzte
ausgeglichen, wie ja Mallarmé an sich alles andere als Erzähler
war; „j'évite le récit, .. cet emploi à nu de la pensée".

Vergleicht man die Übertragung aus den *Zehn Prinzen* des
alten Inders Dandin mit Mallarmés Nacherzählung *Le portrait
enchanté*, so erkennt man leicht, daß ihn nicht das historisierende, ethnologische oder religionsgeschichtliche Interesse seiner Zeit an den indischen Stoffen bewegte. Das pflanzenhafte
erotische Fluidum gibt den altindischen Erzählern einen wesentlichen Reiz. Mallarmé verstärkte es nach der seelischen Seite. Ein
ganz trockener Satz des Originals wie „ich hörte ein ganz leises
Geräusch von Tritten" wird zu einer fast atemraubend reinen
Poesie umgestaltet. Im *Portrait enchanté* entsteht durch zahllose
melodische Zwischentöne die geheimnisvolle phantastische Mär-
chenstimmung, die Mallarmé erstrebte. Wie ist doch Upaharas
nächtliches Eindringen in den verbotenen Frauenpark gegeben!
„Der Mond spiegelt sich wie in einem Teiche im leuchtenden Metall von Krummsäbeln die Reihe der eingeschlummerten Kastel-
lane entlang." Hier grenzt Mallarmés gezierte Phantasie eng an
das Märchenartige.

In der später auch von Herold nacherzählten Legende *Nala
und Damayanti* war er sich bewußt, daß sie aus einem heiligen
Epos stamme: „hier etwas hinzufügen wäre, als wollte man den
Wortlaut Homers ausziehen"; hier hält er darum mit der „musi-
quette un peu récente" zurück.[1] Ganz märchenhaft ist *La fausse
vieille*, der Bericht von einer vertriebenen Königstochter, welche,
um ungehindert nach ihrer verlorenen Schwester forschen zu
können, die vertrocknete Gesichtshaut einer toten Greisin tags-

über als Maske trägt; schalkhaft nüchtern die Schilderung ihrer
Hochzeitsnacht mit dem Prinzen, der sie einmal ohne Maske erspähte. Oder *Le mort vivant*, die Geschichte von Lakschmi, die
im einsamen Grabmal sich dem toten Tschandra-Radscha ver-
mählt, bis der Fluch der Fee von ihm weicht. Das meisterhaft ge-
schilderte Tanzfest am Schluß zeigt abermals, welche Reize für
Mallarmé solch überorientalischer Fremdzauber besaß. Hier fügte
Mallarmé — als Abschluß vor dem Hintergrund der springquell-
gleich aus sich selbst sich erneuernden Prunkwelt Asiens — einen
Auftritt von Tänzerinnen hinzu. Diesen Tanz erkennen die endlich vereinten Liebenden als einen Einfall der versöhnten Göttin:
als eine durch Wahrheit bekräftigte Allegorie des Geschehenen. Im
Aufblitzen der Juwelen am Brustschmuck der einhaltenden und
sich rücklings dehnenden Tänzerinnen wird noch die Anwesenheit des Göttlichen erkennbar. Der Tanz macht zu Beginn daran denken, wie die Göttin einst die Tage des Prinzen zersprengte:
die Tänzerinnen zeigen die nächtig dunkle Seite ihrer Schleier
und tanzen die Steifheit des Todesschlafs. Bei Auferstehung und
erlösendem Kuß blitzen alle Juwelen auf, im Spitzentanz nun
wirbeln sich helle und dunkle Doppelfarben aus „gleich der Heirat jeder Nacht mit ihrem wiedererschaffenen Tag", und die
Arme heben sich zu der versöhnt entschwindenden Fee.

So war er ein König im Garten seiner Phantasie. Eine Trotz-
ansage gegen den Schnee als Symbol des Blütentodes wie Baudelaires *Paysage* (*Tableaux Parisiens* I) stellte er programmatisch
an das Ende seiner lyrischen Gesamtausgabe. Keine Totenklagen,
heißt es in *Mes bouquins*, werde ich heulen, wenn die Tatsache,
daß in sichelscharf beißender Stille blendend weiß am Estrich hin
der Schnee stiebt, meine Hoffnung vernichtet, auf dieser Erde
das Eden meiner Erdichtung verwirklicht zu schauen; dies Schicksalszeichen bedeutet, daß keine Stätte sich in der Hoffnung wiegen kann, sie dürfe des erdichteten Landschaftsanblicks sich als
eines wirklich vorhandenen rühmen. Dem Dichter genügt es schon,
etwa dem Nachhall eines der herrlichen Gedichte des John Keats
nachzuhängen, des englischen Hellas-Träumers, des sanfteren Bruders von Hölderlin. In den *Quellenstudien zu Mallarmé*[1] glaube
ich an einer eingehenden Darstellung des Sonetts *Mes bouquins*

einleuchtend gemacht zu haben, es sei als eine knappe Bearbeitung der lose gefügten Versepistel *Fancy* von Keats anzusehen. Das englische Gedicht entwickelt sich aus dem Unterfangen der träumerischen Phantasie, *mit zagem Geiste* (avec ma volonté: Baudelaire; avec le seul génie: Mallarmé) in die Ferne zu den Landen des Sommers, der königlich blühenden Hyazinthe zu fliehen. Ohne der Winterkälte zu achten (in spite of frost), wenn über die schweigende Erde ohne ein langsames Abenddämmern die Nacht hereinbricht, vertraut der englische Dichter seiner Phantasie, daß sie ihm Schönheiten erküre, die für die Erde verloren sind. Nicht zu Hause findet er die Freude. Bei einer Berührung zerschmilzt die süße Lust: wozu den Sommer und den frühwelken Frühling auskosten! Sie werden schal, so wie auch die Früchte des Herbstes – die rote Lippen haben (*red-lipp'd fruitage*, fleischlich vorgestellt) und „durch Nebel und Tau hindurch erröten" – übersättigen, wenn man sie kostet. „Alles wird durch Gebrauch abgestumpft. Wo ist die Wange, die nicht welkt, wird sie allzuoft angestarrt? Wo ist das Mädchen, dessen ausgereifte Lippen immer frisch sind?" Derweil man so beim Lodern des dürren Scheits am Feuerherd sitzt, erkürt sich die Phantasie eine ideale Herrin im Geiste: das Mädchen ohne Hader und Kleinlichkeit, mit der weißen Hüfte und Seite einer nackten hellenischen Jugendgöttin.

All diese Motive hat Mallarmé übernommen, Schlaffes straffend, Allgemeines umformend zu Greifbarem und Unverbindliches zu Selbsterlebtem. Aus dem „sear faggot" bei Keats entwickelt er assoziativ das Symbol der kümmerlichen irdischen Liebe.. im Glosten des Holzscheits unter dem Feuerbock (guivre), auf welchen der Dichter seinen Fuß stützt.[1] Wie Keats wählt er als Beispiel für das Unbefriedigende körperlicher Liebe nicht etwa gemeine Sinnenlust, sondern das taktil Berauschendste, Frucht und Fleisch; nicht an irgendwelchen Früchten läßt sein Hunger sich stillen. Und wie Keats kürt er als Sinnbild für die sommerliche Gegenwelt ewiger Schönheit die Vision eines nackten hellenischen Weibes; strenger parallel als Keats setzt er dem fruchtprall duftenden Fleisch der lebendigen Geliebten die nach Amazonenbrauch (um besser mit dem Bogen zu schießen) wis-

sentlich versehrte Brust einer antiken Amazone entgegen, einer
jener „Brustlosen" (a-mazones), die in den Fabeleien als Gründer
der Stadt Paphos[1] gelten. Wenn aber Mallarmé am *docte manque*
des Auskostens ebensoviel Genuß fand wie an diesem selbst, so ist
dies ebensowenig wie bei Keats als Resignieren oder bittere Bescheidung aufzufassen, wie oft gemeint wurde. Sondern eher als
Glück und Erfüllung eines von jeher idealistischen Menschen,
der um jener köstlichen wenigen Augenblicke willen lebte, in
denen alles Niedere schwieg. Um eines Tages die göttliche
Schaumgeborene aufsteigen zu sehen, „die Füße noch funkelnd
vom Salz des Urweltmeers", nach den schönen Worten des *Phénomène futur*, die Banville in den *Contes féeriques* wiedergibt.
Um eine Sehnsucht reinzuhalten! Dafür ertrug er einen Beruf,
der ihm Fron war. Selbst diesen übrigens bestrahlte er noch mit
seinem Reichtum. In einem Schülerheft des Lycée Condorcet hat
sich einer jener Übersetzungstexte erhalten, welche Mallarmé mit
den Vokabeln der jeweiligen englischen Lektion zu improvisie-
ren pflegte.[2] Ein Prosagedicht des dunkelsten Dichters, für die
Kinder..

*Quel beau vaisseau! – Je ne le vois pas. – Un vaisseau navi-
guant sur la mer. – Penses-tu, maman, qu'il est tout chargé de
jolies choses pour moi, et surtout de bonbons? – Peut-être. – Je
ne l'ai pas encore vu. – Ferme tes yeux et écoute-moi chanter,
alors tu l'apercevras avec tout ce qu'il contient.*

V

ANASTASIUS UND PULCHERIA

Könnt' ich Magie von meinem Pfad entfernen ...
Faust II, 5

Der Kreis eines vollen Dichterlebens schließt sich dort, von wo
es ausging. Das Blütenreich des verlorenen mythischen Kind-
haftseins rückzugewinnen, „la fleur qu'il a senti, enfant, / au
filigrane bleu de l'âme se greffant" (Las de l'amer), mühte sich

39 Wais 2. A.

der Unkindlichste. Um Jugend warb der Spätling des Jahrhunderts, um Selbstverständlichkeit eines hellenischen Südland-Mittags der Sohn des schwerblütigen Nordens. Seine Lauterkeit war, in stillem Bescheiden mit der untergangsschweren Abendröte sein Reich der Schönheit bewahrt zu haben. Sein Gefaßtsein: die Kindschafts-Entfremdung als den großen Sündenfall erkannt zu haben, und die mystische Zuversicht an eine außerweltliche *restitutio in integrum*, eine Rückkehr zu der Mädchengestalt der Jugendelegien, zu dem Grabstein „Hic jacet Deborah Parrit",[1] zu dem von „Pulcheria". Im Sinn eines Fortlebens über das Leben hinaus, in ein Eden. Darum sagte er 1888 auf der Seine bei Sonnenuntergang: „Wenn man nicht wünscht, *früher* ewig gelebt zu haben, so verstehe ich nicht den Wunsch, *danach* ewig zu leben. Das Nicht-Sein vor der Geburt muß ebenso erschrecken oder beruhigen wie das Nicht-Sein *danach*."[2] Darum konnte er den Unschuldstraum der Kindheit nicht als eine „Geißel" (fléau) beiseite schieben wie Rimbaud.[3] Und darum sah er noch in allem Wort-Können der Erwachsenen etwas, das dem des Kindes nicht ebenbürtig sei. Als etwa der vier- oder fünfjährige Constantin Rodenbach eine Fabel aufsagen sollte und statt dessen sinnlose Laute deklamierte, wollte der Vater ihm Ruhe gebieten. Mallarmé sagte: „Lassen Sie ihn reden. In seinem Alter spricht man. Später schreibt man beim Sprechen." Für das Kind gilt ja noch nicht, was Nerval (*Aurélia*) als das *verfälschte Alphabet* beklagte. „Wir wollen den verlorenen Buchstaben und das verlöschte Zeichen wieder auffinden", hatte Nerval verheißen, auf den Spuren der unvergänglichen Parabel des Novalis, „Hyazinth und Rosenblütchen" (*Lehrlinge von Sais*). Man erinnert sich des seligen Liebespaars in dieser Erzählung, das voneinander getrennt wird, sobald der Knabe mit dem Auftreten des „alten Hexenmeisters" in die Welt der Bücher und des Suchens entführt wird. Und man lese wieder einmal den mystischen Ausgang, die Wiederfindung von Rosenblütchen im seligen Garten, wo sie an der Stelle der Isis weiterblühte.[4] Ich finde keine zweite Dichtung, die so durchaus zu dem (1895 durch Maeterlinck übersetzten) Märchen des Novalis stimmt wie die *Prose* von Mallarmé.

Nicht ein perverser Drang zur absoluten Negation (Thibaudet, G. Michaud u. a.) war seine Problematik. Sondern der Abfall
von der Kindhaftigkeit war die Wunde seines Lebens und wohl
auch die Wurzel seiner künstlerischen Zwiespältigkeit. Klar
spricht es sich aus in seiner allegorischen Deutung von Shakespeares *Hamlet.* Hamlet — das ist die tragische Mittellage jedes
Jünglings zwischen „Ophelia", der Kindschaft, Makellosigkeit,
Schönheit, Naturhaftigkeit, und „Polonius", dem geschwätzigen
Erzschulmeister, dem senilen Geplärr, dem verdorrten Intellekt,
dem entgötterten Zynismus. *Hamlet* erkennt in *Polonius* sein
eigenes künftiges Schicksal, das notwendige Ergebnis seines kind-
heitsentfremdeten Alterns. *Ophelia* aber, „Hamlets ertrunkene
Jugend" (1894 zu Poizat), die „adolescence évanouie de nous
aux commencements de la vie", ist sie ihm auf ewig verloren?
Ähnlich wie Igitur ist ja Hamlet „äußerlich Narr und unter der
widersprüchlichen Geißel der Pflicht", und wie Igitur auf den
hasard, so hält Hamlet seine Augen gerichtet auf sein wahrstes
Sein „wie auf eine nie ertrunkene Ophelia, sie, die stets bereit
ist, sich aufzurichten".

Mallarmés Hamletbild hat eine lange Vorgeschichte. Es wäre
nicht verwunderlich, würden sich eines Tages die vierzehn Vierzeiler seines Schicksalsliedes *Prose pour Des Esseintes* (1884)
als Bearbeitung einer weit früheren Jugenddichtung enthüllen.
Vielleicht reicht sie zurück bis in jene Tage, wo der Dichter, wie
wir sahen, Harriet Yapp brüderlich, neben dem „jeune fantôme"
Maria, seinem „Ideal im Tode", in sein Herz aufzunehmen versprach und dem Freunde Cazalis eine Dichtung zum Ruhm der
geliebten gemeinsamen „Schwester" Harriet ankündete. Meine
Vermutung, die *Prose* habe eine Rückkehr zu Harriet-„Pulcheria" zur Grundlage, wurde seither durch neue Dokumente und
die fünf Vierzeiler der *Prose pour Cazalis* weiterhin wahrscheinlich. Was die letztere betrifft, so wird man vorläufig am besten[1]
daran denken, daß Cazalis, statt im Sommer 1869 an den Bade-
strand von Bandol zu kommen, lieber im nahen Sète blieb, und
also von dem Ehepaar Mallarmé und dessen Töchterlein (= *Ana-
stasie*) als *lâcheur* (= *Laniquolacheur?*) empfunden werden
konnte. Sicher geht jedenfalls hervor, daß im Freundeskreis um

die Engländerin Yapp scherzhaft die Namen Anastasius und Pulcheria für ein ideal zusammengehörendes Paar in Gebrauch waren. Wie ich in einer gesonderten Untersuchung über die drei Poe-Dichtungen *Tamerlane, Eleonora, Monos und Una* und über anderen Grundlagen des Gedichts von 1884/85 aufwies,[1] hat Mallarmé offenbar einen der meistgelesenen englischen Romane seines Jahrhunderts gekannt, *Anastasius, or Memoirs of a modern Greek* (1842) von Thomas Hope; dort wird der Leser den Helden am Blumengrab seiner geliebten Pulcheria finden. Nicht nur dies, sondern auch Mallarmés Ausfälle gegen das „Autoritäts-Zeitalter" (es entspricht der *Pflicht* Hamlets) und die Reiseeinkleidung lassen an eine jugendliche Fassung der *Prose* denken. Damals las Mallarmé auch Balzacs mystische Geschichte vom männlich-weiblichen Doppelwesen Seraphitus-*Séraphîta*. So konnte er leicht die geistige Brücke zu den — der Androgynen-Mystik Jacob Böhmes[2] und Franz Baaders verwandten — Phantasien Poes schlagen, die von dem *Einen* und der *Einen*, von *Monos* und *Una* handeln. Es ist das, was Rilke später „die innere Schwester" nannte, die auf dem Antlitz jedes Dichters auftaucht, der echt zu reden beginnt. Mallarmés *Prose* von 1884 fügt den *Schwester*dienst der andern Marie, der Gattin, hinzu, für den er 1867 in *Quelle soie* ʌ gedankt hatte: daß nämlich ihre milde sinnenhafte Schönheit ihm beim Umgang mit den absoluten Ideen balsamisch in die Zeitlichkeit zurückverhalf. — Klösterlich-pergamentene und hymnische Freude ziehen in unterschiedlicher Stärke durch die kurze und durch die lange *Prose*. Jene doppelte Stimmung tritt recht deutlich auch in der Form hervor, die äußerlich den mittelalterlichen Hymnenstrophen ähnelt, weniger übrigens, trotz ihres Namens, den ursprünglichen Sequenzen;[3] Mallarmé verstand unter *Prose* offenbar eine Orgie der Reime.

Im Mai 1884 erhielt Mallarmé das längst erwartete Buch eines Gegenwarts-Überdrüssigen, des einstigen Zola-Nachahmers Joris Karl Huysmans, *A rebours*. Es war das Wunschbild eines exzentrischen Ästheten, seines Lebens- und Wohnungsstils, seiner (nach E. T. A. Hoffmann) synästhetisch abgestimmten Alkohol-- und Musikliebhabereien, seiner imaginären Reisen — etwa wie er einen Londoner Winter auskostet, indem er an einem nebligen Abend die *Englische Taverne* am Pariser Lazarusbahnhof aufsucht. Mallarmé hatte einen ersten Anstoß für all das gegeben, als er einmal Huysmans erzählt hatte, wie Graf Montesquiou, der *arbiter elegantiarum*, bei dem der Prinz von Wales einkehrte, seine Wohnung eingerichtet hatte.[1] Auch von der Bücherauswahl seines „Des Esseintes" genannten Romanhelden berichtet Huysmans. Bücher im Verfallslatein gehören dazu, worin man sogleich den Einfluß von Mallarmés *Plainte d'automne* witterte (J. Payne an Mallarmé). Ein Lieblingsgedicht von Des Esseintes ist sodann die *Hérodiade* Mallarmés, die als ein Inbegriff der raffinierten und unrettbaren „Décadence" des französischen Schrifttums vorgestellt wird. Eine kleine Korrektur dieser einseitigen Auffassung wird man möglicherweise in der Zueignung von Mallarmés *Prose* an Des Esseintes erkennen dürfen; denn eben das, was dem Genießer künstlicher Freuden, dem Helden Des Esseintes, am meisten fehlt, ist das Naturhafte, das Kindliche, die Liebe. Er ist ein Anastasius ohne Pulcheria.

Wie Poe in den obengenannten Dichtungen, so verleiblicht Mallarmé das verlorene Paradies der Kindschaft als weibliche Gestalt, und im Blütengefild des „Autrefois" (vgl. seine Übersetzung von Poes *Vallée de l'Inquiétude*). Licht, heidnisch, klangvoll wie *Ophelia* ist der Name, den Mallarmé ihr gibt: *Pulcheria*. Dem philiströsen Klang *Polonius* entspricht der noch papierenere *Anastasius*, der eine mönchische, trockene Stimmung verbreitet. In dessen greisenhafte Welt der Folianten und des Zaubermurmelns, vergleichbar der Anfangssituation *Igiturs*, führt der Beginn der *Prose*. Schon in den erkünstelten Treibhausreimen um den Dichtungskern *désir, Idées:*[2] *des iridées*, mit den zierlich gedrechselten Achtsilbern, anklingend an die kupferne Latinität, möchte man eine gewisse ironische Absicht vermuten.

Eine ungeahnte, menschliches Fassungsvermögen übersteigende Fülle, den „Hymnus der geistlichen Herzen", sucht ein eifriger Beschwörer aus dem Dornröschenschlaf hervorzuzaubern. Wohl weiß er in seiner Erinnerung noch von dieser „Hyperbel", denn einst lebte er ja in ihrer Seligkeit. Doch diese Erinnerung gleicht einem Folianten mit eisernen Schließen, dessen Text nur noch dunkle Runen enthält. Daß der Beschwörer selber die Vergeblichkeit der Zaubersprüche ahnt, verrät schon die Art der Anrufung: *ist es denn nicht möglich*..? Aus künstlichem Laboratorium mit viel Resignation also, in Ermangelung der ihm entglittenen echten, noch unritualisierten Poesie, will er die verlorene Vision erstehen lassen: Durch magische Kunst setze ich in einem mühseligen Aufbau von Nachforschungen — ferne Breiten.. auf einem Atlas! Gartenflora.. in einem Herbar![1] Weihe.. in Ritualformeln![2] — den unkörperlichen Einklang der beiden Herzen ein! Und alsbald sieht er sich visionär zurückversetzt in die Zeit der Erinnerung. Er sieht sich wandeln mit der „Schwester"; seine emphatische Versicherung, sie seien als zwei verschiedene Wesen vorzustellen (ähnlich Poe, *Tamerlane*), führt alsbald auf die Ahnung, es handle sich hier um eine symbolische Aufspaltung seines Ich. Damals gab es nur die Verschwisterung, das ungetrennte „wir". Sie befinden sich zusammen auf einem südlichen Märcheneiland voll von Irisblumen, dessen Reize gleichbürtig sind mit denen der „Schwester". Unschwer erkennt man in der Dreieinigkeit von Vergangenheitsarkadien, Blütenreich und schwesterlicher Gespielin die *Kindheits*symphonie aus den drei Quellendichtungen Poes, den seinerseits Saint-Pierres *Paul et Virginie* angeregt haben mag. Und wie bei Poe wird auch gleich die Gegenwelt der greisenhaften Erwachsenen genannt, das ach so mündige Zeitalter der Majoritätsherrschaft, die altkluge öffentliche Meinung,[3] oder mit dem 1887 von Barrès erhobenen parnassischen, damals noch nicht nationalpropagandistisch ausgemünzten Wehefluch: die Welt „Sous l'œil des barbares".[4] Welcher Anstoß, wenn man jener Welt, ganz ohne Hinterabsicht, zweck- und sorglos, von dem sommerlich pflanzlichen „Südland der zwiefachen Unbewußtheit" spricht als von etwas Namenlosem, Nicht-Benennbarem, Nicht-Umrissenem! Sie, die Erwachsenen, müssen es ja wissen, daß es mit dieser Blüteninsel vorbei ist[5].. Und doch ward das Eiland von dem verschwisterten Paar wirklich erlebt, und keineswegs etwa als eine übernatürliche Vision.

Es war damals jede Blume größer, als man es in späteren Jahren empfindet; und es gehörte zu ihrem Wesen, daß ein leuchtender Umriß, wie eine Art Heiligenschein, eine jede von ihnen

umgab – so wie am Ende der Kindheit, „quand l'enfant près de
finir jette un éblouissement et s'institue la vierge de l'un ou
l'autre sexe" (*Solitude*). Das war die Zeit der „gewußten Blu-
menkelche", von denen Mallarmé ein anderes Mal sprach, als man
ihn fragte, wieviel das Wunder der Poesie vermöge. Er antwortete: die „in keinem Blumengebinde vorhandene" Blume, idée
même et suave, heraufzurufen – indem der Dichter „jeglichen
Umriß, soweit er etwas anderes ist als die gewußten Blumen-
kelche, ins Vergessen bannt". Eindeutig im Sinn Platons war dabei die Kunde von den „Ideen", der Seinskern neben der Schein-
Anschauung, als Aufgabe des Dichters bestimmt. Dies ist denn
auch das Erlebnis in der *Prose:* im Kindheitsgarten begann der
Erzähler begeistert zu erfahren, wie die Lilien „sich zu der neuen
Aufgabe erheben", nämlich als ewige Idee jedes Dinges aus dem
seligen All der Gärten ruhmesstolz sich herauszutrennen (se para:
sépara), aus Sehnsucht nach dem Idee-Sein sich ins Gedankliche
aufzuschwingen (désir, idées: des iridées). *Aber* eben diese ruh-
mesbegeisternde *Aufgabe,* die Abtrennung als *Umriß* (contour)
und der *Riß* (lacune) gegenüber dem Garten Eden ist zugleich
der tragische Anfang vom Ende, von dem Ende nämlich, daß das
männliche Ich sich vom weiblichen abziehen läßt. Das erinnert
an die Gedankengänge Mallarmés aus dem Jahre 1869, als er
seine platonistische Sprachphilosophie unter dem Titel „De Divinitate" niederzulegen gedachte. Deren Kern, soweit er noch erkennbar ist, war, daß die Sprachfamilien von der einen Ursprache, „la suprême" (*Crise de vers*), und damit vom Göttlichen
abfielen,[1] und daß diese Entwicklung unaufhaltsam gewesen sei.
Im Gedicht scheint die weise *Schwester* eine solche Gefahr für
notre double inconscience zugleich zu ahnen. „Aber", so heißt es
da, „die besonnene zärtliche Schwester ließ ihren Blick zu keiner
größeren Ferne wegschweifen als bis zu einem Lächeln, und so
als ob ich sie – noch – verstünde, bemühe ich mich, das zu tun,
was ich von Urzeiten her[2] getan hatte." Nämlich, die einzigartige
Lilie mit der Schwester ineins zu sehen (comparer), gemeinsam
zu schweigen und dem vieltausendfachen Emporwachsen der Lilie, das über alle Vernunft geht, nachzuleben. Indessen ist der
Einbruch des aufspaltend Gedanklichen, des Analytischen nun

einmal begonnen und nicht länger aufzuhalten. Das kritische
Denken, l'Esprit de litige, setzt sich an die Stelle der Lilien (de
lys la tige). Die unmittelbarste Weiterwirkung dieser Gedanken
Mallarmés glaube ich in einer sechs Jahre danach geschriebenen
Schrift von Mallarmés Verehrer André Gide zu erkennen, im
Traité du Narcisse, Théorie du Symbole, seiner ersten signierten
Schrift.[1] Gide bejahte die Zerstörung im *Garten des keuschen
Eden,* „où prouver était inutile", als etwas Notwendiges, indem
er im übrigen das Wiederfinden der „ersten verlorenen paradiesischen Form" als die Aufgabe des Künstlers auffaßt: „immer
ist das Paradies neu zu erschaffen". Aber jeder Adam müsse aus
der Ur-Einheit heraustreten, „denn schließlich ist es Knecht-
schaft, wenn man nicht eine Bewegung zu tun wagt, ohne die
ganze Harmonie zu zersprengen".

Mallarmés Gedicht ist weniger robust gestimmt und näher bei
Novalis als bei Gide. Warum das zweisame Stillesein in dieser
Stunde, in der Stunde der Kindheit? Weil das Glück der endlosen
Lilienfelder so unfaßbar hochauf schwebte, daß menschliche
Vernunft es nicht hätte mit Worten erreichen können! Das möge
der aufklärerische *Kritikergeist* sich merken, welcher aus solch
demütigem *Schweigen* der Kindheit nur den Schluß zieht, es gebe
ein solches Glücksreich der Unbewußtheit überhaupt nicht.

Eben dies wurde auch dem „jungen Erstaunen" des Kindes
eingeredet, als es, vom Blüteneiland abgefahren, an dem platten
Strand landete, wo es mit plärrender Belehrung schon erwartet
ward von verknöcherten Erwachsenen.. und von der Schule mit
ihrem *eintönigen Spiel,* der kindlichen Einfalt vorzulügen, daß
sie ihr „Weite" vermitteln werde. Aber diese Bildungsweite,[2]
sie ist nicht die echte *ampleur,* wie sie in dem Größerwerden über
unsere Vernunft hinaus (trop pour nos raisons) zu finden ist.
Und doch wußte das Kind, daß sein verlorenes Orplid eine Wirklichkeit gewesen war: Beweis sind ihm ja zu seinen Häupten der
große Himmel, die grenzenlose Ausdehnung, und selbst noch das
durchquerte Meer der „tausend Schaumkronen" — wie um das
hyazinthenerfüllte Paphos (*Mes bouquins*) —, das freilich immer
weiter in Vergessenheits-Ferne zurückweicht. „Das Kind verabschiedet seine Ekstase, und, schon allmählich gelahrt (docte) ge-

worden, spricht es [zum letztenmal *Elle*, „Schwester", kindhaft]
das Wort *Anastasius*, das für ewige Pergamente geschaffene."
Mit diesem Bannwort,[1] dem umrissen eindeutigen Männernamen,
verliert das bisher noch Unbenannte (Ne porte pas de nom . .),
l'enfant (im Französischen doppelgeschlechtig), seine unbefangene, seelenvoll unbewußte Weibesschönheit, wird erwachsen,
scholastisch-mönchisch. Ein heimatloses Verstandeswesen hat man
erzogen, den nur noch „latenten", nicht wirklichen „Seigneur"
(*Hamlet*), den „mauvais / Hamlet" (*Pitre*); die echte Poesie hat
man ausgetrieben, nur die männlich intellektuelle Hälfte hat
man gelten lassen. Werden die beiden gespaltenen Teile jemals
wieder mystisch vereint sein? Der Schluß wahrt darüber ein
selig versonnenes Schweigen. Dereinst wird eine Grabstätte da
sein, in einem sonnenhaften Nirgendwo, das tief in Gewesenes
zurückreicht. Und auf dem Grab steht nicht mehr der mühselig-
stumpfe Bibliotheksname *Anastasius*, sondern der Name der verschollenen Schwester, *Pulcheria*,[2] . . und der Grabstein wird darüber lachen, daß ein Wort der seligsten Schönheit, daß Pulcheria, daß ein Name für die verschollene Namenlose überhaupt auf
einem Grab geschrieben stehen könne. Doch das Grab wird ja
auch kaum mehr sichtbar sein, so überwachsen wird es sein von
einer überirdisch, hyperbolisch entfalteten Lilie.[3] Ist dann zweierlei
wieder Eines, Ich wieder Wir, das Paradies wieder erstanden (*Anastasius* etymologisch?), so wäre die alte Sehnsucht des Apostaten
Mallarmé nach einem mystischen Wiederkindwerden erreicht,
„à renaître . . au ciel antérieur où fleurit la beauté" (*Fenêtres*).
Wenn der Dichter des *Würfelwurfs* einen Erlöser des Weltganzen ablehnte, so glaubte er doch an eine Erlösung des einzelnen Schönheitssuchers vom Gesetz des *Guignon*, an seine Regeneration ins Ursprüngliche, an seine Metabole zu neuer vollmenschlicher Verschwisterung. Für sich selber freilich, wie es
scheint, in diesem irdischen Leben nicht mehr. Manches in der
wehmütig harrenden Gefaßtheit des reifen Mallarmé erhält durch
das rückblickende Bekenntnis der *Prose* seine Begründung. Bald
nach ersten Selbstanklagen über seine Unzulänglichkeit dem übermenschlichen Ideal gegenüber hat er als seine Dichterpflicht hienieden, als das einzige, was ihm als einem Menschen überhaupt

möglich sei, erkannt: „nicht dies Werk als Ganzes zu schaffen
(dazu müßte man ich weiß nicht wer sein), aber ein ausgeführtes Bruchstück vorzuweisen, von welchem an einer Stelle die glorreiche Wirklichkeitsbestätigung ausstrahle, mit Andeutung des
vollständigen Restes, für den ein Leben nicht zureicht. Es gilt
durch die erschaffenen Teilstücke zu beweisen, daß das *Buch*
existiert und daß ich, was ich nicht ausführen konnte, wenigstens
kennenlernen durfte" (an Verlaine, 16. 11. 85).

Mallarmés Gestaltung erscheint wie gelähmt durch seinen gewissenhaften Verzicht auf die landläufigen Begriffe, Ziele und
Erlebnisse seines Zeitalters. Dichterpflicht schien ihm allein das
Suchen nach deren innerer Erneuerung, ...„welches das Leben
verzehrt — adlig zweifellos, doch verzweifelt für den, dem es
um das Werk ging".[1] Diese Erneuerung kann nur geschehen,
indem die Dichter den staubgleichen Flaum, den *Zufall* des
Lebens in aller schönen Frische unmittelbar aufgreifen — das
taten auch die impressionistischen Maler —, ihn aber zugleich
dazu verwenden, dem Urwesenhaften Durchlaß zu bieten. Zum
letztenmal hat Mallarmé es drei Wochen vor seinem Tod wiederholt, auf eine zwiefache Rundfrage des *Figaro*. Die erste Frage,
welches Ideal er als Zwanzigjähriger gehabt habe, wies er zurück:
er sei ein Schriftsteller, folglich finde man es in seinen damaligen Schriften, „und sei es auch nur schwach" ausgesprochen.
Die zweite lautete, ob sein reifes Alter dieses jugendliche Ideal
verwirklicht habe? Darüber müßten die Kenner seiner Schriften
urteilen, meinte er. Da die Zeitung indessen ein Geständnis fordere, wie man es sonst nur unter vier Augen abgebe, so wolle er
denn „hinzufügen, daß ich mir hinlänglich treu geblieben bin —
so weit, daß mein unauffälliges Leben einen Sinn bewahrte. Das
Mittel, ich gebe es bekannt, besteht darin, täglich aus meiner
naturgegebenen Einsicht heraus jenen zufallshaltigen Niederschlag wegzufächeln (épousseter l'apport hasardeux extérieur),
den man sonst im Gegenteil unter dem Namen Erfahrung aufsammelt. Sei es glückhaft oder vergeblich, mein Wollen aus meinen zwanziger Jahren ist noch unversehrt lebendig".

Sein Stil entspricht seiner großen Erkenntnis des „Zufalls",
durch den hindurch das Absolute erkennbar bleibt. Dieser Stil

wendet sich mehr an den einzelnen Leser als an die Gemeinschaft eines ganzen Volkes, .. die es damals kaum gab, wie er sehr wohl wußte, obwohl er zugleich an ihre künftige Erneuerung glaubte. So entzog sich der Dichter des *Coup de Dés* der Forderung der Menge, die stets vom Dichter erwartet, daß er die *Würfel* für sie schon geworfen hat. Sie darf, sie soll es fordern, sobald sie ihre Herzen von hohem Glauben erhoben weiß und ihr ein weihevolles ehrerbietiges Schweigenkönnen möglich ist: in solchen Zeiten drängte es dann auch stets gerade die Edelsten, einem solchen Volke Dichter sein zu dürfen. Als Mallarmé zu schaffen begann, war diese Brücke des Vertrauens vielfach zerstört. Wo sie wiederersteht, wird man sich seiner Bemühung erinnern und seiner Tragik. Denn schicksalhaft getrennt von seinem Volke, als dessen Diener er „*Conflit*" erzählte, hat er sich in das abseitigste, übermenschliche Beginnen vergraben: sich eine Sprache „reinen Sinns" zu suchen, eine *gesuchte* Sprache, in welcher das Heimliche, Zarte und Verborgene eine rettende Stätte finden sollte. Der Wall, den er aufrichtete, ist auch heute noch und in Zukunft unübersteigbar für die Neugier unverbindlicher Passanten. Wie er selber ohne Hast erlebte und sich Zeit ließ zur Niederschrift, so verlangt er auch vom Leser ein Warten auf die Sinn-Erleuchtung, vor dem rätselhaften Gesang der Worte; die Augenblicke, einen Satz oder eine Strophe in ernster Geduld sturmreif zu machen – bis dann die gesammelte Wachsamkeit in einem einzigen vollen Atemzug ihren staunenden Einzug halten darf. Verweilen .. Wartenkönnen .. Wie viele unter seinen Zeitgenossen vermochten es, dies Einfachste?

Warten worauf? Man kann die Ansicht Thibaudets (1913) überdenken, daß Mallarmé, wäre seine Dichtung voll ausgeströmt, die *französische* Gestalt jenes subtilen Dichterdenker-Typus geworden wäre, der bislang fast nur in Platon und Goethe erreicht wurde. Daß er dem in mancher Hinsicht nahekam, wird man nach dem Lesen des hier vorgelegten Gesamtbilds seines Lebens und Schaffens ernstlich erwägen dürfen. Im selben Maße, wie man sich diesem Gedanken nähert, wird man freilich auch erkennen: die Sprache versperrt den Zugang zu Mallarmés Werk – obwohl man die Klage darüber immer wieder hört – noch

längst nicht so sehr wie die oft extravaganten Problemstellungen
und Denkverläufe und wie die Sonderart seines Lebens überhaupt. Was ihn mit Platon und Goethe verbindet, ist das zwiefache Streben, das *Selbst* in einer „selbstarmen" Welt unverwandt anzustreben, und im selben Grade in der Idee seines Selbst
die Idee überhaupt kennenzulernen. Daher die Weigerung des
Jünglings Mallarmé, im Steuerdienst zu bleiben, weil ihm dort
„das Individuum" verlorengehen müßte (an Desmolins, 17.1.
62), und darum das dauernde bis zur Selbstherabsetzung getrie-
bene Sich-Messen an der eigenen Aufgabe als Dichter; darum
auch Igiturs Kampf um die „notion de lui-même" und der klassische Vers „Tel qu'en lui-même enfin l'éternité le change". Die
Fahrt zur „Idee" und zum Ewigen ergreift den Dichter als eine
mystische Notwendigkeit, als das einzige erlösende Heil. Alles,
was er an Reinheit und Glück kannte, geht darin auf, die Blumen, die Schwester, die Kindheit, die Liebe, der Abendhimmel,
die großen Kunstwerke. Als ihn sein Versuch, die Verschmelzung mit der Idee bis zur letzten Schleierlosigkeit zu treiben, an
die Grenzen einer Geisteskrankheit geführt hatte, heilte er sich
durch denkwürdige Siegesdichtungen, seine einsamsten, noch immer der Verständnislosigkeit überantworteten. Man erfährt in
ihnen, daß das Weiterleben geringzählt (als „Pessimist" lebt
Mallarmé in der Vorstellung nicht so sehr seiner Schüler als
einiger neuerer Literaturkritiker) neben dem Stolz, wenigstens
einmal, und sei es als Scheiternder oder notfalls als Selbstmörder, der Ewigkeit des Sternenhimmels würdig gehandelt zu
haben. Dies ist das Handeln, in dem er als Mensch wie als Künstler stand. Es erwuchs bei ihm aus einer Reife, Entschiedenheit
und wissenden Menschenfreundschaft, wie sie während der
seltsam fahrigen, ins Stoffliche, Ungefähre und beginnend Fa-
natische abgelenkten Welt des ausgehenden Jahrhunderts fast
einzigartig waren.

Wird für eine breitere Kulturschicht innerhalb und außerhalb
Frankreichs der platonische und goethesche Ton in Mallarmé
durch dessen gebrochenes, scheues, zögernd sich entziehendes
Wort hindurch vernehmbar sein können? Die Empfänglichkeit
dafür wird immer ihre Grenzen haben. Soweit Mallarmé selbst an

diesen Hindernissen beteiligt ist, ließ sich einiges mit dem Zwiespalt seines Wesens erklären. Sich verlierend an Überbewußtheit und Entkörperlichung, prägte er seine Formeln selten über den Umfang eines Sonetts hinaus. Auch in seiner Prosa verliert er oft genug die Zusammenhänge und sieht sich immer wieder zu fast übergangslosem Neubeginn gezwungen. Schwerlich gibt es einen Dichter, der auf jeder Zeile so viel unerwartete Klänge anhebt, so viel brüske Wendungen einschlägt. Nichts freilich in festem Umriß, ..wenig in Goethes kräftig beschaulicher Tiefe, nichts im qualvollen, verzückten Verzehrtwerden Dostojevskijs. Gleichwohl splittern nicht etwa bloße Impressionen, Netzhautbildchen vorbei. Blitzlichter leuchten in das Dunkel, vor welchem das Leben der Menschen sich vollzieht. Der große Haufe, welcher mit der Losung *clarté* die Forderungen seiner weltläufig kulanten Oberflächlichkeit bemäntelte, überhörte den gedanklichen Gehalt dieser Werke, in welchen die Behauptung des Menschen gegenüber dem Nichts gestaltet wurde. Mallarmé war der einzige unter den „Symbolisten", der zugleich als Dichter und als Denker eine neue Welt erschuf. Fehlte es seiner Feder an Fülle, so blieb es doch ein Schreiben unter dem Diktat der Musik .. verfeinert durch die vier Hauptbegabungen seines „être spirituel", welche er selber 1864 im *Symph. litt.* I A namhaft machte: „Le trésor profond (B: *le trésor*) des correspondances, l'accord intime (B: *l'arabesque accord*) des couleurs, le souvenir du rythme antérieur, et la science mystérieuse (B: *la science*) du Verbe." Im französischen Schrifttum half er weiterführen, was im deutschen mit den „Romantikern" begonnen hatte. Nach Victor Hugos ungeheuerlichem Verschleiß an großen Worten, Bildern, Allegorien fiel ihm die Aufgabe zu, eine Reinigung, einen Aderlaß zu vollstrecken. Seine Kunstgestaltung entsprach einem zur Rüste gehenden Zeitalter: sie ist nicht mehr zu Ende geformt, nur noch angedeutet für jene, die nichts als aufgerufen und erinnert zu werden brauchen. *Rêve.* Und nicht: schöner Besitz. Ohne den Stil sind auch viele Themen unvorstellbar. Man gedenkt jener Träumerei von der unbekannten Geliebten, verschwiegen wie im Kelch einer Seerose. Oder der ungeahnten Blume im Nirgendwo, „l'absente de tous bouquets". Der verbrannten Brust der antiken Amazone. Des funkelnden

Widerscheins der Sonne im goldroten Abendgewölk, auf dem rotblonden Frauenhaar.

Einen Namen für diese Kunst kann es nicht geben. Sie wurde wirksam bei jungen Menschen vor allem darum, weil, der sie schuf, begeisternd und mit einer feinen unübersetzbaren Ironie sie gelebt hat. Fernstehende mochten ihn für ein blutloses Schemen halten, während Camille Mauclair ihm sagte: „Der lebendige bewußte Mensch, der einzige, der kein Schatten ist, sind Sie."[1] Andere nannten ihn den Jugendfremden, aber der führende Gedankenlyriker der nächsten Generation, Paul Valéry, verstieg sich einmal zu den Worten: „Wissen Sie, fühlen Sie das, daß in jeder Stadt Frankreichs ein heimlicher junger Mensch ist, der sich in Stücke hauen ließe für Ihre Verse und für Sie?"[2] Vierzehn Jahre nach seinem Tod, vor den hundert Teilnehmern des Mallarmé-Festes, sagte Viélé-Griffin: „die Wärme seiner Flamme fühlen wir in unseren Herzen", und in seinem „Valvins 1931" unterzeichneten Gedicht *Anniversaire* bezeugte er die Wahrheit des Glaubens an die Schönheit und große Lebensliebe, an Freude, ewige Überraschung, Abendröte.. Der Mensch Mallarmé mit seinem verhaltenen Stolz und Adel, seiner Bescheidung und friedlichen Stille, seiner Symbolsicherheit und Intuition, seiner erlesenen Schlichtheit, seiner innigen Freundestreue und heiteren Schwermut, seiner Hoheit und „unbeugsamen Sanftmut" – diese edelste Dichterpersönlichkeit der Zeit prägt sich noch einmal aus in einer kleinen, winzigen Geste, die Cazals am Totenbett Verlaines beobachtete. Mit prunkvollen Kränzen war die Leiche des „Armen Lélian" umhäuft worden, mit üppigen Gewinden und Palmen. Mallarmé aber kam und brachte einen Strauß Veilchen. Wahrhaftig, wie hätte man um den toten Verlaine, gerade ihn, anders trauern können als mit Veilchen! Diese gediegene Ungewöhnlichkeit im Gewöhnlichen, bewußte Anmut und unbewußte Würde, hat Mallarmé gelebt, integer vitae. „Seine Herzensgüte war ganz ungewöhnlich. Wollte man all die Wohltaten aufzählen, die dieser hervorragende Mensch auf seinem Lebensweg mit wahrhaft apostolischer Einfachheit und Heimlichkeit gesät hat, könnte man ganze Bände damit füllen."[3]

Gedenkt man des Dichters jetzt, kaum hundert Jahre nach seiner Geburt, so wird wohl gerade in manchen Älteren sich etwas gegen diese Verse aus der Stille auflehnen, weil sie sich sagen, daß ihr Zeitalter ein anderes wurde und daß sie dem Erbe dieses Meisters mehr verbunden sein mögen, als ihnen lieb ist. Die Jüngeren werden ihm ruhiger ins Auge blicken und vielleicht nicht vergessen, was Paul Valéry einmal sagte:[1] „Wie grundlegend ist diese Frage Mallarmé! Die Tatsache Mallarmé, diese Tatsache, die eine einzelmenschliche war, die sich zunächst in einem diamantengleichen Gewissen vollendete; die sich dann den reinsten Geistern unserer Generation aufzwang; die unbestreitbar geblieben ist, die nicht verneint, vernachlässigt, akzeptiert werden kann.. Jeder von uns hat, so gut er konnte, sich mit diesem Wunder abgemüht und in gewissem Sinn mit dem nämlichen Gott, der in uns seine Wohnung genommen hat. Es gibt nichts Außergewöhnlicheres in der ganzen Geschichte des Schrifttums.‟

Wie jeder Zeit, so ist auch jedem Volk verstattet, an einem Großen verwandte Züge vernehmlich zu machen. So fand das tiefsinnige Märchen des Novalis von Rosenblütchen sich durch Mallarmé neu begriffen. Es ist vielleicht kein Zufall, daß in der Lobrede auf Mallarmé, die einer der Dankbaren, Stefan George, niederschrieb,[2] gerade das Bekenntnis zum Garten des Reinen und des Ewigen wiederkehrt. „Deshalb, o Dichter, nennen dich Genossen und Jünger so gerne Meister, weil du am wenigsten nachgeahmt werden kannst und doch so Großes über sie vermochtest, weil alle in Sinn und Wohlklang nach der höchsten Vollendung streben, damit sie vor deinem Auge bestehen, weil du für sie immer noch ein Geheimnis bewahrst und uns den Glauben lässest an jenes schöne Eden, das allein ewig ist.‟

ANHANG

MATERIALIEN UND QUELLENSTUDIEN

EINLEITUNG

3 ¹ Edward Bullough (British Journal of Psychology, 1912, 1921). Ebenso in Spanien Ortega y Gassets Aufsatz *Musikalisches*, mit einem Ausblick auf die einseitig „konstruierte Kunst" als Spiegelung unserer Gegenwart.

3 ² Beides auch bei L. de Lisle (*Les élégiaques sont des canailles* usw.). Das Erbaulich-Tugendsame als das Unpoetische, wie auch die Unvereinbarkeit des Schönen mit dem Praktisch-Nützlichen, wurde eine der drei hauptsächlichen Thesen in E. A. Poe's Vortrag vom Nov. 1848, *The Poetic Principle*. In Richtung auf Schopenhauer schloß sich daran Baudelaire an (der 1846/47 die ersten französischen Poe-Übersetzungen las) mit seiner Polemik gegen V. Cousins Ansicht, das Schöne, Wahre und Gute seien unfehlbar *eines* (im *Gautier*-Aufsatz). – Bald fand auch der junge Nietzsche sein Lieblingsthema, wonach in der *Kunst* und nicht in der *Moral* die metaphysische Wesenheit des Menschen beruhe. Bis Nietzsche dann, im 3. Buch seines *Willens zur Macht*, des dekadenten und lebensunfähigen Possenreißens im „Artisten-Evangelium" gewahr wurde; „nur Narr! nur Dichter!" Nun entdeckte er für sich, wie Mallarmé, die Einsicht in das mythische Wesen des Dichtens.

4 ¹ Zu ihnen gehört Poe, der als erste These seines *Poetic Principle* gegen das breite Eloquenz-Gedicht die Forderung kurzer, kondensierter Gedichte erhob; sie können nur zerbrechliche Gefäße für das Schauen des Schönen sein, und das Schöne wird immer nur bruchstückhaft und fließend wahrgenommen. – Die romanische Neigung war mehr zu dem gegangen, was Nietzsche (*Fröhliche Wissenschaft*) die „Kunst vor Zeugen" nennt, im Unterschied zur „monologischen", welche die Umwelt vergißt. – Sobald erwartet wird, daß die Phantasie des Lesers sich einiges hinzudenke, kommt es zur Abkehr vom Langgedicht. So auf der frühesten Stufe der japanischen Lyrik; so auch in den Natur-Epigrammen des jungen Goethe, – zur Verteidigung derjenigen des schwäbischen poeta minor Karl Mayer schrieb einst Lenau seinen Aufsatz *Über kurze Gedichtgattungen.*

4 ² Im besonderen Letourneur, Saint-Martin und Chassaignon. Über diese Gruppe: Wais, *Das antiphilosophische Weltbild des französischen Sturm und Drang 1760–1789*, Berlin 1934.

5 ¹ *frisson* (Brief an Baudelaire, im Vorwort von dessen *Gautier*-Schrift). Der Ausdruck *frisson* wurde derart literarische Modesache, daß Henry Becque in einem Gedicht sich über diese Erschauernden und Fröstelnden lustig machte (*Le Frisson*, 1884). Vgl. Mall.'s *Frisson d'hiver*. – Seiner

Verzweiflung gab Baudelaire eine Wendung ins Mutwillig-Absichtliche:
„J'ai cultivé mon hystérie avec jouissance et terreur" (*Journaux intimes*).

6 [1] Zur Wirkung Mall.'s auf Dichter in England (darüber bereitet
Mariana Thompson eine Arbeit vor, laut Times Liter. Suppl., 9. 3. 1951),
Amerika, Belgien, den slawischen Ländern usw. Näheres in Wais, *Mallarmé*, München [1] 1938, 3 f., 521 f.; dort Äußerungen außerfranzösischer
Dichter, und Angaben über die Mitglieder der *Société Mallarmé* (seit
1923) und der *Académie Mallarmé* (p. 458). Vgl. seither Forst de Battaglia, *L'Académie Mall.* (Boekenschouw, Amsterdam 30, 1940, 534 ff.);
G. Davies, *St. Mall.*, *Fifty Years of Research* (French Studies 1, 1947);
M. Luzi, *Mall. e la poesia moderna* (Rassegna d'Italia, Sept. 1949) und
das Mall.-Sonderheft der belgischen *Cahiers du Nord* (1949, Nr. 2/3).

6 [2] Vgl. die Ausführungen von E. Wilkinson (in: *Forschungsprobleme
der vergleichenden Literaturgeschichte, Internationale Beiträge*, ed. K.
Wais, Tübingen 1951).

7 [1] Gide, *Souvenirs littér. et problèmes actuels*, Beyrouth 1946 (Publ. de
l'Ecole supér. des Lettres de Beyrouth I), p. 26.

9 [1] Nouvelle Revue Franç. 18, 1922, 200 f. Vgl. Thibaudet, *La Révolution des Cinq* (Revue de Paris, 15. 8. 1934).

9 [2] Beispiele aus Erklärern gab ich im Archiv f. d. Stud. der neueren
Spr. 170, 1937, 259. Ein neuestes Zeugnis ist die Schlußerkenntnis von
Jacques Schérer (*L'Expression littér. dans l'œuvre de Mall.*, Thèse, Paris
1947, p. 263), Mall. habe über seinen „réflexions sur la poésie" alles andere vergessen und eigentlich gar nicht gelebt, oder doch nur „ein
banales Gefühlsleben zwischen einer Gattin, die er sehr schnell nicht
mehr liebte, und einer Geliebten, die ihm nahelegte, sich auf eine ‚amitié
monotone' zu beschränken". Schérer nahm (trotz seines Hinweises von
1939 auf mein Buch: „on ne saurait désormais étudier Mall. sans utiliser"
etc.) keine Kenntnis von dem hier eingeschlagenen Weg; Svend Johansen
(*Le Symbolisme, Etude sur le style des symbolistes franç.*, Kopenh. 1945,
377 S.) schrieb zu dem Mythus, durch welchen Thibaudets Buch geprägt
sei: „Thibaudet porte la plus lourde partie de la responsabilité de cette
allégation qui a été reprise par plusieurs interprétateurs subséquents",
und er sei darin seit 1938 „réfutée, surement avec raison". Zu jenen
Thibaudet-Nachfolgern vgl. unten Fußnote 447[1], 551[2], 600[2], 644[3] und
(radikal: Interpretation Grubbs) 659[2]; zu *Hérodiade* als angeblichem
dichtungstheoretischem Erlebnis Mall.'s: *Mall., Poesie*, trad. Elisa
Michel Frisia, Milano 1946, p. XIV. Noch für W. Günther (Deutsche Vierteljahrsschr. f. LitWiss. 1949, 24) „sind die Motive der vier
Hauptwerke Mall.'s (*Hérod., L'Apr., Prose, Coup*) solche des schöpferischen Vorgangs, der Form". – Ein Zeugnis, daß es bei Mall. (ebenso wie

bei Rimbaud!) keine Inhalte gebe und er also zur sogenannten „absoluten Poesie" gehöre.

10 [1] An A. Gide, Frankfurt 27. 1. 1913 (Claudel-Gide, *Corresp. 1899 bis 1920*, P. 1949). Für seine *Elegien* soll Rilke erwogen haben, *Absence* als französisches Wort zu verwenden.

10 [2] Louis Lefebvre, *Charles Morice*, Paris 1926, p. 214.

10 [3] *Mall. chez lui*, 1935, 62 f. Dazu auch A. Mockel (Wais, *Mall.* [1] 1938, 458).

11 [1] „O verlerne die Zeit, daß nicht dein Antlitz verkümmere und mit dem Antlitz dein Herz" (Hans Carossa). Der Kommentar zu diesem Wort auf der zweitletzten Seite von Wilhelm Kamlah's Werk *Der Mensch in der Profanität* (Stuttgart 1949), einem wesentlichen philosophisch-theologischen Beitrag aus dem Nachkriegs-Deutschland, dürfte für das Verstehen von Mall.'s Dichtung Brücken schlagen.

11 [2] *Message du Symbolisme*, 1947, 166 f. Bezeichnend für dies Lebenswerk sei das „aboutir finalement au tragique aveu d'impuissance: Jamais un coup de dés n'abolira le hasard" (p. 192; genau so Carlo Bo, *Mall.*, Milano 1945, p. 175).

12 [1] *Variété II*, P. 1924, 230. Bezeichnend für die Macht des Schlagworts, daß der Übersetzer Ellis (p. 43) von sich aus ein *infertile* einsetzte.

12 [2] Léop. Dauphin, *St. Mall.* I (L'Hérault, 21. 2. 1912).

12 [3] *Über ein Sonett Mall.'s* (Festschrift E. Tappolet, Basel 1935, 271).

13 [1] H. de Régnier, *Figures et caractères*, Paris 1901, p. 70.

13 [2] Bei H. Mondor, *Vie de Mall.*, Paris 1941/42, p. 590.

13 [3] P. Pretzsch ed., *Cosima Wagner und H. St. Chamberlain im Briefwechsel, 1888–1908*, Leipzig 1934, 362 (Wien, 15. 1. 1893); Cosima hatte Mall.'s Gedichte in Händen gehabt, aber „nicht genau genug hingesehen" (an Chamberlain, 18. 11. 1893).

14 [1] Gide, *Souvenirs littér.*, Beyrouth 1946, p. 25–27.

14 [2] Valéry, *Deux lettres inéd. à A. Thibaudet* (Fontaine, 6, 1945, Bd. 8 p. 569). Einzig B. Croce (Quaderni della Critica, Nr. 16, 1950, p. 59) beharrt darauf, Mall.'s menschliche Größe zu bestreiten.

15 [1] Vorwort zu *Propos sur la poésie*, Monaco 1946, p. 2.

16 [1] Vgl. Wais, *Goethe und Frankreich* (Deutsche Vierteljahrsschr. f. LitWiss. 23, 1949, 483); namentlich Franz Schultz verdankt man den Einspruch gegen die einseitige und verhängnisvolle Auseinanderreißung der „Klassik" und „Romantik" in der deutschen Literatur (von A. W. Schlegel bis Fr. Strich). – Zur „Romantik" darf man das Vertrauen

rechnen, daß (im Gegensatz etwa zur Meinung des Ästhetikers Baum-
garten, 1735) dem ästhetischen Erkennen, trotz all seiner sinnlichen
Verworrenheit, Einsichten zuteil werden können, welche der Vernunft-
erkenntnis letztlich ebenbürtig sind. Schwarmgeistig durch Sweden-
borgsche Züge pointiert lautete denn die dritte Hauptthese in Poe's
Poetic Principle: aus der „rhythmical creation of beauty" eines Gedichts
erhalten wir die Schönheit als ein Mittel für die spirituale Erfassung
einer weitergespannten Schönheit, derjenigen des geistigen All. Den
Dichtungsbegriff „antérieur à un concept" (an Ch. Morice; *Propos* 164)
lobte an Poe gerade Mallarmé. Beider Drang zum Unheimlichen ist unbewußt und „existentiell" letztlich ein Drang zum Ontologisch-Existen-
tialen, hindurch durch die *Angst* als eine Grunderscheinung des Daseins.

16 [2] Dazu Wais, *Die Entfremdung der deutschen und franz. Lyrik im
19. Jahrh.* (Universitas 4, 1949, 153 f.). Elfenmythen der dänischen
Folkevise fanden erstmals in L. de Lisle's *Poèmes barbares* Eingang.

17 [1] Psychoanalytiker sind gebeten, dies nicht in dem Sinne mißzuverstehen, in dem bereits Baudelaires Gedicht *La Vie antérieure* sich
eine Deutung als Leben im Mutterschoß (mit *Oepiduskomplex* usw.) gefallen lassen mußte.

18 [1] Jouve, *Mall.* (im Sammelband: *St. Mall.*, *Essais et témoignages*,
Neuchâtel 1942, p. 27).

19 [1] Ansätze zu solchen Amüsements „avec le seul génie" enthält
schon das Experiment der erkältenden „romantischen Ironie", – wie
auch Fichtes Ablösung des Ich von der Wirklichkeit des Nicht-Ich. Ein
Nährboden war sodann stets das weltfeindliche Mißtrauen vor dem
Seelisch-Natürlichen, z. T. sogar bei Flaubert („Inspiration? Sie besteht
darin, daß man sich täglich zur gleichen Stunde an den Schreibtisch
setzt") oder bei dem Maler Hans von Marées („Das Gefühl darf nicht
mitsprechen, wo es sich um den Bau einer Erscheinung handelt. Das
emotionelle Erlebnis ist keine Quelle der Kunst", nach Pidoll). Eine
letzte Konsequenz sind die *gelenkten* Träume, die vor dem Einschlafen
gezüchteten Assoziationen einiger neuerer Dichter: so stützte sich André
Breton (*Les vases communicants*) auf die *Observations pratiques* des Marquis d'Hervey de Saint-Denis.

19 [2] *Hugo posthume* (Figaro, 26. 5. 93). „Terrible et délicat" nannte
Mall. diesen Aufsatz (an Rodenbach, Mai 1893; *Corr. inéd. Mall.-Roden-
bach*, Genf 1949). Vgl. auch Claudel im Gespräch: „Poe und Baudelaire
sind die beiden einzigen modernen Kritiker" (bei Gide, *Journal*, 1. 12. 05).

19 [3] Baudelaire verwahrte sich sogar gegen Poe. Wenn einerseits mit
der Inspiration ein Lebtag getrieben worden sei, „autant Edgar Poe,
l'un des hommes les plus inspirés que je connaisse, a mis d'affectation
à cacher la spontanéité, à simuler le sang-froid et la délibération". Diese

Erkenntnis ist doppelt denkwürdig gerade bei Baudelaire. Denn ihn schied ja seine Schwermut, „die Krankheit unserer Zeit" (Kierkegaard, 1843; vgl. W. Rehm, *Experimentum medietatis, Studien z. Geistes- und Lit.gesch. des 19. Jahrh.*, München 1947) nicht nur vom *Parnaß*, sondern auch vom „Romantismus"; und seine „antipassionalistische" Kunstlehre hat hier ihre Wurzeln, wie G. Macchia (*Baudel. e la poesia della malinconia*, Napoli 1946) einleuchtend zeigte. Dennoch aber war Baudel. unfanatisch genug zu wissen, daß Dichtung „enlèvement de l'âme" ist. Hätten doch Nietzsche in *Menschl. Allz.* § 155/56, wie auch manche neuere Sonettisten voll Formaberglaubens, das Baudelaire-Wort erwogen (*L'Ecole païenne*): „Le goût immodéré de la forme pousse à des désordres monstrueux et inconnus"! Die richtige Mitte gibt Goethes Meinung, die Poesie sei, sowenig sie reine Rede sei, auch nicht reine Kunst, „weil alles auf dem Naturell beruht, welches zwar geregelt, aber nicht künstlerisch geängstigt werden darf; auch bleibt sie immer wahrhafter Ausdruck eines aufgeregten, erhöhten Geistes, ohne Ziel und Zweck. . . Der Gehalt entspringt freiwillig aus der Fülle seines Inneren . . . die Form, ob sie schon vorzüglich im Genie liegt, will erkannt, will bedacht sein, und hier wird Besonnenheit gefordert, daß Form, Stoff und Gehalt sich zueinander schicken, sich ineinander fügen, sich einander durchdringen" (*Noten zum Diwan*).

21 [1] Vgl. z. B. Gertrud Sattler, *Das deutsche Lied in der franz. Romantik*, Diss. Bern 1932; E. Duméril, *Le Lied allemand et ses traducteurs franç.*, Thèse.

21 [2] *Le Mystère et les Lettres.* Diese Stelle und die andern, der Zufall habe nur vorgetäuscht (feint) und befriedet (apaisé: *Toast*, V. 33) im Kunstwerk Platz, stehen nach Meinung von Beausire (*Mall., Poésie et poétique*, Lausanne 1949, p. 68) mitsamt dem *Igitur* im Widerspruch zum *Würfelwurf*-Gedicht; es gehe im *Igitur* und *Coup*, wo so oft von *hasard* die Rede ist, um ein Kapitel von Mall.'s theoretischer „Ästhetik" (p. 1 bis 73), um eine Erhebung der Dinge vom Werden und der Fatalität zum Sein des vollkommenen Kunstwerks (p. 71, 79). Dagegen Anm. 9 [2].

21 [3] Beausire, *Mall.* p. 162 (dort irrtümlicherweise auf den *Coup* eingegrenzt).

22 [1] Valéry selbst kam nicht darüber hinaus, Wagners Leitmotive mit einem Finger zu spielen. Später spielte seine Frau (die einzige, die im Haus ihrer Tante Morisot nicht malte) ihm die Partituren auf dem Klavier. Zur ersten Amfortas-Szene: Valéry, *Pièces sur l'art*, 1932, p. 140f.

22 [2] Vgl. auch M. Blanchot, *Mall. et le langage* (L'Arche 3, 1946, 134f.).

23 [1] Vgl. E. Jaloux (*St. Mall.*, Journal de Genève, 8./9. 8. 42) über das „relèvement du niveau intellectuel de la France, de 1900 à 1940. Pendant la seconde moitié du XIXe siècle, ce niveau était extrêmement bas. La presse et l'opinion publique s'y sont montrées lamentables. Ce sont les petites revues du symbolisme, le *Mercure de France*, la *Plume*, la *Revue blanche* etc., qui ont préparé ces générations nouvelles, auxquelles on doit un élargissement imprévu de l'esprit. . . Le succès d'un périodique comme les *Nouvelles Littéraires* eût été impossible en 1860 ou en 1890".

23 [2] 24. 10. 1890 (H. Mondor, *L'Heureuse rencontre de Valéry et Mall.*, Lausanne 1948, p. 43).

24 [1] *Deux lettres inéd. à Thibaudet* (Fontaine 8, 560).

24 [2] Ebd. p. 558ff. Valérys Mall.-Bild wurde einseitig, weil er das, was er später an Rilke entdeckte, als junger Mann bei Mall. nicht erfaßt hatte: „Ich liebte Rilke und durch ihn hindurch Dinge, die ich auf direkte Weise nicht liebe, jenen dunkeln und fast unbekannten Tiefenraum der Versonnenheit, den wir mit unbestimmten Worten bezeichnet haben, wie Mystizismus, Kunde von Vorzeichen des Schicksals, Ahnungen, innere religiöse Stimmen, vertrauliche Eröffnungen ferner Dinge – die zuweilen denselben Charakter haben wie weibliche Vertraulichkeiten. Alles das, was ich vom Dasein nicht wußte, oder was ich entschlossen verspottete, bot Rilke mir in entzückender Weise dar" (bei M. Rychner: *In memoriam R. M. Rilke*, Privatdruck Zürich 1927).

25 [1] Rud. Kassner, *Erinnerungen an Paris* (Merkur 1, 1947, 851).

25 [2] Vom „peintre" (P. Beausire, *Essai sur la poétique de St. Mall.*, Lausanne 1942, p. 161).

27 [1] A. Rousseaux, *Le Monde romantique*, und in: Figaro littér. (11. 9. 1948). Ähnlich versteht er *Hérodiade* noch immer als „l'hymne de la stérilité parfaite" (1948), obwohl die Dichtung gerade den Zersetzungsprozeß der Reinheitshybris und des Virginalismus schildert. Immerhin tritt Satan dort eher ins Spiel; vgl. das *Hérodiade*-Kapitel in M. Praz *La carne, la morte e il diavolo nella letter. romant.*, Firenze[3] 1948, 316ff.

27 [2] „angélisme" (J. Starobinski: Les Lettres 3, 1948).

27 [3] An A. Gide, 19. 1. 1896 (Gide-Jammes, *Corresp. 1893–1938*, P. 1948).

28 [1] Vgl. die Vorrede von Achim von Arnims *Kronenwächtern* (1817): „Die Leidenschaft gewährt nur, das ursprünglich wahre menschliche Herz, gleichsam den wilden Gesang des Menschen zu vernehmen; und darum mag es wohl keinen Dichter ohne Leidenschaft gegeben haben. Aber die Leidenschaft macht nicht den Dichter . . ." usw.

28 [2] Vergleich von *Apparition* mit den Schlußversen des *Toast*: Milner, *Gongora et Mall.* (Esprit Nouveau, Dez. 1920, p. 291).

28 [3] 1835 begegnet der Ausdruck äußerlich in Frankreich: „C'est toujours un bonheur quand les hommes qui ont le don de la Muse, reviennent à la poésie pure, aux vers" (Sainte-Beuve über Hugos *Chants du crépuscule*).

28 [4] Ihre „göttlichen" *Huit femmes* (1845) schickte er im Mai 1867 an Lefébure. Später dankte er Montesquiou, der entscheidend für Marcelines Verse eintrat (RHLF 47, 1937, 560).

28 [5] Valéry, *Mallarmé* (Le Point 5, 1944, p. 8).

31 [1] Auch zeigen die Sonette am Beginn der Sestine jetzt gern das willensmäßig betonte *Non!* (Quelle soie, u. ö.), an Stelle des älteren *Mais*.....

31 [2] „Es scheint, daß das durch sein Werk erregte Interesse blässer wird gegenüber dem, das durch sein Drama erregt wird" (Rousseaux: Fig. litt., 11. 9. 1948). Oft irreführend wird bei Mißachtung der Chronologie der Erlebnisparallelismus, in welchen J. Gengoux (*Le symbolisme de Mall.*, P. 1950) Briefe und Gedichte hineindrängt.

32 [1] Vgl. A. Billy, *Chez les poètes* (Mercure, 303, 1948, 202f.).

33 [1] Vgl. das Mall.-Kapitel des Psychiaters Dr. Jean Fretet, *L'Aliénation poétique*, P. 1946.

33 [2] Journal de Genève, 8./9. 8. 1942. Ebenda Hinweis von Jaloux auf Wais, *Mall.* (21./22. 11. 1942).

34 [1] Bei Noulet und Gengoux überreichlich. In vertraulichen Zeitschriften (Quo vadis, usw.) versuchte sich Ch. Chassé an solchen Deutungen (*L'Erotisme de Mall.*; Cahiers de la Lucarne, März 1949, 1 u. ö.). Mondor wendet sich jetzt gegen solche Annahmen, etwa einer inzestuösen Neigung (*Hist. d'un faune*).

34 [2] Zuletzt Gardner Davies, *L'esthétique de Mall.*, Thèse I, Paris 25. 2. 1946, und J. Gengoux, Thèse II: *Le Symbolisme de Mall.*, Paris 17. 6. 1950.

34 [3] „Mall. ne variant guère le sens de ses vocables", ein Dogma für Gengoux (*Symbolisme*, 1950, 62) und G. Davies (*Les Tombeaux de Mall.*, P. 1950), würde bedeuten, daß *rêve, désastre* usw. jedesmal die gleiche Bedeutung hätten (Gengoux, p. 55, 196), daß *nixe* „immer" den Sinn *Jungfrau* besäße (p. 57), ebenso *passants* (Davies, *Tomb.* p. 38) usw. Daß die Krücke der Synonymen-Hypothese unzuverlässig ist, zeigen Beispiele in Wais, *Psychologie des dichterischen Wortschatzes* (Archiv f. d. Stud. der neueren Sprachen 172, 1938, 188f.) und *Mall.*[1], Anm. 110[2] (jetzt *163*[1]).

34 [4] *Les mots anglais* enthalten grüblerische Ursinn-Deutungen für 15 Einzelkonsonanten und 20 Konsonantenpaare; daß die Urlaute ihre „pureté primitive" durch die Sprachgeschichte einbüßten, konnte Mall. in der *Note sur la philologie appliquée* (Paris 1865) des Anglisten

Emile Chasles finden, der ihn durch seinen Einfluß (Mall. an Mistral, 30. 7. 1870) in seiner Lehrerlaufbahn förderte; vgl. J. Schérer, *L'expression littér.* 1947, p. 157. Vokale hatten dagegen nach Mall.'s Meinung nie einen alten Sinngehalt.

AN DER SCHWELLE DES LEBENS

I. VERLORENES PARADIES

39 [1] Im selben Jahr 1842 lernte Baudelaire auch, bei Louis Ménard, Leconte de Lisle kennen.

40 [1] In der Gedenkschrift zum Mendès-Bankett von 1897. Vgl. meine Bemerkungen zu R. Bray, *La préciosité et les précieux*, P. 1948 (Herrigs Archiv 187, 1950, 86 f).

41 [1] Je louerai bientôt de tout mon cœur . . Incomparable avec d'exquises arabesques . . Cette glorieuse vitrine . . Ces pièces uniques . .

41 [2] Maurice Souriau, *Histoire du Parnasse*, P. 1929, p. XLIII.

41 [3] Die biographischen Angaben nach: *Tagebuch* der Goncourt; Régnier, *Faces et Profils*, P. 1934, p. 83 f. (z. T. wiederholt bei H. Fabureau, *St. Mall.*, P. 1933, und bei A. Reyes, *Culto a Mall.*, in ,,Sur'' vom Juli 1934, Buenos Aires IV, 114 f.); Grande Encyclopédie; P. Margueritte, *Les pas sur le sable*, 1906; H. Mondor, *Vie de Mall.*, 1941/42; P. Marois, *Les premiers vers de Mall.* (Gazette des lettres, 18. 9. 48).

43 [1] Brief von Frau Desmolins, Gattin des Chef de l'administration de l'Enregistrement et des domaines (vorher zehn Jahre aktiver Soldat) André-Marie-Léger Desmolins (1788–1865), 20. 11. 1864 (Mondor, *Vie*, p. 148).

43 [2] Cazalis, 1863 (Mondor, *Vie*, 86).

43 [3] Victor Mall., ein rauher Hauptmann der Fremdenlegion, ging in den militärischen Verwaltungsdienst über, war nacheinander Intendant in Constantine, Rouen, Alger; bei Magenta verwundet, wurde er 1863 Generalintendant in Paris und zog sich im Alter nach Moustapha bei Alger zu seiner einzigen Tochter Eudoxie-Victorine zurück, geb. 1838, Frau des Oberstleutnants Auguste Margueritte, geb. 1823. Diese verbrachte im August 1862 einige Wochen in Sens bei Numa Mall. Vgl. P. Margueritte, a. a. O. Victor richtete Briefe an den kleinen Stéphane.

44 [1] Knapen, Syndikus der Buchhandelskammer unter Ludwig XVI.; ein anderer schrieb Verse in Musenalmanachen und Damenkalendern; einem dritten, Edouard Magnien, Verfasser des Schauerromans *Mortel, ange ou démon*, begegnete Mall. als Knabe (an Verlaine, 16. 11. 85: in L'Intermédiaire des chercheurs et curieux, vom 10. 9. 1906, und als

„Autobiographie", P. 1924). – Herleitung Mall.'s aus seinem Nordeuropäertum („une nature du nord") in einem Aufsatz A. Thibaudets (NRF 30, 1928, 95f).

46 [1] Paul et Victor Margueritte, im Echo de Paris, 17. 9. 98, und des letzteren *Souvenirs sur Mall.*, in *Marianne*, 24. 6. 1936.

47 [1] Mauclair, Nouvelle Revue 115, 1898, 437, sowie in *Servitude et Grandeur litt.* (desgl., *M. chez lui*, 1935, p. 82).

47 [2] M. Heidegger, *Sein und Zeit*, Tübingen[6] 1949, p. 189, im Sinn einer Einkehr zum „innerweltlichen Seienden" und einer Abkehr von dem alltäglichen „Besorgen". Auch Mall.'s Wunsch, nicht gezeugt und geboren zu sein, mag mit dieser Furcht, durch ein sicherndes *Zuhause*, durch ein „Man" festgelegt zu werden, verbunden sein.

47 [3] A: une tartine de fromage blanc, les lys ravis, la neige, la plume des cygnes, les étoiles, et toutes les blancheurs sacrées des poètes.

48 [1] Die lyrische Wertlosigkeit Bérangers und anderer Chansonniers entlarvte später am vernichtendsten Jean Ajalbert (vgl. dessen *Mémoires en vrac*, 1938, 315f.).

49 [1] An Maria, 20. 4. 57 (Mondor, *Mall. plus intime*, P. 1944).

50 [1] H. Mondor, in: La Nef, 1945, p. 98. Die Handschrift ist in der Obhut von Mmes Souclier und Jaudin.

53 [1] Diese Auffassung seither auch bei Ch. Mauron (*La mort de sa jeune sœur Maria a-t-elle été l'un des ressorts de son inspiration?* in: Figaro litt. 10. 4. 1948; ders., *Psychanalyse de Mall.*, 1950, p. 14ff.) und bei Gengoux (*Symbol.*, 1950, p. 235).

56 [1] In *Fleurs*: *Mon Dieu* und *ô père* durch *mère*; in *Symph. litt. I* das schöne *équilibre par lequel je me perds en la divinité* durch (B) *qui me perd en ma divinité.*

56 [2] Für alle nachfolgenden Hinweise Beispiele in Wais, *Mall.*,[1] 1938, p. 460.

57 [1] Die Form der Frage gleichzeitig in Banvilles verwandtem Gedicht *Le cher fantôme* („juin 1840"; am 31. 8. 1860 in Revue Européenne): „Wie, all diese Schönheiten sind fortan nicht mehr? Wie, sie sollen als welker Rest unter dem Rasen begraben werden! Auch Banville tröstet sich im Gedanken, ihre schöne Seele werde unvergänglich bleiben."

58 [1] Über die Beziehung zu Banvilles *Les Roses*: Wais, *Mall.*[1], 1938, 460.

59 [1] Zu der Stelle „her highborn kinsmen" in Poe's *Annabel Lee* fragt Mallarmé: „Ist hier die Rede von den Engeln, welche dem Liebenden seine Braut neideten; einleuchtende Vermutung" (Scolies). Verwandt scheint mir das in der *Muse française* gepriesene Gedicht von Ulric Guttinguer, *L'Enfant malade*, 1824, in dem Alexandriner mit 8- und 10-Silbnern wechseln. „Hier sur nos gazons tu folâtrais encore, Hélas!" . . . ruft G. seiner kranken Tochter zu, warnt sie vor dem *ange triomphant* und ist bereit, ihr in den Tod zu folgen, ungeachtet „de Dieu le regard trop sévère". Sollte sich V. Hugo daran erinnert haben, als er seine Sachette (*Notre-Dame de Paris*) um ihre verlorene Tochter klagen läßt: „je ne veux pas de votre ange"?

61 [1] Zu Bonniot (dessen Notizen ed. H. Charpentier: Les Marges, 10. 1. 1936).

62 [1] Im Sept. 1860 bereicherte sich Mall.'s Bücherei durch Mathurin Régniers Sämtliche Gedichte (ed. P. Poitevin). Jan. 1859 hatte er Mussets *Premières* und *Nouvelles Poésies* gekauft; auch besaß er früh eine Racine-, Chénier- und Sainte-Beuve-Ausgabe sowie Bände von Lamartine, Vigny, Delloye.

63 [1] An Poe's Braut von 1848, Miss Sarah H. Whitman (1803–78). Darum sei ihr Wunsch, seine Übersetzung des *Raven* zu erhalten, für ihn wie ein Ruf aus der Kindheit. „Nicht nur räumlich – das will nichts sagen –, vielmehr im Sinn der Zeit, welche für jeden von uns sich aus den uns am denkwürdigsten erscheinenden Stunden der Vergangenheit zusammensetzt, schien Ihr Wunsch von so weit her zu mir zu kommen! und die bezauberndste Wiederkehr langgehegter Erinnerungen mit sich zu bringen" (nach der engl. Übersetzung bei P. J. Niess, *Mod. Lang. Notes* 65, 1950, 339 f; das Original wird in W. T. Bandy's angekündigter Schrift über das *Tombeau de Poe* erscheinen, zusammen mit neuen Briefen von Swinburne und Ingram).

63 [2] *Annabel Lee*; über die Beziehungen zu Poe und zur *Prose* meine Untersuchung: *Edgar Allan Poe und Mallarmés Prose pour Des Esseintes* (Quellenstudien zu M. II): Zeitschr. für französ. Sprache u. Lit. 61, 1937, 23 f. Zu Lefébure und Poe: P5, p. 1507f.; zu Mall.'s Poe-Übersetzungen ausführlich E. Noulet, *L'Œuvre poétique de St. Mall.*, P. 1940, p. 149–173.

64 [1] *Divagations*, 1922, p. 118 = P5 (Œuvres compl., 1945), p. 520.

64 [2] Vgl. *La voie lactée* (Cariatides); *La lyre dans les bois* (Rimes dorées).

65 [1] Sogar in der Erinnerung an Lieblingsausdrücke von Banvilles Dichtersprache: les pierreries, crinières, l'azur, corolles, gammes, l'orteil, rubis, sylphe, race, auch an das von Banville oft besungene blonde Frauenhaar. – Nachdem Banville ihm im Mai 1864 erstmals geschrieben hatte, versuchte Mall. über ein Jahr lang vergebens, sich dessen Liebes-Odeletten im Ronsard-Rhythmus, *Les Amethystes* (1862), zur Lektüre zu verschaffen (an Lefébure, Juni 65).

66 ¹ Valéry, *Situation de Baudelaire*, Monaco 1924, p. 30.

66 ² Die Nachahmung Poe's durch Baud., welche Mall. nicht ver-
borgen blieb (vgl. Le manuscrit autographe 1, 1926, 10), läßt eine scharfe
Unterscheidung von beider Einfluß auf ihn nicht zu, etwa für sein
Frauenideal. Vgl. A. S. Patterson, *L'influence d'E. Poe sur Baud.* Gre-
noble 1903, p. 62f.; R. Michaud, *Baud. et Poe* (RLC 1938, 671f.); C. P.
Cambiaire, *Influence of Poe in France* (Romanic Review 17, 1926, 323)
und S. A. Rhodes (ebd. 18, 1927, 329). „C'est très beau et très Poe, cela":
Mall. an Rodenbach 15. 4. 91 über dessen *Règne du Silence*. Beausire
(*Essai*, p. 217) hält den Einfluß für unbedeutend: „Poe n'apparaît
qu'un artisan très habile auprès de l'artiste supérieur qu'est Mall."

66 ³ Baudelaire, *L'art romantique*, p. 303.

67 ¹ *Le Tombeau de Louis Ménard*, Paris 1902, p. 23.

II. TÄNDELEI

68 ¹ An Cazalis, London 27. 4. 63 (die Briefe an Cazalis zit. nach:
Catalogue d'autographes . . composant la bibliothèque de Jean Lahor,
Paris, L. Giraud-Badin 1935, sowie nach Auszügen bei E. Henriot,
G. Faure, H. Mondor). Vgl. ferner für das Folgende: Des Essarts, *Souve-
nirs litt. sur St. M.*, Revue française (?), 15. 7. 1899, IV, 441f., und
L'Intermédiaire des Chercheurs et Curieux, 20. 10. 1906, col. 583f.;
Melva Lind, *Un Parnassien universitaire: E. des Essarts*, P. 1928;
Auriant, in NRF 21, 1933, 836f; Bulletin du Bibliophile, 14, 1935, 506f.

69 ¹ Januar 1862 (Mondor, *Mall. plus intime*, Paris 1944).

70 ¹ An Aubanel, Herbst 1864; alle Briefe an diesen: in Revue universelle, 15, 1923, 289; die aus Tournon datierten auch in *Lettres de Mall.
à Aubanel et Mistral*, préf. de G. Faure, P. 1924.

70 ² Über das Blondhaar: C. Soula, *La Poésie et la pensée de St. M.,
Essai sur le symbole de la chevelure*, P. 1926.

71 ¹ Vgl. z. B. Voiture (1598–1648), *Placet à une dame.*

71 ² Ein Jahr, bevor M. diese weibliche Formel des alten konventionel-
len Tornada-Beginns *Prince* (statt *Duchesse* in ᴀ) einsetzte, war sie als
Eingangsformel in einem historisierenden Minnelied des J. Moréas aufgetaucht (*Cantilènes*, 1886), wo der Zwerg *Tidogolain* ebenfalls um die
unerreichbare Liebe seiner Herrin schmachtet.

71 ³ Vgl. das höfischere *nous* statt *moi*; auch ist aus dem Poeten ein
Abbé geworden.

72 ¹ An seine Stelle trat der noch künstlichere Cupido, dem der Dichter
nur deshalb Flügel aus Ballfächern gab, um das Bravourstück der An-

knüpfung an den schon in A vorhandenen Damenfächer zu ermöglichen, der nun wieder rückwirkend Bildhaftigkeit aus dem Cupidoflügel bezieht. – Schon in den Odelettes *A une petite laveuse* und *A un poète* werden Watteau und Boucher genannt.

72 [2] Über Zurückdrängung des Dingworts durch das Eigenschaftswort vgl. p. 487.

72 [3] Zur Beunruhigung des Lesers bricht M. mit Vorliebe die assoziative Hauptbrücke ab; so hier in Fassung B den Begriff *gepudert*. Der gemeinsame Begriff des Flüchtig-Unruhigen etwa (für das Lächeln und die Herde) wäre dem Dichter wohl nicht tragfähig genug erschienen; vielleicht verwandt das *Eloge du Rire* von Mendès (1876), wo das leichte Lachen (auch hier im Pluralis) einer Schönen einem Nest voller Grasmücken verglichen wird.

74 [1] Im Febr. 1865 schreibt Mall., er liebe Des Essarts sehr, ,,seulement par un très grand malheur, je ne puis souffrir sa poésie qui dément tout ce que je pense de cet art". In Des Essarts' *Elévations* störe ihn ,,so viel Grau in Grau und Geschwätz. Sie erscheinen ihm ,,détestables: la pensée lâche, se distend en lieux communs, et quant à la forme, je vois des mots, mis souvent au hasard, *sinistre* s'y pouvant remplacer par *lugubre*, et *lugubre* par *tragique*, sans que le sens du vers change. On ne ressent à cette lecture aucune sensation neuve". Der Adressat, Lefébure, fand dies Urteil ungerecht (an Mall., 2. 3. 65): Des Essarts, der gewiß viel Unleserliches und Plattes bringe, schweife zu viel von der Linie ab, auf der seine Stärke liege. Mall.'s Besprechung der *Elévations* (Dern.Mode 15. 11. 74) enthält wenig und verklausuliertes Lob.

75 [1] Vgl. Mondor, *Vie*, p. 278. Einmal, mitten in allerlei verwirrenden Heiratsplänen, verglich sich Lefébure einer ,,alten Kuckucksuhr, deren Gewichte herunterhängen", die aufgezogen und in Mall.'s Stube aufgehangen werden müßte (an Mall. 25. 3. 70: Table Ronde, Febr. 1951, p. 68ff). Cazalis' Neigung zu Lefébure ging ,,bis zur Narrheit . . Er hat ein Wissen vom Leben und eine Verachtung dafür, die ich gern erwerben möchte". Ihm gegenüber beklagte Lefébure am 30. 12. 71, daß er ihm und Mall. aus Unbedacht Schmerz zugefügt habe, so wie eine Katze, die mit einem am Schwanz hängenden Topf einen Höllenlärm verursache. Für seine Person allzu arm zu einem moralisch-ehelichen Leben, begreife er ohne jeden Groll Mall.'s Standpunkt. – Als Lefébure zwanzig Jahre später seinen zwölfjährigen Sohn verlor, schrieb ihm Mall.: ,,Nous sommes atterrés et sans un mot de consolation . . Tant de solitude, maintenant, dans l'éloignement. Je ne vous dis rien, mais que je vous aime. Un jour nous reparlerons. Votre très vieil ami" (1891; ebd. p. 94f., 70).

77 [1] ,,Mais Ponsard, qui veut qu'on s'ennuie . ." Dieser Dramatiker eines öden ,,Neuklassizismus" ,,reizt mehr als ein anderer meine Galle", heißt es noch dreißig Jahre später in *Solennité*. Auch Villiers pflegte in Nina's Salon parodistisch aus Ponsards Tragödien zu deklamieren.

78 [1] *Vers de Circonstance*, 1920, p. 10 (P⁵, p. 84).

78 [2] An Cazalis 1. 4. 62 (zit. Mondor, *Vie de Mall.*, p. 55).

III. WINDSTILLE

81 [1] *Symphonie littéraire*, II: Ch. Baudelaire. A: 1866, B: 1896.

82 [1] In dessen *Bénédiction* bereits der Reim haine: Géhenne.

83 [1] Gemeint ist Fassung CD, die hier gegenüber AB beweist, daß M. bei seinen Korrekturen keineswegs immer preziöser, sondern oft auch einfacher und wahrer geworden ist. Fassung D, Vers 4, bestätigt das gleiche gegenüber C; vielleicht nachgeahmt in Verlaines Vers „qui va fleurant la menthe et le thym" (*Art poétique*). „Gestern begann ich abzuschreiben; mißvergnügt mit vielen Fehlern im *Guignon* brach ich für eine Weile ab, um dieses Stück im Geschmack von damals neu zu überarbeiten" (27. 4. 87 Mall. an Dujardin).

84 [1] Thibaudet, *La poésie de St. Mallarmé*, P. 1926², p. 249.

84 [2] Sklavisch durch sie beeinflußt die *Guirlande d'or, II* von Michel Abadie (März 1893; in *Le tombeau de Baudel.*, p. 43). Der *Guignon* wurde am 29. 3. 1891 im *Théâtre moderne* durch Fort's *Théâtre d'art* vorgetragen.

84 [3] „O vastes cieux! et là, marchant dans la clairière / Luttant de clarté (vgl. *Guignon* C, 2: en clartés) sombre avec le jour douteux" zieht da die Leidenshorde der verdammten Götter vorüber, und die Eichen ächzen unter den „grands nuages noirs d'où va tomber l'orage" (vgl. C, 4: un noir vent); dort auch der (ebs. in *Ceux qui meurent* u. ö.) quälende Reim *la mer: amer* (vgl. C, 6). Der geißelnde Wind aus C, 5 schon in Banvilles Gedicht *Rouvière* vom März 1866: „Flagellés par le vent de l'Inspiration", und unbestreitbar beeinflußt von dessen Versen auf die *affamés d'idéal*, über deren Stirnen der Wind ächzt (Songe d'hiver, VIII, 1842): „Tremblantes sous le fouet horrible que secoue (vgl. BC, 29) / Le vieux titan Désir, tyran de l'univers, / Et dont le vent cruel souffletait votre joue." Vgl. Baudelaires Vorwort zu Poe's Gedichten: „L'Ange aveugle de l'expiation s'est emparé d'eux et les fouette à tours de bras."

84 [4] Vor dem blutroten Morgenhimmel (vgl. A, 14) über schwarzem Horizont ziehen die Blutenden und Verschmähten in *fierté sauvage* (vgl. A, 2) vorüber; auch *bondir* begegnet in der wirksamen Stellung am Versanfang (vgl. A, 2) bei den *Dieux en exil* vom August 65. Die Mähne der *mendieurs d'azur* wird in den sechziger Jahren bei Banville auffallend häufig: ein Vorbeiritt von Kürassieren, „leurs crinières au vent", spiegelt sich im Abendhimmel „au-dessus des palais ceints de casques d'azur"

(*Malédiction de Vénus*); der Held der *Education de l'Amour* vom Nov.
64 ,,marchant, crinière au vent, sur sa proie abattue", u. ä. Auch Verlaines Gedicht *Grotesques* (P. saturn). ist Nachahmung des *Guignon.*

85 ¹ A. Bertrand und Baudelaires *Bohémiens en voyage*, die Augen
getrübt ,,par le morne regret des chimères absentes", betrachtet R. Gra-
velle als Vermittler (RHLF, 40, 1933, 101).

85 ² *L'âme de Célio*, verfaßt Jan. 1860. Heil entbietet Banville den
hartnäckigen Dämonen und Suchern, die da stolz für eine Kunst leben,
welche man beschimpft. Der Schritt dieser wilden Bettler (mendiants)
und armen Komödianten *bondit sur les rivages*; zerfleischt vom Geier
des Prometheus, verstoßen von der Gegenwart, ringen sie um die
Schönheit ,,faite pour l'infamie, ou bien pour la divinité".

85 ³ *Chacun sa Chimère*; dazu Wais, *Doppelfass. frz. Lyrik*, Halle
1936, p. 27.

85 ⁴ Die erste französische Deutung des Gedichts (Beausire, *Mall.*
1949, p. 85f.) stimmt der meinigen nicht zu: M. habe die stolzen Dichter
gegenüber den Opfern des Pechs als Vorbild des echten Suchens, des
heldenhaften Glaubens, des edlen Muts und als mustergültig aufgestellt.

85 ⁵ So auch Baudelaire, in Banvilles Gedicht auf ihn (1874, Les
Exilés): ,,Savourant lentement cette amère ambroisie" (Vorbild für
Guignon B, Vers 57?). Vgl. G. de Nerval, *Delfica.*

86 ¹ Nouvelle revue française 27, 1926; 521.

87 ¹ Genau so schon 1853 in Barbey's Poe-Aufsatz (1877
wiedergedruckt in *Littérature étrangère*). Als Motto seines Essays wählte
Baudelaire die Verse aus Gautiers *Ténèbres*: ,,Sur son trône d'airain le
Destin, qui s'en raille / Imbibe leur éponge avec du fiel amer, / Et la
nécessité les tord dans sa tenaille." Mall. besaß dies Gedicht seit Dez.1859.

87 ² *Sonneurs de rebec* schon in einem Reim Scarrons. Mall. kannte
Bertrands *Gaspard*: ,,Le ménestrel .. emboucha la trompette avant de
râcler du rebec" (p. 16); dort auch ,,un héraut sonne de la buccine"
(p. 21).

88 ¹ Vgl. Banvilles *Baudelaire*: die Frau schmückt sich in trunkenem
Wahnsinn wie ein leeres Idol, und dann fliehen sie vor dem grauenvollen
Tag, *verfolgt von der gräßlichen Peitsche* der Qualen, die sich entfesseln
,,sur ce couple privé du guide essentiel, / Et cependant mordu par
l'appétit du ciel .."

88 ² B, V. 63 zu Banvilles *Baudel.*: ,,S'abreuvent à longs traits de la
douleur choisie."

88 ³ Ceux qui meurent ... V. La Vie et la Mort.

88 ⁴ Dessen ʻΟ βασιλεύς ῎Ερως (Chants de l'amour et de la mort) zeigt die Liebe als Tyrannen; er „führt und peitscht die Herde der Liebenden" in den Tod hinein, „unter der trüben Unendlichkeit und den düsteren Abgründen". Eine andere *Guignon*-Nachahmung, *La mauvaise réponse*, in der Mall. gewidmeten Sammlung *Soirs moroses* von Abraham Catulle Mendès, wird versöhnlich abgebogen: als die selbstzufriedenen Ruhmesträger zum Paradies emporklimmen, wendet sich der Dämon zu den *Verdammten, Bespieenen, Gemeinen:* „Euch gab ich den Stolz" (4). Von den Unseligen, in denen die *heilige Stimme* jäh verstummt, spricht Hermann Hesses Gedicht *Der Dichter in unserer Zeit:* „Wenn sie in Zweifeln stirbt, stehst du verhöhnt / Vom eigenen Herzen als ein Narr auf Erden. / Doch ist es edler, künftiger Vollendung / leidvoll zu dienen, Opfer ohne Tat, / als groß und König werden durch Verrat / am Sinne deines Leids: an deiner Sendung."

89 ¹ H. Dérieux, La plasticité de Baud. et ses rapports avec Th. Gautier (Mercure, 123, 1917, 421).

89 ² *A la forêt de Fontainebleau.* Ähnlich in *Rouvière*: Bénis soient ceux que sacrifie / L'imbécile faveur du vulgaire odieux . . .

90 ¹ Miomandre, *Mall.*, P. 1948, 93 f. Ähnlich Gide (*Journal*, 1948, p. 714) über Gautier: „un des plus inutiles péroreurs dont puisse s'encombrer une littérature".

91 ¹ Auch Baudelaire sprach den Armen ein Recht auf das Rauschgift als ihren einzigen Zugang zum Paradies zu (ebenso Mall. in *Conflit* und *Confrontation*); Banvilles *Baudelaire* betont, Betrunkenheit enthülle den *azur* (vgl. BC, V. 8) und den Schauer ferner Paradiese. Aus Baudelaire leitet Lemonnier (*Baud. et Mall.*, Grande Revue, 112, 1923, 28) auch das Opium ab (L'opium agrandit ce qui n'a pas de bornes) und die Dirne (De ta salive qui mord, / Qui plonge dans l'oubli mon âme sans remord).

92 ¹ D. h. wohl: hartnäckig singen (E. Noulet, *L'Œuvre poétique de St. M.*, 1941, p. 361.

92 ² So sind Vers 11–15 in c souveräner ausgedrückt, metaphorischer, allgemeiner, bedeutend weniger verletzend. Gleichzeitig ist der Ton noch verächtlicher geworden: *sale*, Vers 5; die Anrede *mendiant* statt *pauvre*.

92 ³ métal *cher; ardente* statt *mauvaise* fanfare; auch der Hinweis auf das eigene Beispiel, D, Vers 5.

92 ⁴ In D ein Beispiel dafür, wie Mall.'s Bilderreichtum und Bildverdichtung dadurch entsteht, daß er Bildverwandtschaften ausfindig macht (s. auch BC 7–9). Aus der Bezahlung des Totengeläuts (BC) wird dessen (hypothetische) Vorwegnahme durch ein klimperndes (aber jählings, um das geizige Zögern auszumalen, visuell abgewandeltes) tropfenweise erfolgendes Abzählen des Geldes. Dazu Noulet, *L'Œuvre*, 357, mit der unglaubhaften Deutung, daß der Geldbeutel beim Saugen an dem geizigen Besitzer mager geblieben wäre.

93   [1] A_1: d'avoir une main au bout de son désir. A_2: après son désir, et nous qui désirons . .

IV. CE MAL D'ÊTRE DEUX

94   [1] Vgl. Baudelaire, *Le Gouffre:* J'ai peur du sommeil comme on a peur d'un grand trou / Tout plein d'un vague horreur, menant on ne sait où.

94   [2] Der Reim seul: linceul gilt auch in M.'s Quelle, *Les baisers de pierre* von Banville (1841, Cariatides), für die Flucht des Besuchers einer Dirne; M. hatte ihn einst schon für den Schluß (. . je ne sais vivre seul!) seines Knabengedichts *Sa tombe est fermée* entliehen.

94   [3] Vgl. Baudelaire, *A celle qui est trop gaie*, und Villiers' Gedicht im I. Parnaß: *A une enfant taciturne*.

94   [4] Vgl. Baudelaire, *Le Léthé*. Auch Banvilles Prosper (*Les baisers de pierre*) erhofft (wie sein Vorbild, Musset's *Rolla*) vom „airain de ce corps indompté" noch etliche Funken Leidenschaft. *Oh femme*, sagt er zur Buhlerin, „wie glücklich ist man, wenn man schläft!" Bei Cazalis tränke ein Kalif gerne das Gift in den *Mörderaugen* seiner kalten, harten Sklavin; überdrüssig seiner Macht sucht er bei ihr das *Nichts*, das Gift ihrer Küsse und das Laken (linceul), das ihre Haare bilden (*L'esclave du calife*).

94   [5] Parallelen: Wais, *Mall.* [1], 465; dazu *Femmes damnées* (Je veux m'anéantir . . usw.).

95   [1] *L'irréparable*; „elle ignore l'Enfer comme le Purgatoire" (*Allégorie*).

95   [2] Parallelen aus Mendès und Dierx: Wais, *Mall.* [1], 465.

95   [3] „O femme, ô reine des péchés, . . vil animal" apostrophiert er einmal die *froide majesté de la femme stérile*; oder „ô bête implacable et cruelle". Ähnlich in *Le Bénitier* von Mendès (Philoméla, 1864).

95   [4] Noulet (*L'Œ.*, p. 346) verweist auf die Schminke in drei gleichzeitigen Gedichten; „le pot, c'est le cerveau, le fard, les idées" (zu *L'Azur*). Hier wohl nicht.

95   [5] „So liegt er glücklich, gebadet . . ertränkt in einem Bad der Flechten Annies" (Poe, *For Annie*).

96   [1] Die Geburtsdaten der zehn Geschwister Gerhard lauten nach den Feststellungen, die mir Herr Pfarrer Bernhard Staat in Camberg freundlicherweise beisteuerte: (a) Christine Bernhardine 21. 3. 1829–13. 1. 1833.

(b) Auguste Aloysia 5. 9. 1830–15. 12. 1831. (c) Friedrich Karl, geb. 24. 12. 1831, Gymnasiast in Montabaur, Schüler von Dekan Dr. Bertram in Camberg; wurde später Prof. in Zürich. (d) Karl, geb. 27. 7. 1833. (e) *Christina, geb. 19. 3. 1835.* (f) Charlotte, geb. 1. 3. 1837. (g) Johann Philipp, geb. 26. 9. 1839. (h) Maria Anna, geb. 20. 7. 1842. (i) Franz, geb. 4. 9. 1844. (k) Maria Aloysia, 1. 6. 1846–9. 1. 1916, eine lebenslustige, kluge Frau; Erbe ihres Nachlasses dürfte der Sohn von c, Inhaber eines Stahlwarenversandgeschäfts in Solingen, sein; sie war bis 1914 in Fühlung mit ihrer Nichte Geneviève Mall. in Paris.

96 ² Am 1. 7. 1827. Er stammte aus Geisenheim (21. 11. 1800–19. 4. 1880), Sohn des dortigen Geometers Franz Gerhard. Am 12. 5. 1828 heiratete er die Tochter Caroline Josefa des Oberförsters Karl Dietrich aus Esserath bei Caub.

97 ¹ An Cazalis, 5. 8. 1862 (nach Catal. Cazalis; das Datum des 4. 4. 62 bei Mondor, *Vie*, p. 56, kann nicht zutreffen; der Fehler durch Mauron, *Psychan.*, p. 94, übernommen, führt dort zu falschen Schlüssen). Am 30. 8. begannen seine Ferien.

98 ¹ An Cazalis, 1862. Später äußert er sich ähnlich über die Menschen, insbesondere über den Mann, „si noble quand il n'est qu'un exemplaire pur de la vie, et si imbécile, quand il la développe dans ses nécessités qu'il dénomine *affaires*" (an Lefébure, 27. 5. 67).

99 ¹ *La pipe* (Div., p. 18), und *Oxf. Cambr.*, 1895, p. 2.

99 ² Vermutung von John Charpentier, Th. de Banville. 1925, p. 93.

99 ³ L. Lemonnier, E. Poe et la critique franç. de 1845 à 1875, Paris 1928.

102 ¹ Diese einzige Zornanwandlung ist eindeutig darin begründet, daß Marie seinem Befehl zuwider handelte; nach keinem Zeugnis aber in einer *Ambivalenz* wegen ihrer körperlichen Nähe, wie Mauron (*Psychan.* p. 58, 61) sich ausmalte.

103 ¹ „Ich erhalte in London 3600 bis 4000 francs im Jahr. Ich habe hier eine Wohnung zu 1200 francs. Wieviel vierzigjährige verheiratete Beamte haben ebensowenig! Am 19. März (*dem Tag seiner Mündigkeit*) bekomme ich 20000 francs. Damit komme ich gut aus bis zum Tag, an dem ich Lehrer bin. Dann ergänze ich mit dieser kleinen Rente mein Gehalt" (an Cazalis, 10. 2. 63). 1863 erhielt er in Tournon 1200 frs jährlich mit einem Zuschlag von 800 frs (davon 200 frs durch englische Stunden für werdende Kaufleute); 1864 soll der Provisor für ihn das normalen Höchstgehalt eines Inhabers seiner Examensstufe, 2000 frs, erreicht haben; dagegen soll er in Besançon nur 1700 frs verdient haben. In Avignon brachte 1870 ein Englisch-Kurs etwas über 500 frs monatlich, dazu kamen 400 frs Jahrespacht aus einem Tabaklädchen Maries in Arles. In Paris verdiente er nach 12jähriger Dienstzeit 3800 frs.

104 [1] Der Achtzeiler (in dem von Baudelaires und Glatignys Freund Poulet-Malassis verlegten, durch Urteil vom 2. 6. 1865 beschlagnahmten *Parnasse satyrique du XIXe siècle*, II, 265) scheint wegen des Reimspiels auf *Mallarmé* entstanden zu sein: Elle a besoin d'un mâle armé . . En vain pour lui je m'alarmai . .

106 [1] F. Calmettes, *L. de Lisle et ses amis*, 1902, p. 237. Lefébure, für den Marie z. B. einen ägyptologischen, in deutscher Sprache vorliegenden Aufsatz von Brugsch resümierte (Mai 1867), weihte ihrer Photographie, die sie ihm 1870 durch Mall. übersenden ließ, eine begeisterte Verehrung (an Mall., 25. 3. 70). Glatigny wünschte ihr aus Deutschland deutsch schreiben zu können (Jean Reymond, *A. Glatigny*, 1936, 76).

106 [2] In die von Roujon, Séailles, Eugène Manet; auch mit ihrer Tochter allein bei Redon, Chausson, den Gobillards usw.

106 [3] Über die Symbole des Sees, des Possenreißers und des Schwimmers bei Baudelaire vgl. Wais, *Doppelfassungen französ. Lyrik*, Halle 1936, p. 28 f.

106 [4] Da in в durch die Streichung der Muse der Mime nicht mehr als symbolischer Vertreter des Dichtertums erkenntlich gewesen wäre, verweist dieser, als auf sein Ausdrucksmittel, auf die Schauspielergeste ,,entsprechend der Feder (des Schriftstellers)``. Diese Erklärung für *du geste comme plume* (Div. 173 schaffen die Tanzkünstlerinnen ,,avec une écriture corporelle``) scheint mir wahrscheinlicher als diejenige Nobilings (Zs. d. frz. Spr. und Lit. LV, 325 f.). Ch. Chassé (Lueurs sur M., 1947, p. 102) hält plume für einen Anglizismus, statt panache. Verhaeren schrieb von seiner Deutung des *Pitre* (in: L'art moderne, 30. 10. 87), Mall. finde sie ,,exact, sauf une réflexion, sur une incidente`` (ebd. 4. 1. 90).

106 [5] Sogar im Verbalausdruck: Je sentis *fraîchir* . . dans ma chair *assainie*.

106 [6] In в ist, allzu lakonisch, nur noch durch die Anrede *Yeux* die Symbolbeziehung ersichtlich (um für *lacs* die Bedeutung ,,Fallstricke`` mit heraufzubeschwören?); sie findet sich auch in *Contes Indiens*, p. 14. Die schon 1603 bei Jean Bertaut vorkommende Bezeichnung *lacs* statt *Augen* hat Baudelaire 1857 in *Le Poison*, 1858 Banville in einer Nachahmung, *L'attrait du gouffre*, von verführerischen blauen Meeren (*Ces yeux*), deren Wellen nicht verdeckt werden *sous des cils baignés d'or*. ,,Ce sont les lacs sans bornes où s'égare mon âme``; obwohl ihm von diesen *flots aux cruelles pâleurs* Unheil schwant, kann er ihrem kalten Glanz nicht widerstehen. Auch Cazalis liebt die heimtückischen *dunkeln Abgründe*, die er als ,,meerfarbene Augen, Lügenmeere`` anredet (Les Yeux); desgleichen haßt Mendès ,,tes yeux qui donnent la fièvre / Comme des lacs pernicieux`` (L'ennemie, 1864).

107 [1] Die Anrede an die Muse, schon in M.'s *Contre un poète parisien* begegnend, wurde aus Musset übernommen durch Banville (O Muse que j'aimais, pourquoi m'as-tu quitté? *Ceux qui meurent* .. 1842), durch Baudelaire (O Muse de mon cœur .., *La Muse Vénale*), den jungen Dierx (*Plainte de minuit*) u. a.

V. KRAFTPROBE

108 [1] Nicht weniger niederdrückend der detektivische Kleinstädterblick, ,,cette science de voir des indices dans les choses les plus nulles" (an Lefébure, 27. 5. 67).

108 [2] Zu ihr schleppt sich in einem Gedicht von W. Bowles ein Kranker; die Bearbeitung durch Sainte-Beuve (*Sonnet, imité de Bowles*) hat Yves-Gérard Le Dantec als Anregung für Mall. wahrscheinlich gemacht. – Erwähnt hat die *Fenêtres* Rilke (an Clara Rilke, 31. 8. 1902).

108 [3] Parallelen aus Baudelaire: Wais, *Mall.*[1], Anm. 62[1]; vgl. Lemonnier, *Baud. et Mall.* (Grande Revue, 112, 1923, 26), H. Peyre, *L'image du navire chez Baud.* (Mod. Lang. Notes, 44, 447 f.).

109 [1] Wegen Cazalis' Schlußvers ,,Aux risques du Néant dont tu m'avais tiré" im ersten *Parnasse* zürnte Mall. halb scherzhaft, das sei ein Diebstahl am Schlußvers der *Fenster* (Mai 66). – *D'où l'on tourne l'épaule à la vie* unterschrieb Jacques Villon 1941 ein abstraktes Gemälde.

110 [1] Vgl. damit und mit Poes *Ulalume* Georges frühe Prosagedichte, bes. den *Toten See*! H. Bordeaux nannte das *Phénomène*, neben Villiers' *Impatience de la foule*, ,,la plus impeccable prose de notre époque" (Magasin litt., Gent 1893).

110 [2] An Cazalis, 30. 12. 63. Vgl. auch R. Stephan, St. M. à Tournon (Revue bleue, 77, 1939, 50ff.) u. G. Faure, Mall. à Tournon (Revue de l'Alliance franç., Mai 1946, p. 7, und als Buch).

111 [1] Soulèu tremount; oder das Sonett *Li Dindouleto* (der Sonnen-König) und die Banville gewidmeten *Noces de Feu*. Vgl. Dierx, *Soleil couchant:* ,,A l'heure où le soleil ainsi qu'un roi cruel / Qui veut des draps sanglants pour ses langes funèbres / Descend baigné de pourpre, et s'enfonce aux ténèbres." Anregung für alle waren wohl die an Lichtphänomenen reichen Sonnenuntergänge zu Beginn Lamartinescher *Méditations:* La Prière (Le roi brillant du jour, se couchant dans sa gloire. .), L'Isolement, Hymne au Soleil.

112 [1] Auch in Div. p. 372. – Le vin de l'assassin; La chambre double (Prosa).

112 [2] Tod und Schönheit vereint im Bild der vergifteten Blume begegnet in Villiers' Drama *Elën* von 1863; auch in einer groben Anspie-

lung von Mendès auf seine Geliebte: L'enfer qui donne aux lys le poison
des ciguës (*Philoméla*, 1864).

112 ³ Noulet (Œuvre p. 73) verweist auf le crépuscule blanc in Lefébures
Couchant (s. *Parnasse*) (Vgl. auch Hugo, Sacre de la Femme).

112 ⁴ Die tote Schwester, ,,la dame des Fleurs", schwebt so tänzerisch
einher wie der Windhauch, der ein Tautröpfchen in den Kelch der Veilchen legt und ,,marche sur le rayon de son orteil de peur de les réveiller"
(*Ce que disaient*).

112 ⁵ *La Rose* vom März 1863 ist ein Hymnus auf die *Fleur-femme:*
,,Et c'est la Rose! c'est la fleur tendre et *farouche* / Qui présente à Cypris
l'image de sa bouche, / Et semble avoir *un sang de pourpre* sous sa *chair.*"
Schon 1859 sprach er von *Un sang pur et farouche* in den Lippen der
,,Femme de Rubens", 1860 von der *rose sanglante* (Le cher fantôme).

113 ¹ *Le Sacre de la Femme*, Welterschaffungs-Gedicht der *Légende des
Siècles* (1859); seit Thibaudet, p. 233, und Fontainas (*M. et V. Hugo*,
Mercure, 15. 8. 1932; 238, 63) gilt der achte Vers, ,,Des avalanches d'or
s'écoulaient dans l'azur", als Anregung für Mall. Nicht zu übersehen
auch sein Vers über die Engelsgestalt der toten Schwester: ,,en odorantes
avalanches / de mes mains pleuvent des pervenches" (*Des lys!*) Für die
Gladiolen vgl. das etwas rationalistischere Bild Hugos: Les fleurs (in
A_i: où vont les cygnes) au cou de cygne ont les lacs pour miroirs (*A
Albert Dürer*). Der Dank an Gott, daß er die farbigen Blumen über die
schmutzige Erde warf, schon in *Les Fleurs* von Lamartine (1837). Auch
bei Mall. hieß es noch in P¹ O père; erst seit Al die (allgemeinere) Wendung an die ,,dame". Gott hat den Dichter nicht vergessen: ,,Tu donnas,
lui montrant son devoir sans mensonge, / de fortes fleurs versant comme
un parfum la mort / au poète ennuyé que l'impuissance ronge" (A).
Noulet (*Œ.*, p. 54 f.) beobachtet in в Vermehrung der an-Laute.

113 ² Le Correspondant, 10. 12. 1917.

113 ³ Fassung A_2: ,,l'hiver lucide / dans mon être où, dès l'aube, un
sang plombé préside . ." Man könnte das Gedicht, schrieb er aus London
an Cazalis (4. 6. 62), *Spleen printanier* überschreiben. Er berichtete ihm
von ,,einer eigenartigen Unfruchtbarkeit, die der Frühling in mir erwirkt
hatte. Nach einer dreimonatigen Unfähigkeit habe ich sie endlich abgeschüttelt und mein erstes Sonett ist ihrer Beschreibung, will sagen
ihrer Verfluchung geweiht. Eine recht neue Gattung ist diese Dichtung,
in der die stofflichen Wirkungen des Blutes, der Nerven dargelegt und
mit sittlichen Auswirkungen des Geistes, der Seele vermischt werden.
Wenn die Darbietung gut harmonisiert ist und das Werk weder zu
physisch noch zu vergeistigt ist, kann sie etwas vorstellen" (*Propos*,
p. 31 f.). Konventioneller bleibt das Bild des Winters bei Lefébure, der
bei der Übersendung von älteren und neueren Gedichten (,,tant de feuil-

les d'opium") bemerkte: ,,Sie finden, was Sie von mir bereits wissen, eine wandernde Trauer, einen passiven, durch die Dinge schweifenden Geist, der sich während des Frühlings fremd und der sich heimisch fühlt während des Herbstes und Winters, im Sturm, an einem gleich einem rauchenden Brandscheit erlöschenden Abend, in dem weiten Prunk der quälenden Sonnenuntergänge, in all dem traurigen Anblick, mit dem es sich nach außen kundtut" (an Mall., Charny 16. 2. 65). – Zum ,,phonetischen Chiasmus" (r fs fs r) in V. 10 vgl. S. Johansen, *Symbolisme*, p. 206.

113 ⁴ *Lacrymae Florum* (Li Fiho d'Avignoun). Der Titel ,,Vere Novo" in Glatigny's *Joyeusetés galantes* (1866), vorher in Hugo's *Contemplations* und einem Sonett Lefébures.

115 ¹ Einzelheiten: Wais, *Mall.*, ¹ 1938, 468.

115 ² Le *Confiteor* de l'artiste (*Petits Poèmes en Prose*).

115 ³ Baudelaire, *L'Aube Spirituelle*. Im *Cygne I* redet er vom ,,ciel ironique et cruellement bleu". Seit Mall. singen die Dichter ,,Oh inmenso azul! Yo te amo" (Rubén Dario, *Azul*) oder ,,Dios está azul" (Juan Ramón Jiménez, *Baladas de primavera*).

116 ¹ Wohltuend etwa bei der Lektüre Gautiers: ,,le ciel même ne me contredit pas, et son azur, sans un nuage depuis longtemps, a encore perdu l'ironie de sa beauté, qui s'étend au loin adorablement bleue" (Symph. litt. *I*); übertragene Bedeutung schon in *Guignon* V. 3. Entscheidend in Mall.'s Azur-Vorstellung das Idealistische; während Valéry daran das Stofflich-Krasse aufgriff: ,,cris multipliés de tout le brut azur" (*Valvins*).

116 ² ,,Erscheine, Nacht! Sinkt herab, Finsternisse! Es lebe das Dunkel, Kälte, Furcht! Stirb, Sonne! Nichts halte das Werk des Bösen in seiner Arbeit auf!" (*Soulèu tremount*). Aubanel besaß Fassung A₂. Falls Aubanel der Nachahmer war, hätte Mall. den Schritt in die Natur und zur Lästerung allein getan. Sicher besteht auch Beziehung zu Poe's *Raven* und dessen Nachahmung, Lefébures *Le Retour de l'Ennemi* (*I. Parnaß*, vgl. Noulet, Œuvre p. 73). Lefébure gab wie Poe ein symbolisches Nachtgesicht im Zimmer, mit dramatischer Peripetie: der Erzähler ruht im Bett, ledig des ,,remords" und der Tagesgedanken, an welchen ,,mon impuissance" litt; ,,j'étais heureux du bonheur des momies" (vgl. *Tristesse*, A). Da steigt der Mond am Fenster auf, ,,fait neiger des lys à travers l'azur pâle" und ,,dolcht" seinen spitzen Strahl herein. ,,Horreur! et son regard était plein de mes rêves!" Der Mondstrahl ist ,,Gegner", weil er ähnlich wie bei Mall. das Bewußtsein der nur erträumten, nicht verwirklichten Schönheit darstellt. – Für Priorität Mall.'s scheint mir der Begriff ,,Rückkehr" zu sprechen, der nur bei ihm bildhaften Sinn hat. In dem vereinzelten Vers ,,Au vaste dédain de l'azur" (Lefébure, *Réveil*, I. Parnaß) ist jedenfalls L. der Nehmende.

116 ³ Das Heitere der Vogelflüge allein schon könnte einen derartigen Gegensatz zum Wolkenvorhang darstellen, daß in ihnen *das Blau* durchzubrechen scheint; also jedenfalls nicht die Fehldeutung von G. Bachelard (L'Air et les Songes, Essai sur l'imagination du mouvement, P. 1943, p. 189 f.), daß hier die Vögel das Blau verwunden, welches seine Einheit bewahren möchte. Die *trous bleus* treten später als eindeutig idealistisches Sinnbild frommen Vertrauens auf: „La nue livide, avec une trouée bleue de la Prière" (Symph. litt. II. B; in Fass. A: *déchirures bleues*). Rimbaud empfand das Bild mehr räumlich als visuell: vgl. A. R. Chisholm, *Moi qui trouais le ciel*, RHLF, 37, 1930, 259 f. Ich stelle dazu „l'azur sonneur" in Rimbauds *Fêtes de la Faim* (Mes faims, c'est les bouts d'air noir . . .).

117 ¹ A_1: notre errante agonie, A_2: par la brume, indolent, et traverse / ma peureuse agonie. B_1: ta peureuse agonie.

117 ² Of the bells, bells, bells, bells. In seinem Kommentar zu Poe's *Bells* sprach Mall. über das Wagnis, solche Wortwiederholungen ins Französische zu übernehmen. Gautier (*Les Hirondelles*) tat es nur unter ausdrücklichem Hinweis auf sein Vorbild Fr. Rückert (*Die Flügel! Die Flügel!*).

118 ¹ In Vers 7 (du papier qu'un cerveau châtié me défend) verwischte er die Selbstherabsetzung durch eine literarische Reminiszenz: V. Hugo hatte geschrieben: Il ressemblait au lys, que sa blancheur défend" (*Lég. des Siècles* VI_1: Le Pont).

118 ² Vgl. Wais, *Das Brise Marine-Motiv von Rousseau bis Mall.* (Quellenstudien zu Mall. III): Zeitschr. f. frz. Spr. u. Lit. 61, 1937, 211 f. Die Schiffbruchsahnung schon in Lamartines Aufbruchsgedicht *Adieu:* J'affronte de nouveaux orages; / Sans doute à de nouveaux naufrages/ Mon frêle esquif est dévoué . . Instruktiv ein Vergleich mit Rimbauds *Départ.* Jetzt: H. Petriconi, in: Romanistisches Jahrbuch (Hamburg), 2.

119 ¹ Schon der äußere Umfang dieser Rückschau, in die er sich verliert, und die Hervorhebung des Negativen (auch grammatikalisch: *Et ni* . .) läßt ahnen, daß es nicht zum Aufbruch kommen wird. Einen weiteren Grund dafür meint Mauron (*Psychan.* 186) darin sehen zu sollen, daß das Schiffbruchmotiv für den Dichter eine unbewußte sexuelle Note gehabt habe und also nicht Verheißung einer echten Befreiung habe darstellen können.

119 ² *Vers de circonstances*, p. 163.

119 ³ Nach L. C. Lefèvre, der Tochter Roujons (Journal de Genève, 1./3. 1. 1950).

120 ¹ Das Spinnweb stand durch eine berühmte Dichterstelle in Verbindung zum Gedenken an eine verlorene Schwester: als Chateaubriands *René* nach der ihm erotisch verbundenen Schwester in den verlassenen

Wohnräumen aus seiner Kinderzeit sucht (auf der Erlebnisgrundlage von Chateaubriands Besuch im öden Schloß Combourg), heißt es: ,,l'araignée filant sa toile dans les couches abandonnées".

120 ² Nur subjektive Bedeutung besitzt eine Vokalmystik in Thibaudets Spuren, wonach die graue Oktoberstimmung der e-Laute durch die farbigeren i durchbrochen werde: J. de Cours, L'audition colorée et la sensation du poème (Mercure 114, 1916, 657). Zu *Mon âme . . monte:* großartig aufbrechend das syntaktische Hinauszögern (Johansen, Le Symbol., 246). – Noulet (Œuvre 55) gibt zu erwägen, ob das Gedicht nicht die Liebe von Cazalis und Ettie Yapp, ,,notre sœur" zum Gegenstand habe; Cazalis hatte den Freund im Juni 1862 um ein solches gebeten. Aber Anfang Juli schreibt dieser an Marie Gerhard: ,,il me semble, quand vous tournez la rue, que je vois un fantôme de lumière et tout rayonne". Über das Gedicht: Proust brieflich an Frau Emile Straus (Tochter des Komponisten Halévy und Witwe von G. Bizet), um 1900.

121 ¹ *Le jet d'eau*, in Baudelaires gleichnamigem Gedicht, ist in seinem Aufsteigen zum ,,verzauberten Himmel" und der *triste langueur* seines Fallens Symbol der Seele seiner Geliebten; die ewige Klage in den Bassins, die Abendstimmung und die Melancholie der Bäume Symbol seiner Liebe. Und in *Causerie:* Vous êtes un beau ciel d'automne, clair et rose!

121 ² Ohne diesen inneren Nachdruck gleichzeitig, in *Symph. litt. II A*, Sonnenstrahlen im herbstlichen Park. Lemonnier verwies auf *De l'arrière-saison le rayon jaune et doux* (Baudelaire, *Chant d'automne*). 1860 schrieb Mall. von Sainte-Beuve *Les Rayons jaunes* in sein Album ab.

122 ¹ Schwermütig über dem Menschenleid die weihrauchschwingenden (The Raven) und schluchzenden Seraphim (The Conqueror Worm); auch das verwandte Gedicht *I saw thee once . .* (To Helen) beginnt mit einer wehmütigen Naturstimmung. Alle drei Gedichte hat M. übersetzt.

122 ² ,, . . Als sei ihr Haupt mit Strahlen umgeben, und über ihr ganzes Bild verbreite sich nach und nach ein glänzendes Licht" (Wilh. Meisters erste Begegnung mit Natalie). – ,,Weave, weave the sunlight in your hair" (T. S. Eliot, *La figlia che piange*).

123 ¹ Vgl. Baudel.'s Vers: Je m'avance à l'attaque et je grimpe à l'assaut (B. Fleuret: Les Lettres, 1948, 181).

123 ² Auch *Plainte d'Automne*, A_1: Le violon m'ouvre les portes vermeilles où gazouille l'Espérance (A_2: ouvre à l'âme déchirée la lumière des alleluia; B_1: la lumière).

123 ³ Ist es die Hölle, die ihn narrt, daß er das ,,passé" seines Herzens, das er überwunden glaubte, an Stelle der *Hoffnung* vorfindet? – Bei Baudel. das Katermotiv noch ohne Schwermut (Dans ma cervelle se promène / ainsi qu'en son appartement, / un beau chat . .).

123 [4] Marie zog sich Schäden zu, weil sie zu früh nach der Geburt wieder an die Arbeit ging (Mall. an Lefébure, Febr. 65).

124 [1] An Cazalis (Dez. 1864?). Wenig glaubhaft Mondors Datierung „Okt. 1865". Innere Beziehung läßt sich vermuten zu einem Brief Lefébures vom 30. 12. 64: „Und Sie, lieber Familienvater, wie geht es Ihren beiden Töchtern? Ist Herodiade immer noch verstört durch die Nachbarschaft ihrer Schwester? Sind beide gewachsen?" Villiers, der das Gedicht mit Trommelwirbel in Saint-Brieuc seiner Familie vortrug, erhielt es allerdings erst am 1. 1. 1866.

125 [1] Im einzelnen: Wais, *Mall.*,[1] 469; in Boileaus 9. Satire als *les palmes idumées*.

125 [2] Zu H. Roujon (Roujon, *La Galerie des bustes*, 1909, p. 21); hier hätte es, der eigenen dichterischen Niederlage gegenüber, einen grausamen Ton. P. Gan vermutet zu *Palmes:* „ein Eisblumenmuster von Palmwedeln .. Symbol des Orients und einzige *relique* (im Doppelsinn des Wortes) der nächtlichen Mühe" (Neue Rundschau, 1950, p. 434). Näher liegt die Beziehung auf die Morgensonne: vgl. oben p. 546.

125 [3] 3. Könige 11, 1 (Curtius, *Mall.'s Nuit d'Idumée*, Romanische Forschungen 56, 1942, 180) „eine Nacht lasterhafter Liebe, deren Ausgeburt das Gedicht ist. Die Poesie erschiene als Nebenbuhlerin der Gattin". Der Horazvers gewinne, vermutet Curtius, „in Mall.'s Wortwahl eine verborgene Hindeutung auf sein eigenes dichterisches Selbstbewußtsein". Viel fernliegender ist die Kabbala-Legende der ohneFrauen sich fortpflanzenden Könige Edoms: ich habe die Theorie von D. Saurat (*La Nuit d'Idumée, Mall. et la Cabale*, NRF 37, 1931, 920, und Perspectives, 1938, 113 ff.) in *Mall.*,[1] 1938, ausführlich dargelegt, die kommentarlose Erwähnung von praeadamitischen Königen bei Beckford und Nerval nachgetragen und Bedenken gegen einige Textdeutungen Saurats vorgebracht; meine Einwände wurden seither durch Noulet (*Œuvre* 397) mit Billigung angeführt; auch in Mall.'s Brief an Cazalis' Base und Baudel.'s Freundin Frau Le Josne (P[5], p. 1436) weist nichts in diese Richtung. – Nachahmung des Gedichts: Mauclair's *Dédicace d'un Rêve mort*.

127 [1] An Mall., Okt. 1864 (G. Jean-Aubry, *Une amitié exemplaire: Villiers de l'I.-A. et St. Mall.*, P. 1941, p. 17).

127 [2] Einzelheiten: W. Schuh, *Die Briefe R. Wagners an J. Gautier*, Zürich 1936, p. 29.

127 [3] G. Moore, *Confessions d'un jeune Anglais* (Revue Indép., 1886). Mall., dessen Prosachronik *Bal masqués* Mendès im Okt. 1861 für die *Revue fantaisiste* abgelehnt hatte, muß zeitweilig um die Seele von Mendès geradezu geworben haben. „Ich sehe Sie", heißt es in einem Briefe Mall.'s, „als einen jener Treuesten und Gerechtesten, denen man begegnen kann, und als einen mit Güte Begabten. Ihr einziger Fehler ist, zuweilen etwas verschlossen zu sein, und seltsamerweise erzeugt das bei mir trotz innerer Auflehnungen gegen Sie einen entsprechenden Zustand; so erklären sich die Stunden, die wir nebeneinander verbringen, ohne einander gewahr zu werden".

127 [4] „Mendès, dem gegenüber Mallarmé treu bleibt bis zur Schwäche, bis zum Betrogenwerden, wenn man von einem solchen Mann sagen kann, daß er jemals durch jemand und etwas und durch sich selbst sich betrügen ließ" (Mirbeau, zit. Noulet, *Œ.*, p. 139). Die Erwiderung von Mendès an Mall. auf dem Mendès-Festessen von 1897 schien diesen von seinen jungen Gefolgsleuten weglavieren zu wollen. Trotz seiner wiederholten telegraphischen Anfragen bei Mall., warum man ihn nicht zum Festessen für Mall. einlade, hatte der Veranstalter Griffin – der 1891 in einem Säbelduell, sekundiert von Fénéon und Adam, durch Mendès (Sekundant: Courteline) verwundet worden war – nicht reagiert. Über das Duell, das, ebenso wie die gleichzeitige Duellforderung L. de Lisle's gegen A. France, durch die Rundfrage Hurets hervorgerufen wurde, schrieb Mall.: „Die Literatur wird sehr komisch, und es ist irgendwie unanständig, mit ihr durch irgendwelches Band verknüpft zu scheinen" (an Régnier, zit. Mondor, *Vie* 621).

128 [1] Gide, *Nouveaux Prétextes*, 1921, p. 100 f. Schneidend auch L. Daudet, *Souvenirs*, I, 8, 148 f.; II, 161; III, 139 f.; V, 98. Unvoreingenommener J.-H. Rosny, *Torches et lumignons*, 1921, p. 194 f.; werbend J. Cocteau, *Portraits souvenir*, 1935.

128 [2] *Des Lettres, 1887–1900*, Paris 1933, p. 75.

128 [3] An Mall., 25. 5. 70 (Mondor, *Hist. d'un Faune*, 1948, p. 153).

129 [1] F. Calmettes, *Leconte de Lisle et ses amis*, 1902, p. 157.

130 [1] *Nouvelle Revue*, 1903, Nouv. Série, 23, 433.

130 [2] 25 Nummern seit 13. 10. 67. Über die Zeitschriften, an denen Mall. mitarbeitete, berichten Noulet, *Œ.*, p. 142 ff., 184 ff., und Mondor, *Vie*, passim.

131 [1] C. J. C. Van der Meulen, *L'Idéalisme de Villiers*, 1925, p. 5.

133 [1] Glatigny, *Lettres inédites*, ed. Victor Sanson, Rouen 1932.

134 [1] Die jugendliche Bewohnerin des boulevard des Batignolles 10, selten in Gesellschaft ihres alten, gelähmten Gatten, eines einstigen Adjutanten von Jérôme Bonaparte, liebte es, in Theaterstücken mitzuspielen. Xavier, 1864 durch Gambetta vor Gericht verteidigt, hatte durch Ernest Boutiers' Vermittlung in Lemerre den Verleger für *L'Art* gefunden, die Zeitschrift, in die er dann, auf Mendès' Rat, nur Lyrisches aufnahm (eine Grundlage des *Parnaß*!); der blondbärtige Verleger, durch Verlaine entdeckt, hatte ursprünglich nur eine Anthologie von Dichtern aus dem 16. Jahrh. geplant.

134 ² L. de Lisle an Deschamps, 29. 9. 65. Briefe Mall.'s an den erblindeten Deschamps s. H. Girard, *E. Deschamps*, 1921, 526, und Wais, *Mall.* ¹ 1938, 470.

135 ¹ *Les 37 médaillonets du Parnasse cont.*, im *Nain Jaune* vom Nov. 1866 (vgl. J. Cann, *Barbey d' Aurevilly*, 1945; Barbey rächte sich für die Anwürfe Verlaines in *L'Art*). Auszüge daraus, wie auch aus dem *Parnassiculet*, bekam Lefébure durch Mall. am 25. 5. 67 versprochen. Während dieser Fehde des *Café Tabourey* gegen die *Brasserie des Martyrs* wurde Daudet durch Mendès zum Duell gefordert, da dieser, dem am übelsten mitgespielt worden war, Daudet für den Verfasser des *Parnassiculet* hielt; darauf meldete sich Paul Arène als Verfasser.

136 ¹ 5. 12. 66 (die Briefe an Coppée ed. J. Monval, R. des Deux-Mondes, 17, 1923, 659 f.).

136 ² Vgl. Stuart Merrill, in La Presse, 8. 10. 1898, u. a.

137 ¹ An Mérat, Tournon, 6. 5. 1866 (Gourmont, Promen. litt., II, 47). Zum Bild vgl. *Aumône*, BC, 7–9.

138 ¹ An Verlaine, 20. 12. 66 (bei Monda-Montel, Bibliogr. de Mall., p. 6, und Fr. Porché, Verlaine tel qu'il fut). Vgl. A. Gide, Verlaine et Mall. (Œuvres compl. 7, 1934, 409–44); G. Jean-Aubry, Verl. et Mall. (Figaro, 3. 6. 33); H. Mondor, Verl. et Mall. (Revue de Paris, 1. 2. 1940); ders., L'Amitié de Verl. et de Mall., Paris 1940 (dazu: Henriot, *Temps*, 30. 3. 1940).

138 ² Vgl. Verlaine, Œuvres, IV, 287. In Gautiers Aufsätzen für *Le Bien Public* erhielten Verlaine, Dierx, Villiers, Heredia nur 2 Zeilen (Mall. eine); sehr breit dagegen Mendès, Laprade, Houssaye u. a.

140 ¹ Der Brief Banvilles an Wyse bei J. Charles-Roux, Un Félibre irlandais, W. B.-Wyse, 1917, p. 189, übersetzt in Wais, *Mall.*¹, p. 471.

140 ² An Wyse, 2. 7. 68; der Briefwechsel jetzt ed. in: Fontaine, 10, 1946, 497 f.

140 ³ Des Essarts, *Aubanel* (Revue de Paris, 1. 8. 1895; II, 642 f.). Er vermittelte die Huldigung von Cazalis an Mistral (s. Briefe Mistrals an ihn und Cazalis, im *Cat. Cazalis*, 1935, p. 26 f.), hat auch Mistrals unbedeutenden Schützling Jean Aicard 1865 dem I. Parnasse zugeführt; Aubanels *Fiançô d'Antounieto* ist ihm zugeeignet. Vgl. Mall., *Lettres à Aubanel*, Collection Pigeonnier, Saint-Félicien-en-Vivarais 1924; J. Soulairol, *Mistral et Mall.* (Le Divan, April/Juni 1946).

142 ¹ G. Kahn, Symbolistes et Décadents, 1902, p. 23; Alphonse Bertrand, Le sénat de 1894. Paris 1894, p. 138 f.

142 ² An Coppée, 15. 12. 1866.

143 ¹ Brieflich. Als Verlaine im November 1885 an Rheuma litt, warnte Mall. ihn vor zu viel Salicylat: „J'ai eu autrefois une fatigue et comme une lacune d'esprit, après cette drogue; et je lui attribue mes insomnies".

146 ¹ Im Mall.-Nachruf von Mistrals Zeitschrift L'Aiòli, 17. 9. 1898.

147 ¹ Dankessonett an Blémont: Verlaine, *Dédicaces*, 32.

147 ² *Mon cœur mis à nu* (1859–66). Christliche Äußerungen wurden immer wieder durch sein an Poe gemahnendes Dandytum – er selbst nannte es *auto-idolâtrie, centralisation de moi* oder *concentration productive* – gestört. Außerdem beschränken sich diese Äußerungen auf sein älteres Tagebuch „Fusées" (1855–62), wie jetzt seit den endgültigen kritischen Ausgaben von J. Crépet und G. Blin feststeht (*Fleurs du mal*, 1942; *Journaux intimes*, 1950).

147 ³ Nach der Unterscheidung Kierkegaards: vgl. R. Guardini, *Vom Sinn der Schwermut* (1928), Zürich 1949.

VOM SCHATTEN ZUM KÖRPER

I. DIE LÜGE DER LEUGNUNG DES GEFÜHLS

152 ¹ R. de Montesquiou in seinem 1938 von mir für die Mall.-Forschung beigezogenen Büchlein *Diptyque de Flandre, triptyque de France*, P. 1921 p. 231, bezeichnet es als „Mall.'s eigene Auffassung", daß in der Gestalt der *Hérodiade* sowohl das „Herodeskind" (Salome) als deren Mutter Herodias verschmolzen seien. 1951 (Table Ronde, Nr. 38) kam ein Brief vom Febr. 1865 zutage, worin Mall. erklärt: „Das schönste Blatt meines Werkes wird dasjenige sein, auf dem nichts stehen wird als der göttliche Name Herodiade. Das bißchen Inspiration, das ich gehabt habe, verdanke ich diesem Namen, und ich glaube, wenn meine Heldin Salome geheißen hätte, würde ich dies dunkle, wie ein Granatapfel rote Wort Herodiade erfunden haben" (an Lefébure).

152 ² Zit. Henri Mondor, *Vie de Mallarmé*, 1942, p. 777.

152 ³ „Hérodiade, œuvre solitaire, m'avait stérilisé" (an Lefébure, Mitte Juni 65). Er hatte Lefébure so sehr im unklaren über das Werk gelassen, daß dieser ihm eine Erweiterung in Flauberts Geist, die Beiziehung von Michelet's *Bible de l'Humanité* für das „verwirrende Gemengsel der asiatischen Religionen" vorschlug (Dez. 64). „Ich bediene mich seiner nicht .. Mir kommt es darauf an, daraus (*aus dem Namen Herodiade*) ein rein geträumtes, von der Geschichte völlig unabhängiges Wesen zu machen. Sie verstehen mich. Ich rufe nicht einmal all die Bilder der Lionardo-Schüler und aller Florentiner herbei, die diese Geliebte besessen und wie ich benannt haben. Werde ich indessen jemals meine Tragödie schreiben? mein trauriges Hirn ist unfähig, bei *einer* Sache zu bleiben, und ist vergleichbar den Wasserströmen unter dem Besen einer Putzfrau. Mir fehlt der Mut, oder vielleicht bin ich ein vertierter, erloschener Unseliger, der zuweilen einen Lichtstrahl entdeckt, aber nicht achthundert Verse lang zu strahlen vermag" (an Lefébure, Febr. 65).

153 [1] So habe er sie in einer Nacht gesehen. Daß diese Nacht des 2. 3. 1865 (als ,,Nuit de Tournon") einen Wendepunkt in seinem Leben bedeutet habe, bestreitet H. Mondor mit vollem Recht (*Vie de M.* p.186). M. selbst gab als Wendepunkte seines Lebens den April 1866 (Cannes) und den Februar 1869 an.

153 [2] Vom März 1866, an Cazalis, vermerkt Mondor, *Vie*, p. 196; kurz nach dem März 66, an Mendès, vermerkt Jean-Aubry, in P [5], p. 1440f.

154 [1] Vgl. Rilkes Sehnsuchtstraum: ,,Vielleicht ist der Dichter wirklich außerhalb alles Schicksals gemeint und wird zweideutig, ungenau, unhaltbar, wo er sich einläßt" (1911, Anmerkung zu Guérin, *Le Centaure*). Rilke erhoffte diese Schicksallosigkeit nicht vom reinen Gedanken, vielmehr von den naturhaften Dingen. Aber auch sein Weg führte dahin, daß er ,,versuchte . . dem schicksalverlangenden Menschen eine Aufgabe zuzuweisen, ihm vor dem übermächtigen Sein des Engels einen *Streifen Fruchtlands* zu gewinnen und doch auch dem uns auferlegten *Werden* irgendwie Genüge zu tun" (W. Günther: Dts. Vjs. f. Lw. Gg., 1949, 18). Vgl. 9. *Duineser Elegie*: ,,Warum dann / Menschliches müssend und Schicksal vermeidend, / sich sehnen nach Schicksal?"

156 [1] Vgl. diese Stelle aus *Panteléïa* (Baudelaire gewidmet; *Revue fantaisiste*; 1863 in *Philoméla*) mit der Löwenszene in *Scène*! Panteleias wogende ,,marche lente imite en ses balancements / Mon allure", spricht der Löwe. ,,Tu poserais tes pieds sur mon échine rousse / Sans crainte . . . et, sur le sol, / Humble, je lécherais l'ongle blanc de ton pouce! . . ."

161 [1] *Sur ma robe* ist ohne Zweifel verstümmelt aus *sa* oder *la*. Andernfalls bliebe Nobilings Erklärung: ,,*Mein Kleid*, denkt die Amme; denn sie hatte es wohl für ihren Liebling gestickt." (*Die I. Fassung der Hérodiade M.*'s, in Deutsch-frz. Rundschau, 2, 1929, 96.)

161 [2] Eine allzu gewagte synästhetische und obendrein sinnbildliche Assoziation Mall.'s (meiner Interpretation stimmte S. Johansen, *Le Symb.*, 1945, p. 143, zu), die vielleicht darüber hinaus dazu dienen soll, die abergläubische Prophetie der Amme zu charakterisieren. – Vgl. die Beschreibung von Tullias Stimme: Villiers *Isis*, cap. 6. In Tullias Zimmer auch ,,des faisceaux d'armes anciennes".

162 [1] Der Begriff *inutile*, mit Beziehung auf das Bett, ist abgeschwächt durch seine vorzeitige Verschleuderung bei der nebensächlichen Schilderung der Wandteppiche.

163 [1] Das Bild des Gefieders erscheint dreimal auf die Morgenröte, dann zweimal auf Hérodiade angewandt. Der Ausdruck *plis* in drei untereinander beziehungslosen Fällen: für die Teppiche; für das Gehirn der Amme; für die traumbergenden, einem Buch vergleichbaren Falten des Alkovens.

163 [2] Chimère: *vgl.* où meurt un monstre d'or (*Toast*), où la chimère s'exténue (*Quelle soie*) u. ö.

164 [1] Montesquiou, *Diptyque de Flandre*, 1921, p. 235.

164 [2] Mauron glaubt hier den Freudschen Komplex der Verschneidungs-Angst wiederzufinden. Das Schuldgefühl, eine Nackte überrascht zu haben, sei der Rest einer Inzestneigung zur Mutter und der (angeblich ebenso allgemeinmenschlichen) Furcht, vom Vater deshalb kastriert (= enthauptet) zu werden (*Psychan.*, 1950, p. 31, 38, 133 f).

166 [1] Wie bei Mall. entfaltet sich, ausgehend von den kleinen Pflichten der Dienerin, die Besorgnis um die rätselhafte Lebensscheu der Fürstin: ,,Vous haïssez le jour. . Cruelle! . . / Vous verrai-je toujours, renonçant à la vie, / Faire de votre mort les funestes apprêts? . . / Voulez-vous, sans pitié, laisser finir vos jours? . . / Mourez donc, et gardez un silence inhumain . .``

166 [2] Anders jetzt Ch. Chassé (Lueurs sur Mall., p. 99) = ,,une époque que tu dédaignes``: es sei ein Anglizismus, nach *ignore* ,vernachlässigen'; kühn auch V. 86 *déserte* = abandonnée. Gegen Chassé könnte V. 89 sprechen: ors ignorés.

166 [3] Schon im Jugendgedicht *L'enfant prodigue* (tes pieds qui calmeraient la mer). Vgl. Aubanels *Vénus d'Arles*: ,,laisse à tes pieds tomber la robe qui à tes hanches s'enroule``; in seiner *Sauro* werden Lilien verglichen mit samtener Frauenhaut (E dóu velout dis ile en flour faguè ta car).

169 [1] *Selon qui* ist nicht auf *toi* bezogen (so Schaukal und R. Fry); in A_2 lautet es *devant qui*.

170 [1] *Vénus rit dans un fond sinistre de feuillages*, spricht in todschwerer Abenddämmerung das Klagesonett eines lebensunlustig Alternden, der nicht mehr lieben kann, – eingetragen am 13. 9. 64 durch Lefébure in Mall.'s Poetenalbum (Mondor, *Mall. plus int.*, 126).

172 [1] Über dieses Werk, das ihm Villiers vorlas, gedachte Mall. im Juni 1865 einen Aufsatz zu schreiben. Er nannte es damals, zusammen mit Cazalis' *Vita tristis*, ,,deux des plus beaux poèmes que je sache dans cette vie`` (an Cazalis). Des Essarts, dem er es empfahl, fühlte sich an Jean Paul und Byron erinnert. Gegenüber Lefébure rühmte M. besonders III 2, den Schluß und die Personen. Nicht auf der Bühne, aber bei der einsamen Lampe trete die ,,divine beauté`` hervor. ,,La conception est aussi grandiose que l'eût rêvée Goethe, c'est l'histoire éternelle de l'Homme et de la Femme`` (Febr. 65). Lefébure antwortete: ,,Le rêve de Samuel surtout est magnifique et digne d'Edgar Poe`` (2. 3. 65).

172 ² Sehr häufig in Banvilles *Odelettes* (besonders die für Henry Murger) und *Masques et Dominos*; desgl. in *Lied* von Mendès (Philoméla, 1864). u. ö.

172 ³ Vgl. Mauron (bei R. Fry, Poems 1936, p. 100) und die Interpretation bei G.-P. Castex et Surer, *Manuel des études litt. franç.*, *XIXes.*, 1951.

173 ¹ A: je ressens [*Et j'éprouve*] aux vertèbres / exulter [*s'éployer*] les ténèbres / toutes à l'unisson / de ce frisson.

173 ² A: dans une léthargie / sur les noirs (triomphaux) / coups de la (faux). *Dann*: orgueilleuse vigie / sous les heurts (*dann*: par les vols) triomphaux / de cette faux. Man denkt an die weit ausholende Mähergestalt des Henkers auf der *Décollation de Saint-Jean-Baptiste* des von M. verehrten Malers Puvis (Sammlung Durand-Ruel).

173 ³ Der „künstlerischste Tod", sagt darum wohl R. Cansinos-Assens (Salomé en la literatura. Flaubert, Wilde, Mall., E. de Castro, Apollinaire. Madrid 1919, p. 93). Vers 13 in A: Dans la scission (*dann* séparation) franche.

173 ⁴ „Tu jeûnes dès maintenant", sagte Mall. bereits zu dem *Pauvre enfant pâle*, dessen Haupt sich in ahnungsloser Erwartung künftiger Enthauptung von den Schultern hebt. Vgl. Mauron, *Psychan.*, 1950, p. 132.

173 ⁵ Den „bloßen Blicken" in A! Qu'elle ne voudra [Varianten: *pourra, saurait, n'osera*] suivre / lourde ou de jeûnes ivre / aux abîmes hagards / ses seuls [Variante: *purs*] regards.

173 ⁶ Varianten in A: *par*, dann *sous* quelque baptême.

174 ¹ Voici d'abord la chevelure ardente de l'Hérodiade, le fluide métal stellaire . . . le souvenir d'Ève la blonde, l'aïeule jeune, l'éternellement radieuse! (Villiers, Œuv. compl., 1922; I, 235). Verwandt auch das Bekenntnis seiner *Inconnue* (Contes Cruels): „Bien que vierge, je suis veuve d'un rêve et veux rester inassouvie."

174 ² Weitere Züge: Wais, *Mall.*, ¹1938, Anm. 119².

II. UMKEHR ZUR MENSCHENWELT

175 ¹ Nouv. Rev. Fr. 27, 1926, 533; *Positions et proposit.*, P. 1928, 201.

176 ¹ Im Frühjahr 66 gab er gleichzeitig einigen Jugendgedichten die endgültige Gestalt, ließ sie allerdings unveröffentlicht, nachdem durch die Hast von Mendès im I. *Parnasse* die übereilten vorhergehenden Fassungen zum Druck gekommen waren.

176 [2] *Propos*, 1946, p. 59 f. Cazalis war der erste und ist bisher der einzige geblieben, der diese Vorstellung kritisierte: „Wie willst du, daß die Materie das Unmaterielle erschafft, den Gedanken und die Seele also, ex nihilo nihil. Aus der Materie kann nicht der Gedanke entsprin-gen, oder das Nichts würde das Leben erschaffen: zwischen der Materie und dem Gedanken liegt der Abgrund des Unfühlbaren. Die Seele ist ein Besuch: womit ich nicht sagen will, man müsse Spiritualist sein wie ein Sorbonne-Beamter" (bei Mondor, *Vie* 194). Vgl. auch García Bacca, La concepción probabilística del universo en Mall. (*Orbe*, México, Juli 1945).

177 [1] Er führte darüber Gespräche mit dem damals von Hegel ge-packten Mauclair (*M. chez lui*, p. 78). Neben Zitaten aus Jean Paul gibt es beim Mall. der 60er Jahre vermutlich (Mondor, *Vie* 218) auch Kenntnis von Novalis. Parallelen zu Coleridge: R. Hughes, *Mall.*, *A Study in Esoteric Symbolism* (Nineteenth Cent., 116, 1934, 127); vgl. Wais, Zs. f. frz. Sprache, 60, 1936, 196 n. 4.

179 [1] Rimbauds halluzinatorische Experimente ergaben einen ähnlichen Rückzug zur Menschenwelt, zur modernen Gegenwart, wie das Unter-nehmen M.'s. Bezeichnend in Rimbauds *Sommer in der Hölle* der Ab-schnitt *Alchimie du Verbe* und namentlich der Schlußabschnitt *Adieu*: „J'ai cru acquérir des pouvoirs surnaturels . . Moi! moi qui me suis dit mage ou ange, dispensé de toute morale, je suis rendu au sol, avec un devoir à chercher, et la réalité rugueuse à étreindre! Paysan!" Die *Charité* wollte es. Ob sie eine bösartige Falle gestellt habe? „Enfin, je demanderai pardon pour m'être nourri de mensonge. Et allons . . Il faut être absolument moderne." Oder: „Mon esprit, prends garde. Pas de partis de salut violents" (*L'Impossible*). Das Prestige der Rausch-zustände ist seither gesunken; „die Wahrheit ist niemals eine Angelegen-heit des Instinkts. Alkohol befreit den Instinkt. Ein Kunstwerk, das mit seiner Hilfe entstand, ist notwendigerweise unwahr" (Giovanni Papini).

179 [2] Obgleich er in Cannes jetzt „nur im wesentlichen eine einsame Idee, der ein Körper im Weg ist", sei (20. 5.; Mondor, *Vie* p. 206). Er kam dann doch. In Tournon, wo er seither, zuerst durch die kleine Geneviève, „Bour" genannt wurde, verbrachte er einen der „reizendsten Monate meiner 28 Jahre" (24. 7.).

180 [1] Am 25. 7. 86 plauderte Dujardin in Revue de Genève (p. 264) von einem fünfbändigen Werk Mall.'s. – Ghil spricht von vier Haupt-büchern einer Weltphilosophie, deren jedes vier weitere Teile umfassen solle (im ganzen 20 Duodezbände). 1887 habe ihm Mall. das Thema eines dieser vier Bücher verraten, „Moi n'étant pas, rien ne serait" (*Dates*, 1923, p. 234).

180 [2] Die zwanzig Jahre Arbeitszeit, die Mall. vom „Unendlichen" für sein Werk verlange, mögen ihm gewährt werden: „das Absolute

ist es sich schuldig, daß es fünf- oder sechstausend Spießer umbringt,
um für Sie Platz zu haben" (Lefébure, August 66).

181 ¹ An Aubanel, 23. 8. 66. Daß Fretet von diesem August an das
Ende der 14monatigen Hochstimmungsperiode und den Beginn einer
dreijährigen Krise datierte (*L'Aliénation poét.*, 1946), bekräftigte meine
Annahme.

182 ¹ Die Inder erwarten geistige Verwirklichung (sâdhana) vom *Erkenntnis*weg (Iñâna yoga) zur Einswerdung mit dem *Unpersönlichen*
Gottes; im Unterschied vom Weg der *Liebe* (Bhakti-yoga), der einen
persönlichen Gott voraussetzt: vgl. B. Roger, *Le sâdhana de Mallarmé*
(Revue philos. 131, 1941, 460f.); auch Rousseaux, *Mall. tel qu'en lui-
même*, in: Le Monde classique, Paris 1946, II 232 f.

182 ² Bald danach droht er scherzhaft den Philistern, „meine künftigen
Dichtungen werden Giftfläschchen, furchtbare Tropfen für sie sein. Ich
werde sie des Paradieses berauben" (an Cazalis, 5. 8. 67; *Propos* 80).
Später billigte er das nicht mehr. Vgl. auch sein Mißbehagen über den
Ausdruck *Poètes maudits*, das sich schon im zweiten Satz seines Briefs
an Verlaine hinter dem Scherz verriet (16. 11. 83): „es" führe ihn auf
der Straße immer wieder mit Villiers zusammen, „parce qu'il existe un
Dieu".

183 ¹ Weil sein Geist sich als nichtige Form der Materie bekenne, laut
Brief vom März 66, – meinte G. Michaud (*Message*, 1947, I 173) zu
dieser Stelle. Das ist unhaltbar.

183 ² Die Abenteuerlichkeit des Unternehmens gibt eine gewisse Begründung für eine Behauptung, die T. S. Eliot aufstellte: daß M., sowenig als Donne und Poe, in ähnlicher Echtheit an die eigenen metaphysischen Theorien „glaube" wie Lucrez und Dante.

183 ³ Wie fast überall beim späten M. (Ausnahme: *Catholicisme* II A).

184 ¹ Undatiert (Mondor, *Vie*, 239); dort auch Lefébures Antwort.

184 ² „L. de Lisle hält mit festem, farblosem Strich die Muskulatur
seiner Gegenstände fest, welche er als michelangelesk hautlos erscheinen
läßt; Banville erfreut sich in Apotheosen mit Lichterlebnissen; der
glücklich-weise Gautier will nichts sehen als eingrenzende Umrißlinien
und als den Farbenschmuck der Lebewesen; Frau Valmore vergißt die
Form und erfühlt nur die Seele, Mendès sucht in der vollendeten Machart des Rhythmus und des Reimes das Schöne, Sie aber, Sie fassen all
das in Ihrer Umarmung zusammen: Bau, Linie, Farbe, Seele, Machart,
und Sie fügen noch die zwingende Färbung hinzu, die Ihr geballter
Geist auf die Dinge wirft. Es ist schwer, mehr Dichter zu sein, mein
Freund, so wie es schwer ist, Sie mehr zu lieben als ich" (29. 4. 66). Mall.
nennt ihn jetzt seinen *Bruder* im Unterschied zu seinen „Vettern"

Villiers und Mendès (an Lefébure, 27. 5. 67). Im Febr. 65 hatte er auf
Lefébures Gedichte gedankt: ,,Dieu, que vous êtes mon frère! Je crois
que vous ressentirez une singulière sympathie pour Villiers, lui, Mendès
et vous, parmi les jeunes poètes, composez ma famille spirituelle."

185 [1] Es sei denn ,,Ihnen selbst und den Engeln, die es nicht gibt"und
die den Turmhahn kosen würden mit dem Ausruf ,,oh le beau coq?"
In welcher Beziehung steht diese Stelle zu der Tatsache, daß nach Mall.'s
Behauptung ein närrischer Braunschweiger Herzog unter Musikbeglei-
tung in Pfauenfedern umherspazierte: ,,Oh, le beau coq!" G. Moore
schrieb über diesen Ausspruch M.'s ein Gedicht (Moore, *Letters to Ed.
Dujardin*, NY 1929, 105); mir nicht erreichbar.

186 [1] Ebenso später Barrès unter dem Eindruck von Jules Soury:
Notes sur J. Soury (Le Journal, 24. 1. 1899).

187 [1] ,,nous devrons retrouver la nature par l'art, la naïveté par
l'étude . . Ce n'est que par des greffes habiles et patientes que nous
pourrons faire reverdir ces puissances" usw. (Montégut: Revue des
Deux-Mondes, 69, 1867, 483). Wörtliche Anklänge in *Prose*. Den Kult
der Venus von Milo hatte Gautier eingeleitet.

188 [1] ,,Refaisant pour son instruction personnelle tout le chemin déjà
parcouru par ses prédécesseurs, il faut que, sans s'arrêter à aucune des
stations que chacun d'eux a occupées, . . il décrive des régions . . plus
inconnues, dût-il se résigner à ne décrire que la majesté d'un steppe nu
ou la mélancolie d'un marécage" (ebd. 483). – Daraus wird später die
verwüstete Welt der Elbehnon werden, aus der Igitur den Ausbruch
unternimmt.

191 [1] ,,Tous ces développements imparfaits qui ne s'achèvent que
dans le Rêve forment pour l'âme une sorte de point sensible (le sens du
Beau) que titillent incessamment les innombrables hiéroglyphes naturels
semés autour de nous, les eaux, les fleurs, les arbres, mille autres choses."
Für ungefähr dieselbe Verwendung des Ausdrucks Hieroglyphe wie hier
bei Lefébure vgl. die Briefe von Ph. Otto Runge.

193 [1] An Cazalis (Mondor, *Hist. d'un Faune*, 1948, 284).

193 [2] Catalogue Ed. Giard – G. Andrieux, 4. 6. 1926, Nr. 117.

194 [1] An Lefébure, Avignon 3. 5. 68 (*Catal. Cazalis*, 1935, p. 16 f).
Wie Wais, *Mall.*, [1]1938, seither Mauron (*Psychan.*, 1950, p. 69): mit
diesem Brief beginne der ,,Verzicht aufs Absolute"; ,,l'atmosphère de
convalescence qui marque cet été de 1868" bedeute eine Umkehr zur
Menschenwelt aus dem Wahnwitz der Abstraktion (p. 71, 179), und die
ersten Spuren des *Igitur* seien bereits jetzt – nicht erst seit März 69
(Fretet) – spürbar.

195 [1] An Cazalis, 17. 1. 69: ,,noch immer bin ich unter dem Einfluß
meiner verhängnisvollen Krise, tastend mühe ich mich". Jedes ver-

gebliche Warten, so auf den immer nur angekündigten Besuch von Cazalis, ließ ihn an der Zeit leiden: „mais précisément, comme je porte l'Eternité en moi, j'aime qu'elle ne soit frôlée par aucun rouage mal engrené
du temps" (21. 7. 68, an Caz.).

196   [1] Daß im Brief vom 14. 5. 67 „sans aucun doute" *Igitur* gemeint
sei (Noulet, Œ., p. 124) läßt sich füglich bezweifeln. Aus der Nichtausführung des „Werkes" (D. A.-K. Aish, *Le rêve de St. M. d'après sa
corresp.*, PMLA Sept. 1942, p. 274ff) schloß B. Croce willig auf die völlige Sterilität Mall.'s: Critica 40, 1942, 113; vgl. Croce, *Intorno a Mall.*,
Critica 1932, 241ff. und in: Poesia e non-poesia; vorsichtiger Vossler,
Mall. und die Seinen (in: Aus der romanischen Welt, IV, Lpz. 1942).

196   [2] Inzwischen bot die Gewährung eines Jahres Krankheitsurlaub
Aussicht auf Vorbereitung einer andern Laufbahn. Denn, schreibt er
an Lefébure (26. 3. 70), der Schulberuf werde ihn ganz *sicher* vernichten,
wogegen er vor seinem Denken wenigstens *vielleicht* heil entkommen
könne.

196   [3] Verheerend wirkte besonders der durch Noulet veröffentlichte
plumage-Brief, daneben die alte Meinung, es komme Mall. immer nur
auf das *abolir* an (der Ausdruck bereits in Nervals *Desdichado*: Le Prince
.. à la tour abolie). Das Wesen Igiturs wäre: „il abolit le personnel au
profit de l'éternel" (Noulet: Les Lettres 3, 1948, 139). H. Clouard (Hist.
de la litt. fr. I 43) zum *Coup*: „L'optimisme fugace d'*Igitur* a coulé".

197   [1] Auf dem Seine-Fluß, gegen Valéry, der heftig für eine unver-
söhnte Antithetik plädierte (Fontainas, *Rêverie à propos de St. M.*,
Mercure, 104, 1948, 53).

197   [2] Dazu Fußnote Villiers':„ Le moi – Voyez FICHTE, *la Logique.* –
Voir aussi *Traité des Sensations*, par l'abbé DE CONDILLAC, et LÉLUT,
Physiologie de la Pensée."

197   [3] Dazu Fußnote Villiers': „Voir SCHELLING, *Idéalisme transcenden-
tal*, et ne pas tenir compte de ses notes (dans l'*Appréciation des Œuvres
de M. Cousin*) au sujet de HEGEL, notes dans lesquelles se trouve cette
proposition: ,*Ce* qui *est* ést le primitif; son être n'est que l'ultérieur',
etc. – attendu que ceci n'est d'aucune nécessité, ne se prouve point et ne
se pense pas plus que la proposition de HEGEL." Wirkliches Interesse für
Schelling setzte erst um die Jahrhundertwende bei den Naturisten
(durch Erlande) und in Bergsons Neu-Schellingianismus ein.

197   [4] Fußnote Villiers': „Voir HEGEL, »Logique«, *la Science de l'Être.*
L'identité de l'être et du néant, considérés dans leur *en soi* vide et in-
déterminé." Mit Verweis auf die französische Übersetzung durch Véra,
„l'un des monuments philosophiques de ce siècle". Augusto Véra, ein
Emigrant aus Italien, der Heimat B. Spaventa's und des romanischen
Hegelianismus, war „der erste und für lange Zeit einzige Hegelianer

in Frankreich" (B. Knoop, *Hegel und die Franzosen*, Stuttg.-Bln. 1941, p. 37). „Die Jahre von 1859 bis 1866 sind für die Hegel-Diskussion in Frankreich von entscheidender Bedeutung" (ebd. p. 38).

198 [1] Villiers gibt einen Teil dieses Buches wieder, den Bericht einer Vorläuferin in ägyptischer Zeit: „perdue dans la pensée, j'observais un point fixé de la Notion à laquelle j'étais parvenue . . J'étais plongé dans l'Abstraction visionnaire"; nach einem Schlaf markiert sie „dans ma mémoire le point de la Notion où j'étais restée avant cet incident", usw.

199 [1] Das eine Jahr des gut bezahlten Krankheitsurlaubs solle dazu dienen, schrieb er an Lefébure (26. 3. 1870) „mein Leben ein wenig wiederherzustellen. Gesundheit sowohl als Laufbahn". Er bereite die *Licence* in Linguistik vor, „übrigens in der Hoffnung, daß diese besondere Bemühung nicht ohne Einfluß auf die ganze sprachliche Apparatur sein werde, auf die es meine nervöse Krankheit vornehmlich abgesehen zu haben scheint". Nur breche in das STUDIUM immer wieder der TRAUM ein, „der alles verheert, sofort auf die leckersten Konsequenzen vorstößt und sie verschlingt". Auch für sein linguistisches Buch stehe ärgerlicherweise bereits die Idee fest, wodurch er sich „dem fortschreitend Verführerischen ihrer Spiegelungen beraubt" habe. „Neben all dem baut sich ganz gemach das Werk meines Herzens und meiner Einsamkeit auf, dessen Struktur mir in Umrissen sichtbar wird: in Wirklichkeit ist die andere, parallele Mühsal (labeur) ihrerseits nichts als der wissenschaftliche Untergrund dafür."

199 [2] Vom nie angetasteten Spargroschen (200 frs) wurden linguistische Bücher angeschafft. Nach Bestehen der Licence zu Ostern beabsichtige er sogleich, schrieb M. an Lefébure (26. 3. 70), das Studium des avestischen Persisch und etwas flüchtiger das der semitischen Sprachen aufzunehmen, um nach fünf Jahren die Doktorthesis fertigzuhaben. Lefébure, der die großen Aussichten der vergleichenden Sprachwissenschaft für die Erforschung der frühgeschichtlichen Menschheit rühmt, hatte das „wenig reizvolle" Hebräisch als „letzte, nutzlose Einzelheiten" der ärgerlich primitiven semitischen Sprachsippe bezeichnet. „Das Sanskrit wird Ihnen, glaube ich, eine wunderbare grammatische Wissenschaft zeigen, aber die semitischen Sprachen nähern sich dem Rohzustand" (an Mall., 25. 3. 70).

199 [3] Zu Bourges und Régnier, Ostern 1894, Valvins (Régnier, *De mon temps*, 1933). Vgl. die Hinkehr zur archaischen Lyrik, etwa – von Hölderlin bis D'Annunzio – zu *Pindar*.

200 [1] Daß das hebräisch nicht bezeugte Wort *Elbehnon* aus b^enē ēl oder b^enē ^elōhīm („Söhne der Elohim") gebildet wäre (R. d. Renéville *L'expérience poétique* 1938; Clouard *Hist. Litt. fr.* I 42), ist nicht gerade wahrscheinlich (Noulet).

200   [2] An Ch. Morice, den Verfasser des Buches *P. Verlaine l'Homme et l'œuvre*, den Verlaine als „impérial, royal, sacerdotal" besang (Dédicaces 36). Morice hatte in Verlaines Auftrag Mall. um Verse für die durch den Druckereibesitzer L. Trézénik bestellten *Verfehmten Dichter* gebeten (Mondor, *L'amitié de Verl.* 1940 p. 86).

201   [1] Man erinnert sich der schicksalhaften Schlußszene von E. T. A. Hoffmanns *Elixieren des Teufels*, wo der tote Urgroßvater aus dem Sterbezimmer des Letzten der Familie tritt mit den Worten: „Die Stunde der Erfüllung ist nicht mehr fern"; denn das Sterben des Letztgeborenen bringt dem ganzen Geschlecht, dessen Weg fortschreitend nach unten in die Sünde ging (vgl. Brentanos *Romanzen vom Rosenkranz*), die endliche Erlösung. – Der Staufer-Erbe in A. v. Arnims *Kronenwächtern* I 3 erfährt sein Schicksal durch ein düster-heroisches Lied: über den Letzten des Geschlechts in den engen Zimmern, aus denen es kein Zurück gibt. Aber des „Unsterns achtet er nicht". Schon ahnt er das Licht des Nachruhms durch das Dunkel. „Die Nacht vorm Jüngsten Tage / wird schweigend zugebracht." – In Poe's Novelle *Eleonora* sprach die tote Familie (*race*, in Baud.'s Übers.) mit, als den Helden die Liebe anrührte: „Les passions qui pendant des siècles avaient distingué notre race se précipitèrent en foule avec les fantaisies qui l'avaient également rendue célèbre." Beispiele für diesen Romantyp, wo die tote Sippe vom Enkel Erfüllung heischt (etwa bei Gustav Meyrink: „Du bist jetzt der letzte Herr des Wappens! Die Strahlen aus dem grünen Spiegel des Gewesenen sammeln sich alle auf dem Scheitel deines Hauptes"), gab ich in Dts. Viertelj. f. Lit.Wiss. u. Geistesgesch. X, 318f. Villiers über seinen Wilhelm (*Isis*, c. 15): „Il fallait des siècles pour arriver à produire son individualité. C'était une résultante des hauts faits et de l'intègre probité d'une série d'aïeux" . .

201   [2] Was mir aus einem Wust von Hamlet-Parallelen sinnvoll schien, habe ich in meiner Besprechung der Diss. von Hasye Cooperman aufgeführt: Herrigs ASNS 170, 1937, 259f.

202   [1] Z_2. Orliac, der im *Igitur* eine Kosmogonie sehen möchte und nicht erkennt, daß die Ahnen, nicht etwa Igitur, Hoffnung auf den Würfelwurf setzen, glaubt, daß der Spruch, wenn ausgesprochen, „délivre de la folie des ancêtres". Sehr zum Kummer der Ahnen – sie sind nach G. Michaud das Dumpfe, „l'inconscient que nous portons au fond de nous" (*Message*, 1947, I 168), – il retrouvera le Temps éternel, éternité qui créa '*la matière, les blocs, les dés*' (Orliac, *Mall.* 1948, p. 48). Die Veröffentlichung der Briefe hat die *Igitur*-Deutung bisher mehr verwirrt als gefördert (z. B. Michaud I 173, n. 77; I 180 usw., auch B. Nelli, Les Lettres 3, 1948, 149f.), sie verlockten mehr zur Spekulation als zum Studium des Textes.

202   [2] Schon in Z_1 findet sich der Gegensatz: einerseits der *hasard*, der ausgelöscht werden soll, die *Zeit*; andererseits das abseits (en dehors, au dessus) von Welt und Zeit, dem Mond gleich, befindliche *Absolute*, *éternité*. Die Grundlage des eigenartig ausgeweiteten *hasard*-Begriffs finde ich in Villiers' *Isis* (z. B. cap. 8 „qu'elle rêvait au hasard"), der dies Wort dem Begriff „détails (de chaque jour)" vorzuziehen erklärte (ed. 1928, p. 57, 163; vgl. Anm. 222[1]). Auch Cherbuliez hat den Ausdruck; Mall. adoptierte ihn vielleicht, nachdem ihm am *Cherbuliez*-Aufsatz Montéguts allmählich aufging, daß im hasard auch die Blütenschönheit der Welt inbegriffen sei. Einerseits, hatte Montégut (s. o.) geschrieben, reduziert das Wissen die Fakten der geschichtlichen Welt auf den „état d'abstraction métaphysique". Umgekehrt aber (und hier kann der Leser Montéguts an die Definitionen Schellings und des jungen Hegel denken: Kunst = Verbindung von Wissen und Fühlen), „ce qui était idée pure et nue, simple monade mathématique, sort de son état d'abstraction, et, mue par les lois d'une affinité mystérieuse, se combine avec un fait d'ordre matériel et se crée un corps par agglutination; une épineuse théorie philosophique va se couvrir de fleurs comme un buisson". Dieser zweite Weg führt zu Mall. und seiner Durchdringung des Absoluten mit Körperhaft-Dichterischem.

203 [1] Gleichsam im Wettbewerb mit dem Schöpfergott: „*Also* wurden Himmel und Erde vollendet" (Genesis, Kap. 2). Vgl. das Motto von Villiers' *Isis*: „Eritis sicut Dii. – Le Sepher." Meine Deutung des Namens seither auch bei Mauron, *Psychan.* p. 141.

205 [1] „Non! il n'est plus de minutes, il n'est plus de secondes! Le temps a disparu; c'est l'Eternité qui règne, une éternité de délices!" Bezieht sich auf einen Opiumdusel (*La Chambre double*; auf sie verwies jetzt auch Orliac, *Mall.*, 1948, 89). Entscheidend spricht auch M.'s Erinnerung an sein *malaise* in der neuen, noch nicht eingerichteten Wohnung zu Besançon mit, wo ihm ein von seinem Denken durchtränktes Zimmer und die von seinen Träumen vollgedrängten Fenster schmerzhaft fehlten, selbst die Tapisserien mit ihren gewohnten Falten, wie er damals Verlaine klagte: „Ach, der alte Spiegel des *Schweigens* zerbrach." Auch in Villiers' *Véra* verwandelt sich ein nächtliches Zimmer, in dem nur ein paar Gegenstände funkelten, auf ein verhängnisvolles Wort: Kerzen und Kaminfeuer verschwinden, die Blumen verdorren, das Pendel der Uhr hört auf zu ticken.

206 [1] Die Verbindung zwischen einem schwermuterregenden Zeitbewußtsein und schlaflos-nichtigem Zeitzählen einerseits und dem Meer andererseits ist ein Thema von T. S. Eliots *The Dry Salvages* (Four Quartets).

206 [2] In *Igitur* IV heißt es: im *hasard* sei immer das Absurde, aber dies sei zugleich durch ihn am Wirklichwerden gehindert: „ce qui permet à l'Infini d'être". Das Unendliche und der Zufall bedingen einander also. Das Unendliche „échappe à la famille", weil sie den Zufall leugnete;

Igitur findet es auf dem Weg zum Nichts .. (Über den Gegensatz des *Unendlichen* und des *Absoluten* in der Philosophiegeschichte: Wais, *Mall.*, [1] 1938, Anm. 131 [1]). – Vgl. Villiers, *Isis*, c. 13; „je n'aime pas l'Océan ni les astres de la nuit .. rien désormais, de terrestre, ne me captivera".

206 [3] In c und II ist es die *Nacht* selber, welche das Pendelgeräusch als Ausdruck ihrer selbst wahrnimmt; in AB ist *l'ombre* noch ein menschliches Wesen, obgleich es in A, der Satzkonstruktion nach, fast ebensowohl *die Nacht* sein könnte. c beginnt: „Nachdem der Schatten wieder zu Dunkel, obscurité, geworden war, blieb die Nacht" usw. Vgl. Wais, *Mall.* [1] 1938, p. 135 f. die Parallelen aus Valéry's *L'Homme et la Nuit* (1923).

208 [1] In II wird impressionistisch-metaphorisch ausgedrückt: den Goldfunken der Wappenschließe des Buchs ihrer Nächte, und den Perlmutterleitstern ihres nebelhaften Forschens.

208 [2] *Colloque de Monos et Una* (übers. Baudelaire). „Je mesurai", fährt Poe fort, „les irrégularités des personnes présentes. Leurs tic tac remplissaient mes oreilles de leurs sonorités. Les plus légères déviations de la mesure juste, – et ces déviations étaient obsédantes, – m'affectaient exactement comme, parmi les vivants, les violations de la vérité abstraite affectaient mon sens moral .. Et ce sentiment de la *durée*, vif, parfait, existant par lui-même, indépendamment d'une série quelconque de faits (mode d'existence inintelligible peut-être pour l'homme), – était le premier pas sensible, décisif, de l'âme intemporelle sur le seuil de l'Eternité."

208 [3] Tout ce qui restait de ce que l'homme appelle sens se fondit dans la seule conscience de l'entité et dans l'unique et immuable sentiment de la durée (ebd.).

209 [1] In Poe's *For Annie*, dem Versmonolog eines Toten „in den ersten Stunden des Todes", erlischt das Leiden „avec cet horrible battement du cœur: ah! cet horrible battement"! so heißt es in der Übersetzung M.'s, der hinzufügt: „la poésie de Poe n'est peut-être jamais autant allée hors de tout ce que nous savons, d'un rhythme apaisé et lointain, que dans ce chant." Auch im *Raven* hört Poe in trauriger Mitternacht das Klopfen seines Herzens, das er für einen Augenblick des Lauschens abstellen möchte.

209 [2] Das verworren hinschleppende Vorbeistreifen (frôlement) wird in c II beibehalten: denn aus ihm läßt sich ja, gegenüber dem anfänglichen Zweifel des *Schattens*, beweisen, daß dieser Stoß von fernher, der unwirklich (impossible) zu sein schien, doch Wirklichkeitsgrundlage (possible) besitzt. – Daß die Grabtore sich schließen, hat übrigens denselben Sinn wie die Notiz, daß auch das bisher offene Buch (der Vergangenheit) geschlossen ist.

209 [3] Entsprechend dem auch im Niederdeutschen volkstümlichen Vergleich des Spinnweb- und Staubbesens mit einem Vogel; daher von Eule abgeleitet „uhlen" = mit dem Wandbesen reinigen (Kluge, Etymolog. Wörterbuch). Villiers' Tullia scheint vor der Gefahr gefeit, durch welche das „écroulement dans le vide" der großen Pläne erfolgt (*Isis*, c. 10): „c'est dans l'oubli d'un misérable détail que la grande Fatalité va précisément se réfugier tout entière!" [détail = *hasard*].

213 [1] Die „fuite vers les glaciers" (Mauron, Psychanal. p. 69) findet damit ihr Ende; Mauron wollte allerdings glaubhaft machen, sie beginne mit diesem Hinabsteigen ins Grab.

213 [2] z_3. In Villiers' Novelle *Le Désir d'être un homme* (Contes cruels, 1883) entdeckt ein Schauspieler vor dem Spiegel plötzlich, daß er nur der Schatten fremder Leidenschaften ist, kein Ich mehr. Er wird zum Verbrecher, um durch Gewissensbisse sein Ich zu retten, „n'ayant pas d'autre moyen d'existence!... Ah! je respire! je renais!... j'existe!" Aber es gelingt ihm nicht. Villiers' 8. Kap. in *Isis* trägt das Motto: „Wer sein Leben bewahren will, wird es verlieren; wer es geben wird, wird es wiederfinden."

213 [3] Äußerlich begegnet das Motiv im Nachwort von Bertrands *Gaspard*; Thibaudet (Poésie, p. 424) verwies auch auf Nietzsche. Näherliegend ist die Ableitung von dem Begriff *hasard:* es war dem Dichter schwerlich unbekannt, daß damit ursprünglich ein Würfelspiel bezeichnet wurde (nach dem vermutlichen arabischen Wort az-zahr, *der Würfel*; vgl. chance [cadentia], das Fallen der Würfel).

213 [4] Vielleicht wirkt dies nach in einer Gesprächsäußerung, die sich Dr. Bonniot unter dem 17. 1. 1893 notierte (Vorwort zu *Igitur*, p. 20f.), Mallarmé habe von einem geplanten Buch gesprochen: Wir nehmen die Idee nicht willenlos hin. – Wir schaffen sie, sind Herren des Schicksals. Wir können auch die Idee vernichten durch den Akt der Verneinung („l'opération").

214 [1] Im *Gespräch zwischen Monos und Una* (Quelle für Igitur und Prose) hatte Poe die „brutale *mathematische* Schulvernunft" dem „Gefühl des Naturhaften" entgegengestellt.

214 [2] z_3. Dagegen wäre die „Idee, die Igitur manifestieren will", nach Beausire, *Essai*, 1942, p. 67: „il n'y a pas de hasard.. Si Igitur obtient le nombre qu'il a choisi, il gagne. Le hasard est aboli".

216 [1] Mauron hat das zu Unrecht bestritten (*Psychan.* 1950, p. 161).

216 [2] Vgl. Wais, *Strömungen und Ausflüchte in der neuesten französischen Literatur* (Studium Generale, 2, 1949, 324).

218 [1] Literaturangaben s. Wais, *Mall.*[1], Anm. 143[1]; vgl. auch Glasenapp IV 305; Samazeuilh, *Auprès de Wagner, Souvenirs*, 1943; Grange

Woolley, *R. Wagner et le symbol. franç.*, 1931. Wahrscheinlich wird man über diese Reise mehr wissen, wenn die Erinnerungen von Judith Gautier über die Männer des Mendès-Kreises erschienen sein werden. Ein Vorabdruck über ihre tragische Liebe zu Wagner (Fig. litt., 23. 9. 1950) berechtigt zu erheblichen Erwartungen.

218 [2] 1869 (Revue de Paris 56, 1949, 26); ähnlich ebd. über Walküre und Götterdämmerung; auch Mendès (Le National 3. 8. 69): ,,Indem er uns neue Manuskripte auslieferte, hat er uns mit *Siegfried*, vielleicht seinem Meisterwerk, bekannt gemacht.''

218 [3] Der Text wurde mir durch das Archiv des Hauses Wahnfried freundlicherweise überlassen.

219 [1] Mendès, Rapport sur le mouv. poét. fr. de 1867 à 1900, Paris 1902, p. 137 f., und schon Jahre vorher in einer Zeitung. Villiers wünschte seine Rückkehr nach Frankreich verheimlicht zu wissen, um seine Deutschlandkorrespondenz für Pariser Blätter aus Deutschland datieren zu können. Vgl. auch die Apostrophen an Mall. im Parnasse-Nachruf von Mendès' *Braises du Cendrier*, sodann die offenkundige Übernahme des *Igitur*-Wortschatzes in Mendès' haarsträubender Schauerballade *Le Soleil du Minuit* (III. *Parnasse*, 1876): Le hasard savant . . Die Zeit eingefroren ,,dans le piège éternel d'une seule heure sombre'' usw. Weitere mögliche Auswirkungen des Igitur: Wais, *Mall.* [1] 1938, p. 148.

219 [2] Valvins, Juni 1898, an Mauclair (in dessen *M. chez lui*); desgl. auch wegen der Ausfälle gegen Jean Lorrain und Mirbeau. Mauclair zeichnete Mendès, wie der sich an M. anbiedert, um durch solche Freunde den ihm völlig fehlenden Adel sich zu erschleichen: ,,Seine verniedlichte Erotik schwankte und schimmelte wie Schminke auf seiner greisen Wange, sein Name hatte einen Stich und seine Person desgleichen'' (*Soleil des Morts*, p. 35, 45).

219 [3] Vgl. L. Larguier, Nouv. Litt. 10. 3. 1928; als Villiers 1869 dem II. *Parnasse* sein halluzinatorisches Gedicht ,,auf einen großen Wald'' gab, hielt ihn auch L. de Lisle für verrückt. Daß Mendès öffentlich Villiers als ,,demi-génie'' bezeichnete, betrübte Mall. sehr (Ghil, *Dates*, p. 5).

219 [4] Fabureau, *St. M.*, p. 21; dort auch Anekdoten über Villiers' abgründigen Ekel vor Mendès, den er bei Mall. mit Vorliebe parodierte (p. 48; nach Ghil, Dates, p. 5); Mendès antwortete mit der üblen Villiers-Karikatur ,,Odon'' in seiner *Maison de la Vieille*, wo er den Salon Nina's (wohin Villiers ebenso wie zu Mendès' Mittwochen seinen Freund Louis de Gramont mitbrachte) noch indiskreter schilderte als in der *Epître au roi de Thuringe* den Münchner Wagnerstreit.

219 [5] Veröffentlicht 1887 (Gil Blas); auch *La Machine à gloire* (1874) ist Mall. gewidmet. Daß Jean-Aubry (*Une amitié*, p. 56 f.) richtig kombinierte, möchte ich beweisen durch eine briefliche Antwort Wagners vom 5. 9. 1870 auf einen verschollenen Brief von Mendès, die bis jetzt als unerklärlich galt (W. Schuh, *Briefe Wagners an J. Gautier*, 1936, p. 134): „O Avignon! O Lustfahrten auf den unterschiedlichen Seen nicht vorhandener Länder! ... Aber jene Seen von Avignon! Ich habe es geahnt!" – Vgl. den Urdarquell-See in E. T. A. Hoffmanns *Prinzessin Brambilla.*

220 ¹ E. Drougard, *L'Axël* de Villiers, RHLF, 42, 1935, 509–546 (ders. in Nouvelle Revue, 1. 3. 1936). – G. Kahn (Mercure, 1. 8. 1922, p. 633) glaubte an eine erste, um 1862 entstandene Fassung.

220 ² „La Nuit elle-même s'était approchée", sie mischt sich ins Gespräch der Erbleichenden. In *Véra* (Fass. A: 7. 5. 1874; B: 6. 8. 1876) heißt es von dem Witwer: „Il regardait, par la croisée, la nuit qui s'avançait dans les cieux: et la Nuit lui apparaissait *personnelle*."

220 ³ „Les rideaux de la fenêtre remuaient; nous étions sous l'influence de Minuit." In cap. 13 wird aus Baudelaire zitiert: „Dont se réjouissait l'essaim des mauvais anges, / nageant dans les plis des rideaux." Neben dem Spiegel im alten Schloß des einsiedlerischen Adligen sind in Villiers' *Isis* und in seinen Poe-Nachahmungen (Contes cruels) die „weiten golddurchwirkten Kaschmirvorhänge" (Véra), die *tentures* (Duke of Portland) unvermeidlich.

220 ⁴ Auch in *L'Intersigne* (C. cruels) wird das Gespenstergrauen dadurch erhöht, daß *un oiseau de nuit* durchs Zimmer flattert und den Erzähler leicht streift (effleurant). Vgl. *Le Sonneur.*

221 ¹ „Galerie des sépultures". Auch einige *Contes cruels* spielen in den „galeries souterraines" einer Totenstadt (Souvenirs occultes), im *sépulcral corridor* mit seinen *dalles* (La torture de l'espérance), vor der für immer geschlossenen Tür der Familiengruft (*Véra*). Die Zusammenfassung der Ergebnisse meines Kapitels *Igitur und Axel*, die sich in Mondors *Vie de Mall.* findet, erweckt vielleicht den Eindruck, als käme es mir auf die Ähnlichkeit von äußerlichen Requisiten an. Das ist nicht der Fall. „Spirales de serpent" und „rampes dangereuses" in einem großen Keller, jedoch ohne daß sie irgendeine Rolle spielen, konnte Mall. bereits in Villiers' *Isis* finden.

221 ² Wörtlich parallel im I. Akt die Worte des asketischen Erzdiakons zu der unbeugsamen Sara; parallel auch das „Non" der beiden Jungen (Hinweise bei M. Daireaux, *Villiers*, 1936, p. 434 f.).

222 ¹ So redet er im *Tribulat Bonhomet* (1888) von den nur sinnlich lebenden Menschen „vêtus de hasard et d'apparences", so vom berühmten Holzscheit des Materialisten, „qui dépend du hasard extérieur".

223 ¹ Ein weiterer enttäuschender Widerspruch ist, daß sie den verlockenden „Doppeltrug, Liebe und Gold" nicht etwa durch entsagend selbstlose Opferung des Ich überwinden, was man nach den Worten vom *absolu sacrifice* und vom *radical détachement des choses* erwarten durfte, sondern aus der pseudospiritualistischen epikureischen Überlegung, das Bewußtsein, alles Glück genießen zu **können**, sei berauschender, als es zu genießen. Hier wird der Unterschied zum Tiefenniveau des *Igitur* besonders deutlich.

223   [2] Als Leiterin des *Théâtre des Arts* hatte sie sich seit Febr. 93 bemüht. Die beiden ersten Abende (26. und 27. 2.) fanden im Gaîté-Theater statt, ein dritter im Théâtre Montparnasse, jedesmal mit Beifall. – Ein Nachhall des *Axel*: Yeats, *The Shadowy Waters*.

III. DREI GEDICHTE AM FLUSS

226   [1] Mauron, *Psychan.*, 1950, 190. Oder allenfalls, vieldeutig: „A-t-il commis *le crime* du Faune, dissocié l'art et la vie?" (Lalou, *Hist. de la litt. fr. cont.*, [4] 1947, I 168; wörtlich ebenso W. Günther, Dts. Vjs. Lw. Gg. 1949, 25).

226   [2] Mall. schrieb an Aubanel am 19. 7. 65: „Et ton drame que tu me dois? Et mon *intermède* dont je voulais te dire quelques ébauches?" Der Anstoß für Aubanel war, daß ihn als Geschworener am Gerichtshof von Carpentras, Mai 1865, ein Fall von Notzucht stark beeindruckte; wörtliche Berührungen, nach L. Teissier, *Aubanel, Mall. et le Faune*, 1945 (durch Mondor, *Histoire d'un Faune*, P. 1948, nicht beigezogen; dort auch keine Interpretation oder Entscheidung, ob man im Faun den Überfall auf zwei Musen, oder auf Natur und Schönheit, oder auf Liebe und Poesie sehen wolle: p. 214). Über weitere literarische Vorbilder: Wais, *Banville, Chateaubriand, Keats und Mallarmés Faun* (Zeitschr. f. franz. Spr. u. Lit. 1938, zustimmend B. Croce, Quaderni della Critica, Nr. 16, 1950, p. 59); Kenntnis von Keats' Briefen durch Mall. seither behauptet bei Orliac, *Mall.*, 1948, p. 17. Belanglos ist die Beziehung zu L. de Lisle's *Pan* (A. Schinz, Mod. Lang. Notes, 52, 1937, 485 f.). G. N. Henning (*The Source of Mall.'s L'Apr.-m.*: Mod. Lang. Journal 23, 1938, 506 f.) bestreitet sie zugunsten jenes Boucher-Gemäldes in London, auf das erstmals Thibaudet hinwies; es war aber erst seit 1880 zugänglich (Mondor, *Sur l'Après-m.*: L'Illustr. 11. 9. 48). Nichts Neues in G. Faure, *Naissance d'Hérod. et du Faune* (Gazette des Lettres, 18. 9. 48).

229   [1] Der Verwalter des Mall.-Nachlasses, Henry Charpentier †, versprach die Veröffentlichung der 3. Szene, die er *Réveil du Faune* betitelt (Le Monde illustré, 89, 1945, 4312, p. 35).

229   [2] Hier im *Faun* „je me livre à des expansions estivales que je ne me connaissais pas, tout en creusant beaucop le vers ce qui est bien difficile à cause de l'action!" (an Lefébure, Mitte Juni 65).

231 ¹ Zur Klarstellung gegenüber Th. Spoerri (*Zu Mall.'s Après-m. d'un F.:* Trivium 6, 1948, 224 ff.); ich sehe mich also nicht im Gegensatz zu Spoerris Feststellung: ,,Das Scheitern des Faunes ist der Sieg des Dichters."

231 ² Brief L. de Lisles vom 23. 8. 75 (Cat. G. Andrieux, 4. 6. 1926, Nr. 110). Er hatte ,,eindeutig, hart, hochmütig, streng M.'s Weg verworfen, aber ließ es nicht gelten, daß man einen zur Mitarbeit eingeladenen Dichter ausschlösse" (Kahn, Silh. litt.).

231 ³ Nach Mauclair, *Soleil,* p. 38. Dennoch scheint er M.'s Bemühen als einen schönen, aber unmöglichen Traum angesehen zu haben; so schildert er in seinen *Lettres Chimériques* einen ungenannten Dichter, in dem J. Charpentier (*Banville,* 1925, p. 92) ein Porträt Mall.'s vermutet.

231 ⁴ Über den künstlerischen Substanzmangel bei France sagt Lesenswertes die derzeit wohl selbständigste Kritikerin Frankreichs, Claude-Edmonde Magny. Maur. Barrès, mit dem zusammen France im Januar 1889 für General Boulanger und für das Andenken Napoleons III. schwärmte, analysiert in einem bisher unbekannten Tagebuch (Revue de Paris, 1950) Frances Abgleiten ,,dans un bien vulgaire contentement de soi-même et dans la vulgarité". Er stellt ihn zu den innerlich Zwiespältigen, die als selber vorherrschend Wollüstige die Revolution gegen den Luxus der andern predigen . . ,,Les âmes orgueilleuses et poétiques empoisonnent leur blessure. Il faudrait connaître la blessure de Hérault [de Séchelles], de Saint-Just et de France".

231 ⁵ An Mondor, März 1942 (Mondor, *Mall. et France,* 1951). Die Verbrennung ihres Gutachtens, welche die drei schriftlich von Lemerre verlangt hatten, war nicht erfolgt. Mondor möchte daraus, daß Mall. am 15. 5. 76 *Mon cher confrère* an France schrieb statt wie 1873 *Mon cher France,* den Schluß ziehen (ebd.), daß Mall. von Frances Vorgehen erfahren hatte. 1893 in seinen Artikeln im *Temps* lenkte France ein (A. Antoniu, *A. France critique litt.,* 1929). Vom III. *Parnass* wurden auch die (unechten?) drei Gedichte Baudelaires ausgeschlossen (France: ,,Non, ce serait odieux"). Verfaßte France den Artikel *Décadents* im Nachtrag des *Großen Larousse*-Lexikons (um 1888, mit Spott auf Mall.)? Vgl. R. Kemp (Nouv. Littér., 30. 3. 1950).

231 ⁶ Le manuscrit autographe, März/April 1928, p. 43, 46, 51. Ghil, Les Dates, p. 4.

232 ¹ Baron Shop (Le National 5. 5. 76): s. Mondor, *Hist. d'un Faune,* 1948, 233 f.

233 ¹ Debussy an G. Jean-Aubry (Mondor, *Hist. d'un Faune*). Als die ,,arabesques" (Debussy an Mall., 21. 12. 94) im Harcourt-Saal, vor einer ungnädigen Presse, am 23. 12. 94 aufgeführt wurden, lud der Komponist den Dichter dazu ein. – In Italien: der Komponist Vitt.-Emm. C. Lombardi.

233   [2] Vente Debussy; Cat. Giard-Andrieux, 30. 11./8. 12. 1933, Nr. 214.

233   [3] Neue Schweizer Rundschau, Mai 1929; 36, 327. Eine Abschrift des *Faun*, die ihm St. George 1891 schenkte, hatte Hofmannsthal verloren (H. Steiner, *St. G. and Hofm.*, The German Quarterly, März 1941).

233   [4] A: *Est-ce un songe!* zu B: *Baisai-je un songe?* C: *Aimai-je un rêve?* Vgl. die feinen stilistischen Beobachtungen in Noulets Vergleich von A mit C (*Œuvre*, p. 228 f.); gleichfalls vergleichend soeben ein Aufsatz von G. Contini im (mir nicht erreichbaren) Mall.-Sonderheft der Zeitschrift *L'Immagine* (?).

233   [5] Selbstanzweiflung? Minderwertigkeitsgefühle? Überlassen wir's den Psychiatern.

233   [6] Assoziativ mit dem Gezweig verbunden, wie schon Keats in seiner *Ode to Psyche*, mit einem kühnen Bild dem Göttermädchen einen geweihten Hain aus *branched thoughts* und eine Rosenlaube „with the wreath'd trellis of a working brain" errichten will. Vgl. S. 568 zu *Une Dentelle*; auch Catholicisme II, A: „le Génie .. en l'arabesque (B: le délire) de son intuition intérieure". Beachtet man dieses konkret-abstrakte Vergleichen nicht, so entsteht die falsche Deutung: die Zweige dieser Landschaft und diejenigen der Liebesszene sind nicht dieselben (so Soula, *Gloses*, 1946, p. 259; il constatait que les frondaisons réelles étaient bien différents des ramures de son rêve, p. 263). Vgl. auch Klemperer, Die mod. frz. Lyrik von 1870 bis zur Gegenw., Lpz.-Bln. 1929; M. G. B. et Fréd. Lachèvre, L'Apr.-m., paraphrase et comment., Courmenil (Orne) 1936.

234   [1] Schwerlich meinte er mit den *Rosen* den Leib („daß der Faun sich den Triumph der nur geträumten Hingabe eines rosigen Leibes – *la faute id. de r.* – beschert": P. Gan, Neue Rundschau 1950, 436). Weniger preziös als C ist B: nichts Unkeusches, nur die *pudeur ordinaire de roses*. Vgl. A, V. 43.

234   [2] Offenbar zweifelnd in B; in C bejahend. – Grammatische Parallelen zum Gebrauch von *fabuleux*: bei J. Schérer, L'expr. litt., p. 93.

234   [3] Das Nachfolgende zeigt zugleich zwanglos den dichtenden und mythenschaffenden Faun am Werk. Schwächer war die Stelle (für die mir Johansen, *Le Symb.*, 1945, 142, zustimmt) noch in A ausgeprägt. Es müsse Trug gewesen sein. Nur der Wind könne es gewesen sein, und der biete den Lippen ja keine glatten Körperkurven „ni ces creux mystères où tu bois / des fraîcheurs que jamais pour toi n'eurent les bois". Ähnlich beginnt *Ce que disaient* mit der Antwort: „Ce n'est point le vent: car, pas un arbre ne tremble et le bois entier est immobile." Ein Nachhall dieses Topos bei T. S. Eliot, The Waste Land, V. 353 ff.

235 ¹ Meine Erklärung, welche späteren Kritikern unbekannt geblieben zu sein scheint, wird jetzt durch den Vergleich BC bestätigt. In der Wertung des Fauns haftet u. a. den folgenden Worten etwas Geringschätzendes und Mißbilligendes an: der Künstler als der, der die Stimmnote *a sucht;* droit, seul, lys, ingénuité, détournant, rêve, amuser, beauté d'alentour, confusions fausses, crédule, faire aussi haut, se module, évanouir, vaine (noch nicht in B: suave), monotone. Raffiniert doppeldeutig, sind sie alle doch zugleich für eine ernsthafte Poetik gültig. Dem Doppelsinn zulieb milderte Mall. in c *d'ironique lumière* zu *antique*; *non!* zu *bast!*; *angoisse* zu *arcane.* Zu einseitig faunisch erwies sich: *de bras dénoués et du flanc | et de seins vagues sous mes regards s'enflant.* Wegen zu deutlicher Ironie verschwand *noble instrument.*

235 ² Der Vers wurde durch Huysmans in *A rebours* grundlos als Obszönität ausgedeutet.

235 ³ Also gerade das Gegenteil von „une morsure sensuelle" (C. Soula, *Gloses sur Mall.*, 1946, p. 268) oder „le crime" (Gengoux, *Symb.*, p. 153, 178). Die Lilien empfindet Soula als unfaunisch, störend. Ferveur première deutet er als die *souvenirs divers*; arcane als: *mich, den Faun*; refleurir als: *chanter bellement.* Der Faun, mit dem Schlußvers „par la vertu de ses doctrines a pénétré les arcanes de la sagesse . . quand le poète est fatigué, il n'y a qu'à dormir, dormir avec volupté".

236 ¹ „Diese ausgesogene Traube, von einem Sonnenstrahl durchleuchtet, hat mir stets dieselbe ungekünstelte, sozusagen faunische Freude bereitet" (Ch. Maurras, a. a. O.); ähnlich Gerhard Heß, St. M.'s *L'Apr. d'un Faune* (Neuphilolog. Monatsschrift, 7, 1936, 404). Auch St. George hat sich diese Verse zur Übersetzung erkoren. – Unsymbolisch und ohne das Hauptmotiv der ausgesaugten Trauben sprach V. Hugo von der Lust „des Satyres, couchés sur le dos, égrenant / des grappes de raisin au-dessus de leur tête" (*Le petit roi de Galice*, 9).

236 ² Dagegen hatte sich in A der Vers „Pour que mon regret soit par le rêve écarté" noch auf den vorhergehenden Vers bezogen: wenn er sich über eine Enttäuschung durch einen Rausch hinweggetröstet habe. .

237 ¹ A: „fleuries / de la pudeur d'aimer en ce lit hasardeux, / deux dormeuses parmi l'extase d'être deux". Vielleicht beseitigt, weil Baudelaires *Brumes et pluies* mit „sur un lit hasardeux" endet.

237 ² In A nur: Sur une peau cruelle et parfumée, humide / peut-être des marais aux splendides vapeurs. B: Que voile, l'une et l'autre, une peau pâle, humide / à la fois du rivage et des mêmes vapeurs.

237 ³ A: sans épuiser ces peurs / malignes (B: les peurs / folâtres).

237 ⁴ „Bestrafungen": Vgl. oben p. 61, 106, 117 (un juste châtiment à ma lâcheté . . je sens mon tort), 193.

237 ⁵ *vagues trépas* (BC) könnten vielleicht an die höhere Natur im *Faun* erinnern; in *lascifs trépas* (A) war noch das Gegenteil ausgedrückt.

237 ⁶ A: Oublions-les! B: Dédaignons-les! C: Tant pis.

238 ¹ So wie jede reife Granatfrucht platzt (Aubanels *Mioùgrano entre-duberto!*) und sich dem gierigen Summen schwärmender Bienen bietet, so pulst, erhitzt für alles, was sich ihm naht, sein Blut, um sich vom ganzen ewigen Ausschwärmen der Begierden verzehren zu lassen. A: Mon corps . . / répand presque les feux rouges de l'Etna. B: notre sang, jaloux de qui le vient saisir / altère tout le vol ancien du désir.

238 ² In A: Wenn das Rosenrot ihres Mundes das blutige Abendrot färbt, kommt Venus mit nackten Füßen, vor deren Glut die Bergbäche austrocknen. (*Les mains jointes*) Si . . (*Comme parant de ses mains disjointes une foudre imaginaire*) Mais ne suis-je pas foudroyé? – In B: Wenn Venus in ihren Hüften das Glutfest des Aetna, des ruhevoll donnernden und flammend ächzenden, sich regen spürt, verläßt sie (déserte) den Berg und kommt in das aschenfarbene Düster des Waldes, in dem dann der Abend festlich entbrennt. „Si je la . . . Suis-je pas châtié?"

238 ³ Fr. von Oppeln-Bronikowski (Das junge Frankreich, Bln. 1908) hat als einziger die Metapher dieses Verses richtig erfaßt. Sie ist nicht eigentlich selten. Keats gibt als den Sinn der Sonne, „how to load and bless / With fruit the vines". Dann besonders bekannt der Schluß von Baudelaires *Vin des chiffonniers:* „Le Vin, fils sacré du Soleil!" Vgl. auch Villiers' Prosa-Alexandriner „le vin, flot rayonnant où dort le cher soleil" (Les demoiselles de Bienfilâtre). Hauptquelle: Gniphons Anfangsvers in Banvilles *Diane au bois:* „O doux vin par le soleil moiré . ." – 1940 wurde Vorstehendes bestätigt durch die Lesart A: „au grand soleil, père des vins".

238 ⁴ Bei alledem ist der Schlußvers von C unendlich schöner als der gröbliche von A. Vielleicht darf man mit Ch. Guyot (La Génèse de l'Après-midi, in: *St. Mall., Essais et Témoign.,* 1942, p. 103) an ein abrundendes Wiederaufgreifen des Anfangsverses denken.

239 ¹ Dieser konzipierte das Ballett, bei welchem Nijinskij den Faun tanzte, im „Reliefstil" (1912). Nur widerwillig überließ Debussy dem Veranstalter Diaghilev die Musik des *Prélude.*

239 ² Mercure de France, 16. 9. 1919; 135, 222.

239 ³ The Faun, in *Along the Trail.* Boston 1898, p. 83.

239 ⁴ 1859. Seit Jan. 1860 besaß Mall. die zweibändige Originalausgabe der *Légende des Siècles.*

239 ⁵ F.-P. Alibert hätte in seiner Versdichtung *Naïades* (NRF, 1927, p. 746) den Namen Mall.'s schon nennen sollen.

240 [1] Nicht umsonst hob Mall. als „l'une de vos très belles choses" aus den *Noces Corinthiennes* (1876) gerade das Sechszeiler-Gedicht heraus (an France, 15. 5. 76): Les choses de l'amour ont de profonds secrets. / L'instinct primordial de l'antique nature / qui mêlait les flancs nus dans le fond des forêts, / trouble l'épouse encor sous sa riche ceinture; / et, savante en pudeur, attentive à nos lois, / elle garde le sang de l'Eve des grands bois.

240 [2] Das Sonett *Patimen II* in den *Fiho d'Avignoun*.

242 [1] Vgl. *Div.:* „idée même et suave, l'absente de tous bouquets". Vgl. Banvilles Rosengedicht von 1863: Amor fand an einem brennenden Sommertag Venus im dunkeln Laubschatten schlummern, weckte sie nicht, und „de son désir, faite de son désir, / toute pareille à son désir" entstand da die erste Rose.

244 [1] Die Zweifel von Hugo Friedrich, ob Mall. in dem Gedicht eine Badende darstellen wolle (Romanische Forschgn. 53, 1939, 533 f.) sind jetzt durch die ursprüngliche Überschrift *Bain* behoben. Dem Verleger, der es als Begleittext für eine Abbildung bestellt hatte, gefiel es nicht; Mall. zog daraufhin in einem groben Brief seine Mitarbeit zurück. Er gab die Verse dann an die durch F. Rops, Maurice Denis, Steinlen u. a. ausgeschmückte Zeitschrift *L'Épreuve*; über die Zusammenarbeit dort vgl. die Briefe von Mall., Maurice Dumont, Jules Le Petit, Henri Vigneaux: Cat. G. Andrieux vom 18./22. 2. 1928.

244 [2] Das Wort *gloriole* entzückte Poe; in seinen *Pinakida* notiert er es als eine Schöpfung Saint-Pierres.

244 [3] Diese Sätze über die Wahrnehmungsreihenfolge möchte Sv. Johansen (*Symbol.*, 1945, 132 f.) in Verbindung gebracht wissen zu dem, was ich unten p. 500 über die prophetisch-magische Vorankündigung in *Le Démon* sagte; der Vogel wäre ein magisches Vorahnen von Wäsche und badender Frau.

ANMUT UND WÜRDE

I. BEGLÄNZTE WELT

249 [1] C. Mauclair, Mallarmé chez lui, Paris 1935, p. 9 f.

250 [1] Oder Tombeau de Poe в: notre idée statt а: mon idée.

250 [2] Vgl. das Verslein für einen Dichterfreund: „der Faun würde musizieren, besäßest du nicht bereits alle Tasten der idealen Musik" (Vers de Circ. p. 52). Hatte er von sich geschrieben: „il donne pour exploit ingénu d'avoir considéré .." (R. Wagner, а), so kürzt er in с: „il accepte pour exploit de considérer". Ebenso fällt *me* in „cette douce surprise que me préparait .. Londres m'est apparu" (La Pipe, A). Vgl. *Crise* B: Notre (C: Le) vers .. notre (C: cette) prosodie; oder Ghilvorrede B: mon temps *zu* le temps.

251　[1] Mauclair, Soleil, 1897, p. 12. Typisch für seine zeremonielle Ruhe: als bei seinem Genter Vortrag auf dem Weg vom Hotel zum Saal sich ihm die Krawatte und bald auch der Kragen löste, ersuchte er den Vertreter des Bürgermeisters um Angabe einer „maison spéciale où une dame voudrait bien lui rendre le petit service de lui refaire sa cravate" (notiert von Reyn. Hahn in Notes, Journal d'un musicien, 1933, p. 67).

251　[2] „il vivait clairement" (zit. P. Ajalbert, *Mémoires à rebours*, Mercure 281, 1938, 272).

252　[1] *L'aile s'évanouit* . . . (Vers de Circonstance, p. 168; P[5], p. 177).

252　[2] L.-C. Lefèvre-Roujon (Journal de Genève 1./3. 1. 1950).

252　[3] Sur le Beau et l'Utile (P[5], p. 880 f.).

253　[1] Vers de circonstance, p. 172, 187, 181.

253　[2] A. Vollard (L'Art vivant, Juni 1930; ders., Souvenirs d'un marchand de tableaux, 1937); etwa dasselbe Erlebnis berichten Calmettes, *L. de Lisle*, p. 236, und Montesquiou, *Dipt. de Flandre*.

253　[3] Wais, *Mall.*, [1] 1938, p. 480 f.: Auszüge aus Inspektionsberichten von 1876; in einem anderen wird getadelt, daß Mall. nicht lehre „ce qui est. Il cherche ce qui pourrait être, le possible, le nouveau, l'ingénieux. A Rollin, on est un peu embarrassé de cette recrue qui fait le service sans le faire" (1887; zit. Mondor, *L'Amitié*, 1940, 118).

254　[1] Aus dem Lycée Fontanes (später Condorcet), dem Gymnasium für die Umgebung des Bois de Boulogne (ohne Internat), war er am 20. 10. 84 ins Lycée Janson de Sailly versetzt worden, hatte aber bei Roujon wegen des weiten Schulwegs dagegen protestiert, mit Erfolg. Beurlaubt auf Antrag (18. 2.) wegen Krankheit 16. 3.–30. 6. 85 und 8. 8.–4. 11. 93. Collège Rollin: 4. 10. 85 bis zu seiner Pensionierung am 6. 1. 94. Über seine Tätigkeit im Staatsdienst vgl. Calmettes, *L. de Lisle*, 1902; Fontainas, *S. M. Prof. d'anglais* (La Phalange, 15. 3. 08); Leclerc du Sablon (Revue Bleue, 74, 1936, 486f.); Ch. Chassé, *M. universitaire* (Mercure, 1912); L. Dauphin, *St. M.* (L'Hérault vom 21. 2., 6. 3., 13. 3., 27. 3. 1912); Daniel Halévy, *Pays parisiens*, P. 1932, und *M., professeur d'anglais* (Le Populaire XV, 3452, vom 21. 7. 1932); L. P. Fargue, *La classe de M.* (NRF 1. 5. 41 und in Fargue, *Portraits de famille*, 1947, 105 ff.).

254　[2] 1894 (Alex. Arnaoutovitch, H. Becque. P. 1927; I, 516); Mall. schrieb an Dierx, er verzichte zu dessen Gunsten.

255　[1] In zwei Teilen, Thèmes anglais pour toutes les grammaires (für den Schüler) und Mille phrases d'anglais à apprendre par cœur (für den

Lehrer). Ein Frau Bonniot gehörendes Manuskript des „Anglais récréatif" will durch Bilder, die er selber ungelenk malte, das Lernen erleichtern (Photos: Arts et Métiers graph., 1. 1. 1937, Nr. 56); nicht in P[5].

256 [1] Zu Beginn sind 39 Seiten eines *Mercantile Vocabulary* eingeschoben, offenbar in der Handschrift seiner Tochter, von ihm korrigiert und ergänzt. Näheres: Fr. Ambrière, Les besognes de M.; Nouv. Littér., 20. 6. 1936.

256 [2] Nr. 87 (später umnumeriert 89). Bis 1875 wohnte er 29, rue de Moscou.

256 [3] Zahlreiche Photos: in Le Point, 5. Jg. (1944), Mallarmé-Sonderheft; andere in Nouv. Litt., 20. 6. 1936, Nr. 714 und Arts et métiers graphiques, 1. 1. 1937, Nr. 56. Eine Lagenskizze der Wohnung, von Louys' Hand: in Mall.-Rodenbach, Corr. inéd., Genf 1949.

257 [1] Es wurde kürzlich aufgefunden: Mondor, La gloire difficile de M. (Figaro litt. 11. 9. 48).

257 [2] An Montesquiou, Valvins, 9. 9. 79, und Paris, 6. 10. 79 (Dipt. de Flandre, 1921; auszugsweise in Les pas effacés, Revue hebdomad., 32, 1923, 311 f. und P. 1923, II, 185 f.).

258 [1] 16. 10. 1880: C. P. Marois, Gazette des Lettres, 18. 9. 1948. Jeanne Mall. war im November 1873 die Frau von Eugène Michaud geworden (ebd. auch der Text von Mall.s Glückwünschen mit der freudigen Erwartung „unseres gemeinsamen geschwisterlichen Lebens" in Paris: 24. 11. 73). Das junge Ehepaar lebte bis 1877 in Paris, dann in Maisons-Lafitte.

258 [2] Rodenbachs Einakter *Le Voile* (1894). Interview in *Le Petit Bleu* 20. 5. 94, wiedergefunden durch Fr. Ruchon ed., L'Amitié de St. M. et de G. Rodenbach, Genf 1949, p. 120 f.

258 [3] Antonin Proust, Erinnerungen an Manet, Bln. 1917, p. 65.

259 [1] Diese Tatsachen geben eine Erklärung für die Vorgänge, die H. Mondor (Revue de Paris 58, 1951, 21) noch als unzureichend aufgehellt bezeichnete. Jedoch widmete France seine *Poèmes dorés* (Mall. las sie: Brief an France, 1873) dem alternden L. de Lisle, welchen bald Tailhade als „pasteur d'éléphants" zu verhöhnen begann.

259 [2] Deswegen soll L. de Lisle (der seinerseits unter Napoleon III. insgeheim eine kaiserliche Pension bezogen hatte) 1871 die Erschießung Verlaines verlangt haben, behauptete dieser später, indem er zugleich L. de Lisles Patriotismus von 1870 in Frage zog (8. 1. 90 zu Louys) und diesem in seinen *Invectives* übel mitspielte. In jenen bewegten Tagen hatte immerhin auch A. France, durch einen 18jährigen Toulouser Bürgerfeind im Kommune-Außenministerium, Robert Caze (1853–86), den Botschafterposten in London angetragen erhalten. Caze, 1871–80 Emigrant in der Schweiz, führte später bei seinen Sonntagvormittagen in der rue Rodier, dann den Montagen in der rue Condorcet die Maler Pissarro, Seurat, Signac, Guillaumin mit P. Adam, Moréas, Fénéon, Ajalbert, Régnier, Griffin, Darzens zusammen. – Kommune-belastet waren auch Lepelletier (geb. 1846), Gérard Bauer, Ménard. X. de Ricard emigrierte bis 1873 in die Schweiz; er endete, nach einem Aufenthalt in Paraguay, als Schloßkonservator von Azay-le-Rideau. Wegen einer Rückschau auf die Kommune mußte noch Cladel (Montauban 1835–Sèvres 1892) 1876 für einen Monat ins Gefängnis.

259 [3] Noch Anfang 1872 war Mérat mit Valade und Cros bei den Mittwochabenden im Elternhaus von Mathilde Mauté, Verlaines Gattin, rue Nicolet, erschienen, zu denen Verl. auch Mall. einlud (an diesen, 9. 1. 72).

260 [1] Vgl. *Mercure*, 1. 8. 1933 und 15. 2. 1934; ferner E. Raynaud, *La Bohême sous le second Empire, Ch. Cros et Nina*, P. 1931; P. Dufay, (Mercure 239, 1932, 91 f.). Nina de Villard, wie sie sich damals nach ihrem Großvater Ignace Villard nannte, verfaßte nach ihrer Flucht ins Ausland (1870/1; bis dahin wohnte sie rue Chaptal 17, dann rue des Moines) zusammen mit France den Einakter *La Dompteuse*. Als der eifersüchtige Cros in einem Café deshalb France zu erwürgen versuchte, schloß dieser ihn von der Aufnahme in den III. *Parnaß* aus („Non. Tout le ridicule du genre. Rien de personnel").

261 [1] L. Daudet, Fantômes et vivants, 1924, p. 289. Dieser war auch bei Paillard, zu einem Glas Champagner, mit ihm beisammen, in Gesellschaft von Rodenbach, Georges Hugo, Whistler und dessen Schwager. Goncourt wohnte in Auteuil, Boul. de Montmorency; L. de Lisle seit 1870 am heutigen Boul. St-Michel (damals Boul. de l'Ecole-des-Mines), Banville in seinen letzten Jahren rue de l'Eperon.

262 [1] Lefébure weiß damals, daß eine Geringschätzung Hugos auf Mall. verletzend wirkt (2. 11. 65). Gröblich dagegen bedauerte Verlaine (*Lutèce*, nachgedruckt in *Mémoires d'un veuf*) bei Hugos Tod, daß Hugo nicht schon 1845 gestorben sei; mit einer Flut von Schimpfworten gegen dessen Werke seit *Châtiments* und *Légende*.

262 [2] Divag. p. 117. Über Mall. und Hugo vgl. Vers et Prose 29, 1912, 68; Coppées Tagebuch; Régnier in Nouv. Litt. 30. 5. 1936.

263 [1] Als Cazalis später in Aix-les-Bains ein steifer Mode-Arzt geworden war, belustigte es Mall. erheblich, als er ihn einmal durch einen Empfehlungsbrief, den er dem erholungsbedürftigen Verlaine 1889 mitgab, nicht schlecht in Verlegenheit brachte. Verlaine, der sich auf allen Bahnstationen alkoholisch gestärkt hatte, fand bei der Ankunft in Aix weder den Brief noch die Adresse seiner Pension, betrat ein Hotel, legte sich unbemerkt im nächsten besten Zimmer schlafen, wurde als vermeintlicher Einbrecher verhaftet, durch die belebten Straßen geführt und endlich nach Auffindung des Briefes Cazalis überstellt.

263 ² 1852–1933. Villiers, den Moore um 1874 im Café kennenlernte, empfahl ihn dem Dichter in einem Brief, der „das Schicksal meines Lebens trug" (Moore, *Avowals*, 1924, 261). Mall. vertiefte sich sofort ernsthaft in Moores Gedichtband *Flowers of Passion*; wie G. Kahn nennt Moore sich seinen „ersten Schüler" (p. 262). Er entwickelte sich literarisch von Zola über Flaubert zur keltischen Mystik und zu dem auf die religionsgeschichtlichen Studien Dujardins, des Renan-Schülers, gestützten Roman *The Brook Kerith*.

263 ³ 22. 6. 1871; s. Miodrag Ibrovać, *J.-M. de Hérédia*, 1923, p. 566. Bei L. de Lisles Sonnabenden erschienen Mall., Villiers, Verlaine, Heredia, Mendès, France, Sully, Vallès, Barrès. 1885 wählte ihn die *Académie* zum Nachfolger Hugos.

263 ⁴ An Mérat, 29. 1. 75 (im Nachlaß Mérat, Paris, Bibl. Nat.; bei Gourmont, *Promenades litt.*, 1906, II 46f.) und an Zola (25. 1. 75). Seine Nachfolgerin war die Baronin de Lomaria.

263 ⁵ Place Pigalle; 1877 der Treffpunkt von Manet, Degas, G. Moore.

263 ⁶ An Arthur O'Shaughnessy (1844–80), der (wie auch der blutrünstig-krasse Zolaschüler Hennique, welcher sich hier mit Alexis und Huysmans anfreundete) Mitarbeiter der Zeitschrift wurde und sich 1874 mit seinem *Music and Moonlight* eine sehr überschätzte Reputation errang. Mall. hatte O'Sh. und Gosse im Britischen Museum kennengelernt, als er im August 1875 als Gast von Payne in London weilte. Ende 1875 wurde O'Sh. bei einem Pariser Besuch in M.'s Familie heimisch; der Dichter mußte seine Kinder über die Verzögerung des vom Gast versprochenen Plumpuddings, den sie schon im Kanal schiffbrüchig glaubten, hinwegtrösten, indem er ihn in einen Dreikönigstagskuchen verwandelte; „attendre est toujours exquis" (an O'Shaughnessy, 1. 1. 76). Vgl. Jean-Aubry, *M. et ses amis anglais* (Figaro, 2. 6. 23).

265 ¹ Am 28. 2. 94 (nach Mall.'s Angabe am 1. 3.); er sprach auf Einladung der Taylor-Stiftung (für alljährliche Vorträge über Themen der ausländischen Literatur).

265 ² *Oxford, Cambridge. La musique et les lettres*, 1895, p. 15, 53, 55, 15.

265 ³ Calmettes, *Leconte de Lisle*, 1902, p. 236.

265 ⁴ Ménage, 1673 (Einzelheiten: Wais, *Mall.*, ¹1938, Anm. 181²).

266 ¹ Verfasser von Spottliedern in *Les Gaietés de la Semaine*.

267 ¹ An Melchior de Vogüé, 21. 10. 73; zit. Ibrovać, *Hérédia*, p. 235; Mall. wohnte im August dort, wo er dem verdutzten Heredia den *Toast* vorlas, und in Conquet (Bretagne).

267 ² Während er dort den September verbrachte, besuchte Marie mit den Kindern ihre Familie in Camberg, .. alles mit Hilfe des Leihhauses (an Marie, 9. 9. 75: er könne auch seine Uhr opfern . . „mon Dieu! que tout est difficile!").

267 ³ Haus und Garten auf einer Zeichnung (von Dujarrigue, 1878; Nouv. Littér. 20. 6. 1936, Nr. 714), einem Gemälde (von Vuillard, von dem es noch zwei weitere, und unveröffentliche Porträtskizzen Mall.'s gibt; Arts et métiers graph., 1. 1. 1937) und einer Federzeichnung (A. Marie, *La Forêt symboliste*, 1936, p. 11). Nach dem Tod der Besitzerin kamen zwei bis drei Zimmer dazu, so daß Mall. ein eigenes Arbeitszimmer erhielt.

267 ⁴ Für Mockels Album der Mall.-Freunde, 1897 (ein Teil der 1. Fassung: Mondor, *Vie*, 763 f).

268 ¹ An Manet (A. Proust, *Erinn. an Manet*, 1917, p. 67). Nur über die Stechmücken, gegen die er seine Fenster mit Metallplatten sicherte, habe er zu klagen (zum Ehepaar Vallette, das ihm auf seinem Segelboot Gesellschaft leistete).

268 ² Photo Léopold, Clermont-Ferrand (reprod. in Arts et Métiers graphiques, 1. 11. 1936, Nr. 55).

268 ³ Photographie: Les Nouv. Litt. 20. 6. 1936; Nr. 714.

268 ⁴ Nach Bonniots tragischem Berufstod übernahm seine zweite Frau die Obhut.

269 ¹ André David, *Rachilde, homme de lettres*. Paris 1924, p. 44. Als wegen ihrer *Monsieur Vénus* (Brüssel 1884, eines Lieblingsbuchs von Ludwig II. von Bayern) das Gericht sowohl das Buch wie ihren Verlagsbriefwechsel beschlagnahmte, ein Jahr Gefängnis nebst 1000 frs Strafe verhängte und als Begründung angab, sie habe ein neues Laster erfunden, erklärte dagegen Verlaine, eine solche Erfindung wäre eine Wohltat für die Menschheit. Aber „seien Sie beruhigt, Kleine, Sie haben gar nichts erfunden".

269 ² Vers de Circ. p. 11. Brief und Billett von Mall. an ihn: publ. in *Yggdrasill*, Jahrg. 1936, Nr. 3. Paris. Bourges (1852–1925) war 1874, für Hugo und Baudelaire schwärmend, aus Marseille nach Paris gekommen, wo ihm sein Freund P. Bourget journalistische Arbeit an Arthur Meyers *Gaulois* vermittelte. Sein Vorname stammte aus der Zeit, als seine Mutter, eine Wallonin, noch Hauslehrerin in Prag und in Ungarn war. Seine drei ersten Romane vernichtete er. In den späteren ließ er Gewalttat und Leidenschaft mit seiner Nirvana-Sehnsucht sich begegnen. In seinem wagnerisch-äschyleischen Lesedrama hofft Prometheus, einen Übermenschen zu zeugen, um die Menschen vom Gott-Tyrannen zu befreien: das Kind ist ein blinder Krüppel. – In den achtziger Jahren zog Bourges wegen des Unterrichts für seine Tochter in die Hauptstadt. Er verbrachte die Tage in der Nationalbibliothek, und Mall. scherzte: „Quand Bourges a cinq minutes à perdre, il relit l'*Encyclopédie*." Gide nannte Bourges den „letzten Charmeur, seit Mall." (Journal). Vgl. Raymond Schwab, *E. Bourges*, P. 1949.

270 [1] Über Mall.'s dichterischen Anteil an der Sammlung: Dauphin, *St. M.* (L'Hérault, 21. 2. 12).

270 [2] Valéry, *Dernière visite à M.* (Variété, II); deutsch: Corona 4, 1932.

271 [1] Geneviève an Rodenbach 22. 9. 98 (*Corr. Mall.-Rodenb.*, Genf 1949, 114).

271 [2] Amygdalitis (ebd.).

271 [3] Text bei Mondor, *Vie de Mallarmé*, 1942.

271 [4] Orliac, *Mall.*, 1948, 46; Dujardin, *Mall.*, 1936, 70. Nach Äußerung von Camille Mallarmé (Ch. du Bos, *Journal 1923–25*) habe sie nicht gehorcht.

271 [5] Mauclair, *Princes de l'Esprit*, p. 102f.

271 [6] Orliac, *Mallarmé tel qu'en lui-même*, 1948, p. 46.

272 [1] Mauclair, *Princes de l'esprit*, 103. Vgl. die Tagebuchnotizen von Fontainas (Revue de France, 7, 1927, 58, und seine *Confession d'un poète*, 1936).

272 [2] An Frau Anna Rodenbach, 26. 12. 98 (*Corr. Mall.-Rodenb.*, 1949, 115).

272 [3] 1899; vgl. seine Nachrufe: Phalange, 1907, 950f., und Mercure 269, 1936, 437.

272 [4] Einzelangaben s. Wais, *Mall.*, [1]1938, Anm. 186[3] und [5].

273 [1] Gegen ihn 15 Stimmen, von 60 gültigen und 19 ungültigen; 10 fielen auf Heredia. Der *Temps* (11./21. 10. 98) hatte die Wahl organisiert. Dorchain hatte ein Triumvirat Sully Prudhomme – Coppée – Heredia vorgeschlagen. Nach Dierx' Tod wurde 1912 in der *Closerie des Lilas* P. Fort gewählt, mit 300 Stimmen Mehrheit vor Régnier, Verhaeren, Griffin, Roinard.

273 [2] Revue des Beaux-Arts, Sept. 1898. Die umgearbeitete Fassung von *Valvins* sprach er, zwei Tage vor seinem Tode, als Präsident eines durch den *Mercure* veranstalteten Mall.-Banketts vor über hundert Dichtern und Künstlern; Griffin und Mockel gedachten dort in Ansprachen des Meisters (9. 6. 1912; Vers et Prose, Bd. 7 und 29; H. Ghéon in NRF, 1912, 158f.).

274 [1] Bild: G. Jedlicka, *T.-Lautrec*, 1929, 305. Spielte in Dujardins *Antonia*.

275 [1] Gourmont, *La Dern.Mode de St. M.*, in Prom. litt., 1906, II
33f.; P. Delior, La femme et le sentiment de l'amour chez St. M. (Mercure
86, 1910, 193ff); J. Crépet, Figaro, 9. 2. 1933; Pascale Saisset, *St. M.
et la Mode* (Grande Revue, 141, 1933, 203f.); Noulet, *Œ.*, 183–198;
Fr. Rais (Images de France, Jan. 1942); L. Fournier (Gazette des Lettres,
18. 9. 48).

276 [1] Rodin, *Briefe an zwei deutsche Frauen*, hrsg. von Helene von
Nostiz-Hindenburg, Berlin 1936, p. 14.

279 [1] Bezeichnend das Verslein zur Überreichung eines Taschenspiegels:
,,Ein klarer, flüchtiger Blick auf dich . . und du steckst, kaum hast du
deine Haare bewundert, diesen Spiegel in ein rosa- oder crêmefarbenes
Kleid.'' Als Rodenbach das Band der Ehrenlegion erhielt, ließ Mall. Frau
Rodenbach beglückwünschen ,,à cause que c'est pour les dames d'abord
qu'on s'enrubanne'' (Jan. 94). In solchen Beobachtungen die femini-
stischen Neigungen des Schizoiden zu erkennen (J. Fretet), bleibe
weiterhin den Klinikern überlassen.

280 [1] Die Verse *A courber* . ., nach *V. de C.*, p. 64 für A. Holmès bestimmt, waren mit einer Schachtel kandierter Orangen an Frau Dauphin
gerichtet (Dauphin: L'Hérault, 27. 3. 1912). Nicht gedruckt sind die
Verse mit dem Leitmotiv *bé é é*, die Mall. beim zweiten Besuch in die
liliengeschmückte Villa Dupont, rue Pergolèse, für die Ruysbroeck-
Schwärmerin Georgette Leblanc mitbrachte, die dort, durch einen spanischen Heiratsschwindler im Stich gelassen, mit Maeterlinck zusammen-
lebte. Die Franziskus-Augen – wie sie sagte – des durch J. Renard eingeführten Mall. (Renard fand Mall.'s Verse *stupid: Journal* p. 107;
L. Guichard, *L'Œuvre et l'âme de J. Renard*, 1935) hatten Georgette
(Schwester des *Arsène-Lupin*-Leblanc) dabei überrascht, als sie ihr schla-
fendes Schäfchen *Tintagiles* auf dem Schoß hielt, sie selbst präraffaeli-
tisch-rosa und hellblau angetan, in Van Eyckschem Schleppkleid, einen
Diamant auf der Stirn. ,,Warum war mir so wohl in seiner Gegenwart?
Man kostete bei ihm den völligen Frieden . . Sein Ausdruck war manchmal so intensiv, daß es Mut bedurft hätte, diesen zu ertragen, hätte
man nicht durch die Anmut seines Lächelns Beistand erhalten'' (G.
Leblanc, *Souvenirs*, Paris 1930, p. 120 f).

281 [1] 1876; Schwester von Manets Freundin Frau Charpentier. Eine
Variante jetzt bei Mondor, Hist. p. 221: Laid faune! qui plus fort qu'aux
bocages un train / siffles ce que seul bas . . (V. 3) mon quatrain.

281 [2] Erstmals in Revue d'hist. litt. de la France, 36, 1929, 626.

282 [1] Courrière kommt nach Littré in poetischem Gebrauch auch als
,,Botin'' vor (diese Deutung bei Noulet, Œuvre, 465).

283 [1] Fretet; Gengoux, p. 236. Der letztere, der wie J. Schérer u. a.
ohne Begründung am Ehefrieden Mallarmés zweifelt, möchte, für mich

nicht ersichtlich, in V. 11 (invisible cendre) eine „marque de léger désaccord" herauslesen (*Le symb.*, p. 226).

283 [2] An seine Tochter, 21. 7. 91 (4 unveröff. Briefe an Geneviève: Nouv. litt. 9. 9. 48).

283 [3] Über allerlei Reliquien: Wais, *Mall.* [1]1938, p. 484. Eine Zeichnung Whistlers, Geneviève darstellend, und Photos: Corr. inéd. Mall.-Roujon, 1949; Le Point, 5, 1944; H. Mondor, Mall., Introduction, Documents iconographiques, Genf 1947.

284 [1] Ebenso verschiedene der vom Dichter als „Hausverse" bezeichneten Gedichte Eduard Mörikes.

284 [2] Andere Erklärung für *mensonge* Noulet, Œuvre, 411: „chaque coup qui semble libérer l'éventail ne fait que le ramener dans la main de la rêveuse". Scheint mir fernliegend. Köstlich die Festigung der 1. Strophe im Schlußwort *main*; an ihrer Musikalität rühmt Beausire (*Essai*, p. 185) sehr schön das „mouvement descendant, une calme chute graduelle qui est intimement liée au sens".

284 [3] Häufig bei Mall. Vergleiche mit dem Szepter, .. welches überall, im Ball oder Theater, gestern oder morgen, auf Geheiß der Damenhand das Zeichen zum Fest gebe (*Eventails*. IV). Einmal spricht der Fächer: es ist mir lieb, geschlossen zu bleiben, da ich so das Szepter in den Fingern darstelle; öffne mich nicht, wenn ich dein Lächeln verbergen müßte (XVII, für Méry).

285 [1] Von ihrem Mann, dem Kolonialwarenhändler Claude L., der sie als 15jährige heiratete, trennte sie sich 7 Monate nach der Hochzeit, als er Bankerott machte. Über sie G. Moore, *Memoirs of My dead Life*, N. Y. 1907, 58f.; Régnier (Revue de France, III, 4, 15. 8. 1923); A. Proust, *Erinn. an Manet*, Berlin 1917; Montesquiou, *Dipt. de Flandre*, 1921, und Revue hebd. 32, 1923, 305, und *Cahiers secrets* (Mercure 211, 1929, 302); Régnier, *M. Laurent*, in Nouv. littér. 23. 7. 1932, und *De mon temps*, 1933; Mauclair, *Mall.*, 1935; Mondor in *Vie*; Photos in: Le Point, 5, 1944 (dort auch das Bild mit Gervex, der in der rue de Rome seine Werkstatt – über derjenigen von Henri Regnaults Freund Georges Clairin – besaß). Ein ähnlicher literarischer Anziehungspunkt – für Dierx, E. Haraucourt, Lorrain, Rollinat, V.-E. Michelet, Ajalbert, P. Adam – war die für Theater und Malerei interessierte Kurtisane Léonide Leblanc, die Geliebte des Duc d'Aumale, Clemenceaus usw.

286 [1] Am bekanntesten ist das *L'automne* genannte von 1882, .. auf dem blauen Grund japanischer Seide der dunkelblaue Blick, der rotblonde Rubens-Schopf, die Schminke der Lippen. Sie vermachte es dem Museum ihrer Vaterstadt Nancy (abgebildet u. a. bei E. Waldmann, *Manet*, Bln. 1923, 91). Ähnlich das von ihrem Badearzt Robin dem Museum von Dijon vermachte Profilporträt. Méry mit ihrem Hündchen zeigt ein Pastell (A. Proust, *Manet*, 1917, 68). Ein Méry-Pastell schenkte Manet auf ihre Bitte dem Vetter von G. Ohnet, J.-E. Blanche, der schon als 14jähriger, durch Edmond Maître eingeführt, in der Werkstatt *place de l'Europe* erschienen war.

287 [1] Brief an Méry; bei Mondor, *Vie*, 1942, p. 652.

287 [2] Ähnlich suchte P. Valéry (Angestellter des Kriegsministeriums und 1900–1922 des Havas-Nachrichtenbüros) jahrzehntelang täglich vor dem Abendessen, durch Arthur Fontaine eingeführt, den Salon der herrischen, superlativischen Jeanne Mühlfeld, Witwe des Theaterkritikers Lucien M. (†1900) auf. Dort, rue Galilée, später rue Georges-Ville, erschienen sonntags die Ehepaare de Régnier und J.-E. Blanche, E. Jaloux, Louis Artus, J.-L. Vaudoyer, Mauclairs einstiger Sekretär F. de Miomandre, princesse Lucien Murat (Marie de Rohan-Chabot, später Gräfin Chambrun) u. a.

287 [3] Brief an Méry; abgedruckt in *Marianne* vom 24. 6. 1936.

288 [1] ,,Seit Tagen bin ich ein langes Ächzen mit einer Fuhrmanns-Filzmütze auf dem Kopf" (ebd.). – Seine Übersetzung von Whistlers *Ten o'clock*-Rede widmete er ,,A ma très chère Méry / pour le peintre de la / Salle des Paons / Son illustrateur ordinaire / Stéphane Mallarmé" (Cat. Giard-Andrieux, 30. 11. /8. 12. 1933, Nr. 1692).

288 [2] Mercure de France, 219, 1930, 254.

289 [1] Als handschriftl. Widmung in *L'Après-midi*, Ausgabe C$_2$: ,,Si la déesse des Talus, / Au blanc poignet que l'été cuivre, / Déménage une fois de plus, / Faune, tu ne pourras la suivre" (im Besitz von Max Debbane, Alexandria; ed. in der Zs. *Valeurs* (Cairo; Hrsg. Etiamble), Jan.-Heft 1946.

289 [2] Bildproben im Figaro littér., 24. 6. 1950.

290 [1] H. Mondor, *Mall. plus intime*, P. 1944, p. 247f.

291 [1] Vgl. K. Wais, *Probleme der Persönlichkeit Stendhals in seiner Chartreuse de Parme*, Reutlingen 1948.

292 [1] Dinge, die ihn bewegten, erfuhren beide gleichzeitig. So als Rodin ihm mitteilte, daß das *Balzac*-Standbild (zu dem Mall. die Schwestern Roujon-Marras pilgern hieß) durch die *Société des gens de lettres* zurückgewiesen worden sei. ,,Scandale!".. (an Marie, 12. 5. 98). ,,La goujaterie des gens de lettres envers Rodin est parfaite, je n'en décolère pas ou ressens une honte, encore que je sois si peu l'un d'entre eux. Ah! les seigneurs à tant la ligne devant l'évidence du génie qui ne leur doit jamais être qu'une mystification" (an Méry, 12. 5.).

292 [2] Je travaille et m'applique á vieillir (an B. Morisot, 1891).

293 ¹ „Le mélange du triomphal et de l'absurde définit cette étonnante parodie du Spectacle idéal" (P. Bénichou, *M. et le public*: Cahiers du Sud, 36, 1949, 290.)

294 ¹ Vgl. Nobiling, *Eine Stelle aus M.'s Décl. for.* (Herrigs Archiv 153, 1928, 249).

II. SONNTAGE DER KUNST

297 ¹ Griffin, St. Mallarmé, esquisse orale (Mercure, 170, 1924, 22f.).

297 ² Vgl. dazu meinen Vortrag auf dem II. Internat. Kongreß für neuere Literaturgeschichte: *Symbiose der Künste*, Stuttgart, Kohlhammer 1936 (Auszug in Bulletin of the International Committee of Historical Sciences, Sept. 1937, IX, 295–306).

298 ¹ Camille Mauclair, *Mallarmé chez lui*, Paris 1935, p. 70.

301 ¹ Auf einer der sechs Steinzeichnungen gab Manet ein Porträt Mall.'s. Der Verleger Lesclide, V. Hugos späterer Sekretär, für welchen Manet auch *Le Fleuve* von Ch. Cros illustrierte, gab die bereits angekündigte Prachtausgabe der Übersetzung von Poe's *City in the Sea*, illustriert von Manet, nicht heraus. Er scheint sich auf das Geschäftliche wenig verstanden zu haben und ließ offenbar die Bemühungen des New Yorker Poe-Verlegers Widdleton um eine amerikanische Ausgabe der *Corbeau*-Übersetzung ungenützt; zu früh hatte Manet gehofft, alljährlich eine illustrierte Poe-Dichtung herausbringen zu können, und den Freund ermuntert (9. 9. 75): „wenn Sie irgendeine unbekannte schöne Sache von Poe entdecken könnten, – an die Arbeit!" (8 Briefe von Manet an Mall., erstmals: Else Cassirer, Künstlerbriefe aus dem 19. Jh., Bln. 1923, p. 574f.). Vgl. H. Rostrup, *E. Manet, E. Poe og Mall.* (Tilskueren, 56, 1940, II 149ff.); P. Valéry, *Manet* (in: *Pièces sur l'art*).

301 ² So auch bei *Im Treibhaus* (1878; Berlin, Nationalgalerie); die blaue Bank hatte er mit Manet zusammen beim Bastilleplatz eigens dafür eingekauft. Vom grauen Kleid der Dame sagte Mall. später zu R. Hahn (Notes, 1933, p. 32), es bewahre noch genau soviel an Pariser Anmut und Modernität, daß hart am Rand des Gewöhnlichen die Kunst noch vollendet gewahrt bleibe.

301 ³ Jean-Aubry, P⁵, p. 1515, vermutet einleuchtend, daß es sich um Poe's *Sleeper* handle, deren Übersetzung Mall. 1876 veröffentlichte. Poe's ängstliches Fragen nach drohenden Gefahren für die Schläferin hat nicht nur Mall.'s *Frisson d'hiver* beeindruckt: z. T. wörtlich bildete es die Anregung für Rimbauds spielerisches Spukgedicht *Jeune Ménage*.

303 ¹ „Si vous parliez toujours à ma place?" sagte sie einmal zu Mall.

305 [1] Schüler von Gervex, unter Einfluß Whistlers; durch Wyzewa (L'Art dans les deux Mondes, Juli 91) als begabtester der jungen Maler gepriesen. Er hatte auf Dujardins Wunsch 1889 die Redaktion der *Revue Indép.* malen sollen. Das Bild (Rouen, Musée) blieb unvollendet, weil der mit Huysmans zu spät eingetroffene Villiers beleidigt war, daß Mall. im Vordergrund sitzen sollte (Blanche, *Pêche*, 192). – Der Modemaler Helleu war eine Entdeckung Montesquious, durch ihn lanciert. – Bibliographie der Bildnisse: Wais, Mall., [1]1938, 485. Vgl. Régnier, *Nos rencontres*, 1931, 209f. (*Mall. et les peintres*); J.-E. Blanche, *Pêche aux souvenirs*, 1949; L. Hautecœur, *Peinture et litt. en France*, 1942.

305 [2] Régnier, *Faces et Profils*, 1934, 51. Auch für die Gattin, die Tochter und die beiden intimen Freunde Roujon und Dauphin wiederholte er eines Abends den Vortrag, wozu das Wohnzimmer heiter als Vortragssaal eingerichtet wurde. Auch hier „spielte" er, wie er es nannte, die Sätze durch Akzent, Augenleuchten, Stimmfärbung, Handbewegung so, daß alles vollkommen eindeutig schien (Dauphin, *St. M.*, L'Hérault, 13. 3. 1912).

305 [3] Julie Manet, dargestellt auf den Bildern ihrer Mutter und auf dem Pastell Renoirs, heiratete später Eugène Rouart, den Kunstsammler und Freund Valérys von Montpellier her; ihn hatte ein Brief von Fr. Jammes, dessen Entdecker er war, bei den Mall.-Abenden eingeführt.

306 [1] G. Geffroy, *C. Monet*, 1924, I 248f., II 186 f. Dort vier Briefe Mall.'s an Monet. Auch Louys' Tagebuch (Œuv. compl. IX 335) bestätigt, daß er in Monet, der damals noch nicht der Serienmalerei verfallen war, den größten lebenden Maler sah. Mit ihm und Renoir, der zwei Jahre zuvor, seit seiner Neapelreise, vom Impressionismus abgefallen war, dinierten die drei Mallarmés schon 1886 bei B. Morisot.

307 [1] In Manchester Guardian Weekly, 24, 1931, 7 und in Rothensteins *Men and Memories*, Ld. 1931. Whistler war Schüler von Lecoq de Boisbaudran. Einmal berichtete er an Huysmans: „J'ai Mardi, chez Mallarmé, fait la plus grisante ribote de paradoxes et de raffinements spirituels. Certes cet homme est unique à Paris et n'a d'approchant que le sieur Montesquiou" (5. 5. 84; Cat. Giard-Andrieux, 3ℱ. 11. /8. 12.1933, Nr. 1801.)

307 [2] Als Titelblatt für *Vers et Prose*, 1893 (auch in Bookman, [1]1895, 162; Critic 33, 1898, 341). Eine abweichende Vorskizze bei Th. Duret, Histoire de J. Mc N. Whistler, 1904, 120. Das 1898 geplante Ölbild kam durch den Tod des Dichters nicht mehr zur Ausführung. Vgl. Régnier, Revue de France III, 4, 1923, 853f., und *Sujets et Paysages*, 1906 (*Souvenirs Whistlériens*).

308 [1] Brief an Redon: Claude Roger-Marx, O. Redon, P. [2]1925; Mercure, 269, 1936, 638.

309 [1] 20. 5. 96 (*Propos* 162), auf Anfrage von Paul Chabaneix für dessen Doktorarbeit über *Le Rêve et les Intellectuels.*

309 [2] An Redon, um 1885 (zit. Mondor, *Vie*, p. 453) „Délicieux ermite fou" nannte er den Bordelaiser, bei Gelegenheit von dessen sechs Zeichnungen *Huldigung an Goya* (an Redon, 1885). Der Vorsatz Redons, des Freundes von Jammes und Vorbilds von Alfred Kubin, lautete „Sich mit der Natur einschließen" (Gide, *Journal*, 3. 5. 1904) und führte ihn später zu einer beruhigteren Kunst. Durand-Ruel wagte im April 94 die erste Redon-Ausstellung.

309 [3] Dort war Paul Sérusier 1888 von Gauguin gewonnen worden und brachte diese Botschaft seinen Freunden M. Denis, Bonnard, Vuillard, Roussel. Sie traten 1891 erstmals gemeinsam in der Galerie Le Barc de Boutteville (mit Gauguin, Lautrec, Signac, Cross, Zuloaga) als „Peintres impressionistes et symbolistes" insgesamt hervor. Im selben Jahr stellte Albert Aurier's Programmschrift *Le Symbolisme en peinture* (Mercure de Fr., 91) Gauguin in den Mittelpunkt; er war es noch für Munch (seit 1897 in Paris) und Paula Modersohn-Becker. Vgl. Ch. Chassé, *Gauguin et Mall.*, in L'Amour de l'art, 1922, III 246 ff.

311 [1] Vielleicht weil Lyrik, weit mehr als jede Musik, vom Leser verlangt, dem Willen des Schöpfers sich zu beugen, und weil viele Leser diese Autorität als Vergewaltigung empfänden. Den Büchern entfremdet, ließen sie sich williger im Klangstrom einer Symphonie treiben. Dennoch sei eine Auseinandersetzung mit der Musik das beste Ferment, die beste Vorübung für das Erleben der Lyrik (bei Mauclair, *Soleil*, 14 f.; ähnlich Régnier, *Figures et Car.*, 118).

312 [1] Benda, *Wagner, Mall., Debussy* (Domaine français, Paris 1943, 353 ff.; Monde illustré, 92, 1948, Nr. 4459), der im übrigen mit der Bemerkung schließt, die Richtung Debussys (der zeitlebens den *Parsifal*, das Vorbild seines *Saint-Sébastien*, verehrte) merke allmählich, daß sie trotz all ihres Nationalismus auf Wagners Musik fuße. Benda dürfte M. unterschätzen: Wagner habe noch einen *Sinn* gewollt, M. sei „notre pourfendeur du signifiant"; bei Wagner sei das Stabile, Organisierte, bei M. nur das Bewegliche, Fliehende.

314 [1] Diese einschränkende Stelle (die E. Carcassonne, *Wagner et Mall.*, RLC 16, 1936, 347, nicht kannte) bestätigt nicht entfernt das, was Carcassonne frei erfand: Mall. hätte in seiner *Rêverie* gegen „ces puérilités sanglantes" bei Wagner, dessen „traits un peu barbares" (p. 349, 364) Stellung genommen. Der „réflexe défensif", dieses „se maintenir . . contre des charmes trop violents", gehört oft zur Haltung einer politisierenden Wagnerkritik, die in diesem Fall sogar bereit ist, Nietzsche zu bejahen und bloße Theorien wie diejenigen M.'s als Wagners („pittoresken") Ergebnissen gleichwertig anzuerkennen. Ausgewogener: R. Benz, Die Welt der Dichter und der Musiker. Düsseldorf [2]1949.

315 [1] Dieser Vorwurf richtet sich aber nicht, wie Dujardin irrtümlich annimmt (Deutsche Rundschau, 204, 1925, 73), gegen Wagners Schauspielerauffassung. Vgl. J. Monnerot, *La Poésie moderne et le Sacré*, 1945.

316 [1] Er war, nach eigenen Worten, froh, nicht Musiker zu sein, denn so könne er Wagner besser verstehen (Louys, Œuv. compl. IX, 335).

317 [1] Unter eine Abbildung von H. Regnaults Gemälde *Thetis mit den Waffen des Achill*, auf dem A. Holmes das Modell der Thetis gewesen war, schrieb Mall. etwa: ,,Augusta Holmes deutet den verehrten Anwesenden an, ein Helm sei unnötig, da sie ihr Haar besitze.''

318 [1] Auch Fantin-Latour (Atelierkamerad von Malern wie Alphonse Legros, Scholderer und R. W. Sickert, des Holsteiners) mit seiner Familie, J.-E. Blanche (der als *James E. White* in der *Revue Indép.* Musikberichte über Bayreuth veröffentlichte) und dessen Mentor E. Maître, Chamberlain u. a. waren hingereist, um den *Ring, Tristan* (Her Majesty's Theatre) und die andern Werke von den *Feen* bis *Meistersinger* (Drury Lane) durch die beiden deutschen Ensembles zu hören. Barrès, dessen Lieblingsoper seit den .*Parsifal*- und *Tristan*-Darbietungen vom Juli 1886 *Parsifal* geworden war, erlebte 1891 und 92 in Bayreuth die ,,magnifiques extases que nous connûmes dans les hauts châteaux wagnériens (*Les Amitiés franç.*, c. 8).

318 [2] E. Raynaud, *La Mêlée symboliste*, III 182; vgl. Isabelle Wyzewska, *La Revue wagnérienne*, Columbia diss. 1935. Die Zeitschrift, ebenso wie die *Revue Indépend.* (in der seine *Gloire d'assassin* erschien), finanzierte der liberalkatholische, stilistisch raffinierte *Figaro*-Chronist Graf Robert de Bonnières de Wierre, Verfasser von zu Unrecht erfolglosen Romanen, damals neben Magnard wohl der mächtigste Journalist von Paris, der später durch Selbstmord endete. Als sein Sekretär Wyzewa, Chamberlain und Moore gegen Wilders *Ring*-Übersetzung meuterten, versuchten der Amateurkomponist Dujardin, Blanche und dessen deutsches Dienstmädchen Dinah Jung vergebens, eine eigene Wagner-Übersetzung bei der *Opéra* anzubringen.

318 [3] Dujardin in Revue Musicale 1928, IV, 151 und in *Mall.*, 1936, p. 205. Über diese Zeit auch Anna Chamberlain, *Meine Erinnerungen an H. St. Ch.*, München 1922, p. 44, 49; J. Ajalbert, *Mémoires en vrac*, P. 1939; T. Klingsor, *Les Musiciens et les poètes symbolistes* (Mercure 36, 430f.); E. Dujardin, *Le Mouvement symboliste et la musique* (ebd. 72, 5); Judith Gautier, *Le Collier des jours*. Zu Wagners Einfluß: s. Josef Körner, *Bibliogr. Handbuch des dts. Schrifttums*, Bern[3] 1949, 452–456; Heinrich Strobel, *Die französ. Einstellung zur neueren deutschen Musik* (Deutschland – Frankreich 1, 1942, Heft 2); Revue Musicale, 1. 10. 23: *Wagner et la France;* und oben 218[1].

319 [1] Daß M. außer *Lohengrin* und *Tannhäuser* keine andere Oper aufgeführt sehen konnte, beweist nicht, daß er, wie J. Benda annahm,

anderes nicht kannte. Villiers' Singen und Erklären von Wagner-
opern am Klavier war allgemein als mitreißend beliebt. Am 20. 5. 93.
erklärt Mall. sich durch die *Walküre* absorbiert (P[5] p. 1601); von Wagners
Philadelphia-Marsch (Großer Festmarsch zur Eröffnung der 100jähr.
Gedenkfeier der Unabhängigkeitserklärung der Verein. Staaten, 1876)
sagte er, hier sei „Gold in Gold", hier marschierten drei Millionen Männer, und es sei ein Marsch nicht für eine Jahrhundert-, sondern für die
Jahrtausendfeier einer erhaben nachlebenden, etwa altorientalischen
Frühkultur (Mondor, *L'heur. renc.*, 64).

319 [2] Rue Auber/rue Boudreau; Music Hall mit ebensoviel Plätzen wie
die alte Pariser Oper. Wurde nach Lamoureux' Abzug (über diesen vgl.
Valéry, *Pièces sur l'art*, 1931) wieder Variété-Bühne. Barrès, der Wagner
in *Du sang, de l'amour* und *Amori et dolori sacrum* feierte, wandte sich
hohnvoll gegen die „Frankreich"-Doktrinäre, die erklärten, daß Wagner
„ne convient pas à la France" (*Musiques*: Revue Illustrée, 15. 9. 85).
Noch 1886 traten Saint-Saëns und Bussine aus der *Société nationale
de musique* zum Protest aus, weil diese gegenüber Grieg und den Russen
nicht ein totales Aufführungsverbot für nichtfranzösische Komponisten
billigte. 1891 war der Sieg errungen durch die *Lohengrin*-Aufführung der
Opéra (nicht ohne daß Chanoine Besse 1916 seine Stimme erhob und
Louis Marin nach dem Zweiten Weltkrieg im Abgeordnetenhaus erneut die Verbannung Wagnerscher Musik forderte).

320 [1] Doch beschränkte er sich. „C'eût été une intrusion que de sub-
stituer, dans son sanctuaire même, ma visée d'art à une étude pieuse de
l'effort de ce magnifique maître!" Brief an V. Pica (s. dessen *Lett.
d'eccezione*, Milano 1899, 188).

321 [1] Dazu steht nicht unbedingt in Widerspruch, wenn Mall. es später
als einen Irrtum Wagners bezeichnet hätte, Dichtung und Musik gleichzu-
ordnen, ja sogar der Musik die Führung zu erteilen (Fontainas, Tagebuch;
Revue de France 1927, 7; V, 331); Mall.'s Respekt vor dem Verwirklichten
wird an dieser Stelle unterschätzt durch J. Schérer (*L'expr.* 254) und
Austin (RHLF 51, 1951, 163f: „reproche" Mall.'s!). Vgl. oben p. 332, 399.

321 [2] Diese unwidersprochen herrschende Meinung wurde seither eindeutig widerlegt durch die erstaunlichen Nachweise des wichtigsten,
des entscheidenden Buches über Wagners Musik: Alfred Lorenz, *Das
Geheimnis der Form bei R. Wagner*, Lpz. 1924/33, 4 Bde.

322 [1] Über die *Unterschiede* zum altgriechischen Kult vgl. *Cathol. I.*

322 [2] In dieser Unterscheidung liegt in der Tat die wesentliche Einsicht; wogegen in Valérys *Petite Lettre sur les mythes* (NRF, Jan. 1929)
der fast abergläubische Kleinmut des Rationalisten gegenüber dem
Mythischen übrigblieb. Mendès, der auf Wagners politische Kritik an
V. Hugo politisch entgegnete, hatte in seinem Buch *R. Wagner* (1886)
vor Wagner-Nachahmung gewarnt.

325 [1] 15. 3. 76 an A. France (in H. Mondor, *Mall. et A. France*: L'Orientation médicale, 1949, Nr. 1, p. 49); der hatte Mall. das (Cazalis, Des Essarts und Bourget gewidmete) Lesedrama *Die Hochzeit von Korinth* zugesandt. Mall. fährt fort: ,,aber ich gestehe gern zu und wünsche, daß man mit sehr geschickter Verteilung des Vorgehens dieser beiden Gattungen, gleich unsern Meistern und denen aller Zeiten, mitten in den Beschreibungen oder Seelenaufschwüngen einen Dialog eintreten lasse''. Bei aller Bewunderung Mall.'s für den *Goldgrund* aus Gedanklichkeit und Musikalität bringt France zu wenig dramatisches Geschehen. ,,Sie werden erklären, es sei eben ein Fresko; und in der Tat, ich sehe allzusehr die Gestalten scharf vor der Unbeweglichkeit einer Goldmauer sich abheben.'' Die neuerfundene (in Wahrheit balladenbeeinflußte) Technik sei jedenfalls dem *poème dramatique* vorzuziehen. Der Dichter dieser neuen Technik ,,juxtapose simplement les fonds et le dialogue, laissant entre eux circuler une atmosphère qui devient elle-même de l'œuvre''. Vgl. K. Douglas, *A Note on Mall. and the Theatre* (Yale French Studies, 1950, Nr. 5).

327 [1] Ebendies empfahl auch Barrès für die Partituren Wagners (Voltaire, 29. 7. 86).

330 [1] Salle Ballande. Schon als Dujardin – an Leibeslänge das Doppelte von Gustave Kahn messend – mit einer Gardenie im Knopfloch, in weißer Weste, die Worte *Absolu, absolu* deklamierend die Bühne betrat, begannen die Hörer (unter denen Potocki und die reichen Russen bis zu 300 frs. für den Logenplatz bezahlt hatten) zu prusten.

331 [1] Dieses Kasperl-Stück, das der sechzehnjährige bissige und zynische Anarchist mit seinem Klassenkameraden Henri Morin geschrieben hatte und das durch P. Fort für die Bühne bearbeitet wurde, führte Lugné-Poë am 10. 12. 96 im *Œuvre* auf, nicht ohne Erfolg; besonders Mendès stimmte diesem wilden Haß gegen Verblödung, Gefräßigkeit und vieles andere zu. In den Salons von Rachilde und M. Schwob suchten fast alle Jarry's akzentlosen, abgehackten Nußknackerton nachzuahmen. Gide (Mercure 1. 12. 46) hatte dort für wenig anderes Augen als für diesen ,,Kobold mit dem weißgepuderten Gesicht, der als Zirkusclown herausstaffiert war und eine wunderliche, zurechtgelegte erkünstelte Rolle darstellte, außerhalb deren sich nichts Menschliches an ihm mehr zeigte''. Vgl. Ch. Chassé, *D'Ubu-Roi au douanier Rousseau*, 1947.

332 [1] Maeterlinck erklärte haßerfüllt (zu G. Leblanc), sie stammten aus seiner Knabenzeit in der Genter Jesuitenschule. Die Hypochondrie wich später etwas, zusammen mit seiner dichterischen Eigenart, durch viel Baden, Boxen, Eislauf, Autofahren und durch behäbige Lebensgenüsse. Sehr früh erkannte er lustlos und verdrossen seine ,,Marionettendramen'' als ,,Sackgasse'' (zu G. Leblanc). A. Bailly, *Maet.*, 1931.

332 ² 1861–1907. Als der Vorläufer Maeterlincks wurde Lerberghe fast nur durch die *Blätter für die Kunst* Georges erkannt, der sich mit ihm in Berlin traf. Die *Flaireurs* erschienen erstmals in Mockels *Wallonie*, wie auch Maeterlincks *Intruse*.

332 ³ 28. 10. 90 zu Louys (Œ. C. 9, 344); vgl. Mauclair, *Mall.*, 1935, 41 f.

332 ⁴ Der 24jährige Lugné-Poë († 1940), ein mittelloser, mönchisch aussehender und mönchisch lebender Idealist, hatte sich im Namen der Poesie öffentlich von Antoines *Théâtre Libre* (Montmartre, passage de l'Elysée-des Beaux Arts) getrennt, erfüllt von Wagner und von der Volkssagen-Welt. Vuillard und Lautrec schufen ihm kostenlos die Szenerien. – Für eine Bühnenmusik zu *Pelléas* hatte Mooris Maeterlinck sogleich seine Zustimmung gegeben, als Régnier im August 93 für Debussy anfragte. Als 1901 Debussy kam, um sie ihm vorzuspielen, schlief der Unmusikalische dabei ein. Seine Hauptforderung, G. Leblanc mit dem Melisande-Part zu betrauen (den sie erst 1912 in Boston bekam), wurde umgangen, indem man die Rolle heimlich mit einer zweiten Sängerin einstudierte; erst daraufhin kam es zum Bruch mit Debussy, zu dessen Verprügelung sich der athletische Flame aufmachte.

334 ¹ George über das Drama: *Bühne der Blätter für die Kunst* (Blätter, Auslese 1898–1904); *Über das Drama* (Blätter, Auslese 1904–09). Seine dramat. Versuche: Ges. Ausg. Bd. 18.

335 ¹ Die Tänzerin Cornalba auch in Barrès' *Jardin de Bérénice*, p. 20; dazu dessen Studie über das Ballett in Grande Encyclopédie, V. 155f. An den Flammentänzen der Fuller in den *Folies-Bergère* war neu auch der Beleuchtungswechsel. Über ihren Aufstieg seit 1893 und ihr Schicksal: G. Jedlicka, *T.-Lautrec*, 1929, 222 f.; J. E. Crawford Flitch, *Modern Dancing and Dancers*, London-Philadelphia 1912, p. 81, und Mark E. Perucini, *The Art of Ballet*, London 1915. Zu Fontainas (*De St. Mall. à P. Valéry, Notes d'un témoin*, 1928) habe Mall. sich unzufrieden über die jetzige Tanzkunst ausgesprochen. – Über Lautrecs Modelle: Pierre La Mure, *Moulin rouge* (deutsch 1951).

335 ² Tailhade, *Quelques fantômes de jadis* (Oui, vom 5. 10. 1918, Mercure 130, 322; und als Buch 1920).

338 ¹ Im Programm von Diaghilevs Debussy-Ballett las man: „Es ist nicht der *Nachmittag eines Fauns* von Stéphane Mallarmé; es ist das musikalische Vorspiel zu diesem panischen Vorgang, ein kurzer Auftritt, der ihm vorangeht: / *Ein Faun schlummert / Nymphen narren ihn, / eine vergessene Schärpe tut seinem Traum Genüge.* / Der Vorhang fällt, damit das Gedicht in jedermanns Erinnerung anhebe. S. M." Auf Diaghilevs Anweisung warf sich der den Faun tanzende Nijinskij unter derartigen Krämpfen über den Schleier, daß die Zuschauerinnen den Saal verließen

44 Wais 2. A.

und nur ein Teil der Männer durch Beifall den Pfiffen entgegentrat. Die Presse tobte gegen den Skandal und erreichte ein Verbot von einer Woche. Einzelheiten: J.-E. Blanche, *La Pêche aux souvenirs*, 1949, 347.

339 [1] Sie spielten *L'Auberge du Soleil d'Or*, *La Farce de la Femme Muette*, *Pathelin*, Banvilles *Gringoire* (Paul: Gringoire, Victor: Louis XI, Geneviève: Loÿse), Theuriets *Jean-Marie* , Banvilles *Fourberies de Nérine* (1864) und Coppées *Passant*; Pauls Freund Mestrallet gab Scaramouche, Don Carlos (*Hernani*) und den Gendarm. Vgl. dazu P. Margueritte in Revue des Deux-Mondes, 15. 5. 1919, VI, 51, p. 247 f., und in *Nos tréteaux*.

340 [1] Neben Jules Janins Monographie jetzt Francis Kozik, The Great Debureau, New York 1940; ferner P. L. Duchartre, La Comédie ital., P. 1924, p. 274 f. und den Debureau-Film *Enfants du Paradis*.

340 [2] Der Verfasser spielte selbst mit, als André Antoine das Stück Ende März 1888 mit Musik von Vidal im *Théâtre Montparnasse* aufführte.

341 [1] An Bouhélier, 1895 (Echo de Paris, 20. 7. 1936). In Wirklichkeit meinte Bouhélier, welchen 1894, als er in allen Examina durchgefallen war, Lugné-Poë auf die Dramatikerlaufbahn verwies (*Souvenirs:* Figaro, 8. 9. 1940), mit seinem „héros qui travaille" mehr Fortinbras als Hamlet. Vgl. H. de Régnier, *Hamlet et Mall.* (Mercure 17, 1896, 289 ff.), und die zentrale Bedeutung des Hamlet-Themas in Joyces *Ulysses*, in dem Mall.'s *Hamlet*-Aufsatz rühmend besprochen wird.

342 [1] Mündliche Zusammenfassung von *La fausse entrée:* zu Fontainas am 13. 2. 95.

342 [2] So nach England, wo O'Shaughnessy das Buch im *Athenaeum* (3. 6. 1876; I, 758 f.) und in der *Morning Post* besprach.

343 [1] An Pavie, 30. 12. 65. Die 3 Briefe an Pavie: Revue de Paris, 18, 1911, 792 f.

344 [1] Er lieh sich zu diesem Zweck für ein paar Monate das Exemplar von Chasle-Pavie, dem späteren Bertrand-Herausgeber (Revue de Paris, 18, 1911, 791); einiges übersetzte er.

344 [2] Chasle-Pavie an E. Port: Notiz in Bosses *Gaspard*-Ausgabe, 1920, p. III (Hinweis von Dr. Manfred Müller, Tübingen, nach C. Sprietsma, *L. Bertrand*, P. 1926, p. 236).

345 [1] Berührungen mit Baudelaire: bei Lemonnier, *Baud. et Mall.* (Grande Revue, 112, 1923, 18 f.). Zur Übersetzung von Poe's Marginalia: Swinburnes Brief an den Poe-Biographen J. H. Ingram, 21. 4. 74. – Über Poe's *Eureka* gibt es nicht nur den *Moniteur*-Aufsatz der 19jährigen Judith Gautier, für den sie Baudelaires Lob einheimste (9. 4. 1864), sondern auch einen von Valéry, und Valéry hatte über *Eureka* mit Mall. gesprochen (Fr. Lefèvre, *Entretiens avec P. Valéry*, P. 1926, p. 34).

345 [2] Tennyson, an Introduction and a Selection, by W. H. Auden, Ld. 1946.

346 [1] Er scheint die Übersetzung Tennyson zugesandt zu haben (Alfred Lord Tennyson, By His Son, London 1905, p. 324). Vgl. ferner M. Bowden, Tennyson in France, Manchester 1930.

347 [1] Bonaparte-Wyse brachte es nach London und übergab es Gosse, der es auf Swinburnes Landsitz mitnahm (*Five Letters from St. Mall. to A. Ch. Swinb.*, ed. V. Payen-Payne, 1922). *Après-midi, Vathek* u. a. nahm im Juni 1876 J. Payne für Swinb., John Lewis Brown und Rosen mit. *Letters from Swinb. to Mall.*, ed. Gosse, 1913.

348 [1] G. Jean-Aubry, *Baud. et Swinburne* (Mercure de Fr., Nov. 1917); und Hofmannsthals *Swinburne*-Aufsatz.

348 [2] An Huysmans, 9. 11. 82 (Le Point, 5, 1944, 41); er hatte Redon als Illustrator vorgeschlagen.

348 [3] Dessen Mallarmé-Nachahmung: s. A. R. Chisholm, Mall. et Brennan (RLC 18, 1938, 354 f.). Vgl. auch H. Simons, *W. Stevens and Mall.* (Mod. Philol. 1946, p. 235).

349 [1] Zusatz auf Brief Glatignys, Jan. 1870 (Lettres d'A. Glat. à Banville, P. 1923, p. 67); dieser bat Banville, seine *Nouvelles Odes funambulesques* Mall. zuzusenden (Lyon, 14. 1. 70).

349 [2] Über Payne: G. Jean-Aubry, *M. et ses amis anglais* (Le Figaro, 2. 6. 1923) und *Poètes fr. d'Angleterre* (Mercure, 127, 1918, 40 f.). Vgl. den Brief in Wais, *Mall.* [1], p. 408.

349 [3] Darin findet sich, unter sieben Gedichten Paynes in französischer Sprache, eines, *A St. Mall.*, das von gemeinsamen Uferspaziergängen im abendlichen London erzählt.

349 [4] Mauclair, *Mall.*, 52. Die *Améthystes* zog er den *Sonnailles et Clochettes* vor; seine Prosa sei die Tausendundeinenacht der Gegenwart (Fontainas, Revue de France, 7, 1927, V 334). Ohne ihn hätte Banville schwerlich von Griffin (Einleitung zu *Les Cygnes*) die wichtigste Rolle in der neueren Versbefreiung zugesprochen erhalten. Vgl. auch E. Souffrin, L'amitié de Banville et de Mall. (Le Goëland, Juli 1943) und Hofmannsthals *Banville*-Aufsatz.

350 [1] Wie Banville den frommen Kempis-Übersetzer *Belmontet* auf *Babel montait* reimte (oder in Deutschland Rückerts Makamen *Kanzlei* auf *Ganz Lai'*), so Mall. vers l'aine: Verlaine; puisse l'air: Whistler; du Mesnil: le nez ni l'; prise à: Elisa; défi d'ailes: fidèles; hormis l'y taire: militaire; Méry: nez rit; serais: Cérès; comme odeur: raccommodeur; l'y trier: vitrier; s'enrhumer au: numéro; mets-la: Paméla; mets-l'y: Giacomelli; solche „rimes millionnaires" u. ä. seltener in ernsten

44*

Gedichten, sonore: s'honore; tu vis: Puvis. Das ganze Gedicht auf Grosclaude entwickelt sich aus den Reimen salaude, laude, l'Aude.

351 [1] Mall. bei Griffin (Mercure 170, 1924, 31). Vgl. A. v. Arnims *Kronenwächter*-Vorwort!

351 [2] Über Ch. Brontë's *Jane Eyre*: ,,Es ist da ein seltsamer Leidenschaftsnachdruck, aber wie ist das lang!" (an Lefébure, Juni 65).

351 [3] Louys (Œuv. compl. 1929, IX, 335). Zola seinerseits nahm, in Hurets *Enquête*, bei seiner Verurteilung der Ästheten den ,,esprit distingué" Mall. aus. Vgl. 19 *Lettres de M. à Zola*, éd. J. Royère, P. 1929 (aus autorrechtlichen Gründen aus dem Handel gezogen). In Mall.'s Richtung lag der Protest gegen Zola im Namen des Seelenadels, der Ehrfurcht, der Liebe, der Kunst, das berühmte *Manifeste des Cinq*. Anfang August 1887 wurde es beschlossen durch Descaves (der einst durch den *Assommoir* erweckt worden war, wie der urbanere, mit Daudet, Goncourt und zugleich Zola befreundete Hennique), J. H. Rosny (vgl. dessen *Mémoires de la vie litt.*) und ihren Gastgeber Paul Bonnetain. Verfaßt durch Rosny, mitunterzeichnet durch G. Guiches und Mall.'s Neffen P. Margueritte, deckte es die ,,enflure hugolique" Zolas, seine Schablonen, seine Pseudowissenschaft aus zweiter Hand, seine aus Verdrängung erklärten pornographischen Kompensationen usw. schonungslos und sehr scharf auf. – Von Flaubert und Maupassant wiederum wurde Mall.'s ,,Galimathias" nicht ernst genommen.

352 [1] *L'Aveu* von Coppée, *Les Voies de fait* und *La Vierge à la Crèche* von Daudet, *La Petite servante* von Mendès, *L'Hercule* von Cladel und *Eudose Cléaz* von Banville.

352 [2] Zu J. Huret (so wie der einsame Teich, in *Petit Air I*, usw. Vgl. oben p. 245!). Vielleicht entstand daraus apokryph die gröbere Anekdote, die Valéry berichtet: Zola habe in Goncourts Salon aufgetrumpft: ,,Für mich gilt ein Roßapfel genau soviel wie ein Diamant", worauf Mall. betonte: ,,Immerhin, der Diamant ist das Seltenere."

353 [1] Gide, Souvenirs litt., Beyrouth 1946, p. 28.

355 [1] Mehrere ,,d'une poésie inouïe et que personne n'atteindra. Et cet *Annonciateur* qui me fait tant rêver pour savoir si ce n'est pas le plus beau morceau littéraire dont je garde la mémoire". Alles Leid Villiers' habe sich gelohnt, denn sein Buch ,,représente le sacrifice d'une vie à toutes les Noblesses . . Ah! mon vieux Villiers, je t'admire!" (20. 3. 83). Über *Akëdysséril:* ,,Quel éblouissement . . je ne sais rien d'aussi beau et ne veux plus rien lire après cela" (an Dujardin, August 85); ähnlich urteilte Verlaine, der im übrigen bei Villiers neben dem Poe-Element mit Recht das Deklamatorische und Salbungsvolle Bossuets oder Chateaubriands stärker heraushörte (an Cazals, Sept. 89: bei L. Aressy, *La Dernière Bohême*, p. 71).

355 [2] Villiers' Dankesbriefe an Méry: bei E. de Rougemont, *Villiers*, 1910, p. 315 f.; vgl. L. Deffoux, *Les Derniers jours de Villiers*, 1930. Ein Teil des Briefwechsels: Jean-Aubry, *Une amitié ex.*, 1942. Die überhitzt bigotten Bettelbriefe des – wie auf seiner Visitenkarte zu lesen – „Abbruch-Unternehmers" Bloy an Villiers (welcher zu ihm einmal das bittere Wort sagte: „An diesen Planeten werden wir noch denken!") voll Vorwurfs gegen Villiers' Neigung zu Hegel: jetzt in A. Béguin, *L. Bloy, mystique de la douleur*, 1948. – Für die Spenden hatte Mall. sich an Méry gewandt, an Coppée, Dierx, Lavedan, Guiches, den Maler Franc-Lamy (der Zeichnungen von dem aufgebahrten Villiers hinterließ), Rodenbach, Huysmans, Mendès, Hervieu, Verhaeren, Deman u. a.

355 [3] Mall. an Hennique, 19. 4. 89 (RHLF 47, 1938, 561).

356 [1] Mall. im 2. Brief an Bürgermeister Paul Beurdeley, Valvins 15. 8. 89 (Mercure 303, 1948, 563). Gustave de Malherbe, Lektor des Verlags Quantin, war mit Huysmans und Guiches befreundet.
356 [2] Mall. an Méry (Mondor, *Mall. plus int.*, 1944); als einziger sprach am Grab Villiers' ältester Freund, Marras. Eine Geldsammlung durch Descaves ermöglichte 1895 eine Umbettung auf den Lachaise-Friedhof.

356 [3] Mercure 270, 1930, 252. Die Neuausgabe von Villiers' Schriften besorgte Huysmans allein. Sie sprachen darüber nur noch einmal, als Valéry sie in der Englischen Taverne der *rue d'Amsterdam* zusammenbrachte, da Huysmans aus Gespensterfurcht die Wohnung Mall.'s mied (Lefèvre, Entret. avec Valéry, 1926, 36 f.).

357 [1] Edmond Picard (1836–1924), ein geistreicher, beliebter Rechtsanwalt, gab die sozialistisch gefärbte *Art moderne* heraus, die feindliche Konkurrenzzeitschrift zu Max Wallers (1860–89) betont ästhetizistischer *Jeune Belgique* (seit 1881). Zur letzteren gehörte Rodenbach, der seit 1881 in Picards Anwaltsbüro arbeitete. An Picard schrieb Mall., er habe oft zu Régnier gesagt: „La Belgique, c'était vous d'abord" (13. 10. 90). Im Jan. 1884 hatte Octave Maus die auch kunstgeschichtlich bedeutsame „Société des Vingt" gegründet. In Brüssel sprach dann 1895 auch St. George (ein Jahr vor seinem Haager Vortrag, der die Beziehung zu Verwey und dem *Nieuwe Gids* knüpfte) über die deutsche Literatur.

357 [2] Mercure de France 17, (März) 1896, 290.

361 [1] Das einzige Möbel, das ihm zu allen Zeiten zu eigen gehörte.

364 [1] 8. 4. 88 (in Dujardin, *Le Monologue intérieur, son apparition, ses origines, sa place dans l'œuvre de J. Joyce et dans le roman contemp.*, 1931, p. 15). Joyce schätzte Dujardins kulinarisches Wissen, schwerlich seine freirhythmischen Verse (*La Comédie des Amours*) und nannte ihn einen *Narren*, der Unsinn rede (zu J.-E. Blanche, s. dessen *Pêche aux souvenirs*, 1949, 120). Mall., der über Dujardin gesagt haben soll „Il est né d'une vache bretonne – et d'un gabelou normand" (ebd. p. 191 f.), erhob vergebens Einspruch, als Dujardin durch Mendès von den *Samedis populaires de Poésie ancienne et moderne* (im Odéon; in Reinhardts *Morgenfeiern* nachgeahmt), die Mendès im April 1897 mit G. Kahn gegründet hatte, ausgeschlossen wurde.

365 ¹ 17. 1. 81: ed. Jean-Aubry, *Verl. et Mall.* (Figaro 3. 6. 33). Konsequent rühmte er später neben *Sagesse* den Gegenpol, die Sammlung *Parallèlement*, ,,toujours une merveille, d'aise et de légèreté et de haut ton" (an Verl., 11. 10. 89).

365 ² Verlaine an Rimbauds Schulkameraden Ernest Millot (1856–89), Juniville 22. 2. 82 (erstmals ed.: Figaro litt., 21. 1. 1950). Am 16. 8. 83 erbat er von Mall. die Genehmigung zu einem Aufsatz und eine Photographie, und kündigte (29. 10.) den Besuch des soeben umgeschwenkten einstigen Widersachers der *Art poétique* an, Morice (der Mall. noch nicht kannte).

365 ³ Auf Einladung von Deschamps' *Plume*. Nach Carrère, bei Will Scheller, *P. Verlaine und St. Mall.* (Stuttgarter Neues Tagblatt, 84. Jg., 289, vom 25. 6. 27).

366 ¹ Aus gesundheitlichen Gründen sagte er Rimbauds Schwester ab: ,,All die Ehre, die Sie mir vorschlagen – ich dachte daran! –, nicht durch Bevollmächtigung annehmen zu können! So würde doch wenigstens mein Name dem ruhmreichen Ihrigen huldigen können, so wie ich jetzt in Gedanken bei der teuern Feier zugegen bin" (Cat. Giard-Andrieux, 5./ 9. 6. 1936, Nr. 223). Vgl. Thibaudet, *Mall. et Rimbaud* (NRF, 18, 1922, 199f.); J.-M. Carré, *La Vie aventureuse de J.-A. Rimbaud*, ² 1926; W. Fowlie, *Rimbaud*, NY 1946; über neuere Rimbaud-Forschung: Wais, Deutsche Literaturzeitung 72, 1951, 165 f.

367 ¹ An Berrichon, Juni 1898 (Catal. Degrange 38; Cat. Berès, Nr. 14). Mall. scheint an der Vorbereitung der Ausgabe mitbeteiligt gewesen zu sein. Er habe, schrieb Isabelle Rimbaud (an Berrichon, 21. 9. 96: *Ebauches*, ed. Mme Meléra, p. 140 f.), die Vermutung geäußert, daß entgegen Verlaines Behauptung die *Illuminations* vor der *Saison* entstanden seien.

368 ¹ 17./24. 11. 83; 24./30. 11.; 5. 1. 84. ,,M'oublier serait mieux, comme je le fais moi-même" (Mall. an Verl., 22. 8. 83). Eine Photographie? Er werde erst eine sich machen lassen ,,quand je sortirai sain et sauf de mon entreprise littéraire actuelle" (ebd.). – Verlaines drei Aufsätze wurden sofort am 3. 5. 84 durch L. Bloy verhöhnt (jetzt in dessen *Nouveaux propos d'un entrepreneur de démolitions*): dem herrlichen Corbière sei Verl. nicht gerecht geworden; Rimbaud und ,,l'inconcevable Mallarmé" verlohnten keiner Mühe.

368 ² Studentenblatt, das Trézénik, Besitzer der Druckerei *Léon Epinette*, mit dem Verleger Georges Rall begründet hatte. Hier, beim Verlag Tresse et Stock, erschienen, noch vor Vanier, Ajalberts *Sur le vif*, Kahns *Palais nomades*, Griffins *Joies*.

369 ¹ Noch am 24. 3. 1888 nannte France im *Univers* Verlaine einen kaum verständlichen Dichter (und Mall., der ihm manchmal vorgezogen werde, einen überhaupt nicht verständlichen). Nach 1890 stellte France seine Angriffe gegen Goncourt, Zola und Rosny ein und ließ seinen Mitstreiter Brunetière im Stich. Bevor er am 30. 4. 1893 seine Kritikertätigkeit im *Temps* ganz aufgab, begnadigte er sogar den mit Rimbaud zu den „malades" gerechneten Mall.: „Wie sollte man diese stolze und sanfte, unbeugsame und höfische Seele nicht achten? Wie nicht dem Reiz einer Begabung unterliegen, die in die Schattenlücken Lichter wirft, wie sie an Diamanten und Edelsteinen geschätzt werden und herzdurchbohrende Strahlen schleudern" (15. 1. 93): *Vie littér.* V, 1950.

369 ² Nach Ghil mündlich (*Dates*, p. 50), nach E. Lepelletier (*Verlaine*, 1907, p. 247) schriftlich: 21. 11. 86 und nochmals 28. 4. 87, „plus Job que jamais". Vgl. Mondor, *L'Amitié*, und Fr. Porché, *Les dernières années de Verl.* (Nouv. litt., 15. 10. 1932). Mall.'s negative Auskunft in einem Brief von 1887: RHLF, 33, 1926, 492.

370 ¹ Bei diesem Landsmann, den das Schicksal aus den Ardennen ins 18. Arrondissement verschlagen hatte, fand Verlaine „la bonne humanité de ce brave pays" noch bewahrt (*Dédicaces*, 13. Gedicht).

370 ² Barbey, Rachilde, J. Lorrain u. a. waren auch Mitherausgeber. Durch einen Handstreich, den Rachilde in einem offenen Brief aufdeckte (*Lutèce*, 3. 10. 1886), versuchte Kahn, mit Moréas, Paul Adam u. a. (die zugleich aufeinander eifersüchtig waren) die Leitung auszuschalten. Ende 1887 erschien Baju's Manifest „L'Ecole décadente": der *décadent* wolle nur zerstören, nichts begründen.

370 ³ In der *Revue Indép.* (Verlaines *Fêtes galantes* seien langweilig, seine Prosa schlaff). Obwohl Mall. eben erst „votre admirable joie d'être d'abord vous-même" gerühmt hatte (an Verl., 2. 5. 87: Ch. Donos, *Verl. intime*, p. 143), schrieb Verl. an Morice: „Au fond je ne suis pas content de Mall. ni de Ghil, ni de ces parts" (21. 10.). „Son Ghil" ordne ihn, Verlaine, unter die Spekulanten von Bajus „Schule" ein; breche er jetzt mit Mall., so könne er sich von *Anastasius und Pulcheria* absetzen. Er werde grob und giftig antworten (26. 10.). Im Mai 88 aber lud ein Brief von Morice im Auftrag Verlaines Mall. zu einem Besuch ins Krankenhaus ein. Eine Versöhnung war nicht schwer, da Mall. (zu J. Huret) die Vorstellung von „Schulen" und Ismen ebenso verabscheute wie Verlaine; dieser an den „cymbaliste" Régnier: „Tout est bel et bon qui est bel et bon, d'où qu'il vienne et par quelque procédé qu'il soit obtenu . . pourvu qu'ils me foutent le frisson ou simplement me charment" (Aug. 87: Donos, *Verl. int.*, 158). Um 1889/91 trafen sie einander oft, im Krankenhaus, bei Vanier (mit dem Verlaine Ende 89 brach), im Café Vachette, und bei den Dienstagen Mall.'s, der dort einmal durch Verlaine abgezeichnet wurde (G. Le Rouge, *Verlainiens et Décadents*).

371 [1] „le vrai père de jeunes .. le magnifique Verlaine". Als wenige Wochen darauf Deschamps beim Nachtisch des ersten Schriftsteller-Abendessens der *Plume* (18. 4. 91) auf Verlaine als den „Maître incontesté de la poésie française contemporaine" trank, hob dieser sein Glas „à mes chers absents, Mall., Banville, Moréas"; einige Monate später hörte man ihn allerdings im Schaukelstuhl bei Mall. wohlgefällig die Formel wiederholen: „Moréas mediocritas" (Régnier, *Nos renc.*, p. 43 f.).

371 [2] „Malefiztag", brüllte in der Pause, empört über die schlechte Darstellung bei der Uraufführung seines Spiels *Les Uns et les autres* (mit M. Moréno als Rosalinde) der betrunkene Verlaine an der Bar des Café Américain. Mendès' *Soleil de Minuit* schloß den Abend ab. Kurz zuvor hatte Mall. bei Cazals 50 fr. für Verlaine eingezahlt und durch Méry Frau Fournier zu weiteren 200 fr. gewonnen (Fontainas, *Verl. homme de lettres*). Als Verl. um weitere Spenden von Méry bettelte (an Mall., 11. 5. 91), bestellte man bei ihm ein Fächer-Gedicht. Im selben Jahr unterschrieb Mall., mit Vicaire, Raynaud u. a., Deschamps' erfolgreiche Eingabe ans Unterrichtsministerium um ein Stipendium für Verlaine. Am 16. 4. 95 hieß Verlaine ihn wieder kommen.

372 [1] Der letzte Wunsch Verlaines war, die Hand von Lepelletier, Coppée und Mall. zu drücken (Frédéric Cazals). Unter den zwanzig Büchern seiner Bibliothek, die er nicht verschleudert hatte, waren drei von Mall. (Verlaine, *Corresp.*, éd. Van Bever, 1929, III 230).

372 [2] Hinreißend sei in diesen Briefen Verlaines seine gute Laune (bonhomie) im Tragischen, wie auch der Eifer, mit dem er hier für ein Buch über Den Haag Auskünfte einziehe; oder die Schilderung, wie ihn nach der Einfahrt auf holländisches Gebiet Beschaulichkeit überkommen habe (Zilcken ed., *P. Verlaine, Corresp. et documents inédits, relatifs à son livre 15 jours en Hollande*, P. 1897). Verlaines *Confessions* las Mall. angstvoll und mit Entzücken. „O Verlaine, welch ein köstliches Buch – wenn es ein- oder zweimal knurrt, wutentbrannt in seiner Ruhe und vor allem, was das Herz betrifft, vollendet erlesen – sind Ihre naturhaften, geistvollen *Selbstbekenntnisse*" (23. 7. 95: in L. Cornareanu ed., *Suites franç.*, NY 1945, I 356 f.).

373 [1] Mauclair, *Soleil*, p. 231 f. Dazu Lepelletier, *Verl.*, 1907; H. Mouilhade, *Verl. et Mall., le symbolisme et sa floraison poét. de 1860 à 1910*, Le Puy-en-Velay 1911 (Bull. hist. de la Soc. scient. et agric. de la Hte-Loire) und Barrès' Tagebuch. – In Erfüllung des Brauchs, die vier Quasten des Sargtuchs während der Fahrt zum Friedhof zu halten, schritten neben dem Wagen Coppée, Mendès (der unterwegs eine Zeitung kaufte und im Gehen las), Mallarmé und Montesquiou. Erziehungsminister Combes ließ sich durch Kabinettchef Wels vertreten.

373 [2] So Charles Maurras, *Barbarie et Poésie*, Paris 1925, p. 74.

373 ³ Die Formel prägte A. Beaunier, im *Figaro* vom 12. 6. 1912. Von
128 (169) Stimmen fielen 27 auf ihn, 19 auf Moréas, 12 auf Sully. Es
wählten ihn (z. T. mit ausführlicher Begründung) Edouard Beaufils
(1868-), Raymond Bouyer, Henry de Braisne, F.-A. Cazals, vicomte de
Colleville, François Coulon, A. Delaroche, E. Delbousquet, Deschamps,
Elskamp, Fontainas, Lucien Jean, Paul Leclerq, Van Lerberghe, Roland
de Marès, Mauclair, Mockel, Jean Rameau, Gabriel Randon, Paul Re-
donnel, Rémy Salvator, Ch. Saunier, Victorien du Saussay, Signoret,
Verhaeren (der selbst 8 Stimmen erhielt), Richard Wémann, Henri Zisly.
Schon 1894, nach L. de Lisles Tod, stand Mall. mit 36 Stimmen an
dritter Stelle, nach Verlaine mit 77 und Heredia mit 38 von 189 Stimmen. Sully erhielt damals 32, Coppée 26, Richepin 21, Dierx 15, Mendès 14, Régnier 11, Samain und Griffin je 5, Merrill und Verhaeren je 2.
Als zwei Jahre zuvor durch eine Rundfrage Paul Brulats die Publikums-
wünsche für die Besetzung der 40 Académie-Sessel festgestellt wurden,
wurde Mall. an 19. Stelle genannt. Eine andere Art von Auslese bedeutet
die Zahl der verkauften Bände; danach (*Figaro litt.* 4. 2. 50) stehen weit
an der Spitze aller französischen Lyrikbände die sentimentalen: Paul
Géraldy's *Toi et Moi* (1920) mit 730000 Expl. und je mit 60000 Richepins *Chanson des Gueux* (1876), E. Rostands *Musardises* (1888) und
Jacques Préverts *Paroles* (1946). – Mall. an Claudel, Febr. 96 nach seiner
Wahl: "man hat mich, nach verspeistem Braten, zum Dichterkönig be-
fördert; nun heften mir die Zeitungen einen Papierdrachen-Schweif an,
mit dem ich durch die Straßen ausreiße, ohne andere Möglichkeit, mich
unsichtbar zu machen, als mich dem Fastnachtszug anzuschließen. Mas-
kiertsein wider Willen, Claudel, und während man nur eines liebt – das
Vergessensein, außer durch Sie".

III. VON DER VERANTWORTUNG DES DICHTERTUMS

373 ⁴ Mauclair, M. chez lui, 1935, p. 87 f. So wertete man damals allgemein (nach W. Rothensteins *Men and Memories*).

375 ¹ Als der dämonengläubige Huysmans 1893 in einem Interview
behauptete, der Ex-Abbé Boullan sei durch den Verfasser von *Au Seuil
du Mystère* (1886), Stanislas de Guaita, und durch Joséphin Péladan
in den Tod gehext worden, schickte de Guaita, der sonst in Orpheus,
Zarathustra und Pythagoras Versenkte, eine Duellforderung (durch seine
Freunde Barrès – bzw. Tailhade – und Victor-Emile Michelet): vgl.
J. Bricand, *L'Abbé Boullan*, P. 1927; C. Berlet, *St. de Guaita*, 1933.
Zwar plädierte Mall. nicht ausdrücklich für diese beiden „armen, durch
eine böswillige Anekdote verhöhnten Kabbalisten", denn sie „lösten aus
einer KUNST innere Grundvorgänge heraus und arbeiteten mit ihnen
unberechtigterweise isoliert". Aber während dieses wenigstens „aus

Unaufmerksamkeit und Mißverständnis", also immerhin in *Ehrfurcht* geschehen war, sieht er, daß „die Masse und Mehrheit" seiner Dichterkollegen „sogar auch noch den geheiligten Ursinn auslöscht" (Dipt. I). – Auch Villiers stand in seinen letzten Jahren erheblich unter dem Einfluß seines Freundes, des Verlegers Edmond Bailly; dieser verlegte neben den Gedichten Régniers und Herolds, neben den *Chansons de Bilitis* von Louys, neben den Jamblich- und Porphyr-Übertragungen Quillards, besonders okkultistisches Schrifttum. Mall. hat Villiers gegenüber oft in Baillys Buchladen seine kritischen Zweifel am Spiritismus ausgedrückt. Verbindlich dagegen schrieb er an den Lyriker V.-E. Michelet (1863 bis 1938) aus Nantes, den er bei Bailly kennenlernte, auf die Zusendung eines vorwiegend okkultistischen Buchs, *L'Esotérisme dans l'art* (1890): „Der Okkultismus ist der Kommentar zu den reinen Eingebungen, denen jedwede Dichtung, unmittelbarer Wurf des Geistes, untersteht" (Nouv. Litt. 20. 6. 1936); Ähnliches äußerten damals auch Ch. Vignier (Rundfrage 1884), der Dichter eines einzigen Heftes, *Centons*, und Ch. Morice, der spätere Konvertit, Gauguins Freund und Mitverfasser von *Noa Noa* (1897 ed. in der 1891 gegründeten *Revue Blanche* der Brüder Natanson). Vgl. V. E. Michelet, *Les compagnons de la hiérophanie*, *Souvenirs*, Paris o. D.; G. Maurevert, *Nostradamus et Mall.* (Marsyas, Nov. 1950).

375 [2] Nach Al. Bertrand entspricht die Kunst von heute dem Stein der Weisen von einst (*Gaspard*, 1920, p. 9).

378 [1] Zu Fontainas, 30. 4. 96 (Revue de Fr., 1927, 7; V, 333). Die nämliche Unterscheidung zu den *girandoles de la réputation* bei Mauclair, Soleil, 24. Im Leben zählen nur „die Minuten, die nicht zu Grimassen verwandelt sind" (an Lefébure, 26. 3. 70).

380 [1] Das Nächstfolgende nach *Oxford-Cambridge*, 1895, p. 84 f.

380 [2] 1. 11. 73 an Mistral (in L'Aiòli, 17. 9. 98; Le Feu; Mercure 171, 1924, 686), dem er zwei Exemplare des *Statuts* zusandte: eines, mit noch unveröffentlichten zahlreichen Randglossen, für Mistral, ein anderes für Zorrilla, das Haupt der spanischen Dichter.

384 [1] Vgl. dazu Anmerkung 3 zu Seite 209.

386 [1] „Die Ehrfurcht vor den Seelen war bei ihm eine Religion", heißt es in Mauclairs Mall.-Roman (p. 177). Vergeblich erwartet dort der Jünger ein aufmunterndes, werbendes Wort des Meisters (p. 173); der vermeidet es wehmütig, Abtrünnige zurückzuhalten. Ebensowenig (Louys, Œuv. c. IX, 335) sagte er je Schlechtes über andere. Vgl. Aimé Patri, *Mall. et la littérature* (Paru, Nov. 1948).

386 [2] Dazu kommt (bei Griffin, *St. M.*, Mercure 170, 1924, 28): „An dem Punkt der Problemlösung, an dem ich stehe, bedürfte es zu höherem Aufschwung eines jüngeren Strebens; nun bin ich da aber allein angelangt, durch Synthesen aus jahrelangen Analysen, die sich nutzbar nicht übermitteln lassen; aus ihrem Treiben allein formte sich mein Gehirn; denselben schweigenden Weg muß derjenige gehen – wer? –, der das Werk, das ich um einen Treppenabsatz höhertrieb, weiterführen würde. Müßte er dabei nicht eben diese Jugend verlieren, die in mir abnimmt?"

388 [1] Mauclair, *Le Soleil des Morts*, 1897, 7e éd., p. 186.

388 [2] Valvins, 6. 10. 1893 (abgedruckt in Samain, Œuvres choisies, 1931, p. 275 f.). Dazu Samain, *Des Lettres*, 1933, p. 36, 39, und der Entwurf seines Bekenntnisses zu V. Hugo und Fr. Jammes von 1899 (veröff. Mercure, 290, 1939, 35), wo er über Mall.'s ,,assemblage incohérent de vocables . . ces Sonnets sorte de grimoires indéchiffrables" meint, das Vergnügen daran bleibe ,,tout subjectif". Samain, der schüchterne, philiströse, zwickertragende Expeditionär des Seine-Präfekten, entsprach in seinen Versen mehr dem Geschmack Coppées, der ihn im März 94 durch seinen Aufsatz im *Journal* über *Au Jardin de l'Infante* mit einem Schlag berühmt machte. Noch R. de Gourmont hielt ihn für ,,l'un des poètes les plus originaux" (*Livre de Masques*; vgl. A. Jarry, *A. Samain*, P. 1907). Nachdem Samain 42jährig an der Schwindsucht gestorben war, blieb der jetzt nicht mehr genießbare Chrysanthemenduft seiner lebensmüden Verse noch jahrzehntelang in Mode. Man kennt die Töne aus dem Wiener Kreis des jungen Hofmannsthal und von den italienischen Crepuscolari. Sie führen alle auf Verlaines berühmte Definition der Décadence-Schönheit zurück (bei E. Raynaud, *Mêlée symboliste*, 1920) u. a. ,,l'écroulement dans les flammes des races épuisées par la force de sentir . . c'est l'art de mourir en beauté".

388 [3] Versform, Flüssigkeit, Gedanken, alles sei sicher; keines der dies Werk belebenden Bilder werde im Rohzustand gegeben, jedes werde abgelöst und leuchte wie die große Himmelswölbung. Vgl. J.-B. Hanson, *Le poète Ch. Guérin*, 1935.

388 [4] Geb. 1874; zit. P. Fort-L. Mandin, *Hist. de la poésie franç.*, 1926, 235.

388 [5] Hier ist, bedeutender als *Ubu Roi*, nach Gide (Mercure 1. 12.1946) ,,das Gespräch Ubus mit Prof. Achras . . und sodann die nachfolgende Auseinandersetzung mit seinem Gewissen, eines der stärksten und bemerkenswertesten Zeugnisse französischer Prosa".

389 [1] Vgl. Otto Just, *A. Poizat*, Diss. Lpz. 1936; Poizat, *Mall.* (Revue de Paris, 1. 7. 1918).

389 [2] Mercure de France, 270, 1936, 442.

389 [3] 1888 (Morice, *Pages choisies*, 1912, p. 35). Ähnlich wie Ch.-L. Philippe, der 1894 gegen Verlaine entschied, schrieb Morice, der Dichter des Dramas *Chérubin*: ,,Bin ich für Verlaine gegen Mallarmé? . . Sind Verlaine und Mallarmé unvereinbar?" (L. Lefébure, *Ch. Morice*, 1926,

p. 215; dazu A. Benéteau, *Etude sur l'inspiration et l'influence de P. Verlaine*, Washington). Er entschied sich für beide. 1894 nannte er in dem Sammelband *Portraits du Prochain Siècle* Mall. den „incontestable Recteur des Lettres Modernes, le maître difficile qu'on rêve de contenter. Quiconque l'écoute date de lui". Morice, dessen stolzer *Pferdekopf* (nach Rachilde) stets Büchern, Alkohol und seinem Ich nachspürte, hielt die ersten öffentlichen Vorträge über Mall.: im *Théâtre Mondain*, 24. 4. 96, dann in Le Havre und Belgien.

390 ¹ Gourmont, *Promenades littéraires*, Paris 1914; I, 203.

390 ² Obwohl Dujardin meint, keiner der Besucher habe „anders als besser sein Haus verlassen" (*Mall.*, 1936, 11) .. „agrandis, aériens" (Fontainas, *Conf. d'un Poète*, 1936, 108).

390 ³ Mauclair, *Soleil*, p. 175. „Nie traf ich jemand, dessen Gespräch fruchtbringender war" (Moore, *Confessions*, p. 83).

390 ⁴ An Gosse, in Le manuscrit autographe, 1928; III, 15.

390 ⁵ Régnier an Griffin, 7. 4. 1893.

390 ⁶ Nur wegen eines gleichzeitigen einmaligen Theaterereignisses fielen sie etliche Male aus. Bisweilen traf man sich auch mittags zwischen vier und sechs (Dauphin: L'Hérault, 21. 2. 1912); an sommerlichen Abenden auch im kleinen Garten des *Hôtel des Américains*. Vgl. E. Bonniot, *Les Mardis de Mall.*, 1936; J. Baensi, *Quand Mall. tenait cénacle* (Erasme Nr. 6, Aug. 1946, p. 281 ff.) und R. de Renéville, *Les Mardis* (NRF 1. 5. 1941). Ein Fehlschlag war der Einfall von Griffin und Valéry, mit einigen andern Freunden am 2. 2. 1897 zu einem Dienstag im Gasthaus Lathuile einzuladen. Nicht-Mitgeladene wie Rodenbach und Mirbeau schmollten, Valéry kam nicht, weil ihm die Gästezahl (12) zu groß wurde; und Mall., zwischen Dierx und Rodin sitzend, soll sich (nach Debussys Eindruck) gelangweilt haben. Rodenbach, der im Glauben starb, man habe ihn bewußt ausgeschlossen (wie Griffin bedauerte: Phalange, 15. 3. 08), schrieb an Mallarmé am Tag darauf: er solle gefeiert werden, aber „notre amitié, votre œuvre et votre gloire" dürfen es auf eine andere Art wollen.

391 ¹ Tailhade, *Quelques fantômes*; Mercure 130, 1918, 322 f. Die Scheu, wie Reporter oder Studenten zu erscheinen, verbot den Gästen nachzuschreiben (Mauclair, *Princes de l'Esprit*, p. 110). „Quant aux dires de Mall., je n'ai rien écrit, mais Régnier m'a dit en avoir noté. Qu'est-ce devenu? Etait-il possible de les rendre?" (Valéry brieflich, 31. 12. 1942).

392 ¹ Unter Decknamen begegnet man dort vielen Bekannten M.'s, so Verlaine (Saumaize), Zola (Merccur), Catulle Mendès (Properce Defresne) Whistler (Niels Elstiern), Toulouse-Lautrec (Lannoy-Talavère), Louys (Deraines) und, wie mir der Verfasser mitteilte, Debussy (Harmor), J. Lorrain (Marens), P. Adam (Héricourt), Mirbeau (Leumann), Jules

Lemaître (Neuflize), „aber alle sehr romanhaft verändert. Den Anarchisten Pallas habe ich mit einigen Zügen Clemenceaus gemacht"; vgl. Fontainas, *C. Mauclair* (Mercure 10, 338). Mir nicht erreichbar: A. Lebois, *Mall. héros de roman* (Horizon, Nr. 9, Mai 1948).

392 [2] Daß Montesquiou durch L. de Lisle, Heredia und 1888 sogar durch Verlaine gelobt wurde, wollten J. Lorrain und Ajalbert nur als bestellten Freundschaftsdienst gelten lassen. Dagegen bezog sich die Abneigung von Adam, Blanche und Régnier gegen den blonden Wyzewa, den Sekretär des Journalisten J. de Saint-Cère (Pseud.), mehr auf das nie durchschaute, verschmitzte Lächeln, mit dem Wyzewa durch allerlei Kabalen die Leute gegeneinander lenkte. Literarisch scheint Wyzewa unterschätzt. Seinen Parsifal-Roman *Valbert* setzte E. Jaloux (*T. de Wyzewa*: Journal de Genève, 12. 2. 1942) an Bedeutung „zwischen *Adolphe* und die *Porte étroite*". Er soll in Tolstoj-ähnlicher Frömmigkeit geendet haben.

393 [1] 6. 8. 85 (*Les Poètes Décadents*): „Solange St. Mall. der höchste Vertreter der neuen Dichtung ist, können Sie ruhig auf Ihrem Littré schlafen; sie wird nie Ansteckung verbreiten"; in seiner Antwort an Bourde berief sich Moréas auf Poe und korrigierte die Bezeichnung *décadents* durch *symbolistes*. – Etwas besser fuhren die „Symbolisten" in der *Revue des Deux-Mondes*: Brunetières Aufsätze wollten vor allem Zola und die Naturalisten ärgern.

393 [2] Nicht nur erhielt der *Guignon* bei seiner Deklamierung im Théâtre des Arts, 20. 4. 91, großen Beifall, sondern bei einem nachfolgenden Gedicht im alten Stil ertönten Rufe *Vive Mallarmé!* (Plume, 1. 5. 91).

393 [3] Eig. Georges Ephr. Michel. Als Mikhaëls Gedicht *Florimond* am 2. 12. 89 den Preis in einem Wettbewerb des Echo de Paris erhielt, hatte Mall. als Mitglied der Jury mit nur drei andern seine Stimme für Verlaines *Amour de la patrie* abgegeben. Vgl. M. Coulon, *Le symbolisme d'E. Mikhaël* (Mercure 101, 476 f.).

394 [1] Paris, 17. 3. 85, an Ghil. Dies und das Folgende nach Ghil, *Les Dates et les œuvres*, *Symbolisme et poésie scientifique*, 1923, p. 17 f. Vgl. Fontainas: *Mes souvenirs du symbolisme*, 1928; *Dans la lignée de Baudel.*, 1930; *Souvenirs d'un symboliste* (Les Arts et les Lettres, 31. 5. 1946); vgl. auch E. Bergerat, *Souvenirs d'un enfant de Paris*; G. Guiches, *Le Banquet*; M. Donnay, *Des souvenirs*; ders., *Mes débuts à Paris*; ders., *J'ai vécu 1900* (1950), G. Lecomte, *Ma Traversée*, 1949.

395 [1] Mall. empfand a als zinnober (paßt nicht zu *A la nue!*), ü als blaugrün, o als schwarz (zu Valéry, Okt. 91; Mondor, *L'heur. renc.* p. 101). A. W. Schlegel hatte a als rot empfunden, i als himmelblau, o als purpurn, u als dunkelblau, ü als violett (E. v. Siebold: Engl. Studien, 1919/20, p. 83), V. Hugo in einem soeben entdeckten Text von etwa 1845

a und i als weißleuchtend, ü als schwarz, o als rot, eu als blau (Fig. litt.
26. 8. 1950). Zu Rimbauds Sonett *Voyelles* vgl. den Fund von E. Gau-
bert, *Une Explication nouv.* (Mercure, Nov. 1904) und Verlaines Äußerung: „Moi qui ai connu Rimbaud, je sais qu'il se foutait pas mal si A
était rouge ou vert. Il le voyait comme ça, mais c'est tout. Du reste, il
faut bien un peu de fumisterie" (zu Louys 8. 1. 90: *Vers et Prose*, Sept.
1910). Ein Beitrag für Ernst Jünger (*Lob der Vokale; Sprache und
Körperbau*) und H. Nette (in: *Vision*, deutsche Beiträge zum geistigen
Bestand, I, August 1949, Bd. 5)! Vgl. A. Binet, *Le Problème de l'audition
colorée* (Revue des Deux-M. 1. 10. 1892); P. Souriau, *Le Symbolisme de
couleurs* (Revue de Paris, 15. 4. 1895); V. Ségalen, *Les Synesthésies et
l'Ecole symbol.* (Mercure 42, 57); S. Johansen, *Le Symbolisme* (c. 1: La
Synesthésie), p. 24–73. Und Joseph Weinheber, *Ode an die Buchstaben.*
Bibliographie: S. Skard, *The Use of Color in Literature* (Proceed. of the
Amer. Philos. Soc., Philadelphia, Juli 1946, 90, 1183 ff).

395 [2] Mit Merrill, der nach seinen Ghilschen Anfängen rasch teils durch
Wagner, teils durch Keats und Swinburne weiterstrebte, wollte Ghil
sich hier als „Harmonist" von den „mélodistes" wie Rodenbach, Laforgue oder Le Cardonnel abheben. Griffin erklärte sogleich, die erste
Nummer habe seinen Namen ohne sein Wissen genannt. Seit seinem
Bruch mit den Symbolisten – Ende 1888 – strich Ghil in einer Neufassung
des *Traité* alle Ausführungen über das Symbol und schloß die Namen
Saint-Paul, Mockel und Delaroche aus den *Ecrits* aus. Vorläufer der
Ecrits waren die drei Hefte der *Décadence artistique et littéraire* seit
1. 10. 1886 („quel titre abominable": Mall. an d'Orfer, Sept. 86), zu
deren Herausgeber, mit d'Orfer, Ghil durch den Leiter des *Scapin*, Raymond, gemacht worden war. Dort bereits nahm Ghil (*Notre école*) die
„angeblichen Verlaine-Schüler", die *Décadents*, aufs Korn, besonders
Moréas, in dem er den gleichen Ehrgeiz, Haupt einer „Schule" zu werden, witterte. Diesen ließ das Aufsehen von Ghils *Traité* nicht schlafen;
am 18. 9. 86 gab er sein (2.) „Manifeste littéraire" dem *Figaro* (das 3. im
Symboliste: s. oben p. 370). Vgl. auch G. Michaud, *Message*, 1947.

396 [1] Verlaine an Mall., 28. 4. 87: das Buch habe ihn *sehr* gefesselt.
„C'est, dans son étrangeté, la tentative d'art la plus extraordinairement
sympathique qu'on ait osé depuis longtemps."

396 [2] Diese Rückkehr zur alten Versform verweigerte Ghil ausdrücklich (Dates p. 93). Auch die frühere Mahnung Mall.'s, am 7. 3. 85, war
vergeblich geblieben: „Wegen einer Sache habe ich Sie zu tadeln: daß
Sie bei dem Vollzug einer gerechten Rückerstattung, der uns zukommt
– alles von der Musik wieder zurücknahmen, ihre Rhythmen, welche
nichts als diejenigen der Vernunft sind, und sogar ihre Färbungen,
welche die unsrer durch Träumerei erweckten Leidenschaften sind –
daß Sie darüber ein wenig das alte Dogma des VERSES verblassen ließen.

Oh, je weiter wir die Summe unserer Eindrücke ausweiten und sie ver-
feinern, sollten wir doch andererseits all das mit kraftvollem Geistes-
einklang in stark geprägten, plastischen, unvergeßlichen Versen gliedern.
Sie artikulieren eher als Komponist denn als Schriftsteller: ich erfasse
wohl ihre erlesene Sehnsucht, da ich sie selber durchmachte, bevor ich
davon abkam . . wie Sie es vielleicht von allein tun werden".

397 [1] Ghil entschuldigte sich: ,,J'ai eu le tort surtout de mettre votre
nom qui ne doit plus figurer dans les petites batailles" (Mondor, *Vie* 516).

398 [1] A. Orliac, Le Tombeau de Valvins, in *Mall.*, 1948, p. 243.

398 [2] Die Briefe an Merrill bei M. L. Henry, *St. Merrill*, 1927, 62, 82,
115; auch über den Ghil-Kreis seit 1882: p. 19 f.

399 [1] 1872 war die Familie nach Paris gekommen. Der erste Vielé
hatte 1614 in Amerika geheiratet. Der Vater des Dichters, einer der
zwölf Generale Lincolns, war Militärgouverneur des von ihm eroberten
Norfolk (Virginia) geworden, wo Egbert Louis Vielé (sprich Viélé) geboren wurde. Mit seinem Schulfreund aus dem Collège Stanislas (rue de
Rennes), de Régnier, dem Sohn eines hohen Pariser Zollbeamten, suchte
er das Café de l'Avenir auf und stellte sich Tailhade vor. Ajalbert, der
Dritte in ihrem Bunde in Vaniers *Lutèce*, erzählte ihnen erstmals vom
vers libre. Griffins stärkstes Erlebnis wurde Verlaine; im Unterschied
zu Régnier, der ein anderes Rokoko sah als das der Fêtes galantes (sein
Freund Dr. Florand stellte ihn im Krankenhaus Verlaine vor; wogegen
er mit Villiers bei Pousset im Café Vachette zusammentraf). Mall.'s erste
Einladung an Griffin: 26. 11. 85. Charakteranalysen Griffins: in Gides
Tagebuch vom 7. 1. 1902 und im besten Buch des ihm befreundeten
Präfektensohns P. Adam, dem Schlüsselroman *Le Mystère des foules*
(über den Nancy-Wahlkampf 1889 des Dreibunds: de Guaita, Barrès
und dessen Sekretärs Adam). Vgl. Griffin, *Le Mouvement poétique* (Mercure 26, 5) und *St. M.* (ebd. 170, 22 f.); J. de Cours, *Fr. V.-Gr.*, P. 1930,
und Mercure 161, 577.

400 [1] Leicht gereizt und, nach Meinung von J.-E. Blanche, dem er
Tel qu'en songe widmete, nicht frei von Neid auf die Erfolge anderer,
wurde er, wie Griffin, rasch berühmt; beide wurden vom *Echo de Paris*
mit guten Honoraren umworben. Ein Aufsatz J. Lorrains im *Gil Blas*
hatte ihn lanciert. Ein Kreis von Hausfreunden blieb ihm später treu:
Jean-Louis Vaudoyer, Emile Henriot, Boylesve, L. Artus, die Gräfin
Renée de Béarn. Vgl. de Gourmont, *H. de Régnier et son œuvre*, P. 1908;
Ed. Jaloux, *Souvenirs sur H. de R.*, Lausanne 1941; Régnier, *St. M.*
(Mercure 28, 5 f.), *A propos de Mall.* (in: Portraits et Souvenirs, 1913),
Sur Mall. (in: Proses datées, 1925), und in: Lui ou les Femmes et
l'Amour, 1929.

401 [1] Aus einem Tabakladen neben dem *Vaudeville* machte Dujardin,
der Freund von Toulouse-Lautrec, einen Buchladen mit kleiner Gemälde-

galerie. Ein Hauptanreger war der mondäne Maler Jacques Blanche, Sohn eines berühmten reichen Arztes der oberen Zehntausend. Jeden Monat fand im Kellergeschoß ein luxuriöses Abendessen statt, das aus der Brasserie Pousset besorgt wurde. Dujardin empfing monokeltragend, in roter Weste mit Goldknöpfen, in enger grauer Hose. Am verstimmten Klavier sang Villiers den Pilgerchor aus *Tannhäuser*. Selbst Barrès, in herrischer Cäsarenpose ohne Lächeln, schien in diesem freundschaftlichen Kreise aufzutauen und ließ in der Revue *Sous l'Œil des barbares* drucken; wie sein Freund Blanche und wie Gide besuchte er rue de Babylone den Salon de Bonnieres', dessen Bibliothekszimmer M. Denis ausgemalt hatte. Für die *crémaillère* am 26. 11. 1887 anläßlich des Umzugs der Redaktion aus der rue Blanche 79 in die rue de la Chaussée d'Antin 11 schrieb Mallarmé eine poetische Einladung mit Wortspielen über *indépendante* und *pendre une crémaillère:* „Binnen kurzem gibt die *Revue* ein Einweihungsmahl so golden wie das Gaslicht ihres schmucken Büros, und Ed. Dujardin, umschmeichelt von Erfolg und den verzückt blinzelnden Freunden, lädt zu einem zwanglosen Herrenessen, bei welchem es zur Erhöhung der Stimmung vielleicht Champagner geben wird" (Vers de Circ., p. 173). Vgl. auch N. Richard, *L. Le Cardonnel et les revues symbolistes*, P. 1946.

401 [2] Ajalbert, der rasch von der Vers- zur Prosaerzählung überging, war nicht nur ein „Raffaelli der Lyrik" und Nachahmer von Coppées *Intimités*. Der herbe, bittere Zug seines *Sonnet nuptial* zog ihn zu Corbière und zu den Jugendgedichten Mall.'s, seines einstigen Klassenlehrers vom Lycée Condorcet, die er dem *Après-midi* vorzog (Mémoires en vrac, 1938, 138). Er wurde später Konservator von La Malmaison, dann Vorstand der Manufaktur von Beauvais. Seit Nov. 1917 in Acad. Goncourt.

401 [3] 7 Jahrgänge, mit Alimet und Régnier herausgegeben. Vgl. A. Jackson Matthews, *La Wallonie* 1886–92, *the Symbolist Movement in Belgium*, NY 1947. Mockel berichtete hier (7, p. 69), er habe gewünscht, St. George hätte Baudelaire freirhythmisch und reimlos übertragen sollen. George habe ihm erwidert, das deutsche Vorurteil verlange für Lyrik-Übersetzungen Nachbildung der Originalform. Wirklich, wir haben zuviel totgeborene, meist nach Geibel klingende Versübersetzungen und zu wenige in verläßlicher Prosa. Bei einem späteren Besuch George's bei Mockel wurde ihm durch diesen und Saint-Paul am 7. 4. 1908 Gide vorgestellt.

401 [4] Ebenso *Algabal*: trotz der Verlagsangabe „Paris" Lüttich, Vaillant-Carmanne. Vermittler war ein zweisprachiger Belgiendeutscher aus Malmédy, Paul Gerardy, zwei Jahrzehnte lang Mitarbeiter der *Blätter für die Kunst*. Dieser dichtende Bohémien leitete in Lüttich den *Floréal*, den er am 1. 1. 1892 mit Edmond Rassenfosse und Léon Paschal, dem Dichter der *Paroles intimes* (Brüssel 1895, mit Motto von St. George) gegründet hatte. George wohnte im Sommer 1892 bei Rassenfosse und besuchte Gerardy und Paschal, die nahebei, in Tilff, wohnten; vgl. die drei französischen Strophen Georges, die 1. für Gerardy, die 2. für Rassenfosse, die 3. für Paschal: *Floréal*, 2. Jg. (deutsche Übersetzung durch George: *Blätter für die Kunst* 1, Mai 1893, und *Jahr der Seele*: Sprüche für die Geladenen in Tilff). Gerardy, den George 1897 einen seiner wichtigsten Mitarbeiter nannte, hielt die Verbindung zum ,,Jung-belgien'' F. Séverins, Elskamps, des Malers F. Khnopff usw.

401 [5] Er trat an die Stelle von Amédée Pigeon: als Vorleser und Museumsbegleiter, Bücher- und Modenberater des Hofes der regsamen Kaiserin Augusta, der Gattin Wilhelms I. Dort begeisterte er die Damen für Dürer und Wagner; glückliche und heimwehkranke Briefe an die Freunde in Tarbes berichten darüber. Die Anstellung vermittelte ihm sein Freund Bourget durch den allmächtigen Charles Ephrussi, den Inspirator des Kunstsalons Georges Petit, der die Maler für die Pantheon-fresken auswählte und die spätere Kaiserin Friedrich durch die Pariser Museen führte. An der (Ephrussi gehörenden) *Gazette des Beaux-Arts* arbeitete Laforgue mit, neben Taine, Duranty, Geffroy, Pigeon, Duret und Bourget. – Als Laforgue, wie kurz zuvor seine Frau, an der Schwind-sucht starb, mitten in den Sommerferien, waren nur vier Freunde bei seiner Beisetzung, Bourget, Th. Ysaie, P. Adam und G. Kahn. Zu La-forgue: Mauclair (Mercure 17, 159 f.); Kahn (ebd. 160, 289); Fr. Ruchon, *J. L., sa vie, son œuvre*, Genf 1924; L. Guichard, *J. L. et ses poésies*, 1950.

402 [1] An Dujardin, Valvins, 30. 8. 86 (in Dujardin, *Mall.*, 1936, 67).

402 [2] *Pages* sollte zuerst unter dem Titel *Le tiroir de laque* bei Dentu erscheinen, ,,ein Band Prosagedichte, 200 Seiten und vier farbige und aquarellierte Illustrationen von John Lewis Brown (Einband), Degas, Renoir, Frau Morisot, vielleicht auch von Monet'' (an Verhaeren, Dez. 86 und 15. 1. 87; dazu Wais, *Mall.*[1], Anm. 284[1]). Die Briefe an Verhaeren jetzt im Anhang von Noulet, *L'Œuvre*, 1940.

402 [3] Das Referat über deutsche Literatur hatte der Novellist Heinz Tovote. St. George erhob gegen diese Wahl bei Vallette Einspruch. – Im *Mercure* wie in *Plume*, *Floréal* und *Art Moderne* wurden die *Blätter für die Kunst* angezeigt.

403 [1] Mall. stellte ihn 1891 Huret gegenüber noch zu den beiden Be-deutendsten, Moréas und Régnier, während Morice, der ihm im Okt. 85 die Verse *Lunes* gewidmet hatte, (wie George und auch im Namen anderer) Mall., Verlaine und Villiers als die drei Führer bezeichnete (zu Huret). Die nämlichen drei nannte P. Fort; dieser schlug, wie Saint-Pol-Roux und Apollinaire, die Brücke von Verlaine und Rimbaud zum Surrealis-mus. Fort fügte allerdings noch Lautréamont und über allen Rimbaud hinzu.

45 Wais 2. A.

403 [2] Ihre erste Fassung erschien 1891 in 25 hektographierten Exemplaren. S. auch Fr. Hobohm, *Die Bedeutung frz. Dichter in Werk und Weltbild St. Georges*, Marburg 1931; M. L. Sior, *St. G. und der frz. Symbolismus*, Gießen 1932, und meine Besprechungen beider Dissertationen in Herrigs ASNS 162, 1932, 137 f. und 165, 1934, 107 f. Sodann C. Hirschfeld (Die Horen 5, 1928/29, 988 f.); E. L. Duthie, *L'Infl. du symbolisme franç. dans la poétique d'Allemagne*, Bibl. Rev. Litt. comp. 91 (es fehlt die Kenntnis von Mall.'s Gedankenwelt); J.-E. Spenlé, *St. G. et les poètes symbol. franç.* (Helicon 2, 1940, 9 f.); E. L. Stahl, *The Genesis of Symbolist Theories in Germany* (Mod. Lang. Review, Juni 46); C. A. Klein, *Am Dienstag zu Mall.* (Die Welt, vom 25. 4. 1950). In Vorbereitung als doctorat d'Université der Sorbonne: E. Pavilanaïte, *Mall. en Allemagne* (unter demselben Titel eine Zusammenfassung nach Wais, *Mall.*[1]: Fr. Hagen, in Les Lettres, 1948). Nach G. Schaffner (*Kleine Vorschule für die Lektüre St. Mall.'s*, Der Bund, Bern, 22. 1. 44) „hat das Vorbild Mall.'s seinen bedeutendsten Nacheiferer nicht im französischen, sondern im deutschen Sprachbereich gefunden", in George: durch das Streben nach einer ordnenden Mitte, durch die Verhaltenheit des Sprechens über Verse, durch den Rat (George an Rilke), nicht zu früh zu publizieren, usw. Unterscheidend wäre: George „an Stelle des Überlieferten zunächst ein völlig Neues setzend, erst später seinen Platz im Ganzen erkennend", forderte Hofmannsthal bewußt zum Anschluß auf (*Briefwechsel zw. George und Hofmannsthal*, Bln. 1938), wollte „bewußte Umerziehung einer Jugend", würde einen Zola oder Mirbeau als nicht geistesverwandt ausgeschieden haben, stieß „manchen Guten" von sich (C. Sieber, *Rilke u. George*, Corona 5, 1935). Vgl. Fr. Wolters, *St. George u. die Blätter für die Kunst*, Bln. 1930; E. Bertram, *Deutsche Gestalten*, Lpz. 1934; Ed. Lachmann, *Die ersten Bücher St. G.'s*, Bln. 1934; E. Morwitz, *Die Dichtung St. G.'s*, Bln. 1934; G. Bondi, *Erinnerungen an St. G.*, Bln. 1934; R. Salin, *Um George*, Godesberg 1948; Boehringer, *Das Leben von Gedichten*, Breslau 1932.

403 [3] Privatdruck 1890, begrüßt in Ghils *Cahiers pour l'art*, in *Ermitage* und im *Mercure*.

403 [4] Gleichzeitig A. Saint-Paul in der *Ermitage*; George veröffentlichte dort unter dem Namen seines Vertrauten C. A. Klein eigene Aufsätze. Weitere Übersetzungen durch Rassenfosse im Brüsseler *Réveil*, 1895, und A. Dreyfus in *Vers et Prose*, 1905.

403 [5] Text bei E. M. Landau, *Huldigung an St. Mall.* (Das Goldene Tor, 2, 1947, II 791).

405 [1] Bei den Samstagen in seinem Arbeitszimmer trafen sich Régnier, Valéry, Fontainas, de Bonnières, zahlreiche hohe Beamte, Diplomaten und Mitglieder der Académie.

405 ² *Œuvr. compl.*, 1929; IX, 293 und die ersten Briefe an Valéry. Vgl. Zts. f. franz. Spr. u. Lit,. 60, 1936, 196; Karl Franke, *P. Louys*, Bonner Diss. 1937; Cardinne-Petit, *P. Louys intime*, 1942; ders., *P. L. inconnu*, 1948.

405 ³ Das Original wurde mir vom Besitzer E. Lešehrad freundlichst zugänglich gemacht; dessen tschechische Übersetzung findet sich in seinem *Relikviar St. Mallarméa*, Prag 1919, p. 104. – Das Sonett erschien im Mercure, 28, 1898, 10.

406 ¹ 100 numerierte Expl. auf Luxuspapier. Im Mittelpunkt stand Valéry, auf welchen Louys und alle anderen damals die höchste Erwartung setzten und dessen Einfluß auf Fontainas spürbar wurde (Fontainas, *Jeunesse de Valéry*, in: *P. Valéry vivant*, 1946, p. 65 f).

406 ² Zu diesem lang abgestrittenen Einfluß hat Gide zuletzt, auf Grund des Buches von Renée Lang (*A. Gide et la pensée allemande*, P. 1949) sich bekannt. – Bei der starken evangelischen Prägung Gides stand es nicht lang an, bis er einige der biomystischen Impulse Nietzsches in evangelisches Gewand umzukleiden versuchte (*Numquid et tu*), wobei Dostojevskij und die Russen sich hilfreich erwiesen.

407 ¹ Zu Ch. du Bos, 3. 6. 1925. Die „notion de contrainte", schreibt dieser katholische Kritiker, sei nach seiner Meinung „der einzige Zug, welcher wirklich der protestantischen Persönlichkeitsbildung Gides zuzuschreiben ist" (*Journal 1924–25*, P. 1948, 376).

407 ² Gide, *Souvenirs littér.*, 1946, p. 28 f. In den ersten 20 Jahren verkauften sich von den *Nourr. terr.* 500 Exemplare. Vgl. R. Iseler, *Les débuts d'A. Gide*; P. Louys, *Coresp. inéd.*, 1937; Corresp. Claudel-Gide, 1949; Gide, *Journal* 1889 f. Siehe auch Wais, *Orpheus und Armida: der sinnbildl. Gehalt der Porte étroite von A. Gide* (Herrigs Archiv 187, 1950, 37 f.). Grundlegend: E. R. Curtius, *Literar. Wegbereiter*, ²1923.

408 ¹ Seine eigene Schilderung: Nouv. Revue Franç., 38, 1932, 830; ders., Variété 1–3, 1924 f.; ders., *St. M.* (Conférencia 1, 1933, 441 f.); Pièces sur l'Art, 1934; Mall. (Le Point, 29/30, 1944). Vgl. A. Thibaudet, *P. Valéry*, 1923; H. de Régnier, *Par Valéry vers Mall.* (in: Proses datées, 1925); Fr. Lachèvre ed., Une tentative d'initiation à la poésie mallarméenne et valérienne, La Roche-sur-Yon, 1936; E. Noulet, *P. Valéry*, 1938; H. Sörensen, *La Poésie de P. V.*, Aarhus Kbh. 1944; L.-P. Fargue, Rue de Villejust, P. 1946; M. Raymond, P. V. et la tentation de l'esprit, Neuchâtel 1946; J. Rütsch (Trivium I 4); H. Gmelin (Romanische Forschungen 60, 1947, 735 f.); E. R. Curtius, *Franz. Geist im neuen Europa*, 1925. – Nach Du Bos (*Journal*, P. 1946, vom 10. 6. 1922) war Mall. der einzige Mensch, vor dem Valéry Respekt empfand.

408 ² Außer Régnier konnte der gesprächige Valéry, der nie ein guter Zuhörer war (nach Gide), an den Dienstagen kräftig opponieren. Außer-

gewöhnlich war auch, daß er im Gedanken an die Abfahrt seines Zuges
einmal in Valvins, gegen Mall.'s ausdrücklichen Wunsch, mit dem Segelboot rudernd umkehrte.

408 [3] Mit der Gründung der Zeitschrift *Mercure de France* durch Vallette hatten bei diesem und Rachilde, seiner faszinierenden Frau, die
Dienstagempfänge in der rue de l'Echaudé-Saint-Germain (später in der
rue de Condé) begonnen. Den Mittelpunkt bildete Jarry. Gäste waren u. a.
Léautaud, Vallettes Mitherausgeber; Fontainas, de Gourmont, J. de
Tinan, Quillard, auch Valéry. Gide, dessen erste Bücher Vallette lustlos
herausgegeben hatte, schrieb: ,,Ich erstickte dort; mir war, als ob ich
in dieser Atmosphäre nicht zu atmen vermöchte" (*Mercure*, Nr. 1000,
vom 1. 12. 1946).

409 [1] Valérys Ziel war, ,,die Arbeit eines Schreibenden in Erfahrung
zu bringen" (M. Blanchot, *Le Mythe de Mall.* in Blanchot, *La Part
du feu*, 1949, 36), ,,die eigentümliche Arbeit des Gedankens wahrzunehmen" (M. Bémol, *La Méthode crit. de P. V.*, 1950). Hinter einer
echten Freundlichkeit ein ins Ungeheure gesteigertes Mißtrauen gegen
sich und alle. ,,Vergiß nie, dir zu mißtrauen", hatte der Zwanzigjährige
an der Wand seines Zimmers angeschlagen.

409 [2] J. Benda (*La France byzantine ou le triomphe de la litt. pure*,
P. 1945, 20 f.) zeigt den Nihilismus als Konsequenz der ,,absence-Reli-
gion" bei Valéry und, angeblich (nach Thibaudet), bei Mallarmé. Ähnlich
Croce (*Quaderni della Critica*, Nov. 1947, Nr. 9). Gide sagt, er habe seit
Ende der 30er Jahre begonnen, Valérys Streben mit Ironie anzusehen.
,,Kennst du etwas Langweiligeres als die Ilias?" habe ihn Valéry einmal
gefragt. ,, ,Ja, das Rolandlied', erwiderte ich. Schlagfertiger hätte ich antworten sollen: *La Jeune Parque*" (L'Arche, Oktober 1945). Gide zog
kleinere Gedichte, aus *Charmes*, der *Parze* vor. Von ihr sagt er: ,,Pas
encore assez détâché de Mallarmé; piétinement sur place; abus du retour
sur soi, du repli" (Tagebuch, 3. 7. 1927).

410 [1] W. Günther, *Von der absol. Poesie* (Deutsche Vierteljschr. f. Litwiss. 23, 1949, 14). ,,Mall. vergöttlicht narzissisch den eigenen Genius"
(ebd. p. 13); ,,gewisse Konzessionen" fänden sich zwar, die über die
Hérésies des zwanzigjährigen Parnassien hinausführen, nicht aber ein
Erlebnis wie beim späten Rilke, der durch seinen *Verwandlungs*gedanken
doch noch aus dem absoluten ,,Unkenntlichen" herausfinde. Vgl. ferner
E. Howald, *Die absol. Dichtung im 19. Jh.* (Trivium VI 1, 31 f.). Für
Rilke erhob sofort Carl Augstein gegen die Einreihung unter die ,,Abso-
luten" Einspruch (*Sein und absol. Poesie*: Dts. Vjs. 24, 1950, 145), da
,,mit der Kennzeichnung der absoluten Poesie allzu verschiedenartige
Größen auf einen Nenner gebracht sind, die nur zufällige Wesensmerk-
male gemeinsam haben". Augstein fordert mit Recht, zwischen ,,ästhe-
tisch-unverbindlicher Aussage der Dichtung . . der es nur um den Kult

der Schönheit zu tun war" und „seinsverwurzelter Dichtung" zu unter-
scheiden. „Ganze" Hinwendung auf die Form genügte noch nie als
Beweis für echte Erfahrung der menschlichen Ganzheit. In vielem näher
bei Rilkes „demütigem Verhaftetsein" in der Welt (Augstein) als bei
Valéry (dessen Abneigung gegen Natur und *Leben* der Nihilist G.
Benn als Theoretiker teilt) glaubte ich Mallarmés Werk lokalisieren zu müssen.

410 [2] Der Kritiker Charles du Bos.

410 [3] An G. Duhamel, Frühling 1920, im Anschluß an dessen Vortrag
Guerre et Littérature (ed.: Figaro littér. vom 7. 1. 1950). Für französische
Form und „clarté" hat der Psychologe Erich Jänsch auf Grund von
Eidetiker-Statistiken usw. eine ähnlich lautende Erklärung zu verallgemeinern gesucht. – Der Haß gegen die Geschichte wurde bei Valéry –
dem Nachkommen eines Revolutionskämpen, Giulio Grassi (1793–1874)
– besonders deutlich im zweiten Weltkrieg: Brief an Blanche, 14. 11.
1941 (in J.-E. Blanche, *Pêche aux souvenirs*, 1949, 260 f.). Dagegen hat
Gide geklagt, ihm selbst gehe der Sinn für die Zeitdauer und für das
Denken in Zeitbegriffen ab, „und überdies stieß mich der Einfluß Mall.'s
und der deutschen Philosophen in diese Richtung, in die mich schon
meine antihistorische Natur zog; man erklärte, im Absoluten zu werkeln;
auch lag darin ein Rückschlag gegen die Lehren von Taine u. a." (*Tagebuch*, 1. 9. 1934).

411 [1] *angoisse*; nachher *anxiété* (= Beängstigung). Dazu auch M.
Wandruszka von Wanstetten, *Angst und Mut*, Stuttgart 1950.

411 [2] Und zwar, sagte er zu Ch. du Bos (*Journal 1921–23*, P. 1946),
sei der Anfang aus alter Gewohnheit „tout mallarméen" ausgefallen.
Dann aber trat „Racine ins Spiel" und Glucks Rezitative (die er mit
einem Finger am Klavier spielte). Alle Mall.-Elemente in ihm hier „ont
tous été passés au crible racinien".

411 [3] In ähnlicher Weise, um sich vom Eindruck des Kriegs zu befreien, schrieb Valéry in Dinard, im Haus seiner Tochter Agathe, das
Fragment *Mon Faust*, Juli-Sept. 1940.

412 [1] L. Tailhade, *Quelques fantômes de jadis*, 1919. Als Wilde 1887 in
Paris weilte, gaben ihm France und Barrès ein Bankett bei Voisin, und
er kam mit Laforgue und Barrès zum Tee zu Blanche.

412 [2] 1872–1900. „In Aix wohnt traurig, sogar verzweifelt", schreibt
Mall. an Cazalis, „einer der edelsten unter den Dichtern der heutigen
Generation, Emmanuel Signoret. Ich hatte gedacht . . dich mit diesem
Mann, diesem Kind, das ich bewundere, bekannt zu machen: vom ersten
Augenblick an wirst du seine Flamme lieben" (Valvins, 9. 8. 96). Vgl.
P. Suchon, *E. Signoret, incarnation du poète*, 1950, und die Gründung
der „Amis de E. Signoret" (39 boul. de Portal-Royal) 1950. Ein anderer
Provenzale, Paul Roux (G. Lavaud, *Mall. et Saint-Pol-Roux*: Arts, vom

15. 11. 1946), bemühte sich damals in stürmischem Sprachstil um das poetische Drama.

412   [3] Descaves entschied sich für Huysmans, als der dritte in dem 1887 gebildeten Freundeskreis ihn vor die Wahl stellte: der auf Huysmans' Erfolge neidische Bloy (durch Huysmans vor dem Untergang gerettet, als er 1875 aus Périgueux nach Paris gekommen war), ein pathologisch gehässiger Fortführer der Polemiken Barbeys. Zola bemühte sich nicht, Descaves kennenzulernen, wohl weil dieser mit Goncourt und Daudet befreundet war.

413   [1] J.-E. Blanche, *Mes modèles*, P. 1928, 66 f.

413   [2] ,,Il y a là des jouissances de vieux professeur, de chanoine, des liqueurs à déguster lentement, très lentement, à ces heures où l'on trouve trop gros les écroulements splendides de Hugo, les pays de bronze et le soleil de L. de Lisle, les guets-apens et le délire de Balzac'' (in den von Barrès allein geschriebenen *Taches d'encre*, 5. 12. 84). Durch seine Neigung zu Schopenhauer, dessen Bedeutung für Wagner Barrès ebenso wie Wyzewa (Revue wagn. 8. 6. 85) überschätzte, fühlte Barrès sich Mall. verbunden (*La Folie de Baudel.*: Taches, 5. 12. 84; Sonderdruck 1926). Als Wyzewas *Nietzsche*-Aufsatz (Figaro, 4. 9. 92) einschlug, befürchtete Barrès, obwohl er seine eigene Verwandtschaft mit Nietzsche bejahte (Le Messager d'Alsace-Lorraine, 1. 7. 1911), dadurch eine Verstärkung des *Kosmopolitismus:* Mall. und *Nietzsche* seien jetzt ,,les flirts préférés des femmes'' (*Le Tout Rambouillet:* Le Journal, 19. 1. 94).

413   [3] Auf seine 1889 entstandene, 1890 veröffentlichte *Tête d'or* dürfte als erster Mall. bei den Dienstagen aufmerksam gemacht haben. Über Claudel kam später Alain-Fournier auf Mall.: ,,Je suis resté suffoqué d'admiration. C'est par Claudel que je suis arrivé à Mallarmé'' (an J. Rivière, 15. 12. 1906). Zu Mall.'s Einfluß auf Claudel: J. Rivière, 20. 2. 1910 an Alain-Fournier (Corresp. 1927) und G. Michaud, p. 597 f.

414   [1] Mall.'s Dankesbrief vom 19. 11. 97 für das Manuskript der Tragödie *The Marriage of Guinevere* (Romanic Review, 18, 1927, 233).

414   [2] Coppée, Dierx, St. George, Hérold, Kahn, Louys, Ménard, Nadar, Régnier, Richepin, Rodenbach, Saint-Paul, Signoret, Silvestre, Verhaeren, Griffin u. a.

414   [3] Die Namen und Überschriften in: Mall.-Roujon, Corresp., 1949, p. 102.

414   [4] Henri de Régnier, Mercure de France, Okt. 1898, p. 6.

415   [1] Zur Bedeutung der antijüdischen Strömung (der auch Barrès angehörte) für Prousts Werk: J.-E. Blanche, *Mes modèles*, 1928, 112 f.

416   [1] Maurice Dreyfous, *Ce qu'il me reste à dire*, Paris 1914.

416   [2] *Les Paroles du Vaincu*, Paris 1871, p. 7.

417 [1] 20. 12. 1870. Nach süßlichem Liebesgetändel hält dort eine Schöne, entzückt über bunte Uniform und rote Mütze des Geliebten, ihm das rosa Liebesnest bereit, bis er mit einem erbeuteten Preußenhelm heimkehre und ihn als Behälter für Liebespfänder zwischen zwei Japanvasen aufstelle.

417 [2] Barrès schrieb damals in der Revue Indépendante (*M. le général Boulanger et la nouvelle génération*, April 86), er und seine Freunde ,,aspirent à trouver l'homme fort'', der die Schwätzer zum Fenster hinauswerfen werde. ,,Car nous demeurons étrangers aux intrigues de la politique quotidienne. Tandis que l'Idée fait son chemin en France''. .

417 [3] *Petit air (guerrier)*, im selben Versmaß wie Mendès' *Odelette*, hat er nur in einer Zeitschrift veröffentlicht, nicht in seine Gesamtausgabe aufgenommen. Die Satzzeichen strich er erst in den Korrekturfahnen (Photo: Le Point 5, 1944, 31). Gengoux (*Symb.*, 1950, 208) sieht in Vers 5, 7, usw. einen obszönen Sinn.

417 [4] Mercure de France, April-Juni 1895.

418 [1] Mendès, welchen *Lutèce* der Pornographie bezichtigte, wurde u. a. in Duellen mit Mirbeau und Lugné-Poë verwundet. Rund 2000 Duelle finden sich im *Annuaire du duel* 1880–89 (ed. Ferréus, P. 1891) verzeichnet. Wegen einer Frau gerieten in einer Kneipe der rue Blanche Moréas und Darzens aneinander; diesem sekundierte Mikhaël, jenem Barrès. Als Ajalbert, ein Freund von Darzens, ein Spottlied auf den disqualifizierten ,,Mata-Moréas'' dichtete (in Ajalbert, Mémoires, 1938, 349), überbrachten ihm Barrès und Tailhade eine Forderung von Moréas. Ajalbert wiederum forderte wegen einer Beleidigung im *Evénement* am 1. 6. 1888 Vignier. Dieser, den bereits im Frühjahr 1888 der gewandte Fechter Darzens verwundet hatte, erschien nicht. 1886 hatte Vignier geschrieben, Robert Caze, Goncourts Liebling, sei durch Champsaur verprügelt worden, war deshalb durch Caze gefordert worden und hatte, sekundiert durch Hennequin, Caze tödlich verwundet.

418 [2] Siebziger Jahre (H. Mondor, *Hist. d'un Faune*, p. 218).

419 [1] *Œ. compl.* 1945, 484. Unter der Subskriptionsliste Drumonts für die Witwe des Obersten Henry findet man neben andern Gegnern der Dreyfus-Partei den Namen P. Valérys.

419 [2] Tischgespräch mit Roujon (Journal de Genève, 1./3. 1. 1950); s. auch A. Lebois, *Mall. et la politique* (Mercure, 1. 9. 1948). Die Affaire hatte publizistisch begonnen mit einem Heftchen zu zwei Sous, von B. Lazare, *Comment on condamne un innocent*.

419 [3] Tischgespräch bei Méry: Reyn. Hahn, *Notes*, 1933, 66 f. Bei den zahlreichen militärfeindlichen Manifesten der damaligen Schriftsteller fehlen die Unterschriften des Mall.-Kreises, selbst wenn Nahestehende unterzeichneten .. wie Banville, Barrès, Becque, Ajalbert, Daudet, Geffroy, Ghil, Goncourt, Zola beim Protest gegen das Verbot von Descaves' Roman *Sous-Offs*.

421 [1] Die lebendigste Schilderung ist E. Raynauds *Mêlée symboliste* (1920, I 135f.). Das von Verlaine präsidierte 8. der 12 Bankette war als Mall.-Feier gedacht; auf der von Cazals gezeichneten Einladungskarte ist Verlaine als Satyr-Herme dargestellt und Mall. als befrackter Faun mit der Syrinx (reprod. Les Bibliogr. nouv. IX, 1927, p. 70; eine Halb-Karikatur, von Luque, für Verlaines *Hommes d'aujourd'hui*, n. 296, in Vaniers Verlag, 19 quai Saint-Michel: Mondor ed., *Docum. icon.*, 1947).

421 [2] Unter den zahlreichen damaligen Attentaten (vgl. R. Manevy-Ph. Diolé, Sous les plis du drapeau noir, 1949) kostete das genannte zwei Menschenleben: Auguste Vaillant wurde hingerichtet, und Staatspräsident Sadi-Carnot wurde, weil er das Gnadengesuch abschlägig beschieden hatte, 1894 durch den Italiener Caserio erdolcht.

421 [3] P. Brulat, der die Rundfrage in Umlauf setzte, behauptete später, Mall.'s Text habe zunächst gelautet „Il n'y a d'autre explosion qu'un beau livre". Nach dem Ende des Banketts habe er sich das Blatt zurückerbeten und nach langem Nachdenken das Worte *autre* gestrichen. Als Brulat aufgebrochen war, habe Mall. ihn zurückgeholt, ihm ein Bier bestellt und das Wort *beau* gestrichen.

423 [1] In der rue de Laval (P. Milléquant, *Etude sur le Chat Noir*, 1926). Von den *Hydropathes* kamen der Lyriker Cros und seine beiden Nachahmer, der spitzbärtige G. Kahn und Moréas. Sodann, bis zum jähen Modeerfolg der (durch Barbey gefeierten) poësk-baudelairischen Paris-Gedichte *Les Névroses*, der Schauspieler und Musiker Rollinat; auch Coppée und der Symbolistenfeind E. Haraucourt, an dessen gewagter *Légende des sexes* L. de Lisle und Banville sich erfreuten. Zeitweilig sah man den Revolverjournalisten Félicien Champsaur (Digne 1859 bis 1934), der sich geringster Achtung erfreute, Jean Rameau, Ajalbert, A. Allais und die Zeichner Theophil Steinlen (den Enkel des gleichnamigen Stuttgarter Schriftstellers), Willette und A. Gill.

423 [2] Salis bezahlte die Beiträge Bloys, der sich aus den Mülleimern der Straße ernährte, mit je einem Teller Kartoffeln. Bloy (1846–1917) und Goudeau, der Verfasser der *Fleurs de bitume*, ein einstiger Lehrer und Finanzamtsangestellter, waren Blutsverwandte aus dem Périgord.

423 [3] Tailhade, in Le Temps, 16. 12. 93, und *Corresp.*, ed. Mme L. Tailhade, 1924, p. 172f; Al. Zévaès, *Les soirées de la Plume* (Nouv. Litt., 20. 6. 36, 714); A. Billy, *Mall. l'Esotérique* (Figaro, 14. 3. 1942). Eine briefliche Mahnung de Guaitas an Tailhade, sich Goethes Versöhnlichkeit zum Vorbild zu nehmen: bei Ajalbert, *Mém.*, 1938, 174f. Als Lyriker

durch die Hugo-Schüler Banville und Silvestre gefördert, kam Tailhade
nicht über den *Parnass* und Villon-Nachbildungen hinaus.

425 [1] Am 8. August half er im Prozeß Jean Grave (6.–12. 8. 94) durch
seine Zeugenaussage den des Anarchismus angeklagten Fénéon von dem
Verdacht zu entlasten, Bombenattentate vorbereitet zu haben. Mall.'s
Freund Mirbeau war 1893 mit seiner Vorrede zu J. Graves *Société
mourante* und mit den *Mauvais bergers* zum Sozialismus, ja zum Anarchismus umgeschwenkt. – Für den als Anarchist verhafteten, fast ver-
hungernden Paterne Berrichon warb Mall. bei Rimbauds düsterer
Mutter um die Hand ihrer Tochter. – Zu politischer Tätigkeit zu ermutigen, war Mall. schwerlich geneigt. Gide bedauerte auf dem Höhepunkt seiner politischen Begeisterung (6. 10. 1935, *Tagebuch*), daß er,
Gide, als Jüngling zu sehr in seinem unpolitischen natürlichen Hang
durch „Mall.'s Einfluß" bestärkt worden sei und zu wenig beachtet
habe „tout ce que je savais transitoire et ressortissant à la politique,
à l'histoire".

425 [2] Wenn er im Roman ein romanhaftes Ende nehmen müsse,
schreibt er scherzend an Mauclair (Sept. 1897), dann wenigstens bitte
nicht in die Industrie und nicht von einer Dame entführt. – Über *Juliette
Adam* (1837–1936) die Diss. von D. Arndt, Bonn 1933. – Geffroy war,
wie Descaves, ein unerschütterlicher Freund Clemenceaus, den er 1880
kennenlernte und in dessen *Justice* er eintrat, als „le juste de la *Justice*"
(Barbey). Ein schlichter, selbstloser Mann mit Geschmack. – Clemenceau
ließ ihn zum Administrator der Gobelins-Manufaktur ernennen, wo er
auch, als Bürgermeister des Gobelins-Viertels, die dortige Laubenkolonie
der Künstler förderte.

426 [1] Gourmont, *Prom. litt.*, 1914; I, 200. Briefe an Moréas vom 5.1.91
und 11. 11. 94 in dessen *Esquisses et Souvenirs*, 1908. Sehr bissige Bemerkungen von Moréas über die Symbolisten, u. a. auch über Mall.,
einige Monate nach dem *Pèlerin passionné*: in einem unveröffentlichten
programmatischen Manuskript (Vente J. Huret, Cat. Giard-Andrieux,
Nov. 1933, Nr. 100).

426 [2] Neben Baudelaire, Banville und Verlaine wird Mall.'s „sens du
mystère et de l'ineffable" erwähnt. Barrès trug nach, Moréas' mythische
Symbolik sei in Wahrheit Nachahmung Goethes (*J. Moréas symboliste*:
Figaro, 25. 12. 90; Plume, 1. 1. 91).

427 [1] Moréas sah seine Sehnsucht bald erfüllt, ähnlich wie Mendès, der
(zu Huret) gegen die vielen – angelsächsischen, flämischen, Genfer –
Nicht-Franzosen unter den Jungen Stimmung machte. F. Divoire versicherte: „On ne peut considérer comme étrangers les écrivains de
race gréco-latine." Moréas erlebte die Abkehr vom älteren Europa-
Begriff (etwa Nervals „la vieille Germanie, notre mère à tous") und

den Beifall zum eng-klassizistischen Ton seines Manifestes der *Romanité*
(Figaro, 14. 9. 91), durch das er sich die Zeitschrift *La Plume* eroberte.
Über Moréas schrieb Gide (*Journal*: Feuillets, Febr. 1918): „Der berufs-
mäßige Nationalismus übersteigert seine Feindseligkeit gegen die Einflüsse aus dem Norden, verpönt so einen Verhaeren, einen Viélé-Griffin
und bleibt widerstandslos gegenüber dem, was ihm aus dem Süden
zuströmt." Dem „romantischen" Eindringen in das Urtümliche suchten
auch andere zu entrinnen durch die Flucht ins Problemlose, vor Wagner,
Ibsen, Dostojevskij und andern Störenfrieden des Nordens – eine
Flucht in die Selbstbewunderung des „graecolateinischen" Bundes Mo-
réas-Maurras. „Aucune origine n'est belle", schrieb Maurras (Ermitage,
1. 1. 92), der von A. France herkommende Wortführer für Moréas, als
dessen Theoretiker er in *Barbares et Romans* (1. 7. 91) Europa, die
Menschheit und die Kultur in südliche Lichtgestalten und unheilvolle
„Nebel"menschen des Nordens aufspaltete. Für Maurras war der
Athener „son maître et son ami, le signe vivant de la révolution nationale".
Barrès besprach vorsichtig Maurras' *Chemin de paradis* (Le Journal,
18. 11. 94) und beschrieb später den Besuch bei Mistral, den er zusammen mit Maurras machte, im Aufsatz *En Profondeur* (Revue Alsacienne
illustrée, Straßburg 1900) und im Mistral-Besuch des Romans *L'Appel
au soldat*, c. 11. – Vgl. E. Raynaud, *Apothéose de J. Moréas*, P. 1910;
ders., *J. Moréas et les Stances*, P. 1910; J. Schlumberger (NRF, 1. 5.
1910). Bei Barrès, D'Annunzio und vielen Nietzsche-Schülern, überall
erfolgte die Ausmünzung des zunächst rein kunst-ethisch gewonnenen
Barbarenbegriffs zugunsten der Haßleidenschaften. Vgl. etwa E. R.
Curtius, *M. Barrès*, 1921; R. Lalou, *M. Barrès*, 1950.

427 [2] Er saß zwischen Mendès (der mit Moréas, Courteline und E. La
Jeunesse im „Napolitain" einen Stammtisch hatte) und A. France, der
einst gegen Moréas' *Figaro*-Manifest aufgetreten war (*Examen du Mani-
feste*, Temps, 26. 9. 86; Moréas' 3. Manifest als Antwort: Le Symboliste,
7. 10. 86) und jetzt, wie so oft, am Siegesruhm teilhaben wollte. Unter
den Teilnehmern im *Hôtel des Sociétés Savantes*: Chabrier, Griffin,
Mirbeau, R. de la Tailhède, St. George, Vallette, und die Versender der
Einladungen: Barrès (der zeitlebens zu Moréas hielt, aber trotz dessen
Wunsch, sowenig wie Régnier und Morice, sich unterordnete) und
Régnier; Louys stellte an dem Abend Régnier und Gide einander vor.
Verlaine, der zusammen mit Mall. hatte präsidieren sollen, hatte vorher
empört erfahren, daß er durch Barrès ersetzt sei. Er hatte die Umtriebe
von „sales gamins" vermutet (an Vanier) und sich bei Moréas darüber
beschwert, wiederum als quantité négligeable behandelt zu werden (Verl.,
Corresp., 3, 250). Moréas, verängstigt durch das Gerücht, Verlaine
werde ein grobes Interview im *Figaro* geben – es war taktvoll; Mall.
gratulierte Verlaine dazu, 7. 2. 91 –, schrieb zweimal kleinlaut an Verlaine, der ehrlich erstaunt war (an Mall., 4. 2.) und Moréas beruhigte

(1.2., 4. 2.). Barrès trat zurück. Sollte bei dem Gastmahl A. France die
Hände im Spiel gehabt haben, der sich, voll Lobes über Coppée, wenige
Monate später über Verlaine lustig machte? Nach R. de Gourmont wäre
die Festivität für Moréas ein Schachzug von France gewesen: „Um
uns diesen Streich zu spielen, bedurfte es der fabelhaften Selbstsicherheit im Bluffen, die bezeichnend ist für M. Anatole France, diesen auf
immer wertlos gewordenen Kritiker . . Nichts ist widerlicher als die
Heuchelei in der Literatur" (zu Huret). Der oben p. 371 erwähnte Ver-
laine-Mall.-Abend von Ch. Morice war von diesem als Antwort auf den
Moréas-Abend gemeint. Gegen Moréas: L. de Lisle („il a un goût de
Caraïbe"); Ghil („des vers de mirliton écrit par un grammairien");
Saint-Pol-Roux (alle drei zu J. Huret); L. Tailhade, *Quelques fantômes*,
1919; ders., *Rondel, Oiseaux* usw. (in: Œuvres: Poèmes aristophan.,
1923).

428 [1] Als Mall. erfuhr, daß die den Dienstagen fernerstehenden Gide
und Verhaeren offene Briefe der Empörung über die Beleidiger in der
Plume (Retté, Louis de Saint-Jacques) an den *Mercure* gerichtet hätten,
erreichte er von ihnen, daß sie diese Briefe wieder zurückforderten
(Mondor, *Vie* 749). Der von Gide erschien dennoch, Febr. 1897 (Antwort von Saint-Jacques: Plume, 15. 3. 97).

429 [1] Jammes-Gide, *Corresp. 1893–1938*, P. 1948. Als Jammes im
Okt. 95 nach Paris kam und dort mit Samain eine Lebensfreundschaft
schloß, verfehlte er den in Valvins abwesenden Mall., dem er *Vers* zugesandt hatte (1893; vgl. G. Jean-Aubry ed., *Le Dialogue Mall.-Fr.
Jammes*, La Haye 1940, und Jammes, *Leçons poétiques*, 1930). Im März
1897 brachte der *Mercure* sein Manifest *Le Jammisme* (21, 492f.; vgl.
ebd. 39, 57: P. Quillard, *Fr. J. et Ch. Guérin*). Mit Bouhéliers Unterstützung wurde Jammes als Verschwörer gegen die Naturisten durch
Le Blond angegriffen (*Plume*, 15. 6. 98, vgl. Rob. Mallet, *Le Jammisme*).
Er schwieg, aber Fort, Merrill, Philippe, Ghéon und Gide setzten sich in
offenen Briefen für ihn ein. „Chez M. de Bouhélier l'orgueil de l'œuvre
précède l'œuvre" (Gide: *Ermitage*, Sept. 98).

429 [2] Um 1921 (Gide, *Journal*, Paris[2] 1948, 720). Beim Menschen
Jammes fühlte Gide (*Feuilles d'automne*, 1949) sich durch den „heimtückischen Kampf zwischen Frömmigkeit und Sinnenlust", zwischen
Tierliebe und jägerischem Trieb gefesselt; er hielt ihn „mehr des Mitleids oder, wenn man so will, der mitleidigen Rührung für fähig als
echten Mitempfindens".

430 [1] „Ce fut évidemment dit avec des nuances. Le ton chez Mall.
faisait énormément. Quoiqu'il en soit, il m' avait donné une leçon."
Damit nahm Bouhélier (*Le Printemps d'une génération*, 1946, 305)
augenscheinlich seine frühere Wiedergabe der Äußerung („Und glauben
Sie, daß mir meine Schüler so sehr gefallen": *St. Mall.*, in Echo de

Paris, 20. 7. 1936) zurück, nachdem Mondor (*Vie*) mit großem Recht
bezweifelt hatte, daß Mall. etwas Derartiges habe sagen können. Vgl.
L. Lemonnier, *S.-G. de Bouhélier*, 1939, und das Kapitel *Le Naturisme*
in Ch. Beuchat, *Histoire du Naturalisme franç.*, 1949, II 373f.

430 ² Vgl. Brief von Fontainas an Ghil (in dessen *Dates*, p. 149); auch
der junge Maeterlinck.

431 ¹ Erstmals veröff. Briefe: *Mall. et Ch.-L. Philippe* (Carrefour,
4. 4. 1946).

432 ¹ E. Jaloux, *L'œuvre d'une génération* (Gazette de Lausanne,
22. 2. 1942). Vgl. G. Guisan, *Poésie et collectivité 1890–1914, Le message
social des œuvres poét. de l'Unanimisme et de l'Abbaye*, 1938; Elis. Darge,
Lebensbejahung in der deutschen Dichtung um 1900, 1934.

434 ¹ Er schließt die Zusammenfassung von *Les mots anglais* mit dem
Satz: ,,L'Anglais replonge au passé le plus immémorial, d'un côté; et,
de l'autre, tient, dans les langages contemporains, rang de précurseur.''

437 ¹ Bei Griffin (*St. Mallarmé*, Mercure 170, 1924, 26) bestreitet
M., daß dies ein Mangel sei. Nur für den, welcher den Buchstaben als
etwas absolut Totes ansehe. Das gedruckte Wort scheide zwar aus dem
Leben des Klangs aus, aber trete in ein Leben des Stummseins ein,
ohne welches gebührender Widerhall sich nicht erringen lasse. Die Gefahr liege an ganz anderer Stelle: daß zwischen Denken und Niederschrift eines Gedankens eine Zone der Lähmung liege.

437 ² Früher, in seiner Schilderung des Badeufers mit dem ,,Paradox
unbefangener und wohlüberlegter Toiletten, welche die See unten mit
einer Schaumkrause bestickt'', hatte sich das I. Heft der *Dernière
Mode* ,,zwischen Ihre Träumerei und das Doppelblau von Meer und
Himmel geschoben''. Für Sommerfrischler sei eben die Natur nur so,
,,wie man sie mit Volldampf in ihrer äußeren Wirklichkeit, mit ihren
Landschaften, ihren Meilen durchquert, um anderswo anzukommen:
modernes Sinnbild ihrer Unzulänglichkeit für uns''.

438 ¹ Vgl. Georges Vorrede zu seiner ersten Sammlung *Hymnen*
(Dez. 1890). Ein Widmungsexpl. schickte er durch Saint-Paul an
Mall.

439 ¹ So über das ,,schlanke Entzücken'' von Louys' berühmter
Schriftkunst, und über die Abschrift des Engländers Metman; hier über
diejenige des belgischen Lyrikers Valère Gille (*Vers de Circ.*, p. 171).

439 ² Zu dieser Stelle sagte Valéry: ,,Für mich ist das Schrifttum niemals das gewesen; ich habe es nie bis zu diesem Grade ernst genommen.''
Ziemlich geringschätzig fügte er hinzu, er wolle nicht ,,faiseur de vers''
und *poète* sein, sondern ,,homme d'esprit'', *écrivain* (Du Bos, *Journal
1921/23*, 1946, 228).

440 [1] Auf den ersteren sollte – so träumte er sich den Druck seiner eigenen Gedankendichtung – der *sens exotérique* gedruckt sein; auf den anderen sollte man dann, nach dem Aufschneiden, die volle Lösung, den *esoterischen Sinn* vorfinden (Ghil, *Dates*, p. 235).

441 [1] Abgesehen von den *Poèmes ou anecdotes*, die er nur mit Rücksicht auf deren besondere Beliebtheit mitübernommen habe. Ch. du Bos verweist darauf, daß auch dem Meister der *Fragmente*, Novalis, ganz ähnlich das BUCH, die Enzyklopädie der Seele, vor Augen stand (*Journal*, 17. 11. 1923, p. 361). Vgl. „Das Buch ist da" usw., in Hofmannsthal, *Der Dichter und seine Zeit* (Pros. Schr., I, 1907, 43 ff).

441 [2] *Mall. et le public* (Cahiers du Sud, 36, 1949, 281).

445 [1] Wolfskehl, *Über die Dunkelheit* (Blätter für die Kunst, 1895). Vgl. A. Cassagne, *La Théorie de l'art pour l'art*, 1906.

447 [1] I, 201 f. Ausgiebiger noch wird auf diesen „schwachsinnigen Eunuchen" Mall., den „geilen Astarothdiener" des *Après-midi*, in Nordau's *Zeitgenöss. Franzosen* (Bln. 1901, p. 110) gelästert.

450 [1] Ähnlich Mall. bei Griffin: Mercure 170, 1924, 31. Beim ersten Abdruck von *La Cour* verwies Mall. auf *L'union des trois Aristocrates* von Hugues Rebell und auf *L'Aristocratie intellectuelle* von Henry Bérenger. „Or je crains d'avoir déplacé la question" . .

452 [1] So in einem Sonett auf des Dichters „heldisches Geschick", welches Saint-Paul auf einem Mall.-Bankett vortrug (*Vers et Prose*, 1912); in Wirklichkeit war das Gedicht ursprünglich gar nicht auf Mall. gemünzt: es war zuerst im *Tombeau de Baudelaire* (p. 73) erschienen. Wohl aber begann beispielsweise der junge Rilke (*Toskanisches Tagebuch*, 1898) mit der Meinung, das Volk wolle gar keine Kunst. „Das war immer so. Die Kunst geht von Einsamen zu Einsamen in hohem Bogen über das Volk hinweg . . . Wisset denn, daß die Kunst ist: das Mittel Einzelner, Einsamer, sich selbst zu erfüllen". Der Künstler „schafft einzig für sich".

452 [2] Bei Mauclair, *Soleil des Morts*, 182. Über eine solche schroffe Lösung kommt noch G. Parker, *Poet as Pariah* (New Statesman and Nation, 8. 7. 1950) nicht hinaus.

453 [1] Zit. Mondor, *Vie de Mallarmé*, 1942, p. 671.

456 [1] Derselbe Gedanke in *Aumône*.

458 [1] P. Margueritte, *Le Printemps tourmenté* (R. des Deux-M. 51, 1919, VI, 246).

458 [2] Ähnlich T. S. Eliot über die Dichtersprache: „Die Forderung lautet meines Erachtens so: die geschriebene Sprache in engste Beziehung bringen zur gesprochenen Sprache der Zeit" (Interview mit H. Alt: Neue Zeitung, 31. 10. 1949).

458 ³ Wodurch sie freilich zugleich dem Gemeinverständnis mono-
logisch sich etwas entfernen muß (bei Griffin, Mercure 170, 1924, 31).

458 ⁴ Am Schluß bewundert er „Ihren meisterhaften sprachlichen
Versuch, dank welchem so viele oft alberne, von armen Teufeln ge-
prägte Ausdrucksweisen das Gewicht der schönsten literarischen Formeln annehmen, da es ihnen gelingt, uns lächeln oder fast weinen zu
machen, uns literarisch Gebildete! Das erregt mich zuinnerst" (an Zola,
3. 2. 77).

459 ¹ P. Valéry, *Variété II*, Paris 1924, p. 220.

460 ¹ Dieser Vergleich zu Eingang von *Oxford Cambridge.*

461 ¹ Bei Lemaîtres Interpretation des Poe-Nachrufs (Calmettes, *L. de
Lisle*, 243); ähnlich Régnier (Revue de France 1923, III 4, p. 647).

461 ² Mitteilung Renoirs (Le Correspondant, 10. 12. 1917).

461 ³ Dujardin (Les Nouvelles Littéraires, 4. 6. 1932; XI, 503).

461 ⁴ Gourmont, *Le Problème du Style*, 1902, p. 201; *Igitur*, Vorwort
p. 21.

462 ¹ Tristan Bernard, *Le coiffeur de Mall.* (Nouvelles Littér., 4. 7.
1936).

463 ¹ Den Ausdruck finde ich bei den Goncourt (*Idées et sensations*,
P. 1866, p. 210): das Verweilen in der ländlichen Natur „est le besoin de
mourir un peu" (im nächsten Abschnitt übrigens eine Parallele zu
Las de l'amer: „Le roseau, le nénuphar, me font penser à la porcelaine
de Chine" usw.). Beliebt geworden ist „Partir, c'est mourir un peu" (bei
E. Haraucourt u. ö.) – Der Vergleich zwischen Hand- und Geistes-
arbeiter steht, ähnlich gesehen, im Mittelpunkt von Arnims unvergäng-
lichem Vorwort zu seinem Roman *Die Kronenwächter* (1817).

464 ¹ Vergleichbar an echter Schärfe ist die Absage in Parinis berühmter Ode *La Caduta*, mit ihrem Nachhall, Carduccis *Congedo.*

465 ¹ Régnier (Mercure, Okt. 1898, p. 6); ähnlich in G. Duhamel,
Les Poètes et la Poésie, 1922, p. 116. Vgl. Wais, *Mall.*, Anm. 327¹.

465 ² Mauclair (La Nouvelle Revue, 115, 1898, 434).

465 ³ Ed. Dujardin, *Mallarmé par un des siens*, Paris 1936, Widmung.

465 ⁴ *Variété II*, Paris 1930, p. 186.

IV. VON MALLARMÉS KUNST. WOLLEN UND MÜSSEN

470 ¹ évocation, allusion, suggestion. Zitat in *Div.* 245 aus *Oxf. Cambr.*,
p. 37. Auch mündlich: „Il ne faut pas traduire les choses à même et

directement, mais les regarder par côté et les suggérer" (in Bonniots Notizen: Les Marges, vom 10. 1. 1936). Vgl. Poe, Works VIII, 216.

471 [1] Die von Nietzsche Ausgehenden, Wolfskehl (*Über den Geist der Musik*), Erich Wolff und Kurt Petersen (*Das Schicksal der Musik*, 1923).

472 [1] Vgl. über *frôler, effleurer* u. ä. bei W. Naumann, *Der Sprachgebrauch M.'s*, Bonn 1936, p. 178; Rietmann, *Vision et mouvement chez St. M.*, Paris 1932.

472 [2] Etwa die Armbewegung des einsamen Bahnhofgastes in *La Gloire*: während er durch sie den letzten Zweifel an sein Allein-Sein verscheucht, wird sie unwillkürlich zu der eines Menschen, der einen herrlichen Glanz als Siegesbeute wegträgt. – Allein durch die Wortreihenfolge erscheint das Doppeldeutige auch beim Ausstrecken der bewundernden Arme vor dem Meister: dieser soll „se sauvegarder multiple, impersonnel . . devant le geste de bras levés stupéfaits"; in dem Schlußwort, dem zuliebe wohl der ganze Satzteil ans Satzende gerückt wurde, liegt bereits ein verblüfftes Greifen ins Leere.

472 [3] Tu ne fus que désirs, ton être eut faim des dieux (E. Signoret, *Tombeau dressé à St. M.*, in Poésies compl., Paris 1908, p. 253–272).

473 [1] Mall. zu Dujardin; in Dujardin, *Le monologue intér.*, 1931, 16. Aber niemals genügen Frische des Erhaschens und Zufall der Oberfläche (den noch Rilkes *Rodin*-Aufsatz stark betonte) ganz allein. Als Lefébure Taines Kunsttheorie *unvollständig* fand, weil sie das Kunstwerk zu sehr als *Überlegungswerk* betrachte, auf Kosten der *Impression* (diese „est source de l'art: la réflexion l'aide mais la suppose": 16. 2. 65), erwiderte Mall. mit einer umgekehrten Beurteilung: „ich finde, Taine sieht bloß die Impression als Quelle des Kunstwerks und nicht genug die Reflexion. Vor dem Papier wird der Künstler" (Ende Febr. 65). Valéry folgt seinem Meister darin: „Ich stelle den Satz auf, der Künstler gelange am Schluß zum Natürlichen; aber zum Natürlichen eines neuen Menschen. Das Spontane ist Frucht einer Eroberung . . Es ergibt sich daraus das Wunder einer Improvisation höherer Ordnung" (Vorwort zu *20 Estampes de Corot*, 1932).

473 [2] Vergleicht er Tennyson mit französischen Dichtern, schickt er voraus, jeder derartige Vergleich sei natürlich barer Unsinn, und er experimentiere nur; ebenso bezeugt er seine Abneigung gegen den Anekdotenunfug, eh' er eine Anekdote über Rimbaud erzählt.

473 [3] Z. B. „l'impression causée par l'ensemble" (*Erechtheus*-Besprechung); „son costume ordonné par elle ou par elle accepté".

473 [4] „J'ai cueilli pour que tu me crusses/galant, ces violettes russes." Oder more pathetico: „Soyez, mes yeux, à jamais étonnés: / Méry Laurent met ses doigts dans son nez!"

474 ¹ So das Meer in *Guignon* в 5, das in с 7 den Begriff *azur* beeinträchtigen mußte.

474 ² Doch nennt er 1922 Mall.'s Werke ,,la poésie française à son extrémité la plus fine, la plus logique, – la plus diabolique, allais-je dire, en songeant que le diable est le meilleur logicien'' (NRF, 18, 200 f.).

474 ³ *Prétextes*, 1923, p. 254. Tatsächlich ist es schlechtes Französisch, zu schreiben ,,lassitude par abus de la cadence'' (Crise c) statt ,,lassitude amenée par un abus'' etc. (в) Oder: ,,les puissances d'un instrument unique, jouant la virtualité'' (Cath. II, в) statt ,,d'un unique instrument l'aidant à jouer la virtualité'' (а).

475 ¹ Bewundernd liest er 1893 die Aufsätze der *Vie artistique* des (auch durch Goncourt, Zola, Rodin, Carrière, Raffaelli, Monet, Sisley, Cézanne geschätzten) G. Geffroy, dem er besonders zu seiner Rodinskizze gratuliert: ,,Ah! qu'il soit possible d'écrire ainsi presque à l'instant me confond'' (RHLF 41, 1934, 317).

475 ² Ein Leitziel auch Verlaines wurde der ,,Augenblickseindruck''. Im Januar 1890 legte er an der neuen Poetik das ,,schon ein wenig freie Versbilden'' dar, das stabende und binnenreimende Lautspiel; ,,die Reime sind eher auserlesen als *reich*, der Sachbegriff wird (ganz oder beinahe) absichtlich bisweilen beseitigt. Gleichzeitig ist die Poesie traurig oder als solche gewollt oder dafür gehalten. Worin ich mich zum Teil gewandelt habe. Heute ziehe ich als Regel das Aufrichtigsein und, um dies zu erzielen, den Eindruck des Augenblicks vor, dem buchstäblich auf den Fersen nachgefolgt wird. Ich ziehe vor, sage ich, denn nichts soll absolut sein: wahrlich, alles ist verschwimmend und soll es sein'' (Vorwort zu *Poèmes saturniens*²).

475 ³ Vgl. die Briefe an Coppée vom März 1893 und ,,Dienstag, 1894''.

475 ⁴ Als die Grabrede für Verlaine abends in der Presse erschien, dünkte sie manchem der Hörer verschieden; es ist denkbar, daß so die Anekdote entstand, Mall. habe das Manuskript in einem Café noch schnell umgearbeitet und es dann dem Journalisten übergeben mit den Worten: ,,Ich habe Ihnen ein bißchen Dunkel hineingesetzt'' (J. H. Rosny, *Torches et lum.* 1921).

475 ⁵ Ehrfürchtig preist er sie in seiner Besprechung von Brachets *Petite Grammaire française* (D. Mode).

476 ¹ An Mall.'s Zeichensetzung nahm Heredia Anstoß (A. Albalat, *Souvenirs de la vie littér.*, 1924, 60).

476 ² Zu diesem Satz äußerte sich jetzt auch G. Bachelard, *La dialectique dynamique de la rêverie mallarméenne* (Le Point, 5, 1944, 43).

476 ³ *Mallarmé*, Paris 1927, p. 106.

477 [1] Beispiele: Wais, *Mallarmé*, München [1] 1938, Anm. 340 [2].

477 [2] Beispiel bei Rauhut, *Das frz. Prosagedicht*, Hamburg 1929, p. 89. Oder in syntaktischer Unlogik, *Div.* 134: „une chevelure blanchie par l'abstraite épuration en le beau plus qu'âgée" (*statt* blanchie plus par . . que par l'âge *oder* plutôt blanchie . . qu'âgée).

477 [3] P. Trost *Zur Wesensbestimmung der Kenning* (Zts. f. dts. Altertum 70, 1933, 235 f.); dazu Rud. Meißner, *Die Kenningar der Skalden*, Bln. 1921. Zu Mall. vgl. *sénile nourrisson, victoire méchante, victorieusement fui*, oder auch die „doppelte Verschränkung" (dazu Elise Richter, *Impressionismus, Express. und Grammatik:* Zts. f. rom. Phil. 47, 1927, 363) *citron d'or de l'idéal amer*; am häufigsten die Vergleichsumkehrung, etwa im *Eventail de Mlle M. das Paradies, so wie dein Lächeln*, statt: dein Lächeln, so wie das Paradies . . .

477 [4] In der zweiten Terzine des *Guignon*, Fassung c, hindert das Bilder-Trommelfeuer daran, sich einen schwarzen Wind vorzustellen, der, als Banner über eine Menschenherde gebreitet (statt allenfalls: deren Banner zausend), den Marsch bis aufs Fleisch mit Kälte geißelt und Striemen (*Radfurchen*, um den Marschgedanken wachzuhalten!) in dies Fleisch höhlt! Noch in *Hérod.* IA: Morgenröte = *blutender Flügel* oder *Rabenflügel*. Auch kommt die Erzählung durch die metaphorische Kumulierung nicht von der Stelle, besonders im *Igitur*. Daß dem jeweils zum Vergleich dienenden Bild eine üppige und oft den Zusammenhang überwuchernde Freiheit gelassen wird, ist ein „symbolistischer" Brauch. Raffinierter noch als die dauernde Sinnbild-Korrespondenz von *Schiff* und *Weib* in Baudelaires *Beau Navire* oder von *Schiff* und *Pflug* in Rimbauds *Marine* ist die Fugierung von drei Bildsphären durcheinander in *Aumône*, Vers 1–3. – Meiner Bemühung um den Nachweis, daß aber im Verlaine-Sonett, im *Coup de dés* u. a. keines der Sinnbilder übergangslos gegenüber dem vorhergehenden auftauche, stimmte seither S. Johansen (*Le Symbol.*, p. 308 f. u. ö.) zu und betonte, wie jäh und gewalttätig, im Unterschied dazu, der Bilderwechsel bei Rimbaud erfolge. Durch fließendes Überleiten ist bei Mall. das typisch „symbolistische" *Willens*element – Verlaine, Jammes, Régnier, Samain sind nach Johansen (99 f.) keine Symbolisten – überdeckt. Im Unterschied zu Mall. schwächt Valéry die magische Wucht der Bilder durch *Zwischenspiele*, statt symbolisch wird er *illustrativ* und *dekorativ*, meint Johansen (221, 226). Und er wird „surrealistisch" (p. 114), weil die Bilder, vorwiegend intellektuell, sehr oft keine schaubare Einheit mehr bilden: eine Träne wird nicht „geschaffen", wenn sie übergangslos als Trankspende am Altar, als Tropfen einer Tropfsteinhöhle und als Bergsteiger angeredet wird (*Jeune Parque*). Auch die Katachresen – Mall. verwendet sie fast nur humorvoll: ist nicht der Humor der beste Schutz vor dem Barocken? – wimmeln bei Rimbaud (*les querelles / et les fientes d'oiseaux*) und Valéry (*de structure et d'oiseaux:* Sémiramis).

477 ⁵ *Sous la lampe*, 1929, p. 61. Durch seine jetzige Komprimierung, meinte Mall., widerlege er die These Taines, daß „ein Schriftsteller seine Manier nicht durchaus ändern könne . . Als Schulkind machte ich zwanzigseitige Erzählungen und stand in dem Ruf, nicht aufhören zu können. Habe ich nun seither nicht die Liebe zur Ballung eher übersteigert? Ich hatte eine übergewaltige Neigung zur Breite und ein enthusiastisches Sich-Verströmen, schrieb wohlgemerkt alles aufs erstemal hin und glaubte stilistisch an den Erguß. Was gibt es Verschiedeneres als den damaligen, wirklich ungehemmten Schüler und den jetzigen Literaten, den es davor graut, etwas zu sagen, was nicht *zurechtgemacht* (arrangé) ist" (an Lefébure, Febr. 1865: La Table Ronde, Nr. 38, 1951, p. 68 ff.).

478 ¹ Valéry, *Mallarmé* (Le Point, 5, 1944, 8).

478 ² „Délicieusement" auch bei Pindar und Vergil (Claudel, *Positions*, 65). Übrigens findet man die schon von Écouchard-Lebrun und A. Chénier nachgeahmte Form der pindarischen Vergleichskürzung (vgl. Croiset, *La poésie de Pindare et les lois du lyrisme grec*, 401, und Fr. Dornseiff, *Pindars Stil*, Bln. 1921) häufig bei Mall.; etwa *limpide nageur* (Pitre). Vgl. die stilistischen Abschnitte in H. de Bouillane de Lacoste, *Rimbaud et le problème des Illuminations*, P. 1949, 233 f.

478 ³ P. Lièvre, in Eug. Montfort, *25 ans de litt. fr.*, 1926,.I, 365.

478 ⁴ Lièvre (a. a. O., 362) gibt Beispiele. Typisch Sätze wie „ne rien, même et surtout, au fond, mépriser" (Alain-Fournier, Brief an die Familie, 7. 2. 06). Vgl. über Mall.: Alain-Fournier, 19. 12. 06 (*Lettres à la famille*, p. 138; Text in Wais, *Mall.*, ¹ 1938, 499; seither in Mondor, *Mall. plus intime*, 1944, 214) und Marcel Proust, *Corresp. génér.*, 1936, VI 9 f. Dazu Winkler, *Sprachtheorie und Valéry-Deutung* (Zs. frz. Spr. Lit. 56, 1932, 129 f.); F. Kaufmann, *Sprache als Schöpfung, im Hinblick auf Rilke*, Stuttg. 1934; O. H. Olzien, *Nietzsche und das Problem der dichter. Sprache*, 1941; J. Gebser, *Grammat. Spiegel*, Zürich 1943; E. Brock-Sulzer, *Der Dichter im Kampf mit s. Sprache, Bemerkungen zur neueren frz. Lyrik* (Trivium V 4).

478 ⁵ Z. B. Tennyson, *Mariana*, Vers 5; oder *Symph. litt.* ɪA „Je ne saurais même louer ma lecture salvatrice" (ʙ: Même louer ma l. s., point); *Cath. II*, ᴀ „où tout advient pour rompre" (ʙ: où tout afin de rompre). Oder *R. Wagner* ᴀ: „une acuité de regard qui n'eût été la cause que d'un suicide stérile" (ᴄ: une perspicacité ou suicide stérile); oder die Streichung in *Contes ind.*: ce royaume (*qui est*) le sien; selten durch die – stets bedenkliche – Substantivierung (z. B. *Guignon* V. 13); vgl. Thibaudet, NRF, 1912, I 446 gegen A. Barres Meinung (*Le symbolisme*, 1911), das Verbum spiele bei M. die Hauptrolle.

479 ¹ *Et quand je ferme le livre* (Symph. litt. III, A) wird zu *Fermé le livre;* ebd. *je suis las* zu *las.* Oder: „Jetées les cigarettes . . et reprise ma

grave pipe par un homme" (Pipe вс) aus „J'ai jeté . . Et j'ai repris . .
comme un homme" (а). Ebd. вс: „j'ai vu le large, si souvent traversé"
aus а „j'ai encore vu la mer que j'ai si souvent traversée". Vgl. *Quelque
fidélité suppléant.* Verhaßt war ihm der Ausdruck „undsoweiter" (Valéry an J.-E. Blanche, 14. 11. 1941: Blanche, *Pêche aux souv.*, 261).

479 ² Mauclair, *Le Soleil des Morts*, p. 12.

479 ³ Auch Rodenbach, *L'Elite*, 1899, 50, Souriau, *Hist. du Parnasse*,
1929, 402, u. ö. Doch ist es nicht einmal in der Poe-Übersetzung nach-
weisbar, die sonst einige Anglizismen aufweist, *ignorer* im Sinn von
ignorieren, *nier* und *dénier* im Sinn von abweisen, *pérennel* (Lemonnier,
Infl. d'E. Poe sur M.: Revue Mondiale, 30, 1929, 367 f.), *léthéens. Maint*
sehr beliebt zur Vermeidung der schlafferen Pluralformen, häufig schon
bei Baudel., etwa *En échangeant maint signe et maint clignement d'yeux*
(La Béatrice); nach Chassé *Lueurs*, p. 101, ähnlich wie *aucun* durch den
englischen Gebrauch von *many* und *any* beeinflußt. Vgl.: cri, pli, jet,
vol, sceau, jeu, laps, chute, chu, ras, sis, creux; ne sortir . . que peu
(*Crise* c, statt в: que rarement).

479 ⁴ Beides in Placet в V. 6; ebs. Contes ind.; Symph. I A мон esprit,
в l'esprit.

479 ⁵ So *poésie* durch Rückverweisung (Symph. litt. III) oder *parvenue
à l'extrémité des branches, frissonne en feuilles* (Symph. litt. II, A) zu
à l'extrémité frissonne en feuilles. Noch gekürzter: „à quelque puissance
absolue, comme (*fehlt:* celle) d'une Métaphore" (Div. 31), oder „je té-
moigne d'un tort, (*fehlt:* j') accuse la défaillance: la visiteuse ne le veut ni
(*fehlt:* veut), elle-même, entre tous ces portraits, intercepter" (Div. 134);
vgl. Fenêtres, V. 11.

480 ¹ Nicht mit einer Apostrophe, sagte er zu Louys, sondern erst nach
einer Entwicklung solle das Gedicht ausbrechen (dessen Tagebuch vom
16. 10. 90; *Œuv. c.* 9, 335). Dies entspricht der Technik der klassischen
altjapanischen Lyrik; zu Beginn tappt der Hörer im Dunkeln, der
Hauptgedanke steht am Schluß (parallel zur japanischen Syntax: das
regierende Wort steht dort an letzter Stelle im Satz).

480 ² Als Grundgefühl hatte Mall. in dem für ihn so wichtigen Aufsatz
Montéguts (oben p. 187) eines genannt gefunden „sans lequel il n'est
guère d'œuvre poétique vraiment puissante, le sentiment du mystère . .
Qu'est-ce en effet que l'idéal, sinon ce sentiment de mystère".

481 ¹ Nitidité, mendieur, etc.: vgl. meine Besprechung der Diss. von
W. Naumann, *Sprachgebr. M.'s*, in Herrigs Archiv f. d. Stud., 172, 1938,
194 f.

482 ¹ Léon-Paul Fargue, *Sous la lampe*, Paris, p. 33.

482 ² Im Brief an F. Villot (1861 als Einleitung zur französischen

Übersetzung von vier Musikdramen) und im II. Teil von *Oper und Drama.*

482 [3] Lou Andreas-Salomé, *R. M. Rilke,* Leipzig 1929, p. 90.

482 [4] Gesamt-Ausgabe der Werke, Berlin 1933, XVII, 53.

482 [5] All dies nach seinem Vorwort zu Ghils Programmschrift (jetzt *Div.* 250 f.). ,,Es gibt Worte, die wir erst dann *hörten,* als ein Dichter sie so vorlegte, daß sie in ihrer vollen Schönheit sich erschlossen'' (bei Mauclair, *Sol.* 91). Vgl. Heidegger, *Erläuterungen zu Hölderlins Dichtung*[2], 1951, 38: ,,indem der Dichter das wesentliche Wort spricht, wird durch diese Nennung das Seiende erst zu dem ernannt, was es ist. So wird es bekannt *als* Seiendes. Dichtung ist worthafte Stiftung des Seins''.

482 [6] T. S. Eliot nahm es in seine Verse hinein (To purify the dialect of the tribe).

483 [1] Paul Valéry, *Variété II,* 1924, p. 224.

483 [2] Mauclair, *Pr. de l'Esprit,* p. 116. Wie er die ,,großen'' Worte durch schlichtere ersetzte, zeigt z. B. Symph. litt. II: *voix* statt *lyre; charme* bzw. *splendeur* statt *gloire; ombragé* statt *couronné; désignant* statt *célébrant,* III (Hs Korrektur 1880–90) *aux heures de splendeur* statt *gloire.*

483 [3] ,,S'il y a un mystère du monde, cela tiendrait dans un Premier-Paris du *Figaro*'': zu Valéry (Valéry, *Quand Mall. était prof. d'anglais,* in L. Cotnareanu ed., *Suites françaises,* NY 1945, I 311). Vgl. Rilke: ,,Die armen Worte, die im Alltag darben, / die unscheinbaren Worte lieb' ich so.'' Nicht Neuschöpfung der Sprache, sondern deren dichterische Neuerfüllung fordert auch der hebräische Lyriker Bialik (geb. 1873) im Aufsatz *Offenbarung und Verhüllung der Sprache.*

484 [1] Z. B. *quel* (bei Griffin: Mercure de France, 170, 1924, 27).

484 [2] Ausdruck von J.-E. Spenlé (Mercure, Juli–August 1928). Selbst Rilkes schwaches historisches Gewissen schlug: ,,Liegt das Handwerk vielleicht in der Sprache selbst, in einem besseren Erkennen ihres inneren Lebens und Wollens, ihrer Entwicklung und Vergangenheit? (Das große Grimmsche Wörterbuch .. brachte mich auf diese Möglichkeit)'' (an Lou Andreas, 10. 8. 1903).

484 [3] Zu Valéry (in L. Cotnareanu ed., *Suites franç.,* 1945, I 314) äußerte er sich über verschiedenartige Wirkungen der Suffixe -té, -tion, -ment.

485 [1] Mots anglais. Alliteration: Hérod. II, 109; *Guignon* B_3, V. 13; neunmaliges b in *Tombeau Baudel.,* V. 1–4, usw.

485 [2] Fontainas, *De St. Mall. à P. Valéry,* 1928. So änderte er *idéale* zu *pure, nos élans psychiques* zu *secrets:* Cath. II. Vgl. das etymologische Gewicht von *désastre* (Tomb. Poe), *hasard, chimère.*

485 [3] ,,enfin la bonne langue – la bonne et luxuriante et fringante langue française d'avant les Vaugelas et les Boileau-Despréaux" (Moréas, Manifest im Figaro, 18. 9. 86) und seine Forderung der ,,vocables impollués". Zu Mall.'s seltenen Wörtern J. Schérer, *L'expr.*, 1947, p. 69 f.

485 [4] Im Kapitel *Le Néo-Mallarmisme* seiner Literaturgeschichte (1914, p. 156 f.) gruppierte Florian-Parmentier um Royère Cantacuzène, Francis Carco, Léon Deubel, Guy Lavaud, Victor Litschfousse, Louis Mandin, John-Antoine Nau, Robert Randau, Romains, Vildrac.

486 [1] Diese Unterscheidung ist unerläßlich. Ich vermißte sie seither in Valérys Worten zu Ch. du Bos (30. 1. 1923; du Bos, *Journal 1921/23*, 1946), für ihn, Valéry, wäre Mallarmés ,,système bloqué", als ein Rest des *Parnass*, untragbar gewesen. Valéry habe hinzugefügt, ,,toutes les pièces de Mall. ont été faites comme on fait des *bouts rimés*"; Valéry hätte hinzufügen können: gemäß der Behauptung Banvilles (*Petit traité de poésie fr.*, 1872, 34), so dichte jeder wahre Dichter. Neben jener Verallgemeinerung Valérys (von *Ses purs* her) steht in Valérys Schriften die Beachtung der schöpferisch anregenden akustischen Halluzination. ,,Bestimmte Wörter drängen sich plötzlich dem Dichter auf, scheinen in der einbegriffenen Masse des Geisteswesens allerlei Ur-Erinnerungen an sich zu ziehen; sie fordern, rufen oder bestrahlen, was sie an lautlichen Bildern und Figuren benötigen, um ihr Auftauchen und das Nicht-Abzuschüttelnde ihres Daseins zu rechtfertigen. Sie werden zum Keim von Dichtungen" (*Pièces sur l'art*, p. 146). Ebenso Gottfried Benn, *Probleme der Lyrik*, Wiesbaden 1951.

486 [2] Daran korrigiert S. Johansen (*Symbol.*, 1945, p. 141): in dieser Echo-Prophetie Valérys liege etwas ,,Dekorativeres", gegenüber Mall.'s echterem Symbolglauben.

486 [3] Unzählige bei Joyce, etwa seine Meditationen über triste, Tristan usw. in *Finnegans Wake*. Vgl. auch: dans les rides des rires (P. Eluard, *La Vie immédiate*, p. 126); Le sextant du sexe tant vanté (A. Breton, *Le revolver à cheveux blancs*, p. 109) usw.

486 [4] Übernommen von dem wohl bedeutendsten protestantischen Lyriker der Gegenwart, Wystan Hugh Auden: Dichtung ein ,,game of knowledge . . a bringing to consciousness (by naming them) of emotions and their hidden relationships" (D. A. Stauffer ed., The Intent of the Critic, 1941, p. 127 ff.).

486 [5] Nouv. revue franç., 27, 1926, 534 (vgl. Claudel, *Positions*, p. 26); also nicht bloß, wie bei R. Bray (La préciosité et les précieux, 1948, p. 335): ,,c'est un poète impressioniste".

487 [1] Auch um bewußt zu kontrastieren: ,,die Höhle der Pappe und bemalten Leinwand, oder des Genius: ein Theater!" (*Dern. Mode* 1). Zur Katachrese: 477 [2].

487 ² Vgl. dessen Vergleich einer dahinjagenden Pferdeschar mit dem Weltallsehnen der inspirierten Menschen (Pantéleïa, in Revue fantaisiste): „Notre élan, qui s'accroche à des broussailles d'astres, Ainsi que des cailloux fait rouler les soleils." Ähnlich disziplinlos Mall.'s *Guignon.* Vgl. auch P. Margis, *Synaesthesien bei E. T. A. Hoffmann* (Ztschr. f. Ästhetik, 5, 1910); E. Huguet, *Les Métaphores de V. Hugo,* P. 1905; W. Fleischer, *Synaesthesie u. Metapher in Verlaines Dichtungen,* Diss. Greifswald 1911; K. O. Weise, *Synästh. bei Balzac* (Herrigs Archiv 1938).

487 ³ *Weiße Seufzer* u. ä.: vgl. Naumann, Sprachg. M.'s, p. 13. Hierin war sein Hauptschüler der Maeterlinck der von M. geschätzten *Serres chaudes:* les résédas de la modestie, les palmes lentes de mes désirs, l'herbe mauve des absences; M. Raymond (De Baudelaire au Surréalisme, 1933, p. 331) zieht die Linien zu Rimbaud, Lautréamont, Jarry, Saint-Pol-Roux.

487 ⁴ *Hérodiade II,* A: Une splendeur fatale en (B: et) sa massive allure. *Les Fenêtres* A: Le moribond parfois redresse son vieux dos, B: le moribond sournois y redresse *un* vieux dos; A les os de sa (B: la) maigre figure . . Et sa (B: la) bouche. *Villiers* A: une souveraineté . . pesait peu dans cette (B: une) frêle main. *Crise* B: finale de ce (C: d'un) siècle. *Cath. II,* A: dans cette église, B: dans le lieu, usf.

487 ⁵ So wird in *Igitur* (Sortie de la Chambre) die Stelle *dans le doute né de la certitude* (C) noch allgemeiner und ungreifbarer geändert: „dans l'incertitude issue probablement de la tournure affirmative" (D).

488 ¹ M. zu Dujardin (Nouv. Litt., 4. 6. 1932; XI, 503); auch in „eine Geigenklage" (Symph. litt. II) statt „eine Klage wie die der Geigen". Oder *Pitre* „j'ai plongé comme un traître" zu „nageur traître". Dieses nachträgliche Streichen von *comme* schon bei Baudelaire (A. Guex, Aspects de l'art baudelairien, Lausanne 1934, p. 132 f.).

488 ² Ebenso Verlaine: „le symbole c'est la métaphore, c'est la poésie même . . Il y a des spécialistes du symbole (Figaro, 4. 2. 91) . . le Symbolisme? ça doit être un mot allemand, hein? . . Moi je suis un chauvin de français . . Quand je suis malheureux, j'écris des vers tristes, c'est tout". Valéry: „Le symbolisme n'est pas une école" (Figaro litt. 18. 7. 1936). Vgl. auch Gaston Bachelards Arbeiten, H. Pongs, *Das Bild in der Dichtung,* und außer andern bei G. Michaud aufgeführten Schriften (Message, p. 670 ff): A. Vallette, *Le Symbole* (Mercure 7, 229); A. Barre, *Le Symbolisme,* 1912; P. Martino, *Parnasse et Symbolisme,* 1925; J. Charpentier, *Le Symbolisme,* 1927; E. Wilson, *Axel's Castle, A Study in the Imaginative Lit. of 1870–1900,* 1931; E. Raynaud, *En marge de la mêlee symb.,* 1936; C.-L. Estève, *Etudes philos. sur l'express. litt.,* 1938; R. de Renéville, *L'expérience poétique,* 1938; ders., *Univers de La Parole,* 1944; M. G. Rudler, *Parnassiens, symbolistes et décadents,* 1938; Tran-Van-Tung, *L'Ecole de France,* Hanoï 1938; C. Mason, *Lebenshaltung und*

Symbolik bei Rilke, Weimar 1939; E. Fiser, *Le symbole litt...chez Wagner, Baudel., Mall.*, 1941; A. Dinar, *La Croisade symboliste*, 1943; J. Paulhan, *Clef de la Poésie*, 1944; R. Caillois, *Les Imposteurs de la Poésie*, 1945; ders., *Vocabulaire esthétique*, 1946; L. Cazamian, *Symbolisme et poésie*, 1947; C. M. Bowra, *The Heritage of Symbolism*, Ld. 1947; P. Emmanuel, *Poésie Raison ardente*, 1948; René Nelli, *Poésie ouverte, poésie fermée* 1948; A. Orliac, *La Cathédrale symboliste*; G. Bonneau, *Le Symbolisme dans la poésie franç.*; Jean Miquel, *Le Blanc Souci, essai sur la conscience lyrique*; Gabibbe, *Il significato dell' ermetismo* (Rassegna d'Italia 2, 86 f.); S. Fr. Romano, *Poetica dell' ermetismo* (Bibl. del Leonardo 21); A. Janner, *Nuove tendenze della lett. ital.: lirica ermetica* (Svizzera ital. 23, p. 404 f.) und *Critica ermetica* (ebd. 24/25, p. 468 f.); R. Roedel, *Poetica dei lirici nuovi* (Trivium, 1, p. 72 f.); Fr. Flora, *La poesia ermetica*, Bari 1936; ders., *Il Decadentismo*, in A. Momigliano, *Problemi ed orientamenti critici*, Milano III (1944), 761 f; G. Contini, *Esercizi di lettura sopra autori contemporanei*, Firenze 1939.

488 ³ Die für uns sinnlosen Gegenstände seien weder symbolisch noch poetisch überhaupt. ,,Tout objet existant n'a de raison que nous le voyons sinon de représenter un de nos états intérieurs: l'ensemble des traits communs avec notre âme consacre un symbole" (*Div.*).

489 ¹ Daß Mall. die – von Croce bis Maritain – hart umkämpfte Grenzlinie des Erkennens gegen das Dichten (eines Erkennens in Unschuld) wohl erwog, zeigen seine Worte gegen die Illuminaten (Anm. 375¹) und letztlich die *Igitur*-Dichtung. – Zum starken Eindruck der katholischen Ritualwelt auf den jungen Valéry: an Gide, Sept. 91 (zit. Mondor, L'heur. renc., p. 94). Zum Gral als Sinnbild vgl. Verlaines Sonett *Parsifal* (Amour). Claudel kam durch Thomas von Aquin zu einer fertigen Symboldeutung der Weltschöpfung.

489 ² *L'Œuvre.*, 1940, 84; zustimmend zit. bei G. Michaud, *Message*, 173.

490 ¹ Sammelband: *St. Mall.*, *Essais*, Neuchâtel 1942; ihm widersprach Michaud (*Message* 178). Dagegen Claudel: ,,au fond, Mallarmé était un mystique" (an Gide, Frankfurt 27. 1. 1913).

490 ² *Mall. tel qu'en lui-même*, 1948, 99. Vgl. die Hinweise auf Platon, Plotin, Paulus, Dionysios Areopagita, Hugo von Sankt Viktor, J. de Maistre, Lamartine, Hugo, Poe, Ozanam als Vorläufer von Baudelaires *Correspondances:* R.-B. Chérix, *Commentaire des Fleurs du Mal, essai d'une critique intégrale*, Genf 1949.

490 ³ sens mystérieux des aspects de l'existence: *Vogue* 18. 4. 86 (in *Div.* strich Mall. *des aspects*). Vgl. *Symph. litt.:* le trésor profond des correspondances.

491 ¹ Mauclair, Nouv. Revue 115, 1898, 438. Bezeichnend auch, daß ihn der zusammengerollte Schatten bei Chamisso ansprach (an Lefébure,

Febr. 65: „le Voyage aux Pyrénées [Taine], très vivant, Arnine que j'aime et Schlemyl que je n'aime pas, à part l'ombre roueé"). Vgl. G. Pradal-Rodríguez, *La técnica poética y el caso Góngora-Mall.* (Comparative Literature, 2, 1950).

491   [2] Bei Nadar, boul. des Capucines, fand die erste Ausstellung der 30 „impressionistischen" Maler (ohne Manet) statt: 15. 4.–15. 5. 1874.

492   [1] Schon beim Knaben Mall.: das Katzenfell „schwärzer als das Gewissen des Ischariot" (*Ce que disaient*).

493   [1] Dauphin, *St. Mallarmé* IV (L'Hérault, 27. 3. 1912).

495   [1] Dazu S. Johansen (*Le Symbolisme*, 1945, 22: gegen Rauhut).

496   [1] *Celui-là seul saura sourire* (erstmals gedruckt 1945 in P[5], p. 1629). Es steht in dem handschriftlichen Album der 23 Mall.-Freunde, das sie ihm 1897 überreichten. George trug sich darin mit seiner Übertragung von *Apparition* ein. Die meisten Dichtungen haben die Gestalt des Meisters selbst zum Gegenstand.

498   [1] Ghil, *Les dates et les œuvres*, 1923, p. 236.

499   [1] Die Beispiele entnehme ich der Abteilung „Geschmacksverirrungen" im Landesgewerbemuseum Stuttgart.

499   [2] Fontainas, Tagebuch (Revue de France 1927; 7, V; 333).

499   [3] Stellensammlung bei Naumann (Sprachg. M.'s, p. 150 f.), der es auf die Vorstellung einer „unantastbaren Welt" zurückführt. Kühn anthropomorph auch die Stelle *à ses pieds meurt une nue reconnaissante* (Symph. litt. III, B) statt *à ses pieds roulent les sanglots d'un peuple reconnaissant* (A).

500   [1] Vgl. ce vieux et méchant plumage terrassée heureusement, Dieu: oben p. 182; plumage féal, Sonneur, V. 11; Petit Air II.

500   [2] Palmes = *gloire:* vgl. oben p. 125 (*Don du poème*).

501   [1] Ribot, *Psychologie de l'attention*, III 1; „L'obsession des idées fixes" hat A. Patterson in einem Kapitel seiner *Infl. d'E. Poe sur Baud.*, 1902, als Beeinflussung Baudelaires durch Poe (dessen Novelle *The Imp of the Perverse!*) geschildert. Auf Manets Frage nach dem Sinn des *Démon* erzählte ihm Mall. von den Läden in der „Straße der Antiquitätenhändler". Das Hinstreichen mit der Hand über ein musikalisches Gefieder findet sich auch in Mall.'s *Sainte*.

502   [1] Dazu die Mall.-Skizze von Ortega y Gasset (Revista de Occidente, 1923, 1. Jg., II, 238 f.; und *Goethe desde dentro*. Madrid 1933).

502   [2] Zu Tailhade (Mercure de France, 16. 11. 1918; 130, 325).

502   [3] *et de qui* (Placet, A) zu *toi de qui;* est un enchevêtrement de (Symph. litt. II, A) kühn zu *enchevêtre; pourtant,* neben *autant* (Hérodiade II, V. 65), zu *toujours*; auf Mall.'s Rat vermied auch Dauphin in seinen *Raisins bleus et gris* das unschöne *blonde de* (wohl auch einer preziösen Assoziation zuliebe), oder setzte statt *N'est qu'une horizontale* einfach *Est une horizontale* (s. L'Hérault, vom 6. 3. 1912).

502 [4] Immerhin hat Mall. mehr als die meisten dafür getan, den *visuellen* Assoziationen (= dem ,,Symbolismus") durch *klanglich* orchestrierte Assoziationen zu sekundieren.

502 [5] Näheres: Cuénot, *Etat présent des études verlainiennes* (Ausweichen vor dem Zeitwort, vor den Hauptbegriffen usw.). Dagegen bangte Mall. sogar in der Musik vor den materiellen Mitteln: ,,aus dem intellektuellen Wort in seiner Gipfelung muß . . die Musik herstammen" (*Crise de vers*).

503 [1] ed. Lhombreaud (RLC 25, 1951, 356 f). Von dieser durch Wyzewas *Mall.*-Aufsatz (Figaro 8. 12. 92) verbreiteten Lehre distanzierte sich Valéry, zu Ch. du Bos (dessen *Journal 1921/23*, P. 1946): ,,Mall. suchte immer die Orchester-Wirkung" (du Bos ergänzt: einen Tonraum, entsprechend verschiedenen Instrumenten), und sie sei unerreicht im *Après-midi*. ,,Die musikalische Einheit im Vers heißt für mich dagegen der Klang, die Stimme, das Rezitativ Glucks, Wagners manchmal, aber vor allem Glucks."

504 [1] Zugleich aber materiell verstanden: der Atem (*âme* etymologisch) wird angesammelt (wie englisch *resume*, vgl. Ch. Chassé, Lueurs, 1947). Die Ausgangssituation bildete schon den Rahmen für *A un poète*.

504 [2] I know that indefiniteness is an element of the true music – I mean of the true musical expression. Give it any undue decision – imbue it with any very determinate tone – and you deprive it, at once, of its ethereal, its ideal, its intrinsic and essential character (Poe, *Marginalia*: Compl. Works, NY. 1902, 16, 29). – Als Degas eine unglückliche Liebe zum Versemachen eingestand mit der Klage, es fehle ihm doch nicht an Ideen, entgegnete Mall.: ,,Aber Degas, mit Ideen macht man doch nicht Verse, – mit Worten!" (Fr. Lefèvre, *Entretiens avec P. Valéry*, p. 48 f.).

504 [3] Widmung für Darzens. Bezeichnend, wie er 1866 in *Aumône* ,,Fauninnen ohne Schleier" (am Plafond eines Cafés) korrigiert zu ,,mit Nymphen und Schleiern". Dezenter, vager, vielsagender und schöner.

505 [1] An Rodenbach, 25. 3. 88 (Corresp. 1949); vgl. Blanchot, Le silence de Mall. (in: Faux pas).

505 [2] épars, suspens (Sprachg. M.'s, p. 92), lointain (p. 136); vers; parmi *statt* dans; quoi *statt* qui *und* lequel; quelconque, quelque, maint(s), divers, plusieurs, tel, cela, je ne sais quel, n'importe; ferner die sehr allgemeinen Gedichtanfänge (p. 186). Auch *allégement* wäre zu nennen. Vgl. A. Thérive, *De Sainte-Beuve à M.* in: Du siècle romantique, Paris.

505 [3] Beispiele bei L. Boisse, *Le pragmatisme, l'art et l'esthétique de l'intuition* (Mercure, 135, 1919, 627). Schon bei Hugo; sehr kühn beim jungen Mendès (O gloire des chevelures d'or! O calme!) und dessen Häufung von Hauptwörtern (Azur, neige, cinabre) . .

506 [1] So noch in der gefühlvoll-sarkastischen Liebesgeschichte *Sur les Talus* (1887) von Ajalbert.

506 [2] Nach Laforgues Briefen an Kahn (erstmals veröff. Mondor, *Vie*, 691) ist es bei Laforgue elementarer: „J'oublie de rimer – j'oublie le nombre des syllabes" usw. Kahn stellte es so dar, daß er ein Gedicht in Psalmenversen (versets) in der *Revue moderne et naturaliste* von Harry Allis vorgetragen habe, worauf Laforgue sich ihm vorgestellt und ihn beglückwünscht habe (Ajalbert, *Mémoires*, 1938, 307). Dagegen bezeichnete Moréas als den Erfinder des freirhythmischen Verses Laforgue, nicht Kahn. Ihm selber sei begegnet, daß, als er seinen freirhythmischen *Chevalier aux blanches armes* für die *Vogue* eingereicht habe, Kahn das Gedicht zunächst zurückgestellt, aber sogleich eine eigene Nachbildung des *Chevalier* in der *Vogue* gebracht habe (Ajalbert, ebd., 309). Siehe auch A. Retté, *Le Vers libre* (Mercure 8, 203) und *Sur le rythme des vers* (ebd. 29, 619); E. Dujardin, *Les premiers poètes du vers libre* (ebd. 146, 577); P. Servien, *Les Rythmes comme introd. phys. à l'esthétique*, avec une remarque de P. Valéry, 1930; P. M. Jones, *Whitman and the Origins of the Vers Libre* (French Studies, April 1948); L.-P. Thomas, *Le Vers moderne, ses moyens d'expr., son esthét.*, Lüttich 1948, Bibliogr.: H. P. Thieme, *Bibliogr. de la litt. fr.* III (1933) 114 f.

506 [3] An Mall. Das tiefgegründete Mißtrauen Gides gegen die Aussagen Claudels verleugnete sich auch hier nicht. „Rimbaud läßt sich nicht – auch nicht durch einen Claudel – gemächlich an der Leine halten." Claudel erinnere ihn hier an den Spartaner, der sich durch einen gestohlenen, unter dem Kleid versteckten Fuchs geduldig beißen ließ . . ein Fuchs, der hier höllisch schwelle wie Faustens Pudel (*Poésie 41*, Nr. 6, 1941).

506 [4] Zu Mockel (*George*-Heft der Revue d'Allemagne, Nov./Dez. 1928).

507 [1] Vgl. Bert Brecht, *Über reimlose Lyrik mit unregelmäß. Rhythmen* (Trivium 6, 1948, 179 f.); A. Cloß, *Die freien Rhythmen in der deutschen Lyrik*, 1947.

507 [2] Jammes wagte in einem Manuskript für den *Mercure* einen Angriff auf diejenigen, die nur den Alexandrinervers gelten lassen wollten; er ließ dann aber doch diese Abschnitte wegstreichen . . „Es könnte mir schaden, zumal gerade jetzt" (10. 10. 97) an Samain (in: J. Mouquet ed., *Samain-Jammes, Corresp. inéd.*, P. 1946).

507 [3] Vgl. das Kapitel *La Polymétrie, le vers blanc, le vers libre, le verset* in A. Godoy, *Milosz, le poète de l'amour*, Freiburg i. Ü. 1944, p. 181 f.

507 [4] „Konstruiert" habe diesen Vers G. Kahn: Mall. im Trinkspruch für das Bankett zu Ehren von Kahn, 14. 2. 96 (Revue blanche, 1. 3. 96).

507 [5] Für die *deutsche* Lyrik suchte einzig Rudolf Weckherlin (1584 bis 1653) das zu übernehmen. Vom romanischen, aber nur vom romanischen Sprachgefühl aus mit Recht wandte er gegen Opitz und seine (dem germanischen Sprachgeist entsprechende) Zusammenlegung von grammatischem und metrischem Akzent ein, nun gehe der Sonder-Harmoniereiz der Abschluß-Silbe – der 6. und 12. Silbe im Zwölfsilbner – verloren, wodurch Opitz ,,dem so lieblich fallenden und – meiner Meinung nach – ganz künstlichen (= d. h. künstlerisch wirksamen) Abbruch in der Mitten der langen Versen (= *Zwölfsilbner*) sein merkliches Wert vielleicht gar benehme". So Weckherlin im Vorwort seiner Gedichte, 1641. Wenn natürlich *diese* Opitz'sche Reform im Recht war, so lief um so mehr die gleichzeitige Unterwerfung unter das romanische Silbenzählen allem germanischen Sprachrhythmus zuwider (*die Gróßmuttér? die Großmütter?* statt: *die Gróßmútter*): schon Weckherlin hat Opitzens auf unsere Verssprache verarmend wirkende Forderung des alternierenden Rhythmus mit Recht angeprangert, daß sie nämlich ,,viel schöne und insonderheit auch die vielsilbige(n) und zusammenvereinigte(n) Wort von einander abschneide oder jämmerlich zusammenquetsche oder gar verbanne und in das Elend und die ewige Vergessenheit verstoße" (ebd.). – Ähnlich liegt das Problem auch für die andern nichtromanischen Sprachen, die keine ,,schwebende" Betonung kennen.

508 [1] L'Œuvre poét. de L. Dierx. Über das schöne Maß im Wechsel disharmonischer und harmonischer Vers-Fugen (Zäsuren) von Mall.'s Zwölfsilbner: Beausire, *Essai* p. 190; A. Coléno, *Les portes d'ivoire*, P. 1948, 191 ff.; ein ähnlicher maßvoller Wechsel auch zwischen Bildakkorden und Bilderdissonanzen.

508 [2] Vgl. R. A. Soto, Un olvidado precursor del modernismo francés, Della Rocca de Vergalo, NY., Publ. of the Inst. of French Stud.

509 [1] Auch Paul Fort, der ,,poète intégral" (nach Mall.'s Ausspruch), der Senkungsfreiheit und oft auch die feste Hebungszahl des französischen Volkslieds, neben Reim bzw. Assonanz, festhielt, zählte das überzählige e muet (besonders am Ende des Halbverses) nicht mit. Vgl. R. de Souza, *Le Rôle de l'E muet dans la poésie fr.* (Mercure 13, 3); R. de Gourmont, *La Poésie fr. et la question de l'e muet* (ebd. 42, 289). Auf solche Art mehr als 12 Silben zu zählen, war die einzige Freiheit, die Régnier (zeitweilig) sich erlaubte, vgl. H. Morier, *Le Rythme du vers libre symbol.*, Genf 1943 I: *Verhaeren*, II: *Régnier*, III: *Griffin*. Noch bis zu 16 Silben könne ein Vers als solcher empfunden werden, meinten J. Romains und Georges Chennevière in ihren Vorlesungen von 1921/22 (*Petit Traité de versification*, 1923, 52). Verse zwischen 9 und 15 Silben mit freier Zäsur, erlaubtem Hiat und akustischem Reim (im Unterschied zum optischen im *vers régulier*, der Einzahl auf Mehrzahl zu reimen verbietet) schlug Dujardin in einem Sorbonne-Vortrag vor, ,,vers libérés" zu nennen. Erst Nichtbeachtung des e muet, Reimlosigkeit und ungebundene Silbenzahl mache den vers libre (bzw. verset) aus. Charakteristisch romanisch ist, daß kein Theoretiker, nicht einmal Dujardin, der Übersetzer von Wagners Stabreimen, erwog, es gebe zwischen den silbenzählenden und den völlig ungebundenen Versen etwas Drittes, einen gebundenen Vers ohne Silbenzählung, nämlich den hebungzählenden, senkungsfreien Vers, den der schottischen Balladen, des jungen Goethe, Mörikes, Nietzsches usw. (vgl. die *Versgeschichte* Andreas Heuslers, 1925/29 und besonders seine *Kleinen Schriften*, 1943).

509 [2] „Dieser Dichter von einst ist zu alt, als daß ich Böses über ihn sagen möchte." Für die Jüngeren holt Kahn es reichlich nach; außer seinem Vorbild, dem Prädadaisten Cros, hat keiner Talent, und am wenigsten Régnier: „er hat das Recht, seinen Stuhl bei Mall. zu holen" (Huret, *Enquête*, 1891). Nach Mall.'s Tod behauptete Kahn (von Mauclair und Dujardin stets heftig angefeindet), Mall. habe ihm 1896 gesagt, er schließe sich Kahn an.

509 [3] Für die beiden ersteren in einer noch unveröffentlichten Briefkarte (Vente Huret, Cat. Giard-Andrieux, 30. 11./8. 12. 1933, Nr. 75).

509 [4] Die Rundfrage dieses gabelbärtigen, bebrillten, lippenwülstigen Reporters wurde wegen der Unbestechlichkeit und bis zur Grobheit getriebenen Offenherzigkeit die literarhistorisch bedeutsamste überhaupt. Das *Echo de Paris*, wie alle Zeitungen (*Gil Blas* und F. Xau's am 28. 9. 92 gegründetes *Journal*), an deren Gründung Mendès, der Leiter des literarischen Teils im *Journal*, beteiligt war, hatte damals einen später nie wieder angestrebten literarischen Charakter: im *Echo* arbeiteten Mendès, Banville, Silvestre, Mirbeau, P. Alexis, Huysmans, Courteline, Mikhaël, Lorrain, M. Schwob, Maurras mit; und auf der ersten Seite erfolgte der Erstdruck der freigegebenen Teile des Goncourt-Tagebuchs (fünf Sechstel des Tagebuchs werden, wegen zu privater Färbung, der heutigen Öffentlichkeit noch auf lange hinaus vorbehalten bleiben).

510 [1] Ebenso Griffin in *Joies*, der sich dort als Erfüller des durch Banville Angestrebten fühlte („le vers libéré des césures pédantes et inutiles: c'est le triomphe du rythme"). – Am 4. 5. 89 lobte Mall. Fontainas für die Treue zum Regelvers, denn er stehe neben dem freien als „tâche égale ou double" (*Propos* p. 142), dagegen Griffins Παλαι für „l'opulent silence entre les mots", welches „purement nourrit l'esprit".

510 [2] Hugo habe nicht mit dem dauernden lyrischen Drang gerechnet; er habe nicht geahnt, daß schon Verlaines *Sagesse* da war (zu Huret; *Enquête* 56). Die augenblickliche Ungnade Hugos dürfte vorübergehend sein (16. 10. 90; nach Louys' Tagebuch, Œuv. c. 9, 336).

511 [1] Zwar habe der *Parnasse* die Zäsur befreit, doch im übrigen sei jeder Vers isoliert geblieben, habe sich nicht aus des Lesers Stimmungsatem herausgelöst, und auch Ort und Gewicht der Worte wirkten nicht auf diesen Atem.

511 ² Noch energischer 1891 zu Huret (*Enquête* 56) gegen die Über-
beanspruchung der „großen Orgel des offiziellen Metrums". Wie unnatürlich eine Erlebnislyrik stereotyp uniformierter Versform: „Wo
bleibt die Inspiration, wo das Unvermutete – und welche Mühsal!"

512 ¹ Auch an den flüssigen *Sonatines d'Automne* Mauclairs vom Okt.
1895, die aus einfachen *Liedern* zu *Gebeten* vorstießen, interessierte ihn
die Technik, in regelmäßigen Versen zu beginnen, „um die Intonation
zu geben", und dann freier zu variieren dank dem Mittel des stummen e;
dessen freie Stellung erschien Mall., ebenso wie auch Ghil, als „ein
Grundmittel des Verses" . . und bereits als Ermutigung, den regelmäßigen Vers, der leicht eintönig sei außer in offizieller Dichtung, doch nicht
aufzugeben (an Mauclair, 4. 11. 95). Noch konservativer spricht er im
März 1896, begeistert durch des Verlaine-Nachfolgers Rodenbach Sammlung *Les vies encloses* (1896: „un miracle . . jamais poésie ne miroita,
autant, d'absolu"); hier triumphiere der Zwölfsilbner „sans qu'on subisse
aucune répétition de mesure: ceci est inouï et glorifie à point l'alexan-
drin: rien d'autre n'étant plus nécessaire". Über das „Visuelle" vonMall.'s
Verslehre: Joseph Samson, *P. Claudel, poète-musicien*, P. 1950.

513 ¹ Zu Huret 1891: nicht auf den Vers komme es an, allein auf Poesie.
Jeder geformte Stil sei *Vers*; unnötig, noch Prosa zu unterscheiden.
„Überall in der Sprache, wo es Rhythmus gibt, da ist auch der Vers . . .
In der Prosa genannten Gattung gibt es Verse jeder Rhythmik, oft herrliche" (*Enquête*, 57; vgl. den Widerspruch R. de Souzas, *Le Rythme
poétique*, 1892). Allerdings wollte er damals noch nicht glauben, daß die
gänzliche Abschaffung des Alexandriners verlangt werden könnte (p. 58).

513 ² „In Augenblicken der Seelenkrise" (zu Huret, p. 58): „für die
großen Zeremonien" (*Oxf./Cambr.*, 35); „dans les occasions amples"
(*Div.* 241).

513 ³ Weniger realistisch war V. Hugo. Er (der früher schon die Konsonanten dem Norden, die Vokale dem Süden zuteilte und etwa die
südliche Sonnenseite des Sankt-Gotthard als vokalisch, die „dunkle"
nördliche als konsonantisch postulierte) behauptete, a und i befänden
sich in „fast allen Wörtern", die den Gedanken von Helligkeit ausdrücken (bisher unbekannter Text, ed. Figaro litt. 26. 8. 1950).

514 ¹ Zweifelnd auch bei Griffin (Mercure 170, 1924, 33) über die
Instrumentierung.

514 ² Kahn, Premiers Poèmes. Préface. Paris 1897, p. 14.

515 ¹ Poizat, Royère, Valéry, Bonniot („grandiose incubation"; Revue
de France 1929, p. 643), Soula, Rauhut (*Das französ. Prosagedicht*, p.
95), Cooperman, Naumann.

518 ¹ Schon vor 9. 4. 62 (*Les Six Phyllis*); er hielt sich an den Rondel-
typ, den Banville in seinen Rondels des *Parnasse* verwendet hatte:
8 ABba abAB abbaA.

519 ¹ Von den 24 Alexandrinersonetten, die ich in ihren endgültigen Fassungen verglich: nur bei 3 frühen; dagegen bei 14 von den 22 Achtsilbnersonetten. Eine völlige Ausnahme bildet *Ses purs*.

519 ² Umarmende Reime im Achtzeiler: bei nur 8 Zwölfsilbigen und 13 Achtsilbigen. Reimende Parallelität der Dreizeiler nie bei den Achtsilbigen, fünfmal bei den Zwölfsilbigen.

519 ³ Der sogenannte elisabethanische Abschluß (in 4 frühen Zwölfsilbigen und 13 Achtsilbigen). Übrigens fällt auf, daß in allen (9) feierlichen Achtsilbigen der Sechszeiler mit Reimpaar beginnt, ebenso in 17 Zwölfsilbigen.

520 ¹ V. Hugo, wohl in Krisen seiner durch Mittelpunktsmangel bedrohten Phantasie, spintisierte sogar über die Form der Buchstaben: H und h seien ein Sessel von vorn und von der Seite her gesehen, weshalb man *Thron* nicht ohne h schreiben dürfe; A Dachgiebel, U Urne, V Vase; NUIT sei Berg, Tal, Kirchturm, Galgen; „22" ein Entenpaar usw. (Text in: Fig. litt. 26. 8. 1950); zu Phœbe: *Œuv.*, A. Michel, IX 277.

520 ² Obwohl er für die Assonanzendichtung gleichzeitig freie Bahn forderte. In Ch. Guérins *Sang des Crépuscules* (1895) schien ihm, eigentlich zum erstenmal leuchte die (hier allein den Vers bildende) Assonanz stärker und fast kostbarer als ein Reim (vgl. seine Vorrede).

521 ¹ So der zwanzigjährige Maurras (Barbarie et Poésie, 1925, p. 77). Als bei einem Journalistenbankett die Rede auf das soeben erschienene Wagner-Sonett kam, stellte sich heraus, daß die Hälfte der Gäste das Gedicht auswendig wußte, so daß es zu allgemeiner Heiterkeit im Chorus gesprochen wurde (Lefèvre, *Une heure avec Ed. Dujardin*; Nouv. littér., 1936, Nr. 714). Ähnlich J. Cassou, in Soula, *Gloses*, 1946, p. 6.

521 ² Richard Cantinelli, in Mercure de France, 119, 1917, 453.

521 ³ H. Ghéon (NRF 1913, I 291); vgl. Gourmont, Prom. litt., 1913, V 256.

521 ⁴ Schriften, ed. E. Heilborn, II, 1, p. 279. Dazu S. Braak, *Novalis et le symbolisme français* (Neophilologus, 7, 243 f.); T. de Visan, *Le Romantisme allem. et le symbol. franç.* (Mercure, 88, 577), und dessen Hinweise auf das Gefühl als reines Erkenntnismittel; sowie die Novalis-Bücher von M. Besset (*Nov. et la pensée myst.*), Spenlé u. a. Ein Abgrund scheint zwischen diesem mystischen Lauschen und dem nihilistischen *L'art pour l'art*-Wunsch Flauberts zu liegen: „Ce qui me semble beau, ce que je voudrais faire c'est un livre sur rien, un livre sans attache extérieure, qui se tiendrait de lui-même par la force interne de son style, comme la terre, sans être soutenue, se tient en l'air, un livre qui n'a presque pas de sujet ou du moins où le sujet serait presque invisible, si cela se peut" (Corresp. I 417).

521 [5] *Je disais quelquefois à Mallarmé* . . (NRF, 38, 1932, 830 f.).

522 [1] Zu Griffin (Jean de Cours, *Fr. Viélé*-Griffin, Paris 1930, p. 166).

522 [2] Daß sogar *palais* in *Une négresse* mißverstehbar ist, erfährt man soeben durch Reidemeisters Übersetzung; derlei Offenbarungen sind der Vorzug an Übersetzern, die gleichsam analphabetisch an diese Lyrik herantreten.

522 [3] viole, nue, brise, tu, couronne, oder der aus Baudelaire stammende doppeldeutige Reim sourde: gourde; in *Sonneur* bedeutete *éclaire* zuerst (Fass. AB) „beleuchten", dann „aufscheuchen" (CD); im *Coup* sind *étale* und *plane* Adjektive; in *Prose* bedeutet *lacune* gleichzeitig *Lücke* und *Fehler*. Irritierend auch die vieldeutige Korrektur von *et* durch *ou*, von *vers* durch *à*; von *dans* und *de* (R. Wagner), *avec* und *sur* (Cath. II) durch *en*, von *parce que* (Crise), *ainsi que* und *pour* (R. Wagner) durch *comme*, von *dans* (Villiers) und *d'après* (Crise) durch *selon*. Entsprechend Verlaines Forderung, die Worte nicht „sans quelque méprise" zu wählen. (Art poétique). Im *Pitre B* scheint mir der Nebensinn *Fallstricke* für lacs denkbar.

522 [4] *Lettre sur Mallarmé* (*Variété* II, 1924, p. 221).

523 [1] L. Wolff, in Les langues modernes, Mai 1928, p. 257.

524 [1] 10. 1. 93 (Gosse, *Questions at Issue*, Ld. 1893, 333; verläßlicher Text: RLC, 25, 1951, 357). Mall. hatte an Gosse den Aufsatz Rettés (Ermitage, Jan. 93) geschickt, in dem dieser Mall's „unvergleichliche Ausdrucksklarheit" herausstrich, „selon moi, avec raison, riez" (Mall. ebd).

DICHTUNG DER ZWEITEN LEBENSHÄLFTE

I. DIE SCHEU VOR DER KREATUR

528 [1] Im *Sonneur* wird *enivre* (A), *enivrant* (B) zu *éveille* (CD); *broyer* (AB) zu *tirer* (CD).

530 [1] Daß bei den Tieren, weil sie als Gottesgeschöpfe durch Entwicklungskette dem Menschen verbunden sind, ehrfürchtig auf das Heraufkommen des Lichts zu harren sei, finde ich bei Lamartine vorgetragen: „Vous lirez dans leurs yeux, douteuse comme un rêve / L'aube de la raison qui commence et se lève" (*La Chute d'un ange*, 8. Vision). Später Nervals *Vers dorés:* Respecte dans la bête un esprit agissant . . .

533 [1] Wortlaut eines unveröff. Briefs von Mall. an Raffaelli vgl. Wais, *Mall.*[1], Anm. 384[1]. Raffaellis erster Vorkämpfer war der junge Naturalist Huysmans gewesen.

534 [1] Ihre (heute ungebräuchliche) Lattengitter-Form ist zu sehen auf der zugehörigen Illustration (abgebildet: A. Alexandre, J.-F. Raffaëlli peintre, graveur et sculpteur, 1909, p. 52). Meine Interpretation der

Marchande d'habits seither auch bei G. Davies, Tombeaux, 1950, p. 53.

535 [1] Mitte Juni 1865 hatte M. an Lefébure geschrieben: „einer der schönsten Romane, die ich kenne, *Un prêtre marié*, von jenem genialen Katholiken, Barbey d'Aurevilly".

536 [1] Dessen schroffe Auflehnung gegen Baudelaire im ersten Sonett der *Liturgies intimes* (Jan. 1893) erregte Anstoß.

536 [2] Antithetische Mall.-Parallelen zu Baudelaires *Spleen et Idéal*: W. Naumann, *Sprachg.*, 98. Vgl. auch die Interpretationen von Nobiling (Neuere Sprachen 37, 1929, 115 f.), und Ch. Mauron (bei R. Fry, 1936, 216 f.), Noulet und Fowlie, die im übrigen den Sinn, wie mir scheint, verfehlen. Zu Vers 8: S. Bernard (RHLF 1951, 213) gegen (Wais-) Davies.

536 [3] Nach Lemonnier (*Baud. et Mall.*: Grande Revue 112, 1923, 21) das doppelflammige Gaslicht, volksbildlich *papillon* genannt. Der Versuch, Vers 5/6 als Ausmalung des *pubis* auszudeuten (Noulet, L'Œ., 471), ist wider den Geist Baudelaires und Mall.'s.

537 [1] „Et quand s'allume au loin le premier réverbère" reimte schon in Coppées *Intimités* (IX), die Mall. auswendig wußte, auf „la débauche impubère"; *réverbère* ähnlich gebraucht *Div.*, p. 5 (vgl. Baud.'s *Vin des Chiffonniers*). – Im Ausdruck V. 7 *immortel* sehe ich eine Antithese zu *récent:* Fowlie 251 zur „nächtlichen Schande" (s. bei 537[4]).

537 [2] André Ferran, *L'esthétique de Baudelaire*, Paris 1933, p. 569.

537 [3] Im Schlußvers seines Sonettbeitrags bekennt A. Silvestre, er liebe Baud. für seine „grande pitié pour les femmes damnées". Oder sieht man im Abgrund unter düsterem Himmel „à pas lents, lascifs, les filles de joies" (J. des Gachons, *Décor pour la statue de Baud.*).

537 [4] Aus den grünen Augen seiner Geliebten fließe stärkeres Gift als Alkohol und Opium (*Le Poison*); sie ist gefeit vor den „poisons du tripot" (*Allégorie*). Oder „comme une femme lubrique / Brûlante et suant les poisons", oder „ô douceur, ô poison" etc. Dagegen bleibt Noulet (Œ. 473) dabei, es handle sich um das dichterische Gift der abwesenden Gestalt Baud.'s. Und W. Fowlie (*The Theme of Night*, Modern Philol. 44, 1946/47, 250 ff.): daß Baud. abwesend sei bzw. bei schattenhaftem Besuch nicht mehr die einst von ihm mit Gebet erwärmte Erde vorfinde, sei das Gift für *our own maladies*. – Bestätigung scheint mir nachträglich eine Stelle aus *Villiers* IV, das mir 1938 nicht erreichbar war. Dort denkt der Dichter an die Besucher von Dichtergräbern: „pour de pareilles habitations, ceux du dehors en bénéficient et deviennent, ces promeneurs, l'élargissement de l'Ombre qui a choisi de séjourner". Zwei Sätze später: „à Celle, la Muse, pas autre que notre propre âme, divinisée!"

537 [5] „Salutaire instrument, buveur du sang du monde", redet er einmal die *femme impure* an. Vgl. oben p. 94. Eine gewisse Schönheit

sprach schon der junge Mall. der „femme ignoble et vulgaire" zu, wo sie
zur *Idee der Zerstörung* werde und dadurch ihr physisches Kranksein
(destruction passive comme activement elle l'est pour nous) – das den
nicht minder niedrigen *Affären* der Männer entspräche – vergessen
mache. Auch das sonst bei Frauen störende Dick-Sein werde zum Sinnbild desjenigen Lebens, welches solche Frauen, blond in der Sonne und
schwarzgekleidet, „dem Mann genommen haben, .. sie machen recht
den Eindruck, als hätten sie aus unserm Blut zugenommen, und sind
so, richtig gesehen, eine glückhafte, ruhige VERNICHTUNG: – schöne
Verkörperungen. Sonst hat die Frau mager und schmal zu sein in ihren
Kleidern wie eine lockere Schlange" (an Lefébure, 27. 5. 67).

II. VERKLÄRUNG DES KÜNSTLERTUMS

540   [1] J. Monval, C. Mendès et F. Coppée (Revue de Paris, 16, 1909, 85).

540   [2] Catalogue Blaizot, 246 (Revue d'hist. litt., 33, 1928, 643).

540   [3] Gengoux (Le symb., 78) findet meine Erklärung, die Svend
Johansen (Le Symbolisme, 1945, 217) und G. Davies (Tombeaux, 1950,
p. 17) annahmen, „bizarr"; der Korridor sei die Zeit und ein individuelles
Weiterleben. Dazu oben Anm. 221[1].

540   [4] Daran knüpft sich, verhängnisvoll populär, eine der typisch
apokryphen Mall.-Anekdoten (bei Wais, *Mall.*[1], Anm. 389[4]); sie stammen alle von Heredia. Nobiling denkt in seiner Interpretation (Neuphilolog. Mitteilungen 30, 1929, 121) an den Schmerz um Gautier;
C. Soula in der seinen (La poésie et la pensée de St. M.: Notes sur le
Toast fun., P. 1929) an eine angezündete Fackel; Mauron (bei Fry,
p. 143) bekennt sich ratlos; Noulet, L' Œ. 379, nimmt einen Lichtreflex
ohne weitere Bedeutung an.

541   [1] Dagegen wäre Mall., nach G. Davies (Tomb. 81), überzeugt von
der „perfection qu'ils atteindront dans l'au-delà". Ich sehe Mall. als
den Polemiker gegen das „immatériel deuil" (*Tombeau Verl.*, V. 6)
hier in einer Linie mit Nietzsches Angriffen gegen die Hinterweltler; vgl.
auch *Morisot* (P[5], 536).

541   [2] Diese Deutung von *attente posthume* wird durch zwei Hinweise
von Davies (*Tomb.*, p. 9) auf P[5], p. 507, 525 überzeugend gemacht.

541   [3] Diese großartig transzendente Szene gehört zu den dunkelsten
bei M. Nicht überzeugt von meiner Auffassung scheinen Noulet und
Michaud. Nach Noulets Meinung hätte der große Tote sich aufgemacht,
um von jenem Nichts „eine Offenbarung zu erwarten" (p. 214), wobei
er dann bitter enttäuscht wurde. In der ersten Hälfte des Gedichts
demnach „schwebe kaum ein tröstliches Leuchten", es sei „mehr eine

Tragödie als ein Lobesgedicht". V. 2 grüße das Nichts, V. 14 zeige den
Ruhm des Schriftstellers zeitbegrenzt (ebenso Thibaudet). Am Schluß
(V. 37) widerspreche Mall. ,,pour affirmer être ce qu'il affirmait n'être
pas" (217). Man sollte das Gedicht nicht dunkler machen, als es ist.
Für Guy Michaud (*Message*, I, 194), ist es ,,le dialogue du Néant et de
l'espace" (?), für E. M. Frisia (Mall. *Poesie*, Milano 1946, p. XVIII)
der Kontrast des Zweifels (?) und der Blütenschönheit. C. Bo baute auf
die Verse eine pessimistische Meinung von *Igitur* und *Coup* auf (*Mall.*,
Milano 1945, 154, 215). Unhaltbar auch Beausire (*Mall.*, 1949, p. 130),
M. wolle sagen, die Welt sei sinnlos, die Menschen unwissend, ,,la nul-
lité . . l'insignifiance de leur être" bestätige sich. G. Davies (Tomb.
47 ff.) schloß sich als erster meiner Auffassung dieser Stelle an; daß er
für die *Tombeau*-Gedichte ,,von einem absolut verschiedenen Gesichts-
punkt", wie er in seinem Vorwort sagt, ausgehe als wir dort beiläufig
genannten Vorläufer, mag überraschen: Davies folgte für alle Gedichte
seines Bandes im großen ganzen den von mir gegebenen Interpretationen. Eigene Wege ging er für das *Wagner*-Sonett (was M. in den Schrank
geworfen wissen wolle, seien die Partituren Wagners, des *pilier*) unter
Verschmähung des Hinweises auf Hérod. IA 59–62 und mit der These
Carcassonnes, M. mache hier Vorbehalte gegenüber Wagner; und mit
se tasser = se consolider (Widerspruch: S. Bernard, RHLF 51, 1951, 213).

542 [1] Die gleiche Verderblichkeit stellt bekanntlich Novalis in der
dritten Szene seines *Märchens* im *Heinrich von Ofterdingen* dar: Der
nach Sophie suchende Eros gerät auf seiner Wanderung in die Falle
des Traums, wo der Mond über chaotische Schätze waltet und der
Besucher erotisch der Mondestochter, der Phantasie (,,Ginnistan") verfällt, da sie ihm den Heilstrank der Sophia unterschlug. Seither wachsen
an Eros die Flügel der Begehrlichkeit, die beschnitten werden müßten,
sein Bogen wirkt Unheil, und mit Taranteln beginnen die Todesparzen
ihre Herrschaft. – Derselbe (nach romanischer Terminologie ,,antiroman-
tische") Vorbehalt vor dem Traum findet sich auch bei E. T. A. Hoffmann: die Vision seines *Ritters Gluck* schildert das Grauenhafte des
Traums, bis dann, mit dem Auftauchen von *Grundton* und *Quint*, durch
Gottes Auge der Segen der formenden Kunst gestiftet wird. Diese Seiten der deutschen ,,Romantik" werden in der über die germanische
Kultur verbreiteten *leyenda negra* übersehen.

542 [2] Catalogue Blaizot (Revue d'hist. litt. 33, 1928, 643).

543 [1] 1853, dann wieder 1877 in seiner *Litt. étrangère*, p. 347, 389, 365.

544 [1] Entwickelt aus *hymne nu* (A_1), wohl in Erinnerung an den
Engel aus *Guignon*.

544 [2] A_1 s'exaltait, A_2 extolled itself. Zu *cette* (V. 4) kommentierte Mall.,
,,this means his own". Zu V. 5 ,,the Angel means the above said Poet".
Zu V. 8: ,,in plain prose: charged him with being always drunk".

544 [3] A$_2$ B$_1$. Schon Vigny sagt von der Dichtung: „Troublé de ta lueur mystérieuse et pâle / le vulgaire effrayé commence à blasphémer" (*Maison du B.*, II). Daß Mall. wirklich die Alltagsworte anerkannte, zeigt im selben Jahr sein Brief an Zola, 3. 2. 77. – Nicht überzeugend die Vermutung von Ch. Chassé (*Essai d'interprét. object. du T. d'E. Poe*: RLC 1949, 104 f.), Mall. meine mit dem Engel Oidipus, der durch reines Wort die Sphinx vernichte.

544 [4] „Ce réverend coquin que Baudelaire avait si bien qualifié de *pédagogue-vampire*", schreibt Swinburne an Mall., erfreut, daß J. Ingram „vient enfin de réduire en poudre tout le tas de mensonges et de calomnies forgées ou rassemblées par cet infâme Griswold, *Dont le nom n'est plus qu'un vomitif*" (7. 7. 75). Mall. bekam durch Mrs. Sarah Helen Whitman (1830–78), die Nachfolgerin von Virginia Klemm als Braut von Poe, ihre Schrift gegen Griswold, *E. A. Poe and his Critics* (1860), mit Widmung übersandt. An S. Rice, Lehrerin in Baltimore, hatte Mall. am 4. 4. 76 zugesagt.

544 [5] Poe's Werke: „les hallucinations de l'opium et du haschisch" (Revue Française, Mai 1856, p. 450), „que doivent procurer l'opium et du haschisch" (L'Indépendance Belge, 12. 2. 57), „par l'habitude de l'opium, de l'alcool et du haschisch (ebd. 20. 8. 57) „rêves désordonnés et maladifs de l'ivresse devenue une habitude" (Revue Moderne, 1. 7. 65) usw. Selbst bei Barbey.

544 [6] „D'une laideur impossible et transatlantique", berichtet ihm Swinburne, 5. 2. 76, und verspricht ihm eine Photographie. Sie ist in der Deman-Ausgabe von 1888 abgebildet und zeigt ein Bildnisrelief, mit Leiern geschmückt.

545 [1] A$_2$ struggle. Woran Mall. in diesem nach Bloy's Meinung unverständlichen Gedicht bei *hostiles* dachte, ergibt sich wohl erst aus A$_2$: „the soil and the ether which are enemies". Sein Kommentar zu V. 11 und 14: *dazzling* means with the idea of such a bas-relief; *Blasphemy* means against Poets such as the charge of Poe being drunk. V. 14 A$_1$ vieux vols, A$_2$ old flights.

545 [2] In A hätte der Dichter selbst Lust dazu (si mon idée). – „Ce bas-relief géant", sagt Banville über die „dunkeln Genies" im Schlußvers von *Ceux qui meurent*.

545 [3] Ein „Irrtum des Geschicks", schreibt er in *Scolies*, denn Poe konnte als Dichter nicht in einem Lande siegen, wo vom Dichter überhaupt nicht verlangt wurde, daß er seine Macht durchsetze; die Umwelt strich hier eine außergewöhnliche Begabung durch, und erst in der Leere dieses Schicksals am Ende seines Lebens verfiel er dem ihm vererbten Trunklaster, vor dem er sich bisher „so edel bewahrte" und mit dem er, ein „ruhmreiches, willentliches Opfer", gewisse überirdische Gesichte

47*

zu erreichen sich vielleicht verpflichtet fühlte. Auch nach Baudelaires
Ausdruck wirkt Poe in Amerika als „planète désorbité". Interpretationen
des Gedichts geben Nobiling (Neophilol. 18, 1933, 92 f.) und G. Davies,
Tombeaux, 1950 (nach seiner Pariser Thèse II vom 24. 2. 1947: *Les
poèmes commémoratifs de Mall., essai d'exégèse raisonnée*). Nicht unbeachtet soll man die Trotz-Ansage des Schlusses (borne) lassen! für
W. Fowlie (Modern Philol. 4, 1947, 285) ist das Grab nur ein Sieges-
zeichen der Kunstfeindlichkeit. Zum weiteren Ausblick: W. Rehm,
Orpheus, Der Dichter und die Toten, Novalis Hölderlin Rilke, Düsseldorf 1950.

545 [4] Einfluß von Baudelaires Vers „l'empire familier des ténèbres
futures" (*Bohémiens*) will Gallette (RHLF 40, 1933, 101) in einem
Aufsatz nachweisen. Ich sehe keine Beziehung.

546 [1] Am 14. 12. 96; wohl auf Anregung von Huysmans. (Vgl. Des-
caves, *Deux amis, J.-K. Huysmans et l'abbé Mugnier*, 1946). Eine erste
Sitzung hatte am 23. 6. stattgefunden, nachdem seit der Gründung im
Mai (durch Cazals) die Verlaine-Büste des Genfers Niederhausen für den
Luxembourg-Park vorgeschlagen wurde. Stellvertretender Vorstand war
Rodin, Sekretär Cazals; der Ehrenvorsitz wurde Coppée durch Mall.
angeboten (26. 6.). Mitglieder des Ausschusses waren Barrès, Delahaye,
Deschamps, Lepelletier, Mendès, Montesquiou, Natanson, Ponchon,
Rodenbach, Vallette.

546 [2] Mugnier († 1944) zu Mondor (Mondor, *L'Amitié*, 263).

547 [1] Dazu Gautier, *Affinités secrètes*: Les ramiers de nouveau roucoulent (A: Le ramier dans une voix douce, / retrouve son roucoulement).
Das Gurren ist für G. Davies (*Tomb*. 205 f.) seltsamerweise „la plainte
des ramiers qui roucoulent sans cesse au cimetière . . ces cris plaintifs
semblent envelopper d'un voile de deuil momentané l'astre". Carlo Bo
(*Mall.*, 1945, 161) vermutete als Thema des Gedichts: „Reue" des vergeistigten Mall., gescheitert zu sein, weil er nicht in der Naivität Verlaines gelebt habe.

547 [2] Nach Noulet, *L'Œ*. 481, wären die Falten *nubiles*, weil Verlaine
erst seit einem Jahr tot ist.

547 [3] „A woodland rivulet, – a Poet's death" lautet der gelassene
harmonische Schlußvers von Keats' Sonett *After Dark Vapours* (1817).
Zum Tod als Rinnsal vgl. Poe's *For Annie*: der Tote trinkt aus dem Fluß,
dessen Wasser „allen Durst löscht" und dessen Quelle nur wenige Fuß
unter der Erde liegt. – *Parmi* mit Singular: RHLF 1951, 213, 217.

548 [1] Hier gab Mall., nachdem er den Namen Verlaine bei Deschamps
vorgeschlagen hatte (an diesen, 24. 1. 93: Gentili di Giuseppe, in *Dante*,
8, Mai/Juni 1939), dessen Wahl zum Vorsitzenden für das 8. Bankett
April 1893) unter großem Beifall bekannt.

549 ¹ Auch das Segel von M.'s Jolle „bedeutete, wie er lächelnd sagte, *la feuille de papier sur quoi on écrit"* (Régnier, Revue de France, 1923, III 4, p. 644). Vgl. „Une pure toile blanche" (*Vers de Circ.*, p. 86).

549 ² Orph. Argon. 1270 f., bes. 1295 f. Eben hatte auch der Symbolist Louis Ernault seine Dichtung *La Mort des Sirènes* veröffentlicht.

549 ³ Gefördert durch die Reminiszenz „le rire écume sur ce vin dispos" (Vers. de Circ., p. 169).

549 ⁴ Diese Auffassung „Verseinschnitt" stellte Nobiling auf (Idealist. Neophilologie 1927, III, 327; vgl. meine Besprechung von Naumanns Diss. in Herrigs *Archiv* 172, 1938, 196 ff. und seither Ch. Chassé, *Lueurs sur Mall.*, 1947, p. 103). Sie dürfte ebenso als zweite Bedeutung hereinspielen wie die Kunstreminiszenz in *toile*; und gegen den Einwand, den mir G. Davies (*Salut, essai d'exégèse raisonnée*: Les Lettres 3, 1948, 190) machte, ein Reim *Hauptwort : Zeitwort* sei Mall.'s nicht würdig, genügt es, auf *brise* ; *brise* im *Apr.-m.* zu verweisen. Nicht die Vorstellung von ziselierten Gestalten auf dem Becher – man kann sie sich an der Becherwandung *à l'envers* in den Wein gesenkt vorstellen (Johansen, *Le Symb.*, 137) – ist das Originelle, sondern, wie immer bei Mall., die lautliche Assoziierung von Gegebenem mit Geistigem. Die parnassische Grundlage des Visuellen fand ich in den (Mall. wohlbekannten) *Noces Corinthiennes* von France. Als Daphne dort den Becher mit Gift füllt (III 5) : „Je boirai dans ce vase où l'on voit ciselés / une vierge dormante et des enfants ailés / qui voltigent sur elles et s'éloignent en troupe. (*Elle ouvre la fiole*) / Je verse ce qu'il faut verser dans cette coupe." Auch bei Banville der Reim *coupe* auf *troupe* / *des nymphes*. Vgl. *Toast* V. 4; *Hérod.* IC, V. 21.

549 ⁵ Er unterscheidet die nichtalternierenden Verse von der Prosa: „avec le vers libre . . on prose à coupe méditée" (*Oxf. Cambr.*, p. 72).

550 ¹ G. Davies (Les Lettres, 1948, 193) setzt gegen Noulet (1940) und Mauron (Mall. l'obscur, 1941) aus, daß sie diese drei Ausrufe nicht als den Gruß auffassen.

550 ² Aber der Text des pessimistischen Gedichtes fährt fort: „Enfer! C'est un écueil": das von der „glühenden, wahnwitzigen" Stimme angekündete Eldorado der Phantasie stellt sich bei Morgenlicht als Riff heraus.

550 ³ *A*: un oiseau, d'ivresse nouvelle (vgl. Auriant, Mercure, 1. 7. 47, p. 586 f.). Mitarbeiter des Sammelbands waren u. a. Coppée, Daudet, Mistral, Sully, Loti, A. Holmès, Puvis, Raffaëlli, Mauclair.

III. SEIN ODER NICHTSEIN

551   [1] Ich folge Ch. Chassés Annahme (*Lueurs sur Mall.*, 1947, p. 101; ders. in Renaissances, Nr. 20, April 1946, p. 56 f.), der hier an ein Nachwirken der Etymologie von *hagard* (deutsch *Hag*) glaubt: *wild*, nicht *scheu*.

551   [2] Die Annahme eines literaturtheoretischen Inhalts muß auch diesem Gedicht seine Tragweite rauben; so wenn Noulet, L'Œ. 489, von V. 5/6 ausgehend, annimmt, Mall. kennzeichne die literarhistorische Sonderstellung seiner Poesie gegenüber der Dichterschar (bosquet). – Zu erwägen wäre eher eine Beziehung zu Gott, den Mall. anderswo als sterbenden Vogel bezeichnet.

552   [1] Vgl. die „silences de faulx" in *Mes bouquins*.

552   [2] Zu *pli:* Wais, *Mall.*[1], 398[2]. Der Originaleinband der *Types de Paris* z. B., den ich besitze, ist in moiré-Seide. Noulet übergeht V. 1-4 ganz. Thibaudet nachfolgend, sehen Mauron im *pilier* „le Drame d'aujourd'hui diminué" (*Mall. l'obscur*, 173 ff.), und Beausire (Poésies, gloses, 1945, 179) wie L. J. Austin (*Le Principal pilier:* RHLF, 51, 1951, 173) in V. 1/2: der Theater-Trauerbehang „legt zahlreiche *[Nichtbeachtung der Zäsur von V. 2!]* Falten auf die Dekorationen des bisherigen Theaters". Gengoux nimmt zwar *pli* als *Buch*, aber im Gegensatz zu *pilier* als dem künstlerischen *Feuilleton* in der Zeitung (*Symb.*, 1950, p. 97)!

553   [1] Parallelstelle in Villiers' *Tannhäuser*-Schilderung (Wais, *Mall.*[1], Anm. 398[3]). Wenn mit „un sacre" (V. 13) die Zwischenmusik zum dritten Akt des Lohengrin, das Hochzeitsfest, gemeint wäre (J. Benda, *Mall. et Wagner*, in: *Domaine français, Messages 1943*, 1943, p. 356; *Le Monde illustré*, 17. 4. 48), würden dieses Gedicht und Mall.'s Wagnererlebnis verkleinert. – Der Aberglaube vermag viel. Um seine These von der „dissension fondamentale qui sépare Mall. de Wagner" zu stützen, erklärt E. Carcassonne, das Sonett könnte „n'être pas exempt d'arrière-pensée . . peut-être une pointe de dépit" gegen Wagner (*Wagner et Mall.*, Revue de litt. comp. 16, 1936, 352, 348 f.).

553   [2] Gegen diese Deutung Wyzewa-Thibaudet-Soula-Jäckel (Wais, *Mall.*[1], 399[1]) spricht, daß Dujardin den Tod Hugos am Wagner-Geburtstag, 22. Mai, als symbolischen Beginn eines Versöhnungszeitalters aus Klassik und Romantik deutete (Rev. Wagn., 8. 6. 85). Mall. mag neben dem eigenen (seither: Soula, *Gloses*, 1946, 51) auch das Sterben Hugos (=*pilier*, nach A. Boschot, *Chez nos poètes*, 1925, 89; Austin, RHLF 1951, 172 meint Vers 6 = *Hernani*-Schlacht!) wie eines jeden Schriftstellers erwogen haben. Besaß er ein Hugo-Buch in *moiré*-Einband?

553   [3] P. Beausire, *Mall., poésie et poétique*, 1949, p. 164.

554   [1] Seit etwa 1884 schlafe er nicht mehr: an Coppée, 1893; am 9. 5. 96 berichtet er immerhin, er habe „schlecht geschlafen", ähnlich 1890.

554 [2] Rosny konnte dies erst fassen, als er durch Rodenbach erfuhr, daß auch bei einer Nachtgesellschaft, bei der jedermann gegen Morgen einnickte, einzig Mall. völlig klar geblieben sei (*Torches et lumignons*, 1921, p. 86). Rein physiologisch scheint der Fall nicht unmöglich.

554 [3] Mercure de France 170, 1924, 28.

556 [1] Maurons *Psychanalyse* (1950, 133) denkt wieder an den Freud-schen Verschneidungs-Komplex. Der *rêve* wäre der schöne Kindheits-traum vom Inzest (p. 170). Zum folgenden oben p. 200 und ,,L'Espoir avait plié son aile . .'' (V. Hugo, *Légende des S.*, 14: *Pleine mer*).

556 [2] Ähnliche Metapher für ein Spitzenmuster: ,,Cet unanime blanc conflit / D'une guirlande avec la même (*Une dentelle*). Zum französischen Brauch der ,,Silbertränen'' vgl. S. 82. Den Anstoß finde ich in Wilhelms (prophetischer?) *Vision* am Schluß von Villiers' *Isis* (c. 15): da ver-wandelt Tullias Schloß sich in eine männliche Gestalt, die auf einem Berg ruht: ,,En proie aux désolations lointaines, la Nuit se chargeait maintenant de l'ensevelir dans son linceul; le Ciel, drap mortuaire, parsemé des grands pleurs de feu qui roulent incessamment sur sa face, était jeté sur sa solitude; pour lui aussi, le Néant bâtissait, dans l'impéra-tive éternité, son vague mausolée d'oubli. Et le vieux palais ressemblait à l'un de ces géants dont la barbe et les cheveux poussaient dans le tombeau'': Die Gärten aber leuchten, nackt entsteigt Tullia dem Teich. In ihrem Kuß findet Wilhelm ,,das Unendliche'', und zusammen ent-schwinden sie ,,dans l'empire du Nirvanah''. Vgl. *Prose!*

556 [3] Die Überschrift von Fassung A *Ce soir* verschwand. Ob wegen des Anklangs an Dierx' früher erschienenes, stimmungsverwandtes Ge-dicht *Ce soir?*

557 [1] Dazu Baudelaires Gedenken an seine treue Magd (in *La servante au grand cœur*): ,,Lorsque la bûche siffle et chante, si le soir, / calme, dans le fauteuil je la voyais s'asseoir, / si, par une nuit bleue et froide de décembre, / je la trouvais tapie en un coin de ma chambre, / grave, et venant du fond de son lit éternel . .'' usw.

557 [2] In *Ce que disaient* schrieb Mall.: ,,les pauvres morts qui, cousus dans leur linceul pâle, sans le pouvoir soulever du doigt'' . . Und die Rede des aus dem schneebedeckten Grab wiederkehrenden Mädchens: ,,m'avez-vous bien pleurée? . . Quand reviendra le soleil, vous me met-trez des fleurs, n'est-ce pas''.

557 [3] So L. Seylaz, *Poe et les premiers symbol. fr.*, Laus. 1923, p. 163.

557 [4] Von ihr, und kaum von M., ist Villiers' Novelle *Véra* abgeleitet: das Venusgestirn leuchtet auf einen trauernden Witwer herab, der nächtelang harrt an der ,,croisée, sous les vastes draperies de cachemire mauve broché d'or''. Er spürt, wie sie erscheinen will, erlebt etwa ,,un visage doux et pâle, entrevu comme l'éclair, entre deux clins d'yeux . . Il ne manque plus qu'*Elle seule*" (gleichfalls in Kursivdruck hervorgehoben dreimaliges *Elle* in Baudelaires *Ligeia*-Übersetzung!). Zu Dierx usw. vgl. Wais, *Mall.*[1], p. 509 f.

559 [1] A: Sur des consoles, en le noir Salon: nul ptyx / insolite vaisseau d'inanité sonore. – Zu A, V. 3 (par): abwegig Chassé, RHLF 1951, 217.

559 [2] Aus Hugo's Gedicht *Le Satyre* (V. 20) mochte ihm Ptyx als Name eines Berges unbewußt in Erinnerung sein. Griechisch auch alles mehrfach Übereinandergelegte, Lagen eines Schildes, Tälerfaltungen eines Gebirges, auch *Muschel*. Claudel glaubt, es sei der auf damaligen Kredenzen übliche Flacon gemeint, die „unentbehrliche Karaffe mit Zuckerdose auf einem Glasteller" (NRF, 27, 1926, 532). Jedenfalls versinnbildlicht es die *inanité* des hohlrauschenden Schalls (sonore: s'honore). Vgl. Ghil (Dates, p. 222), wonach er „dem Wort den Sinn *Vase, Urne*" gab. Aus Avignon bat er Freunde, da er „nur drei Reime auf -ix habe, den wirklichen Sinn des Wortes ptyx zu senden; man versicherte mir, das gebe es in keiner Sprache, was mir bei weitem am liebsten wäre um des Reizes willen, es durch die Magie des Reimes zu erschaffen" (3. 5. 68; Cat. Cazalis). Als Anhänger der Theorie Thibaudets vom Poetik-Thema aller Mall.-Lyrik gründete H. A. Grubbs (*Mall.'s Ptyx Sonnet, an Analytical and Critical Study*: Public. of the Mod. Lang. Assoc. 65, 1950, 84) seine Deutung auf diese Vokabel: der Dichter schildere, wie er mit dem ungelösten sprachlichen Problem ptyx sterbe: „ein Sonett über ein Sonett, ein Sonett, das die Art behandelt, wie Mall. bei der Abfassung eines Sonetts verfuhr" (85)!

560 [1] Zu Vers 8: die Metapher für *Igiturs* Selbstvergiftung, „avoir bu la goutte de néant qui manque à la mer". Villiers' *Isis* c. 13: „Je pourrais m'en détacher! N'ai-je pas ce talisman de la liberté, cet anneau qui contient pour moi la nuit où personne ne travaille plus."

561 [1] Im Auftrag des Verlags Lemerre sammelte Ph. Burty für eine 1869 erschienene Sammlung *Sonnets et Eaux-fortes* Sonette, die er dann durch Radierungen illustrieren ließ. Als Mall. seines einreichte, war die Zahl von 41 Sonetten bereits voll und das Gedicht konnte nicht verwendet werden. Vgl. Mondor, *Vie* 260 und P[5], p. 1483 f.

561 [2] *avec personne dedans* (Noulet p. 281; *Propos* p. 83). Sinnvoller wäre (wegen des nachfolgenden *malgré* . .) *avec une personne*: so Mondor, *Vie*, 268; P[5], p. 1484.

562 [1] In B noch geheimnisvoller: das aufleuchtende Gold ist zugleich auch schon erlöschend (agonise); und es ist nicht einmal mehr gewiß (peut-être), ob es das des Rahmens ist. – Zierfiguren als Mitwirkende: in *Hérod.* I A, V. 26. Symbolbelebtes Ornament (vgl. Anm. 506[2]) für das Gegeneinander der Gedanken um eine Idee: „comme sirènes confondues par la croupe avec le feuillage et les rinceaux d'une arabesque"

(Div. 218). Vgl. die Figuren an den Dekorationen des Spukzimmers in Poe's *Ligeia*.

562 [2] Dieser Irrtum in Unkenntnis von Fassung A noch bei Wais (*Mall.*[1], 1938, 405), Mauron, Johansen (*Le Symbolisme*, 1945, 96, 221), Noulet (Les Lettres 3, 1948, 168) und allgemein. – Die Quelle des *Frisson*-Motivs sehe ich bei dem [schon durch A. Bertrand zitierten, in Baudelaires *Aveugles* usw. nachgeahmten] E. T. A. Hoffmann (Zitate bei Wais, *Mall*, [1]1938, 510 f.).

563 [1] Vgl. den Artikel *Einhorn* von K. Voretzsch: Handwörterbuch der deutschen Volkskunde (II. Märchen), Bln. -Lpz. 1930, I 503 f.

563 [2] Mall. übersetzte beide Fassungen und zitiert in *Scolies* einen Brief von Mrs Whitman, die ihm versichert, Poe habe wirklich einen Stern gemeint: ,,einen gesegneten Augenblick lang, hoffend der Hoffnung gegenüber, grüßte er ihn, wie im Namen eines noch der Verwirklichung fähigen Glückes: bis er entdeckte, daß der Planet sich gerade über dem Grab Virginias erhob"!

564 [1] Besonders *L'Absente* (übersetzt: Wais, *Mall.*[1], 512), im I. *Parnasse*, dann in den Mall. gewidmeten *Soirs moroses*.

565 [1] Längst geläufig für Sonnenuntergänge: ,,le soir qui s'éteint comme un tison qui fume" (Lefébure, vgl. oben 113[3]) oder im Jahr vorher, 1886: ,,cette diurne veillée d'immortels troncs au déversement sur un d'orgueils surhumains .. le seuil où des torches consument, dans une haute garde, tous rêves antérieurs" (Div. 46). Mauron (*Psychanal.*, 205) vermutet für V. 1/2 ,,unbewußte" Anknüpfung an Mérys Haar, während Gengoux (*Symb.* 183 f.) in der erotischen Erfüllung (bouffée) der Liebe (trophée), die das Denken bedroht, Mall.'s bewußtes Thema vermutet. Nur Beausire ahnt jetzt Beziehung zum Problem der ,,clairvoyance" (*Mall.*, 1949, p. 150), er verkennt aber alles Nicht-Pessimistische; wie Carlo Bo, der nach der ,,Abwesenheit des Feuers" – in *Surgi* ,,Abwesenheit des Lichts" (?) – nicht weiterliest (*Mall.*, 1945, 182).

566 [1] Moore, Mes souvenirs sur M. (Figaro, 13. 10. 1923) und *Avowals*, Ld. 1924, 263.

567 [1] Vgl. die ,,hohe seltsam geformte Krystallflasche" in Hoffmanns *Ödem Haus*, bzw. die unsichtbar belebte Flasche, welche Baudelaire im alten Schrank eines verlassenen Hauses entdeckt: ,,Mille pensers dormaient, chrysalides funèbres, / Frémissant doucement dans ces lourdes ténèbres" .. (*Le Flacon*).

567 [2] Für M.'s enge Verquickung von Sylph, Kuß, Lippen und Rose sechs Belege bei Naumann (*Sprachg.* 20 f.; zwei davon auch bei Mauron, in Fry, *Poems*, Ld. 1936, 257). Seine eigene Tochter hätte M., wenn wir sein Porträt in Mauclairs *Soleil* (p. 83) hier als authentisch nehmen,

als seinen *Sylph* bezeichnet. Zu Sylph: Belege bei Hugo, Dumas u. a.
(F. Baldensperger, *Goethe en France*, [2]1920, 119), Banville, Mendès,
Dierx (Wais, *Mall.*[1], Anm. 409[2]).

567 [3] Soula (*Essai sur l'hermét.*, 1926, 76; ebs. Naumann, *Sprachg.* 36)
möchte die Blumenvase und das Trinkgefäß als symbolgleich annehmen
mit der Chimäre, s. o. S. 124, 432. Es handelt sich hier keineswegs um
die Klage des sterilen Dichters nach der „source féconde de Chimère"
(Wyzewa und alle Erklärer), somit auch nicht um „vedovanza d'ogni
gioia" (Paladini, *Interpretaz. di St. M.*, Ancona 1928, p. 14). Gengoux
vollends, sibyllinischer noch als der Dichter, erklärt zu *Chimère*: „ces
amants ignorent l'Esprit" (*Symb.*, 1950, 190): die drei Nachtgesänge sind
für ihn Liebeslieder. In Wirklichkeit ist namentlich *Surgi* ein erleichter-
tes Lied der ausgestandenen Angst. Wollte man verallgemeinern, so
würde, philosophisch gesehen, im Sylph sich bezeugen, daß die *Angst* –
als Flucht vor „nichts", als Flucht aus einer Festlegung (durch das
Man) hinaus – eine Grundbefindlichkeit ist, die zum Sein führt. „Die
Angst offenbart im Dasein . . das Freisein für die Freiheit des Sich-
selbst-Wählens und- Ergreifens" (Heidegger, *Sein und Zeit*, p. 188).
Größte Sicherheit vor einem *Zuhause* böte die siegreiche Verteidigung
des vorgeburtlichen Zustands („Toute naissance est une destruction":
Mall. an Lefébure 27. 5. 67). So wäre, bei einer experimentellen Annäherung an Heideggersche Voraussetzungen, der Sylph einer Art
Ur-Sein verbunden; „das Un-zuhause muß existential-ontologisch als
das ursprünglichere Phänomen begriffen werden" (Heidegger, a. a. O.
p. 189).

568 [1] Für Mauron und die psychoanalytischen Deuter ist das *Jeu*
natürlich, wie auch der Würfelwurf usw., die Geschlechtserfüllung. Wie
in *Tout Orgueil* erfolge sie (nach Gengoux, 1950, 192) im Licht der Stern-
girlanden auf Kosten des traurig entmündigten Denkens. – Der *anti-
romantisme* hat sich ein Jahrhundert lang eingeredet, alles Dunkle sei
Teil eines sexuellen Dunkels, und ist damit nun vor lauter Kritik un-
kritisch geworden. Kritisch zu Gengoux: S. Bernard, RHLF 1951, 213 f.

569 [1] *s'abolit* kann sich nur auf den 3. Vers beziehen; also nicht auf
den 2., wodurch sich das Mißverständnis in Wais, *Mall.* [1] 1938, 410 (und
nachfolgend: S. Johansen, *Symb.*, 1945, 139) ergab. Für die Szenerie
der möglichen Wollust-Stätte scheint mir Mall. durch Baudelaires
Chambre Double angeregt worden zu sein. Dort entdeckt der Dichter
glühend das Weib der Erfüllung bei sich schlummernd (mit Beziehung
zu einem Vorhang): „La mousseline pleut abondamment devant les
fenêtres et devant le lit; elle s'épanche en cascades neigeuses. Sur ce
lit est couché l'Idole, la souveraine des rêves . . sur ce trône de rêverie
et de volupté." – Seither fand ich diese Vermutung von 1938 bestätigt:
In einem Brief an Cazalis (ed. Mondor, *Vie*, 200), zitiert Mall. die angeführten Baudelaire-Sätze.

569 [2] Ähnlich spricht er vom „vent sacré", welcher die Auslese des wirksam Schönen besorgt (Div. 355), und für die Wiedergeburt der französischen Dichtung verweist er auf eine geheimnisvolle *bouffée* („D'où soufflé? nul ne le peut dire", Div. 71). Geheimnisvolles Wehen der Vorhänge als Ankündigung von etwas Nahendem: bei Keats, A. Bertrand, Poe (Wais, *Mall.*[1], Anm. 410[2]).

569 [3] „La mousseline pleut abondamment devant les fenêtres et devant le lit; elle s'épanche en cascades neigeuses. Sur ce lit est couché l'Idole, la souveraine des rêves .. sur ce trône de rêverie et de volupté." Zusatz: Eine Bestätigung dafür finde ich jetzt im Briefwechsel mit Cazalis: eben diese Stelle wird zitiert (Mondor, *Vie*, 200)! – Nach Noulet schläft (*Dix poèmes de Mall.*, 1948, 103) beim *creux néant* (= der Seele des Dichters) die Liebe zur Dichtung (= *mandore*) im Blick auf die Kunst (= *fenêtre*), bei Sonnenaufgang (= jeu, – unter Berufung auf Noulet, auch P. Gan, Neue Rundschau 61, 1950, 440; nach Gan nicht Bett-, sondern Fenstervorhang).

570 [1] Vgl. auch Baudelaire, *L'Irréparable* („Un navire pris dans le pôle / Comme en un piège de cristal") und *Hérod.* II, 47 f.

570 [2] Spoerri, *Über ein Sonett M.'s*, in Festschrift für E. Tappolet, Basel 1935, 274; *C. Wagner u. H. St. Chamberlain im Briefwechsel*, Lpz. 1934, 362 (Wien, 15. 11. 93).

570 [3] Als hellster (phonetisch vorderster, schwingungsreichster) Vokal sieht J. Duchesne-Guillemin die Analogie zur hellsten Farbe gegeben (*Au sujet du Divin Cygne*, Mercure, 1. 9. 48). Zu Mall.'s Vokalen s. auch A. Coléno, *Portes d'iv.*, 1948, 174; zu Rimbauds: O. Nadal, RHLF 1951, 224 f.

571 [1] Parallelen: Wais, *Mall.*[1], 1938, Anm. 412[3]. In V. 8 heißt es nicht *avant que* .. So übersetzte Duchesne-Guillemin (s. o.) u. a.

571 [2] Zit. von Ch. Mauron, bei R. Fry, *Poems*, 1936, p. 178.

571 [3] „Avec des gestes fous" reckt bei Baudelaire ein Schwan den Hals zum Himmel (Lemonnier, *Baud. et Mall.*, Grande Revue, 112, 1923, 30); der schöne Hals und der Vergleich mit Schnee auch in Sully Prudhommes *Cygne* (*Les Solitudes*). Als Wahrzeichen symbolistischer Dichtung erscheint der weiße Schwan bei R. Darío (*El cisne;* Prosas profanas), der auch Beziehungen zu *Lohengrin* knüpft (*Blasón;* Prosas); ähnlich die Dichtungen *Les Cygnes* von Griffin und Morice. Bei Malern: A. Rouveyre, *Mall.*, *Matisse et le Cygne* (Le Point, 5, 1944, 55 ff.).

571 [4] *S'immobilise*, „das Wort für das Anhalten, Idee-Werden der ewigen Gestirne" (Naumann, *Spr.* 41), läßt an eine Metamorphose in das Sternbild des Schwans denken: so R. Lalou, *Hist. de la litt. fr. cont.*, 1924, p. 224 (ebs. F. Rauhut, *Das Romantische und Musikalische in der Lyrik St. M.'s*, Marburg 1926, p. 32, und Naumann 134). Vgl. das Sternbild *Löwe* in Poe's *Ulalume*.

572 [1] So Beausire, *Mall., poésie et poétique*, 1949, p. 146.

572 [2] *Figaro* vom 3. 10. 1923; *Avowals*, London 1924, p. 263.

573 [1] Die Beispiele, die ich 1938 anführte (*n'importe / ou vaine; folie; choit / la plume* usw.) strich Johansen (p. 342) 1945 aus seinem Zitat spurlos heraus (ließ aber das Düstere und Lastende am Seitenfuß als „aspect dans certains cas" gelten). Sollte er mein „zumeist" übersehen haben, da ihm die Seiten 3 und 11 des *Coup* als Beweis genügen, daß ich die Frage „sûrement . . d'un point de vue erroné" betrachtete?

573 [2] Kein Anlaß liegt vor anzunehmen, daß speziell *deutsche* Partituren, diejenigen R. Wagners, ihn darauf gebracht hätten. Wenn E. Carcassonne (*Wagner et Mall.*, Revue de litt. comp. 1936) dies vermutet, so geschieht es nicht ohne die Insinuation, durch die „provocation de Wagner" (?) müßten sich die Dissonanzen in Mall.'s Seele so bedauerlich verschärft haben, daß die „influence néfaste" der „attraction wagnérienne" daran schuld sei, wenn Mall.'s Dichtungen seit 1885 denen von vorher selten ebenbürtig seien (365). Denkbar ist die Erinnerung an eine graphische Analyse der *Meistersinger* (Revue Wagn., 8. 12. 85), an Ghils *Geste ing.*, oder an die über 2 Seiten laufende Überschrift eines Gedichtes von P. Leclercq in *R. blanche*, Nov. 96 (Bernard, RHLF, 1951, 186 ff).

574 [1] par/avance; se / prépare; au silence / enroulée; voltige / autour du gouffre . .

574 [2] conflagration / à ses pieds; on menace / un destin; proche / tourbillon; die Weite eines ausgestreckten Arms: le bras / écarté; das hohe Aufspritzen des Gischts: un / envahit le chef . .

574 [3] ne peut pas / être un autre; naufrage cela / direct; une insinuation / simple; une stature . . / debout.

575 [1] Gide, *Œuvres complètes*, Paris 1934, VII 428.

575 [2] Jetzt auch Valéry (an Thibaudet 1912: Fontaine 6, 1945; 8, 558): „il est hors de doute que c'est le germe".

575 [3] Thibaudet, *Poésie*, p. 417 f.; Soula, *La poésie et la pensée de St. M.; Un Coup de Dés*, 1931; Cooperman, *Aesth. of St. M.*, 1933, p. 202 f.; W. Naumann, *Un C. de Dés* (Romanische Forsch., Jg. 1938). – Als Unterschätzung droht dauernd die Annahme, hier sei nur „assenza assoluta" (C. Bo, *Mall.*, 1946, 214), und das, was S. A. Rhodes an der Schrift Soulas tadelte: „it turns into a metaphysical and abstract tract a poem latent with the very throb of life. It deprives it of its aesthetic originality and significance" (Romanic Review, 23, 1932, 258; ebd. 165 ähnlich gegen Royères hymnisches Buch).

575 [4] Zusatz: Seither hat nun zwar A. Orliac (*Mall.*, 1948) *Igitur* beigezogen. Da er aber weder erkundete, warum *Igitur* seinen Ahnen unrecht gibt, noch auch, daß der *Meister* den Würfel im Gegenteil *nicht* „in den Sturm wirft, um dessen vielfache Wirkungen zu ermessen" (220), will er nur die Trauer des ewigen kosmogonischen Untergangs erkennen. Bei P. Beausire (Essai 1942; Mall. 1949, p. 161) findet sich der richtige Satz, daß eine Versöhnung des Willens zum Nichts und des Willens zur Ewigkeit vorliege. Nach Beausire wollte jedoch Mall. sagen, der *Hasard* sei das Meer und die *Zahl gebe es nicht*; „il suffirait que le pilote possédât le secret de la manœuvre à faire, le nombre indiquant la mesure de l'acte qu'il doit accomplir, pour que le navire échappât au naufrage." Nach Claude Roulet (*Elucidation du Coup de Dés*, Neuchâtel 1943; als Thèse der Univ. Genf: *Eléments de poétique mallarméenne*, Neuchâtel 1947, besprochen von Th. Spoerri, Trivium 6, 1948, 233 f.), ist es eine Theogonie: „le Maître désigne Dieu et le Nombre le Christ" (p. 20). Der schiffbrüchige Gott-Tyrann möchte den Sohn, der ihn umkommen lassen will, ins Wasser schleudern, wenn dieser nicht schneller wäre und ihn tötete. Der Vater nimmt das Geheimnis seiner Autorität mit ins Grab. *Nombre*, der in zwei Gestalten auftrete – als Hamlet „en tant que principe" und als Meereswelle (bei R. Lalou, *Hist. litt. fr. cont.*,[4] 1947 als *Hamlet* und *Maître*) – erreiche listig vom Meister seine Erzeugung, herrsche durch Wissenschaft, gehe aber zugrunde. Mauron (Psychan., p. 153, 158, 160) kommt gleichfalls nicht ohne ein „androgynes" Zwitterwesen aus; bei ihm ist „Hamlet" und „die Sirene" eines. – Noch immer überhören die Deuter den Verlauf der Handlung, am radikalsten Soula, der nur eine Sammlung abstrakter Sentenzen ablas. Mir nicht erreichbar: R. Greer Cohn, *Mall.'s Un Coup de Dés*, New Haven 1949, mit Besprechung von S. A. Rhodes (Romanic Review, Okt. 1950). Ganz unverstehbar ist die Dichtung nach der Meinung von G. Fernández de la Mora (*Arbor*, Madrid, Aprilheft 1950), – so wie *A la nue* nach H. Charpentier und Peter Gan („Kauderwelsch"). Ein „chef d'œuvre" nach Lalou (a. a. O.).

576 [1] Dagegen klagt vor dem Eingehen ins Absolute der junge Igitur (II), daß der *hasard* den Menschen leiden macht, weil er ihn hamletisch spaltet, „cet antique ennemi qui me divisa en ténèbres et en temps créés" (vgl. zu Anfang von Valérys *L'Amateur de Poèmes* die Schilderung des Wechsels zwischen aktiven und rezeptiven Stunden).

576 [2] Da G. Michaud dies für das Ergebnis „alles" Geschehens hält (Message, 1947, p. 455), scheint ihm die Dichtung „terriblement triste". Mauron wirft Mall. sogar vor, mit dem Hoffnungsstrahl am Schluß „une absurdité" begangen zu haben (*Psychan.*, 1950, p. 161); der Titel bedeute, jedes Denken – oder (nach Albert-M. Schmidt, *La littér. symboliste*, 1870–1900, P. 1947, p. 15) der dichterische Wurf – sei ohnmächtig (p. 145).

576 [3] Zit. L. Daudet, *Devant la douleur*, Paris 1915, p. 221.

577 [1] An Rodenbach, Mai 93. „Mall. nourrissait une admiration particulière pour la *Fin de Satan*" (F. Gregh mündlich zu J. Schérer, vgl. dessen *L'Expr.*, 1947, p. 157).

578 [1] Die strenge Satzlogik ist jedoch derart verdeckt, daß ein Kritiker gerade das äußerste Gegenteil festzustellen meinte, nämlich ein „chaos fondamental" und die vor aller Überlegung liegende, rohstoffliche (*brut*) Prae-Logik: Beausire, *Mall.*, 1949, p. 157.

578 [2] Aus *Igitur* kennt man den Zufall als tröstlich. A. France sah nichts außer dem Zufall, Claudel dagegen bestritt ihn total. Ganz anders versteht Nietzsche das Würfelwerfen gegen die Götter als ein Sternen-ballett der Zufälle (P. Lauterbach et A. Wagnon, *A travers l'œuvre de Fr. Nietzsche*, 1893). Am ehesten verwandt scheint mir bei Novalis – dem Dichter der „Sehnsucht nach klarem, heißem durchdringendem Äther" (an Fr. Schlegel, 18. 6. 1800) – der Zufall als zugehörig zum Los der Welt gedeutet (Werke, ed. Kluckhohn 1929, II 337). Sein *Ofterdingen*-Märchen beginnt am Sternenhimmel, welcher das Reich des *Zufalls* ist („Arctur, der Zufall, der Geist des Lebens": an Schlegel, 18. 6. 1800). Seit dem Scheiden Sophies zerbrach die Ur-Einheit, und Arcturs Tochter Freya (ihr war zu danken, wenn in der Erde, als Magnetkraft und als elektrischer Strom, Sehnsucht zum Firmament zurückblieb) erstarrte in eisigem Glitzern. Den Herrscher *Zufall*-Arctur löst Eros, der Held des irdischen Menschentums, ab, sobald ihm gelang, mit Hilfe von Fabel (= dem Dichtertum) Freya zu erlösen und am starren Firmament Be-wegung zu schaffen. – Eine unmittelbare Kenntnis des Märchens (obwohl es in zwei englischen Übersetzungen vorlag) ist bei Mall. unwahrscheinlich.

578 [3] Johansen (Symb., 1945, 315) bezeichnet es als einen Irrtum in Wais, *Mall.*[1], 1938, daß dort – eine Seite zu früh – das weiße Gefieder, da Mall. es doch nur sekundär-assoziativ aus dem weißen Schaum des Abgrunds ableitet, für mehr gehalten wurde „qu'une périphrase pour la propre écume de la mer". Alles auf S. 3 des *Coup* sei noch „purement décoratif" (316). Aber warum eigentlich, da Johansen doch für S. 1 und 2 zustimmt, daß sie voll an Sinngehalt sind (312)? Gegen Johansen spricht seither mein Hinweis, daß Mall. dieses Gefieder von Beginn an als ein Sinnbild – für Lucifers Aufschwungsehnsucht, in Hugos Satan – kennengelernt haben dürfte; schon 1883 hat der „vieux Rêve" eine *aile* (Quand l'ombre).

579 [1] Dem „prince amer de l'écueil" (vgl.: Naufrage cela direct de l'homme sans nef) muten dagegen ein reales Schiff an: M. Raymond (in: *Essais sur Mall.*, 1942, p. 58), Beausire (*Essai*, 1942, p. 157), Michaud (*Message* 455), Orliac (*Mall.* 220), Soula (*Gloses*, 1946, 218). Johansen stimmte meiner Interpretation zu.

579 [2] *la manœuvre avec l'âge oubliée*. Johansen, *Symb.* 1945, p. 315/16, meint, ich hätte diese Worte in irgendeinen, ihm selbst nicht ersicht-lichen Zusammenhang mit dem Schiff bringen sollen.

579 [3] Wirkt wie eine äußere Parallele zur weißen Halskrause Igiturs; die schwarze Samtkleidung ist beiden gemeinsam.

579 [4] Johansen, *Le Symb.* p. 318, erwähnt mich, um abermals (vgl. Anm. 573[1]) zu äußern, ich hätte hier einzelne Worte (jetzt die ihm nicht verständlichen *nef . . vaine* bzw. *n'importe/ou*) vergessen oder stillschweigend übergangen.

579 [5] *le legs ayant . .* An dem von mir formulierten Satz möchte Johansen ergänzt wissen (*Symb.*, 1945, 319): „Cette interpretation . . ne jette pas la lumière sur la distribution syntactique. Si l'on se souvient que *ayant* se rapporte probablement à *legs* on comprend à peu près ce passage": s. Anm. 579[4].

580 [1] Vgl. Svend Johansen, *Le Symbolisme*, 1945, p. 322.

580 [2] Mit der gleichen Absicht, die Mall. ursprünglich durch zwei (typographisch hervorgehobene) Wörtchen *Si tu* ausdrücken wollte, „pareils à deux doigts qui simulent en pinçant la robe une impatience de plumes vers l'idée" (zu Claudel). Das zeigt, daß ihm das bloße Bild der *Feder* anfangs nicht zureichte; ursprünglich sollten also *zwei Finger* (der Meerweib-Mutter) den Zögernden *zupfend* mahnen. Was Mall. zu V. Hugos *Feder* hinzutat, das Ungeduldige, war seine Erkenntnis aus dem Schwanenballett (*Div.* p. 176): une impatience de plumes vers l'idée. – R. Lalou (a. a. O. [4] 1947, I 72) schrieb: „die Feder, Sinnbild des schriftstellerischen Sichmühens, geht also unter wie das Schiff, welches das lebendige Sichmühen trug". Meine Deutung der *Feder* wird durch G. Davies, der eine Schrift über den *Coup* ankündigte, akzeptiert (Tomb. 1950, 50).

582 [1] Stabend (Vers 1, 3, 7, 9, 13, 14) mit Binnenvokalreim (1, 2, 6, 12, 14) und dauernder Binnenkonsonanz.

582 [2] Noulet vermutet in *baves* einen Verlegenheitsreim (*Dix poèmes*, 1948, 136) und erfaßt nicht den Vorgang des angeblichen „poème désespéré" (p. 138). Mauron (*Psychanal.* 1950, p. 158) deutet: „faute d'une si haute proie" – der Schiffbruch sei gemeint. Johansen stimmte p. 325 ff. meiner Interpretation zu.

582 [3] Anregung vermute ich durch den Beginn von V. Hugo's *Vingtième Siècle* (*Légende des S.*): „L'Abîme: on ne sait quoi de terrible qui gronde . . Partout les flots", deren Dunkel von dem des wolkigen Raums nicht zu unterscheiden ist. Etwas Häßliches sieht man auf dem Abgrund (gouffre) treiben, „on ne sait quel cadavre à vau-l'eau dans la mer". Der Schaum (écume) zeigt und verbirgt Schiffstrümmer, „le grand mât vaincu". *La houle éperdument furieuse saccage* die Meeresstelle, wo vorher das Schiff war. „Personne; le néant, froid, muet, étonné . . Le tangage qui bave". Ein Strahl fällt aus einer Wolkenritze, der Name des untergegangenen (sinnbildlichen) Schiffs wird erkennbar.

582 [4] Oder noch deutlicher (nur verunklärt durch die Satzzeichen-Streichung) mit Komma vor *enfant:* „(ertränkt wurde) der Leib, welcher der Sohn einer Sirene war". Diesen Vorschlag bevorzugten seither Usinger, Johansen (*Symb.* 128, 327), Mauron (*Psychan.* 159), Gan (Neue Rundschau 1950, 439). Schwerlich wird ja Mall. der preziösen Antithese *cheveu blanc-enfant* haben widerstehen können. Nicht diskutierbar dagegen, daß das Haar eines „jungen Sirenenleibs" (G. Davies, *Tomb.* 169) von weißer Farbe war. Das weiße Haar samt der Situation wurde, wie mir scheint, angeregt durch die Anfangsverse von Hugos *Fin de Satan:* La plume, seul débris qui restât des deux ailes / de l'archange englouti dans les nuits éternelles / était toujours au bord du gouffre ténébreux. / Les morts laissent ainsi quelquefois derrière eux / quelque chose d'eux-même au seuil de la nuit triste; / sorte de lueur vague et sombre, qui persiste.

584 [1] „Hors nous-même, l'univers est le domaine sans borne du Hasard. Toute action humaine certifie le hasard qu'elle voudrait nier; par le seul fait qu'elle se réalise, elle emprunte au hasard ses moyens. Mais le hasard en peut faire jaillir un monde" (zit. bei Mockel, St. M., un Héros, 1899, p. 48).

587 [1] Parallelität und Symmetrie dieser beiden *Reihen* vgl. Naumanns Aufsatz.

587 [2] Rosny aîné, *Torches et lumignons*, Paris 1921, p. 79 f.

589 [1] *Coup:* irrésistible .. en foudre = *Hér. Ic:* comme un viril tonnerre / du cachot fulguré ..

IV. ABGLANZ DES ABENDS

591 [1] Einige Hinweise in meinem Aufsatz *Die pessimistische Literaturgeneration von* 1880 (German.-Romanische Monatsschrift, XIX, 371 f.).

593 [1] *santal:* beliebt bei Banville, in Mendès *A celle que je n'aime pas* (Intermède) und *La délicate* (1864), auch bei Cazalis (*Langueur nocturne*). Eindeutig der *Sainte* nachempfunden ist Valérys *Elle est morte Plathis* (L. Spitzer, in der Zeitschr. *Renaissance*, 2/3, p. 311 f.). Vgl. auch Rimbaud: Vers le chœur ruisselant d'orrie et la maîtrise .. *(Les Pauvres à l'église*).

593 [2] recéler à .. Daß das Fenster die Instrumente verberge (Soula, Noulet), verstehe ich nicht. Für Gengoux (*Symb.* 217) ist *fenêtre* und *vitrage* identisch.

593 [3] Sainte à vitrage d'ostensoir / pour clore la harpe par l'ange / offerte avec son vol du soir / à la . . . (A).

595 [1] Daß „dies Feuer" des funkensprühenden Sonnenuntergangs erst assoziativ aus dem Blondhaar Mérys entwickelt worden sei, kann man

sich zwar hinzudenken, doch auf der gar nirgends erwähnten *Chevelure*
eine Interpretation aufzubauen wie Soula (*Symb. de la Chev.*, 50) und
Naumann (*Sprachg.* 18), muß notwendigerweise in die Irre führen. Unhaltbar zu Vers 2: Ch. Chassé, RHLF 51, 1951, 217.

596 [1] So ist auch die Befreiungsmetapher *matin* in Fass. B des *Pitre*
beide Male gestrichen.

596 [2] *St. M.* II (L'Hérault, 6. 3. 1912).

596 [3] *Obras*, Madrid 1881, II, 53.

597 [1] So ließ sich, durch die Ähnlichkeit des Vorhangs mit dem Fahnen-
tuch, mit unauffälliger Kunst zu dem ja völlig neuen Motiv von B, dem
Ruhm, überleiten.

597 [2] Ein verwandtes Thema finde ich in Glatignys Gedicht *Musique
militaire*, in seinem (1868 polizeilich eingestampften) erotischen Zyklus
Joyeusetés galantes et autres du vidame Bonaventure de la Braguette,
Luxuriopolis 1866 (Privatdruck): Anrede des Dichters nach der Liebes-
nacht an die neben ihm ruhende Geliebte; ihr Liebesglück verstärke
sich dadurch, daß gleichzeitig ein Morgensonnenstrahl das Fleisch der
Geliebten streife und vor dem Haus ein Regiment mit klingendem Spiel
vorüberziehe.

597 [3] Baudel.'s *Chevelure:* ,,ma main dans ta crinière lourde / Sèmera
le rubis, la perle et le saphir''. Diese Stelle, am Schluß von Mall.'s *La
Chevelure* noch enger übernommen, weist ihrerseits auf den Schlußvers
von Claude de Mallevilles Sonett *La Belle Matineuse* (Fassung c) zurück,
wo von der Morgenröte gesagt wird: ,,Et semoit de rubis le chemin du
Soleil''. Vgl. Théophile de Viau: ,,Je baignerai mes mains folâtres / dans
les ondes de tes cheveux . .'' Über lyrische Ekstase zum Thema ,,Haar''
vgl. aus Keats, Aubanel, Banville, Baudelaire, Moréas: Wais, *Mall.*[1], 433[1].

597 [4] Beausire nimmt *doute* (dessen Beziehung zum *Auge* er nicht beachtet) als die geistige Geringschätzung der Körperlichkeit. Aus seiner
Theorie vom nihilistischen Wesen des Geschlechtsakts schließt er (*Mall.*
1949, p. 153), der Liebende ersticke die Glorie (des Dichtertums). Es
heißt: den *Schrei* der Glorien!

598 [1] In Gautiers Sonett *Versailles* (ebenfalls in Vers 9!): ,,ton royal
amant''.

598 [2] Im Manuskript: ,,éployer'' (RHLF 33, 1926, 487). Zugleich symbolistisch eingemengt die Halluzination: die Abendsonne erfüllt im
Westwärts-Sinken sich in höchster Schönheit.

599 [1] Auf das Zerstörende einer Flamme gründet Beausire (*Mall.* 1949,
p. 153ff.) seine nach *Trist. d'été* verallgemeinerte romantische These von
der Liebe als Drang zum Nichts. Schon allein der Schlußvers macht es
undenkbar, in diesem Gedicht von ,,négation et dissociation . . ruiner

la postulation cardinale du poète" zu sprechen. – Das *Bewegte* der Flamme könnte man, im Gegensatz zum Zur-Ruhe-Kommen (*se pose*), als Kontrast zwischen möglicher erotischer Erfüllung und spröder Bescheidung deuten.

599 ² Bei der Stelle *sans or soupirer* möchte ich das in der metrischen Senkung stehende *or* nicht, wie bisher üblich, mit „Gold" übersetzen (Noulet: *les lampes éteintes*), sondern es als die eingeschobene Konjunktion „nun" verstehen: *sans soupirer, le héros nu . . diffame . . .*

599 ³ *continue:* bei Soula als Eigenschaftswort mißverstanden; meine Auffassung von V. 7–8 seither bei Noulet. V. 14 bezieht sich auf *semer*, schwerlich auch *écorche* („tilgt", übersetzt P. Gan fälschlich: Das literar. Deutschland 2, 1951, Nr. 11; auf Grund der Meinung von Noulet, L'Œ. 459, das *écorcher* geschähe durch die Rubinen = das Haar). Falls es doch so wäre, müßte man *écorche* wie Soula (*Symb. de la chev.* 42) übersetzen: „reißt strahlend die Dunkelheit (des Zweifels) auf".

600 ¹ Neuausg. 1925, p. 224. Diese einseitige naturmythische Deutung der Märchen wurde damals von Saubert, Gubernatis, Lefèvre und besonders Hyacinthe Husson (*La Chaîne traditionelle*), noch neuerdings von Pierre Saintyves vorgetragen. Parodiert durch A. France (*Barbe-Bleue*).

600 ² B: *der schöne Selbstmörder* (vgl. „le vespéral Phénix"); in derselben Verwendung auch in *Div.* 331. Belege für die Verbindung von Sonnenuntergang und Tod bei Naumann, Spr. 17. Vgl. V. Klemperer, *Victorieusement fui*, Zur Bewertung M.'s (Germ.-Rom. Mon. 15, 1927). Daß der Sprecher Selbstmord begehen wolle, behaupteten A. Poizat (*Le Symbolisme* p. 88: in der Schlacht von Actium!), Soula (*Gloses*, p. 127), Beausire (*Mall.* 1949, 150 f.); die Arbeit an einem Gedicht – thibaudetgläubig – meinte Noulet geschildert, und René Dumesnil (*Le Réalisme*, P. 1936, 387) versicherte geheimnisvoll, die Erklärung für V. 1 finde man im *Igitur*. Auch einen Eigensinnigen aber müßten jetzt die neuen Lesarten (A₁) überzeugen: *sur l'horizon s'apprête* und *les cieux évanouis*.

600 ³ „Crime! bûcher! aurore ancienne! supplice! Pourpre d'un ciel!" wird in *Hérod. I A* der Morgenhimmel apostrophiert. Der Abendhimmel als Sterben der Sonne in ihrem Blut bei Baudelaire: Th. Spoerri, *Über ein Sonett M.'s*, in Festschrift Tappolet, 273. Mall.'s Vorstellung des Dichters *Baudelaire* verkörpert sich denn auch im zuckend beleuchteten „Tränenfall" eines Abendhimmels: une incompréhensible pourpre coule – du fard? du sang? . . La nuit ne prolonge que le crime, le remords et la Mort (Symph. II B).

600 ⁴ Von einer solchen ist die Rede in Mendès' *Funérailles*, wo der grausige Abendhorizont verglichen wird einem Begräbnis *au caveau sépulcral*: „Comme on tend de deuil la maison / Au jour fatal des sépultures, / L'ombre vêt de noires tentures / La façade de l'horizon" (in den M. gewidmeten *Soirs moroses*).

600 [5] Gegenüber der Begriffssphäre des Wortes *rire*, wie sie in Naumanns *Sprachg.*, p. 24, umrissen ist, gab ich in der Besprechung dieser Diss. (in Herrigs Archiv 172 p. 190 n.) Beispiele, daß bei M. *rire* häufig den Charakter jäher, satanischer Grausamkeit besitze. Volle Beweiskraft für в hat es nicht; eine zweite Deutungsmöglichkeit wäre: Freude, falls er diese Sterbegloriole am Abendhimmel heute doch nicht zum letztenmal erlebe (in а: schon tausendmal).

600 [6] „La Maladie et la Mort font des cendres / De tout le feu qui pour nous flamboya" (Baudelaire, *Un Fantôme*).

601 [1] Die blonde Göttin der Mode bei Banville „Sur leurs pâles coussins, plus doux qu'une caresse, / Repose un front couvert des ornements royaux" (*Palais de la Mode*).

601 [2] Die beiden (dem Geschmack von 1900 so sehr entsprechenden, auch von George übersetzten) Schlußverse waren lange vorher schon für *Hérod. II* bestimmt: s. Wais, *Doppelfassungen frz. Lyrik*, Halle 1936, p. 30, mit Belegen für das Helm-Haar-Bild bei Keats und Baudelaire. Es begegnet auch in einigen *Vers de circ.* auf A. Holmes, auf Mérys „widerspenstigen blonden Helm" und auf die kleine blonde Jeannie „casquée de lumière". Der Kindheitstraum von der „fée au chapeau de clarté" (*Apparition*)!

601 [3] ed. H. Mondor (*Mallarmé plus intime*, 1944, p. 243).

601 [4] Liest man nicht *obscurci de cristal*, so ergibt *obscurci* nur Trivialitäten (Noulet, *L'Œ.* 488: soit parce que le bouquetier est rempli, soit parce qu'il est vieux).

602 [1] Statt *Dame* hieß es in Fassung а „*Méry*", ebenso statt *disons*.

602 [2] AB: si le ciel avec orageux passe.

603 [1] In а ist V. 3 noch deutlicher ein *trimère:* qui splendide et naturelle et lasse / même du voile lourd de parfums se délace.

603 [2] *La rose* ist hier wirklich ein Bild. Als Begriff für *Mund* (Soula, *Symb. de la Chev.* 14; Naumann, *Spr.* 22) oder *Lächeln* (Naumann) oder *Liebesglut* (Nobiling, *M.'s Dame sans trop d'ardeur:* Neophilologus, 14, 1928, 178) wäre es nur in *Rondels II* möglich; ebensowohl könnte es auch etwa auf die feinen Finger eines Mädchens angewandt werden (*Vers de circ.*, 172). In der kühnen Bildverschränkung dagegen durchaus verwandt die von Naumann aufgewiesene Stelle *Hérod. II:* „j'effeuille . . les pâles lys qui sont en moi".

603 [3] Mit Ellis (p. 131) und Naumann (p. 109) ließe sich auch an eine Parallele von *blanc habit* und *chair* denken, wodurch *de pourpre le délace* Einheit würde („qui, lasse du blanc habit en dénoue les lacets de pourpre": A. Coléno, *Portes d'iv.*, 1948, 170). Nun hat aber die (bisher nie aufgewiesene) Fassung а Kommata nach *qui* und *pourpre* und in V. 4

sous statt *dans*; Ungenauigkeiten des nicht unfehlbaren Abschreibers Montesquiou wären allerdings möglich (so in V. 1 *aurore*; ebs. Thibaudet, *Poésie*, 76). Gengoux (p. 162) faßt das Gedicht als eine Bitte des Liebhabers auf „de ne pas exiger une passion trop violente", Mauron (*Psych.*, p. 110) umgekehrt als Beweis für Mérys ruhige Art. Noulet *(L'Œ.* 477; zustimmend: Mondor, *Vie* 724) interpretiert es als Entkleidungsszene und V. 4/5 als obszön.

603   ⁴ In A *D'où* statt *dont*, das ursprünglich V. 12 statt *dans* stand.

603   ⁵ Theoretisch in *Petit traité de poésie fr.*, Echo de la Sorbonne, 1870, (P. 1872, p. 185 f.).

603   ⁶ 25. Sonett von G. Colletets *Amours de Cloris:* „. . bouche, / qui formez d'une rose un air délicieux", oder noch kühner bei A. Chénier, dessen Nachlaßfragmente Mall. in *D. Mode* besprach: „Une bouche où la rose, où le baiser respire" (*Elégies*, p. 277). *Kuß* als *Rose:* L. Karpa, *Themen der frz. Lyrik im 17. Jh.*, Diss. Bonn 1933, 27.

603   ⁷ *. . . Nämlich dein Reden; . . wo doch Schweigen besser wäre!* Der warnende Sinn geht erst aus Fassung A eindeutig hervor: „Avec la bouche sans le dire, / Cette rose tu l'interromps / Et verses du silence pire. // Aucuns traits émanés si prompts / Que de ton tacite sourire" (in der Original-HS, P⁵: ne l'interromps / en versant). In B₃ nehme ich, dem altertümelnden Stil des Rondel gemäß, Einsparung des *tu* an; Imperativ wäre sinnlos.

605   ¹ A: Sans voir entre tout ce qu'on loue (B: Sans que l'haleine seule avoue).

605   ² A: Nos vains souhaits émerveillés / de la beauté qui les déjoue, / ne contiennent, fleur (B *connaissent, fleurs*) sur la joue.

606   ¹ Zit. Mondor, *Vie*, p. 676; einige hier sich zeigende typische Züge M.'s hebt J. Schérer (*Notes sur les Contes Ind. de M.:* Mercure 1. 1. 38) heraus. Erste Ansätze zu einer vergleichenden Auswertung gegenüber M. Summers Text: C. Cuénot, *Sur les Contes ind.* (ebd. 25. 11. 38).

607   ¹ Wais, *Mallarmés Neuschöpfung eines Gedichts von Keats* (Zts. f. frz. Spr. u. Lit., 1936, 60, 183–196). Meine dort hergeleitete Auffassung von *guivre* seither bei E. Noulet (*L'Œ.* 455); in *Frisson d'hiver* (wie in Nerval, *Petits châteaux de Bohème*) sind schlangenartige Ornamenttiere überhaupt gemeint. Eine bei Keats nicht vorgebildete Einzelheit übernimmt Mall. aus seinem Dezembergedicht *A un poète* (les pieds au feu . .).

609   ¹ *Unter dem hyazinthenen Sein ihrer triumphalen Vergangenheit.* Sogar dafür dürfte der Mythologe Mall. eine antike Historikernotiz gekannt haben: daß durch Windströmungen sich ein auffallender Schaumkranz um die Insel zu legen pflegte.

609   ² Le Populaire, 21. 7. 1932 (XV, 3452); D. Halévy, *Pays Parisiens*, 1932, 104 f.

V. ANASTASIUS UND PULCHERIA

610 [1] In Mall.'s Jugend-Erzählung *Ce que disaient* . .

610 [2] Zu Rosny (*Torches et lumignons*, 1921, p. 79) und Rodenbach. Hofmannsthal wollte am Schicksal des Elis in seinem *Bergwerk von Falun* (1899; Akt 2–5 in: Corona, 1932) den „Versuch" darstellen, „in die Präexistenz hinüberzugelangen, in jene höchste Welt, deren Bote der Tod ist".

610 [3] Ungehemmt spricht er sich noch am Schluß von Rimbauds Früh- werk *Bateau ivre* aus.

610 [4] E. T. A. Hoffmann griff in seinem großen mythischen Roman- fragment *Johannes Kreisler* das Thema gleichfalls an. Bis zu ihrem drit- ten Lebensjahr leben das Kind Johannes in seliger Gemeinschaft mit einer Harfenistin und Hedwiga mit einem genialen Maler. Dann sieht jählings Johannes sich einem sarkastischen Musikpräzeptor gegenüber und Hedwiga sich einem mordsüchtigen Irrsinnigen (Einfluß der Polari- tätslehre H. G. Schuberts vom „versteckten Dichter" und „versteckten Mörder"). Nach seinem Bamberger Umgang mit dem Schelling-Anhänger Markus hatte Hoffmann Schellings *Weltseele* gelesen. „Die Natur haßt das Geschlecht, und wo es entsteht, entsteht es wider ihren Willen. Die Tren- nung der Geschlechter ist unvermeidbares Schicksal, dem sie, nachdem sie einmal organisch ist, sich fügen muß" (Schelling). Diese Lehren hatte in Heidelberg der Schellingschüler Creuzer an Edgar Quinet weitergegeben.

611 [1] Mit Ch. Mauron, *Psychan.*, 1950, p. 177 f. Dagegen vermutete Mondor einen unbekannten Vorfall in den achtziger Jahren als Anlaß (*Vie*, p. 450). Aber seit 1873 sind die Beziehungen Mall.'s zu Cazalis nur noch beiläufig; daß Cazalis in seinen Lebenserinnerungen nichts über Mall. sagt, hat Mondor selbst verwundert. Eher noch würde ich denken, „der krumme Doktor / macht sich kläglich aus dem Staub" könnte sich auf Cazalis' Trennung von seiner nach Selbständigkeit als Schriftstellerin dürstenden Braut Ettie beziehen. Mall. hatte brieflich zwar zunächst vor einem Bruch gewarnt („vermögen eure Seelen denn nicht, dem idealen Traum zudank, aus einer Bitternis ein Glück zu machen?"). Doch fand er sich rasch in die Heiterkeit des offenbar ziemlich erleichterten Aus- reißers hinein. An eine Gleichsetzung des *Anastasius* mit dem Orientalisten Cazalis ließe der Vers „C'est tout l'Orient" denken. Wer war Barrois ?

612 [1] Wais, *E. A. Poe und Mall.'s Prose pour Des Ess.* (*Quellenstudien zu Mall.* II: Zeitschr. f. franz. Spr. u. Lit. 61, 1937, 23 f.). Vgl. M. Muner, *Per la comprensione di Pr. p. des Ess. del Mall.* (Rendiconti dello Stabilim. Lomb. di sc. e. lett., Cl. di lett. 77, II, 1943/44).

612 [2] Auch bei frühen französischen Schülern Böhmes wie Foigny (*La Terre Australe connue*, 1676) und Antoinette Bourignon (*Le Nouveau* *ciel et la nouvelle terre*, 1688). Der Böhme-Schüler Baader baute auf der etymologischen Mystik von Sünde (zu *sundern*, sondern, aufspalten) und Versöhnen (expiare, reducere in gratiam) eine Lehre von der „Wiedervereinigung getrennter und entzweiter Dinge" auf: *Gedanken aus dem großen Zusammenhang des Lebens* (Allgem. Zeitschr., Nürnberg 1813).

612 [3] Französisch *prose* heißt im Deutschen *Sequenz*. Zur „Hymne . . rimée" (Littré) wurde diese ihrem Wesen nach reimlose Gattung erst in späterer Zeit, als sich Prosare und Hymnare vermengen.

613 [1] Joris-Karl Huysmans, 1880 durch Emile Zolas Kritik an den *Sœurs Vatard* (Huysmans teile Goncourts Unfähigkeit zu Gesamtgemälden) diesem entfremdet, erbat sich im Okt. 1882 Mall.'s *Hérodiade* und *Pénultième*, mit der Ankündigung eines Romans: „der letzte Sproß eines großen Geschlechts flüchtet aus Ekel am amerikanischen Leben, aus Verachtung vor der uns überflutenden Geldaristokratie, in eine endgültige Einsamkeit". Das war der Roman *Gegen den Strich*, der noch in seinen Nachahmungen wie O. Wildes *Dorian Gray* und D'Annunzios *Trionfo della morte* (März 1894) fortlebt. In seinem ausführlichen Dankesbrief für das Buch (18. 5. 84, *Propos* 115 f.) sagt Mall., hier habe er erlebt, daß es noch eine zweite Art von *gloire* gebe, neben der Bejubelung eines Künstlers durch das Volk: „de se voir, lecteur d'un livre exceptionnellement aimé, soi-même apparaître du fond des pages, où l'on était à son insu et par une volonté de l'auteur". Nach der Widmung der *Prose* dankte Huysmans am 14. 1. 85 „für diese entzückende künstliche Reise, die in *A rebours* nicht vorkommt, die Sie aber ungeheuer ausgeziert haben". – Später soll Huysmans Mall. gegrollt haben und absichtlich nicht zu dessen Beerdigung erschienen sein.

613 [2] Den Vers zitiert Sokrates, in Valérys Dialog *Eupalinos* (p. 95: le très admirable Stéphanos, qui parut tant de siècles après nous).

614 [1] Vgl. den Gegensatz der *bleichen Rosen* seines Gehirns zu den echten, naturhaften, in *Las de l'amer*. Daß die Reihenfolge: Weite Reise, Blühender Garten, Weihevolle Begegnung sich in der erzählerischen Handlung wiederholt (Soula, *Essai sur l'hermét.*, 1926, 28, 31; Noulet, *L'Œ.*, p. 414) könnte allenfalls Zufall sein. – Mein Hinweis auf den sarkastischen Sinn in den (ursprünglich drucktechnisch vom Rest abgetrennten) ersten acht Versen seither nur bei Mauron (*Psychan.*, p. 178 f.), der aber unter *hyperbole* das Entkörperungsabenteuer von 1867 verstehen möchte.

614 [2] Vgl. Huysmans' Nachfolger Bloy: „dans l'état de chute la beauté est un monstre".

614 [3] Keineswegs allein die Literaturkritik, wie Thibaudet (*Poésie*, 409), Nobiling (*M.'s Prose pour Des Ess.*, Zts. f. frz. Spr. u. Lit. 51, 1928, 424 f.), Soula (*Essai l'hermét.*, 1926, 27) meinten. – Seither, neben H. Charpentier (Le Point, 5, 1944, 64), C. Bo, *Mall.* 1945, 43, Clouard (*Hist. litt.*,

.1947, I, 50) und Lalou (die Blumen=Vokabeln: *Hist. litt.*,⁴ 1947, I, 158),
noch dogmatischer Noulet (*L'Œ.* 254): das Gedicht „se contente exclu-
sivement de peindre la mystérieuse aventure de la Création poétique ..
la théorie littéraire de Mall. .. système très cohérent". Der *herbier* bedeute den Wortschatz, mit der Schwester sei die Allegorie der *Geduld*
gemeint: „Cette compagne de voyage, il l'a déjà nommée ... c'est la
patience qui l'assiste et l'accompagne (p. 259). V. 9–12: „Le sens de la
strophe est clair: en compagnie de sa patience, il a tenté une œuvre qui
lui permet de comparer la beauté du réel et la beauté de l'Art" usw.
(ebenso in Noulet, *Dix poèmes*, 1948; vgl. „ampleur .. c'est un mot de
louange", p. 69); gegen diese These Noulets jetzt Michaud, *Message* 320.
Gengoux übernimmt gleichfalls die Deutung als *Poetik*; der Gegenstand
des Gedichts sei „la Valeur du Néant"; die Schwester bedeute *la race*,
im Sinn des Igitur (*Symb.*, 1950). Nach Mauron (*Mall. l'obscur*, 1941,
p. 126) wäre die *Schwester* als Méry Laurent anzusehen.

614 ⁴ Im gleichnamigen Buch der Fichte- und beginnenden Hegel-
begeisterung bei Barrès, – dem Jugendfreund des deutsch versippten
de Guaita (Bettina Brentanos Schwester heiratete den Frankfurter Bürgermeister G. Fr. von Guaita: Baldensperger, RLC, 1925, 104 f.). Der
Sprecher des phantasie- und organismusfeindlichen Rationalismus heißt
in Barrès' *Jardin de Bérénice* Charles Martin. Dagegen ist Berenike das
still ahnende Unterbewußte, im Sinn von Goethe und besonders Ed. v.
Hartmann, den Barrès (Taches d'encre, 5. 11. 84) damals durch Nolins
Übersetzung 1877 und Renans Kritik (Journal des Débats, 7. 10. 84)
kennenlernte. Der Held des Romans versucht eine versöhnende Synthese, indem er Charles und Berenike vermählt; aber Berenike stirbt
daran. Zu Barrès und Hegel bes. S. M. King, *M. Barrès – La Pensée
allemande*, Paris 1933. – Vgl. bei E. T. A. Hoffmann die „profanen Gelehrten" (*Brambilla;* plagiiert in H. de Latouches *Fragoletta*), Mosch
Terpin (*Klein-Zaches*), Spalanzani und andere „Physikanten" (mit dieser Bezeichnung unterschied man in Heidelberg die beiden Voß und
Paulus von den „Mystikern" Görres und Creuzer).

614 ⁵ Oder: Irisblumen sind wegen ihrer Schönheit Zeugen, daß eine
solche Insel vorhanden gewesen sein muß.

615 ¹ Die „heilige Sprache" des Urvolks auch bei Hemsterhuis, Ritter
und dem Geognostiker Werner, drei Denkern, die auf Novalis einwirkten.

615 ² Die Liste der Druckfehler in VP (u. a. statt *mon antique soin;*
vgl. „son antique âme à laquelle il croyait": *Villiers* A), die Mall. an
Gosse schickte (16. 12. 92), mißbrauchte dieser nach Mall.'s Tod – jetzt
dürfe man ja aussprechen, daß Mall. *schwerlich ein Dichter gewesen* sei
(Saturday Review 17. 9. 98; Vanity Fair 22. 10. 98) – alsbald dazu,
in Abänderungen seines ersten Aufsatzes (The Academy, 43, vom
7. 1. 93) sich über Mall. lustig zu machen: er gab sie als Original-

lesarten aus (*French Profiles*, [1]1905, [2]1913: R.-A. Lhombreaud, RLC
25, 1951, 356f).

616 [1] ed. Mai 1896. Der *Traité* rief eine Gegenschrift von P. Louys
hervor: *Léda, ou la Louange des Bienheureuses Ténèbres.*

616 [2] Gleich dem *pacte dur* literarischen Ruhmes, ,,pour qui jadis j'ai
fui l'enfance / adorable des bois de roses sous l'azur / naturel" *(Las de
l'amer)*? der 5000jährigen Geisteshybris, von der Bulwers *Zanoni* wie
Igitur abfiel?

617 [1] ,,Eher vielleicht ein Wort der in allem (Selbst)vertrauen enttäuschenden Feststellung, .. das Wort einer Zuversicht, die ein Irrtum über
schon verborgene Wahrheit ist", regte Richard von Schaukal (Brief an
Verf., 20. 6. 1939) an.

617 [2] Die Schlußtöne klingen, wie mir scheint, verwandt mit dem
Schluß von Ulric Guttinguers (1785–1866) *Souvenir* an seine tote Gattin
Virginie: er schaut einen verborgenen grabesfernen Altar im Grünen:
,,Point de mort, de débris portant le doute à l'âme, / un bocage sacré
qu'éclaire un nom de femme .. / Un doux nom qui s'entend, un seul
nom! Virginie!" Assoziation Mall.'s mit Poe's Virginia (oben 563[2])? In
Ghils *Prose*-Nachahmung, der ,,Pastoralsymphonie" *(Geste ingénu)*, heißt
das Paar Arsène und Virginie.

617 [3] Bei E. T. A. Hoffmann ist noch Gottes Auge beteiligt bei der
mystischen Einswerdung des *Ritters Gluck* mit der sich öffnenden Zauberblume: ,,Ich saß in einem herrlichen Tal und hörte zu, wie die Blumen miteinander sangen. Nur eine Sonnenblume schwieg .. Unsichtbare
Bande zogen mich hin zu ihr .. Größer und größer wurden der Sonnenblume Blätter .. das Auge war verschwunden und ich im Kelche". Hoffmann fand die Anregung im Roman *Bonaventuras mystische Nächte*
(1807) von J. A. Feßler, wo der Leitstern des Helden das Einswerden
von Sonnenblume, Iris-Lilie und Rose ist.

618 [1] Mallarmé bei Griffin (Mercure de France 170, 1924, 27).

622 [1] Mallarmé bei Camille Mauclair, *Le Soleil des Morts*, p. 186.

622 [2] *Je disais quelquefois à Mall.* (Vorrede zu: Mall., *Poésies*, Ausgabe
der Cent Femmes bibliophiles, 1932; NRF 38, 1932, 824; Variété 3;
übers.: Neue Rundschau 47 I, 1936, 382 f.).

622 [3] Antonin Proust, *Erinnerungen an Ed. Manet*, Berlin 1917, p. 66.

623 [1] Brief an A. Mockel (Mondor, *Hist. d'un Faune*, 1948, p. 280).

623 [2] *Werke*, Berlin 1933, XVII, 55 (Französisch: Cahiers du Sud, 1938,
265 f.). Ähnlich preist Dujardin als sein Werk ,,seine sittliche Lehre, das
Beispiel, das er gab, und die Sohnesliebe, die er eingeflößt hat"
(*Mall. par un des siens*, p. 6). Er ,,lebte für seine Kunst, erfüllte mit
solcher Reinheit des Herzens und Geistes ihre Pflichten, daß bis in fernste
Zukunft bei seinem Namen die Stirnen und die Gedanken sich vor dem
Wunder eines einzigartigen Werks, dem Beispiel eines verehrungswürdi-
gen Lebens neigen werden" (Régnier: Vers et Prose, 29, 1912, 60).

DIE WERKE MALLARMÉS
UND IHRE ÜBERSETZUNGEN

A. BIBLIOGRAPHIE DER SAMMEL-AUSGABEN

LES POÉSIES DE ST. M. Photo-lithographiertes Faksimile des Manuskripts in 9 Lieferungen. Titelbild von F. Rops. Verlag Revue Indép., (Oktober) 1887 (72 S.; auf Subskription; 47 Stück auf Japanpapier): abgekürzt „P¹".

ALBUM DE VERS ET DE PROSE. Bruxelles, Librairie Nouvelle, et Paris, Libr. Universelle, 1887, Nr. 10 der Anthologie contemp. des écrivains français et belges, 1. Serie, der Reihe *Poètes et prosateurs* (das Jules Huret gewidmete Expl. enthält auf S. 6 zwei Korrekturen von M.'s Hand: Catalogue Giard-Andrieux 30. 11./8. 12. 1933, Nr. 73); 2. Aufl. dat. „1887–1888"; Paris, Vanier 1933: abgekürzt „Al".

PAGES, mit Titelblatt-Radierung von Renoir. Bruxelles, Edmond Deman 1891, 325 Stück (enthält nur früher veröff. Prosawerke, „ma prose la plus satisfaisante selon moi": an Gosse, 16. 12. 92; – Originalhandschrift mit Korrekturen und einer Einleitung von 5 Seiten *Le Tiroir de laque:* Vente André Gide, Ed. Champion 1925): abgekürzt „Pa".

VERS ET PROSE, *Morceaux choisies*, Avec un portrait par J. McNeill Whistler (und *Avant-Dire* von Mallarmé), Paris, Perrin 1893, 1899, ⁵1908, 1912, ¹⁷1927; Paris, L'Intelligence, 1926; Paris, Les Arts et le Livre, 1927; Abbeville 1927; 1929: abgekürzt „VP".

DIVAGATIONS (dat. Valvins, Nov. 1896), Paris, E. Fasquelle, 1897 (1922, 6. Tausend), 1943; Lély 1931; Genève 1943; Skira 1947: abgekürzt „D".

LES POÉSIES. Frontispice de F. Rops. Bruxelles, E. Deman, 1899 (erschien am 20. 2. 1899; 15 Gedichte mehr als P¹; Manuskript mit Druckanmerkungen. Versteig. Kra, 15. 4. 1924): abgekürzt „P²".

POÉSIES (ed. Edmond Bonniot, auf Grund von posthumen Notizen M.'s für eine *édition courante*), Paris, NRF, 1913, 1914, ⁵³1937, ⁶⁴1949. abgekürzt „P³".

VERS DE CIRCONSTANCE, Paris, NRF, 1920. Weitere Gelegenheitsverse bei R. de Montesquiou, *Diptyque de Flandre*, etc., Paris 1921, p. 246f.; und in L'Éventail, Nr. vom 15. 4. 1918; Ergänzungen in P⁵. – *Quatrains* (Zeichnungen von H. Matisse, Milano 1944, 150 Stück).

POÉSIES, Paris, La Compagnie Typographique, 1938 (88 Stück, enthält alle Gedichte von P¹, und weitere): abgekürzt „P⁴".

LES POÈMES EN PROSE, ed. G. Jean-Aubry (30 Zeichnungen von Roger Wild), Paris, Emile-Paul 1942 (2000 Stück auf rosa Vélin-Papier; 50 Stück auf Montgolfier).

Mallarmé-Laforgue-Apollinaire, Anthologie poétique (mit farbigen Illustr. von Lhote, Touchagues, M. Laurencin, Dignimont, Yves Brayer, J. Cocteau u. a.), 1943.

oeuvres complètes, ed. Henri Mondor et G. Jean-Aubry, Paris, NRF, 1945 (Biblioth. de la Pléïade, Bd. 65; enthält alle nachfolgend aufgeführten Texte vor 1945; Ausnahmen sind im folgenden vermerkt):
abgekürzt „P⁵".

propos sur la poésie (ausgewählte Briefe), ed. H. Mondor, Monaco 1946:   *abgekürzt „Propos".*

Sonstige Ausgaben: poésies, Paris, Fasquelle, 1926 (100 Stück, auf Subskription); Paris, „Les Marges" 1926 (portrait gravé d'après Renoir, fig. sur cuivre et sur bois par A. Ouvré); Les Cent une, 1931; Lausanne, Albert Skira 1935 (Radierungen von H. Matisse, 125 Stück); Genève, Skira 1943; *Poésies,* avec *Coup de dés* et *Vers de circonst.,* Lausanne 1945, 1950; *Poésies,* Venezia 1945, Villa d'Este (Como) 1945 (500 Stück); *Œuvres en prose,* Skira 1947; *Poèmes,* texte annoté par Y.-G. Le Dantec, ill. Elie Grekoff, Paris, édit. de Cluny 1948.

Sammlungen von Übertragungen
(abgekürzt „Ü.")

Russisch: Francuzskije poety, ed. J. Novic, Petersburg 1900; Ellis (Kobylinskyj), Immorteli, Moskau 1904; M. Vološin in A. Baulers *Mallarmé*-Aufsatz in der Zeitschrift Voprosy žizni, 1905; J. Tchorževskij, Tristia, Petersburg 1906; Antologija sovremennoj poezii, ed. F. Samonenko und V. Elsner, IV, Kiev 1912; O. Čjumin, Stichotvorenija, II, III.

Tschechisch: Emanuel Lešetický z Lešehradu, Výbor z básní Stéphana Mallarméa (Prosa-Übers.), mit Bild von Vallotton, Prag 1899. *Derselbe:* Souhvězdí, Přeložil a informačními poznámkami opatřil, Prag, E. Stivin 1908 (vermehrt ²1931).
Derselbe: Relikviář St. Mallarméa (entstanden 1898–1918), Prag, A. Srdce, 1919.
Derselbe: (Die Prosagedichte): Vtipné příběhy, Prag 1925, und Skryté divadlo, Básně prózou, Prag, Srdce 1933.

Italienisch: Poesie scelte, trad. in prosa da Alfredo Tristizia, Orvieto 1915.

Tschechisch: Alois Navrátil (Pseudonym von Arnošt Procházka), Anekdoty čili básně prosou, Prag 1915 (300 Stück sign.; Buchreihe der Moderní revue, Bd. 59).

Italienisch: Mall., Versi e Prose. Breviari intellettuali, trad. Federigo Tommaso Marinetti. Milano, Istituto Editoriale Italiano, 1916.

Deutsch: *Der Nachmittag eines Fauns* (u. a.), übers. Erwin Rieger, V. Avalundruck (400 Stück numer.). Leipzig Wien 1920:

abgekürzt „Rieger".

Polnisch: von Zenon Przesmycki, genannt Miriam:[1] in dem Band *U poetòr*, Warschau 1921.

Englisch: St. Mall. in English Verse, transl. by Arthur Ellis. With an introduction by G. Turquet-Milnes, London, Cape, 1927.

Deutsch: Franz Julius Nobiling[2], in *Idealist. Philologie, Jahrbuch für Philologie*. 3, 1927, 322f., 328f.: abgekürzt „Nobiling" 1927.

Derselbe: Mallarmé, *Gedichte*, in: Zeitschr. für franz. Sprache und Lit., Jena-Leipzig, Gronau 1937/38, Bd. LXIf. (erscheint ebd. als Band II der Übersetzungsreihe *Vom Leben und Wirken der Romanen*, hrsg. von Ernst Gamillscheg): abgekürzt „Nobiling 1937/38".

Italienisch: Mall., *Poesie e prose*, trad. L. Paladini, Ancona 1928:

abgekürzt „Paladini".

Mall., *Pagine critiche*, trad. Luca Pignato, Palermo 1928, Messina 1939. *St. Mall., poeta simbolista*, trad. Angelo Maresca. Roma, Tipografia del Littorio 1929.

Tschechisch: Vítězslav Nezval, *St. Mall.* Prag 1931 (Prokléti básníci, Bd. 8).

Spanisch: Alfonso Reyes[3] in: Revista de Occidente 37, 1932, 201f. (Nachdruck in Revue de litt. comparée, 12, 1932, 554f).

---

[1] Über Miriam als Übersetzer s. das Buch *Miriam-Flumacz* von Maria Szurek-Wistz, Krakau 1937.

[2] Zur Beurteilung von Nobilings Übersetzung vgl. Nobiling, *Mall.-Studien im Anschluß an Mall.-Übersetzg.* (Archiv f. das Stud. der neueren Sprachen 1933, 90ff.), und G. Heß, *Bemerkungen zur neueren Mall.-Lit.* (Neuphilolog. Monatsschr. 10, 1939, 300ff.). – Zu Rilkes Mall.-Übertragungen: Marga Bauer, *Rilke und Frankreich*, Bern 1931, 37f.; D. Großmann, *Rilke und der französ. Symbolismus*, Diss. Jena 1938, 35f. – Zur Beurteilung deutscher Übersetzungen seit 1940 vgl. meinen Beitrag zur *Festschrift Fritz Krüger*, Mendoza (Argentinien) 1951 (im Druck); P. Gan, *Notizen zu F. Usingers Mall.Übersetzungen* (Neue Rundschau 61, 1950, 427f.). Die entwaffnende Unkenntnis der französischen Sprache bei K. Reidemeister wurde durch P. Gan (*Anläßlich einer Mall.-Übersetzung:* Das literar. Deutschland, 2, 1951, Nr. 11) nach Gebühr hervorgehoben (doch würde man vorziehen, die Kritik nicht unter das zeitmodische Motto-Stichwort „Die Deutschen . . ." gestellt zu finden).

[3] Vgl. auch Reyes, *Mallarmé entre nosotros*, Buenos Aires 1938.

Englisch: Mall., *Poems*, transl. by Roger Fry (posthum hrsg. von Ch. Mauron), London, Chatto u. Windus 1936.

Deutsch: Mall., *Gedichte*, übertr. von Fritz Usinger, Dessau, Karl Rauch, 1943, Jena 1948:   *abgekürzt* ,,Usinger".

Mall., *Gedichte und Nachmittag eines Fauns*, übertr. Remigius Netzer, Mchn, Piper, 1946:   *abgekürzt* ,,Netzer".

Spanisch: Auswahl von Mall.-Übertragungen in Enrique Diez-Canedo, La poesia francesa moderna, Buenos Aires 1946.

Italienisch: Mall., *Poesie*, trad. Michel Frisia, Milano 1946 (vollständige Übertragung von P³).

Deutsch: Mall., *Gedichte*, deutsch von Rich. v. Schaukal (1939–42), Freiburg i. B., Karl Alber, 1947:   *abgekürzt* ,,Schaukal (1947)".

Mall., *Dichtungen*, in Auswahl übers. Kurt Reidemeister, Krefeld, Scherpe, 1948:   *abgekürzt* ,,Reidemeister".

Ed. Jaime, *Der frz. Parnass*, Hannover 1948:   *abgekürzt* ,,Jaime".

O. Heuschele ed., *Französ. Dichter des 19. und 20. Jahrhunderts*, Bühl 1948:   *abgekürzt* ,,bei Heuschele".

Georg Britting ed., *Lyrik des Abendlands*, München 1948:

                    abgekürzt ,,bei Britting".

B. BIBLIOGRAPHIE DER EINZELWERKE[1]

*Prosawerke werden durch ein * angezeigt. Die Abkürzung P (= Poésies) bezieht sich auf eine der oben aufgezählten fünf größeren Sammlungen von Gedichten Mallarmés. Es ist jeweils der früheste Abdruck genannt, z. B. bedeutet ,,P³" = seit 1913 in die größeren Sammlungen aufgenommen. – Einige kleinere Notizen Mallarmés, die im folgenden nicht aufgeführt sind, findet man in P⁵.*

Ü bedeutet ,,Übersetzung".

Eine Aufzählung der Übersetzungen jedes einzelnen Werks auch in die andern germanischen und romanischen sowie in die slavischen Sprachen, ins Neugriechische usw. bei Wais, Mallarmé, München ¹1938, Bibliographie. Aus Raumersparnis sind im folgenden nur deutsche Übertragungen angeführt, sowie Nachträge für die nicht-deutschen.

---

[1] Für alte und neue Hinweise auf Übersetzungen der Werke Mallarmé's bin ich zu besonderem Dank verpflichtet Dozent Dr. Konrad Bittner, ehemals Prag; Prof. Roberto Biscardo, Neapel; Dr. Hermann Bodeck, Wien-Paris; Dr. Elena Buonpare, Neapel; Prof. Dr. Oswald Burghardt, Münster; Arthur Ellis, London; Dozent Dr. Hans Fromm, Tübingen; Prof. Henri Jourdan, ehemals Berlin; Prof. Dr. Josef Matl, Graz; Bernard Marcus, Paris; André Morize, Dijon; Dr. Alexander Steinmetz, München; Prof. Dr. Dmitrij Čiževskij, Marburg.

contemp., 12. 5. 1866; Belles-Lettres, Sept. 1923; Les Bibliogr. nouv.,
IX, P. 1927, p. 32; und wie A. – D: P¹. – **Ü.:** Nobiling 1937; Schaukal;
Reidemeister.   *51, 90ff., 134, 518, 721, 729*

AUTRE [CRÉMAILLÈRE]: Revue indép., April 1888 *(Crémaillère)*; Vers
de Circ., 1920; P⁵.

*AUTRE ÉTUDE DE DANSE: S. *Les fonds dans le ballet.*

AUTRE ÉVENTAIL: S. *Éventail de Mademoiselle Mallarmé.*

*AUTREFOIS EN MARGE: S. *Symphonie litt. II*, Fass. B.

*AVANT-DIRE (lu par Mlle Moréno avant un concert des œuvres de
R. Hahn donné en 1899 à la Bodinière): Vers et Prose, 19, 1909, 5f.;
P⁵.   *316*

*AVERSES OU CRITIQUE: Revue Blanche, 1. 9. 1895 *(Variations sur un
sujet*, VIII; in 3 Stücken); *Crise de vers* B (s. d.).

AVEU (Febr. 1859, im Heft *Entre quatre murs*): France-Asie, Okt. 1948.
                                                                              52f.

*BALLETS (I). Fassung A: Revue Indép., 1. 12. 1886 *(Notes sur le Thé-
âtre)*; La Wallonie, Juni/Juli 1890. Fassung B: Pa; D; P⁵. – (II):
Wallonie, Febr./März 1890; Pa; VP (s. unter *Seconde Divag.!*); D; P⁵.
                                                                335ff., 644, 751

*BALS MASQUÉS (1861): verschollen?   *650*

*[Beckford] PRÉFACE (1875) A VATHEK réimprimé sur l'original français,
Paris, Chez l'auteur, 1876: 95 Sonderabzüge nach seiner Neuausgabe
Le Vathek de Beckford, P., Ad. Labitte, 1876 (220 Stück); Vanier
1880 (4 Korrekturen Mall.'s bei F. Montel u. M. Monda, Bibliogr.
des Poètes maudits, I 19, P. 1927); Perrin 1893 (gekürzt); P⁵. Im
Auszug (mit je einigen Korrekturen) p. 7–10: D *(Beckford)*; p. 5–7,
9–19, 23–27, 31–34, 38–40: Pa; VP; D *(Morceau pour résumer Vathek)*.
Ü.: Paladini.   *342f., 691*

BILLET A WHISTLER: The Whirlwind, 15. 11. 1890; La Wallonie, Nov.
1890 (betitelt *The Whirlwind*); P². – **Ü.:** Nobiling 1937; Usinger;
Schaukal.   *534*

BRISE MARINE (zwischen 19. 11. 1864 und 10. 6. 1865). Fassung A₁ (HS
Doucet): P⁵. – A₂: P⁵. – B: Parnasse contemp., 12. 5. 1866; P¹; Al;
VP. – **Ü.:** St. George (Blätter für die Kunst, Dez. 1892, I 2, p. 55)
und Zeitgenöss. Dichter II, Berlin 1905 (auch Fr. v. Rexroth, Franz.
Lyrik, Saarbr. 1946; E. Johann, Franz. Ged., 1946; bei Britting);
Schaukal, in Bethge, Lyrik des Ausl., 1907; Schaukal, Das Buch der
Seele, 1908 und 1947; Max Bruns, Gedichte, 1908; Oppeln-Broni-
kowski, Das junge Frankreich, 1908, 48; A. Neumann, Alt- und
neufrz. Lyrik, 1922; Nobiling 1927, 1937; Paladini; W. Petry (Die
Horen 5, 1928/29, 250); Wilh. Willige (Berliner Hefte 1, 1946, 449);
Netzer; W. Hausenstein (Prisma 1, 1946/47, H. 4) und Das trunkene
Schiff, 1950; Georg Schneider, Kleine frz. Anthol., Hamb. 1947; Eva

Scheer, De la musique, Karlsr. 1947; Max Rieple, Das frz. Gedicht, Konstanz 1949. *12, 30, 78, 113, 118f., 210, 250, 522, 582*

*BUCOLIQUE: Fassung A (Fahnenabzug): z. T. P⁵. – B: Revue Blanche, 1. 6. 1895 (*Var. sur un sujet*, V); D (Varianten nicht in P⁵); P⁵.
243, 375ff., 754

CANTATE POUR LA PREMIÈRE COMMUNION. *Chœur* (dat. *Juillet 1858*, Lycée de Sens): Le Manuscrit autographe, 1, 1926, 11f.; P⁵. *50*

CANTIQUE DE SAINT JEAN: S. *Hérodiade*, III.

*CATHOLICISME (I) Fassung A (Fahnenabzug): z. T. P⁵. – B: Revue Blanche, 1. 4. 1895 (*Var. sur un sujet*, III); D *(Offices: Variation)*; P⁵. *311ff.*

(II) DE MÊME. Fassung A: National Observer 7. 5. 1892 *(Solennités)*; fehlt in P⁵; VP (Auszug, s. unter *Seconde Divagation*!). – B (zweite Hälfte): D (*Audition des Chanteurs de Saint-Gervais;* Offices); P⁵.
313ff., 670, 720, 722, 724, 726, 735

*CE QUE DISAIENT LES TROIS CIGOGNES (angeblich von 1856/57): Le Point, Febr./April 1944, Nr. 29/30, p. 20–39; Mondor, Mall. plus intime, P. 1944, p. 22f.; fehlt in P⁵. *54f., 610, 646, 670, 728, 743, 757*

CHANSONS BAS: erschienen, mit Ausnahme von *Le Vitrier* (P³), in einem Bilderbuch des Malers J.-Fr. Raffaëlli, *Les Types de Paris*, Texte de Mallarmé, A. Daudet, Richepin, Zola, E. de Goncourt, A. Proust, J. H. Rosny, Geffroy etc. (édition du Figaro), P., Plon-Nourrit, 1889 (auch Vers et Prose 31, 1912, 34f.; Le Masque, Bruxelles, Jg. 1912). 1. *La petite marchande de lavande* (Revue Blanche 15. 5. 1892; Bibliographies nouv. IX, 1927; Fassung B: *La marchande d'herbes aromatiques:* P²). 2. *Le marchand d' ail et d'oignons* (P³). 3. *Le carreleur de souliers* (Revue Blanche 15. 5. 1892; P²: *Le savetier;* **Ü.:** M. Bruns, Gedichte, 1908). 4. *Le cantonnier* (P³). 5. *Le crieur d'imprimés* (P³). 6. *La femme du carrier* (P³: *La Femme de l'ouvrier*). 7. *La marchande d'habits* (P³). – Komponiert 1917 D. Milhaud (Sirène, 1920). – **Ü.:** Nobiling 1937. *533f.*

*CLOÎTRES: S. *Déplacement avantageux.*

*CONFLIT: Revue Blanche, 1. 8. 1895 (*Var. sur un sujet*, VII); D; P⁵.
453ff., 475, 641

*CONFRONTATION: Revue Blanche, 1. 10. 1895 *(Var. sur un sujet*, IX: Cas de Conscience*)*; D; P⁵. *462ff., 641*

*CONSIDÉRATIONS SUR L'ART DU BALLET: S. *Les fonds dans la ballet.*

*CONTES INDIENS (1893), ill. Maurice Ray, Paris, L. Carteret, 1927 (650 Stück); P⁵: *Le portrait enchanté. La fausse vieille* (Texte revu par St. M.). *Le Mort vivant. Nala et Damayanti* (beide: Arrangé et récrit par St. M.). *478, 491, 605ff., 644, 722f.*

CONTRE UN POÈTE PARISIEN. *A E. Des E(ssarts)*: Journal des Baigneurs (Chronique des Bains et des Eaux Thermales), Dieppe, 6. 7. 1862; Nouv. Revue Franç., 21, 1933, 837; P⁵.   *73f., 645*

*COX, H. (Übers. und Bearbeitung): s. *Les Dieux antiques*.

*CRAYONNÉ AU THÉÂTRE: S. Revue Indép., April 1887 (= erster Teil der *Notes sur le Théâtre*); Pa (*Lassitude*, mit Zusätzen); D; P⁵ (mit Ausscheidung eines Abschnitts).   *326ff.*

*CRISE DE VERS. Fassung A (1886–95): s. *Averses, Vers et musique, Averses, Oxford, Divag. première, Averses, Divag. première, Ghil.*–Fassung B (1896): D; Vers et Prose, IX 68–74; P⁵.
     469ff., 488, 510f., 615, 674, 720, 723, 726, 729, 733, 735

DAME SANS TROP D'ARDEUR: Fassung A *(Méry, sans trop...)*: La Phalange, Mai 1908 (verballhornt durch Druckfehler); P⁴. – B *(Sonnet du 1ᵉʳ janvier 1888)*: R. de Montesquiou, Diptyque de Flandre, 1921, p. 243 (mit Schreibfehlern). – C: La Gazette anecdotique, 29. 2. 1896; Figaro, März 1896; P³. – Ü.: Nobiling (Neophilologus 14, 1928/29, 172f.) und 1937; Usinger; Schaukal; Reidemeister.   *602f.*

*[DAUPHIN] Vorwort zu *Raisins bleus et gris*, Poésies par Léopold Dauphin, Paris, Vanier 1897; P⁵.   *270*

DE FRIGIDES ROSES (Eventail de Méry Laurent, 1890): Paris, August 1941 (20 Expl.); Figaro littér., 14. 3. 1942; P⁵.   *604*

DE L'ORIENT PASSÉ DES TEMPS: S. *Quelle soie*, Fass. A.

*DÉPLACEMENT AVANTAGEUX (I): Revue Blanche, Okt. 1894, VII, 290 bis 292; Oxford Cambridge, 1895, p. 1–8; D. *(Cloîtres;* mit einer Wortumstellung). – (II): Revue Blanche, Okt. 1894, VII, 292–94; Oxf. Cambr. p. 11–13, p. 17f.; ein paar Sätze mit juristischem Kommentar als *Le fonds littéraire* in Le Figaro, 17. 8. 1894.   *380ff.*

*[DES ESSARTS]. Besprechungen der *Poésies parisiennes* von Em. des Essarts: (a) Le Papillon, 10. 1. 1862. – (b) Le Sénonais, Sens, 22. 3. 1862; P⁵.   *70*

DES LYS! DES LILAS! DES VERVEINES! („chanson des seize ans"): in *Ce que disaient...*   *53f., 646*

*DEUIL: National Observer, 22. 7. 93; Mercure 9. 9. 93, IX 17 (Auszug); P⁵.   *353f.*

*[Dierx]: s. *L'Œuvre poétique*.

DIEU BON ÉCOUTEZ-MOI (1855/56): Le Point, Febr./April 1944, Nr. 29/30, p. 16 (V. 1–7, von 35 Versen); fehlt in P⁵.

*DIPTYQUE I: Nouv. Revue Franç., 1. 11. 1926, u. Jan. 1929, I, 87f.;P⁵.
     199, 472, 697f.

*DIPTYQUE II (1865, 1895): Latinité, Juni 1929, I, 6; Paris, Coll. Latinité, 1929; P⁵.   *478, 520*

*DIVAGATION: s. unter Ghil.

*DIVAGATION PREMIÈRE. RELATIVEMENT AU VERS (1893): VP, p. 173–83 (1896 zu *Crise de Vers* B: Div., p. 236–41), 184/85 (ebd. p. 245), 185/86 (ebd. p. 246), 186/57 (aus *Solennité*; D, p. 227), 187–90 (aus Ghil, *Avant-Dire*; D, p. 250/51), 190/91 (aus *Solennité*; D, p. 226/27), 191/92 (1896 zu *Crise de Vers* B; Div., p. 246), 192/94 (ebd. p. 248/49). – Ü.: Paladini,.

*SECONDE DIVAGATION. CÉRÉMONIALS; VP, p. 195/99 (entspricht *Solennité*; D, p. 228–30), 199–200 (entspricht *Rich. Wagner*; D, p. 144), 201/02 (*Ballets*; D, p. 178), 203–11 (*Catholicisme II*), 211/15 (*Rich. Wagner*; D, p. 147/49). – Ü.: Paladini.

DON DU POÈME. Fassung A (*Le Jour*, um Neujahr 1865?). Revue universelle, 15, 1923, 297f.; P[5]. – B (*Le Poème Nocturne*, Anfang Dez. 1865): ebd. – C: Verlaine, *Poètes maudits*, Lutèce 24./30. 11. 1883 und Œuv.; P[1] (im Manuskript zuerst: *Dédicace au Poème nocturne*); VP. – Ü.: Paladini; Nobiling 1937; Usinger; Netzer; W. Kiechler (Das goldene Tor, 2, 1947); Schaukal; Reidemeister; Jaime.
27, 124ff., 160, 175, 546, 728

*EDGAR POE: im Sammelband *Portraits du prochain siècle*, Paris, E. Girard, 13. 6. 1894; D; P[5]. *344f.*

*ÉDOUARD MANET (war für Girards *Portraits du prochain siècle*, 1894, bestimmt): D; P[5]. *301f.*

*ÉTALAGES: The National Observer, 11. 6. 1892; D.; Quant au livre, Maestricht 1926; P[5]. *437ff.*

*ÉTUDE DES RÈGLES: s. *Thèmes anglais*.

*ÉTUDIANTS AMÉRICAINS: Revue scolaire, 12. 12. 1895; P[5].

ÉVENTAIL DE MADAME MALLARMÉ (vor 15. 3. 1891): La Conque, 1. 6. 1891; P[2]. – Ü.: Nobiling 1937; Usinger; Schaukal; Reidemeister. *282f.*

ÉVENTAIL DE MLLE MALLARMÉ: Fassung A: Revue critique, 1884; Le Décadent, 9. 10. 1886; P[5]. – B$_1$: Anthologie du XIXe siècle; P[5]. – B$_2$: P[1]; Jeune Belgique, Jan. 1890; La Plume, 15. 3. 1890. – Vertont durch Cl. Debussy 1913 (Durand, 1913). – Ü.: Schaukal, Jahresringe, Braunschw. Hamb. 1922, p. 58 und 1947; R. M. Rilke (Das Inselschiff, 1920, 220f. und Ges. Werke, Lpz. 1927, VI 345 (auch E. Johann, Franz. Gedichte, 1946; bei Heuschele, bei Britting); Fr. v. Rexroth, Franz. Lyrik, 1946; Nobiling in Fuchs-Milléquant, Les Poètes lyriques de la France, 1929, Anh. p. 83, und 1937; Usinger; Netzer; Reidemeister. *282ff., 721*

ÉVENTAIL (für Méry Laurent) s. *De frigides roses*.

ÉVENTAILS: Mi-carême-Sondernummer der Zeitung Au Quartier-Latin, 1896; Madrigaux, 1920; Vers de Circ., 1920 (Nr. 4, 2, 6, 7, 17); P[5].

***EXPOSITIONS DE LONDRES. I: Le National, 29. 10./29. 11. 1871; P⁵. –
II: L'Illustration, 20. 7. 1872; P⁵.**   *41*

FEUILLET D'ALBUM (für Mlle Thérèse Roumanille, 1890): Fassung A:
La Wallonie, Sept./Dez. 1892 *(Sonnet)*; fehlt in P⁵. – B: P². – **Ü.:**
Nobiling 1937; Usinger; Netzer bei Heuschele; Schaukal; Reidemei-
ster. – Ein anderes bei Netzer.   *279f.*

*FRISSON D'HIVER. Fassung A (*Causerie d'hiver*; wohl Anfang 1864):
Revue des Lettres et des Arts, 20. 10. 1867; L'Art Libre, 1. 2. 1872;
République des Lettres, 20. 12. 1875 *(Frisson d'h.)*; La Vogue, 11. 4.
1886; Le Chat Noir, 26. 6. 1886; P⁵. – B: Al; Pa; VP; D; P⁵. – **Ü.:**
(St. George?) Blätter für die Kunst, Dez. 1892, I 2, p. 53; Rieger;
Paladini.   *63, 96, 105, 120, 268, 495, 627, 683, 745, 756*

GALANTERIE MACABRE (dat. 1861): Revue de France 1930, p. 64f.; H.
Cooperman, The Aesthetics of St. M., N. York 1933, 84f.; P⁵.
                                                       82f., 87, 136

*[GHIL]. AVANT DIRE zu R. Ghil, *Traité du Verbe*. Fassung A: Traité du
Verbe, Paris 1886 (Juli/Aug.: in La Pléïade; Ende Aug.: als Buch bei
Giraud), Mai 1887, Dez. 1888; Les Écrits pour l'Art, 7. 1. 1887, I, 1. –
B (Auszug): Pa *(Divagation)*; VP (s. unter *Divag. première!*); D. (die
6 letzten Abschnitte von *Crise de Vers* B); P⁵.   *395, 482, 674*

*[GUÉRIN] PRÉFACE zu Charles Guérin, *Le Sang des Crépuscules*, Paris
1895 (in den Luxusexpl.); Vers et Prose 12, 1907/08, 82; Ch. Guérin,
Premiers et derniers vers, Paris 1923; P⁵.   *388, 734*

*HAHN, Reynaldo; s. *Avant-Dire.*

HAINE DU PAUVRE: S. *Aumone*, Fassung A.

*HAMLET (I): Fassung A: Revue indép., 1. 11. 1886 *(Notes sur le Thé-
âtre)*. – Fassung B: Pa; D; P⁵.   *25, 201, 251, 341, 461, 611f., 617*
Un impresario, dans une province. . (HAMLET. II): Antwort auf die
Rundfrage *Hamlet et Fortinbras* der Revue Blanche, 15. 7. 1896, IX,
96; D. (Bibliogr.); P⁵.   *25*

*HÉRÉSIES ARTISTIQUES: S. *L'Art pour tous.*

HÉRODIADE. Poème (seit Sept. 1864):
  I A: OUVERTURE (auch *Prélude*) als MONOLOG DER AMME (Dez. 1865 bis
  März 1866; zahlreiche Entwurf-Skizzen): Nouv. Revue Franç., 27,
  1926, 513 f.; P⁵. – **Ü.:** Nobiling (Deutsch-franz. Rundschau 2, 1929,
  91 f.) und 1937. –
  I B: SI . . GÉNUFLEXION (24 Verse, 4 davon unvollendet, März 1866;
  vorgesehen für den Monolog der Amme); Les Lettres, 3, 1948, 18.
  I C: A QUEL PSAUME (36 Verse, wohl 1898, Reinschrift): P⁵, p. 1445f.
  II: SCÈNE. Fassung A₁ (*Toilette d'Hérodiade*, Auszug V. 29–52; vor
  Juli 1868, Album Bonaparte-Wyse): P⁵. – Fassung A₂: Le Parnasse
  contemporain, II, 20. 3. 1869 (erschien erst 1871; betitelt *Fragment*

d'une étude scénique ancienne d'un poème de Hérodiade); Le Scapin,
2. 1. 1886; P⁵. – Fassung B₁: P¹. – Fassung B₂: VP [Fragment]; La
Plume 15. 3. 1896 [ebs.]; P². – **Ü.:** Schaukal, ,,1900 für die *Insel* nach-
gedichtet" (Neue deutsche Rundschau, 14, 1903, 884f.) und bei Fr.
v. Oppeln-Bronikowski, Das junge Frankreich, Bln. 1908, 53f., und
(mit Varianten) in Das Buch der Seele, Mchn. 1908, p. 100f.; St.
George, *Herodias* [Fragment] (Blätter für die Kunst 1905: auch 7
numerierte Abzüge auf Japan, mit 2 Handmalereien von Melchior
Lechter; Auktionspreis bei P. Graupe, 10. 7. 1929: RM 2500.–) und in
Zeitgenöss. Dichter, Bln., Bondi 1905, II, 35 ff.; Oppeln-Bronikowski,
Nord und Süd, 127, 1908, 158f.; Paladini [Fragment]; W. Petry (Die
Horen 5, 1928/29, 251); Nobiling (Zeitschr. für franz. Spr. u. Lit. 53,
1930, 218f.) und *1937*; Vittorio Pagano, in Mall., *Quattro poesie*, Lecce
1947 (290 Stück).   *22, 30, 126, 151f., 164ff., 181, 194, 227, 229,*
238, 334, 528, 613, 628, 632, 717, 724, 726, 729, 744, 755, 758

III: CANTIQUE DE SAINT JEAN: Fassung A: Les Lettres 3, 1948, 19f. –
B: P³. – **Ü.:** Nobiling (Zeitschr. für franz. Spr. u. Lit. 53, 1930, 226)
und 1937; Netzer; V. Pagano (s. o.); Schaukal; Reidemeister.
171ff., 521, 592

Mallarmé verhiess eine *Conclusion* ,,en un dernier monologue".

HOMMAGE V: S. *Le Tombeau d'Edgar Poe.*

HOMMAGE VI: Revue Wagnérienne, 8. 1. 1886 *(Hommage à Wagner)*;
P¹. – **Ü.:** Nobiling 1938; Usinger; Schaukal.   *523, 552f., 734, 738*

HOMMAGE *(Toute aurore . .):* La Plume, 15./31. 1. 1895 (Sonderheft für
Puvis de Chavannes); A. Retté, Aspects, 1897; P² (Korrekturen in
P⁵). – **Ü.:** Nobiling 1938; Usinger; Schaukal.   *545f., 735*

*[Mrs. C. W. Elphinstone Hope, The Star of the Fairies, 1881] in M.'s
Übers.: L'ÉTOILE DES FÉES, Paris, G. Charpentier 1881; P⁵.   *256*

*IGITUR, OU LA FOLIE D'ELBEHNON. Paris, NRF 1925; P⁵.
(1) *Gesamtentwürfe:* Z¹ (= Introduction), Z² (= Argument), Z³
(= Malgré la Défense).
(2) *Kapitelentwürfe:* I–V.
(3) *Einzelne Ausarbeitungen:* A (= Γ), B (= Δ), C (= E), D (= Longtemps, oh!: Les Lettres 3, 1948, 24), E (= Touches).
11f., 17, 25f., 30f., 35, 126, 169, 175, 183, 195f., 199ff., 311f., 325,
334, 336, 426, 496, 504f., 555, 558ff., 566ff., 569, 571ff., 575ff., 591,
597, 613, 631, 659ff., 721, 726f., 738, 744, 748ff., 759

*L'ACTION RESTREINTE. Fassung A: (A l'éloge du Livre, Fahnenabzug)
P⁵. – B: Revue Blanche, 1. 2. 1895 (Var. sur un sujet. I: L'Action);
D; Quant au livre, Maestricht 1926; P⁵.   *435ff.*

*L'ANGE GARDIEN (dat. 20. 9. 1854): Le manuscrit autographe, Mai-
Juni 1926 (Photo); P⁵.   *48*

*l'anniversaire d'h. regnault: Le National 23. 1. 1871; P⁵.   *299*

l'après-midi d'un faune.

I. *Monolog.* Fassung A (*Monologue d'un Faune*, 1865/66): Teilabdruck 1943 (Vers 1–3, 27–88 in: *L'Après-m.* ,16 Ill. von R. Demeurisse, mit Debussy, *Prélude*, und H. Charpentier, *Gloses*, 4 Bände, Paris, Rambaldi 1943: 190 Stück auf Vélin à 10000 fr., 17 Stück auf Vélin à 15000 fr., 10 Stück auf Japan à 25000 fr., 3 Stück auf Chinapapier à 25000 fr.); P⁵. – Ü.: Ungaretti, L'Après-m., Milano 1948. – Fassung B: (*Improvisation d'un Faune*, vor 3. 7. 1875): Figaro littéraire, 11. 9. 1948; Mondor, Hist. d'un Faune, 1948. – C_1: Mit handkolorierten Holzschnitten von Manet, Paris, A. Derenne, 1876[1]). – C_2: Edition définit., Paris, à la Revue Indép., 1887 (falsch datiert 1882; vermutlich 500 Stück); gleichzeitig übernommen, und mit Manets Buchschmuck, vom Verlag Vanier, 1887; P¹ (nur in einem Vers geändert); VP; Rambaldi 1943. – Ü.: Oppeln-Bronikowski, Das junge Frankreich, 1908; Rieger; Paladini; Nobiling (Zeitschr. f. franz. und engl. Unterr. 27, 1928, 424f.) und 1937; Ungaretti, Traduzioni, 1936, und Sonderausgabe (mit Steinzeichnungen von Carlo Carrà), Milano 1948; Usinger; Aless. Parronchi (mit Vorwort Ch. Guyot, *Genesi dell'Apr.-m.*), Firenze 1945, ³1946; Kurt Erich Meurer (Die Besinnung 2, 1947, 198f.); Netzer; Vann' Antò, Messina 1947 (320 Stück); Vitt. Pagano, in Mall. *Quattro poesie*, Lecce 1947; Schaukal; Edwin Landau (mit 5 Radierungen von Maurice Barraud), Zürich 1948; Paul Zech, Berlin, Zech 1948; Mario Pasi e Alfr. Rizzardi, Bologna 1949; Luigi Fiorentino, Siena 1950.
      25f., 53, 96, 107, 147, 179, 224ff., 232ff., 240, 281, 393,
      408, 480, 502, 518, 628, 668ff., 689, 691, 704, 729
II. *Dialogue des Nymphes* (vor 9. 5. 1866; beginnt mit dem Schluß von I A, Vers 102–106): Les Lettres 3, 1948, 21f.   *18, 176, 227ff.*
III. *Réveil du Faune* (unveröff. bis auf wenige Verse): Mondor, Hist. d'un Faune, 1948, p. 258.   *229*

*l'art pour tous, Hérésies artistiques: L'Artiste, 15. 9. 1962; Noulet, L'Œuvre poét. de Mall., 1942, p. 37; P⁵.   *316, 441ff.*

l'azur (vor 12. 2. 1864). Fassung A_1 (HS Doucet): unveröff. – A² (HS Aubanel): P⁵. – B_1: Le Parnasse cont., 12. 5. 1866. – B_2: P¹; VP. – Ü.: Paladini; Nobiling 1937; Netzer; Schaukal; W. Kiechler (Das Goldene Tor 2, 1947, 804); Reidemeister; Wilh. Willige, bei Heuschele; Jaime.   *30f., 114ff., 142, 182, 642, 721*

*l'ecclésiastique: Gazzetta letteraria, Torino 4. 12. 1886; La Revue indép., April 1888 *(Actualité. Printemps au bois de Boulogne)*; Pa; VP; D; P⁵. – Ü.: Rieger; Paladini.   *18, 63, 535*

---

[1]) Das Exemplar von J.-E. Blanche (mit Widmung von Manet) ging für anderthalb Millionen francs nach Amerika (Blanche, La Pêche aux souvenirs, 1949, 129).

L'ENFANT À LA ROSE (5 Verse erhalten, vor 9. 4. 1862): Mondor, Vie de Mall., 1941, p. 41; fehlt in P⁵.

L'ENFANT PRODIGUE (1862; nach Mondor 1861?): Le Manuscrit autographe, 1926, I 3; P⁴. *94f., 655*

*L'ŒVRE POÉTIQUE DE LÉON DIERX: La Renaiss. artist. et litt. 16. 11. 1872; E. Noulet, L'Œuvre poét. de Mall., 1940, 493f.; P⁵. *350f., 508*

LA CHEVELURE VOL D'UNE FLAMME. Fassung A: vgl. *La déclaration foraine* (s. d.); La Jeune Belgique, Febr. 1890; P². – B: Le Faune, 20. 3. 1889. – Ü.: Nobiling 1938; Schaukal; Reidemeister. *286, 295f., 598f.*

*LA COUPE D'OR (1854): Auszüge in Le Point, Febr./April 1944, p. 16; fehlt in P⁵. *48*

*LA COUR: Revue Blanche, 1. 3. 1895 (*Var. sur un sujet pour s'aliéner les partis*, II); D (ohne Fußnote); P⁵. *324, 448ff.*

*LA DÉCLARATION FORAINE: L'Art et la Mode, 12. 8. 1887; La Jeune Belgique, Febr. 1890 *(Adagios)*; Pa; D; P⁵. *292ff., 598, 723*

*LA DERNIÈRE MODE, Gazette du monde et de la famille (8 Nummern; Herausgeber vom 6. 9. bis 20. 12. 1874); P⁵. Auswahl: with an introd. by S. A. Rhodes, N.York 1933, Publ. of the Inst. of French Stud.
67, 101, 258, 261, 263, 367, 274ff., 298, 310, 318, 324, 338, 350, 351, 374, 444, 490, 638, 720, 725

*LA FAUSSE ENTRÉE DES SORCIÈRES CHEZ MACBETH: Chap Book, Chicago 1895; Le Divan, Jan.-März 1942; P⁵. *342, 501*

*LA GLOIRE: Verlaine, in Les hommes d'aujourd'hui, Nr. 296, 1886 (Untertitel: *Notes de mon carnet*; eigenmächtige Satzzeichen, gegen Mall. 's Willen); Écrits pour L'Art, 7. 4. 1887 (ebs.); Al; Pa; VP; D; P⁵. – Ü.: Rieger; Paladini. *378f., 505, 719, 745*

*LA MUSIQUE ET LES LETTRES: s. *Oxford Cambridge. . .*

LA NAISSANCE DU POÈTE: s. *Parce que de la viande. . .*

*LA PIPE (vor 13. 5. 1864). Fassung A: Revue des Lettres et des Arts, 12. 1. 1868; L'Art libre, 1. 2. 1872; V. de Pica, Letteratura d'eccezione, 1898, 179. – B: La Décadence, 2. 10. 1886; VP; fehlt in P⁵. – C: Pa; (1 Variante) D; P⁵. – Ü.: Rieger; Paladini; Reidemeister.
27, 99ff., 674, 723

LA PRIÈRE D'UNE MÈRE (dat. 7. 7. 1859, im Cahier d'honneur des Gymnasiums von Sens. Schulaufgabe?). Fassung A und B: P⁵. *48*

LAS DE L'AMER REPOS (vor März 1864; mit Variante: P⁵). Fassung A₁: Le Parnasse cont., 12. 5. 1866 *(Épilogue)*. – A₂: P¹. – B: P². – Ü.: Nobiling 1937; Usinger; Schaukal; Netzer (Die Fähre 1, 1946, 484) und *1946*; Reidemeister. *30, 60, 114f., 119, 122, 250, 298, 609, 758, 760*

*LASSITUDE: Revue Indép., April 1887, p. 58–63, Juli 1887, p. 55–60 *(Notes sur le Théâtre)*; Pa. – s. *Notes.*

LE CARREFOUR DES DEMOISELLES, OU L'ABSENCE DU LANCIER, OU LE
TRIOMPHE DE LA PRÉVOYANCE (Übertitel: *Scies. I*; Broschüre von 16
Seiten, handschriftlich unterzeichnet von den Verfassern: St. Mall.
und E. des Essarts; dat. *18 mai 1862*), Sens [1862]; P⁵.   *76ff.*

LE CHÂTEAU DE L'ESPÉRANCE (1863, ursprünglich *L'Assaut*): Littérature,
Mai 1919; Mercure 134, 1919, 119; P⁵.   *123, 495, 596, 598*

*LE DÉMON DE L'ANALOGIE (vor 27. 9. 1867). Fassung A *(La Pénultième)*:
La Revue du Monde Nouveau, 1. 3. 1874; Chat Noir 28. 3. 1885; Pa. –
B: VP *(La Pénultième)*; D; P⁵. – Ü.: Rieger; Paladini; Beniamino
Dal Fabbro, Milano 1944 (350 Stück).   *35, 492, 495, 500f., 504, 758*

*LE FONDS LITTÉRAIRE: S. *Déplacement avantageux.*

*LE GENRE OU DES MODERNES. Fassung A: Revue Indép., Jan./Febr.
1897, Dez. 1886, Febr., Jan. März, Mai 1887 *(Notes sur le Théâtre)*. –
B (Auszüge): Pa; D; (gekürzt und ohne *Mimique, Solennité, Parenthèse I*); P⁵.   *333ff., 338, 499, 514*

LE GUIGNON. Fassung A₁ (HS R. Berès): P⁵. – A₂ (HS Mondor): P⁵. –
A₃ (Teilabdruck Vers 1–15): L'Artiste 15. 3. 1862 (vgl. Mondor, Vie,
38). Nachgedruckt (mit B₁ und C) bei Cooperman, Aesthetics of St.
M., 1933, 44, Wais, Doppelfass. franz. Lyrik, Halle 1936, p. 138f., und
P⁵. – B₁: Verlaine, *Poètes maudits*, in Lutèce 17./24. 11. 1883 und
Paris 1884, und Œuv. c. – B₂: Le Décadent, 20. 11. 1886 (mit einigen
Änderungen: Noulet, Œ., 328); P⁵. – B₃: Revue Rose, Jan. 1887; P⁵. –
C (April 1887): P¹.; Art et Critique, 24. 8. 1889. – Ü.: Nobiling 1937;
Schaukal.   *51, 59, 76, 78, 84ff., 91, 118f., 129, 162, 269, 486,
495, 503, 518, 528, 569, 617, 647, 701, 720ff., 724, 738*

*LE JURY DE PEINTURE pour 1874 et M. Manet: La Renaiss. art. et litt.,
12. 4. 1874; Noulet, L'Œuvre, 500f.; P⁵.   *40, 299f*

*LE LIVRE, INSTRUMENT SPIRITUEL. Fassung A₁ (Fahnenabzug): z. T. P⁵.
– A₂: Revue Blanche, 1. 7. 1895 *(Variations sur un sujet, VI)*. – B:
D; Quant au livre, Maestricht 1926; P⁵. – Ü.: Renato Mucci *(Il libro)*,
Milano 1949 (550 Stück).   *439ff.*

*LE MYSTÈRE DANS LES LETTRES: Revue Blanche, 1. 9. 1896 (Elfte *Var.
sur un s.)*; D; P⁵. –   *445ff., 479ff.*

*LE NÉNUPHAR BLANC (Juni 1885): L'Art et la Mode, 22. 8. 1885; Al;
Pa; VP; (3 Varianten:) D; P⁵. – Ü.: Rieger; Paladini; Netzer u. Fr.
Kemp (Die Fähre 2, 1947, 105f.); Reidemeister.
                         224f., 230, 240ff., 476, 621

*LE PHÉNOMÈNE FUTUR (vor 30. 12. 1864): La Républ. des Lettres,
20. 12. 1875; La Vogue 11. 4. 1886; (1 Variante:) Pa; Chat noir, 26. 6.
1886; VP; D; P⁵. – Ü.: Rieger; Paladini; Reidemeister.
                         67, 110, 264, 609, 736

LE PITRE CHÂTIÉ. Fassung A (vor 15. 4. 1864): Revue de France, 9, 1929, II 637; Wais, Doppelfass. franz. Lyrik, 1936, p. 144; P⁴. – B: P¹; VP. – **Ü.**: Nobiling (Zeitschr. für franz. Spr. und Lit. 55, 1932, 328) und 1937; Schaukal; Reidemeister.

25, 106f., 116, 175, 250, 475, 480, 505, 617, 722, 726, 735, 753

*LE SEUL IL LE FALLAIT . .: D *(Crayonné au théâtre)*; P⁵. *337f.*

LE SONNEUR. Fassung A: L'Artiste, 15. 3. 1862 und 15. 4. 1863. A–D bei Wais, Doppelfass. franz. Lyrik, Halle 1936, p. 142f., und P⁴. – B (dat. 1864): Revue de France, 9, 1929, II 633. – C: Parnasse contemp., 1866. – D: P¹. – **Ü.**: M. Bruns, Gedichte, 1908; Nobiling (Neophilologus, 17, 1931, 8) und *1937*; Netzer; Schaukal; Reidemeister.

30, 78, 82ff., 87, 115, 117, 478, 582, 667, 735

LE TOMBEAU DE CHARLES BAUDELAIRE (1893): La Plume, 15. 1. 1895; in der gleichbetitelten Dichtergabe zur Errichtung eines Baudel.-Denkmals, ouvrage publié avec la collabor. de St. Mall. . . Frontispice de F. Rops, Paris 1896; P². – **Ü.**: Sigmar Mehring, Franz. Lyrik im 19. Jh., Großenhain 1900, 175; Br. Kiehl und Nobiling (Die neueren Sprachen 37, 1929, 122) und *1938*; Usinger; Schaukal. *536f., 724*

LE TOMBEAU D'EDGAR POE. Fassung A₁ *(Hommage, 1876)*: *Edgar A. Poe, A Memorial Volume* by Sara Sigourney Rice, Baltimore (Ende 1876) 1877; Noulet, L'Œ. poét., p. 390; P⁵. – A₂ (von Mall. in wörtliche englische Prosa übersetzt, mit Fußnoten, für S. H. Whitman, 1876): Caroline Ticknor, *Poe's Helen*, London 1916, p. 268f.; N. York 1917; Ch. Chassé, RLC 23, 1949, 98f.; fehlt in P⁵. – B₁: Verlaine, *Les Poètes maudits*, in Lutèce, 29. 12. 1883/5. 1. 1884 und Paris 1884; Le Déca-dent, 28. 8. 1886. – B₂: P¹; Poèmes d'E. Poe, 1888, 1889; VP. – **Ü.**: M. Bruns, Gedichte, 1908, p. 212; Paladini; Nobiling (Neophilolo-gus 18, 1933, 100) und 1938; Usinger; Schaukal.

452, 477, 482, 543ff., 591, 636, 673, 724

LE VIERGE, LE VIVACE ET LE BEL AUJOURD'HUI . .: Revue indép., März 1885; P¹; Al; VP. – **Ü.**: P. Wiegler, in H. Bethge, Lyrik des Ausl., 1907; Nobiling 1938; Netzer (Die Fähre 1, 1946, 305) und *1946* u. bei Britting; Schaukal; E. Orthband, Ausgew. franz. Lyrik, Tübingen 1947; Reidemeister; K. Th. Busch (im Erscheinen). *25, 570f., 578*

*[LEBLANC: Notiz über die Sängerin Georgette L.]: Revue Blanche, 1. 3. 1898 (in einem Aufsatz von A. Athys, *La Quinzaine dramatique*), p. 380f.; P⁵.

*LES DIEUX ANTIQUES, NOUVELLE MYTHOLOGIE ILLUSTRÉE d'après George W. Cox et les travaux de la science moderne, à l'usage des lycées, pensionnats, écoles et des gens du monde, ouvrage orné de 260 vignet-tes, Paris, J. Rothschild 1880; NRF 1925; P⁵. *255f., 599f.*

MYSTICIS UMBRACULIS (1862): P⁵ (die zweite Hälfte schon 1941 in Mondor, Vie, p. 162).

*NEW ENGLISH MERCANTILE CORRESPONDENCE for the Use of Commercial Schools and Counting Houses, Being a Collection of Letters of Business and Commercial Forms; with Explanatory Notes in French, by . . and . . .: unveröff. Manuskript von 609 Seiten, im Besitz der Librairie Maurice Lipschitz, Paris. *256*

*NOTES SUR LE THÉÂTRE: Revue Indép., 5. 11. 1886 bis 1. 7. 1887. – Die nicht in Pa und Div. aufgeteilten 4 Stücke s. P⁵, I (Jan. 1887), II (Febr.), III (Mai), IV (März).

*OFFICES: s. *Plaisir sacré, Catholicisme, De même.*

ON DONNE CE QU'ON A (28. 12. 1859): La Nef, 2. 5. 1945, p. 98 f.; fehlt in P⁵. *60*

O SI CHÈRE DE LOIN . .: La Phalange 15. 1. 1908; P³. – **Ü.**: Nobiling 1937; Netzer; Schaukal; Reidemeister. *592, 601 f.*

*OR. Fassung A: National Observer, 25. 2. 1893 *(Faits divers)*; P⁵. – B₁ (Auszug: *Grisaille*): unveröffentlicht. – B₂: D; P⁵. – *374 ff., 419 f.*

*OXFORD CAMBRIDGE – LA MUSIQUE ET LES LETTRES (dat. 1893, Vortrag am 1. 3. 1894 in Oxford, am 2. 3. in Cambridge; Original-HS mit zahlr. Varianten: Versteig. Giraud-Badin 10. 6. 1929): Revue Blanche, Okt. 1894, VII, 289–94 *(Déplacement avantageux:* s. dort), das Folgende im April 1894, ebd. V, 297–309 *(Lecture d'Oxford et Cambridge, La musique et les lettres)*, S. 307 mit kleinen Änderungen auch in D *(Accusation)*; Studies in European Lit. being the Taylorian Lectures 1889–99, Oxford 1900, p. 131 f.; sämtl. Teile: Paris, Perrin 1895 (S. 58 bis 60 auch in Mercure, Mai 1894, XI 89 f.; S. 37 in *Crise de vers* B); P⁵. *389, 421 f., 447 f., 458 ff., 446 ff., 510 f., 643, 718, 733, 741*

PAN (1859): 9 Verse daraus bei H. Mondor, Hist. d'un faune, 1948, p. 48. *60*

PARCE QUE DE LA VIANDE (als *La naissance du poète* Mai 1863 bezeugt): Mondor, Vie, 1942; P⁵. *43, 528, 567 f.*

*PARENTHÈSE. Fassung A. I: Revue Indép., Jan./April 1887. – II: Juni 1887. – B: Pa (I s. *Le Genre*, Schluß; II s. *Un principe de vers*, Anfang); D; P⁵. *319 f.*

*PARTICULARITÉS: s. *Solitude.*

*PAUVRE ENFANT PÂLE. Fassung A₁: La Semaine de Vichy, 12. 7. 1864 *(La Tête)*; Revue des Lettres et des Arts, 20. 10. 1867 *(Pauvre enfant pâle)*. – A₂: L'Art libre 1. 2. 1872; Le Décadent, 7. 8. 1886 *(Fusain)*; Revue Rose, März 1887. – B: Pa; D; P⁵. *92 f., 656*

PÉNITENCE (dar. März 1860): La Nef, 2. 5. 1945, p. 99; fehlt in P⁵.

PÉPITA: s. *A mon ami Espinas.*

PETIT AIR (I. QUELCONQUE UNE SOLITUDE, zuerst *Bain*): L'Épreuve, Nov.
1894, I 1: P². – **Ü.:** A. Neumann, Alt- und neufranz. Lyrik, 1922, II
219; Nobiling 1927, 1937; Netzer; Schaukal; Reidemeister; A. Müller-
Bürklin, bei Heuschele; Jaime.   *224f., 243ff., 266, 592*

PETIT AIR (II. INDOMPTABLEMENT A DÛ, von M. in Daudets Album eingetragen). Fassung A: P⁵. – B: P². – **Ü.:** A. Neumann, Alt- und neufranz. Lyrik, 1922; Nobiling 1937; Usinger (auch: E. Johann, Frz.
Gedichte, 1946); Schaukal; Reidemeister.   *500, 504, 527, 550f.*

PETIT AIR (GUERRIER): Revue Blanche, 1. 2. 1895 (als Motto zu *L'Action
restreinte*); P³. – **Ü.:** A. Neumann, Alt- und neufranz. Lyrik, 1922;
Nobiling 1937; Schaukal.   *417*

*PETITE GAZETTE (Aug. 1872): Gazette de la Franche-Comté, 2. 10. 1872;
Renaiss. artist. et litt., 12. 10. 1872; P⁵.

*PETITE PHILOLOGIE . . : s. *Les Mots anglais.*

PLACET FUTILE. Fassung A₁: Le Papillon, 25. 2. 1862; Belles Lettres,
Sept. 1923; P⁵. – A₂: R. de Montesquiou, Dipt. de Flandre, 1921 (fehlt
in P⁵). – A₃ (*Placet*, datiert „*1762*"): Verlaine, *Poètes maudits*, in
Lutèce, 17./24. 11. 1883 und Paris 1884; La Décadence, 9. 10. 1886;
P⁴. – B: P¹; La Plume, 1. 9. 1890. Komponiert von Debussy (Durand
1913) und Ravel, *Trois Poèmes de St. Mall.* (ebd. 1913). – **Ü.:** Nobiling
1937; Netzer; Schaukal; Reidemeister. *71ff., 472, 478, 484, 723, 728*

*PLAINTE D'AUTOMNE. Fassung A₁ (*L'Orgue de barbarie;* vor 13. 5. 1864):
Semaine de Cusset et de Vichy, 2. 7. 1864; P⁵. – A₂: Revue des Lettres
et des Arts, 27. 10. 1867; L'Art libre, 1. 2. 1872 *(Plainte d'aut.)*;
Républ. des lettres, 20. 12. 1875; La Vogue, 11. 4. 1886; Chat Noir
26. 6. 86; Al; Pa. – B: VP; D; P⁵. – **Ü.:** Rieger; Paladini; Hermann
Bodek (Das Goldene Tor, Jg. 1949, 4. 6.). *53, 67, 105, 564, 613, 649*

*PLAISIR SACRÉ (sehr abweichendes, vielleicht schon um 1884 entstan-
denes Manuskript am 15. 4. 1924 in der Versteigerung Kra; Proben
RHLF 31, 1924, 353): Le Journal, 9. 12. 1893; D *(Offices)*; P⁵. *297, 310f.*

*PLANCHES ET FEUILLETS (Mai/Juni 1873). Fassung A. I: National Ob-
server, 10. 6. 1893 *(Théâtre)*. II: ebd. 1. 7. 1893 (*Théâtre*, Suite); Le
Réveil de Gand, Sept. 1893. – Fassung B. I: D, p. 217f.; P⁵. II: ebd.
p. 210; P⁵.   *320ff., 745*

*POE, Edgar Allan, in Mall. 's Prosa-Übersetzung, bes. 1862–64:
À HÉLÈNE: La Renaissance artistique et littéraire, 29. 6. 1872; La
République des Lettres, 3. 9. 1876; L'Art et la Mode, 7. 8. 1886.   *649*
ANNABEL LEE: La Ren. art. et litt., 29. 6. 1872.   *635f.*
POUR ANNIE und EULALIE: La Ren. art. et litt. 20. 7. 72.
LES CLOCHES und SILENCE: La Ren. art. et litt. 17. 8. 72.   *567, 648*
ULALUME: Ren. art. et litt. 5. 10. 72; Rép. des Lettres, 12. 11. 76;
L'Art et la Mode, 7. 8. 1886; VP.   *563, 747*

BALLADE DE NOCES: Ren. art. et litt. 19. 10. 72 *(Ballade nuptiale)*.
LE CORBEAU, THE RAVEN, Poème, Avec (5) illustrations par Ed. Manet
(240 Stück), englisch und französisch, Paris, Rich. Lesclide, Ende Mai
1875; VP. *232, 344, 347, 371, 636, 649*
LA VALLÉE DE L'INQUIÉTUDE. LA CITÉ EN LA MER: Rép. des Lettres,
6. 8. 76. *613*
LA DORMEUSE: ebd.; VP. *683*
LA PALAIS HANTÉ: La Rép. des Lettres, 3. 9. 1876. *558*
LE VER VAINQUEUR: Rép. des Lettres, 12. 11. 76 *(Le ver conquérant)*. *649*
TERRE DE SONGE: La Rép. des Lettres, 27. 3. 1877.

LES POÈMES D'EDGAR POE, avec portrait et fleuron par Manet, Brüssel,
Deman 1888 (850 Stück), 1897; Paris, Vanier 1889; G. Crès 1926;
NRF 1928. Enthält obige Gedichte, sodann: *Stances à Hélène. Un
Rêve dans un rêve. A quelqu'un au paradis. Lénore. Israfel. 16 Romances
et Vers d'Album* und Kommentar *(Scolies)*; P⁵; ed. Gabriele Baldini,
Firenze 1947. – Varianten: P⁵. *21, 99, 344f., 402, 543, 723, 739, 745*

PROSE, POUR DES ESSEINTES (nach Mai 1884, vor 13. 1. 85): Revue
indép., Jan. 1885; P¹; VP. – Ü.: Paladini; Nobiling (Zeitschr. f. franz.
Spr. u. Lit. 51, 1928, 419f.) und 1937; Usinger; Schaukal; Reidemeister. *55, 96, 112, 119, 136, 187, 208, 311, 570, 610ff, 628, 659,
665, 695, 735, 743*

QUAND L'OMBRE MENAÇA . .: Fassung A *(Cette Nuit)*: Verlaine, *Poètes
maudits* in Lutèce, 24./30. 11. 1883, und Paris 1884; Le Scapin, 16. 10.
1886; Écrits pour l'Art, 7. 3. 1887; P⁵. – B: P¹. – Ü.: Nobiling 1938;
Usinger; Schaukal; Reidemeister; P. Gan (Neue Rundschau 61, 1950,
446). *200, 555f., 750*

*QUANT AU LIVRE: S. *L'Action restreinte. Étalages. Le livre, instrument
spirituel.* – Sonderausgabe: Maestricht, A. Stols, 1926.

QUELLE SOIE . . Fassung A: *(De l'Orient passé*, 2. 7. 1868): Fontaine 1947,
Nr. 56; Lettres, 3, 1948, 182f. – B (vor 19. 1. 1885): Revue indép.,
März 1885 (Variante in P⁵); P¹; VP. – Ü.: E. Fuhrmann, in H. Bethge,
Lyrik des Ausl., 1907, 174, und bei Nobiling 1927; Nobiling 1927, 1938;
Paladini; Netzer; Schaukal; Reidemeister.
96, 194, 289, 595ff., 612, 633, 655

REMÉMORATION D'AMIS BELGES (für das Jubiläumsbuch des Cercle Excel-
sior in Brügge). Fassung A: Excelsior 1883–93, Brügge 1893, p. 367
(Sonnet); L'Art littéraire, Aug. 1893 *(A ceux de l'Excelsior)*; ebd. Juli-
Aug. 1894. – B: P². – Ü.: Nobiling 1937; Usinger; Netzer; Schaukal. *434*

*RÉMINISCENCE. Fassung A (spätesten 1864): Revue des Lettres et des
Arts, 24. 11. 1867 *(L'Orphelin)*; L'Art libre, 1. 2. 1872; La Jeune Belgique, 1890 (?); P⁵. – Fassung B: Pa *(Rém.)*; D; P⁵. *47f., 522, 569*

RENOUVEAU (vor 4. 6. 1862). Fassung A₁ *(Soleils malsains:* zusammen
mit *Tristesse d'été)*: P⁵. – A₂ *(Soleils mauvais:* ebenso): P⁵. – B₁: Le

Parnasse cont., 12. 5. 1866 *(Vere novo)*; P⁵. – B₂: P¹; Al.-Vertont durch H. Sanguet, 1941. – **Ü.**: M. Bruns, Gedichte, 1908, p. 200; Nobiling 1937; Netzer; Eva Scheer, De la musique, Karlsr. 1947, 69; Schaukal; Reidemeister; K. Th. Busch (im Erscheinen).   *18, 113f.*

RÉPONSE à Germain (März 1859): Nouvelles Littér., 9. 9. 1948.   51

*RICHARD WAGNER, RÊVERIE D'UN POÈTE FRANÇAIS. Fassung A: La Revue Wagnérienne, 8. 8. 1885; Pa. – B: (Auszug): in VP. (s. unter *Seconde Divagation*!). – C.: Divag.   *320ff., 673, 685, 722, 735*

RONDEAU DE SIX PHILIS (vor 1862): verloren?

RONDELS. I(RIEN AU RÉVEIL . . .) Fassung A (HS Mondor): P⁵. – B (HS Bonniot): P⁵. – C: La Coupe (Montpellier), Nr. 9, Juni 1896; P³. – **Ü.**: Nobiling 1937; Schaukal   *605, 733*

RONDELS. II (SI TU VEUX . . .). Fassung A *(Chanson sur un vers composé par Méry*, 1. 1. 1889): R. de Montesquiou, Dipt. de Flandre, 1921, p. 244. – B: La Plume, 15. 3. 1896 (?); P³. Vertont durch P. Vellones (Lemoine 1930). – **Ü.**: Nobiling 1937; Netzer; Schaukal; A. Müller-Bürklin, bei Heuschele.   *603f., 733, 755*

SA TOMBE EST CREUSÉE! *(,,Juin 1859")*: NRF, 21, 1933, 873f. *(Sa fosse est creusée)*; P⁵.   *56ff.*

SA TOMBE EST FERMÉE *(11. 7. 1859)*: ebd., 876f.; P⁵. *55f., 58f., 63, 642*

SAINTE. Fassung A *(Sainte Cécile, jouant sur l'aile d'un Chérubin, Chanson et image anciennes*, zwischen 22. 11. und 5. 12. 1865): Mondor, Vie, 1941, 181; P⁵. – B: Verlaine, *Poètes maudits*, in Lutèce, 24./30. 11. 1883, und Paris, (April) 1884; La Décadence, 23. 10. 1886; P¹; Al. – Vertont durch M. Ravel 1897 (Durand 1907), Pierre de Bréville (Rouart, Lerolle), Pierre Vellones (Lemoine 1930). – **Ü.**: Nobiling 1937; Netzer; W. Hausenstein (Prisma, 1, 1946/47, H. 4) und: Das trunkene Schiff, 1950; Schaukal; Reidemeister; A. Müller-Bürklin, bei Heuschele.   593

SALUT (für den 15. 2. 1893): La Plume, 15. 2. 1893 *(Toast)*; P². – **Ü.**: M. Bruns, Gedichte, 1908; Nobiling 1927, 1937; Usinger (und bei Heuschele); Netzer; Schaukal; Reidemeister; Jaime.   *119, 452, 548ff.*

*SAUVEGARDE: Revue Blanche, 1. 5. 1895 *(Var. sur un sujet*, IV); D; P⁵.   *380, 383ff.*

*SCOLIES des poèmes d'E. Poe: s. Poe, *Les Poèmes*.

SES PURS ONGLES. Fassung A *(Sonnet allégorique de lui-meme;* entstand Mai/Juni 1868): Cat. autogr. J. Lahor, L. Giraud-Badin 1935, p. 12 (1. Hälfte); Mondor, Vie, 1941, 260; P⁵. – B: P¹ (angekündigt als *La Nuit*); La Wallonie 31. 1. 1889; VP. – **Ü.**: Paladini; Nobiling 1938; Schaukal.   *35, 177, 179, 195, 201, 207, 212, 216, 495, 558ff., 567, 569, 572f., 576f., 725, 734*

SOLEIL D'HIVER, à M. E. Jourdain: Journal des Baigneurs (Chronique des Bains et des Eaux Thermales), Dieppe, 13. 7. 1862; NRF, 21, 1933, 838; P⁵. *75f.*

*SOLENNITÉ. Fassung A. I: Revue indép., Febr. 1887. II: ebd., Juni 1887 *(Notes sur le Thèâtre)*. – Fassung B. I: Pa (s. *Le Genre*). II: Pa (*Un principe*, Schluß). I, II: VP (s. *Divag. première* und *seconde*); D; P⁵. *329ff., 348f., 520, 639*

*SOLITUDE: Revue Blanche, 1. 11. 1895, p. 418f. *(Variations sur un sujet, X: Particularités)*; D; P⁵. *380, 385ff., 615*

SONNET, POUR VOTRE CHÈRE MORTE (dat. *2. 11. 1877*): P³. – **Ü.:** Aug. Brücher (Der Querschnitt, 9, 1929, 26f.); Nobiling 1937; Schaukal. *201, 476, 556f.*

SOUPIR (April 1864?): Le Parnasse contemp., 12. 5. 1866 (Vers 9 in HS Doucet: *en un triste sillon*); P¹; Al; VP. – Vertont durch Debussy und Ravel, beide Durand 1913. – **Ü.:** E. Fuhrmann, in Bethge, Lyrik des Ausl., 1907, 173; M. Bruns, Gedichte, 1908; Nobiling *1927*, auch bei Fuchs-Milléquant, Poètes lyr., 1929, bei Engwer, Choix de poésie fr., 1930, sowie *1937*; Lešehrad (Prager Presse, 9. 9. 1928); Paladini; Netzer; Vitt. Pagano, in Mall., *Quattro poesie*, Lecce 1946; W. Hausenstein (Prisma 1, 1946/47, H. 4) und: Das trunkene Schiff, 1950; W. Kiechler (Das Gold. Tor 2, 1947); Schaukal; Reidemeister; A. Müller-Bürklin, bei Heuschele; Max Rieple, Das französ. Gedicht, Konstanz 1949. *96, 120f., 160, 289*

*STEPHENS, J., FAVOURITE TALES FOR VERY YOUNG CHILDREN. Les contes favoris, Recueil de lectures anglaises à l'usage des classes de 8ᵉ et de 9ᵉ est des commençants, avec annotations nombreuses par M. Mallarmé, professeur d'anglais au Collège Rollin, Paris, Truchy's French and English Library 1885, 216 S; fehlt in P⁵. *256*

*SUR LE BEAU ET L'UTILE u. a.: P⁵. *252f.*

*SUR LE LIVRE ILLUSTRÉ: Mercure de France, Jan. 1898, p. 119; P⁵.

SUR LES BOIS: s. *Sonnet pour votre chère morte.*

*SUR UN LIVRE DU COMTE DES PLACES: Le Gaulois, 26. 6. 1896; P⁵.

*SUR TOLSTOÏ: Le Gaulois, 26. 6. 1896; P⁵. *352*

SURGI DE LA CROUPE . . .: *Tout Orgueil fume-t-il . .*

*[SWINBURNE] *Les Livres*, ERECHTHEUS, *tragédie par Swinburne:* Rép. des Lettres, 20. 2. 1876; Mercure 3, 1891, 230; P⁵. *36, 264, 347f., 719*

*SYMPHONIE LITTÉRAIRE (April 1864: *Trois pièces en prose;* mit Varianten von 1880/90: P⁵). I. *Th. Gautier.* II. *Ch. Baudelaire.* III. *Th. de Banville:* L'Artiste, 1. 2. 1865; Les Bibliographies nouv., 1927, IX, 94f.; P⁵. – Fassung B zu I (1880/90: P⁵. – Fass. B zu II: D *(Autrefois*

en marge d'un Baudelaire); P⁵. – Fass. B eines Stücks von III: D.,
p. 188 *(Th. de Banville)*; P⁵.

*62, 64f., 81, 105, 160, 472, 477f., 487, 499, 504, 621, 635,
647ff., 722ff., 726ff., 754*

[TAILHADE] Préface zu F.-A. Cazals, *Iconographie de certains poètes
présents, Album no 1,* L. Tailhade, Paris, Bibl. de La Plume, 1894;
D, *(L. Tailhade).*   *32, 424f.*

*TENNYSON VU D'ICI. Fassung A (Interview): Écho de Paris, 8. 10. 1892;
im Auszug Mercure, 6, 1892, 276f. – B: National Observer, 29. 10.
1892; Revue Blanche, Dez. 1892; D; P⁵.   *346f., 483, 719*

[Tennyson in M.'s Prosaübers.] a) MARIANA: La Dernière Mode, 18. 10.
1874; Mercure, Juni 1890 (Übertitel: *Figures d'Album*); Écho de
Paris, Okt. 1892; P⁵. – b) GODIVA (nicht nach 1884); unveröffentlicht.
346, 475, 500, 722

*THE IMPRESSIONISTS AND EDOUARD MANET: Art Monthly Review, London 30. 9. 1876 (in Robinsons engl. Übersetzung); fehlt in P⁵.   *229*

THÉÂTRE DE VALVINS (1881–82): Revue des Deux-Mondes, 15. 5. 1919,
VI, 51, p. 247; Mercure 134, 1919, 118; Vers de Circ., 1920; P⁵. – Ü.:
Triolet Nr. V: Otto Hauser, in Fr. Gundlach, Französ. Lyrik, Reclam 1904.   *339*

*THÈMES ANGLAIS POUR TOUTES LES GRAMMAIRES (um 1872), Préface
de P. Valéry, NRF 1937; P⁵.   *255*

*THÉODORE DE BANVILLE: National Observer, 17. 12. 1892; Mercure,
Febr. 1893, VII, 97; um etwa 30 Zeilen gekürzt in D (vgl. *Symphonie
litt.* III, B); P⁵.   *349f.*

TOAST FUNÈBRE (1872/73). Fassung A: *Le Tombeau de Th. Gautier*, Paris
(23. 10.) 1873; P⁵. – B: P¹. – Ü.: W. Petry (Die Horen 5, 1928/29, 257);
Nobiling (Neuphilolog. Mitteilungen 30, 1929, 118f.) und 1937;
Usinger; V. Pagano, in Mall., *Quattro poesie*, Lecce 1947.
230, 308, 522, 539ff., 544, 546, 556, 583, 588, 631f.

TOMBEAU, *Anniversaire Janvier 1897.* Fassung A: Mondor, L'Amitié de
Verlaine, 1940, p. 264; P⁵. – B: Revue Blanche, 1. 1. 1897, XII, 37;
P². – Ü.: R. M. Rilke (Das Inselschiff 3, 1922, 174) und Ges. Werke,
Lpz. 1927, VI, 350 (bei Heuschele; bei Britting); Nobiling 1938;
Schaukal.   *519, 546ff., 633 655, 721, 737*

TOUT ORGUEIL FUME-T-IL. (I). SURGI DE LA CROUPE. (II). UNE DENTELLE
S'ABOLIT . . (III): Revue indép., 1. 1. 1887; P¹; VP. Nr. II 1913 für
Gesang und kleines Orchester vertont durch M. Ravel (Durand). –
Ü.: Paladini; Nobiling 1938; Usinger; Netzer (I); Schaukal, Reidemeister.   *35, 43, 500, 528, 552, 564ff., 589, 670, 743*

TOUTE L'ÂME RÉSUMÉE. Fassung A (HS Mondor): P⁵. – B₁: Le Figaro
3. 8. 1895. – B₂: P³. – Ü.: Nobiling 1938; Schaukal.   *504*

*TRAITÉ DES PIERRES PRÉCIEUSES (nicht nach 1866): verschollen?

TRISTESSE D'ÉTÉ (nicht nach 1864). Fassung A₁ (*Soleils malsains:* zusammen mit *Renouveau*): Mondor, Vie de M. 1941, p. 163. – A₂ (*Soleils mauvais:* ebenso): P⁵. – B₁: Le Parnasse cont., Ende 1866. – B₂: P¹; Al; La Jeune Belgique, 15. 1. 1890; Revue Blanche, Mai 1892; VP. – Vertont durch H. Sanguet, 1941. – Ü.: Otto Reuter (Die Gesellschaft 1898, IV 113); M. Bruns, Gedichte, 1908; Paladini; Nobiling 1937; Netzer; Schaukal; Reidemeister; W. Hausenstein, Das trunk. Schiff, 1950; Jaime.   *90, 94ff., 557, 647, 753*

*UN COUP DE DÉS JAMAIS N'ABOLIRA LE HASARD, *Poème.* Fassung A: Cosmopolis, Mai 1897, VI, 417f.; in Camille Soula, La poésie et la pensée de St. M., Un coup de dés, P. 1931; fehlt in P⁵. – B: NRF 1914, 1940; P⁵.
26f., 30f., 35, 124, 192, 197, 200, 213ff., 312, 440, 475, 514ff., 563, 566ff., 571ff., 628f., 631, 721, 735, 738, 752

*UN IMPRESARIO, DANS UNE PROVINCE . . . s. *Hamlet* (II).

*UN PRINCIPE DES VERS. I: s. *Parenthèse*, 2. Teil. – II: s. *Solennité*, 2. Teil.

*UN SPECTACLE INTERROMPU: Républ. des Lettres, 20. 12. 1875 *(Le Spectacle int.)*; Le Scapin, 1. 9. 1886; Pa; D; P⁵.   *264, 529ff.*

UNE DENTELLE S'ABOLIT . .: s. *Tout Orgueil fume-t-il* . .

UNE NÉGRESSE PAR LE DÉMON SECOUÉE (1864). Fassung A₁ (HS Mondor): P⁵. – A₂ (*Image grotesque*, 1864; von fremder Hand betitelt: *Les Lèvres roses*): Le Nouveau Parnasse satyrique du XIXe siècle (Brüssel, Poulet-Malassis) 1866, p. 146 (private Neuauflagen ,,Oxford" 1878, und Brüssel, Kistemaeckers 1881); G. Amplecas, L'Œuvre libertine des poètes du XIXe siècle, P. 1898; Cooperman, Aesthetics of St. M., 1933, 71; P⁵. – B: P³. – Ü.: Nobiling 1937; Netzer; Reidemeister.   *18, 227, 531f., 735*

*VERLAINE. Fassung A: Mondor, L'Amitié de Verlaine, 1940, p. 244f.; Le Temps, 1. 10. 1896 (ein Wort dort verschieden von HS A); fehlt in P⁵. – B: Revue encyclop., 25. 1. 1896; La Plume, 1. 2. 1896; D; E. Lepelletier, *P. Verlaine*, P. 1900; P⁵.   *364, 465f., 720*

*VERS ET MUSIQUE EN FRANCE. Fassung A: National Observer, 26. 3. 1892; Entretiens polit. et litt., Juni 1892. – B: VP (Auszug, s. *Divag. première*). – C: *Crise de vers* B (s. d.).

VICTORIEUSEMENT FUI . . Fassung A₁ (HS Lebey): P⁵. – A₂: Verlaine, Les Hommes d'aujourd'hui, 1886; Wais, Doppelfass. franz. Lyrik, Halle 1936, p. 146; P⁴. – B₁: P¹. – B₂: Al; VP. – Ü.: Paladini; Nobiling 1938; Usinger; Schaukal; Reidemeister.   *598ff., 721*

*VILLIERS DE L'ISLE-ADAM (Teil I–IV; ,,cette conférence moitié oraison funèbre" [an Gosse 16. 12. 1892] vom Febr. 1890: am 11. und 15. in Brüssel, am 12. in Antwerpen, 13. Gent, 14. Lüttich, 18. Brügge,

27. Paris): L'Art moderne 23. 2./2. 3. 1890; Revue d'Aujourd'hui, 15. 5. 1890; *Conférence*, P., Libr. de l'Art Indépendant 1890 (50 Expl.); *Les Miens, I, Villiers de l'Isle-Adam*, Avec un portrait gravé par Marcellin Desboutin, Brüssel, P. Lacomblez, 1892 (mit 2 Änderungen; 600 Expl.); Floury 1897; P⁵. – Teil II allein: VP (mit Varianten; Untertitel: *Souvenir*). Fassung B von II: D. – **Ü.:** (z.T.): Paladini.   *130ff., 297, 356ff., 451f., 527, 726, 735f., 759*

*[WHISTLER]. In M.'s und Viélé-Griffins Übers.: LE TEN O'CLOCK de M. Whistler: Revue indép., Mai 1888; (als Sonderabzug:) Londres Paris 1888; P⁵. (Eine deutsche Übers.: Neue Deutsche Rundschau 14, 1903, 315f).   *306f., 682*

*WHISTLER (war für E. Girards *Portraits du prochain siècle* 1894 bestimmt): D.; P⁵.   *307f.*

NACHWORT

Die Stimme eines Einzelnen, eines Dichters und Weisen, in ihren Antworten auf das oft schrille Pandämonium des zeitgenössischen Gewimmels – er selber nannte es einmal den Fastnachtszug, les Bœufs gras –, das ist das Konzert, das im Buch über Stéphane Mallarmé orchestriert sein will.

Daneben aber wurde die Gelegenheit ergriffen, soweit sie sich beiläufig bot, die künftige literargeschichtliche Erforschung von Mallarmés Zeitalter durch die dokumentarische Aufschließung mancher noch wenig beachteten Veröffentlichungen zu unterbauen. Es gibt freilich keine einzige öffentliche oder sonstige Bibliothek, an der das hier herangezogene Schriftenmaterial etwa vereinigt zu finden gewesen wäre. Um so mehr ist es mir eine freudige Pflicht, denen zu danken, die mir bei der zeitraubenden, oft fast aussichtslosen Umfrage immer wieder durch Überlassung der manchmal nur in wenigen Stücken vorhandenen Schriften oder auch von Originalunterlagen beisprangen. Solche Unterstützung ist der 2. Auflage des *Mallarmé* zuteil geworden durch Fräulein Ingrid Bader-Frese (Freiburg i. B.-Paris), durch die Herren Jean Le Sage (Tübingen-Paris), Prof. Dr. Octave Nadal (Poitiers), Hochwürden Pfarrer Bernhard Staat (Camberg) und Prof. Dr. Julius Wilhelm (Tübingen) sowie durch das Archiv des Hauses Wahnfried in Bayreuth, durch die Bibliothek in Florenz und durch die Tübinger Büchereien (Universitätsbibliothek; Centre d'Études françaises; Romanisches Seminar), – und dies mitten in den Elendserfahrungen eines Zeitraums, in dem ungefähr alle erdenklichen Hindernisse gegen ein solches Unternehmen aufgetürmt waren und zum Teil noch aufgetürmt sind; davon wüßte auch der Verlag C. H. Beck zu berichten, der ohne alle finanzielle Beihilfe von außen den Band herausbringt.

Für Unterstützung im gleichen Sinne hatte ich bereits bei der ersten Auflage des Buches meinen Dank auszusprechen an Georges Andrieux, Paris; Hubert Fabureau, Auxerre; Dr. Karl Holl †, Berlin; Emanuel Lešetický z Lešehradu, Prag; Victor Margueritte †, Paris; Camille Mauclair †, Paris; Edvard Munch †, Skøien-Oslo; Dr. Walter Naumann, Bonn; Prof. Dr. Franz Nobiling †, Berlin; Prof. Dr. Theophil Spoerri, Zürich; ferner an Preuß. Staatsbibliothek Berlin, Bibliothek von Béziers, British Museum Library, Bibliothèque Nationale, Univ.-Bibliothek Tübingen.

Nicht mehr erreichbar waren mir eine Reihe jüngster Aufsätze, von denen hier einige aufgeführt seien: A. Morrissette, *Early English and Amer. Critics of French Symbolists* (Festschrift Fred. W. Shippley, Washington 1942, 149ff.). – Svend Johansen, *Le Problème d'Un Coup de dés* (Orbis Litterarum 3, 1945, 282ff.). – C. Roulet, *Version du poème de Mallarmé: Un Coup de dés*, 1949; ders., *Nouveaux éléments de poétique mallarméenne*, Neuenburg 1950. – M: Luzi, *Igitur, Un ipotesi* (Paragone, Juni 1950). – G. Fernández de la Mora, *La rebelde impotencia de Mall.* (Arbor, Madrid, April 1950). – A. Bellivier, *St. Mall.* (Vie Art Cité, Nr. 4, 1950). – G. Poulet, *Espaces et temps mallarméens* (Deucalion Nr. 3, Okt. 1950). – B. Gros, *Note sur trois phrases de Mall.* (Revue des Sciences humaines, Okt.-Nov. 1950). – G. Aigrisse, *Vers une psychanalyse de Mall.* (Action et Pensée, Dez. 1950). – A. R. Chisholm, *Substance and Symbol in Mall.* (French Studies, Oxford, Jan. 1951). – A. Adam, *Pour l'Interprétation de Mallarmé* (Mélanges Daniel Mornet, 1951).

NACHTRÄGE

Zu Seite 5: Poe's Zitate aus Novalis bei P. Cobb, *Influence of E. T. A. Hoffmann on the Tales of E. A. Poe*, Chapel Hill 1908, 24, z. B.: ,,The Artist belongs to his work, and not the work to the Artist".

Zu Seite 219: Außer Villiers hatten auch andere eine Ahnung von der *Igitur*-Dichtung, wie aus einer Äußerung von A. France hervorgeht. Sie stammt aus der Zeit, als France, seit seinem Bruch mit dem *Parnaß*, seit der Rundfrage Hurets, Mallarmé als ,,Platoniker" und ,,Logiker" gewürdigt wissen wollte (obwohl dieser zu Bonniot darüber sagte: ,,er versteht nicht, was die ewige Logik ist"). Als France einmal das Handeln gegenüber dem Denken abschätzig beurteilte, fügte er hinzu: ,,Stéphane Mallarmé hat, wie es heißt, zum Helden eines Abenteuerromans einen Fakir erwählt, der seit fünfzig Jahren nicht eine einzige Bewegung gemacht hat, dessen Gehirn jedoch der Schauplatz immer neuer umwälzender Vorfälle ist" (France, *La Vie littéraire* V, 1950).

Zu Seite 707 (407²): Eine Teilübersetzung aus *Souvenirs littér.* jetzt: Gide, *Die Lehre Mallarmés*, deutsch von W. Krauß (Berliner Hefte für geistiges Leben, 2, 1947, p. 353ff.).

NAMENVERZEICHNIS